國家圖書館藏敦煌遺書

中國國家圖書館編

第十冊　北敦〇〇六七〇號——北敦〇〇七五九號

北京圖書館出版社

圖書在版編目(CIP)數據

國家圖書館藏敦煌遺書・第十册/中國國家圖書館編;任繼愈主編. —北京:北京圖書館出版社,2005.12
ISBN 7-5013-2952-4

Ⅰ.國… Ⅱ.①中…②任… Ⅲ.敦煌學—文獻 Ⅳ.K870.6

中國版本圖書館 CIP 數據核字(2005)第 136368 號

書　　名　國家圖書館藏敦煌遺書・第十册
著　　者　中國國家圖書館編　任繼愈主編
責任編輯　徐　蜀　孫　彦
封面設計　李　璀

出　　版　北京圖書館出版社　(100034　北京西城區文津街 7 號)
發　　行　010-66139745　66151313　66175620　66126153
66174391(傳真)　66126156(門市部)
E-mail　cbs@nlc.gov.cn(投稿)　btsfxb@nlc.gov.cn(郵購)
Website　www.nlcpress.com
經　　銷　新華書店
印　　刷　北京文津閣印務有限責任公司

開　　本　八開
印　　張　53.75
版　　次　2005 年 12 月第 1 版第 1 次印刷
印　　數　1-150 册(套)

書　　號　ISBN 7-5013-2952-4/K・1235
定　　價　990.00 圓

編輯委員會

主　　編　任繼愈
常務副主編　方廣錩
副　主　編　李際寧　張志清
編委（按姓氏筆畫排列）　王克芬　王姿怡　吳玉梅　胡新英　陳　穎　黄　霞（常務）　劉玉芬

出版委員會

主　任　詹福瑞
副主任　陳　力
委　員（按姓氏筆畫排列）　李　健　姜　紅　郭又陵　徐　蜀　孫　彦

攝製人員（按姓氏筆畫排列）

于向洋　王富生　王遂新　谷韶軍　張　軍　張紅兵　張　陽　曹　宏　郭春紅　楊　勇　嚴　平

目錄

尒時曼殊室利法王子承佛威神從座而起
偏袒一肩右膝著地向薄伽梵曲躬合掌白
言世尊唯願演說如是相類諸佛名号及本
大願殊勝功德令諸聞者業鄣銷除為欲
利樂像法轉時諸有情故
尒時世尊讚曼殊室利童子言善哉善哉
殊室利汝以大悲勸請我說諸佛名号
功德為拔業鄣所纏有情利益安樂像法轉
時諸有情故汝今諦聽極善思惟當為汝說
曼殊室利言唯然願說我等樂聞
佛告曼殊室利東方去此過十殑伽沙等佛
土有世界名淨瑠璃佛号藥師瑠璃光如來
應正等覺明行圓滿善逝世間解无上丈夫
調御士天人師佛薄伽梵曼殊室利彼世尊
藥師瑠璃光如來行菩薩道時發十二大願
令諸有情所求皆得
苐一大願願我來世得阿耨多羅三藐三菩
提時自身光明熾然照曜无量无數无邊世
界以三十二大丈夫相八十隨形好莊嚴其
身令一切有情如我无異
苐二大願願我來世得菩提時身如瑠璃

BD00670號　藥師瑠璃光如來本願功德經　（14–1）

提時自身光明熾然照曜无量无數无邊世
界以三十二大丈夫相八十隨形好莊嚴其
身令一切有情如我无異
苐二大願願我來世得菩提時身如瑠璃
內外明徹淨无瑕穢光明廣大功德巍巍身
善安住焰網莊嚴過於日月幽冥衆生悉蒙
開曉隨意所趣作諸事業
苐三大願願我來世得菩提時以无量无邊
智慧方便令諸有情皆得无盡所受用物莫
令衆生有所乏少
苐四大願願我來世得菩提時若諸有情行
耶道者悉令安住菩提道中若行聲聞獨
覺乘者皆以大乘而安立之
苐五大願願我世得菩提時若有无量无
邊有情於我法中脩行梵行一切皆令得不
缺戒具三聚戒設有毀犯聞我名已還得
清淨不墮惡趣
苐六大願願我來世得菩提時若諸有情
其身下劣諸根不具醜陋頑愚盲聾瘖瘂
攣躄背僂白癩癲狂種種病苦聞我名已一切
皆得端政黠慧諸根完具无諸疾苦
苐七大願願我來世得菩提時若諸有情衆
病逼切无救无歸无醫无藥无親无家貧窮
多苦我之名号一經其身衆病悉除身心安
樂家屬資具悉皆豐足乃至證得无上菩提
苐八大願願我來世得菩提時若有女人為

BD00670號　藥師瑠璃光如來本願功德經　（14–2）

多苦我之名号一經其身衆病悉除身心安
樂家屬資具悉皆豐足乃至證得无上菩提
苐八大願願我來世得菩提時若有女人為
女百惡之所逼惱極生厭離願捨女身聞我
名已一切皆得轉女成男具丈夫相乃至證
得无上菩提
苐九大願願我來世得菩提時令諸有情出
魔羂網解脫一切外道纏縛若墮種種惡見
稠林皆當引攝置於正見漸令脩習諸菩薩
行速證无上正等菩提
苐十大願願我來世得菩提時若諸有情王
法所縲縛鞭撻繫閉牢獄或當刑戮及餘
无量災難陵辱悲愁煎迫身心受苦若聞我
名以我福德威神力故皆得解脫一切憂苦
苐十一大願願我來世得菩提時若諸有情
飢渴所惱為求食故造諸惡業得聞我名專
念受持我當先以上妙飲食飽足其身後
以法味畢竟安樂而建立之
苐十二大願願我來世得菩提時若諸有情
貧无衣服蚊虻寒熱晝夜逼惱若聞名專
念受持如其所好即得種種上妙衣服亦得
一切寶莊嚴具華鬘塗香鼓樂衆伎隨心所
翫皆令滿足
曼殊室利是為彼世尊藥師瑠璃光如來應
正等覺行菩薩道時所發十二微妙上願
復次曼殊室利彼世尊藥師瑠璃光如來行

BD00670 號　藥師瑠璃光如來本願功德經　（14–3）

翫皆令滿足
曼殊室利是為彼世尊藥師瑠璃光如來應
正等覺行菩薩道時所發十二微妙上願
復次曼殊室利彼世尊藥師瑠璃光如來行
菩薩道時所發大願及彼佛土功德莊嚴我
若一劫若一劫餘說不能盡然彼佛土一向清
淨无有女人亦无惡趣及苦音聲瑠璃為地
金繩界道城闕宮閣軒窓羅網皆七寶成亦
如西方極樂世界功德莊嚴等无差別於其
國中有二菩薩摩訶薩一名日光遍照二名
月光遍照是彼无量无數菩薩衆之上首悉
能持彼世尊藥師瑠璃光如來正法寶藏是
故曼殊室利諸有信心善男子善女人等應
當願生彼佛世界
尒時世尊復告曼殊室利童子言曼殊室利
有諸衆生不識善惡唯懷貪悋不知布施及
施果報愚癡无智闕於信根多聚財寶懃加
守護見乞者來其心不喜設不獲已而行施
時如割身肉深生痛惜復有无量慳貪有
情積集資財於其自身尚不受用何况能與
父母妻子奴婢作使及來乞者彼諸有情從
此命終生餓鬼界或傍生趣由昔人間曾得
蹔聞藥師瑠璃光如來名故今在惡趣蹔得
憶念彼如來名即於念時從彼處沒還生人中
得宿命念畏惡趣苦不樂欲樂好行惠施讚
歎施者一切所有悉无貪惜漸次尚能以頭目
手足血肉身分施來求者况餘財物

BD00670 號　藥師瑠璃光如來本願功德經　（14–4）

暫聞藥師瑠璃光如來名故今在惡趣暫得
憶念彼如來名即於念時從彼處沒還生人中
得宿命念畏惡趣苦不樂欲樂好行惠施讚
歎施者一切所有悉无貪惜漸次尚能以頭目
手足血宍身分施來求者况餘財物
復次曼殊室利若諸有情雖於如來受諸
學處而破尸羅有雖不破尸羅而破軌則有
於尸羅軌則雖得不壞然毀正見有雖不毀
正見而棄多聞於佛所說契經深義不能解
了有雖多聞而增上慢由增上慢覆蔽心故
自非他嫌謗正法為魔伴黨如是愚人自行
邪見復令无量俱胝有情墮大險坑此諸有
情應於地獄傍生鬼趣流轉无窮若得聞此
藥師瑠璃光如來名号便捨惡行脩諸善法
不墮惡趣設有不能捨諸惡行脩行善法墮
惡趣者以彼如來本願威力令其現前暫聞
名号從彼命終還生人趣得正見精進善調
意樂便能捨家趣於非家如來法中受持學
處无有毀犯正見多聞解甚深義離增上慢
不謗正法不為魔伴漸次脩行諸菩薩行速
得圓滿
復次曼殊室利若諸有情慳貪嫉妬自讚毀
他當墮三惡趣中无量千歲受諸劇苦受劇
苦已從彼命終還生人間作牛馬駝驢恒被
鞭撻飢渴逼惱又常負重隨路而行或得為
人生居下賤作人奴婢受他驅使恒不自在若
昔人中曾聞世尊藥師瑠璃光如來名号由

BD00670號　藥師瑠璃光如來本願功德經　（14–5）

苦已從彼命終還生人間作牛馬駝驢恒被
鞭撻飢渴逼惱又常負重隨路而行或得為
人生居下賤作人奴婢受他驅使恒不自在若
昔人中曾聞世尊藥師瑠璃光如來名号由
此善因今復憶念至心歸依以佛神力衆苦
解脫諸根聡利智慧多聞恒求勝法常遇
善友永斷魔羂破无明鷇竭煩惱河解脫
一切生老病死憂悲苦惱
復次曼殊室利若諸有情好憙乖離更相
鬪訟惱亂自他以身語意造作增長種種惡
業展轉常為不饒益事互相謀害告山林樹
塜等神殺諸衆生取其血宍祭祀藥叉羅剎
婆等書怨人名作其形像以惡呪術而呪咀
之厭媚蠱道呪起屍鬼令斷彼命及壞其身
是諸有情若得聞此藥師瑠璃光如來名号
彼諸惡事悉不能害一切展轉皆起慈心利益
安樂无損惱意及嫌恨心各各歡悅於自所
受生於喜足不相侵凌互為饒益
復次曼殊室利若有四衆苾芻苾芻尼鄔波
索迦鄔波斯迦及餘淨信善男子善女人等
有能受持八分齋戒或經一年或復三月受持
學處以此善根願生西方極樂世界无量壽
佛所聽聞正法而未定者若聞世尊藥師
瑠璃光如來名号臨命終時有八菩薩乘神
通來示其道路即於彼界種種雜色衆寶
華中自然化生或有因此生於天上雖生天中
而本善根亦未窮盡不復更生諸餘惡趣天

BD00670號　藥師瑠璃光如來本願功德經　（14–6）

壽佛所聽聞正法而未之者若聞世尊藥師
瑠璃光如來名号臨命終時有八菩薩乘神
通來示其道路即於彼界種種雜色衆寶
華中自然化生或有因此生於天上雖生天中
而本善根亦未窮盡不復更生諸餘惡趣天
上壽盡還生人間或為輪王統攝四洲威德
自在安立无量百千有情於十善道或生剎
帝利婆羅門居士大家姓多饒財寶倉庫盈溢
形相端嚴眷屬具足聡明智慧勇健威猛如大
力士若是女人得聞世尊藥師瑠璃光如來名
号至心受持於後不復更受女身
尒時曼殊室利童子白佛言世尊我當誓於
像法轉時以種種方便令諸淨信善男子善
女人等得聞世尊藥師瑠璃光如來名号乃
至睡中亦以佛名覺悟其耳世尊若於此經受
持讀誦或復為他演說開示若自書若使人
書恭敬尊重以種種華香塗香末香燒香花
鬘瓔珞幡蓋伎樂而為供養以五色綵作囊盛
之掃灑淨處敷設高座而用安處尒時四大
天王與其眷屬及餘无量百千天衆皆詣其
所供養守護世尊若此經寶流行之處有能受
持以彼世尊藥師瑠璃光如來本願功德及
聞名号當知是處无復橫死亦復不為諸
惡鬼神奪其精氣設已奪者還得如故身
心安樂
佛告曼殊室利如是如是如汝所說曼殊室
利若有淨信善男子善女人等欲供養彼世

BD00670 號　藥師瑠璃光如來本願功德經　（14–7）

聞名号當知是處无復橫死亦復不為諸
惡鬼神奪其精氣設已奪者還得如故身
心安樂
佛告曼殊室利如是如是如汝所說曼殊室
利若有淨信善男子善女人等欲供養彼世
尊藥師瑠璃光如來者應先造立彼佛形像
敷清淨座而安處之散種種花燒種種香以
種種幢幡莊嚴其處七日七夜受八分齋戒
食清淨食澡浴香潔著新淨衣應生无垢濁
心无怒害心於一切有情起利益安樂慈悲
喜捨平等之心鼓樂歌讚右遶佛像復應
念彼如來本願功德讀誦此經思惟其義演
說開示隨所樂願一切皆遂求長壽得長壽
求富饒得富饒求官位得官位求男女得男
女若復有人忽得惡夢見諸惡相或怪鳥來
集或於住處百怪出現此人若以衆妙資具
恭敬供養彼世尊藥師瑠璃光如來者惡夢
惡相諸不吉祥皆悉隱沒不能為患或有水
火刀毒懸嶮惡象師子虎狼熊羆毒蛇惡蝎
蜈蚣蚰蜒蚊虻等怖若能至心憶念彼佛恭
敬供養一切怖畏皆得解脫若他國侵擾盜
賊反亂憶念恭敬彼如來者亦皆解脫
復次曼殊室利若有淨信善男子善女人等
乃至盡形不事餘天唯當一心歸佛法僧受
持禁戒若五戒十戒菩薩四百戒苾芻二百
五十戒苾芻尼五百戒於所受中或有毀犯
怖墮惡趣若能專念彼佛名号恭敬供養

BD00670 號　藥師瑠璃光如來本願功德經　（14–8）

乃至盡形不事餘天唯當一心歸佛法僧受
持禁戒若五戒十戒菩薩四百戒苾芻二百
五十戒苾芻尼五百戒於所受中或有毀犯
怖墮惡趣若能專念彼佛名号恭敬供養
者必定不受三惡趣生或有女人臨當產時
受於極苦若能至心稱名礼讚恭敬供養
彼如來者衆苦皆除所生之子身分具足形色
端正見者歡喜利根聦明安隱少病无有非
人奪其精氣
尒時世尊告阿難言如我稱揚彼佛世尊
藥師瑠璃光如來所有功德此是諸佛甚深
行處難可解了汝爲信不阿難白言大德世
尊我於如來所說契經不生疑惑所以者何一
切如來身語意業无不清淨世尊此日月輪可
令墮落妙高山王可使傾動諸佛所言无有
異也世尊有諸衆生信根不具聞說諸佛甚
深行處作是思惟云何但念藥師瑠璃光如
來一佛名号便獲尒所功德勝利由此不信
返生誹謗彼於長夜失大利樂墮諸惡趣流
轉无窮佛告阿難是諸有情若聞世尊藥
師瑠璃光如來名号至心受持不生疑惑墮惡
趣者无有是處阿難此是諸佛甚深所行難
可信解汝今能受當知皆是如來威力阿難
一切聲聞獨覺及未登地諸菩薩等皆悉不
能如實信解唯除一生所繫菩薩阿難人身
難得於三寶中信敬尊重亦難可得得聞世

BD00670號　藥師瑠璃光如來本願功德經　（14–9）

可信解汝今能受當知皆是如來威力阿難
一切聲聞獨覺及未登地諸菩薩等皆悉不
能如實信解唯除一生所繫菩薩阿難人身
難得於三寶中信敬尊重亦難可得得聞世
尊藥師瑠璃光如來名号復難於是阿難彼
藥師瑠璃光如來无量菩薩行无量巧方便
无量廣大願我若一劫若一劫餘而廣說者
劫可速盡彼佛行願善巧方便无有盡也尒
時衆中有一菩薩摩訶薩名曰救脫即從座
起偏袒一肩右膝著地曲躬合掌而白佛言
大德世尊像法轉時有諸衆生爲種種患之
所困厄長病羸瘦不能飲食喉脣乾燥見諸
方暗死相現前父母親屬朋友知識啼泣圍
遶然彼自身卧在本處見琰魔使引其神識
至于琰魔法王之前然諸有情有俱生神隨
其所作若罪若福皆具書之盡持授與琰魔
法王尒時彼王推問其人筭計所作隨其罪
福而處斷之時彼病人親屬知識若能爲彼歸
依世尊藥師瑠璃光如來請諸衆僧轉讀
此經然七層之燈懸五色續命神幡或有是
處神識得還如在夢中明了自見或經七日
或二十一日或三十五日或四十九日彼識還時
如從夢覺皆自憶知善不善業所得果報
由自證見業果報故乃至命難亦不造作
諸惡之業是故淨信善男子善女人等皆應
受持藥師瑠璃光如來名号隨力所能恭敬
供養

BD00670號　藥師瑠璃光如來本願功德經　（14–10）

如[illegible]如善不善業所得果報
由自證見業果報故乃至命難亦不造作
諸惡之業是故淨信善男子善女人等皆應
受持藥師瑠璃光如來名号隨力所能恭敬
供養
尒時阿難問救脫菩薩曰善男子應云何恭
敬供養彼世尊藥師瑠璃光如來續命幡燈
復云何造救脫菩薩言大德若有病人欲脫
病苦當為其人七日七夜受持八分齋戒應以
飲食及餘資具隨力所辦供養苾芻僧晝
夜六時礼拜供養彼世尊藥師瑠璃光如來
讀誦此經四十九遍然四十九燈造彼如來
形像七軀一一像前各置七燈一一燈量大如
車輪乃至四十九日光明不絶造五色綵幡長
四十九搩手應放雜類衆生至四十九可得過
度危厄之難不為諸橫惡鬼所持復次阿難
若剎帝利灌頂王等災難起時所謂人衆
疾疫難他國侵逼難自界叛逆難星宿變
怪難日月薄蝕難非時風雨難過時不雨
難彼剎帝利灌頂王等尒時應於一切有情
起慈悲心赦諸繫閉依前所說供養之法
供養彼世尊藥師瑠璃光如來由此善根及
彼如來本願力故令其國界即安隱風而順時
穀稼成熟一切有情无病歡樂於其國中
无有暴惡藥叉等神惱有情者一切惡相皆
即隱沒而剎帝利灌頂王等壽命色力无病
自在皆得增益阿難若帝后妃主儲君王

BD00670 號　藥師瑠璃光如來本願功德經　（14–11）

[illegible]而順時
穀稼成熟一切有情无病歡樂於其國中
无有暴惡藥叉等神惱有情者一切惡相皆
即隱沒而剎帝利灌頂王等壽命色力无病
自在皆得增益阿難若帝后妃主儲君王
子大臣輔相中宮綵女百官黎庶及病所苦
及餘厄難亦應造立五色神幡然燈續明放
諸生命散雜色華燒衆名香病得除愈衆
難解脫
尒時阿難問救脫菩薩言善男子云何已盡
之命而可增益救脫菩薩言大德汝豈不聞
如來說有九橫死邪是故勸造續命幡燈脩
諸福德以脩福故盡其壽命不經苦患阿難
問言九橫云何救脫菩薩言若諸有情得
病雖輕然无醫藥及看病者設得遇醫授以
非藥實不應死而便橫死又信世間邪魔外
道妖孽之師妄說禍福便生恐動心不自正卜
問覓禍殺種種衆生解奏神明呼諸魍魎請
乞福祐欲冀延年終不能得愚癡迷惑信邪
倒見遂令橫死入於地獄无有出期是名初
橫二者橫被王法之所誅戮三者畋獵嬉戲
躭婬嗜酒放逸无度橫為非人奪其精氣
四者橫為火焚五者橫為水溺六者橫為種
種惡獸所噉七者橫墮山崖八者橫為毒
藥厭禱呪咀起屍鬼等之所中害九者飢渴
所困不得飲食而便橫死是為如來略說橫死
有此九種其餘復有无量諸橫難可具說復
次阿難彼琰[illegible]

BD00670 號　藥師瑠璃光如來本願功德經　（14–12）

種惡獸所噉七者横墮山崖八者横爲毒
藥厭禱呪咀起屍鬼等之所中害九者飢渴
所困不得飲食而便横死是爲如來略說横死
有此九種其餘復有无量諸横難可具說復
次阿難彼琰魔王主領世間名籍之記若諸
有情不孝五逆破辱三寶壞君臣法毀於信
戒琰魔法王隨罪輕重考而罰之是故我今
勸諸有情然燈造幡放生脩福令度苦厄
不遭衆難
尒時衆中有十二藥叉大將俱在會坐所謂
宮毗羅大將　伐折羅大將　迷企羅大將　安底羅大將
頞你羅大將　珊底羅大將　因達羅大將　波夷羅大將
摩虎羅大將　真達羅大將　招杜羅大將　毗羯羅大將
此十二藥叉大將一一各有七千藥叉以爲眷
屬同時舉聲白佛言世尊我等今者蒙佛
威力得聞世尊藥師瑠璃光如來名号不復
更有惡趣之怖我等相率皆同一心乃至盡
形歸佛法僧誓當荷負一切有情爲作義
利饒益安樂隨於何等村城國邑空閑林中
若有流布此經或復受持藥師瑠璃光如來名
号恭敬供養者我等眷屬衛護是人皆使解
脫一切苦難諸有願求悉令滿足或有疾厄
求度脫者亦應讀誦此經以五色縷結我名
字得如願已然後解結
尒時世尊讚諸藥叉大將言善哉善哉大藥
叉將汝等念報世尊藥師瑠璃光如來恩德

BD00670 號　藥師瑠璃光如來本願功德經　（14–13）

若有流布此經或復受持藥師瑠璃光如來名
号恭敬供養者我等眷屬衛護是人皆使解
脫一切苦難諸有願求悉令滿足或有疾厄
求度脫者亦應讀誦此經以五色縷結我名
字得如願已然後解結
尒時世尊讚諸藥叉大將言善哉善哉大藥
叉將汝等念報世尊藥師瑠璃光如來恩德
者常應如是利益安樂一切有情
尒時阿難白佛言世尊當何名此法門我等
云何奉持佛告阿難此法門名說藥師瑠
璃光如來本願功德亦名說十二神將饒益
有情結願神呪亦名拔除一切業鄣應如是
持時薄伽梵說是語已諸菩薩摩訶薩及
大聲聞國王大臣婆羅門居士天龍藥叉
健達縛阿素洛揭路荼緊捺洛莫呼洛伽人
非人等一切大衆聞佛所說皆大歡喜信受
奉行

藥師經

BD00670 號　藥師瑠璃光如來本願功德經　（14–14）

定法住實際虛空界不思議界離四无量四
无色定離故真如乃至不思議界離諸天子
四靜慮離故苦集滅道聖諦離四无量四无
色定離故苦集滅道聖諦離諸天子四靜慮
離故八解脫八勝處九次第定十遍處離四
无量四无色定離故八解脫八勝處九次第
定十遍處離諸天子四靜慮離故四念住四
正斷四神足五根五力七等覺支八聖道支
離四无量四无色定離故四念住乃至八聖
道支離諸天子四靜慮離故空无相无願解
脫門離四无量四无色定離故空无相无願
解脫門離諸天子四靜慮離故極喜地離垢
地發光地焰慧地極難勝地現前地遠行地
不動地善慧地法雲地離四无量四无色定
離故極喜地乃至法雲地離諸天子四靜慮
離故五眼六神通離四无量四无色定離故五
眼六神通離諸天子四靜慮離故佛十力四
无所畏四无礙解大慈大悲大喜大捨十八佛
不共法離四无量四无色定離故佛十力
乃至十八佛不共法離諸天子四靜慮離
故无忘失法恒住捨性離四无量四无色定

BD00671號　大般若波羅蜜多經卷三四四　（9–1）

无所畏四无礙解大慈大悲大喜大捨十八佛
不共法離四无量四无色定離故佛十力
乃至十八佛不共法離諸天子四靜慮離
故无忘失法恒住捨性離四无量四无色定
離故无忘失法恒住捨性離諸天子四靜慮
離故一切智道相智一切相智離四无量四
无色定離故一切智道相智一切相智離諸
天子四靜慮離故一切陀羅尼門三摩地門
離四无量四无色定離故一切陀羅尼門三
摩地門離諸天子四靜慮離故預流一來不
還阿羅漢果離四无量四无色定離故預流
一來不還阿羅漢果離諸天子四靜慮離故
獨覺菩提離四无量四无色定離故獨覺菩
提離諸天子四靜慮離故一切菩薩摩訶薩
行離四无量四无色定離故一切菩薩摩訶
薩行離諸天子四靜慮離故諸佛无上正等
菩提離四无量四无色定離故諸佛无上正等
菩提離諸天子四靜慮離故一切智智離
四无量四无色定離故一切智智離
復次諸天子八解脫離故布施淨戒安忍精
進靜慮般若波羅蜜多離八勝處九次第定
十遍處離故布施淨戒安忍精進靜慮般若
波羅蜜多離諸天子八解脫離故內空外空
內外空空空大空勝義空有為空无為空畢
竟空无際空散空无變異空本性空自相空
共相空一切法空不可得空无性空自性空
无性自性空離八勝處九次第定十遍處離
故內空乃至无性自性空離諸天子八解脫

BD00671號　大般若波羅蜜多經卷三四四　（9–2）

内外空空空大空勝義空有為空无為空畢
竟空无際空散空无變異空本性空自相空
共相空一切法空不可得空无性空自性空
无性自性空離八勝處九次第定十遍處離
故内空乃至无性自性空離諸天子八解脫
離故真如法界法性不虛妄性不變異性平
等性離生性法定法住實際虛空界不思議
界離八勝處九次第定十遍處離故真如乃
至不思議界離諸天子八解脫離故苦集滅
道聖諦離八勝處九次第定十遍處離故苦
集滅道聖諦離諸天子八解脫離故四靜慮
四无量四无色定離八勝處九次第定十遍
處離故四靜慮四无量四无色定離諸天子
八解脫離故四念住四正斷四神足五根五力
七等覺支八聖道支離八勝處九次第定十
遍處離故四念住乃至八聖道支離諸天
子八解脫離故空无相无願解脫門離八勝
處九次第定十遍處離故空无相无願解脫
門離諸天子八解脫離故極喜地離垢地發光
地焰慧地極難勝地現前地遠行地不動地
善慧地法雲地離八勝處九次第定十遍處
離故極喜地乃至法雲地離諸天子八解脫
離故五眼六神通離八勝處九次第定十遍處
離故五眼六神通離諸天子八解脫離故
佛十力四无所畏四无礙解大慈大悲大喜
大捨十八佛不共法離八勝處九次第定十
遍處離故佛十力乃至十八佛不共法離諸
天子八脫解離故无忘失法恒住捨性離八

佛十力四无所畏四无礙解大慈大悲大喜
大捨十八佛不共法離八勝處九次第定十
遍處離故佛十力乃至十八佛不共法離諸
天子八脫解離故无忘失法恒住捨性離八
勝處九次第定十遍處離故无忘失法恒住
捨性離諸天子八解脫離故一切智道相智
一切相智離八勝處九次第定十遍處離故
一切智道相智一切相智離諸天子八解脫離
離故一切陁羅尼門三摩地門離八勝處九
次第定十遍處離故一切陁羅尼門三摩地
門離諸天子八解脫離故預流一來不還阿
羅漢果離八勝處九次第定十遍處離故預
流一來不還阿羅漢果離諸天子八解脫離
故獨覺菩提離八勝處九次第定十遍處離
故獨覺菩提離諸天子八解脫離故一切菩
薩摩訶薩行離八勝處九次第定十遍處離
故一切菩薩摩訶薩行離諸天子八解脫離
故諸佛无上正等菩提離八勝處九次第定
十遍處離故諸佛无上正等菩提離諸天子
八解脫離故一切智智離八勝處九次第定
十遍處離故一切智智離
復次諸天子四念住離故布施淨戒安忍精
進靜慮般若波羅蜜多離四正斷四神足五
根五力七等覺支八聖道支離故布施淨戒
安忍精進靜慮般若波羅蜜多離諸天子四
念住離故内空外空内外空空空大空勝義
空有為空无為空畢竟空无際空散空无變
異空本性空自相空共相空一切法空[illegible]

根五力七等覺支八聖道支離故布施淨戒
安忍精進靜慮般若波羅蜜多離諸天子四
念住離故內空外空內外空空空大空勝義
空有為空无為空畢竟空无際空散空无變
異空本性空自相空共相空一切法空不可
得空无性空自性空无性自性空離四正斷
乃至八聖道支離故內空乃至无性自性空
離諸天子四念住離故真如法界法性不虛
妄性不變異性平等性離生性法定法住實
際虛空界不思議界離四正斷乃至八聖道
支離故真如乃至不思議界離諸天子四念
住離故苦集滅道聖諦離正斷乃至八聖
道支離故苦集滅道聖諦離諸天子四念住
離故四靜慮四无量四无色定離四正斷乃
至八聖道支離故四靜慮四无量四无色定
離諸天子四念住離故八解脫八勝處九次
第定十遍處離四正斷乃至八聖道支離故
八解脫八勝處九次第定十遍處離諸天子
四念住離故空无相无願解脫門離四正斷
乃至八聖道支離故空无相无願解脫門離
諸天子四念住離故極喜地離垢地發光地焰
慧地極難勝地現前地遠行地不動地善
慧地法雲地離四正斷乃至八聖道支離故
極喜地乃至法雲地離諸天子四念住離故
五眼六神通離四正斷乃至八聖道支離故
五眼六神通離諸天子四念住離故佛十力
四无所畏四无礙解大慈大悲大喜大捨十
八佛不共法離四正斷乃至八聖道支離故

五眼六神通離四正斷乃至八聖道支離故
五眼六神通離諸天子四念住離故佛十力
四无所畏四无礙解大慈大悲大喜大捨十
八佛不共法離四正斷乃至八聖道支離故
佛十力乃至十八佛不共法離諸天子四念
住離故无忘失法恒住捨性離四正斷乃至
八聖道支離故无忘失法恒住捨性離諸天
子四念住離故一切智道相智一切相智離
四正斷乃至八聖道支離故一切智道相智
一切相智離諸天子四念住離故一切陀羅
尼門三摩地門離四正斷乃至八聖道支離
故一切陀羅尼門三摩地門離諸天子四念
住離故預流一來不還阿羅漢果離四正斷
乃至八聖道支離故預流一來不還阿羅漢
果離諸天子四念住離故獨覺菩提離四正
斷乃至八聖道支離故獨覺菩提離諸天子
四念住離故一切菩薩摩訶薩行離四正斷
乃至八聖道支離故一切菩薩摩訶薩行離
諸天子四念住離故諸佛无上正等菩提離
四正斷乃至八聖道支離故諸佛无上正等
菩提離諸天子四念住離故一切智智離四
正斷乃至八聖道支離故一切智智離
復次諸天子空解脫門離故布施淨戒安忍
精進靜慮般若波羅蜜多離无相无願解脫
門離故布施淨戒安忍精進靜慮般若波羅
蜜多離諸天子空解脫門離故內空外空內
外空空空大空勝義空有為空无為空畢竟

復次諸天子空解脫門離故布施淨戒安忍
精進靜慮般若波羅蜜多離无相无願解脫
門離故布施淨戒安忍精進靜慮般若波羅
蜜多離諸天子空解脫門離故內空外空內
外空空空大空勝義空有為空无為空畢竟
空无際空散空无變異空本性空自相空共
相空一切法空不可得空无性空自性空无性
自性空離无相无願解脫門離故內空乃
至无性自性空離諸天子空解脫門離故真
如法界法性不虛妄性不變異性平等性離
生性法定法住實際虛空界不思議界離无
相无願解脫門離故真如乃至不思議界離
諸天子空解脫門離故苦集滅道聖諦離无
相无願解脫門離故苦集滅道聖諦離諸天
子空解脫門離故四靜慮四无量四无色定
離无相无願解脫門離故四靜慮四无量四
无色定離諸天子空解脫門離故八解脫八
勝處九次第定十遍處離无相无願解脫門
離故八解脫八勝處九次第定十遍處離諸
天子空解脫門離故四念住四正斷四神足
五根五力七等覺支八聖道支離无相无願
解脫門離故四念住乃至八聖道支離諸天
子空解脫門離故極喜地離垢地發光地焰
慧地極難勝地現前地遠行地不動地善慧
地法雲地離无相无願解脫門離故極喜地
乃至法雲地離諸天子空解脫門離故五眼
六神通離无相无願解脫門離故五眼六神
通離諸天子空解脫門離故佛十力四无所

BD00671 號　大般若波羅蜜多經卷三四四　（9–7）

慧地極難勝地現前地遠行地不動地善慧
地法雲地離无相无願解脫門離故極喜地
乃至法雲地離諸天子空解脫門離故五眼
六神通離无相无願解脫門離故五眼六神
通離諸天子空解脫門離故佛十力四无所
畏四无礙解大慈大悲大喜大捨十八佛不
共法離无相无願解脫門離故佛十力乃至
十八佛不共法離諸天子空解脫門離故无
忘失法恒住捨性離无相无願解脫門離故
无忘失法恒住捨性離諸天子空解脫門離
故一切智道相智一切相智離无相无願解
脫門離故一切智道相智一切相智離諸天子
空解脫門離故一切陁羅尼門三摩地門
離无相无願解脫門離故一切陁羅尼門三
摩地門離諸天子空解脫門離故預流一來
不還阿羅漢果離无相无願解脫門離故預
流一來不還阿羅漢果離諸天子空解脫門
離故獨覺菩提離无相无願解脫門離故獨
覺菩提離諸天子空解脫門離故一切菩薩
摩訶薩行離无相无願解脫門離故一切菩
薩摩訶薩行離諸天子空解脫門離故諸佛
无上正等菩提離无相无願解脫門離故諸
佛无上正等菩提離諸天子空解脫門離故
一切智智離无相无願解脫門離故一切智
智離

大般若波羅蜜多經卷第三百卌四

BD00671 號　大般若波羅蜜多經卷三四四　（9–8）

共法離无相无願解脱門離故佛十力乃至
十八佛不共法離諸天子空解脱門離故无
忘失法恒住捨性離无相无願解脱門離故
无忘失法恒住捨性離諸天子空解脱門離
故一切智道相智一切相智離无相无願解
脱門離故一切智道相智一切相智離諸天子
空解脱門離故一切陁羅尼門三摩地門
離无相无願解脱門離故一切陁羅尼門三
摩地門離諸天子空解脱門離故預流一來
不還阿羅漢果離无相无願解脱門離故預
流一來不還阿羅漢果離諸天子空解脱門
離故獨覺菩提離无相无願解脱門離故獨
覺菩提離諸天子空解脱門離故一切菩薩
摩訶薩行離无相无願解脱門離故一切菩
薩摩訶薩行離諸天子空解脱門離故諸佛
无上正等菩提離无相无願解脱門離故諸
佛无上正等菩提離諸天子空解脱門離故
一切智智離无相无願解脱門離故一切智
智離

大般若波羅蜜多經卷第三百卌四

BD00671 號　大般若波羅蜜多經卷三四四　（9–9）

不得反抄衣入白衣舍應當學
不得反抄衣入白衣舍坐應當學
不得衣纏頸入白衣舍應當學
不得衣纏頸入白衣坐應當學
不得覆頭入白衣舍應當學
不得覆頭入白衣舍坐應當學
不得跳行入白衣舍應當學
不得跳行入白衣舍坐應當學　十
不得白衣舍內蹲坐應當學
不得叉腰行入白衣舍應當學
不得叉腰入白衣舍坐應當學
不得搖身行入白衣舍應當學
不得搖身行入白衣坐應當學
不得掉臂行入白衣舍應當學
不得掉臂行入白衣舍坐應當學
好覆身入白衣舍應當學
好覆身入白衣舍坐應當學
不得左右顧視行入白衣應當學　廿
不得左右顧視行入白舍坐應當學
靜默入白衣舍應當學
靜默入白舍坐應當學
不得戲笑行入白衣舍應當學
不得戲笑行入白衣舍坐應當學

BD00672 號　四分律比丘戒本　（4–1）

静默入白衣舍應當學
静默入白舍坐應當學
不得戲笑行入白衣舍應當學
不得戲笑入白衣舍坐應當學
用意受食應當學
平鉢受食應當學
平鉢受羹應當學
羹飯等食應當學
以次食應當學　三十
不得挑鉢中而食應當學
不得自爲己索羹飯應當學
不得以飯覆羹更望得應當學
不得視比坐鉢中食應當學
當繫鉢想食應當學
不得大摶飯食應當學
不得大張口待飯食應當學
不得含飯語應當學
不得摶飯擲口中應當學
不得遺落飯食應當學　卌
不得頰食食應當學
不得嚼飯作聲食應當學
不得大噏飯食應當學
不得舌舐食應當學
不得振手食應當學
不得手把散飯食應當學
不得汙手捉飲器應當學
不得洗鉢水棄白衣舍內應當學
不得生草菜上大小便涕唾除病應當學
不得淨水中大小便涕唾除病應當學　五十

不得振手食應當學
不得手把散飯食應當學
不得汙手捉飲器應當學
不得洗鉢水棄白衣舍內應當學
不得生草菜上大小便涕唾除病應當學
不得淨水中大小便涕唾除病應當學　五十
不得立大小便除病應當學
不得與反抄衣不恭敬人說法除病應當學
不得爲衣纏頸者說法除病應當學
不得爲覆頭者說法除病應當學
不得爲裹頭者說法除病應當學
不得爲叉腰者說法除病應當學
不得爲著革屣者說法除病應當學
不得爲著木屐者說法除病應當學
不得爲騎乘者說法除病應當學
不得在佛塔中止宿除爲守護應當學
不得藏財物置佛塔中除爲堅牢應當學　六十
不得著革屣入佛塔中應當學
不得著革［手捉］屣入塔佛塔中應當學
不得著革屣繞佛塔行應當學
不得著富羅入佛塔中應當學
不得手捉富羅入佛塔中應當學
不得塔下坐食留草及食汙地應當學
不得擔死屍從塔下過應當學
不得塔下埋死屍應當學
不得在塔下燒死屍應當學　七十
不得向塔燒死屍應當學
不得佛塔四邊燒死屍使臭氣來入應當學
不得持死人衣及牀從塔下過除浣染香熏應當學

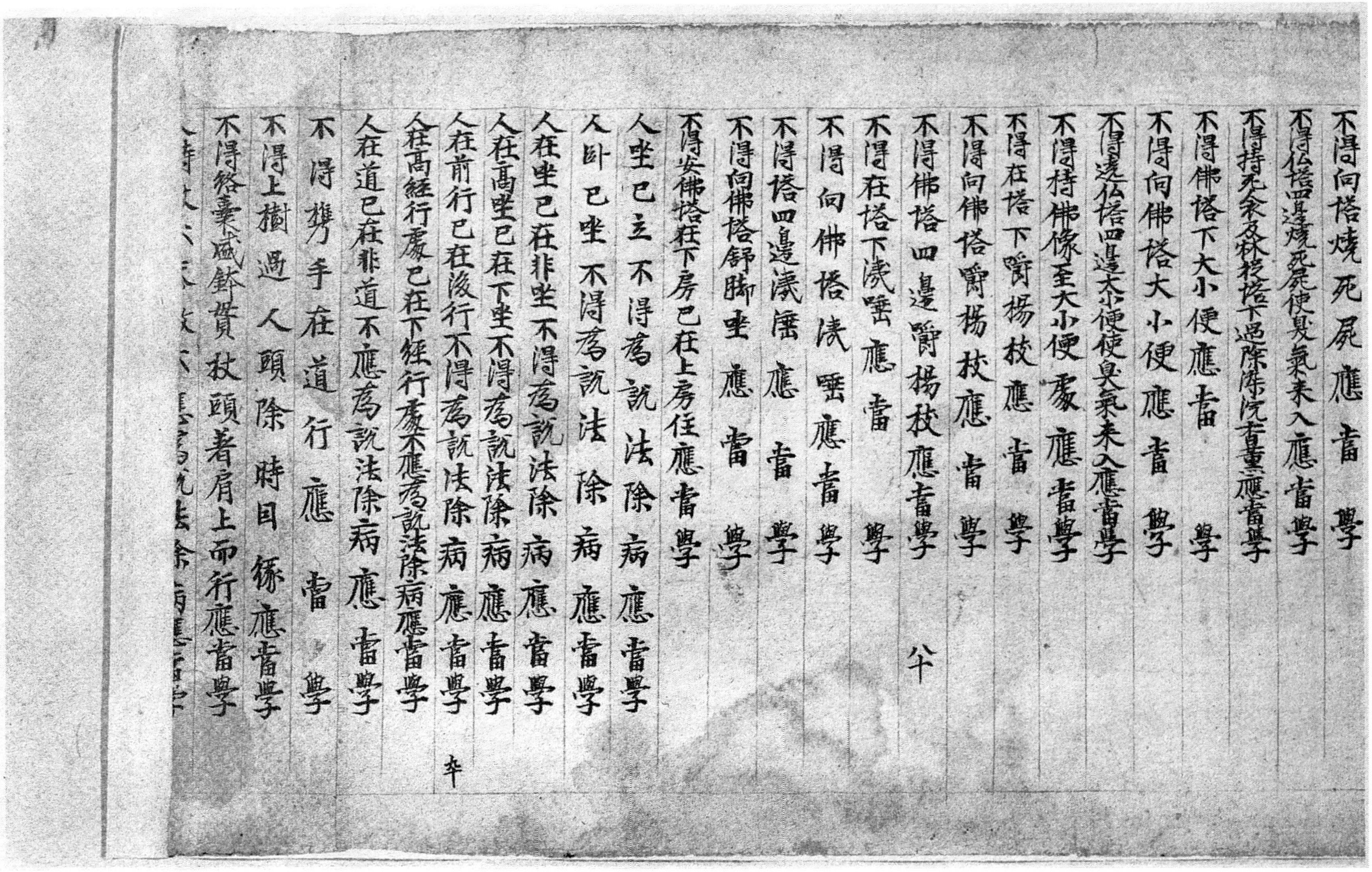

不得向塔燒死屍應當學
不得佛塔四邊燒死屍使臭氣來入應當學
不得持死人衣及牀從塔下過除浣染香熏應當學
不得佛塔下大小便應當學
不得向佛塔大小便應當學
不得遶佛塔四邊大小便使臭氣來入應當學
不得持佛像至大小便處應當學
不得在佛塔下嚼楊枝應當學
不得向佛塔嚼楊枝應當學
不得佛塔四邊嚼楊枝應當學
不得在塔下涕唾應當學 卅
不得向佛塔涕唾應當學
不得塔四邊涕唾應當學
不得向佛塔舒脚坐應當學
不得安佛塔在下房己在上房住應當學
人坐己立不得為說法除病應當學
人卧己坐不得為說法除病應當學
人在坐己在非坐不得為說法除病應當學
人在高坐己在下坐不得為說法除病應當學
人在前行己在後行不得為說法除病應當學
人在高經行處己在下經行處不應為說法除病應當學
人在道己在非道不應為說法除病應當學
不得携手在道行應當學
不得上樹過人頭除時因緣應當學
不得絡囊盛鉢貫杖頭著肩上而行應當學

BD00672 號　四分律比丘戒本　（4–4）

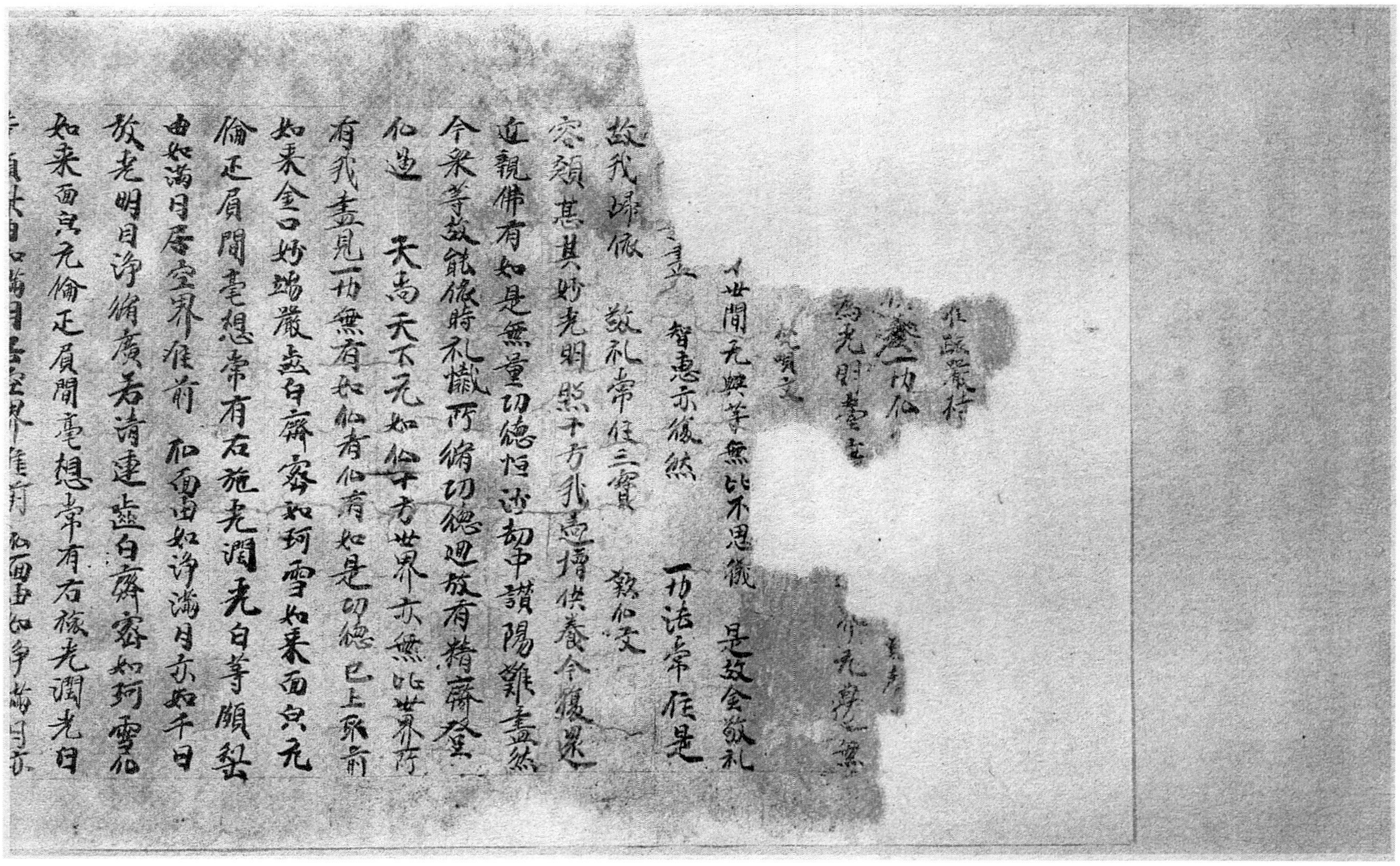

世間无與等無比不思議　是故今敬禮
智惠亦復然　一切法常住是
故我歸依　敬禮常住三寶　歎佛文
容顏甚奇妙光明照十方我適曾供養今復還
近親佛有如是無量功德恒沙劫中讚陽難盡然
今衆等故能依時礼懺所脩功德廻施有情齊登
佛道　天尚天下无如佛十方世界亦無比世界所
有我盡見一切無有如佛者如是功德已上众前
如來金口妙端嚴齒白齊密如珂雪如來面貌无
倫正眉間毫想常有右施光潤光白等頗梨
由如滿月居空界在前　和面由如淨滿月亦如千日
放光明目淨脩廣若清蓮齒白齊密如珂雪佛
如來面貌无倫正眉間毫想常有右旋光潤光白

BD00673 號　七階禮懺文（擬）　（9–1）

面如滿月居空界雍前　和面面如淨滿月亦如千日
放光明日淨脩廣若青蓮遶白齊密如珂雪仏
如來面目無倫正眉間毫想常有右旋光潤光白
等頂禮面如滿月居空界雍前　和面面如淨滿月亦
如千日放光明日淨脩廣若青蓮遶白齊密如
仏德無邊如大海無限妙寶積其中智惠得不顧
恒置百千勝定感充滿　天地此界多聞失奪
宮天處十方無丈夫牛王大沙門尋地山臨遍無
得取前　如來智海無邊際一切人天共測良假千萬億
劫中不能德知其少分我今此讚和切德於得海中
雍一滴迴斯福聚放群生皆願速證菩提過
妙湛揔持不動尊首守楞嚴■王世有消我
億劫顛倒相不應祇僧權法身願得證金過成寶
王還度如是恒衆沙此將滚心奉塵案是則名為報
仏恩　亦取前文
南无方東須彌燈光明如來十方佛
等一切諸佛　南无毗婆尸如來過去七仏等一切
諸佛　南无普光如來十五三佛等一切知仏
南无東方善德如來十方佛等一切諸仏
南无拘那提如來賢劫千佛等一切諸仏
南无釋迦牟尼如三十五佛等一切諸仏
南无東方阿閦如來一万千五佛等一切諸仏
南无寶集如來廿五佛等一切諸仏
南无普光佛　南无普明佛
南无普淨佛　南无多摩羅跋栴檀仏
南无栴檀光仏　南无摩尼幢佛

BD00673 號　七階禮懺文（擬）

（9–2）

南无寶集如來廿五佛等一切諸仏
南无普光佛　南无普明佛
南无普淨佛　南无多摩羅跋栴檀仏
南无栴檀光仏　南无摩尼幢佛
南无歡喜藏摩尼寶積仏　南无一切世間樂見常
大上精進仏　南无金剛堅強普散金剛
南无摩尼幢燈光佛　南无惠炬照仏
南无海德光明佛　南无大強精進用通仏
南无大悲光仏　南无慈力王仏　南无慈藏佛
南无栴檀窟莊嚴勝　南无賢善首仏　南无善意
南无廣莊嚴王仏　南无花金光仏　南无虛空寶花光
南无寶蓋照空自在王仏　南无琉璃莊嚴王仏
南无普見色身光仏　南无不動智光佛
南无降伏知摩王仏　南无才光明仏　南无智慧勝仏
南无彌勒仙光仏　南无世淨光仏
南无善寂月音妙尊智王　南无龍種上尊王
南无日月光仏　南无日月珠光仏　南无惠幢勝王
南无師子吼自在力王仏　南无妙音勝仏
南无常光幢佛　南无觀世燈仏　南无惠威燈王
南无須彌光仏　南无須曼那花光仏
南无優曇鉢羅花樹勝王仏　南无大惠力王仏
南无阿閦毗歡喜光仏　南无無量音聲王仏
南无才光仏　南无金海光　南无山海惠自在通王
南无大通光仏　南无一切法常滿王　已上卅五仏　南无釋迦牟尼

BD00673 號　七階禮懺文（擬）

（9–3）

南无阿閦毗歡喜光仏　南无无量音聲王仏
南无才光仏　南无金海光　南无山海慧自在通王
南无大通光仏　南无一切法常滿王
南无金剛不壞仏　南无寶月光　南无龍尊王
南无精進君仏　南无精進喜仏　南无寶火仏
南无寶月光仏　南无現無愚仏　南无寶月仏
南无無垢仏　南无離垢仏　南无勇施仏
南无清淨施仏　南无娑留那仏　南无水天仏
南无堅德仏　南无栴檀功德仏　南无无量掬光
南无光德仏　南无無優德仏　南无那羅延
南无功德花仏　南无蓮花光遊戲神通佛
南无財功德仏　南无德念仏　南无善名稱功德
南无紅炎幢王仏　南无善遊步功德仏
南无鬪戰勝仏　南无善遊步仏
南无周匝莊嚴功德仏　南无寶花遊步仏
南无寶蓮花善住娑羅樹王仏　南无寶集仏
南无寶勝佛　南无成就盧舍那仏
南无盧舍那鏡像　南无盧舍那光明仏
南无不動佛　南无大光明仏
南无不可量聲仏　南无無量聲如来
南无阿弥陀勿沙仏　南无大稱佛
南无寶光明佛　南无然燈火佛
南无得大无畏仏　南无寶聲仏
南无無邊寶仏　南无月聲仏

BD00673 號　七階禮懺文（擬）　（9–4）

南无寶光明佛　南无然燈火佛
南无得大无畏仏　南无寶聲仏
南无無邊寶仏　南无月聲仏
南无無邊稱仏　南无日月光明世尊
南无无垢光明仏　南无淨清光明佛
南无日光明佛　南无无邊寶佛
南无華勝佛　南无妙身佛
南无法光明清淨開敷蓮花佛
南无虛空功德清淨微塵等目端正功德相
光明花波頭摩瑠璃光寶體香最上香供養訖
種種莊嚴頂髻无量无邊日月光明願力莊嚴
變化莊嚴法界出生无障导王如来
南无毫相日月光明花寶蓮花堅如金剛身毗
盧遮那无障导眼圓滿十方放光照一切仏剎相
王如来　普為四恩三有及法界衆生悉願斷除知
障歸命懺悔　至心懺悔　罪不住去来今不在
兩間及内外惠眼明照非有无塵勞本来常清
淨良由妄相起分別種種顛倒因茲生著能安心
實相煩惱如空无所住懺悔已歸命礼三寶
至心發願　願諸世界常安隱无邊福智益群
生所有罪障盡消除遠離衆苦歸圓寂
恒用戒香塗體常池定眼以資身菩提妙花遍
莊嚴隨所住處常安樂　發願已歸命礼三寶
一切普誦　處世界如虛空如蓮花不著水
心清淨超於彼稽首礼无上尊　一切恭敬自

BD00673 號　七階禮懺文（擬）　（9–5）

莊嚴隨所住處常安樂 發願已歸命礼三寶
一切普誦 處世界如虛空如蓮花不著水
心清淨超於彼稽首礼无上尊 一切恭敬自
歸依佛當願衆生體解大道發无上意
自歸依法當願衆生深入經藏智惠如海
自歸依僧當願衆生統理大衆一切无㝵
願諸衆生知莫作知善奉行自淨其意是知
初敬知南一切賢聖
白衆等聽說黄昏无常偈人間怱怱營衆務不
覺年命日夜去如燈風中滅難期忙忙六道无
定趣未得解脫出苦海云何安然不驚懼各聞
強健有力時自策自勵求常住
白衆等聽說初夜无常偈煩惱深无底生死
海无邊度苦船未至云何樂睡〻眠〻當覺悟
勿令昏覆心勇猛勤精進菩提道自然
敬礼毗盧遮那佛 敬礼盧舍那佛
敬礼釋迦牟尼佛 敬礼東方善德佛
敬礼東南方无憂德佛 敬礼南方栴檀佛
敬礼西南方寶勝佛 敬礼西方无量明佛
南敬礼西北方花德佛 敬礼北方相德佛
敬礼東北方三乘行 敬礼南方廣衆德佛
敬礼下方明德佛 敬礼當來下生弥勒尊
敬礼過現未來十方三世一切諸佛
敬礼舍利像无量寶塔

BD00673 號　七階禮懺文（擬）　（9–6）

敬礼東北方三乘行 敬礼南方廣衆德佛
敬礼下方明德佛 敬礼當來下生弥勒尊
敬礼過現未來十方三世一切諸佛
敬礼舍利像无量寶塔
敬礼十二部尊經甚深法藏 敬礼諸大菩薩
摩訶薩衆 敬礼聲聞緣覺一切賢聖
為天龍八部知善神王敬礼常住三寶 為過現
之師恒為道首敬礼常住三寶 為帝主聖化無
窮敬礼常住三寶 為太子之王福延萬葉敬礼常住
三寶 為師僧父母及善知識敬礼常住三寶
為十方施主六度圓滿敬礼常住三寶 為受苦衆生
速令離苦敬礼常住三報 為國土安寧法輪常
轉敬礼常住三寶 為法界有情礼佛懺悔
至心懺悔十方无量佛所知无不盡我今悉於前發路
悔諸惡三〻合九種從三煩惱起今身若前身有
罪皆懺悔於三惡道中若應受業報願得今身
償不入惡道受 懺悔已歸命礼三寶 至心勸請
十方知如來現在成道者我請轉法輪安樂諸衆
生十方一切佛若欲捨壽命我今頭面礼勸請令久
住迴向於菩提迴向已歸命礼三寶 至心迴向我
所作福業一切皆和合為度諸生正迴向佛道罪
應如是懺勸請隨喜福迴向於菩提迴向已歸
礼三寶 至心發願 願諸衆生等悉發菩提心繫心

BD00673 號　七階禮懺文（擬）　（9–7）

送令雖老敬礼常住三報　為國主父尊法論常
常傳敬礼常住三寶　為法界有情礼佛懺悔
至心懺悔十方无量佛所知无不盡我今悉於前發露
悔諸惡三〻合九種從三煩惱起今身若前身有
罪皆懺悔於三惡道中若應受業報願得今身
常不入惡道受　懺悔已歸命礼三寶　至心勸請
十方知如來現在成道者我請轉法輪安樂諸衆
生十方一切佛若欲舍受命我今頭面礼勸請令久
在迴向於菩提迴向已歸命礼三寶　至心迴向我
所作福業一切皆和合為度群生正迴向佛道罪
應如是懺勸請隨喜福迴向於提菩迴向已歸
礼三寶　至心發願　願諸衆生等悉發菩提心發心
常思念十方一切佛若欲舍受我今頭面礼勸請
復願諸中生永破知煩惱了〻見佛姓種妙等發
願已歸命礼三寶　白衆等聽說寅朝清淨偈欲
求寂滅樂當學沙門法衣食知身命清濁隨
衆等全日知衆等寅朝清淨各已六念
第一念佛願得佛身　第二念法法輪常轉　第三
念僧頭陀若行　第四念施施心不絕　第五
念誡恨圓滿　第六念天天大般盤

BD00673號　七階禮懺文（擬）　（9–8）

常不入惡道受　懺悔已歸命礼三寶　至心勸請
十方知如來現在成道者我請轉法輪安樂諸衆
生十方一切佛若欲舍受命我今頭面礼勸請令久
在迴向於菩提迴向已歸命礼三寶　至心迴向我
所作福業一切皆和合為度群生正迴向佛道罪
應如是懺勸請隨喜福迴向於提菩迴向已歸
礼三寶　至心發願　願諸衆生等悉發菩提心發心
常思念十方一切佛若欲舍受我今頭面礼勸請
復願諸中生永破知煩惱了〻見佛姓種妙等發
願已歸命礼三寶　白衆等聽說寅朝清淨偈欲
求寂滅樂當學沙門法衣食知身命清濁隨
衆等全日知衆等寅朝清淨各已六念
第一念佛願得佛身　第二念法法輪常轉　第三
念僧頭陀若行　第四念施施心不絕　第五
念誡恨圓滿　第六念天天大般盤

BD00673號　七階禮懺文（擬）　（9–9）

多摩羅跋旃檀香
善逝世間解无上
尊劫名喜滿國名
為地寶樹莊嚴散真珠
歡喜多諸天人菩薩聲聞
其數无量佛壽二十四小劫正法住世四十
小劫像法亦住四十小劫尒時世尊欲重宣
此義而說偈言
我此弟子 大目揵連 捨是身已 得見八千
二百万億 諸佛世尊 為佛道故 供養恭敬
於諸佛所 常脩梵行 於无量劫 奉持佛法
諸佛滅後 起七寶塔 長表金剎 華香妓樂
而以供養 諸佛塔廟 漸漸具足 菩薩道已
於意樂國 而得作佛 号多摩羅 旃檀之香
其佛壽命 二十四劫 常為天人 演說佛道
聲聞无量 如恒河沙 三明六通 有大威德
菩薩无數 志固精進 於佛智慧 皆不退轉
佛滅度後 正法當住 四十小劫 像法亦尒
我諸弟子 威德具足 其數五百 皆當授記

BD00674號 妙法蓮華經卷三 （15–1）

聲聞无量 如恒河沙 三明六通 有大威德
菩薩无數 志固精進 於佛智慧 皆不退轉
佛滅度後 正法當住 四十小劫 像法亦尒
我諸弟子 威德具足 其數五百 皆當授記
於未來世 咸得成佛 我及汝等 宿世因緣
吾今當說 汝等善聽

妙法蓮華經化城喻品第七

佛告諸比丘乃往過去无量无邊不可思議
阿僧祇劫尒時有佛名大通智勝如來應供正
遍知明行足善逝世間解无上士調御丈夫
天人師佛世尊其國名好成劫名大相諸比
丘彼佛滅度已來甚大久遠譬如三千大千
世界所有地種假使有人磨以為墨過於東
方千國土乃下一點大如微塵又過千國土
復下一點如是展轉盡地種墨於汝等意云
何是諸國土若算師若算師弟子能得邊
際知其數不不也世尊諸比丘是人所經國
土若點不點盡末為塵一塵一劫彼佛滅度
已來復過是數无量无邊百千万億阿僧祇
劫我以如來知見力故觀彼久遠猶若今日
尒時世尊欲重宣此義而說偈言
我念過去世 无量无邊劫 有佛兩足尊 名大通智勝
如人以力磨 三千大千土 盡此諸地種 皆悉以為墨
過於千國土 乃下一塵點 如是展轉點 盡此諸塵墨
如是諸國土 點與不點等 復盡末為塵 一塵為一劫
此諸微塵數 其劫復過是 彼佛滅度來 如是无量劫
如來无礙智 知彼佛滅度 及聲聞菩薩 如見今滅度

BD00674號 妙法蓮華經卷三 （15–2）

過於千國土 乃下一塵點 如是展轉點 盡此諸塵墨
如是諸國土 點與不點等 復盡末為塵 一塵為一劫
此諸微塵數 其劫復過是 彼佛滅度來 如是无量劫
如來无礙智 知彼佛滅度 及聲聞菩薩 如見今滅度
諸比丘當知 佛智淨微妙 无漏无所礙 通達无量劫
佛告諸比丘大通智勝佛壽五百四十万億
那由他劫其佛本坐道場破魔軍已垂得阿
耨多羅三藐三菩提而諸佛法不現在前如
是一小劫乃至十小劫結跏趺坐身心不動
而諸佛法猶不在前尒時忉利諸天先為彼
佛於菩提樹下敷師子座高一由旬佛於此
座當得阿耨多羅三藐三菩提適坐此座時
諸梵天王雨衆天華面百由旬香風時来吹去
萎華更雨新者如是不絕滿十小劫供養
於佛乃至滅度常雨此華四王諸天為供養
佛常擊天鼓其餘諸天作天伎樂滿十小劫
至于滅度亦復如是諸比丘大通智勝佛過
十小劫諸佛之法乃現在前成阿耨多羅三
藐三菩提其佛未出家時有十六子其第一
者名曰智積諸子各有種種珍異玩好之具
聞父得成阿耨多羅三藐三菩提皆捨所珍
往詣佛所諸母涕泣而隨送之其祖轉輪聖
王與一百大臣及餘百千万億人民皆共圍
繞隨至道場咸欲親近大通智勝如来供養
恭敬尊重讚歎到已頭面礼足繞佛畢已一
心合掌瞻仰世尊以偈頌曰
大威德世尊 為度衆生故 於无量億劫 尒乃得成佛
諸願已具足 善哉吉无上 世尊甚希有 一坐十小劫

恭敬尊重讚歎到已頭面礼足繞佛畢已一
心合掌瞻仰世尊以偈頌曰
大威德世尊 為度衆生故 於无量億劫 尒乃得成佛
諸願已具足 善哉吉无上 世尊甚希有 一坐十小劫
身體及手足 靜然安不動 其心常憺怕 未曾有散亂
究竟永寂滅 安住无漏法 今者見世尊 安隱成佛道
我等得善利 稱慶大歡喜 衆生常苦惱 盲冥无導師
不識苦盡道 不知求解脫 長夜增惡趣 減損諸天衆
從冥入於冥 永不聞佛名 今佛得最上 安隱无漏道
我等及天人 為得最大利 是故咸稽首 歸命无上尊
尒時十六王子偈讚佛已勸請世尊轉於法
輪咸作是言世尊說法多所安隱憐愍饒益
諸天人民重說偈言
世雄无等倫 百福自莊嚴 得无上智惠 願為世間說
度脫於我等 及諸衆生類 為分別顯示 令得是智惠
若我等得佛 衆生亦復然 世尊知衆生 深心之所念
亦知所行道 又知智惠力 欲樂及修福 宿命所行業
世尊悉知已 當轉无上輪
佛告諸比丘大通智勝佛得阿耨多羅三藐
三菩提時十方各五百万億諸佛世界六種
震動其國中間幽冥之處日月威光所不能
照而皆大明其中衆生各得相見咸作是言
此中云何忽生衆生又其國界諸天宮殿乃
至梵宮六種震動大光普照遍滿世界勝諸
天光尒時東方五百万億諸國土中梵天宮殿光
明照曜倍於常明諸梵天王各作是念今者
宮殿光明昔所未有以何因緣而現此相是時

至梵宮六種震動大光普照遍滿世界勝諸
天光尒時東方万億諸土中梵天宮殿光
明照曜倍於常明諸梵天王各作是念今者
宮殿光明昔所未有以何因緣而現此相是時
諸梵天王即各相詣共議此事時彼衆中
有一大梵天王名救一切為諸梵衆而說偈言
我等諸宮殿　光明昔未有　此是何因緣　宜各共求之
為大德天生　為佛出世間　而此大光明　遍照於十方
尒時五百万億國土諸梵天王與宮殿俱各
以衣裓盛諸天華共詣西方推尋是相見大
通智勝如來處于道場菩提樹下坐師子座
諸天龍王乾闥婆緊那羅摩睺羅伽人非人
等恭敬圍繞及見十六王子請佛轉法輪即
時諸梵天王頭面礼佛繞百千帀即以天華
而散佛上其所散華如須弥山并以供養佛
菩提樹其菩提樹高十由旬華供養已各以
宮殿奉上彼佛而作是言唯見哀愍饒益我
等所獻宮殿願垂納受時諸梵天王即於佛
前一心同聲以偈頌曰
世尊甚希有　難可得值遇　具无量功德　能救護一切
天人之大師　哀愍於世間　十方諸衆生　普皆蒙饒益
我等所從來　五百万億國　捨深禪定樂　為供養佛故
我等先世福　宮殿甚嚴飾　今以奉世尊　唯願哀納受
尒時諸梵天王偈讚佛已各作是言唯願世
尊轉於法輪度脫衆生開涅槃道時諸梵天
王一心同聲而說偈言
世雄兩足尊　唯願演說法　以大慈悲力　度苦惱衆生

尊轉於法輪度脫衆生開涅槃道時諸梵天
王一心同聲而說偈言
世雄兩足尊　唯願演說法　以大慈悲力　度苦惱衆生
尒時大通智勝如來嘿然許之又諸比丘東
南方五百万億國土諸大梵王各自見宮殿
光明照曜昔所未有歡喜踊躍生希有心即
各相詣共議此事時彼衆中有一大梵天王
名曰大悲為諸梵衆而說偈言
是事何因緣　而現如此相　我等諸宮殿　光明昔未有
為大德天生　為佛出世間　未曾見此相　當共一心求
過千万億土　尋光共推之　多是佛出世　度脫苦衆生
尒時五百万億諸梵天王與宮殿俱各以衣
裓盛諸天華共詣西北方推尋是相見大
通智勝如來處于道場菩提樹下坐師子座
諸天龍王乾闥婆緊那羅摩睺羅伽人非人
等恭敬圍繞及見十六子請佛轉法輪時
諸梵天王頭面礼佛繞百千帀即以天華而
散佛上所散之華如須弥山并以供養佛菩
提樹華供養已各以宮殿奉上彼佛而作是
言唯見哀愍饒益我等所獻宮殿願垂納受
尒時諸梵天王即於佛前一心同聲以偈頌
曰
聖主天中王　迦陵頻伽聲　哀愍衆生者　我等今敬礼
世尊甚希有　久遠乃一現　一百八十劫　空過无有佛
三惡道充滿　諸天衆減少　今佛出於世　為衆生作眼
世間所歸趣　救護於一切　為衆生之父　哀愍饒益者
我等宿福慶　今得值世尊

世尊甚希有　久遠乃一現　一百八十劫　空過无有佛
三惡道充滿　諸天衆減少　今佛出於世　為衆生作眼
世間所歸趣　救護於一切　為衆生之父　哀愍饒益者
我等宿福慶　今得值世尊
尒時諸梵天王偈讚佛已各作是言唯願世
尊哀愍一切轉於法輪度脫衆生時諸梵天
王一心同聲而說偈言
大聖轉法輪　顯示諸法相　度苦惱衆生　令得大歡喜
衆生聞此法　得道若生天　諸惡道減少　忍善者增益
尒時大通智勝如來嘿然許之又諸比丘南
方五百万億國土諸大梵王各自見宮殿光
明照曜昔所未有歡喜踊躍生希有心即各
相詣共議此事以何因緣我等宮殿有此光
曜而彼衆中有一大梵天王名曰妙法為諸梵
衆而說偈言
我等諸宮殿　光明甚威曜　此非无因緣　是相宜求之
過於百千劫　未曾見是相　為大德天生　為佛出世間
尒時五百万億諸梵天王與宮殿俱各以衣
裓盛諸天華共詣北方推尋是相見大通智
勝如來處于道場菩提樹下坐師子座諸天
龍王乾闥婆緊那羅摩睺羅伽人非人等恭
敬圍繞及見十六王子請佛轉法輪時諸梵
天王頭面礼佛繞百千帀即以天華而散佛
上所散之華如須弥山并以供養佛菩提樹
華供養已各以宮殿奉上彼佛而作是言唯
見哀愍饒益我等所獻宮殿願垂納受尒時
諸梵天王即於佛前一心同聲以偈頌曰

BD00674號　妙法蓮華經卷三　（15–7）

上所散之華如須弥山并以供養佛菩提樹
華供養已各以宮殿奉上彼佛而作是言唯
見哀愍饒益我等所獻宮殿願垂納受尒時
諸梵天王即於佛前一心同聲以偈頌曰
世尊甚難見　破諸煩惱者　過百三十劫　今乃得一見
諸飢渴衆生　以法雨充滿　昔所未曾覩　无量智慧者
如優曇鉢華　今日乃值遇　我等諸宮殿　蒙光故嚴飾
世尊大慈悲　唯願垂納受
尒時諸梵天王偈讚佛已各作是言唯願世
尊轉於法輪令一切世間諸天魔梵沙門婆
羅門皆獲安隱而得度脫時諸梵天王一心同
聲以偈頌曰
唯願天人尊　轉无上法輪　擊于大法鼓　而吹大法螺
普雨大法雨　度无量衆生　我等咸歸請　當演深遠音
尒時大通智勝如來嘿然許之西南方乃至
下方亦復如是尒時上方五百万億國土諸
大梵王皆悉自覩所止宮殿光明威曜昔所
未有歡喜踊躍生希有心即各相詣共議此
事以何因緣我等宮殿有斯光明彼衆中
有一大梵天王名曰尸棄為諸梵衆而說偈言
今以何因緣　我等諸宮殿　威德光明曜　嚴飾未曾有
如是之妙相　昔所未聞見　為大德天生　為佛出世間
尒時五百万億諸梵天王與宮殿俱各以衣
裓盛諸天華共詣下方推尋是相見大通智
勝如來處于道場菩提樹下坐師子座諸天
龍王乾闥婆緊那羅摩睺羅伽人非人等恭
敬圍繞及見十六王子請佛轉法輪時諸梵

BD00674號　妙法蓮華經卷三　（15–8）

裓盛諸天華共詣下方推尋是相見大通智
勝如来處于道場菩提樹下坐師子座諸天
龍王乾闥婆緊那羅摩睺羅伽人非人等恭
敬圍繞及見十六王子請佛轉法輪時諸梵
天王頭面礼佛繞百千帀即以天華而散佛
上所散之華如須弥山并以供養佛菩提樹
華供養已各以宮殿奉上彼佛而作是言唯
見哀愍饒益我等所獻宮殿願垂納受時諸
梵天王即於佛前一心同聲以偈頌曰
善哉見諸佛　救世之聖尊　能於三界獄　勉出諸衆生
普智天人尊　哀愍群生類　能開甘露門　廣度於一切
於昔无量劫　空過无有佛　世尊未出時　十方常闇瞑
三惡道增長　阿脩羅亦盛　諸天衆轉減　死多墮惡道
不從佛聞法　常行不善事　色力及智慧　斯等皆減少
罪業因緣故　失樂及樂想　住於邪見法　不識善儀則
不蒙佛所化　常墮於惡道　佛為世間眼　久遠時乃出
哀愍諸衆生　故現於世間　超出成正覺　我等甚欣慶
及餘一切衆　喜歎未曾有　我等諸宮殿　蒙光故嚴飾
今以奉世尊　唯垂哀納受　願以此功德　普及於一切
我等與衆生　皆共成佛道
尒時五百万億諸梵天王偈讚佛已各白佛
言唯願世尊轉於法輪多所安隱多所度脫
時諸梵天王而說偈言
世尊轉法輪　擊甘露法鼓　度苦惱衆生　開示涅槃道
唯願受我請　以大微妙音　哀愍而敷演　无量劫習法
尒時大通智勝如来受十方諸梵天王及十
六王子請即時三轉十二法輪若沙門婆羅

BD00674號　妙法蓮華經卷三　（15–9）

時諸梵天王而說偈言
世尊轉法輪　擊甘露法鼓　度苦惱衆生　開示涅槃道
唯願受我請　以大微妙音　哀愍而敷演　无量劫習法
尒時大通智勝如来受十方諸梵天王及十
六王子請即時三轉十二法輪若沙門婆羅
門若天魔梵及餘世間所不能轉謂是苦是
苦集是苦滅是苦滅道及廣說十二因緣法
无明緣行行緣識識緣名色名色緣六入六
入緣觸觸緣受受緣愛愛緣取取緣有有緣
生生緣老死憂悲苦惱无明滅則行滅行滅
則識滅識滅則名色滅名色滅則六入滅六
入滅則觸滅觸滅則受滅受滅則愛滅愛滅
則取滅取滅則有滅有滅則生滅生滅則老
死憂悲苦惱滅佛於天人大衆之中說是法
時六百万億那由他人以不受一切法故而
於諸漏心得解脫皆得深妙禪定三明六通
具八解脫第二第三第四說法時千万億恒
河沙那由他等衆生亦以不受一切法故而
於諸漏心得解脫從是已後諸聲聞衆无量
无邊不可稱數尒時十六王子皆以童子出
家而為沙弥諸根通利智慧明了已曾供養
百千万億諸佛淨脩梵行求阿耨多羅三藐
三菩提俱白佛言世尊是諸无量千万億大
德聲聞皆已成就世尊亦當為我等說阿耨
多羅三藐三菩提法我等聞已皆共修學世
尊我等志願如来知見深心所念佛自證知
尒時轉輪聖王所將衆中八万億人見十六

BD00674號　妙法蓮華經卷三　（15–10）

德聲聞皆已成就世尊亦當為我等說阿耨
多羅三藐三菩提法我等聞已皆共修學世
尊我等志願如来知見深心所念佛自證知
尒時轉輪聖王所將衆中八万億人見十六
王子出家亦求出家王即聽許尒時彼佛
受沙弥請過二万劫已乃於四衆之中說是大
乘經名妙法蓮華教菩薩法佛所護念說是
經已十六沙弥為阿耨多羅三藐三菩提故
皆共受持諷誦通利說是經時十六菩薩沙
弥皆悉信受聲聞衆中亦有信解其餘衆生
千万億衆皆生疑惑佛說是經於八千劫未
曾休廢說此經已即入靜室住於禪定八万
四千劫是時十六菩薩沙弥知佛入室寂然
禪定各昇法座亦於八万四千劫為四部衆
廣說分別妙法華經一一皆度六百万億那
由他恒河沙等衆生示教利喜令發阿耨多
羅三藐三菩提心大通智勝佛過八万四千
劫已從三昧起往詣法座安詳而坐普告大
衆是十六菩薩沙弥甚為希有諸根通利智
慧明了已曾供養无量千万億无數諸佛於
諸佛所常修梵行受持佛智開示衆生令入
其中汝等皆當數數親近而供養之所以者
何若聲聞辟支佛及諸菩薩能信是十六菩
薩所說經法受持不毀者是人皆當得阿耨
多羅三藐三菩提如来之慧佛告諸比丘是
十六菩薩常樂說是妙法蓮華經一一菩薩
所化六百万億那由他恒河沙等衆生世世

BD00674 號　妙法蓮華經卷三　（15–11）

何若聲聞辟支佛及諸菩薩能信是十六菩
薩所說經法受持不毀者是人皆當得阿耨
多羅三藐三菩提如来之慧佛告諸比丘是
十六菩薩常樂說是妙法蓮華經一一菩薩
所化六百万億那由他恒河沙等衆生世世
所生與菩薩俱從其聞法悉皆信解以此因
緣得值四万億諸佛世尊于今不盡諸比丘
我今語汝彼佛弟子十六沙弥今皆得阿耨
多羅三藐三菩提於十方國土現在說法有
无量百千万億菩薩聲聞以為眷屬其二沙
弥東方作佛一名阿閦在歡喜國二名須弥
頂東南方二佛一名師子音二名師子相南
方二佛一名虛空住二名常滅西南方二佛
一名帝相二名梵相西方二佛一名阿弥陁
二名度一切世間苦惱西北方二佛一名多
摩羅跋栴檀香神通二名須弥相北方二佛
一名雲自在二名雲自在王東北方佛名壞
一切世間怖畏第十六我釋迦牟尼佛於娑
婆國土成阿耨多羅三藐三菩提諸比丘我
等為沙弥時各各教化无量百千万億恒河
沙等衆生從我聞法為阿耨多羅三藐三菩
提此諸衆生于今有住聲聞地者我常教化
阿耨多羅三藐三菩提諸人等應以是法
漸入佛道所以者何如来智慧難信難解尒
時所化无量恒河沙等衆生者汝等諸比丘
及我滅度後未来世中聲聞弟子是也我滅
度後復有弟子不聞是經不知不覺菩薩所

BD00674 號　妙法蓮華經卷三　（15–12）

漸入佛道所以者何如来智慧難信難解尒
時所化无量恒河沙等衆生者汝等諸比丘
及我滅度後未来世中聲聞弟子是也我滅
度後復有弟子不聞是經不知不覺菩薩所
行自於所得功德生滅度想當入涅槃我於
餘國作佛更有異名是人雖生滅度之想入
於涅槃而於彼土求佛智慧得聞是經唯以
佛乘而得滅度更无餘乘除諸如来方便說
法諸比丘若如来自知涅槃時到衆又清淨
信解堅固了達空法深入禪定便集諸菩薩
及聲聞衆為說是經世間无有二乘而得滅
度唯一佛乘得滅度耳比丘當知如来方便
深入衆生之性知其志樂小法深着五欲為
是等故說於涅槃是人若聞則便信受譬如
五百由旬險難惡道曠絶无人怖畏之處若
有多衆欲過此道至珎寶處有一導師聰慧
明達善知險道通塞之相將導衆人欲過此
難所將人衆中路懈退白導師言我等疲極
而復怖畏不能復進前路猶遠今欲退還導
師多諸方便而作是念此等可愍云何捨大珎
寶而欲退還作是念已以方便力於險道
中過三百由旬化一城告衆人言汝等勿
怖莫得退還今此大城可於中止隨意所作
若入是城快得安隱若能前至寶所亦可得
去是時疲極之衆心大歡喜歎未曾有我等
今者免斯惡道快得安隱於是衆人前入化
城去已度想生安隱想尒時導師知此人衆

若入是城快得安隱若能前至寶所亦可得
去是時疲極之衆心大歡喜歎未曾有我等
今者免斯惡道快得安隱於是衆人前入化
城去已度想生安隱想尒時導師知此人衆
既得止息无復疲惓即滅化城語衆人言
汝等去来寶處在近向者大城我所化作為
止息耳諸比丘如来亦復如是今為汝等作
大導師知諸生死煩惱惡道險難長遠應去
應度若衆生但聞一佛乘者則不欲見佛不
欲親近便作是念佛道長遠久受勤苦乃可
得成佛知是心怯弱下劣以方便力而於中
道為止息故說二涅槃若衆生住於二地如来
尒時即便為說汝等所作未辦汝所住地
近於佛慧當觀察籌量所得涅槃非真實也
但是如来方便之力於一佛乘分別說三如
彼導師為止息故化作大城既知息已而告
之言寶處在近此城非實我化作耳尒時世
尊欲重宣此義而說偈言
大通智勝佛　十劫坐道場　佛法不現前　不得成佛道
諸天神龍王　阿脩羅衆等　常雨於天華　以供養彼佛
諸天擊天鼓　并作衆伎樂　香風吹萎華　更雨新好者
過十小劫已　乃得成佛道　諸天及世人　心皆懷踊躍
彼佛十六子　皆與其眷屬　千万億圍繞　俱行至佛所
頭面礼佛足　而請轉法輪　聖師子法雨　充我及一切
世尊甚難值　久遠時一現　為覺悟群生　震動於一切
東方諸世界　五百万億國　梵宫殿光曜　昔所未曾有
諸梵見此相　尋来至佛所　散華以供養　并奉上宫殿
請佛轉法輪　以偈而讚歎　佛知時未至　受請黙然坐

諸天神龍王　阿修羅衆等　常雨於天華　以供養彼佛
諸天擊天鼓　并作衆伎樂　香風吹萎華　更雨新好者
過十小劫已　乃得成佛道　諸天及世人　心皆懷踊躍
彼佛十六子　皆與其眷屬　千万億圍繞　俱行至佛所
頭面礼佛足　而請轉法輪　聖師子法雨　充我及一切
世尊甚難值　久遠時一現　為覺悟群生　震動於一切
東方諸世界　五百万億國　梵宮殿光曜　昔所未曾有
諸梵見此相　尋來至佛所　散華以供養　并奉上宮殿
請佛轉法輪　以偈而讚歎　佛知時未至　受請嘿然坐
三方及四維　上下亦復尒　散華奉宮殿　請佛轉法輪
世尊甚難值　願以大慈悲　廣開甘露門　轉无上法輪
无量慧世尊　受彼衆人請　為宣種種法　四諦十二緣
无明至老死　皆從生緣有　如是衆過患　汝等應當知
宣暢是法時　六百万億姟　得盡諸苦際　皆成阿羅漢
第二說法時　千万恒沙衆　於諸法不受　亦得阿羅漢
從是後得道　其數无有量　万億劫筭數　不能得其邊
時十六王子　出家作沙弥　皆共請彼佛　演說大乘法
我等及營從　皆當成佛道　願得如世尊　慧眼第一淨
佛知童子心　宿世之所行　以无量因緣　種種諸譬喻
說六波羅蜜　及諸神通事　分別真實法　菩薩所行道
說是法華經　如恒河沙偈

BD00674 號　妙法蓮華經卷三　（15–15）

上正等菩提
善現譬如有人欲食菴沒羅果或半娜娑果
先取其子於良美地而種殖之隨時溉灌守
護營理漸次生長乃莖枝葉時節和合便有
花果果成熟已取而食之如是善現菩薩摩
訶薩欲得无上正等菩提先學六種波羅蜜
多復於有情或以布施或以愛語或以利行
或以同事而攝受之既攝受已教令安住布
施淨戒安忍精進靜慮般若波羅蜜多既安
住已解脫一切生老病死證得常住畢竟安
樂菩薩如是當得无上正等菩提轉妙法輪
度无量衆是故善現若菩薩摩訶薩欲於諸
法不藉他緣而自悟解欲能成熟一切有情
欲於佛土能善嚴淨欲疾安坐妙菩提座欲
能降伏一切魔軍欲速證得一切智智欲轉
法輪脫有情類生老病死當學六種波羅蜜
多以四攝事方便攝受諸有情類菩薩如是
勤脩學時應於般若波羅蜜多常勤脩學
尒時具壽善現白佛言世尊佛說菩薩摩訶
薩應於般若波羅蜜多常勤學耶佛言善現
如是如是我說菩薩摩訶薩應於般若波羅

BD00675 號　大般若波羅蜜多經卷三五六　（4–1）

法輪脫有情類生老病死當學六種波羅蜜
多以四攝事方便攝受諸有情類菩薩如是
勤修學特應於般若波羅蜜多常勤修學
尒時具壽善現白佛言世尊佛說菩薩摩訶
薩應於般若波羅蜜多常勤學邪佛言善現
如是如是我說菩薩摩訶薩應於般若波羅
蜜多常勤修學善現若菩薩摩訶薩欲於諸
法得大自在當學般若波羅蜜多何以故善
現甚深般若波羅蜜多能令菩薩於一切法
得自在故復次善現甚深般若波羅蜜多是
諸善法生長方便所趣向門譬如大海是諸
珎生長方便及一切水所趣向門如是善
現般若波羅蜜多是諸善法生長方便
向門是故善現求聲聞乘補特伽羅求
覺乘補特伽羅求菩薩乘補特伽羅皆當
於此甚深般若波羅蜜多常勤修學善現
諸菩薩摩訶薩於此般若波羅蜜多勤修學時
應勤修學布施波羅蜜多應勤修學淨戒安
忍精進靜慮般若波羅蜜多應勤安住內空
應勤安住外空內外空空空大空勝義空有
為空无為空畢竟空无際空散空无變異空
本性空自相空共相空一切法空不可得空
无性空自性空无性自性空應勤安住真如
應勤安住法界法性不虛妄性不變異性平
等性離生性法定法住實際虛空界不思議
界應勤安住苦聖諦應勤安住集滅道聖
諦應勤修學四靜慮應勤修學四无量四无

BD00675號　大般若波羅蜜多經卷三五六　（4–2）

无性空自性空无性自性空應勤安住真如
應勤安住法界法性不虛妄性不變異性平
等性離生性法定法住實際虛空界不思議
界應勤安住苦聖諦應勤安住集滅道聖
諦應勤修學四靜慮應勤修學四无量四无
色定應勤修學八解脫應勤修學八勝處九次
第定十遍處應勤修學四念住應勤修學四
正斷四神足五根五力七等覺支八聖道支
應勤修學空解脫門應勤修學无相无願解
脫門應勤修學五眼應勤修學六神通應勤
修學佛十力應勤修學四无所畏四无礙解
大慈大悲大喜大捨十八佛不共法應勤修
學无忘失法應勤修學恒住捨性應勤修學
一切陀羅尼門應勤修學一切三摩地門應
勤修學一切智應勤修學道相智一切相智
善現如善射人甲冑堅固執好弓箭不懼怨
敵菩薩摩訶薩亦復如是攝受般若波羅蜜
多攝受靜慮精進安忍淨戒布施波羅蜜多
攝受內空攝受外空內外空空空大空勝義
空有為空无為空畢竟空无際空散空无變
異空本性空自相空共相空一切法空不可得
空无性空自性空无性自性空攝受真如
攝受法界法性不虛妄性不變異性平等性
離生性法定法住實際虛空界不思議界攝
受苦聖諦攝受集滅道聖諦攝受四靜慮攝
受四无量四无色定攝受八解脫攝受八勝
處九次第定十遍處攝受四念住攝受四正

BD00675號　大般若波羅蜜多經卷三五六　（4–3）

攝受內空攝受外空內外空空空大空勝義
空有為空无為空畢竟空无際空散空无變
異空本性空自相空共相空一切法空 不可得
空无性空自性空无性自性空攝受真如
攝受法界法性不虛妄性不變異性平等性
離生性法定法住實際虛空界不思議界攝
受苦聖諦攝受集滅道聖諦攝受四靜慮攝
受四无量四无色定攝受八解脫攝受八勝
處九次第定十遍處攝受四念住攝受四正
斷四神足五根五力七等覺支八聖道支攝
受空解脫門攝受无相无願解脫門攝受五
眼攝受六神通攝受佛十力攝受四无所畏
四无礙解大慈大悲大喜大捨十八佛不共
法攝受无忘失法攝受恒住捨性攝受一切
陀羅尼門攝受一切三摩地門攝受一切智
攝受道相智一切相智攝受如是諸功德時
皆以般若波羅蜜多而為方便由此因緣一
切魔軍外道他論皆不能伏是故善現若菩
薩摩訶薩欲證无上等菩提當勤脩學甚
大般若波羅蜜多經卷[illegible]

BD00675 號　大般若波羅蜜多經卷三五六　（4–4）

等諸天之宮或見普賢有大威力得一切智
无礙辯才身相光明獨无倫比所居宮殿如
淨滿月雖住密嚴正定之海而現眾色像靡
不周遍一切賢聖所共稱譽无量天仙乾闥
婆等國王王子并其眷屬圍遶侍衛或復見
有觀行之師諸佛子眾所共圍遶住禪寂靜
猶如睡眠而離惛沉懈怠等過悉曾侍奉无
量諸佛或復有見為大導師降神誕生出家
苦行一心正定乃至涅槃於虛空中行住坐
臥現諸神變令閻浮提至色究竟諸天人等
莫不瞻仰諸仁者諸佛體性唯佛所知佛之
智慧最上无比如釋迦牟尼人中師子之所
已得汝諸佛子咸當得之是故仁等應生淨
信信為佛體必當解脫斯人或作轉輪聖王
及諸小王乃至或生梵天等宮而為天主是
諸佛子轉復精進於蓮花藏清淨佛土與諸
菩薩蓮花化生入一乘道離貪等習乃至降
伏欲界天魔夫精進者志无怯弱光隆佛家
王諸國土諸仁者若欲作佛當淨佛種性淨
種性已必為如來之所授記成无上覺利益

BD00676 號　大乘密嚴經（地婆訶羅本）卷中　（5–1）

菩薩蓮花化生入一乘道離貪等習乃至降
伏欲界天魔夫精進者志无怯弱光隆佛家
王諸國土諸仁者若欲作佛當淨佛種姓淨
種姓已必為如來之所授記成无上覺利益
一切諸修行者譬如大地與諸衆生而作所
依又如良醫善調衆藥周行城邑普心救療
佛亦如是平等教化心无分別設有衆生剖
截肌膚心亦不動諸仁者内外境界心之所
行皆唯是識惑亂而見此中无我亦无我所
能害所害害及害具一切皆是意識境界依
阿賴邪如是分別譬如有人置珠日中或因
鑽燧而生於火此火非是珠燧所生亦非人
作心意識亦復如是根境作意和合而生此
性非如陽餤夢幻迷惑所取亦不同於龜黿
之毛及以菟角如霹靂火為從水生為從電
生為雲生邪无能定知此所從生如見陶師
造於瓶等欲等心法與心共生亦復如是諸
仁者心之體性不可思議密嚴中人善能知
見諸仁者一切衆生阿賴邪識本來而有圓
滿清淨出過於世同於涅槃譬如明月現衆
國土世間之人見有虧盈而月體性未嘗增
減藏識亦介普現一切衆生界中性常圓潔
不增不減无智之人妄生計著若有於此能
正了知即得无漏轉依差別此差別法得者
甚難如月在雲中性恒明潔藏識亦介於轉
識境界習氣之中而常清淨如河中有木隨

不增不減无智之人妄生計著若有於此能
正了知即得无漏轉依差別此差別法得者
甚難如月在雲中性恒明潔藏識亦介於轉
識境界習氣之中而常清淨如河中有木隨
流漂轉而木與流體相各別藏識亦介諸識
習氣雖常與俱不為所雜諸仁者阿賴邪識
恒與一切染淨之法而作所依是諸聖人現
法樂住三昧之境人天等趣諸佛國土悉以
為因常與諸乘而作種性若能了悟即成佛
道諸仁者一切衆生有具功德威力自在乃
至有生險難之處阿賴邪識恒住其中作所
依止此是衆生无始時界諸業習氣能自增
長亦能增長餘之七識由是凡夫執為所作
能作内我諸仁者意在身中如風速轉業風
吹動遍在諸根七識同時如浪而起外道所
計勝性微塵自在時等悉是清淨阿賴邪識
諸仁者阿賴邪識由先業力及愛為因成就
世間若干品類妄計之人執為作者此識體
相微細難知未見真實心迷不了於根境意
而生愛著介時金剛藏菩薩摩訶薩復說偈
言
汝等諸佛子　云何不見聞　藏識體清淨　衆身所依止
或具三十二　佛相及輪王　或為種種形　世間皆悉見
譬如淨空月　衆星所環遶　諸識阿賴耶　如是身中住
譬如欲天主　侍衛遊寶宮　江海等諸神　水中而自在
藏識處於世　當知亦復然　如地生衆物　是心多所現

或具三十二　佛相及輪王　或為種種形　世間皆悉見
譬如淨雲月　衆星所環遶　諸識阿賴耶　如是身中住
譬如欲天王　侍衛遊寶宮　江海等諸神　水中而自在
藏識處於世　當知亦復然　如地生衆物　是心多所現
譬如日天子　赫弈乘寶宮　旋遶須弥山　周流照天下
諸天世人等　見之而礼敬　藏識佛地中　其相亦如是
十地行衆行　顯發大乘法　普與衆生樂　常讃於如來
在於菩薩身　是即名菩薩　佛與諸菩薩　皆是賴耶名
佛及諸佛子　已受當受記　廣大阿賴耶　而成於正覺
密嚴諸定者　與妙定相應　能於阿賴耶　明了而觀見
佛及辟支佛　聲聞諸異道　見理无怯人　所觀皆此識
種種諸識境　皆從心所變　瓶衣等衆物　如是性皆无
悉依阿賴耶　衆生迷惑見　以諸習氣故　所取能取轉
此性非如幻　陽焰及毛輪　非生非不生　非空亦非有
譬如長短等　離一即皆无
智者觀幻事　此皆唯幻術　未曾有一物　與幻而同起
幻焰及毛輪　和合而可見　離一无和合　過未亦非有
幻事毛輪等　在在諸物相　此皆心變異　无體亦无名
世中迷惑人　其心不自在　妄説有能幻　幻成種種物
幻師觀凡等　所作衆物類　動轉若去来　此見皆非實
如鐵因慈石　所向而轉移　藏識亦如是　隨於分別轉
一切諸世間　无處不周遍　如日摩尼寶　无思及分別
此識遍諸處　見之謂流轉　不死亦不生　本非流轉法
定者勤觀察　生死猶如夢　是時即轉依　説名為解脫
此即是諸佛　最上之教理　審量一切法　如稱如明鏡
又如大明燈　亦如試金石　遠離於斷滅　正道之標相

BD00676 號　大乘密嚴經（地婆訶羅本）卷中　（5–4）

智者觀幻事　此皆唯幻術　未曾有一物　與幻而同起
幻焰及毛輪　和合而可見　離一无和合　過未亦非有
幻事毛輪等　在在諸物相　此皆心變異　无體亦无名
世中迷惑人　其心不自在　妄説有能幻　幻成種種物
幻師觀凡等　所作衆物類　動轉若去来　此見皆非實
如鐵因慈石　所向而轉移　藏識亦如是　隨於分別轉
一切諸世間　无處不周遍　如日摩尼寶　无思及分別
此識遍諸處　見之謂流轉　不死亦不生　本非流轉法
定者勤觀察　生死猶如夢　是時即轉依　説名為解脫
此即是諸佛　最上之教理　審量一切法　如稱如明鏡
又如大明燈　亦如試金石　遠離於斷滅　正道之標相
修行妙定者　至解脫之因　永離諸雜染　轉依而顯現

大乘密嚴經卷中

BD00676 號　大乘密嚴經（地婆訶羅本）卷中　（5–5）

時諸力士見石在空皆
怖壽欲四散我復告言諸力士等汝今
生恐怖心各欲散去諸力士言沙門若能
護我者我當安住尒時我復以手接石置
右掌力士見已心生歡喜復作是言沙門是
石常耶是无常耶我於尒時以口吹之石即
散壞猶如微塵力士見已唱言沙門是石无
常即生愧心而自考責云何我等恃怙自在
色力命財而生憍慢我知其心即捨化身還
復本形而為說法力士見已一切皆發菩提
之心
善男子拘尸那竭有一工巧名曰純陁是人
先於迦葉佛所發大誓願釋迦如來入涅槃
時我當最後奉施飲食是故我於毗舍離
國顧命比丘憂波摩那善男子過三月已吾
當於彼拘尸那竭娑羅雙樹入般涅槃汝可
往告純陁令知
善男子王舍城中有五通仙名須跋陁年百
廿常自稱是一切智人生大憍慢已於過去
无量佛所種諸善根我亦為欲調伏彼故
告阿難言過三月已吾當涅槃須跋聞已當

BD00677 號　大般涅槃經（北本）卷三四　（5–1）

善男子王舍城中有五通仙名須跋陁年百
廿常自稱是一切智人生大憍慢已於過去
无量佛所種諸善根我亦為欲調伏彼故
告阿難言過三月已吾當涅槃須跋聞已當
來我所生信敬心我當為彼說種種法其人
聞已當得盡漏
善男子羅閱耆王頻婆娑羅其王太子名
曰善見業因緣故生惡逆心欲害其父而不得
便尒時惡人提婆達多亦因過去業因緣故
復於我所生不善心欲害於我即脩五通不
久獲得與善見太子共為親厚為太子故現
作種種神通之事從非門出從門而入從門
而出非門而入或時示現像馬牛羊男女之
身善見太子見已即生愛心喜心敬信之心
為是事故嚴設種種供養之具而供養之又
復白言大師聖人我今欲見曼陁羅華時調
婆達多即便往至三十三天從彼天人而求
索之其福盡故都无與者既不得華作是思
惟曼陁羅樹无我我所我若自取當有何罪
即前欲取便失神通還見己身在王舍城心
生慚愧不能復見善見太子復作是念我今
當往至如來所求索大眾佛若聽者我當隨
意教詔勑使舍利弗等尒時提婆達多便來
我所作如是言唯願如來以此大眾付囑於
我我當種種說法教化令其調伏我言癡人
舍利弗等聰明大智世所信伏我猶不以大
[illegible]

BD00677 號　大般涅槃經（北本）卷三四　（5–2）

我所作如是言唯願如来以此大衆付囑於
我我當種種說法教化令其調伏我言癡人
舍利弗等聰明大智世所信伏我猶不以大
衆付囑況汝癡人食唾者乎時提婆達復於
我所倍生惡心作如是言瞿曇汝今雖復調伏
大衆勢亦不久當見磨滅作是語已大地即
時六反震動提婆達多尋時躃地於其身邊
出大暴風吹諸塵土而汙坌之提婆達多
見惡相已復作是言若我此身現世必入阿
鼻地獄我要當報如是大怨時提婆達多尋
起往至善見太子所善見見已即問聖人何
故顏容憔悴有憂色耶提婆達多言我常如
是汝不知乎善見荅言願說其意何因緣尒
提婆達言我今與汝極成親愛外人罵汝以
為非理我聞是事豈得不憂善見太子復作
是言國人云何罵辱於我提婆達言國人罵
汝為未生怨善見復言何故名我為未生怨
誰作此名提婆達言汝未生時一切相師皆
作是言是兒生已當煞其父是故外人皆悉
号汝為未生怨一切內人護汝心故謂為善
見毗提夫人聞是語已既生汝身於高樓上
棄之於地壞汝一指以是因緣人復号汝為婆
羅留枝我聞是已心生愁憤而復不能向汝
說之提婆達多以如是等種種惡事教令煞
父若汝父死我亦能煞瞿曇沙門善見太子
問一大臣名曰雨行大臣大王何故為我立

BD00677 號　大般涅槃經（北本）卷三四　（5-3）

羅留枝我聞是已心生愁憤而復不能向汝
說之提婆達多以如是等種種惡事教令煞
父若汝父死我亦能煞瞿曇沙門善見太子
問一大臣名曰雨行大臣大王何故為我立
字作未生怨大臣即為說其本末如提婆
達所說无異善見聞已即與大臣收其父王
閉之城外以四種兵而守衛之毗提夫人聞
是事已即至王所所守王人遮不聽入尒時
夫人生瞋恚心便呵罵之時諸守人即告太
子大王夫人欲得往見父王不審聽不善見
聞已復生瞋嫌即往母所前牽母髮拔刀欲斫
尒時耆婆白言大王有國已來罪雖極重不
及女人況所生母善見太子聞是語已為耆
婆故即便放捨遮斷父王衣服卧具飲食湯
藥過七日已王命便終善見太子見父喪已
方生悔心雨行大臣復以種種惡耶之法而
為說之大王一切業行都无有罪何故今者
而生悔心耆婆復言大王當知如是業者罪
兼二種一者煞害父王二者煞須陁洹如是
罪者除佛更无能除滅者善見王言如来清
淨无有穢濁我等罪人云何得見善男子我
知是事故告阿難過三月已吾當涅槃善見
聞已即來我所我為說法重罪得薄獲无根
信善男子我諸弟子聞是說已不解我意故
作是言如來定說畢竟涅槃善男子菩薩二
種一者實義二者假名假名菩薩聞我三月
當入涅槃皆生退心而作是言如其如來无

BD00677 號　大般涅槃經（北本）卷三四　（5-4）

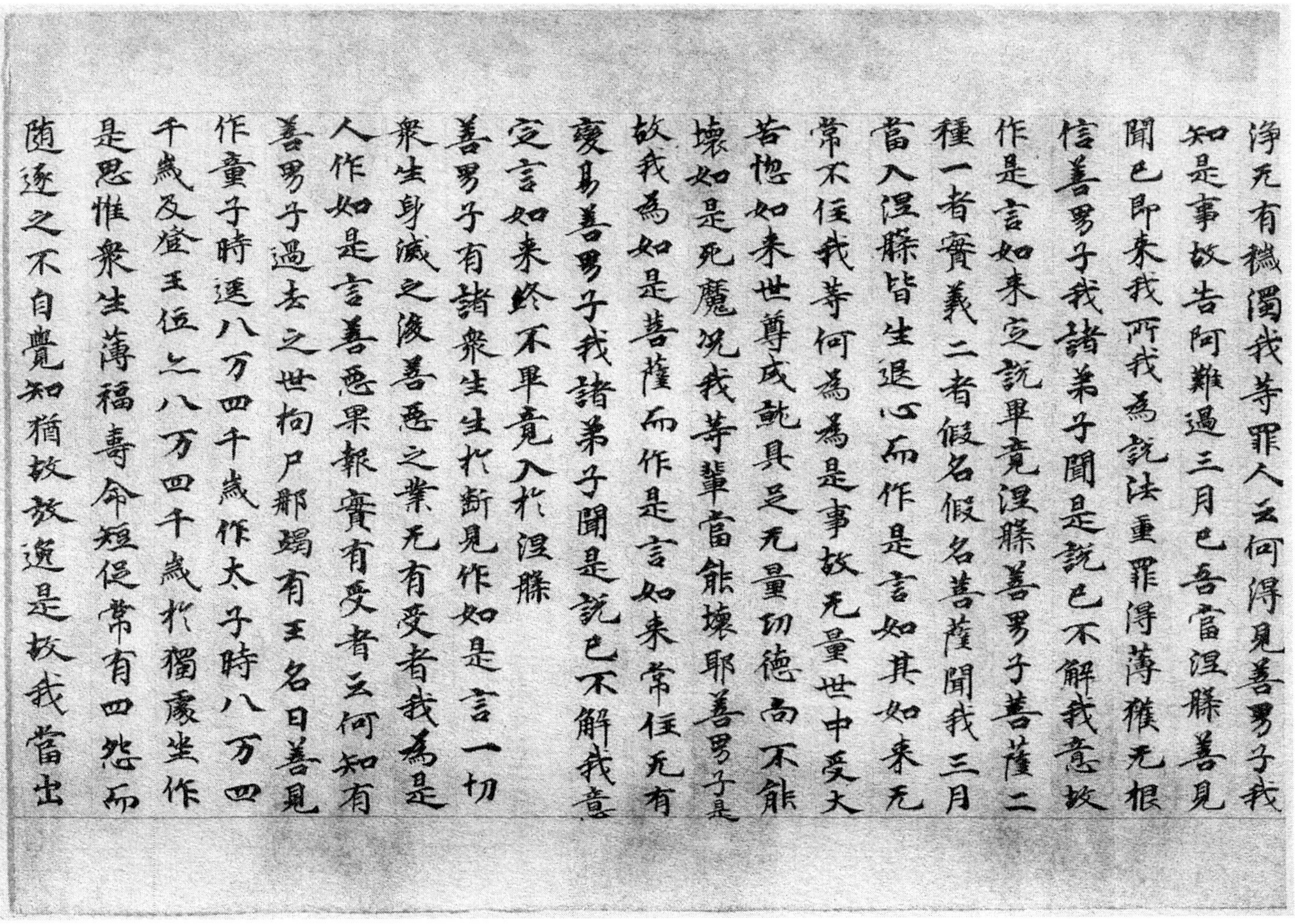

淨无有穢濁我等罪人云何得見善男子我
知是事故告阿難過三月已吾當涅槃善見
聞已即來我所我為說法重罪得薄獲无根
信善男子我諸弟子聞是說已不解我意故
作是言如來定說畢竟涅槃善男子菩薩二
種一者實義二者假名假名菩薩聞我三月
當入涅槃皆生退心而作是言如其如來无
常不住我等何為為是事故无量世中受大
苦惱如來世尊成就具足无量功德尚不能
壞如是死魔況我等輩當能壞耶善男子是
故我為如是菩薩而作是言如來常住无有
變易善男子我諸弟子聞是說已不解我意
定言如來終不畢竟入於涅槃
善男子有諸眾生生於斷見作如是言一切
眾生身滅之後善惡之業无有受者我為是
人作如是言善惡果報實有受者云何知有
善男子過去之世拘尸那竭有王名曰善見
作童子時逕八万四千歲作太子時八万四
千歲及登王位之八万四千歲於獨處坐作
是思惟眾生薄福壽命短促常有四怨而
隨逐之不自覺知猶故放逸是故我當出

BD00677 號　大般涅槃經（北本）卷三四　（5–5）

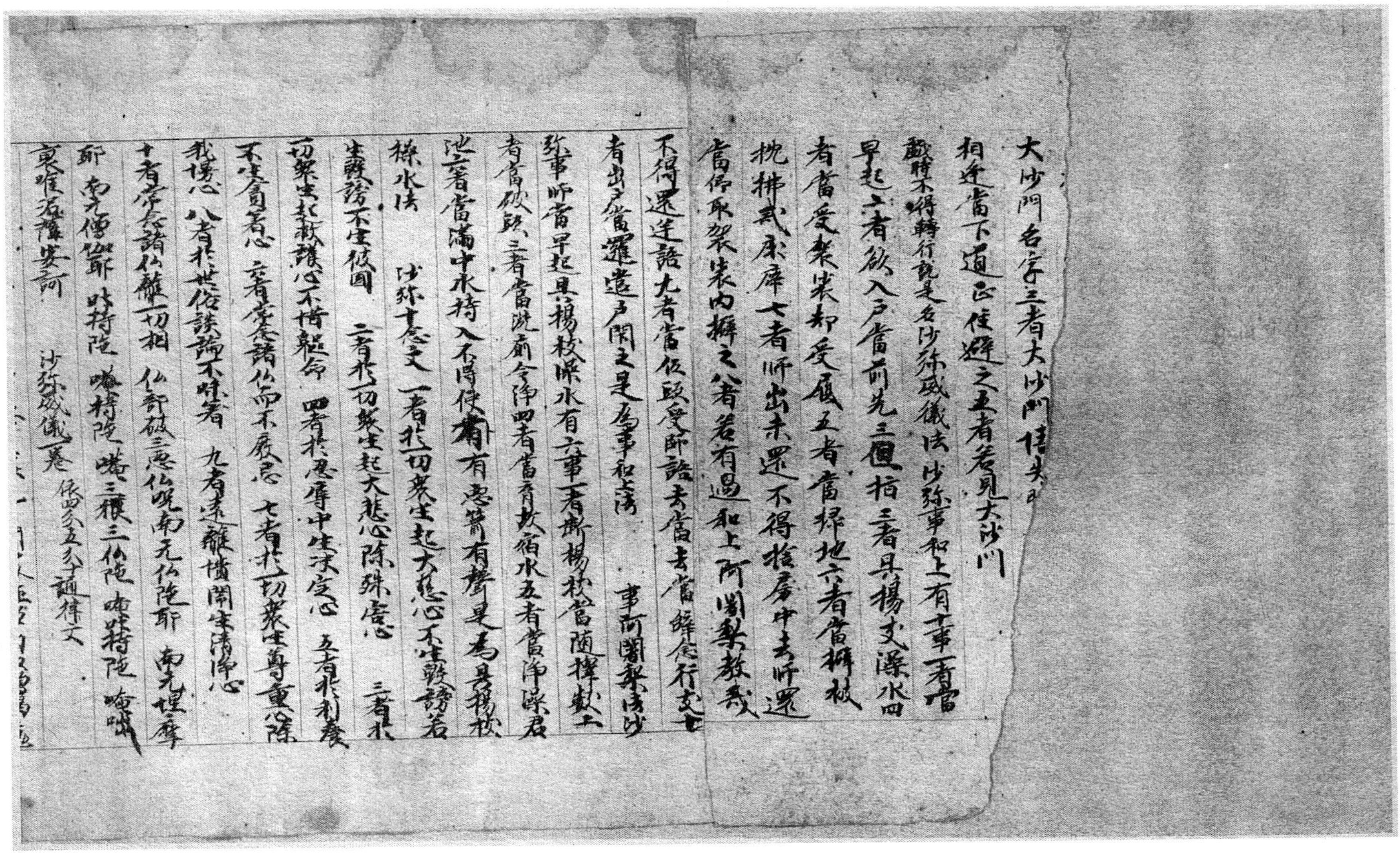

大沙門名字三者大沙門住
相逢當下道正住避之五者若見大沙門
戲時不得轉行說是名沙弥威儀法　沙弥事和上有十事一者當
早起二者欲入戶當前先三彈指三者具楊支澡水四
者當受袈裟却受履五者當掃地六者當擲被
枕拂拭床席七者所出未還不得指房中去所還
當停取袈裟內擲之八者若有過和上阿闍梨教我
不得還逆語九者當依頭受師語去當去當辭食行文七
者出戶當還遮戶閉之是為事和上法　事阿闍梨法沙
弥事師當早起具楊枝澡水有六事一者齋楊枝當隨擇數上
者當破頭三者當洗面令淨四者當有故宿水五者當淨澡君
池六者當滿中水持入不得使有有惡蟲有聲是為具楊枝
澡水法　沙弥十念文　一者於一切眾生起大慈心不生毀謗若
生毀謗不生彼國　二者於一切眾生起大悲心除殊害心　三者於
一切眾生起救護心不惜軀命　四者於忍辱中生決定心　五者於利養
不生貪著心　六者常念諸仏而不廢忘　七者於一切眾生尊重心除
我慢心　八者於世俗談論不味著　九者遠離憒鬧生清淨心
十者常念諸仏離一切相　仏說破三惡仏呪南无仏陀耶　南无達摩
耶　南无僧伽耶　唵持陀　唵持陀　嚩三稱三仏陀　唵持陀　唵哦
東唯菩薩娑訶
沙弥威儀一卷　依四分五分十誦律文

BD00678 號　沙彌戒文　（5–1）

十者学念諸仏離一切相　仏前破三惡仏唲南无仏陀耶　南无達摩
耶　南无僧伽耶　咔持陀　唵持陀　唵三稱三仏陀　唵咔持陀　唵咔
東唯菩薩娑訶　沙弥威儀竟　依四分五分十誦律文
四分律云将出家者至僧伽藍中五眼見可聞處作罕白和僧稱𢈔
使大衆和聞爲我問者稱量白云大德僧聽是某甲從某求剃
髮若僧時到僧忍聽某甲剃髮白如是　律中看僧和合者善
不介者房房語令知應先請和上具儀教云大德一心念我某甲請
大德爲作和上願大德爲我和上依大德故得剃髮出家慈愍故　三說
諸阿闍梨文亦准此應以諸師會明立出家儀式在於露地
香水灑地隨其大小周迊懸幡中安坐榻出家者後設二膝坐榻
二師坐欲出家者著本俗服拜辭父母說號誦偈言流轉三界中
恩愛不能脫棄恩入无爲真實報恩者　乃脫俗服已上文出諸信士受人住　善見
律云以香湯洗除白衣氣仍著出家衣正得著法衣僧僧祇
文未得著袈裟便入道場已上出度人經　應來至和上前胡
跪合掌和上應生男女想不得生行賤心弟子於師生父
母想和尚應爲說人身難得佛法難聞父母聽許亦復甚
難出家入道此事甚難爲說法已向阿闍梨前胡跪合掌
唑　出善見律文　以香湯灌頂讃云　善哉大丈夫　能了世无常
捨俗趣泥洹　希有難思議　出家者跪說偈言　歸依大世尊
能度三有苦　亦願諸衆生　普入无爲樂　阿闍梨乃爲剃
髮傍人爲誦出家唄文　毀形守志節　割愛无所親　出家弘
聖道　願度一切人　出家人經　与剃髮時當頂上留少許髮來至
和尚前胡跪合掌和上問云今爲汝去頂上髮可不答言尔便爲剃
三除已和尚授与袈裟便頂戴受三稱　而爲著之後說偈言
大哉解脫服　无相福田衣　被奉如戒行　廣度諸衆生　行佛說
行遠　三迊說自度偈言　遇我值佛者　何人誰不喜　福願与

和尚前胡跪合掌和上問云今爲汝去頂上髮可不答言尔便爲剃
三除已和尚授与袈裟便頂戴受三稱　而爲著之後說偈言
大哉解脫服　无相福田衣　被奉如戒行　廣度諸衆生　行佛說
行遠　三迊說自度偈言　遇我值佛者　何人誰不喜　福願与
時會　我今獲熱法　礼大衆及二師已在下坐受六親拜賀令出家
者離俗心故父母等皆爲作礼捥其道意中前剃髮　已上出度人經
此足毋云剃髮著袈裟已然後受三歸五戒十戒等　五百問云二律
度沙弥居一人不合五分律十誦律云先与五戒後受十戒等善見律云
當礼僧足是往闍梨所礼胡跪合掌与受三歸應問遮難同
僧法若有難者義等不發　我某甲歸依佛歸依法歸依僧我今
隨佛出家某甲爲和上如來至真等正覺是我世尊三稱　我某甲歸
依佛竟歸依法竟歸依僧竟我今隨佛出家已某甲爲和上如來
至真等正覺是我世尊三稱　次爲說十戒　沙弥盡形受一不得煞生慈愍
衆生故是沙弥戒不得犯能持不　受者答言能　二者盡形受不得偷盜饑
蓋有情故是沙弥戒不得犯能持不　答言能　三者盡形受不得婬慾依
淨行故是沙弥戒不得犯能持不　言能　四者盡形不得妄語離口過故
是沙弥戒不得犯能持不　言能　五者盡形受不得飲酒食宍離愚癡
故是沙弥戒不得犯能持不　言能　六者盡形受不得著花鬘瓔珞香
油塗身離服飾故是沙弥戒不得犯能持不　能　七者盡形受不得歌
儛唱伎故往觀聽放逸故是沙弥戒不得犯能持不　能　八者盡形受
不得坐高廣大床離憍慢故是沙弥戒不得犯能持不　能　九者盡形
受不得非食爲知足故是沙弥戒不得犯能持不　能　十者盡形受
不得捉持生像金銀寶物離積聚故是沙弥戒不得犯能持不　能　已
上出四分律　沙弥既受十戒竟當供養三寶供齊僧衆勤修三業誦經
坐禪勤作衆事堅持禁戒防護身口四意三等業为令驗精
勤修學謹慎莫放逸　入布薩堂說偈文　敬式世尊在就

受，亦得非食。為知足故，是沙彌戒。不得，能持不？能。十者盡形受
不得捉持生像金銀寶物雜積聚。故是沙彌戒不得犯，能持不？能。
出 沙彌受十戒竟，當供養三寶，佛寶、僧寶，勤修三業，誦經
生禪，勤作眾事，堅持其戒，防攝身口意三等業，勿令暴放，
勤修學，謹慎莫放逸。 入布薩堂說偈文 說戒世尊在毗
舍離，彌猴江婆求園中，為諸比丘說不淨行，數數不淨觀，因此制戒。
國境差別毗舍離 有漏差別難提 苦惱差別不淨觀
過失差別殺 制罪差別人 五緣具足犯重，不具偷蘭。一是人
二饒人，三殺心成就，四羅方便，五令前人死。 盜戒世尊在王
舍城，有居士字檀尼迦 國境差別王舍城 有漏差別檀尼迦
苦惱差別受取 過失差別偷盜 制罪差別財物 具六緣
盜心相應故起盜取人物 盜心相應破人識記 便教當是
勿離處所 六緣具足犯重，不具偷蘭
婬戒世尊在毗離近蘭耶村，有提子家，富饒財寶，持信堅故
出家學道 國境差別毗舍離 有漏差別提耶 苦惱差別
愛欲 過失差別不淨行 制罪差別男子女人 沙彌有五
一名字 二相似 三自稱名 四破結使沙彌 五受住沙彌
名字者 俗稱僧名 相似者 外道偷法假稱是 自稱者濫住
無和上 破結使者得住四果 受住者受求沙門四果
羅緣羅 堪忍 不壞 過男根得樂 像具犯重，不具偷蘭
妄戒世尊在毗舍離國彌猴江邊，因五百魚師制戒 國境差
別毗舍離 有漏差別五百魚師 苦惱差別讚名譽
過失差別上人法 制罪差別是我尊 因緣四種 一人實作上人
法 二為巳 三向彼語 四前人會

沙彌戒文一卷

BD00678 號　沙彌戒文　（5–4）

盜心相應故起盜取人物 盜心相應破人識記 便教當是
勿離處所 六緣具足犯重，不具偷蘭
婬戒世尊在毗離近蘭耶村，有提子家，富饒財寶，持信堅故
出家學道 國境差別毗舍離 有漏差別提耶 苦惱差別
愛欲 過失差別不淨行 制罪差別男子女人 沙彌有五
一名字 二相似 三自稱名 四破結使沙彌 五受住沙彌
名字者 俗稱僧名 相似者 外道偷法假稱是 自稱者濫住
無和上 破結使者得住四果 受住者受求沙門四果
羅緣羅 堪忍 不壞 過男根得樂 像具犯重，不具偷蘭
妄戒世尊在毗舍離國彌猴江邊，因五百魚師制戒 國境差
別毗舍離 有漏差別五百魚師 苦惱差別讚名譽
過失差別上人法 制罪差別是我尊 因緣四種 一人實作上人
法 二為巳 三向彼語 四前人會

沙彌戒文一卷

BD00678 號　沙彌戒文　（5–5）

多常共相應不相捨離善現
恒作是念我不應住色界亦不應住
觸法界何以故色界非能住非所住
觸法界亦非能住非所住故善現是善
訶薩能與六種波羅蜜多常共相應不相捨
離善現若菩薩摩訶薩恒作是念我不應住
眼識界亦不應住耳鼻舌身意識界何以故
眼識界非能住非所住耳鼻舌身意識界亦
非能住非所住故善現是菩薩摩訶薩能與
六種波羅蜜多常共相應不相捨離善現若
菩薩摩訶薩恒作是念我不應住眼觸亦不
應住耳鼻舌身意觸何以故眼觸非能住非
所住耳鼻舌身意觸亦非能住非所住故善
現是菩薩摩訶薩能與六種波羅蜜多常共
相應不相捨離善現若菩薩摩訶薩恒作是
念我不應住眼觸為緣所生諸受亦不應住
耳鼻舌身意觸為緣所生諸受何以故眼觸
為緣所生諸受非能住非所住耳鼻舌身意
觸為緣所生諸受亦非能住非所住故善現

BD00679號　大般若波羅蜜多經卷三五六　（3–1）

念我不應住眼觸為緣所生諸受亦不應住
耳鼻舌身意觸為緣所生諸受何以故眼觸
為緣所生諸受非能住非所住耳鼻舌身意
觸為緣所生諸受亦非能住非所住故善現
是菩薩摩訶薩能與六種波羅蜜多常共相
應不相捨離善現若菩薩摩訶薩恒作是念
我不應住地界亦不應住水火風空識界何
以故地界非能住非所住水火風空識界亦
非能住非所住故善現是菩薩摩訶薩能與
六種波羅蜜多常共相應不相捨離善現若
菩薩摩訶薩恒作是念我不應住无明亦不
應住行識名色六處觸受愛取有生老死愁
歎苦憂惱何以故无明非能住非所住行乃
至老死愁歎苦憂惱亦非能住非所住故善
現是菩薩摩訶薩能與六種波羅蜜多常共
相應不相捨離
善現若菩薩摩訶薩恒作是念我不應住布
施波羅蜜多亦不應住淨戒安忍精進靜慮
般若波羅蜜多何以故布施波羅蜜多非能
住非所住淨戒乃至般若波羅蜜多亦非能
住非所住故善現是菩薩摩訶薩能與六種
波羅蜜多常共相應不相捨離善現若菩薩
摩訶薩恒作是念我不應住內空亦不應住
外空內外空空空大空勝義空有為空无為
空畢竟空无際空散空无變異空本性空自
相空共相空一切法空不可得空无性空　自

BD00679號　大般若波羅蜜多經卷三五六　（3–2）

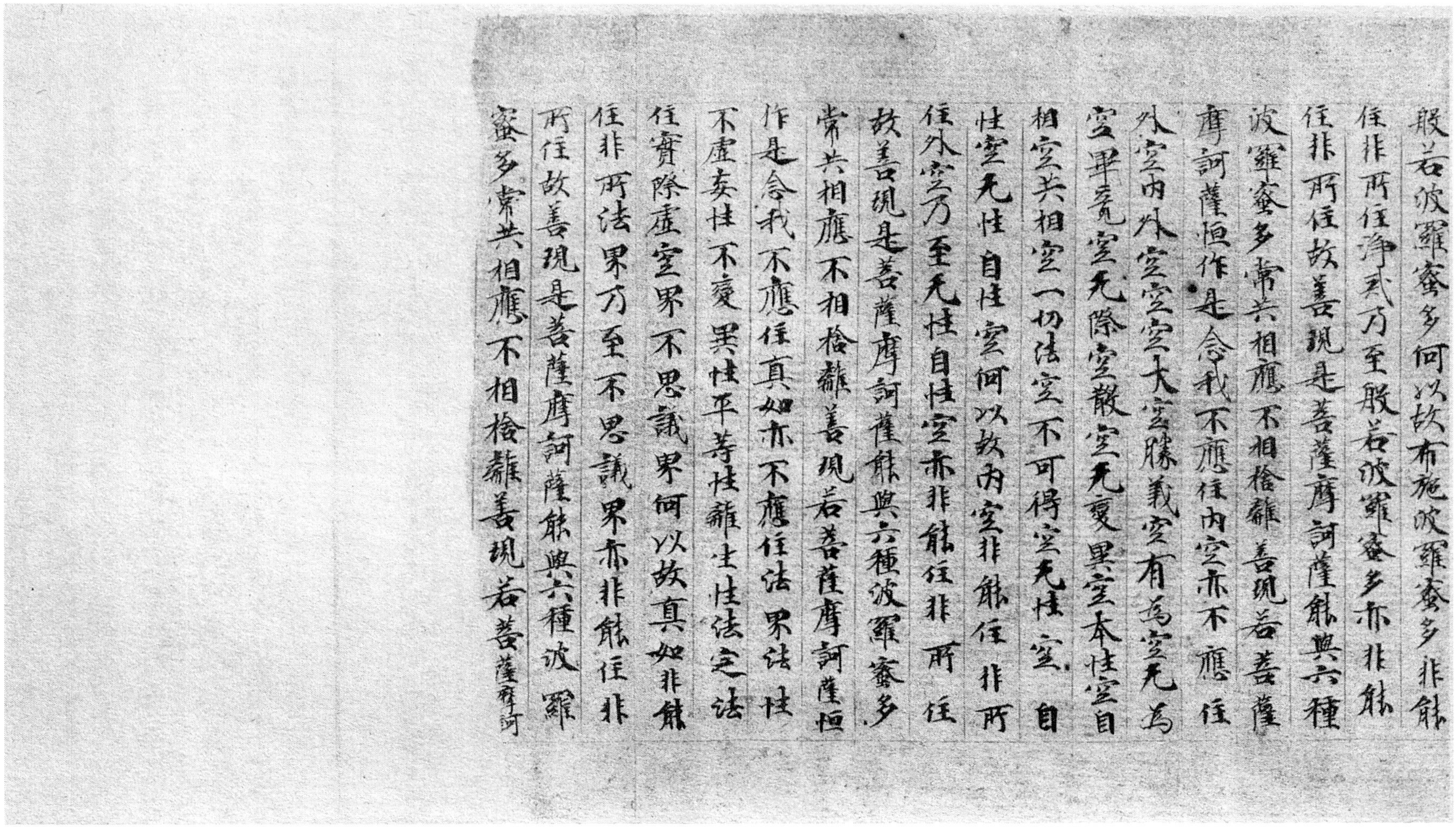

般若波羅蜜多何以故布施波羅蜜多非能
住非所住淨戒乃至般若波羅蜜多亦非能
住非所住故善現是菩薩摩訶薩能與六種
波羅蜜多常共相應不相捨離善現若菩薩
摩訶薩恒作是念我不應住內空亦不應住
外空內外空空空大空勝義空有為空无為
空畢竟空无際空散空无變異空本性空自
相空共相空一切法空不可得空无性空自
性空无性自性空何以故內空非能住非所
住外空乃至无性自性空亦非能住非所住
故善現是菩薩摩訶薩能與六種波羅蜜多
常共相應不相捨離善現若菩薩摩訶薩恒
作是念我不應住真如亦不應住法界法性
不虛妄性不變異性平等性離生性法定法
住實際虛空界不思議界何以故真如非能
住非所住法界乃至不思議界亦非能住非
所住故善現是菩薩摩訶薩能與六種波羅
蜜多常共相應不相捨離善現若菩薩摩訶

BD00679號　大般若波羅蜜多經卷三五六　（3–3）

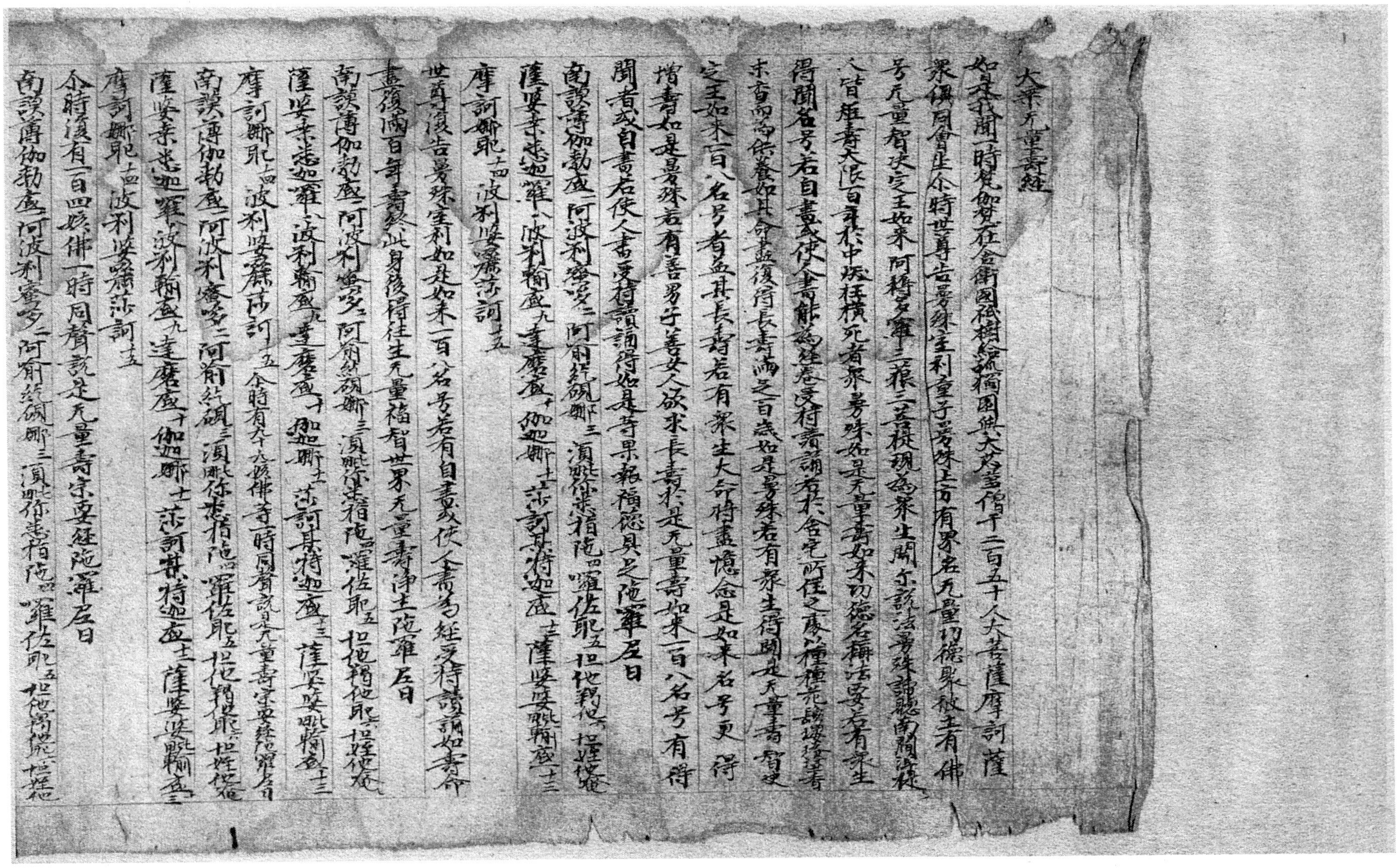

大乘无量壽經
如是我聞一時薄伽梵在舍衛國祇樹給孤獨園與大苾芻僧千二百五十人大菩薩摩訶薩
眾俱爾時世尊告曼殊室利童子曼殊上方有界名无量功德聚彼土有佛
號无量智決定王如來阿羅訶三藐三菩提現為眾生開示說法曼殊諦聽南閻浮提
人皆短壽大限百年於中夭枉橫死者眾曼殊如是无量壽如來功德名稱法要若有眾生
得聞名號若自書或使人書能為經卷受持讀誦若於舍宅所住之處以種種花鬘瓔珞塗香
末香而為供養如其命盡復得長壽滿足百歲如是曼殊若有眾生得聞是无量壽智決
定王如來一百八名號者益其長壽若有眾生大命將盡憶念是如來名號更得
增壽如是曼殊若有善男子善女人欲求長壽於是无量壽如來一百八名號有得
聞者或自書若使人書受持讀誦得如是等果報福德具足陀羅尼曰
南謨薄伽勃底一阿波利蜜多二阿喻紇硯娜三須毗你悉指陀四囉佐耶五怛他羯他耶六怛姪他七唵
薩婆桑悉迦羅八波利輸底九達磨底十伽伽娜十一娑訶娑特迦底十二薩婆婆毗輸底十三
摩訶娜耶十四波利婆嚟娑訶十五
世尊復告曼殊室利如是如來一百八名號若有自書或使人書為經受持讀誦如壽命
盡復滿百年壽終此身後得往生无量福智世界无量壽淨土陀羅尼曰
南謨薄伽勃底一阿波利蜜多二阿喻紇硯娜三須毗你悉指陀四囉佐耶五怛他羯他耶六怛姪他七唵
薩婆桑悉迦羅八波利輸底九達磨底十伽伽娜十一娑訶娑特迦底十二薩婆婆毗輸底十三
摩訶娜耶十四波利婆嚟娑訶十五爾時有九十九俱胝佛等一時同聲說是无量壽宗要經陀羅尼曰
南謨薄伽勃底一阿波利蜜多二阿喻紇硯娜三須毗你悉指陀四囉佐耶五怛他羯他耶六怛姪他七唵
薩婆桑悉迦羅八波利輸底九達磨底十伽伽娜十一娑訶娑特迦底十二薩婆婆毗輸底十三
摩訶娜耶十四波利婆嚟娑訶十五
爾時復有一百四俱胝佛一時同聲說是无量壽宗要經陀羅尼曰
南謨薄伽勃底一阿波利蜜多二阿喻紇硯娜三須毗你悉指陀四囉佐耶五怛他羯他耶六怛姪他七

BD00680號　無量壽宗要經　（6–1）

南謨薄伽勃底一阿波唎蜜多二阿喻紇硏那三須毗你悉指陀四囉佐耶五怛他羯他耶六怛姪他七
薩婆桑悉迦囉八波唎輸底九達磨底十伽迦那十一莎訶其特迦底十二薩婆婆毗輸底十三
摩訶娜耶十四波利婆囉莎訶十五
尒時復有一百四姟佛一時同聲說是无量壽宗要經陁羅尼曰
南謨薄伽勃底一阿波利蜜多二阿喻紇硏那三須毗你悉指陀四囉佐耶五怛他羯他耶六怛姪他
唵七薩婆桑悉迦囉八波唎輸底九達磨底十伽迦那十一莎訶其特迦底十二薩婆婆毗輸底
十三摩訶娜耶十四波利婆囉莎訶十五
尒時復有七姟佛一時同聲說是无量壽宗要經陁羅尼曰
南謨薄伽勃底一阿波唎蜜多二阿喻紇硏那三須毗你悉指陀四囉佐耶五怛他羯他耶六怛姪他
唵七薩婆桑悉迦囉八波唎輸底九達磨底十伽迦那十一莎訶其特迦底十二薩婆婆毗輸底十三
摩訶娜耶十四波利婆囉莎訶十五
尒時復有六十五姟佛一時同聲說是无量壽宗要經陁羅尼曰
南謨薄伽勃底一阿波利蜜多二阿喻紇硏那三須毗你悉指陀四囉佐耶五怛他羯他耶六怛姪
他唵七薩婆桑悉迦囉八波利輸底九達磨底十伽迦那十一莎訶其特迦底十二薩婆婆毗輸
底十三摩訶娜耶十四波利婆囉莎訶十五
尒時復有五十五姟佛一時同聲說是无量壽宗要經陁羅尼曰
南謨薄伽勃底一阿波唎蜜多二阿喻紇硏那三須毗你悉指陀四囉佐耶五怛他羯他耶六怛姪
他唵七薩婆桑悉迦囉八波利輸底九達磨底十伽迦那十一莎訶其特迦底十二薩婆婆毗輸底
十三摩訶娜耶十四波利婆囉莎訶十五
尒時復有四十五姟佛一時同聲說是无量壽宗要經陁羅尼曰
南謨薄伽勃底一阿波利蜜多二阿喻紇硏那三須毗你悉指陀四囉佐耶五怛他羯他耶六怛姪
他唵七薩婆桑悉迦囉八波唎輸底九達磨底十伽迦那十一莎訶其特迦底十二薩婆婆毗輸底十三
摩訶娜耶十四波利婆囉莎訶十五
尒時復有三十六姟佛一時同聲說是无量壽宗要經陁羅尼曰
南謨薄伽勃底一阿波唎蜜多二阿喻紇硏那三須毗你悉指陀四囉佐耶五怛他羯他耶六怛姪他
唵七薩婆桑悉迦囉八波唎輸底九達磨底十伽迦那十一莎訶其特迦底十二薩婆婆毗輸底
十三摩訶娜耶十四波利婆囉莎訶十五
尒時復有二十五姟佛一時同聲說是无量壽宗要經陁羅尼曰
南謨薄伽勃底一阿波唎蜜多二阿喻紇硏那三須毗你悉指陀四囉佐耶五怛他羯他耶六怛姪他唵
薩婆桑悉迦囉八波唎輸底九達磨底十伽迦那十一莎訶其特迦底十二薩婆婆毗輸底十三

BD00680號　無量壽宗要經　（6–2）

唵七薩婆桑悉迦囉八波唎輸底九達磨底十伽迦那十一莎訶其特迦底十二薩婆婆毗輸底
十三摩訶娜耶十四波利婆囉莎訶十五
尒時復有二十五姟佛一時同聲說是无量壽宗要經陁羅尼曰
南謨薄伽勃底一阿波唎蜜多二阿喻紇硏那三須毗你悉指陀四囉佐耶五怛他羯他耶六怛姪他
唵七薩婆桑悉迦囉八波唎輸底九達磨底十伽迦那十一莎訶其特迦底十二薩婆婆毗輸底　十三
摩訶娜耶十四波利婆囉莎訶十五
尒時復有恒河沙姟佛一時同聲說是无量壽宗要經陁羅尼曰
南謨薄伽勃底一阿波利蜜多二阿喻紇硏那三須毗你悉指陀四囉佐耶五怛他羯他耶六怛姪他
唵七薩婆桑悉迦囉八波利輸底九阿喻紇硏那三須毗你悉指陀四囉佐耶五怛他羯他耶六怛
達磨底十伽迦那十一莎訶其特迦底十二薩婆婆毗輸底十三摩訶娜耶十四波利婆囉莎訶十五
若男子若有自書寫教人書寫是无量壽宗要經如其命盡復得長壽而滿百年陁羅
尼曰南謨薄伽勃底一阿波唎蜜多二阿喻紇硏那三須毗你悉指陀四囉佐耶五怛他
羯他耶六怛姪他唵七薩婆桑悉迦囉八波利輸底九達磨底十伽迦那十一莎訶其特迦底十二薩
婆婆毗輸底十三摩訶娜耶十四波利婆囉莎訶十五
若有自書寫教人書寫是无量壽宗要經讀誦受持畢竟不墮地獄在在所生得宿命
智陁羅尼曰南謨薄伽勃底一阿波唎蜜多二阿喻紇硏那三須毗你悉指陀四囉佐耶五怛他
羯他耶六怛姪他唵七薩婆桑悉迦囉八波唎輸底九達磨底十伽迦那十一莎訶其特迦底十二薩
婆婆毗輸底十三摩訶娜耶十四波利婆囉莎訶十五
若有自書寫教人書寫是无量壽宗要經受持讀誦如同書寫八万四千一切經典陁羅
尼曰南謨薄伽勃底一阿波唎蜜多二阿喻紇硏那三須毗你悉指陀四囉佐耶五怛他羯他耶六怛姪
他唵七薩婆桑悉迦囉八波唎輸底九達磨底十伽迦那十一莎訶其特迦底十二薩婆婆毗輸底
十三摩訶娜耶十四波利婆囉莎訶十五
若有自書寫教人書寫是无量壽宗要經即是書寫八万四千部建立塔廟陁羅尼曰
南謨薄伽勃底一阿波唎蜜多二阿喻紇硏那三須毗你悉指陀四囉佐耶五怛他羯他耶六怛姪他唵七
薩婆桑悉迦囉八波唎輸底九達磨底十伽迦那十一莎訶其特迦底十二薩婆婆毗輸底十三
摩訶娜耶十四波利婆囉莎訶十五
若有自書寫教人書寫是无量壽宗要經能消五無間罪等陁羅尼曰
南謨薄伽勃底一阿波利蜜多二阿喻紇硏那三須毗你悉指陀四囉佐耶五怛他羯他耶六怛姪
他唵七薩婆桑悉迦囉八波唎輸底九達磨底十伽迦那十一莎訶其特迦底十二薩婆婆毗輸底
十三摩訶娜耶十四波利婆囉莎訶十五

BD00680號　無量壽宗要經　（6–3）

摩訶娜耶十四 波唎婆囉莎訶十五
若有自書寫教人書寫是无量壽宗要經能消五無間罪等陀羅尼曰
南謨薄伽勒底一 阿波唎蜜多二 阿俞紇硯娜三 須毗你悉指陀四 囉佐耶五 怛他羯他耶六 怛姪
他唵七 薩婆桑悉迦囉八 波唎輸底九 達磨底十 伽迦娜十一 莎訶某特迦底十二 薩婆婆毗輸底
十三 摩訶娜耶十四 波唎婆囉莎訶十五
若有自書寫教人書寫是无量壽宗要經受持讀誦設有重罪猶如須弥盡能除陀
羅尼曰 南謨薄伽勒底一 阿波唎蜜多二 阿俞紇硯娜三 須毗你悉指陀四 囉佐耶五 怛他羯他耶六
怛姪他唵七 薩婆婆毗輸底悉素迦囉八 波唎輸底九 達磨底十 伽迦娜十一 莎訶某特迦底十二
薩婆婆毗輸底十三 摩訶娜耶十四 波唎婆囉莎訶十五
若有自書寫教人書寫是无量壽宗要經受持讀誦若魔〃之眷屬夜叉羅剎不得
其便終无枉死陀羅尼曰 南謨薄伽勒底一 阿波唎蜜多二 阿俞紇硯娜三 須毗你悉指陀
四 囉佐耶五 怛他羯他耶六 怛姪他唵七 薩婆桑悉迦囉八 波唎輸底九 達磨底十 伽迦娜十一 莎
某特迦底十二 薩婆婆毗輸底十三 摩訶娜耶十四 波唎婆囉莎訶十五
若有自書寫教人書寫是无量壽宗要經受持讀誦當命終時有九十九娜佛
現其人前蒙千佛授手能遊一切佛剎莫於此經生於疑惑陀羅尼曰
南謨薄伽勒底一 阿波唎蜜多二 阿俞紇硯娜三 須毗你陀四 囉佐耶五 怛他羯他耶六 怛姪
他唵七 薩婆桑悉迦囉八 波唎輸底九 達磨底十 伽迦娜十一 莎訶某特迦底十二 薩婆婆毗輸底十三
摩訶娜耶十四 波唎婆囉莎訶十五
若有自書寫教人書寫是无量壽宗要經受持讀誦常得四天大王隨其衛護陀羅尼曰
南謨薄伽勒底一 阿波唎蜜多二 阿俞紇硯娜三 須毗你悉指陀四 囉佐耶五 怛他羯他耶六 怛姪他唵七
薩婆桑悉迦囉八 波唎輸底九 達磨底十 伽迦娜十一 莎訶某特迦底十二 薩婆婆毗輸底十三
摩訶娜耶十四 波唎婆囉莎訶十五
若有自書寫教人書寫是无量壽宗要經受持讀誦當得往生西方極樂世界阿弥陀淨土
陀羅尼曰 南謨薄伽勒底一 阿波唎蜜多二 阿俞紇硯娜三 須毗你悉指陀四 囉佐耶五
怛他羯他耶六 怛姪他唵七 薩婆桑悉迦囉八 波唎輸底九 達磨底十 伽迦娜十一 莎訶某特迦底十二
薩婆婆毗輸底十三 摩訶娜耶十四 波唎婆囉莎訶十五
若有方所自書寫使人書寫是无量壽經典之處則為是塔皆應恭敬作礼若是畜
生或為鳥獸得聞是如是經等類皆當不久得成一切種智陀羅尼曰
南謨薄伽勒底一 阿波唎蜜多二 阿俞紇硯娜三 須毗你悉指陀四 囉佐耶五 怛他羯他耶六 怛姪他唵
薩婆桑悉迦囉八 波唎輸底九 達磨底十 伽迦娜十一 莎訶某特迦底十二 薩婆婆毗輸底十三

薩婆婆毗輸底十三 摩訶娜耶十四 波唎婆囉莎訶十五
若有方所自書寫使人書寫是无量壽經典之處則為是塔皆應恭敬作礼若是畜
生或為鳥獸得聞是如是經等類皆當不久得成一切種智陀羅尼曰
南謨薄伽勒底一 阿波唎蜜多二 阿俞紇硯娜三 須毗你悉指陀四 囉佐耶五 怛他羯他耶六 怛姪他唵
薩婆桑悉迦囉八 波唎輸底九 達磨底十 伽迦娜十一 莎訶某特迦底十二 薩婆婆毗輸底十三
摩訶娜耶十四 波唎婆囉莎訶十五
若有於是无量壽經自書寫若使人書寫畢竟不受女人之身陀羅尼曰
南謨薄伽勒底一 阿波唎蜜多二 阿俞紇硯娜三 須毗你悉指陀四 囉佐耶五 怛他羯他耶六 怛姪他唵
薩婆桑悉迦囉八 波唎輸底九 達磨底十 伽迦娜十一 莎訶某特迦底十二 薩婆婆毗輸底十三
摩訶娜耶十四 波唎婆囉莎訶十五
若有能於是經少分能惠施者等於三千大千世界滿中七寶布施陀羅尼曰
南謨薄伽勒底一 阿波唎蜜多二 阿俞紇硯娜三 須毗你悉指陀四 囉佐耶五 怛他羯他耶六 怛姪他唵
薩婆桑悉迦囉八 波唎輸底九 達磨底十 伽迦娜十一 莎訶某特迦底十二 薩婆婆毗輸底十三
摩訶娜耶十四 波唎婆囉莎訶十五
若有能供養是經者則是供養一切諸經等无有異陀羅尼曰
南謨薄伽勒底一 阿波唎蜜多二 阿俞紇硯娜三 須毗你悉指陀四 囉佐耶五 怛他羯他耶六 怛姪他唵七
薩婆桑悉迦囉八 波唎輸底九 達磨底十 伽迦娜十一 莎訶某特迦底十二 薩婆婆毗輸底十三
摩訶娜耶十四 波唎婆囉莎訶十五
如是毗婆尸佛 尸棄佛 毗舍浮佛 俱留孫佛 俱那含牟尼佛 加葉佛 釋迦牟尼佛 若有
人以七寶供養如是七佛其福有限書寫受持是无量壽經典所有功德不可限量陀
羅尼曰 南謨薄伽勒底一 阿波唎蜜多二 阿俞紇硯娜三 須毗你悉指陀四 囉佐耶五 怛他羯他耶六
怛姪他唵七 薩婆桑悉迦囉八 波唎輸底九 達磨底十 伽迦娜十一 莎訶某特迦底十二 薩婆婆毗輸
底十三 摩訶耶娜十四 波唎婆囉莎訶十五
若有七寶等於須弥以用布施其福上能知其限量是无量壽經典其福不可知數陀
羅尼曰 南謨薄伽勒底一 阿波唎蜜多二 阿俞紇硯娜三 須毗你悉指陀四 囉佐耶五 怛他羯他耶六
怛姪他唵七 薩婆桑悉迦囉八 波唎輸底九 達磨底十 伽迦娜十一 莎訶某特迦底十二 薩婆婆
毗輸底十三 摩訶娜耶十四 波唎婆囉莎訶十五
如是四大海水可知滴數是无量壽經典所生果報不可數量陀羅尼曰
南謨薄伽勒底一 阿波唎蜜多二 阿俞紇硯娜三 須毗你悉指陀四 囉佐耶五 怛他羯他耶六 怛姪他唵
薩婆桑悉迦囉八 波唎輸底九 達磨底十 伽迦娜十一 莎訶某特迦底十二 薩婆婆毗輸底十三

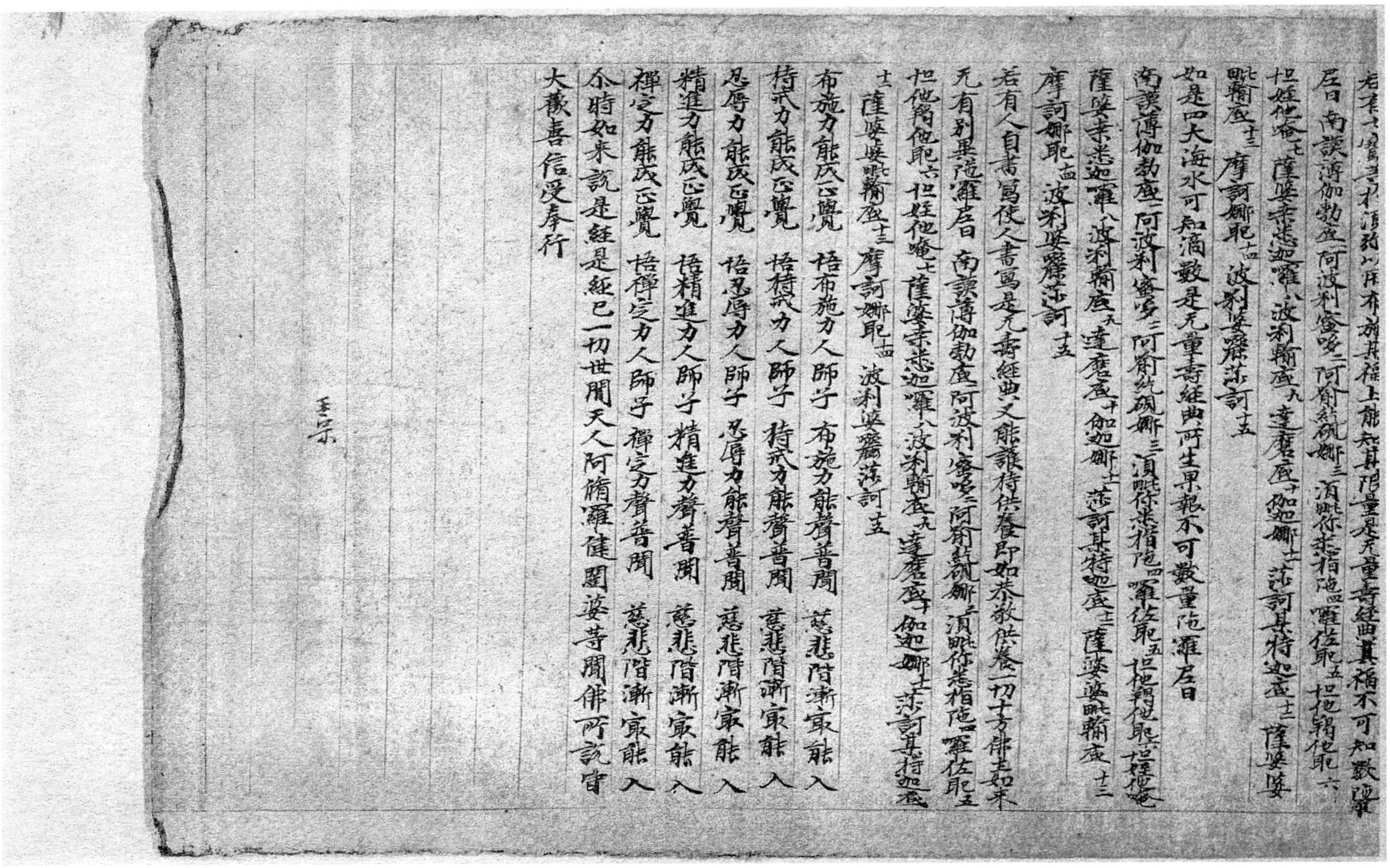
若有七寶……以用布施其福上能知其限量是无量壽經典其福不可知數陁羅
尼曰 南謨薄伽勃底一 阿波利蜜哆二 阿喻紇硯娜三 須毗你悉指陁四 囉佐耶五 怛他羯他耶六
怛姪他唵七 薩婆桑悉迦囉八 波利輸底九 達磨底十 伽迦娜十一 莎訶其特迦底十二 薩婆婆
毗輸底十三 摩訶娜耶十四 波利婆囉莎訶十五
如是四大海水可知滴數是无量壽經典所生果報不可數量陁羅尼曰
南謨薄伽勃底一 阿波利蜜哆二 阿喻紇硯娜三 須毗你悉指陁四 囉佐耶五 怛他羯他耶六 怛姪他唵七
薩婆桑悉迦囉八 波利輸底九 達磨底十 伽迦娜十一 莎訶其特迦底十二 薩婆婆毗輸底十三
摩訶娜耶十四 波利婆囉莎訶十五
若有人自書寫使人書寫是无壽經典又能讀持供養即如恭敬供養一切十方佛土如來
无有別異陁羅尼曰 南謨薄伽勃底一 阿波利蜜哆二 阿喻紇硯娜三 須毗你悉指陁四 囉佐耶五
怛他羯他耶六 怛姪他唵七 薩婆桑悉迦囉八 波利輸底九 達磨底十 伽迦娜十一 莎訶其特迦底
十二 薩婆婆毗輸底十三 摩訶娜耶十四 波利婆囉莎訶十五
布施力能成正覺 悟布施力人師子 布施力能聲普聞 慈悲階漸家能入
持戒力能成正覺 悟持戒力人師子 持戒力能聲普聞 慈悲階漸家能入
忍辱力能成正覺 悟忍辱力人師子 忍辱力能聲普聞 慈悲階漸家能入
精進力能成正覺 悟精進力人師子 精進力能聲普聞 慈悲階漸家能入
禪定力能成正覺 悟禪定力人師子 禪定力聲普聞 慈悲階漸家能入
尒時如來說是經已一切世間天人阿脩羅揵闥婆等聞佛所說皆
大歡喜信受奉行
王宗

BD00680 號　無量壽宗要經　　（6–6）

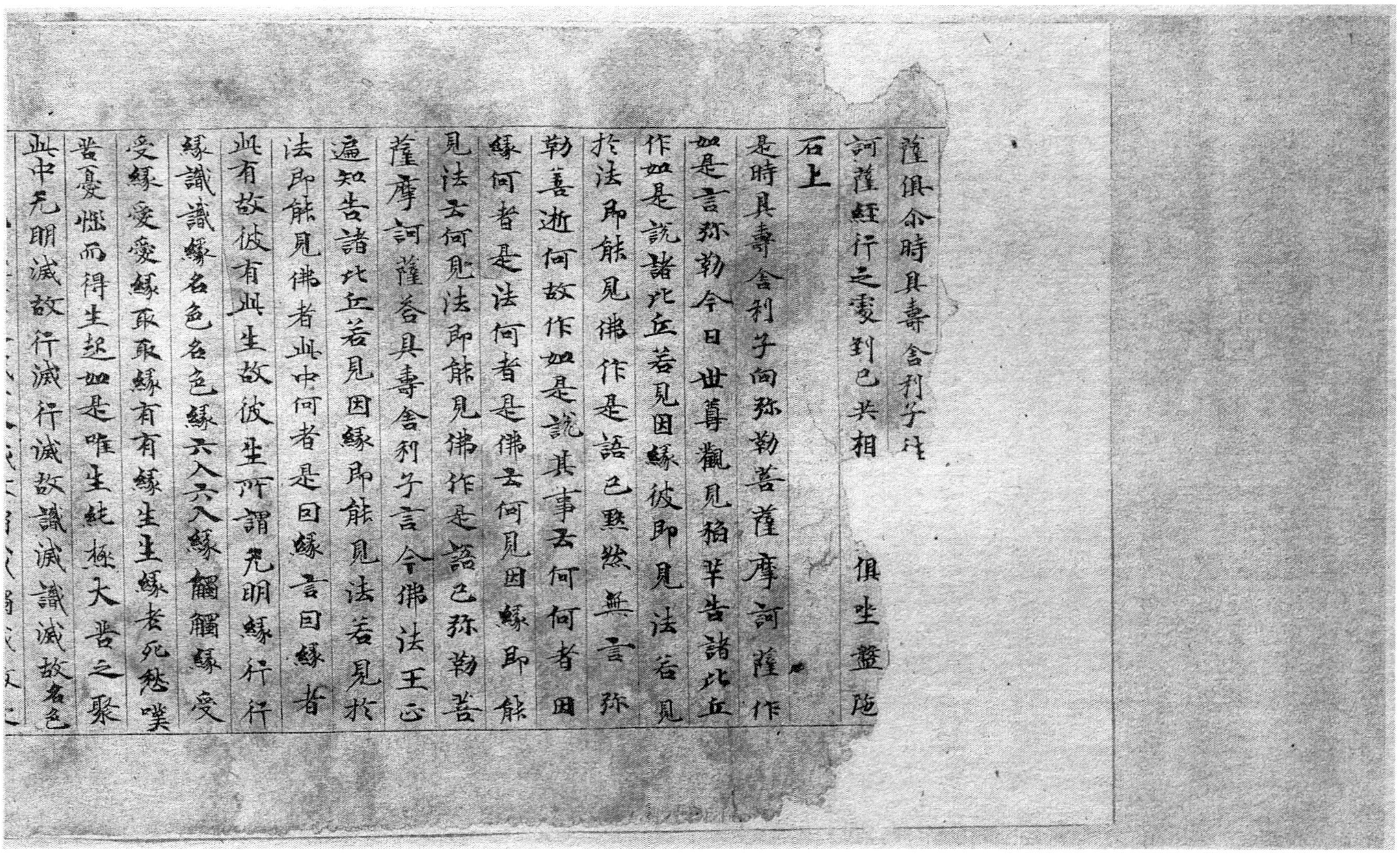
薩俱尒時具壽舍利子往
訶薩經行之處到已共相　俱坐盤陁
石上
是時具壽舍利子向彌勒菩薩摩訶薩作
如是言彌勒今日世尊觀見稻芉告諸比丘
作如是說諸比丘若見因緣彼即見法若見
於法即能見佛作是語已默然無言彌
勒善逝何故作如是說其事云何何者因
緣何者是法何者是佛云何見因緣即能
見法云何見法即能見佛作是語已彌勒菩
薩摩訶薩荅具壽舍利子言今佛法王正
遍知告諸比丘若見因緣即能見法若見於
法即能見佛者此中何者是因緣言因緣者
此有故彼有此生故彼生所謂无明緣行行
緣識識緣名色名色緣六入六入緣觸觸緣受
受緣愛愛緣取取緣有有緣生生緣老死愁嘆
苦憂惱而得生起如是唯生純極大苦之聚
此中无明滅故行滅行滅故識滅識滅故名色

BD00681 號　大乘稻芉經　　（11–1）

受緣愛愛緣取取緣有有緣生生緣老死愁嘆
苦憂惱而得生起如是唯生純極大苦之聚
此中无明滅故行滅行滅故識滅識滅故名色
滅名色滅故六入滅六入滅故觸滅觸滅故受
滅受滅故愛滅愛滅故取滅取滅故有滅有滅
故生滅生滅故老死愁嘆苦憂惱得滅如是
唯滅純極大苦之聚此是世尊所說因緣之
法何者是法所謂八聖道支正見正思惟正語
正業正命正精進正念正定此是八聖道果及
涅槃世尊所說名之為法
何者是佛所謂知一切法者名之為佛以彼慧
眼及法身能見作菩提學无學故
云何見因緣如佛所說若能見因緣之法常
无壽離壽如實性无錯謬性无生无起无作
无為无障㝵无境界寂靜无畏无侵奪不寂
靜相者是
若能如是於法亦見常无壽離壽如實性无
生无起无作无為无障㝵无境界寂靜无畏
无侵奪不寂靜相者得正智故能悟勝法以
无上法身而見於佛
問曰何故名因緣答曰有因有緣名為因緣
非无因无緣故是故名為因緣之法世尊略說
因緣之相彼緣生果如來出現若不出現法性
常住乃至法性法住性法定性與因緣相應
性真如性无錯謬性无變異性真實性實際
性不虛妄性不顛倒性等作如是說
此因緣法以其二種而得生起云何為二所謂

常住乃至法性法住性法定性與因緣相應
性真如性无錯謬性无變異性真實性實際
性不虛妄性不顛倒性等作如是說
此因緣法以其二種而得生起云何為二所謂
因相應緣相應彼復有二謂內及外此中何者
是外因緣法因相應所謂從種生芽從芽生
葉從葉生莖從莖生節從節生穗從穗生花
從花生實若无有種芽即不生乃至若无有
花實亦不生有種芽生如是有花實亦得生
彼種亦不作是念我能生芽芽亦不作是
念我從種生乃至花亦不作是念我能生實
實亦不作是念我從花生雖然有種故而芽
得生如是有花故實即而能成就應如是觀
外因緣法因相應義
應云何觀外因緣法緣相應義謂六界和合
故以何六界和合所謂地水火風空時界等和
合外因緣法而得生起應如是觀外因緣法
緣相應義
地界者能持於種水界者潤漬於種火界者
能暖於種風界者動搖於種空界者不障於
種時則能變種子若无此衆緣種則不
能而生於芽若身外地界无不具足如是
乃至水火風空時等无不具足一切和合種子
滅時而芽得生
此中地界不作是念我能任持種子如是水
界亦不作是念我能潤漬於種火界亦不作
是念我能暖於種子風界亦不作念我能動

滅時而芽得生
此中地界不作是念我能任持種子如是水
界亦不作是念我能潤漬於種火界亦不作
是念我能暖於種子風界亦不作念我能動
搖於種空界亦不作念我能不障於種時亦
不作念我能變於種子種子亦不作是念我
能生芽芽亦不作是念我今從此眾緣而生
雖然有此眾緣而種滅時芽即得生如是有
花之時實即得生彼芽亦非自作亦非他作
非自他俱作非自在作亦非時變非自性生
亦非无因而生雖然地水火風空時界等和合
種滅之時而芽得生是故應如是觀外因緣
法緣相應義
應以五種觀彼外因緣法何等為五不常不
斷不移從於小因而生大果與彼相似云何不
常為芽與種各別異故彼芽非種非種壞時
而芽得生亦非不滅而得生起種壞之時而
芽得生是故不常云何不斷非過去種壞而
生於芽亦非不滅而得生起種子亦壞當尒
之時如秤高下而芽得生是故不斷云何不
移芽與種別芽非種故是故不移云何小因而
生大果從小種子而生大果是故從於小因而
生大果云何與彼相似如所植種生彼果故是故
與彼相似是以五種觀外因緣之法
如是內因緣法亦以二種而得生起云何為二所
謂因相應緣相應何者是內因緣法因相應
義所謂始從无明緣行乃至生緣老死若无明

生大果云何與彼相似如所植種生彼果故是故
與彼相似是以五種觀外因緣之法
如是內因緣法亦以二種而得生起云何為二所
謂因相應緣相應何者是內因緣法因相應
義所謂始從无明緣行乃至生緣老死若无明
不生行亦不有乃至若无有生老死非有如是
有无明故行乃得生乃至有生故老死得有无
明亦不作是念我能生行行亦不作念我從
无明而生乃至生亦不作是念我能生於老死
老死亦不作念我從生有雖然有无明故行乃
得生如是有生故老死得有是故應如是觀內
因緣法因相應義
應云何觀內因緣法緣相應事為六界和合故
以何六界和合所謂地水火風空識界等和合故
應如是觀內因緣法緣相應事
何者是內因緣法地界之相為此身中作堅硬
者名為地界為令此身而聚集者名為水界
能消身所食飲嚼噉者名為火界為此身中
作內外出入息者名為風界為此身中作虛通
者名為空界五識身相應及有漏意識猶如
束蘆能成就此身名色芽者名為識界若无
此眾緣身則不生若內地界无不具足如是乃
至水火風空識界等无不具足一切和合身
即得生
彼地界亦不作是念我能而作身中堅硬之
事水界亦不作是念我能為身而作聚集火
界亦不作念我能而消身所食飲嚼噉之事

耳得生

彼地界亦不作是念我能而作身中堅硬之
事水界亦不作是念我能為身而作聚集火
界亦不作念我能而消身所食飲噉之事
風界亦不作念我能作內外出入息空界亦不作
念我能而作身中虛通之事識界亦不作念我
能成就此身名色之芽身亦不作是念我從
此衆緣而生雖然有此衆緣之時身即得生
彼地界亦非是我非是衆生非命者非生者
非儒童非作者非男非女非黃門非自在非
我所亦非餘等如是乃至水界火界風界空界
識界亦非是我非是衆生非命者非生者非
儒童非作者非男非女非黃門非自在非我
所亦非餘等
何者是无明於此六界起於一想一合想常想
堅牢想不壞想安樂想衆生命生者養育
士夫人儒童作者我我所想等及餘種種无
知此是无明有无明故於諸境界起貪瞋癡於
諸境界起貪瞋癡者此是无明緣行而於
諸事能了別者名之為識與識俱生四取蘊
者此是名色依名色諸根名為六入三法和合
名之為觸覺受觸者名之為受於受貪著
名之為愛增長愛者名之為取從取而生能
生業者名之為有而從彼因所生之蘊名之
為生生已蘊成熟者名之為老老已蘊滅壞
者名之為死臨終之時內具貪著及熱惱者
名之為愁從愁而生諸言辭者名之為嘆五

BD00681 號　大乘稻竿經　（11–6）

生業者名之為有而從彼因所生之蘊名之
為生生已蘊成熟者名之為老老已蘊滅壞
者名之為死臨終之時內具貪著及熱惱者
名之為愁從愁而生諸言辭者名之為嘆五
識身受苦者名之為苦作意意識受諸苦
者名之為憂具如是等及隨煩惱者名之為
惱大黑闇故故名无明造作故名諸行了別故名
識相依故名名色為生門故名六入觸故名觸
受故名受渴故名愛取故名取生後有故名有
生蘊故名生蘊熟故名老蘊壞故名死愁故
名愁嘆故名嘆惱身故名苦惱心故名憂煩
惱故名惱
復次不了真性顛倒无知名為无明如是有无
明故能成三行所謂福行罪行不動行從於福
行而生福行識者此是无明緣行從於罪行而
生罪行識者此則名為行緣識從於不動行而
生不動行識者此則名為識緣名色名色增長
故從六入門中能成事者此是名色緣六入從於
六入而生六聚觸者此是六入緣觸從於所觸而
生彼受者此則名為觸緣受了別受已而生樂
著染者此則名為受緣愛知已而生樂著染故
不欲遠離好色及於安樂而生願樂者此是愛
緣取生願樂已從身口意造後有業者此是
取緣有從於彼業所生蘊者此是有緣生生已
諸蘊成熟及滅壞者此則名為生緣老死是故
彼因緣十二支法互相為因互相為緣非常非无
常非有為非无為非无因非无緣非有受非盡

BD00681 號　大乘稻竿經　（11–7）

不欲遠離好色及於安樂而生願樂者此是愛
緣取生願樂已從身口意造後有業者此是
取緣有從於彼業所生蘊者此是有緣生生已
諸蘊成熟及滅壞者此則名為生緣老死是故
彼因緣十二支法互相為因互相為緣非常非无
常非有為非无為非无因非无緣非有受非盡
法非壞法非滅法從无始已來如瀑流水而无
斷絕雖然此因緣十二支法互相為因互相為緣
非常非无常非有為非无為非无因非无緣非有受
非盡法非壞法非滅法從无始已來如瀑流水而
无斷絕有其四支能攝十二因緣之法云何為四
所謂无明愛業識識者以種子性為因業者以
田性為因无明及愛以煩惱性為因此中業及煩
惱能生種子之識業則能作種子識田愛則能
潤種子之識无明能殖種子之識若无此眾緣
種子之識而不能成
彼業亦不作念我今能作種子識田愛亦不作
念我能潤於種子之識无明亦不作念我今能
殖種子之識彼種子識亦不作念我今從此眾
緣而生雖然種子之識依彼業田及愛所潤无
明糞壤所生之處入於母胎能生名色之芽
彼名色芽亦非自作亦非他作非自他俱作
非自在化亦非時變非自性生非假作者亦非
无因而生雖然父母和合時及餘緣和合之時无
我之法无我我所猶如虛空彼諸幻法因及眾緣
无不具足故依彼生處入於母胎則能成就執
受種子之識名色之芽

BD00681號　大乘稻芉經　　（11–8）

无因而生雖然父母和合時及餘緣和合之時无
我之法无我我所猶如虛空彼諸幻法因及眾緣
无不具足故依彼生處入於母胎則能成就執
受種子之識名色之芽
復次眼識生時若具五緣而則得生云何為五
所謂依眼色明空依作意故眼識得生此中
眼則能作眼識所依色則能作眼識之境明
則能為顯現之事空則能為不鄣之事作意
能為思想之事若无此眾緣眼識不生若內
入眼无不具足如是乃至色明空作意无不具
是一切和合之時眼識得生
彼眼亦不作是念我今能為眼識所依色亦不
念我今能作眼識之境明亦不作念我今能作
顯現之事作意亦不作念我今能為眼識所思
彼眼亦不作念我是從此眾緣而有雖然有此
眾緣眼識得生乃至諸餘根等應如是知
復次无有少法而從此世移至他世雖然因及
眾緣无不具足故業果亦現譬如明鏡之中現
其面像雖彼面像不移鏡中因及眾緣无不
具足故面像亦現如是无有少許從於此識生
其餘處因及眾緣无不具足故業果亦現譬
如月輪從此四万二千由旬而行彼月輪形像現
其有水小器中者彼月輪亦不從彼移至於有水
之器雖然因及眾緣无不具足故月輪亦現如是
无有少許從於此滅而生餘處因及眾緣无不
具足故業果亦現譬如其火因及眾緣若不
具足而不能燃因及眾緣具足之時乃可得

BD00681號　大乘稻芉經　　（11–9）

之器雖然因及衆緣无不具足故月輪亦現如是
无有少許從於此滅而生餘處因及衆緣无不
具之故業果亦現譬如其火因及衆緣若不
具足而不能燃因及衆緣具足之時乃可得
燃如是无我之法无我我所猶如虛空依彼幻
法因及衆緣无不具足故所生之處入於母胎
則能成就種子之識業及煩惱所生名色之芽
是故應如是觀內因緣法緣相應事
應以五種觀內因緣法云何為五不常不斷不
移從於小因而生大果與彼相似云何不常
所謂彼後滅蘊與彼生分各異為後滅蘊非
生分故彼後滅蘊亦滅生分亦得現故是故
不常云何不斷非依後滅蘊滅壞之時生分
得有亦非不滅彼後滅蘊亦滅當尒之時生
分之蘊如秤高下而得生故是故不斷云何不
移為諸有情從非衆同分處能生衆同分處
故是故不移云何從於小因而生大果作於
小業感大異熟是故從於小因而生大果如
所作因感彼果故與彼相似是故應以五種
觀因緣法
尊者舍利子若復有人能以正智常觀如來
所說因緣之法无壽離壽如實性无錯謬
性无生无起无作无為无障礙无境界寂靜
无畏无侵奪无盡不寂靜相不有虛誑无
堅實如病如癰如箭過失无常苦空无我
者我於過去而有生耶而无生耶而不分別過

BD00681 號　大乘稻芉經　（11–10）

性无生无起无作无為无障礙无境界寂靜
无畏无侵奪无盡不寂靜相不有虛誑无
堅實如病如癰如箭過失无常苦空无我
者我於過去而有生耶而无生耶而不分別過
去之際於未來世生於何處亦不分別未來之
際此是何耶此復云何而作何物此諸有情從
何而來從於此滅而生何處亦不分別現在之有
復能滅於世間沙門婆羅門不同諸見所謂我
見衆生見壽者見人見希有見吉祥見開合
之見善了知故如多羅樹明了斷除諸根檝巳
於未來世證得无生无滅之法
尊者舍利子若復有人具足如是无生法忍善
能了別此因緣法者如來應供正遍知明行
足善逝世間解无上士調御丈夫天人師佛
世尊即與授阿耨多羅三藐三菩提記
尒時弥勒菩薩摩訶薩說是語已舍利子及一
切世間天人阿脩羅揵闥婆等聞弥勒菩薩
摩訶薩所說之法信授奉行

佛說大乘稻芉經

BD00681 號　大乘稻芉經　（11–11）

第三法如是 智者應守護 一心安樂行 无量衆所敬
又文殊師利菩薩摩訶薩於後末世法欲滅
時有持法華經者於在家出家人中生大慈
心於非菩薩人中生大悲心應作是念如是
之人則為大失如來方便隨宜說法不聞不
知不覺不問不信不解其人雖不問不信不
解是經我得阿耨多羅三藐三菩提時隨在
何地以神通力智慧力引之令得住是法中
文殊師利是菩薩摩訶薩於如來滅後有成
就此第四法者說是法時无有過失常為比
丘比丘尼優婆塞優婆夷國王王子大臣人
民婆羅門居士等供養恭敬尊重讚歎虛空
諸天為聽法故亦常隨侍若在聚落城邑空
閑林中有人來欲難問者諸天晝夜常為法
故而衛護之能令聽者皆得歡喜所以者何
此經是一切過去未來現在諸佛神力所護
故文殊師利是法華經於无量國中乃至名
字不可得聞何況得見受持讀誦文殊師利
譬如強力轉輪聖王欲以威勢降伏諸國而
諸小王不順其命時轉輪王起種種兵而往

BD00682號　妙法蓮華經卷五　（5–1）

故文殊師利是法華經於无量國中乃至名
字不可得聞何況得見受持讀誦文殊師利
譬如強力轉輪聖王欲以威勢降伏諸國而
諸小王不順其命時轉輪王起種種兵而往
討伐王見兵衆戰有功者即大歡喜隨功賞
賜或與田宅聚落城邑或與衣服嚴身之具
或與種種珍寶金銀琉璃車璩馬瑙珊瑚虎
珀象馬車乘奴婢人民唯髻中明珠不以與
之所以者何獨王頂上有此一珠若以與之
王諸眷屬必大驚怪文殊師利如來亦復如
是以禪定智慧力得法國土王於三界而諸
魔王不肯順伏如來賢聖諸將與之共戰其
有功者心亦歡喜於四衆中為說諸經令其
心悅賜以禪定解脫无漏根力諸法之財又
復賜與涅槃之城言得滅度引導其心令皆
歡喜而不為說是法華經文殊師利如轉輪
王見諸兵衆有大功者心甚歡喜以此難信
之珠久在髻中不妄與人而今與之如來亦
復如是於三界中為大法王以法教化一切
衆生見賢聖軍與五陰魔煩惱魔死魔共戰
有大功勳滅三毒出三界破魔網爾時如來
亦大歡喜此法華經能令衆生至一切智一
切世間多怨難信先所未說而今說之文殊
師利此法華經是諸如來第一之說於諸說
中最為甚深末後賜與如彼強力之王久護

BD00682號　妙法蓮華經卷五　（5–2）

亦大歡喜此法華經能令衆生至一切智一
切世間多怨難信先所未說而今說之文殊
師利此法華經是諸如來第一之說於諸說
中最為甚深末後賜與如彼強力之王久護
明珠今乃與之文殊師利此法華經諸佛如
來秘密之藏於諸經中最在其上長夜守護
不妄宣說始於今日乃與汝等而敷演之尒
時世尊欲重宣此義而說偈言
常行忍辱　哀愍一切　乃能演說　佛所讚經
後末世時　持此經者　於家出家　及非菩薩
應生慈悲　斯等不聞　不信是經　則為大失
我得佛道　以諸方便　為說此法　令住其中
譬如強力　轉輪之王　兵戰有功　賞賜諸物
象馬車乘　嚴身之具　及諸田宅　聚落城邑
或與衣服　種種珍寶　奴婢財物　歡喜賜與
如有勇健　能為難事　王解髻中　明珠賜之
如來亦尒　為諸法王　忍辱大力　智慧寶藏
以大慈悲　如法化世　見一切人　受諸苦惱
欲求解脫　與諸魔戰　為是衆生　說種種法
以大方便　說此諸經　既知衆生　得其力已
末後乃為　說是法華　如王解髻　明珠與之
此經為尊　衆經中上　我常守護　不妄開示
今正是時　為汝等說　我滅度後　求佛道者
欲得安隱　演說斯經　應當親近　如是四法
讀是經者　常无憂惱　又无病痛　顏色鮮白
不生貧窮　卑賤醜陋　衆生樂見　如慕賢聖

BD00682號　妙法蓮華經卷五　（5–3）

此經為尊　衆經中上　我常守護　不妄開示
今正是時　為汝等說　我滅度後　求佛道者
欲得安隱　演說斯經　應當親近　如是四法
讀是經者　常无憂惱　又无病痛　顏色鮮白
不生貧窮　卑賤醜陋　衆生樂見　如慕賢聖
天諸童子　以為給使　刀杖不加　毒不能害
若人惡罵　口則閉塞　遊行无畏　如師子王
智慧光明　如日之照　若於夢中　但見妙事
見諸如來　坐師子座　諸比丘衆　圍繞說法
又見龍神　阿脩羅等　數如恒沙　恭敬合掌
自見其身　而為說法　又見諸佛　身相金色
放无量光　照於一切　以梵音聲　演說諸法
佛為四衆　說无上法　見身處中　合掌讚佛
聞法歡喜　而為供養　得陁羅尼　證不退智
佛知其心　深入佛道　即為授記　成最正覺
汝善男子　當於來世　得无量智　佛之大道
國土嚴淨　廣大无比　亦有四衆　合掌聽法
又見自身　在山林中　脩習善法　證諸實相
深入禪定　見十方佛
諸佛身金色　百福相莊嚴　聞法為人說　常有是好夢
又夢作國王　捨宮殿眷屬　及上妙五欲　行詣於道場
在菩提樹下　而處師子座　求道過七日　得諸佛之智
成无上道已　起而轉法輪　為四衆說法　經千万億劫
說无漏妙法　度无量衆生　後當入涅槃　如煙盡燈滅
若後惡世中　說是第一法　是人得大利　如上諸功德
妙法蓮華經從地踊出品第十五

BD00682號　妙法蓮華經卷五　（5–4）

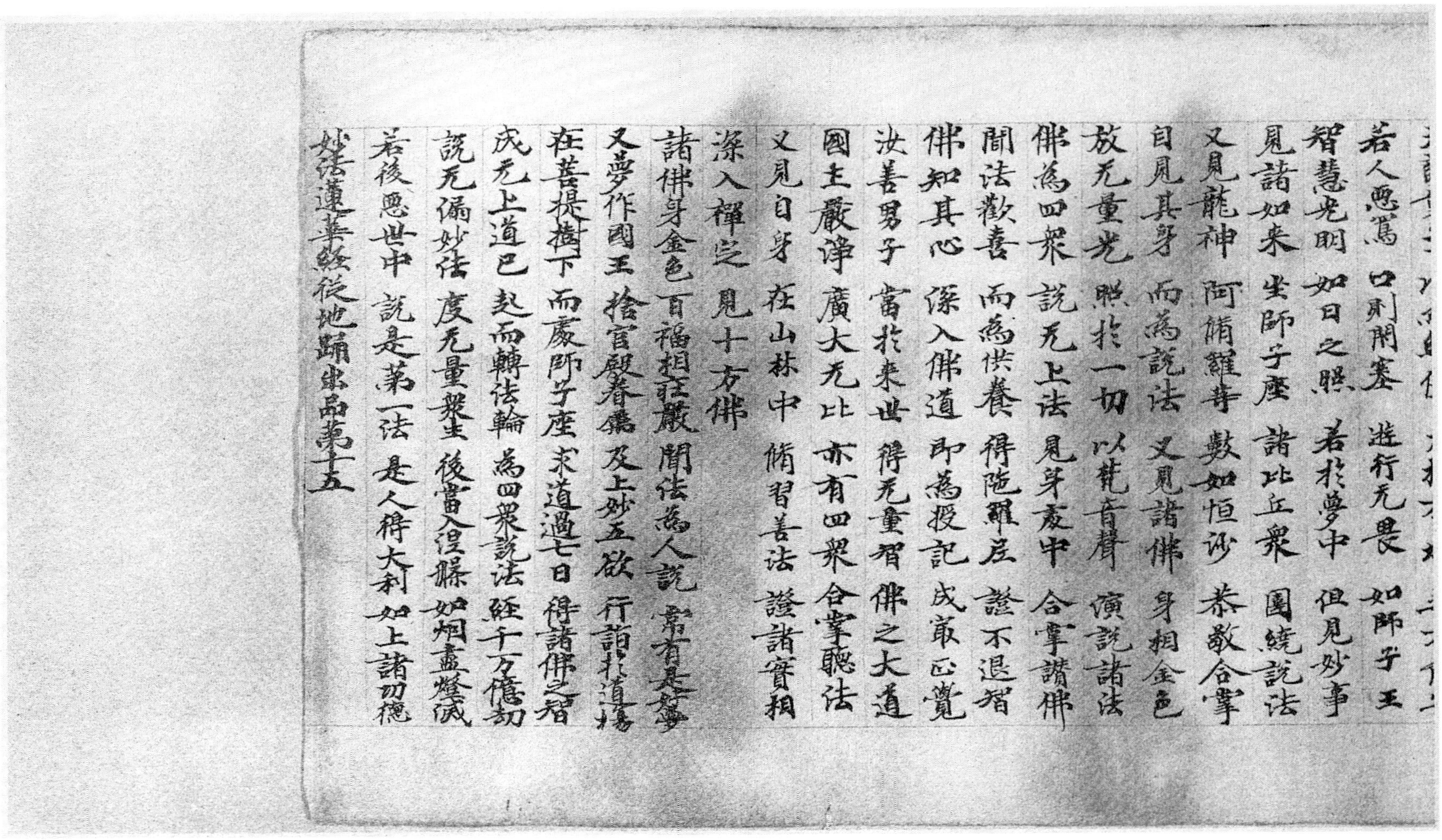

若人惡罵　口則閉塞　遊行无畏　如師子王
智慧光明　如日之照　若於夢中　但見妙事
見諸如來　坐師子座　諸比丘眾　圍繞說法
又見龍神　阿脩羅等　數如恒沙　恭敬合掌
自見其身　而為說法　又見諸佛　身相金色
放无量光　照於一切　以梵音聲　演說諸法
佛為四眾　說无上法　見身處中　合掌讚佛
聞法歡喜　而為供養　得陁羅尼　證不退智
佛知其心　深入佛道　即為授記　成最正覺
汝善男子　當於來世　得无量智　佛之大道
國土嚴淨　廣大无比　亦有四眾　合掌聽法
又見自身　在山林中　脩習善法　證諸實相
深入禪定　見十方佛
諸佛身金色　百福相莊嚴　聞法為人說　常有是好夢
又夢作國王　捨宮殿眷屬　及上妙五欲　行詣於道場
在菩提樹下　而處師子座　求道過七日　得諸佛之智
成无上道已　起而轉法輪　為四眾說法　經千萬億劫
說无漏妙法　度无量眾生　後當入涅槃　如烟盡燈滅
若後惡世中　說是第一法　是人得大利　如上諸功德
妙法蓮華經從地踊出品第十五

BD00682 號　妙法蓮華經卷五　（5–5）

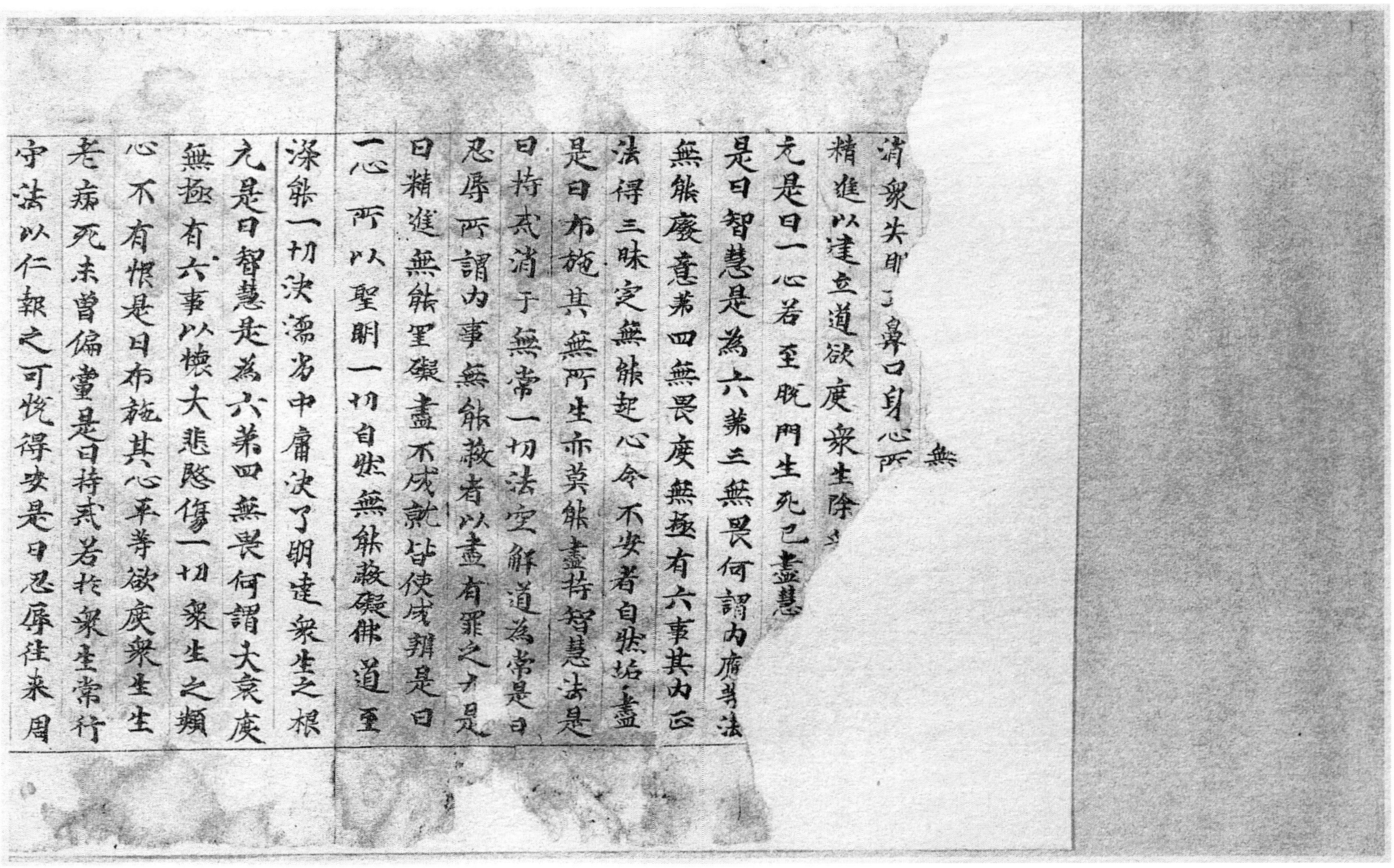

無
消眾失明了鼻口身心所
精進以建立道欲度眾生除
无是曰一心若至脫門生死已盡慧
是曰智慧是為六弟三無畏何謂內處等法
無能廢意弟四無畏度無極有六事其內正
法得三昧定無能起心令不安者自然始盡
是曰布施其無所生亦莫能盡持智慧法是
曰持戒消于無常一切法空解道為常是曰
忍辱所謂內事無能救者以盡有罪之才是
曰精進無能罣礙盡不成就皆使成辦是曰
一心所以聖明一切自然無能救礙佛道至
深能一切決濡劣中庸決了明達眾生之根
元是曰智慧是為六弟四無畏何謂大哀度
無極有六事以懷大悲愍傷一切眾生之類
心不有恨是曰布施其心平等欲度眾生生
老病死未曾偏黨是曰持戒若於眾生常行
守法以仁報之可悅得安是曰忍辱往來周

BD00683 號　賢劫經（十三卷本）卷八　（8–1）

心不有恨是曰布施其心平等欲度衆生生
老病死未曾偏黨是曰持戒若於衆生常行
守法以仁報之可悦得安是曰忍辱往来周
旋每濟衆生勤苦之患是曰精進隨其所好
上中下行而開化之是曰一心遊於三界終
始無量度生死厄是曰智慧是為六何謂眼
清淨度無極有六事若能清澄峚種木種心
如地種而不可動洒除心垢由如水也是曰
布施其能建立火種風種燒盡衆惡是曰持
戒設燒生死令無有餘瑕穢悉消不怉瞋恨
是曰忍辱目之所覩無所不見光明遠炤是
曰精進所行服勤凡一切無心念是非是曰
一心所觀十方絙然無邊所濟無猒是曰智
慧是為六何謂天眼清淨度無極有六事其
以天眼見諸色身端正好醜長短廣狭卑黑
肥瘦而往化之是曰布施知其身行名字心
性身所生去見身往来周旋之處是曰持戒
觀其身行分別是非合散成敗是曰忍辱察
天地壊復還合成生天人物是曰精進若見
報應罪福善惡道俗明冥曰一心見 諸次
苐遠近深淺空無相願度三脫門是曰智慧
是為六何謂慧眼度無極有六事以成慧眼
普見一切其諸衆生根本始原所從生矣是
曰布施以能成就大得解脫無有衆結是曰
持戒既有所獲建立其心在於道義是曰忍

BD00683號　賢劫經（十三卷本）卷八　（8–2）

是為六何謂慧眼度無極有六事以成慧眼
普見一切其諸衆生根本始原所從生矣是
曰布施以能成就大得解脫無有衆結是曰
持戒既有所獲建立其心在於道義是曰忍
辱所致堅強建立遍觀於十方悉亦了了 是
曰精進其所觀者由如真諦審不虛妄是曰
一心志懐悦豫亦無所生不隨罪惡道意無
窮是曰智慧是為六何謂法眼清淨度無極
有六事若能大得諸佛之法十八不共是曰
布施自身致斯佛十八法往濟惡趣十八若
毒是持戒所覩因緣品苐高下深淺微細
是曰忍辱以觀一切三界所有本悉自然是
曰精進憶識本末應病與藥以治三病是曰
一心所見不虛不為愚觀空然開化一切衆
人是曰智慧是為六何謂佛眼清淨度無熱
有六事以佛眼見無所罣礙寤不覺者是曰
布施所察愍傷一切衆生三苦之惱是曰持
戒度脫衆生不違諸難永得久安是曰忍辱
所視無量玄遠無底不可為喻是曰精進觀
其根本若枝葉果已熟欲落而歎捝之是曰
一心見本末然從緣而起以了本無則無所
生是曰智慧是為六何謂自在度無極有六
事若得由己作行究竟而不中止是曰布施
所行到處輙得所願不違要誓是曰持戒自
在立行建得無想放諸所著是曰忍辱仁和
柔順分別以解於一切慧是曰精進一切皆

BD00683號　賢劫經（十三卷本）卷八　（8–3）

所行到處輙得所願不違要誓是曰持戒自
在立行建得無想放諸所著是曰忍辱仁和
柔順分別以解於一切慧是曰精進一切皆
盡慧不可盡是曰一心解一切法明慧聖要
化諸不還是曰智慧是為六何謂娛樂度無
極有六事所施與者離于希望猶如虛空化
五百蓋覆比丘衆若梵志聚名曰頭那井中
水泉自然甘美是曰布施若入城理人民普
安埜族樂器不鼓自鳴是曰持戒諸根不具
盲聾瘖瘂跛蹇病蒙其光明悉除衆患是
曰忍辱演其光耀焰於十方無量佛土皆荷
衆人是曰精進在維耶離城城中內外各變
化八萬四千諸佛身形是曰一心彼時因隨
為八部衆班宣經道各使得解是曰智慧是
為六何謂難得自歸度無極有六事威儀礼
節安然詳序功德其廣能稱受空是曰布施
以能曉了諸佛世尊至德玄遠難不可當是
曰持戒所行堅強方便隨時不失其節志願
無違應病與藥而開化之將護衆業能化毒
虵捉在手中以至誠故永無所畏用神足咒
故不以為難是曰忍辱如目揵連疾解化魔
佛與其俱度彼土衆不自覺反還在祇樹桒
鉢中水旦汗佛地是曰精進如佛弟子舍利
弗言一時須申有卅九心起為生死業佛言
不可計是曰一心如佛言曰時有一城其中

BD00683 號　賢劫經（十三卷本）卷八　（8–4）

佛與其俱度彼土衆不自覺反還在祇樹桒
鉢中水旦汗佛地是曰精進如佛弟子舍利
弗言一時須申有卅九心起為生死業佛言
不可計是曰一心如佛言曰時有一城其中
衆人而有重罪不計道法誹謗高德如來至
真於一夜半為說經典棄其重罪精進暢達
得六神通曰智慧是為六
十八不共品第十七
佛告喜王菩薩何謂十八不共諸佛之法事
有十八何謂無毀滅度無極有六事應時開
導具足德行令無缺失是曰布施若除伴黨
不偏所為無有失是曰持戒所說至要言
無有失身口心穿是曰忍辱應其果報不違
本章從始發意至道無二是曰精進從其誓
願各使得所不違大要是曰一心至心解脫
門長獲入安隱無有衆難是曰智慧是為六
何謂無著無處言度無極有六事所說開化
皆宣然渊不為雜碎是曰布施以得三達知
見去來今常清淨所行無穢是曰持戒不懷
害心向於他人恒抱仁慈是曰忍辱隨其人
心欲有所好而為解說便令喜悅是曰精進
為無等倫宣布微妙油蜜甘露加之於人心
使悅豫是曰一心若為班宣消除衆結狐疑
羅網以自纏縛是曰智慧是為六何謂無桒
忘度無極有六事其心放捨功德無斷自然

BD00683 號　賢劫經（十三卷本）卷八　（8–5）

為無等倫宣布微妙油蜜甘露加之於人心
使悅豫是曰一心若為班宣消除衆結狐疑
羅網以自纏縛是曰智慧是為六何謂無棄
志度無極有六事其心放捨一切德無斷自然
定矣是曰布施以一切德勸助其意使發道
心是曰持戒所行無邊導脩至義永無罪殃
是曰忍辱速得一切衆得之行至真之法是
曰精進常識三世去來今事未曾忽忘是曰
一心曰其樹生究竟長大諦念道法不以失
本是曰智慧是為六何謂心定度無極有六
事所去平等心無所生興隆道法是曰布施
所可宣揚依因遊居不失道法是曰持戒其
所依倚以法開化多所喜悅是曰忍辱 其所
奉六度無極正真之道皆為他人曰精進
自攝其心以恩濟人而門導之是曰一心一
切隨時而其所願行無底各令悅豫是曰
智慧是為六何謂觀究無為度無極有人而
所願已成吉如恬怕是曰布施依仰於人而
究然安是曰持戒行其慈哀察護諸業猶如
道場是曰忍辱一切菩薩三界衆生亦以道
心所行無邊是曰精進所可將養而為一切
羣黎之衆宣暢正法是曰一心雖為說法化
身口意令無所犯不著三界是曰智慧是為
六何謂無有若干度無極有六事若以不生
若干品想存心在道是曰布施其如是想興

BD00683號　賢劫經（十三卷本）卷八　（8-6）

羣黎之衆宣暢正法是曰一心雖為說法化
身口意令無所犯不著三界是曰智慧是為
六何謂無有若干度無極有六事若以不生
若干品想存心在道是曰布施其如是想興
顯道德不離正真是曰持戒若以無意不為
思想常一定意是曰忍辱未曾毀犯彼已性
行護身一切是曰精進勤脩應行解知其時
不失聖節是曰一心皆能達暢五趣生死往
來周旋一切根原是曰智慧是為六何謂所
樂度無極有六事若心念樂自護其心愍傷
他人是曰布施設使心思往古今世愍念已
身以哀一切是曰持戒若復喜樂講說經典
不為俗業是曰忍辱常用隨時一切至樂無
上正真是曰精進假使好喜佛法聖衆斷衆
愛欲不善之行是曰一心若除諸耶九十六
種志甘道法是曰智慧是為六何謂不失精
進度無極有六事所造勤脩奉行道法德不
損耗一切備悉是曰布施若以心悅哀念一
切不以害心向於他人布施精進是曰持戒
若訓誨時亦以道法悉能堪受是曰忍辱若
以法明所觀一切無所傷害是曰精進一切
所講乃說其本識其宿命乃至無際是曰一
心所解義理不可限量是曰智慧是為六

賢劫經卷第八

BD00683號　賢劫經（十三卷本）卷八　（8-7）

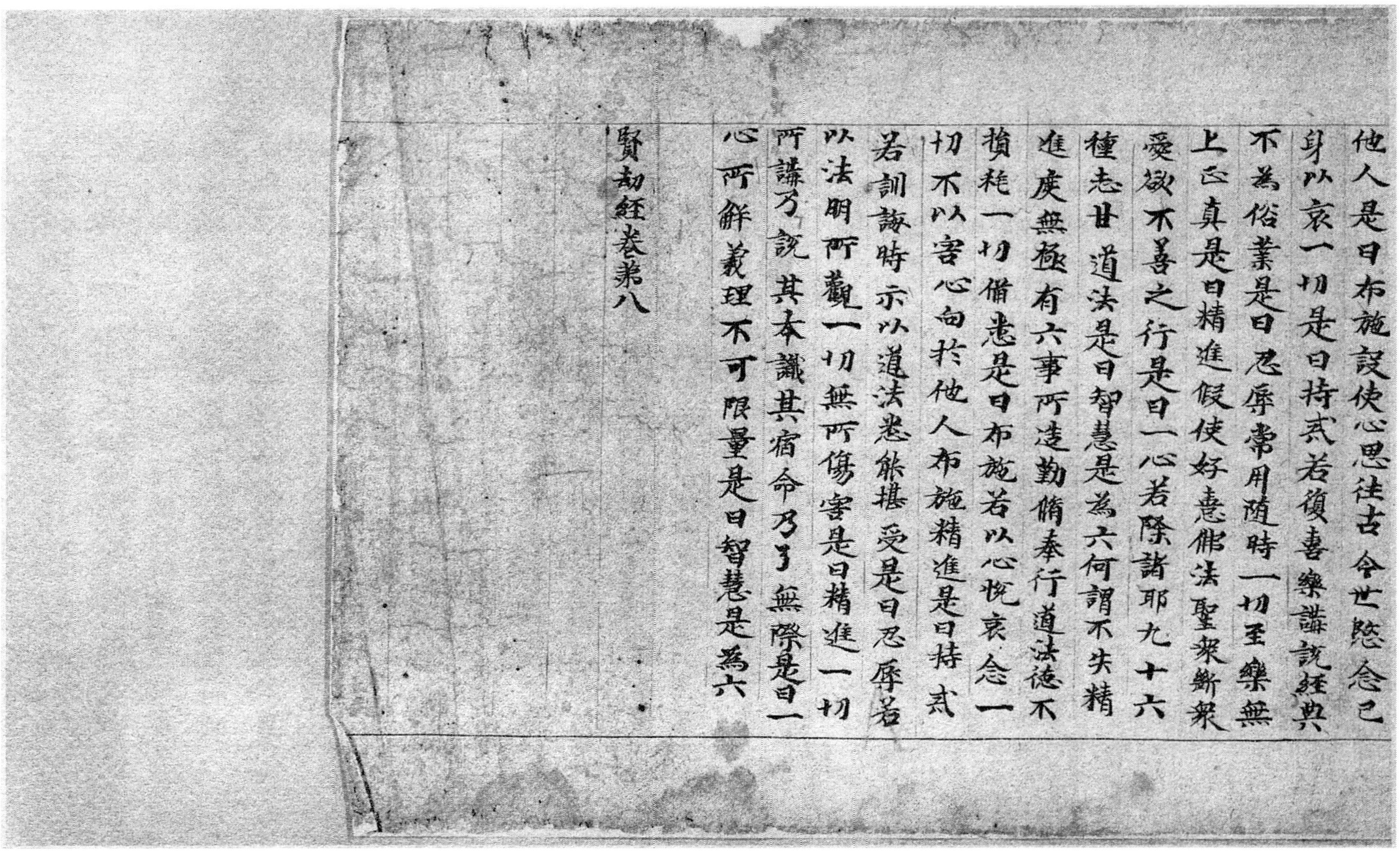
他人是曰布施設使心思往古今世慈念己
身以哀一切是曰持戒若復喜樂諷誦經典
不為俗業是曰忍辱常用隨時一切至樂無
上正真是曰精進假使好憙佛法聖衆斷衆
愛欲不善之行是曰一心若除諸耶九十六
種志甘道法是曰智慧是為六何謂不失精
進度無極有六事所造勤脩奉行道法德不
損耗一切備悉是曰布施若以心悅哀念一
切不以害心向於他人布施精進是曰持戒
若訓誨時示以道法悉能堪受是曰忍辱若
以法明所覩一切無所傷害是曰精進一切
所講方說其本識其宿命乃了無際是曰一
心所解義理不可限量是曰智慧是為六

賢劫經卷第八

BD00683 號　賢劫經（十三卷本）卷八　（8–8）

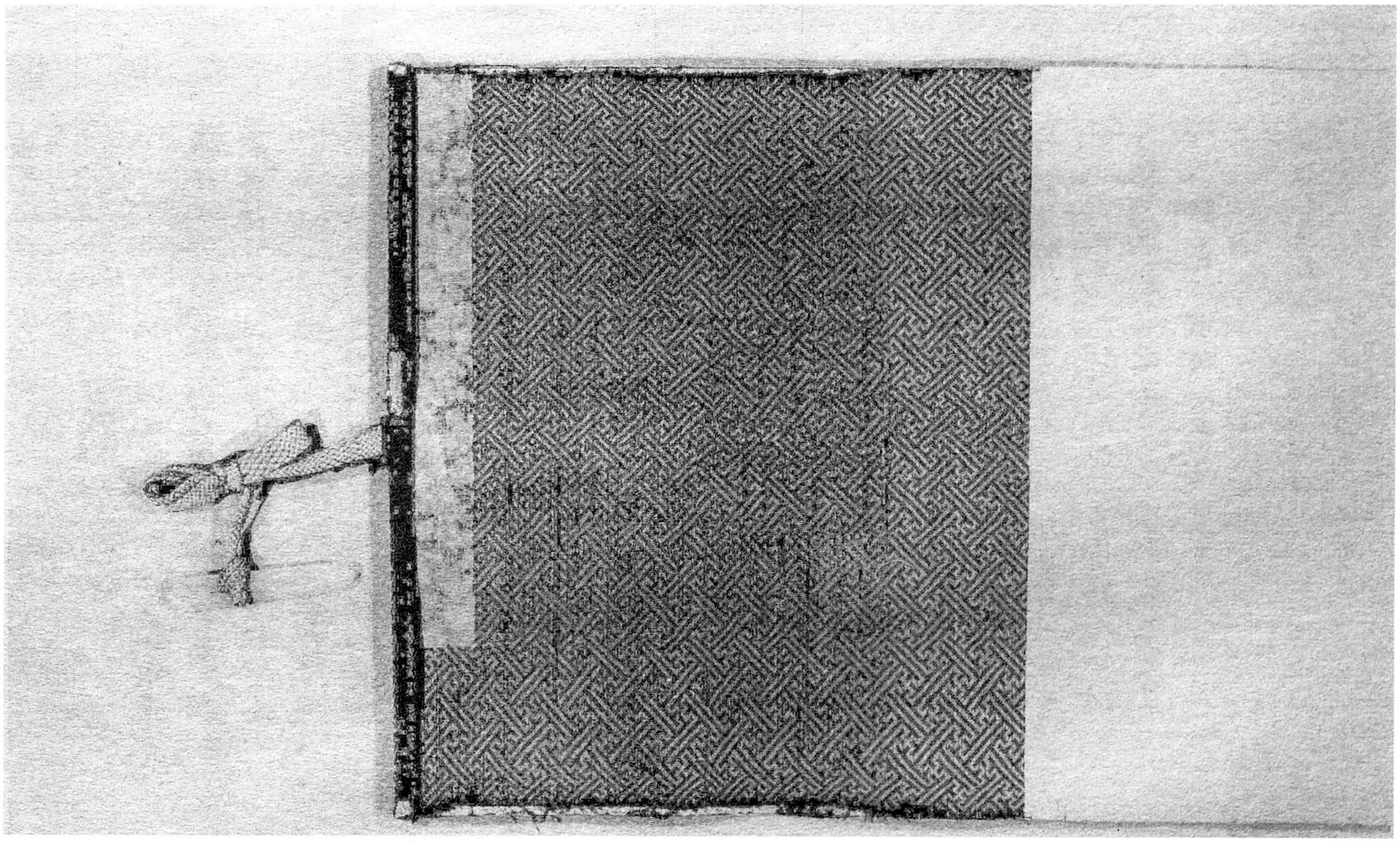

BD00684 號背　大智度論卷六四護首　（1–1）

般若波羅蜜无所作者
无作者不能斷諸煩惱不能脩習諸善法此
中佛說因緣從作者乃至一切法不可得故
知者尚无何況作者須菩提言若无作者般
若波羅蜜无所能作應云何行云何得般若
波羅蜜佛言若菩薩不行一切法不得一切
法所謂若常无常乃至若淨若不淨是名行
般若波羅蜜一切法者從色乃至一切種智
是菩薩行法是法中无智人行諸法常等智
人行諸法无常等是般若波羅蜜亦諸法畢
竟實相故不說諸无常等唯能破常等
顛倒般若中不更是法以能生著心故思惟
籌量求常无常相不可得定實問曰色等罪
法可觀不淨苦餘善法云何觀不淨苦答曰
是名字不淨苦如隨意安隱好法名清淨快
樂不隨意非安隱法名不淨苦於善法中憂
樂悅可者以為淨樂厭德不善者以為不淨
苦須菩提作是念若離諸觀法者將无不具
足菩薩道耶是故佛說若不行色等不具足
是行般若波羅蜜色具足者有人言色等法
中常无常等憶想分別是名具足不具足者
是中用无常等觀破常等是名不具足少常
等故今於色中亦不行无常等是故不言行
色不具足是為行般若波羅蜜復次有人言

BD00684號　大智度論卷六四　（13–1）

樂悅可者以為淨樂厭德不善者以為不淨
苦須菩提作是念若離諸觀法者將无不具
足菩薩道耶是故佛說若不行色等不具足
是行般若波羅蜜色具足者有人言色等法
中常无常等憶想分別是名具足不具足者
是中用无常等觀破常等是名不具足少常
等故今於色中亦不行无常等是故不言行
色不具足是為行般若波羅蜜復次有人言
具足者謂補處菩薩能如色實觀乃至一切
種智是名具足餘者是不具足若菩薩不行
色等不具足者即是行具足般若何以故色
不具足則非色色非无常相故佛言出眾生
於常中著无所有中隨語言音聲故是故說
如是實清淨亦不行是為行般若波羅蜜善
說道非道故須菩提言亦有得者是非道无
得者是道佛觀眾會心多迴向空知般若波
羅蜜无得相是故說不行色等无得是行般
若能如是行者於色等法无得須菩提唯不
能究盡知畢竟空理而常樂說是法亦有与
一切世間法相違佛可須菩提所說若不說
无增无減是諸法實相若以身業毀壞亦不
能令異何況口說常不生相故譬如虛空虛
空是般若波羅蜜凡人是行者行者離罪業
因緣生是虛誑法般若波羅蜜合故无有異
如種種諸色到須彌山邊同為金色是諸法
實相不可知不可說故若說不說如本不異
尒時須菩提作是念若諸法畢竟空无所有

BD00684號　大智度論卷六四　（13–2）

因緣生是虛誑法般若波羅蜜合故无有異
如種種諸色到須弥山邊同為金色是諸法
實相不可知不可說故若說不說如本不異
尒時須菩提作是念若諸法畢竟空无所有
如虛空乃至无有微細相而菩薩能脩集善
法得无上道是事難信難更作是念已白佛
言諸菩薩所為甚難能為難事故應礼拜謂
能大誓莊嚴故須菩提而有心說是菩薩摩
訶薩為阿耨多羅三藐三菩提大誓莊嚴一
切天人皆應礼拜問曰云何知是大誓莊嚴
答曰須菩提此中自說譬如有人為虛空故
懃行精進利益故大誓莊嚴菩薩為利益眾
生懃精進亦如是世尊若有人欲度虛空菩
薩摩訶薩欲度眾生亦如是問曰一事何以
再說答曰利益者未得涅槃但令得智慧禪
定等等今世後世樂欲度者令得漏盡成三
乘道入无餘涅槃如虛空无生无滅无苦无
樂无脫无縛无所有故眾生亦如是是故說
世尊為度虛空等眾生故大誓莊嚴如虛空
无色无形若有欲舉虛空是為難眾生之如
是畢竟空而菩薩欲舉三界眾生著涅槃中
是故大誓莊嚴須菩提讚是菩薩大精進
力不隨邪疑心故唯未得佛道未滅諸結而
能大勇猛能如是行菩薩道為眾生眾生亦
空譬以種種綵色欲畫虛空此中佛說眾生
空因緣所謂十方如恒河沙諸佛以神通力
為眾生无量劫說法一一佛度无量阿僧祇
眾生入涅槃假令如是於眾生无所減少若

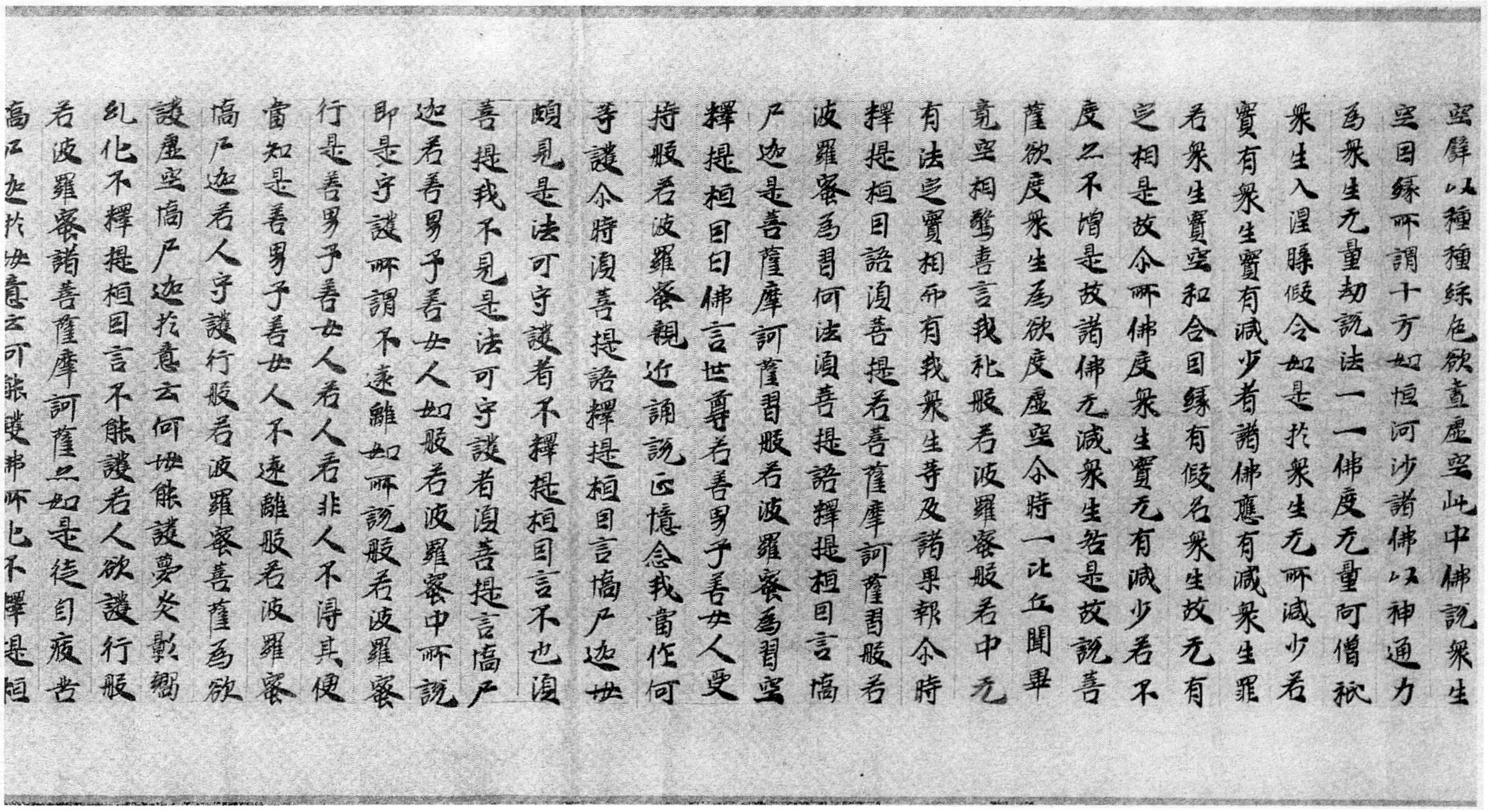

空譬以種種綵色欲畫虛空此中佛說眾生
空因緣所謂十方如恒河沙諸佛以神通力
為眾生无量劫說法一一佛度无量阿僧祇
眾生入涅槃假令如是於眾生无所減少若
實有眾生實有減少者諸佛應有減眾生罪
若眾生實空和合因緣有假名眾生故无有
定相是故尒所佛度眾生實无有減少若不
度亦不增是故諸佛无滅眾生咎是故說善
薩欲度眾生為欲度虛空尒時一比丘聞畢
竟空相驚言我礼般若波羅蜜般若中无
有法定實相而有我眾生等及諸果報尒時
釋提桓因語須菩提若菩薩摩訶薩習般若
波羅蜜為習何法須菩提語釋提桓因言憍
尸迦是菩薩摩訶薩習般若波羅蜜為習空
釋提桓因白佛言世尊若善男子善女人受
持般若波羅蜜親近誦說正憶念我當作何
等護尒時須菩提語釋提桓因言憍尸迦汝
頗見是法可守護者不釋提桓因言不也須
菩提我不見是法可守護者須菩提言憍尸
迦若善男子善女人如般若波羅蜜中所說
即是守護所謂不遠離如所說般若波羅蜜
行是善男子善女人若人若非人不得其便
當知是善男子善女人不遠離般若波羅蜜
憍尸迦若人守護行般若波羅蜜菩薩為欲
護虛空憍尸迦於意云何汝能護夢炎影響
幻化不釋提桓因言不能護若人欲護行般
若波羅蜜諸菩薩摩訶薩亦如是徒自疲苦
憍尸迦於汝意云可能護佛所化不釋提桓

護虛空憍尸迦於意云何汝能護夢炎響
幻化不釋提桓因言不能護若人欲護行般
若波羅蜜諸菩薩摩訶薩亦如是徒自疲苦
憍尸迦於汝意云何能護佛所化不釋提桓
因言不能護若人欲護行般若波羅蜜諸菩
薩摩訶薩亦如是憍尸迦於汝意云何能護
法性實際如不可思議性不釋提桓因言不
能護若人欲護行般若波羅蜜諸菩薩摩訶
薩亦如是尒時釋提桓因問須菩提云何菩
薩摩訶薩行般若波羅蜜知見諸法如夢如
炎如影響如幻如化諸菩薩摩訶薩如所知
見故不念夢不念是夢不念用夢不念我夢
炎影響幻化亦如是須菩提言憍尸迦若菩
薩摩訶薩行般若波羅蜜不念色不念是色
不念用色不念我色是菩薩摩訶薩亦能不
念夢不念是夢不念用夢不念我夢乃至化
亦不念化不念是化不念用化不念我化受
想行識亦如是乃至一切種不念一切種不
念是一切種不念用一切種不念我一切種
是菩薩摩訶薩亦能不念夢不念是夢不念
用夢不念我夢乃至化亦如是憍尸迦菩薩
摩訶薩知諸法如夢如炎如影如響如幻如
化尒時佛神力故三千大千世界中諸四天
王天卅三天夜摩天兜率陁天化樂天他化
自在天梵身天梵輔天梵眾天大梵天少光
天乃至淨居天是一切諸天以天栴檀遙散
佛上來詣佛所頭面禮佛足却住一面釋曰

BD00684號　大智度論卷六四　　(13–5)

天乃至淨居天是一切諸天以天栴檀遙散
佛上來詣佛所頭面禮佛足却住一面釋曰
即時帝釋從佛須菩提所聞是甚深般若爲
習何法須菩提言諸法久久皆歸涅槃故當
習諸法空是故說欲習般若當習空帝釋是
人天王於世間自在能與所須頭作守護聞
是般若波羅蜜歡喜白佛言我當作何事守
護隨其所須盡當與之須菩提及一比丘出
家法教化所已諸惡鬼神常惱是人魔若魔
民常惱行者是故問佛我當以何事守護若
遣子弟若遣官屬侍衛隨佛教勅須菩提
知般若有无量力又知佛意欲令般若波羅
蜜貴重不用受恩故語帝釋憍尸迦般若波
羅蜜中皆空如幻如夢汝頗見是有一法可
守護不帝釋言不也若可見者不名爲般若
波羅蜜畢竟空若不可見云何說言我當作
何事守護復次憍尸迦若行者如所說般若
中住即是守護若菩薩如般若中所說一心
信受思惟正憶念入禪定觀諸法實相得
畢竟空智慧應无生法忍入菩薩位如是人
不惜身命何况少物是人不須守護守護者
遮諸苦惱令得安樂是人離一切世間法故
无有憂愁苦惱得世間事不以爲喜失世間
事不以爲憂所謂常不離如所說般若波羅
蜜行者人少時應行後還失者宜須守護若
常不離如所說般若波羅蜜則不須守護如
伽羅耶又以捲打舍利弗頭舍利弗時入滅

BD00684號　大智度論卷六四　　(13–6)

事不以爲憂所謂常不離如所説般若波羅
蜜行者人少時應行後還失者宜須守護若
常不離如所説般若波羅蜜則不須守護如
伽羅耶又以捲打舍利弗頭舍利弗時入滅
盡定不覺打痛般若波羅蜜氣力分即是滅
盡定是故若人若非人不能得便略説二種
因緣不須守護若人若非人不得便一者從
身乃至一切諸法皆能離无我无我所故皆
无所著如斬草木不生憂愁二者得上妙法
故爲十方諸佛菩薩諸天守護復次譬如人
欲守護虛空虛空雨不能壞風日不能乾刀
杖等不能傷若有人欲守護虛空者徒自疲
苦於空无益若人欲守護行般若波羅蜜菩
薩亦如是欲令此事明了故問曰汝能守護
空及夢中所見人及變化人不答言不也
此法但誑心眼暫現已滅云何可守護行般
若波羅蜜菩薩亦如是觀五衆如夢等虛誑
如无爲法如法性實際不可思議性无能守
護者亦在所利益行般若菩薩如知身如法
性實際不別得供養利時不喜破壞失時不
憂如是人何須守護尒時帝釋貪貴是如夢
等智慧菩薩得是智慧力不須外守護故問
須菩提云何菩薩知是如夢等空法如所知
見不念夢等者等喻五衆五衆人所著不着
夢等欲令離着事故以不著事爲喻欲令觀
五衆如夢於夢亦復生着是故帝釋問如夢
亦不著是夢凡夫人以夢喻五衆即復著夢

見不念夢等者等喻五衆五衆人所著不着
夢等欲令離着事故以不著事爲喻欲令觀
五衆如夢於夢亦復生着是故帝釋問如夢
亦不著是夢凡夫人以夢喻五衆即復著夢
作是言定有夢法眠睡時生是名念夢是夢
惡是夢好如是分別是名念夢夢得好事則
心高得惡事則心悲又用此夢譬喻得是如
夢實智慧是名念用夢聞是譬喻我因此夢
得諸法如夢是名我夢餘喻亦如是尒時須
菩提答帝釋若行者不念色是色非人色樹
色山色是四大若四大所造色等不念是色
若常若无常等不以色故心生憍慢不念色
是我所非我所入无我門直至諸法實相中
是人能不念夢不念是夢等用是夢等譬喻
破着五衆破着故於夢中亦不錯若不能破
色着是人於色錯於夢亦錯受想行識乃至
一切種智亦如是幻炎響影化等亦如是諸
菩薩知諸法如夢於夢亦不念是般若波羅
蜜唯皆甚深是品中了了説諸法實相故是
以三千大千世界諸天持諸供養具來供養
佛一面立尒時四天王天釋提桓因及卅三
天梵天王乃至諸淨居天佛神力故見東方
千佛説法亦如是相如是名字説是般若波
羅蜜品諸比丘字須菩提問難般若波羅蜜
品着皆字釋提桓因南西北方四維上下亦
如是各千佛現尒時佛告須菩提彌勒菩薩
摩訶薩得阿耨多羅三藐三菩提時亦當於

品者皆字釋提桓因南西北方四維上下亦
如是各千佛現尔時佛告須菩提弥勒菩薩
摩訶薩得阿耨多羅三藐三菩提時亦當於
是處說般若波羅蜜賢劫中諸菩薩摩訶薩
得阿耨多羅三藐三菩提時亦當於是處說
般若波羅蜜須菩提白佛言世尊弥勒菩薩
摩訶薩得阿耨多羅三藐三菩提用何相何
因何義是般若波羅蜜義佛告須菩提弥勒
菩薩摩訶薩得阿耨多羅三菩提時色非常
非无常當如是說法色非苦非樂色非我非
无我色非淨非不淨當如是說法色非縛非
解當如是說法受想行識非常非无常乃至
非縛非解當如是說法色非過去色非未來
色非現在當如是說法受想行識亦如是色
畢竟空淨當如是說法受想行識畢竟空淨
當如是說法乃至一切智畢竟空淨當如是
說法須菩提白佛言世尊是般若波羅蜜清
淨佛言色清淨故般若波羅蜜清淨受想行
識清淨故般若波羅蜜清淨世尊云何色清
清故般若波羅蜜清淨云何受想行識清淨
故般若波羅蜜清淨佛言若色不生不滅不
垢不淨是名色清淨受想行識不生不滅不
垢不淨是名受想行識清淨復次須菩提虛
空清淨故般若波羅蜜清淨世尊云何虛空
清淨故般若波羅蜜清淨佛言虛空不生不
滅故清淨般若波羅蜜亦如是復次須菩提
色不汙故般若波羅蜜清淨受想行識不汙
故般若波羅蜜清淨世尊云何色不汙故般

BD00684號　大智度論卷六四　（13–9）

清淨故般若波羅蜜清淨佛言虛空不生不
滅故清淨般若波羅蜜亦如是復次須菩提
色不汙故般若波羅蜜清淨受想行識不汙
故般若波羅蜜清淨世尊云何色不汙故般
若波羅蜜清淨受想行識不汙故般若波羅
蜜清淨佛言如虛空不可汙故虛空清淨世
尊云何如虛空清淨世尊云何如虛空不可
汙故虛空清淨佛言虛空不可取故虛空清
淨虛空清淨故般若波羅蜜清淨復次須菩
提虛空不可說故般若波羅蜜清淨世尊云
何虛空不可說故般若波羅蜜清淨佛言因
虛空中二聲出般若波羅蜜亦如虛空不可
說故清淨須菩提虛空不可說故般若波羅
蜜清淨佛言如虛空不可說故般若波羅蜜
清淨復次如虛空不可得故般若波羅蜜清
淨世尊云何如虛空不可得故般若波羅蜜
清淨佛言如虛空无所得相般若波羅蜜亦
如虛空无所得故清淨復次須菩提一切法
中不生不滅不垢不淨故般若波羅蜜清淨
世尊云何一切法不生不滅不垢不淨故般
若波羅蜜清淨佛言一切法畢竟清淨故般
若波羅蜜清淨問曰即是上諸天今更來荅
曰有人言事久故去竟更來有人言更有无
來者欲令信般若故十方面各千佛現是福
德因緣應見千佛故佛神力故在會衆人佛
皆見十方佛人天所見有限非佛威神无由
得見彼諸佛前說法者皆字須菩提難問

BD00684號　大智度論卷六四　（13–10）

来者欲令信般若故十方面各千佛現是福
德因緣應見千佛故佛神力故在會衆人佛
皆見十方佛人天所見有限非佛威神无由
得見彼諸佛前説法者皆字須菩提難問
者皆字釋提桓因取其同字者有千人是時
須菩提帝釋皆歡喜言非獨我等能説能問
佛欲證其事故廣引其事説弥勒及賢劫菩
薩於摩迦陀國王舍城耆闍崛山説般若波
羅蜜如經中説弥勒菩薩將大衆到耆闍崛
山以足指開山頂摩訶迦葉骨身著僧迦梨
執杖持鉢而出弥勒為大衆説言有過去釋
迦牟尼佛人壽百歳時人是少欲知足行頭
陁弟子中第一具六神通得三明常憐愍利
益衆生故以神通力令此骨身至今因此小
身得如是利何況汝等大身生於好世而不
能自利尒時弥勒菩因是事廣説法令无量
衆生併盡苦際以此事故知弥勒在耆闍崛
山中説法是般若波羅蜜過去未來現在佛
所説應當信受須菩提問弥勒以何相何因
以何法門説佛言如我説色等諸法非常非
无常非縛非解等如先説乃不説色過去未
來現在如涅槃出三世色等諸法亦如是如
先説一切法如涅槃相弥勒所説亦如是尒
時須菩提歡喜白佛世尊是般若波羅蜜第
一清淨佛言色等諸法清淨故淨因果相似
故色等法清淨者所謂色等法不失業因緣
故及不得諸法生相之實故不生不滅諸法

先説一切法如涅槃相弥勒所説亦如是尒
時須菩提歡喜白佛世尊是般若波羅蜜第
一清淨佛言色等諸法清淨故淨因果相似
故色等法清淨者所謂色等法不失業因緣
故及不得諸法生相之實故不生不滅諸法
相常不汙染故不垢不淨此中説譬喻欲令
事明了故如虚空塵水不著性清淨故般若
波羅蜜亦如是不生不滅故常清淨如虚空
不可染汙般若亦如是唯有邪見戯論不能
染汙刀杖惡事不能壞无色无形不可取不
可取故則不可染汙復次諸菩薩住辯才樂
説无身智中為衆生説十二部經八万四千
法聚皆是般若波羅蜜事而分別為説是故
般若波羅蜜不可説故清淨如虚空因虚空
及心谷有人聲從山中出空因是二聲故名
嚮空口聲亦如是二聲皆虚誑不實而人以
聲為實故嚮為虚般若亦如是一切法皆畢
竟空如幻如夢凡夫法聖法皆是虚誑小菩
薩以凡夫法為虚誑聖法為實聞是二皆
虚誑何以故小菩薩以凡夫法為虚聖法為
實答曰聖法因持戒禪定智慧循集功德所
成故以為實以凡夫法自然有如嚮自然出
非是故作以為虚衆生无始世來著此身故
聲從身出為實小菩薩深樂善法故以為實
復次如虚空中无音聲語言相故无所説是
語言音聲皆是作法虚空是无作法般若波
羅蜜亦如是第一深義畢竟空无有言説一
切語言斷故復次如虚空无所得相不得有

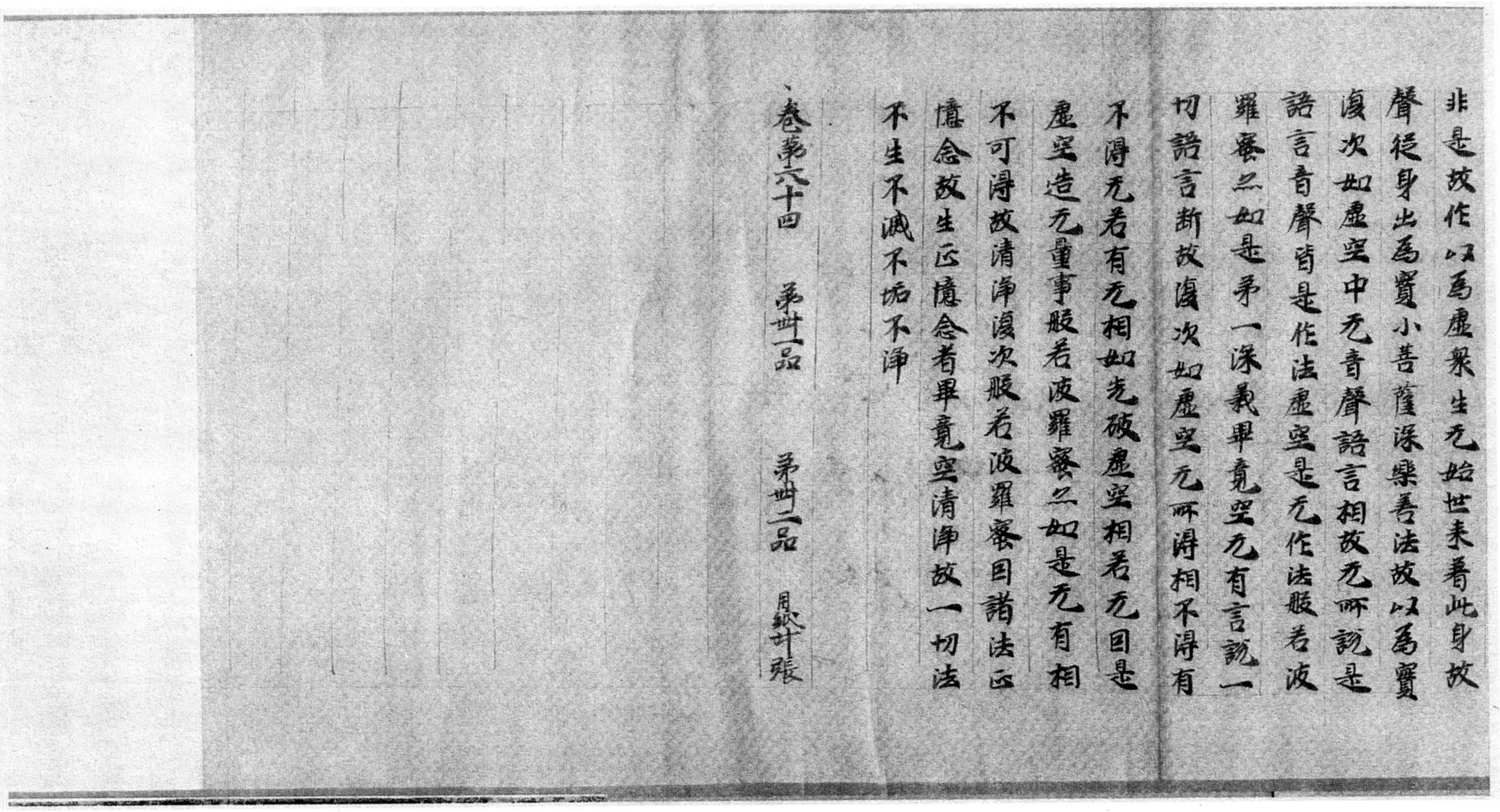
非是故作以爲虛衆生无始世来著此身故
聲從身出爲寳小菩薩深樂善法故以爲寳
復次如虛空中无音聲語言相故无所說是
語言音聲皆是作法虛空是无作法般若波
羅蜜亦如是第一深義畢竟空无有言說一
切語言斷故復次如虛空无所得相不得有
不得无若有无相如光破虛空相若无因是
虛空造无量事般若波羅蜜亦如是无有相
不可得故清淨復次般若波羅蜜因諸法正
憶念故生正憶念者畢竟空清淨故一切法
不生不滅不垢不淨

卷第六十四　第卌一品　第卌二品　用紙廿張

BD00684 號　大智度論卷六四　（13–13）

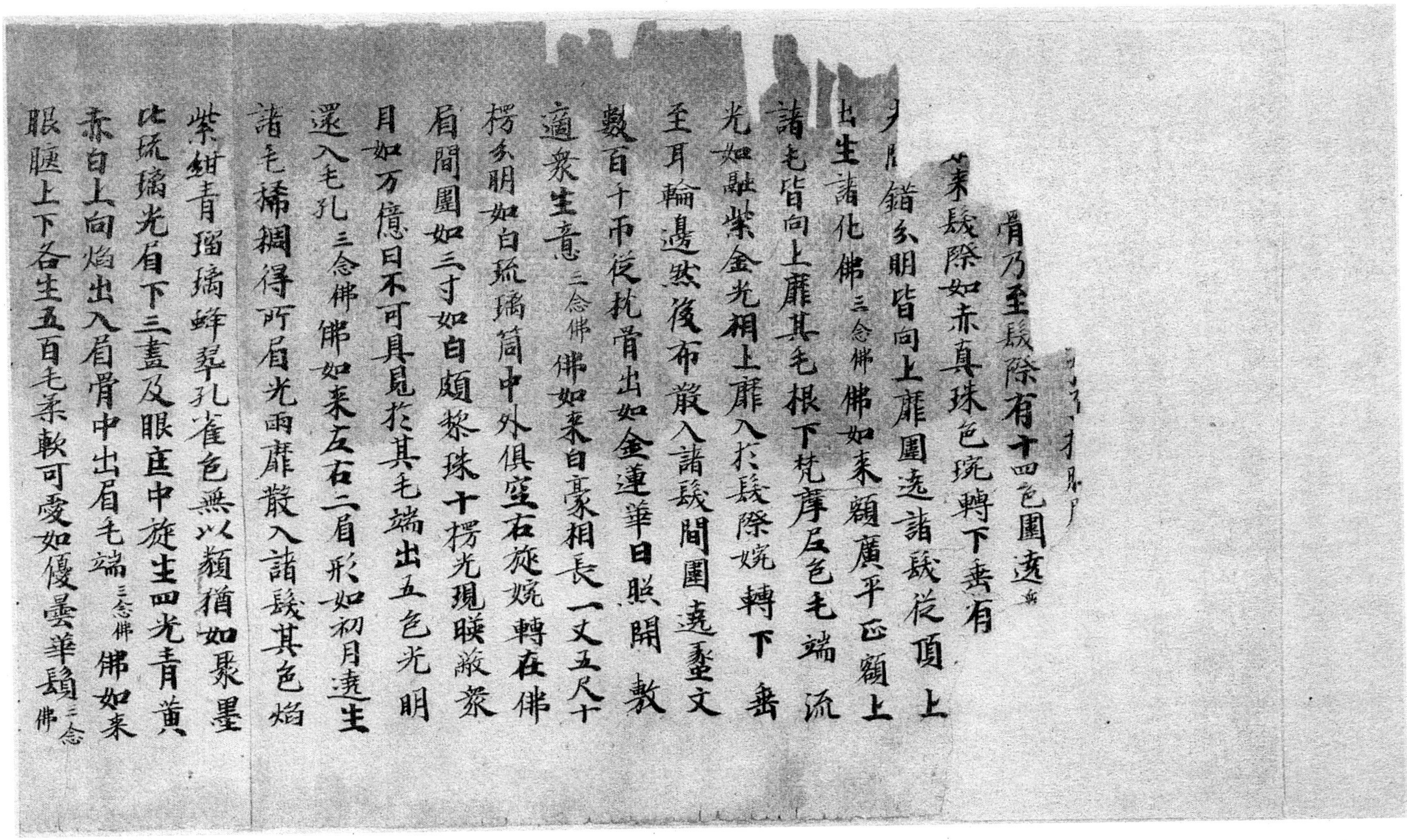
眉乃至髮際有十四色圍遶
来髮際如赤真珠色旋轉下垂有
光錯分明皆向上靡圍遶諸髮從頂上
出生諸化佛三念佛佛如来額廣平正額上
諸毛皆向上靡其毛根下梵摩尼色毛端流
光如融紫金光相上靡入於髮際旋轉下垂
至耳輪邊然後布散入諸髮間圍遶叠文
數百千帀從枕骨出如金蓮華日照開敷
適衆生意三念佛佛如来白毫相長一丈五尺十
楞分明如白琉璃筒中外俱空右旋婉轉在佛
眉間團圓如三寸如白頗梨珠十楞光現映蔽衆
月如万億日不可具見於其毛端出五色光明
還入毛孔三念佛佛如来左右二眉形如初月遶生
諸毛稀稠得所眉光雨靡散入諸髮其色焰
紫紺青瑠璃鮮翠孔雀色無以類猶如聚墨
比琉璃光眉下三畫及眼匡中旋生四光青黄
赤白上向焰出入眉骨中出眉毛端三念佛佛如来
眼瞼上下各生五百毛柔軟可愛如優曇華鬚三念佛

BD00685 號　相好經　（8–1）

紫紺青琉璃頗梨[illegible]
比琉璃光眉下三畫及眼匡中旋生四光青黄
赤白上向焰出入眉骨中出眉毛端 三念佛 佛如来
眼瞼上下各生五百毛柔軟可愛如優曇華鬚 三念佛
佛如来眼如四大海水青白分明白者白於白寶青者
勝青蓮華上下俱眴如牛王目目雙眥 疾計反
頭旋出二光如青蓮華 三念佛 佛如来耳普垂
埵 都果反 相兩耳孔中旋生七毛輪𫇰衆相如寶
蓮華懸處日光兩耳内外出生蓮華及耳孔
七毛流出諸光光有五百支支有五百色 三念佛
佛如来方頰車相頰上六畫中左右疋等有妙
光色輝豔倍常如淨金色譬如和合百千日月
三念佛 佛如来鼻高脩直如鑄金鋌當于面門其
孔流光上下灌注 三念佛 佛如来鼻鬚如科斗形於
毛端頭開敷三光紫紺紅色直從口邊旋頸上照
圓繞圓光作三種畫其畫分明色中上者 三念佛
佛如来師子火相佛張口時如師子王口方疋疋等
口兩吻邊流出二光其光金色 三念佛 佛如来脣色
赤好如頻婆菓於上下脣及齗 五斤反 腭間和合
出光其光團圓猶如百千赤真珠貫從佛口
出入於佛鼻從佛鼻出入白豪中從白豪出
入諸髮間髮飾諸華 三念佛 佛如来口卌齒上齒
印文上生光其光紅白光光相照照卌齒令卌齒
根 丈進反 齊白如頗梨璧上下齊平無參差者其
齒間諸畫流出諸光亦紅白色如是衆色佛
在世時照耀人目 三念佛 佛如来上腭八万四千

BD00685號　相好經　（8–2）

根 丈進反 齊白如頗梨璧上下齊平無參差者其
齒間諸畫流出諸光亦紅白色如是衆色佛
在世時照耀人目 三念佛 佛如来上腭八万四千
畫了了分明下齗如優曇鉢華莖色 三念佛 佛
如来廣長舌相佛舌出時如赤蓮華葉上
至髮際遍覆佛面其舌根下及舌兩邊有二
寶珠流注甘露滴舌根上諸天世人十地菩薩
無此舌相亦無此味其舌上五畫五彩分明如
寶印文其舌下十脉衆光流出如此上味入印
文中流注上下入琉璃筩諸佛笑時動其舌
根此味力故舌出五光五色分明 三念佛 佛如来咽
喉相光淨可愛如金翅鳥眼 三念佛 佛如来喉寵如
琉璃筩狀若累蓮華節節相重 三念佛 佛如来心
如紅蓮華金華映飾妙琉璃筩懸在佛胷團
圓如心開如不開合如不合紅華金光有八万四
千脉猶如天畫一一畫中有八万四千光一一光明八
万四千色一一色中有無量微塵數化佛一一化
佛坐金剛臺其金剛臺放金色光是諸化
佛遊佛心間徑往五道度苦衆生 三念佛 佛如
来頸臑圓相三約分明出二種光其光万色 三念佛
佛如来咽喉有三點相分明猶如伊字一一點中
流出二光 三念佛 佛如来缺瓮骨兩手兩足及項後
七處皆平滿相光明遍照十方世界作虎魄色 三念佛
佛如来兩肩髆圓滿相 三念佛 佛如来髀臑纖
圓如烏王鼻 三念佛 佛如来肘骨如龍王兟娩
轉相著節頭蟠龍不見其迹 三念佛 佛如来

BD00685號　相好經　（8–3）

[illegible]
佛如来兩肩髆圓滿相三念佛佛如来髀臑纖
圓如烏王臯三念佛佛如来肘骨如龍王䏶娩
轉相着節頭蟠龍不見其迹三念佛佛如来
手十指纖長参差不失其所於一一指節端
有十二輪相現三念佛佛如来赤銅爪其爪八色
了了分明三念佛佛如来手十指端各有万字相
万字點間有千輻輪相三念佛佛如来手合
縵掌斂指不見張時則現如真珠網分明可
愛三念佛佛如来手掌文蘭成如自在天宫其
掌平正人天無顡當於掌中生千輻輪相於
十方面開摩尼光三念佛佛如来手背毛皆上向
靡如紺琉璃流出五光入網縵中三念佛佛如来手
足柔軟如天劫貝三念佛佛如来手内外握三念佛
佛如来上身胸臆廣厚如師子王三念佛佛如来
胸德字万印相中放三摩尼光三念佛佛如来腋
下平滿懸生五珠如摩尼珠上踫於腋有五
百色光明共相暎發三念佛佛如来腹小不現相三念佛
佛如来齊如毗楞伽寶珠於其齊中有万億
寶華一一寶華万億那由他葉一一葉万億那由
他色一一色万億那由他光三念佛佛如来腸肋大
小正等娩轉相着三念佛佛如来諸骨枝節蟠龍
相結其間密緻三念佛佛如来鈎鏁骨卷舒自
在不相妨礙其骨色鮮白頗梨雪山不得為
髀上有紅光間錯成文凝液如脂皆出金色
三念佛佛如来馬王藏相身根平滿狀如滿月有

BD00685號　相好經　（8–4）

相結其間密緻　佛如来鈎鏁[illegible]
在不相妨礙其骨色鮮白頗梨雪山不得為
髀上有紅光間錯成文凝液如脂皆出金色
三念佛佛如来馬王藏相身根平滿狀如滿月有
金色光猶如日輪三念佛佛如来兩髀周圓漸次
而斂三念佛佛如来兩膝骨圓着好三念佛佛如来
伊尼鹿王蹲相三念佛佛如来足跟圓長有梵
王頂相衆蠡不異各生一華其華微妙猶如
淨國優鉢羅華三念佛佛如来兩足踝不現相三念佛
佛如来足趺高平相三念佛佛如来足趺上色如閻
浮檀金色毛皆上靡及身諸毛隨一毛孔一毛
旋生柔軟可愛三念佛佛如来足指網間如羅文
彩於其文間衆色玄黄不可具名三念佛佛如来
足十指纖圓鈌齊赤銅爪其爪端有五師子口相
三念佛佛如来脚十指端蠡文相如毗紐羯摩天所
畫之印三念佛佛如来足下平滿不容一毛三念佛佛
如来足下千輻輪相轂輞具足魚鱗相次金剛
杵相三念佛佛如来那羅延力合以成身結跏趺
坐坐百寶蓮華座三念佛自此已前是順觀佛
身相法若欲逆觀佛者即從佛足指次第向
上二相好觀之至佛頂相此是逆觀法
若欲觀佛圓光者世尊在日若行之時項光
照地前一由旬純黄金色後一由旬純黄金色
左一由旬純黄金色右一由旬純黄金色有人近
佛左右行者其人見職皆悉不現人遠望之同
為金色有人諦觀佛項光者前行看者見佛

BD00685號　相好經　（8–5）

照地前一由旬純黃金色復一由旬純[illegible]
左一由旬純黃金色右一由旬純黃金色有人近
佛左右行者其人見識皆悉不現人遠生之同
為金色有人諦觀佛項光者前行看者見佛
在前從後看者見佛在後左邊看者見佛在左
右邊看者見佛在右八方人來遥見項光各作是
言瞿曇沙門在金山中遊行自在來向我所如是
眾生各各異見此是項光相 三念佛 若有行者欲修
此觀法者可依前法二相好次第分明觀想作意
一作十六翻逆皆然若能用心勤作觀者不久現身
見佛一一事相不可思議行者自知注是人語
佛告阿難如來有卅二大人相八十種隨形好
金色光明一一光明無量化佛身諸毛孔
一切變現及佛色身略中說略者我今
為此時會大眾及淨飯王略說相好佛生
人間亦同人事因人相故說卅二相勝諸天
故說八十種好為諸菩薩說八万四千諸妙
相好佛實相好我初成道摩伽陁國寂滅
道場為普賢首等諸大菩薩於雜華
經已廣分別此尊法中所以略說為諸凡夫及
四部弟子謗方等經作五逆罪犯四重禁偷
僧祇物婬比丘尼破八戒齋作諸惡事種種
邪見如是等人者能至心一日一夜繫念在前
觀佛如來一相好者諸惡罪鄣皆悉盡滅是
故如來名婆伽婆名阿羅訶名三藐三佛陀名
功德日名智滿月名清涼池名除罪珠名光

BD00685 號　相好經　（8-6）

邪見如是[illegible]
觀佛如來一相好者諸惡罪鄣皆悉盡滅是
故如來名婆伽婆名阿羅訶名三藐三佛陀名
功德日名智滿月名清涼池名除罪珠名光
明藏名智慧山名式品阿名迷衢道名耶
見燈名煩惱賊名一切眾生父母大歸依處
若有歸依佛世尊者若稱名者除百千劫
煩惱重障何況正心脩念佛定
佛告阿難如來往昔無邊阿僧祇劫以智慧
火燒煩惱薪脩無相定不非時證是故獲得
如是勝相一一相中無量化佛何況多相若能
繫心觀一毛孔是人名為行念佛定以念佛故
十方諸佛常立其前為說正法此人即為
能生三世諸如來種何況具足念佛色身
如來亦有無量法身十力無畏三昧解脫諸
神通事如此妙處非汝凡夫所學境界但當
深心起隨喜想起是想已當復繫念念佛功
德念佛功德者所謂戒定智慧解脫解
脫知見金色卅二相八十隨形好十力四無所畏
十八不共法大悲三念處是若有眾生一聞
佛身如上功德相好光明億千劫不墮惡道
不生耶見雜穢之處常得正見勤脩不息但
聞佛名獲如是福何況繫念觀佛三昧

相好經一卷

BD00685 號　相好經　（8-7）

煩惱重障何況正心脩念佛定
佛告阿難如來往昔无邊阿僧祇劫以智慧
火燒煩惱薪脩无相定不非時證是故獲得
如是勝相一一相中无量化佛何況多相若能
繫心觀一毛孔是人名為行念佛定以念佛故
十方諸佛常立其前為說正法此人即為
能生三世諸如來種何況具足念佛色身
如來亦有无量法身十力无畏三昧解脫諸
神通事如此妙處非汝凡夫所學境界但當
深心起隨喜想起是想已當復繫念念佛功
德念佛功德者所謂戒定智慧解脫解
脫知見金色卅二相八十隨形好十力四无所畏
十八不共法大悲三念處是若有衆生一聞
佛身如上功德相好光明億千劫不墮惡道
不生耶見雜穢之處常得正見勤脩不息但
聞佛名獲如是福何況繫念觀佛三昧

相好經一卷

BD00685 號　相好經　（8–8）

BD00685 號背　白畫（擬）　（1–1）

樹上時非時華散雙樹間復有十万億恒河
沙樹雲雨神皆作是念如來涅槃焚身之時
我當注雨令火時滅衆中熱悶爲作清凉復
有二十恒河沙大香象王羅睺象王金色象
王甘味象王紺眼象王欲香象王等而爲上
首敬重大乘愛樂大乘知佛不久當般涅槃
各各拔取无量无邊諸妙蓮華來至佛所頭
面礼佛却住一面復有二十恒河沙等師子
獸王師子吼王而爲上首施與一切衆生无
畏持諸華果來至佛所稽首佛足却住一面
復有二十恒河沙等諸飛鳥王鳧鴈鴛鴦孔
雀諸鳥揵闥婆鳥迦蘭陁鳥鸜鵒鸚鵡俱翅
羅鳥婆嘻伽鳥迦陵頻伽鳥耆婆耆婆鳥如
是等諸鳥王持諸華菓來至佛所稽首佛足
却住一面復有二十恒河沙等水牛牛羊往
至佛所出妙香乳其乳流滿拘尸那城所有
溝坑色香美味悉皆具足成是事已却住一
面復有二十恒河沙等四天下中諸神仙人
忍辱仙等而爲上首持諸香華及諸甘蔗來

BD00686 號　大般涅槃經（北本）卷一　（12–1）

至佛所出妙香乳其乳流滿拘尸那城所有
溝坑色香美味悉皆具足成是事已却住一
面復有二十恒河沙等四天下中諸神仙人
忍辱仙等而爲上首持諸香華及諸甘蔗來
詣佛所稽首佛足遶佛三匝而白佛言唯願
世尊哀受我等最後供養如來知時默然不
許時諸仙人不果所願心懷愁惱却住一面
閻浮提中一切蜂王妙音蜂王而爲上首持種
種華來詣佛所稽首佛足遶佛一匝却住一面
尒時閻浮提中比丘比丘尼一切皆集唯除尊
者摩訶迦葉阿難二衆復有无量阿僧祇恒
河沙等世界中間及閻浮提所有諸山須弥
山王而爲上首其山莊嚴叢林蓊欝諸樹茂
盛枝條扶踈蔭蔽日光種種妙華周遍而有
龍泉流水清淨香潔諸天龍神乾闥婆阿脩
羅迦樓羅緊那羅摩睺羅伽神仙呪術作倡
伎樂如是等衆弥滿其中是等諸山神亦來
詣佛稽首佛足却住一面復有阿僧祇恒河
沙等四大海神及諸河神有大威德具大神
足所設供養倍勝於前諸神身光伎樂燈明
悉蔽日月令不復現以占婆華散熙連河來
至佛所稽首佛足却住一面尒時拘尸那城
娑羅樹林其林變白猶如白鶴於虛空中自
然而有七寶堂閣彫文刻鏤綺飾分明周匝
欄楯衆寶雜廁堂下多有流泉浴池上妙蓮
華弥滿其中猶如北方欝單越國亦如忉利

BD00686 號　大般涅槃經（北本）卷一　（12–2）

至佛所稽首佛足却住一面尒時拘尸那城
娑羅樹林其林變白猶如白鵠於虚空中自
然而有七寶臺閣彫文刻鏤綺飾分明周匝
欄楯衆寶雜廁臺下多有流泉浴池上妙蓮
華弥滿其中猶如北方欝單越國亦如忉利
歡喜之薗尒時娑羅樹林中間種種莊嚴甚
可愛樂亦復如是是諸天人阿脩羅等咸覩
如來涅槃之相皆悉悲感愁憂不樂尒時四
天王釋提桓因各相謂言汝等觀察諸天世
人及阿脩羅大設供養欲於最後供養如來
我等亦當如是供養若我最後得供養者
檀波羅蜜則為成就滿足不難尒時四天王
所設供養倍勝於前持曼陁羅華摩訶曼陁
羅華迦枳樓伽華摩訶迦枳樓伽華曼殊沙
華摩訶曼殊沙華散多尼迦華摩訶散多尼
迦華愛樂華大愛樂華普賢華大普賢華時
華大時華香城華大香城華歡喜華大歡喜
華發欲華大發欲華香醉華大香醉華普香
華大普香華天金葉華龍華波利質多樹華
拘毗陁羅樹華復持種種上妙甘饍來至佛所
稽首佛足是諸天人所有光明能蔽日月令
不復現以是供具欲供養佛如來知時默然
不受尒時諸天不果所願愁憂苦惱却住一面
尒時釋提桓因及三十三天設諸供具亦倍
勝前及所持華亦復如是香氣微妙甚可愛
樂持得勝堂并諸小堂來至佛所稽首佛足

BD00686 號　大般涅槃經（北本）卷一　（12–3）

尒時釋提桓因及三十三天設諸供具亦倍勝
勝前及所持華亦復如是香氣微妙甚可愛
樂持得勝堂并諸小堂來至佛所稽首佛足
而白佛言世尊我等深樂愛護大乘唯願如
來哀受我食如來知時默然不受時諸釋天
不果所願心懷愁惱却住一面乃至第六天
所設供養展轉勝前寶幢幡蓋寶蓋小者覆
四天下幡最短者周匝四海幢最卑者至自
在天微風吹幡出微妙音聲持上甘饍來詣
佛所稽首佛足白佛言世尊唯願如來哀受
我等最後供養如來知時默然不受是諸天
等不果所願心懷愁惱却住一面唯除有頂
其餘梵衆一切來集尒時大梵天王及餘梵
衆放身光明遍四天下欲界人天日月光明
悉不復現持諸寶幢繒綵幡蓋幡極短者懸
於梵宮至娑羅樹間來詣佛所稽首佛足白
佛言世尊唯願如來哀受我等最後供養如
來知時默然不受尒時諸梵不果所願心懷
愁惱却住一面
尒時毗摩質多羅阿脩羅王與无量阿脩羅
大眷屬俱身諸光明勝於梵天持諸寶幢繒
綵幡蓋其蓋小者覆千世界上妙甘饍來詣
佛所稽首佛足而白佛言世尊唯願如來哀
受我等最後供養如來知時默然不受諸阿
脩羅不果所願心懷愁惱却住一面
尒時欲界魔王波旬與其眷屬諸天婇女无

BD00686 號　大般涅槃經（北本）卷一　（12–4）

佛所稽首佛足而白佛言世尊唯願如來哀
受我等最後供養如來知時默然不受諸阿
脩羅不果所願心懷愁惱却住一面
尒時欲界魔王波旬與其眷屬諸天婇女无
量无邊阿僧祇衆開地獄門施清淨水因而
告曰汝等今者无所能爲唯當專念如來應
正遍知建立最後隨喜供養當令汝等長夜
獲安時魔波旬於地獄中悉除刀劒无量苦
毒熾然炎火注雨滅之以佛神力復發是心
令諸眷屬皆捨刀劒弓弩鎧仗鉾矟長鉤金
椎鉞斧鬪輪羂索所持供養倍勝一切人天
所設其蓋小者覆中千世界來至佛所稽首
佛足而白佛言我等今者愛樂大乘守護大
乘世尊若有善男子善女人爲供養故爲怖
畏故爲誑他故爲財利故爲隨他故受是大
乘或真或僞我等尒時當爲是人除滅怖畏
說如是呪
咤枳 吒吒羅咤枳 盧呵綠 摩訶盧呵綠
阿羅 遮羅 多羅 莎呵
是呪能令諸失心者怖畏者說法者不斷正
法者爲伏外道故護己身故護正法故護大
乘故說如是呪若有能持如是呪者无惡象
怖若至曠野空澤險處不生怖畏亦无水火
師子虎狼盜賊王難世尊若有能持如是呪
者悉能除滅如是等怖世尊持是呪者我當
護之如龜藏六世尊我等今者不以諂說

怖若至曠野空澤險處不生怖畏亦无水火
師子虎狼盜賊王難世尊若有能持如是呪
者悉能除滅如是等怖世尊持是呪者我當
護之如龜藏六世尊我等今者不以諂說
如是事持是呪者我當至誠益其勢力唯願
如來哀受我等最後供養尒時佛告魔波旬
言我不受汝飲食供養我已受汝所說神呪
爲欲安樂一切衆生四部衆故佛說是已默
然不受如是三請皆亦不受時魔波旬不果
所願心懷愁惱却住一面
尒時大自在天王與其眷屬无量无邊及諸
天衆所設供具悉覆梵釋護世四王人天八
部及非人等所有供具釋梵所設猶如聚墨
在珂貝邊悉不復現寶蓋小者能覆三千大
千世界持如是等供養之具來詣佛所稽首
佛足遶无數匝白佛言世尊我等所獻微末
供具喻於蚤子供養於我亦如有人以一掬水
投於大海然一小燈助百千日春夏之月
衆華茂盛有持一華益於衆華以葶藶子
益須弥山豈當有益大海日明衆華須弥世
尊我今所奉微末供具亦復如是若以三千大
千世界滿中香華妓樂幡蓋供養如來尚不
足言何以故如來爲諸衆生常於地獄餓鬼
畜生諸惡趣中受諸苦惱是故世尊應見哀
愍受我等供
尒時東方去此无量无數阿僧祇恒河沙微

十世界諸中香華妓樂幡蓋供養如来尚不
足言何以故如来為諸衆生常於地獄餓鬼
畜生諸惡趣中受諸苦惱是故世尊應見哀
愍受我等供
尒時東方去此无量无數阿僧祇恒河沙微
塵等世界彼有佛土名意樂美音佛号虛空
等如来應供正遍知明行足善逝世間解无上
士調御丈夫天人師佛世尊尒時彼佛即告
第一大弟子言善男子汝今宜往西方娑婆
世界彼土有佛号釋迦牟尼如来應正遍知
明行足善逝世間解无上士調御丈夫天人
師佛世尊彼佛不久當般涅槃善男子汝可
持此世界香飯其飯香美食之安隱可以奉
獻彼佛世尊世尊食已入般涅槃善男子并
可礼敬請決所疑尒時无邊身菩薩摩訶薩
即受佛教從坐而起稽首佛足右遶三匝與
无量阿僧祇菩薩俱從彼國發来至此娑婆
世界應時此間三千大千世界大地六種震
動於是衆中梵釋四王魔王波旬摩醯首羅
如是大衆見是地動舉身毛竪喉舌乾燥驚
怖戰慄各欲四散自見其身无復光明所有
威德殊滅无餘是時文殊師利法王子即從
坐起告諸大衆諸善男子汝等勿怖汝等勿
怖何以故東方去此无量无數阿僧祇恒河
沙微塵等世界有世界名意樂美音佛号虛
空等如来應正遍知十号具足彼有菩薩名
无邊身共无量菩薩欲来至此供養如来以

怖何以故東方去此无量无數阿僧祇恒河
沙微塵等世界有世界名意樂美音佛号虛
空等如来應正遍知十号具足彼有菩薩名
无邊身共无量菩薩欲来至此供養如来以
彼菩薩威德力故令汝身光悉不復現是故
汝等應生歡喜勿懷恐怖尒時大衆悉皆遥
見彼佛大衆如明鏡中自覩己身時文殊師
利復告大衆汝今所見彼佛大衆如見此佛
以佛神力復當如是得見九方无量諸佛尒
時大衆各相謂言苦哉苦哉世間空虛如来
不久當般涅槃是時大衆一切悉見无邊身
菩薩及其眷屬是菩薩身一一毛孔各各出
生一大蓮華一一蓮華各有七万八千城邑
縱廣正等如毗耶離城墻壍諸壍七寶雜廁
多羅寶樹七重行列人民熾盛安隱豐樂閻
浮檀金以為却敵一一却敵各有種種七寶
林樹華菓茂盛微風吹動出微妙音其聲和
雅猶如天樂城中人民聞是音聲即得受於
上妙快樂是諸壍中妙水盈滿清淨香潔如
真琉璃是諸水中有七寶船諸人乘之遊戲
澡浴共相娛樂快樂无極復有无量雜色蓮
華優鉢羅華拘物頭華波頭摩華分陁利華
其華縱廣猶如車輪其壍岸上多有園林一
一園中有五泉池是諸池中復有諸華優鉢
羅華拘物頭華波頭摩華分陁利華其華縱
廣亦如車輪香氣馚馥甚可愛樂其水清淨
柔濡第一鳧鴈鴛鴦遊戲其中其土各有

一國中有五泉池是諸池中復有諸華優鉢
羅華拘物頭華波頭摩華分陁利華其華縱
廣亦如車輪香氣馚馥甚可愛樂其水清淨
柔濡第一鳧鴈鴛鴦遊戲其中其國各有衆
寶宮宅一一宮宅縱廣正等滿四由旬所有
牆壁四寶所成所謂金銀琉璃頗梨真金為
向周迊欄楯玫瑰為地金沙布上是宮宅中
多有七寶流泉浴池一一池邊各有八十黃
金梯橙閻浮檀金為芭蕉樹如忉利天歡喜
之園是一一城各有八万四千人王一一諸
王各有无量夫人綵女共相娛樂歡喜受樂
其餘人民亦復如是各於住處共相娛樂是
中衆生不聞餘名純聞无上大乘之聲是諸
華中一一各有師子之座其座四足皆紺琉
璃柔濡素衣以布座上其衣微妙出過三界
一一座上有一王坐以大乘法教化衆生或
有衆生書持讀誦如說脩行如是流布大乘
經典尒時无邊身菩薩安止如是无量衆生
於自己身令捨世樂皆作是言苦哉苦哉世
間空虛如來不久當般涅槃尒時无邊身菩
薩與无量菩薩周迊圍遶亦現如是神通力
已持是種種无量供具及以上妙香美飲食
若有得聞是食香氣煩惱諸垢皆悉消滅以
是菩薩神通力故一切大衆悉皆得見如是
變化无邊身菩薩身大无邊量同虛空唯除
諸佛餘无能見是菩薩身其量邊際尒時无

BD00686號　大般涅槃經（北本）卷一　（12–9）

若有得聞是食香氣煩惱諸垢皆悉消滅以
是菩薩神通力故一切大衆悉皆得見如是
變化无邊身菩薩身大无邊量同虛空唯除
諸佛餘无能見是菩薩身其量邊際尒時无
邊身菩薩及其眷屬所設供養倍勝於前来
至佛所稽首佛足合掌恭敬白佛言世尊唯
願哀愍受我等食如来知時默然不受如是
三請悉亦不受尒時无邊身菩薩及其眷屬
却住一面南西北方諸佛世界亦有无量无
邊身菩薩所持供養倍勝於前来至佛所乃
至却住一面皆亦如是
尒時娑羅雙樹吉祥福地縱廣三十二由旬
大衆充滿間无空缺尒時四方无邊身菩薩
及其眷屬所坐之處或如錐頭針鋒微塵十
方如微塵等諸佛世界諸大菩薩悉來集會
及閻浮提一切大衆亦悉來集唯除尊者摩
訶迦葉阿難二衆阿闍世王及其眷屬乃至
毒蛇視能煞人蜣蜋蝮蠍及十六種行惡業
者一切來集陁那婆神阿脩羅等悉捨惡念
皆生慈心如父如母如姊如妹三千大千世界
衆生慈心相向亦復如是除一闡提尒時三
千大千世界以佛神力故地皆柔濡无有
丘墟土沙礫石荊蕀毒草衆寶莊嚴猶如西
方无量壽佛極樂世界是時大衆悉見十方
如微塵等諸佛世界如於明鏡自觀己身見
諸佛土亦復如是尒時如来面門所出五色
光明其光明曜覆諸大會令彼身光悉不復現

BD00686號　大般涅槃經（北本）卷一　（12–10）

及閻浮提一切大衆亦悉來集唯除尊者摩
訶迦葉阿難二衆阿闍世王及其眷屬乃至
毒蛇視能煞人蜣蜋蝮蠍及十六種行惡業
者一切來集陁那婆神阿脩羅等悉捨惡念
皆生慈心如父如母如姊如妹三千大千世界
衆生慈心相向亦復如是除一闡提尒時三
千大千世界以佛神力故地皆柔軟无有
丘墟土沙礫石荊蕀毒草衆寶莊嚴猶如西
方无量壽佛極樂世界是時大衆悉見十方
如微塵等諸佛世界如於明鏡自觀己身見
諸佛土亦復如是尒時如來面門所出五色
光明其光明曜覆諸大會令彼身光悉不復
現所應作已還從口入時諸天人及諸會衆
阿脩羅等見佛光明還從口入皆大恐怖身
毛爲竪復作是言如來光明出已還入非无
因緣必於十方所作已辦將是最後涅槃之
相何其苦哉何其苦哉如何世尊一旦捨離
四无量心不受人天所奉供養聖慧日月從
今永滅无上法船於斯沉沒嗚呼痛哉世間
大苦舉手推胷悲號啼哭支節戰動不能自
持身諸毛孔流血灑地

大般涅槃經卷第一

BD00686號　大般涅槃經（北本）卷一　（12–11）

因緣必於十方所作已辦將是最後涅槃之
相何其苦哉何其苦哉如何世尊一旦捨離
四无量心不受人天所奉供養聖慧日月從
今永滅无上法船於斯沉沒嗚呼痛哉世間
大苦舉手推胷悲號啼哭支節戰動不能自
持身諸毛孔流血灑地

大般涅槃經卷第一

BD00686號　大般涅槃經（北本）卷一　（12–12）

百
蹔三七日中不復
大仙日月光出世王
在漢境首羅聞此歡喜
我今云何如盲如齡如
不知此事我今聞之改往
首羅比丘復問大仙曰漢境
其所在大仙荅曰弱水以南
聞出現於世度脫万姓首
出時可見以不大仙荅曰改
於禁者盡得見之首羅問曰奉持
云何厲齋戒一心念佛念法口詠
又摩丘沙弥沙弥丘亦復如是首羅問
曰如此五衆有五逆重者得見明君以不但
使改往脩來亦得見之首羅比丘曰吾今告
汝一切衆生天龍八部諸鬼神等從今以往
更别作心莫如常意月光臨出大災將至无
有疑也當來大水災至兼有疾病流行百姓
飢饉英雄覓起百姓无有安寧受吾勑者可
得免災難難首羅告曰一切諸比丘及以比丘

BD00687 號　首羅比丘見月光童子經　（14–1）

有疑也當來大水災至兼有疾病流行百姓
飢饉英雄覓起百姓无有安寧受吾勑者可
得免災難難首羅告曰一切諸比丘及以比丘
丘從今以往坐禪執心好縛煩惱賊者皆度
惡世能誦大乘經者捨離高心及以我慢如
此之人亦得度世除此以下勸化興福柔和
忍辱捨嫉妬心如此之人亦得度世優婆塞
優婆夷受持三歸五戒行十善者歲三月六
齋如此之人亦得度世受吾勑者皆得度世
比丘僧比丘尼從今以往不聽犯五逆及以
第一徧不聽飲酒食宍无度飲食時節不聽
非時受吾教者必得度世優婆塞優婆夷從
今以往堅持五戒奉持齋法歲三長齋月六
齋食莫非時如此之人亦得度世吾復告四
部衆曰受吾勑者皆得度世除不至心及以
壽盡首羅比丘稽首問曰明君出世法則云
何土境何以壇場閻浮大仙荅曰卅六國壇
場如是首羅問曰當化之時万民有百調之
名次復輸之太平治化當用幾載大仙荅曰
當五十二載為欲顯釋迦朽故之法首羅問
大仙日月光出世當用何時古月末後時出
境陽普告諸賢者天台山引路遊觀至介斧
山又到閔子窟列魯薄一号太上二号真君
三号纓練郡聖首羅聞此語時歡喜踊躍跳
踉復起善哉善哉希有之法今得聞之非已
分也首羅問大仙日月光大衆為有幾數大

BD00687 號　首羅比丘見月光童子經　（14–2）

山又到閔子窟列魯薄一号太上二号真君
三号纓練郡聖首羅聞此語時歡喜踊躍跳
踉復起善哉善哉希有之法今得聞之非已
分也首羅問大仙日月光大衆爲有幾數大
仙告曰不可稱計大仙曰當出之時二十億菩
薩三万六千億天人諸天童子百千億不可
稱數皇天黑馬嘔嘔伊伊康讙道劉神暉阿
難舍利弗大目揵連等三十六龍王四十九拾
四十八鴟七十雨師迦陵頻伽鳥麒麟鳳
凰及三足神烏一切應瑞盡皆出矣一鳴龍
馬數千億万不可稱計男乘天龍馬女乘百
福金銀車男得金銀蓋女乘瑠璃軒花城南
門入道遙北門出信都土地海東流乘舩汎
川置神州孟毋曲中涌高樓月光童子在中
遊千百國至四方來咸唱法鼓朗然鳴龍幡
建道場及有五逆者速從无人鄉首羅問曰
閻浮里地頗有得道者大仙荅曰閻浮里地
亦有少分得者首羅問曰可有幾數大仙曰
有八万四千恒河沙首羅問曰當來水灾何
處得勉恒山五岳盡皆勉水灾勃海雍盧庭
亦得勉水灾甘晨山亦得免水灾霞舟山亦
得免水灾頗資山亦得免水灾乳羅山亦得
免水灾如此大灾皆得免之受吾勑者當將
老小令往就之首羅問曰更何方計得免水
難大仙荅曰更有一方亦得免之首羅歡喜
更問之日願說其意大仙荅曰敬信三寶礼

BD00687 號　首羅比丘見月光童子經　（14–3）

免水灾如此大灾皆得免之受吾勑者當將
老小令往就之首羅問曰更何方計得免水
難大仙荅曰更有一方亦得免之首羅歡喜
更問之日願說其意大仙荅曰敬信三寶礼
佛念法敬比丘僧持齋礼拜敬信不懈專念
不然如此之人得免大水之難首羅復問大
仙曰作何方計得免疫病之灾大仙曰比丘僧
比丘尼優婆塞優婆夷從今以往持式奉齋
皆使清潔男女大小能行知語皆應受戒如
吾所勑莫如常意可得度脱首羅曰復作
何方計得免姟耶之灾大仙告曰姟耶乃至
多種受吾勑者慎莫信之月光出世唯有善
者盡得見之五逆大惡衆生終不見也首羅
問曰城池巷陌其事云何大仙荅曰城池巷
陌縱廣七百餘里高千尺下基千尺激城五
百餘尺開七十二門城作紫磨金色中有兜
率城高千尺下基千尺激城亦五百尺亦作
紫磨金色明中五百餘里亦開七十二門中
有八城各三十餘里亦作紫磨金色各有千
巷巷巷相當門門相望出見法王如此城郷
等男女皆悉充滿首羅聞之歡喜踊躍无量
善哉善哉大願將果首羅告四衆言大寶將
至莫作常意決定脩善莫作孤疑吾見大仙
以來消息審之无有疑惑但從吾意脩善奉
道精懃苦行莫如常意恩之念之必至无爲
首羅問大仙曰受樂之時亦有琴樂以不大仙

BD00687 號　首羅比丘見月光童子經　（14–4）

以來消息審之无有疑惑但從吾意脩善奉
道精懃善行莫如常意思之念之必至无爲
首羅問大仙曰受樂之時亦有琴樂以不大仙
荅曰月光出世琴有多種首羅曰願說其
意大仙荅曰琴麟吹詠无量宮上音聲逍遙
无極振大法鼓嚾大法雷振動三千大千世界
種留爵而著琴麟畫暢三十六鼓音聲當尒
之時諸天龍宮嵬嵬而動首羅比丘問大仙
日向者妭耶我不畏之除此小耶更有大耶以
不大仙曰月光出世之時必有大魔而出首
羅問曰大魔出時可却以不大仙荅曰唯有
一人能却此魔者爲何人也大仙荅曰三十
三天有一童子名曰赫天乘天龍馬從空而
來捉波梨弓涤沉箭唯有此人能却此大魔
首羅比丘問大仙曰有何方能却唯有此一
人能却餘人不能大仙荅曰如此大魔三十
六人各乘龍馬要帶四十二金杖左手捉金
劉杵右手捉彼梨斧走來攖去踏石沒踝起
達永階但言唱煞无有當者首羅問大仙曰
除此大魔更有何灾大仙荅曰月光臨出
觚有灾也首羅問曰灾復云何大仙荅曰當
有七日闇當尒之時有夜叉羅剎毗舍闍鬼鳩
槃荼鬼飛行羅剎食人无量唯有受持三歸
五戒奉行齋法如此之人皆得度脫首羅問
日月光出世古月末後乃當出現奉善脩
善皆得見之首羅曰更復何處得免衆灾大

BD00687 號　首羅比丘見月光童子經　（14–5）

五戒奉行齋法如此之人皆得度脫首羅問
日月光出世古月末後乃當出現奉善脩
善皆得見之首羅曰更復何處得免衆灾大
仙荅曰唯有陽州次有玄免國都赫城柳城
破資陽河澗於此之城宮是爲良三相大灾皆
趣血流城河白骨如山唯有東南乃得无爲
大仙荅曰首羅言好勑衆僧及以白衣坐禪
誦經懃脩三業莫如常意明王大聖今在漢
境未見之間催嚴福德莫如常意汝信脩善
奉善月光出世時前惡後善惡世難度好自
勑厲更別作心莫如不信大仙荅曰吾當虛
言若不尒者使我當來之世金剛力士手捉
金杵碎我身體猶如微塵我若虛言誑汝衆
生當來之世身當如是首羅問大仙曰而今
世間頗有仙人賢聖以不大仙荅曰賢聖仙
人世間无量首羅問曰何人是也大仙荅曰
賢古月興盛是故不見耳首羅問曰賢士
之人名号是誰大仙荅曰我說其名首羅曰
唯願說之大仙告曰石賢得嚴賢明孫賢奇范
賢德吴賢使鄭賢當觀賢寶趙賢思此是八
賢名字汝今可往就之真汝導師能運生死首
羅曰今在何處大仙荅曰今當出世何復問也
但當嚴心時至有之首羅復稽除此八人更有
賢不大仙荅曰觚更有之何人是也大仙荅曰
秦趙世潘道戊盧恵顏杈國興扶男陽劉道
貴王延壽趙顯宗張道杈故世安李羅剎如

BD00687 號　首羅比丘見月光童子經　（14–6）

[illegible]
賢不大仙荅曰觚更有之何人是也大仙荅曰
秦趙世潘道成盧惠穎椒國興狀男陽劉道
貴王延壽趙顯宗張道椒故世安李羅剎如
諸賢士皆遊巡世間設令宍眼不能別之得聞
吾經常行平等何以故大賢諸賢難分別故
受吾勑者宜應平等十六正士七十二賢三
千人俱如是大士在人間也不可識別或見
顛狂或復愚癡或復闇鈍寒貧下賤或飲
酒食宍或復夜食破齋如此示現何能識之
示衆生有三毒有見相隨順世法難可了知
唯有平等得值賢聖也首羅比丘告諸四衆
比丘尼優婆塞優婆夷大宍將至莫如常意
其有本師父母國主檀越朋友知識因緣親戚
等得吾經者皆示之莫問近遠得吾經者懃
行流布使一切聞之不聽隱匿吾經者當來
之世必隨惡道首羅比丘曰設有一人捨三
千大千國土傌馬七珎及國內人民穀帛財
物以用布施不如有人流通吾經諸比丘前
功德倍加百分首羅曰若得吾經者懃行流
布城邑聚落男女大小皆使聞之其有匿吾
經者現世不吉當來得病首羅曰有智信之
愚者棄之首羅曰吾經當來皆應也莫住不
信一切衆生宜應奉行歡喜信樂此經如海
多有潤澤尒時君子國王大臣宰相一切士
官三千餘人各聞太寧寺上有五百仙人歡
喜踊躍各各嚴駕詣太寧寺中仙人所稽首

BD00687 號　首羅比丘見月光童子經　（14–7）

愚者棄之首羅曰吾經當來皆應也莫住不
信一切衆生宜應奉行歡喜信樂此經如海
多有潤澤尒時君子國王大臣宰相一切士
官三千餘人各聞太寧寺上有五百仙人歡
喜踊躍各各嚴駕詣太寧寺中仙人所稽首
問曰大仙從何所來欲至何許願說其意大
仙曰我聞月光童子出世是故我來欲到彼
處王及大臣聞是語時歡喜踊躍傾心西望
而不可見西國真人脩何功德得值入善作
何善業得見月光出世而我國人遠而不見大
仙荅曰月光出世人皆普見王令云何生懊
歎心也王聞普見并大臣及諸人民皆大歡
喜各持嚴駕令當去來王問大仙曰月光童
子今在何許大仙荅曰善哉善哉大王善聽
吾說月光明王今三千大衆在蓬萊山中海
陵山下閔子窟所心思惟時至現也君子國
大臣宰相一切士官并及國內人民各白大
仙曰今隨從大仙至月光所聽見以不大仙
日月光明王譬如大海亦如大地終不生疑
作留難也王及大臣并及人民隨從大仙有
五万七千人去君子國七千餘里到蓬萊山
中海陵山下閔子窟所見月光童子三千徒
衆諸賢聖等皆集於所月光童子問諸大仙
并及大王今從何所來欲何所至此中嶮難
无人行步汝今云何能來至此王曰聞世尊
今欲出世故來奉問月光童子曰但當脩善
懃行精進莫如常意吾今已竟何須復覓問

BD00687 號　首羅比丘見月光童子經　（14–8）

衆諸賢聖等皆集於所月光童子問諸大仙
并及大王今從何所來欲何所至此中嶮難
无人行步汝今云何能來至此王曰聞世尊
今欲出世故來奉問月光童子曰但當脩善
懃行精進莫如常意吾今已竟何須復現問
大王曰我聞聖君出世不知法則云何願說
其意我當加心脩善月光童子曰汝若不知
當為說之月光日善聽復當善念善思念之
内著心中莫如常意吾見說之當來之年必
有水災高於平地四十餘里當水來時從西
北角出東南而流大水陽波叫聲雷電霹靂
不得為喻汝復涌出運波叫聲當尒之時人
皆惶怖迫死者多唯有持戒淨潔求懃度世
月光童子使大龍王大引人博著浮山設復
有人造觀世音經一卷設復有人禪思一心
設復有人於惡世懃行勸化設復有人流通
是經不令隱匿章句文字懃行勸樂如此人
等皆得度世不為水災之所灾沒復除不至
心及壽命盡月光復告大王言當來三災疾
病流行十傷九亡種種異患皆當灾命王當
信之各勅國内一歲以上能行知語應受三
歸五戒若老若少皆應勸盡使受三歸五戒
奉行善法如是之人皆得度世除不善不至
心及命壽吾今審教語汝使知惡世流行善
法後致衰衰莫生悔心吾告汝等世將欲末
漸令惡起來年難過好作向善莫如常意吾

BD00687 號　首羅比丘見月光童子經　（14–9）

歸五戒若老若少皆應勸盡使受三歸五戒
奉行善法如是之人皆得度世除不善不至
心及命壽吾今審教語汝使知惡世流行善
法後致衰衰莫生悔心吾告汝等世將欲末
漸令惡起來年難過好作向善莫如常意吾
當出世災亦不善但當努力懃行善法莫如
常意妖耶不詳英雄竟起自然磨滅終不見
吾出見於世汝等善哉莫如常意受吾教者
誦觀世音千遍防身度世揄獲善果又復有
人各受三歸五戒今當行之莫如常意懃行
此經若老若少皆使聞之得度惡世設復有
人流布此經處處流傳使人聞知得度身命
以懃流布此經者亦得度世月光日流行此
經典者我於千劫中并計是人福報終不能
盡設復有人生疑不信我於千劫中等是人
罪報終不能盡燕復隱文字章句一點一畫
不令人聞覆人慧眼故世世常盲无所復見
乃至羅漢常不離盲為覆慧眼故斷鄣法路
乃獲是殃受吾勅者城邑聚落國王大臣一
切人民皆得聞之能有信心崇奉此經莫問
遠近應往通流使人聞之千城百國皆使聞
之吾當出世黃河以北弱水以南於其中閒王
於漢境大王日明王言此經從何所出月
光告大王言海陵大聖三千餘人參議所造
月光告大王言等大衆各各尒敬順化天下
不須復迴尒時大王受教奉行歡喜而去月

BD00687 號　首羅比丘見月光童子經　（14–10）

光告大王言海陵大聖三千餘人來議所造
月光告大王言等大衆各各分散順化天下
不須復迴尒時大王受教奉行歡喜而去月
光童子日向者所說汝若不信但看迦葉石像
是吾出世記可善哉索斷合然作乃有善衆
生順莫驚怖吾當出時盡皆得充爲王及
大衆歡喜奉行近化不懈吾告汝等今歲難
到汝宜精進莫如常意各各發願過度惡世
大仙國王并及臣民歡喜奉行作礼而去五
百仙人在太寧山中并見月光童子經一卷
金龍城中見一菩薩龍華樹下見一道人下
此經時爲一衆生成一切衆生心王日爲汝
分別解說法王欲待聖君欲下爲一切童男
童女特百二十賢君申酉年爲衆生說法成
我童男童女成道讀此經時善思取此語男
取无億女取恒沙男不用取婦月光童子欲
出聖成欲現成一切衆生道若讀此經語可
離此難月光菩薩欲來下說持戒可得見明
君若欲讀此呪時師子虎狼復惡耶祝帝百
鬼自然去一切衆生枉死者多爲一切衆生
貴佛正法
優丘尼優丘尼　但瀁但瀁　欝雞欝雞　烏呼烏呼尼
薩呼薩呼　但又但又　又阿由池沙呼尼　要他要他
索由冨菟　尼冨菟尼
若讀呪時淨洗手嗽口讀此呪使人晨夜安

優丘尼優丘尼　但瀁但瀁　欝雞欝雞　烏呼烏呼尼
薩呼薩呼　但又但又　又阿由池沙呼尼　要他要他
索由冨菟　尼冨菟尼
若讀呪時淨洗手嗽口讀此呪使人晨夜安
隱即見菩薩讀此呪百遍見菩薩放大光明
現在人前長杖一面如此金色頭上金華大
如車輪手長一尺半初來入時莫作怖迫歸
命佛歸命法歸命僧十方法界三讀此經皆
得解脫世尊言看衆生作罪不少爲分別解
脫可離令得免難明君出時把此經向明君
必見我慎莫迫怖好正念正想正意正身得
見我身有人必難此人或作師子虎狼手捉
金杖打人无度依此經語行菩薩行可得見
菩薩說法現身着天衣慎莫言語此人即成
道見香華自然不得動心言語此人必離惡世
第一用意百日在時不用癡貪申酉年時公
不識兒母不識女意此經語可得改心改意
第一不婬欲第一不惡眼視佛爲衆生說法
還得本心佛欲出世懃心懺悔即見月光菩
薩一个賢者得活十人此經不得誹謗闍君
欲起婬耶欲興精進即離此難諸道義爲一
切衆生即說法若解吾語即見法王道人死
盡不罷道罷道行死者多道人作罪不少由
是持生販賣由此國不安寧道人死時會橫
賊兒死多道意師僧欲貴尼僧千个狀一个

切衆生即說法若解吾語即見法王道人死
盡不罷道罷道行死者多道人作罪不少由
是持生販賣由此國不安寧道人死時會橫
賊兕死多道意師僧欲貴尼僧千个秋一个
第一用行聖人欲始英雄欲起時節欲到時
黄衣長丈二粳米普地生懃心作福可得見
此事思此經語即得見我身七月十四日其
有一怙十五日見佛地動莫作迫怖見道人
漸安義下此經語誹謗即有大病患起復見
一老烏是長一丈復見賢者脩道以來七百
餘年紫巖山中復見一道人身著天衣賢
者見之即以供養七日道人師從三百餘年
道人口語讀經可得免難顚佛波多樹下爲一
切轉讀視見衆生衆生死盡月光童子復啓
世尊衆生可化佛語月光童子前頭隨意即
復辭罷五逆甚多云何可度佛復語月光童
子佛復語四天龍王衆生可憐隨回緣趣復
驗百二十賢君除卻衆生好惡欲分別佛光
菩薩普光菩薩咸㺯普賢功德不少由諸國
上藥王菩薩賢固菩薩見在人聞千村正有一
村万里有長佛欲見出語衆生懃心作精進
可得見佛若誹謗之人魂家滅盡定墮地獄
永不見佛佛欲出世懃精進比道欲知比難洛
陽口西欲知比惡在於瑩西復有瑩北若有
吾弟子解吾口語即我弟子栢手心上乃思
惟思之不但看後頭有杅十手相栢喚赫赫

BD00687 號　首羅比丘見月光童子經　（14–13）

永不見佛佛欲出世懃精進比道欲知比難洛
陽口西欲知比惡在於瑩西復有瑩北若有
吾弟子解吾口語即我弟子栢手心上乃思
惟思之不但看後頭有杅十手相栢喚赫赫
自去善哉童子灾後快樂由欲末頭兩手相
柏穆然自去善男子耶快以不惡人去盡欲
大樂惡人後不問女婦盡成道乃一精進可
得免此難佛復有大慈悲快憐衆生不捨衆
生心不迴畏衆生死盡有緣值我無緣索
索自去維摩共之定光在人中維摩翔妻婦
人中使人不識作行世帝下會化人維摩利
大各四十五里直東維摩有三个兕維摩度
人无崖詐人間望行婬溢无婬行衆生敢得
此行看維摩時節欲到无量衆生悔與維摩
度人决得成佛維摩貪財盜語一切衆生懃
心精進可得見維摩諸道義區此島傍海下
此經即見王僧慶行徒七人見此島即燒香
歡喜踊躍七日不食若一切衆生聞我語聲
懃心精進慎莫異意惡欲死盡欲大樂貲和
不輸

首羅比丘經

BD00687 號　首羅比丘見月光童子經　（14–14）

提願同證得一切智智尒時尒時善根轉威
若時若時善根轉威尒時尒時展轉隣近一
切智智
又滿慈子如有女人磨瑩鏡面若時若時加
功磨瑩尒時尒時鏡轉明淨若時若時鏡轉
明淨尒時尒時鏡面无垢衆像皆現如是菩
薩若時若時以所作福及所作善决定迴向
一切智智尒時尒時能普施與十方世界一
切有情令永解脫惡趣生死未發无上菩提
心者令速發心已發无上菩提心者令永不
退若於无上正等菩提已不退者令速圓滿
一切智智此諸菩薩若時若時捨已善根施有
情類尒時尒時善根轉威若時若時善根
轉威尒時尒時展轉隣近一切智智如是菩
薩方便善巧迴向所求一切智智令諸功德
漸（漸）增長疾證无上正等菩提能盡未來饒益
一切
又滿慈子云何菩薩多行布施攝受少福云
何菩薩少行布施攝受多福云何菩薩少行
布施攝受少福云何菩薩多行布施攝受多

BD00688號　大般若波羅蜜多經（兌廢稿）卷五七九　（2–1）

兌

一切智智尒時尒時能普施與十方世界一
切有情令永解脫惡趣生死未發无上菩提
心者令速發心已發无上菩提心者令永不
退若於无上正等菩提已不退者令速圓滿
一切智智此諸菩薩若時若時捨已善根施有
情類尒時尒時善根轉威若時若時善根
轉威尒時尒時展轉隣近一切智智如是菩
薩方便善巧迴向所求一切智智令諸功德
漸（漸）增長疾證无上正等菩提能盡未來饒益
一切
又滿慈子云何菩薩多行布施攝受少福云
何菩薩少行布施攝受多福云何菩薩少行
布施攝受少福云何菩薩多行布施攝受多
福若諸菩薩雖經殑伽沙數大劫恒捨无量
无數珎財普施十方諸有情類而不迴向无
上菩提願與有情皆同證得一切智智如是
菩薩多行布施攝受少福若諸菩薩雖經少
時施有情類少分財物而能迴向无上菩提
願與有情皆同證得一切智智如是菩薩少
行布施攝受多福若諸菩薩經於少時施有
少分財物不能迴向无上菩提願與有
情類少分證得一切智智如是菩薩少行布施攝

BD00688號　大般若波羅蜜多經（兌廢稿）卷五七九　（2–2）

譬如長者　有一大宅　其宅久故　而復頓弊
堂舍高危　柱根摧朽　梁棟傾斜　基陛頹毀
牆壁圮坼　泥塗褫落　覆苫亂墜　椽梠差脫
周鄣屈曲　雜穢充遍　有五百人　止住其中
鵄梟鵰鷲　烏鵲鳩鴿　蚖蛇蝮蠍　蜈蚣蚰蜒
守宮百足　狖狸鼷鼠　諸惡虫輩　交橫馳走
屎尿臭處　不淨流溢　蜣蜋諸虫　而集其上
狐狼野干　咀嚼踐蹋　嚌齧死屍　骨肉狼藉
由是群狗　競来搏撮　飢羸慞惶　處處求食
鬪諍齟掣　啀喍嘷吠　其舍恐怖　變狀如是
處處皆有　魑魅魍魎　夜叉惡鬼　食噉人肉
毒虫之屬　諸惡禽獸　孚乳產生　各自藏護
夜叉競来　爭取食之　食之既飽　惡心轉熾
鬪諍之聲　甚可怖畏　鳩槃荼鬼　蹲踞土埵
或時離地　一尺二尺　往返逰行　縱逸嬉戲
捉狗兩足　撲令失聲　以腳加頸　怖狗自樂
復有諸鬼　其身長大　裸形黑瘦　常住其中
發大惡聲　叫呼求食　復有諸鬼　其咽如針
復有諸鬼　首如牛頭　或食人肉　或復噉狗
頭髮蓬亂　殘害凶險　飢渴所逼　叫喚馳走
夜叉餓鬼　諸惡鳥獸　飢急四向　窺看窻牖

BD00689 號　妙法蓮華經卷二　（16–1）

復有諸鬼　首如牛頭　或食人肉　或復噉狗
頭髮蓬亂　殘害凶險　飢渴所逼　叫喚馳走
夜叉餓鬼　諸惡鳥獸　飢急四向　窺看窻牖
如是諸難　恐畏無量　是朽故宅　屬于一人
其人近出　未久之間　於後宅舍　忽然火起
四面一時　其炎俱熾　棟梁椽柱　爆聲震裂
摧折墮落　牆壁崩倒　諸鬼神等　揚聲大叫
鵰鷲諸鳥　鳩槃荼等　周章惶怖　不能自出
惡獸毒虫　藏竄孔穴　毗舍闍鬼　亦住其中
薄福德故　為火所逼　共相殘害　飲血噉肉
野干之屬　並已前死　諸大惡獸　競来食噉
臭烟熢㶿　四面充塞　蜈蚣蚰蜒　毒蛇之類
為火所燒　爭走出穴　鳩槃荼鬼　隨取而食
又諸餓鬼　頭上火然　飢渴熱惱　周章悶走
其宅如是　甚可怖畏　毒害火災　眾難非一
是時宅主　在門外立　聞有人言　汝諸子等
先因逰戲　来入此宅　稚小無知　歡娛樂著
長者聞已　驚入火宅　方宜救濟　令無燒害
告喻諸子　說眾患難　惡鬼毒虫　災火蔓莚
眾苦次第　相續不絕　毒蛇蚖蝮　及諸夜叉
鳩槃荼鬼　野干狐狗　鵰鷲鵄梟　百足之屬
飢渴惱急　甚可怖畏　此苦難處　況復大火
諸子無知　雖聞父誨　猶故樂著　嬉戲不已
是時長者　而作是念　諸子如此　益我愁惱
今此舍宅　無一可樂　而諸子等　耽湎嬉戲
不受我教　將為火害　即便思惟　設諸方便
告諸子等　我有種種　珍玩之具　妙寶好車
羊車鹿車　大牛之車　今在門外　汝等出来

BD00689 號　妙法蓮華經卷二　（16–2）

今此舍宅　無一可樂　而諸子等　耽湎嬉戲
不受我教　將爲火害　即便思惟　設諸方便
告諸子等　我有種種　珎玩之具　妙寶好車
羊車鹿車　大牛之車　今在門外　汝等出來
吾爲汝等　造作此車　隨意所樂　可以遊戲
諸子聞說　如此諸車　即時奔競　馳走而出
到於空地　離諸苦難　長者見子　得出火宅
住於四衢　坐師子座　而自慶言　我今快樂
此諸子等　生育甚難　愚小無知　而入險宅
多諸毒虫　魑魅可畏　大火猛焰　四面俱起
而此諸子　貪樂嬉戲　我已救之　令得脫難
是故諸人　我今快樂
尒時諸子　知父安坐　皆詣父所　而白父言
願賜我等　三種寶車　如前所許　諸子出來
當以三車　隨汝所欲　今正是時　唯垂給與
長者大富　庫藏衆多　金銀琉璃　車𤦲馬瑙
以衆寶物　造諸大車　莊校嚴飾　周匝欄楯
四面懸鈴　金繩絞絡　真珠羅網　張施其上
金華諸瓔　處處垂下　衆綵雜飾　周匝圍遶
柔軟繒纊　以爲茵蓐　上妙細疊　價直千億
鮮白淨潔　以覆其上　有大白牛　肥壯多力
形體姝好　以駕寶車　多諸儐從　而侍衛之
以是妙車　等賜諸子　諸子是時　歡喜踊躍
乘是寶車　遊於四方　嬉戲快樂　自在無礙
告舍利弗　我亦如是　衆聖中尊　世間之父
一切衆生　皆是吾子　深著世樂　無有慧心
三界無安　猶如火宅　衆苦充滿　甚可怖畏
常有生老　病死憂患　如是等火　熾然不息

告舍利弗　我亦如是　衆聖中尊　世間之父
一切衆生　皆是吾子　深著世樂　無有慧心
三界無安　猶如火宅　衆苦充滿　甚可怖畏
常有生老　病死憂患　如是等火　熾然不息
如來已離　三界火宅　寂然閑居　安處林野
今此三界　皆是我有　其中衆生　悉是吾子
而今此處　多諸患難　唯我一人　能爲救護
雖復教詔　而不信受　於諸欲染　貪著深故
是以方便　爲說三乘　令諸衆生　知三界苦
開示演說　出世間道　是諸子等　若心決定
具足三明　及六神通　有得緣覺　不退菩薩
汝舍利弗　我爲衆生　以此譬喻　說一佛乘
汝等若能　信受佛語　一切皆當　成得佛道
是乘微妙　清淨第一　於諸世間　爲無有上
佛所悅可　一切衆生　所應稱讚　供養礼拜
無量億千　諸力解脫　禪定智慧　及佛餘法
得如是乘　令諸子等　日夜劫數　常得遊戲
與諸菩薩　及聲聞衆　乘此寶乘　直至道場
以是因緣　十方諦求　更無餘乘　除佛方便
告舍利弗　汝諸人等　皆是吾子　我則是父
汝等累劫　衆苦所燒　我皆濟拔　令出三界
我雖先說　汝等滅度　但盡生死　而實不滅
今所應作　唯佛智慧　若有菩薩　於是衆中
能一心聽　諸佛實法　諸佛世尊　雖以方便
所化衆生　皆是菩薩　若人小智　深著愛欲
爲此等故　說於苦諦　衆生心喜　得未曾有
佛說苦諦　真實無異　若有衆生　不知苦本
深著苦因　不能暫捨　爲是等故　方便說道

所化衆生 皆是菩薩 若人小智 深著愛欲
為此等故 說於苦諦 衆生心喜 得未曾有
佛說苦諦 真實無異 若有衆生 不知苦本
深著苦因 不能暫捨 為是等故 方便說道
諸苦所因 貪欲為本 若滅貪欲 無所依止
滅盡諸苦 名第三諦 為滅諦故 脩行於道
離諸苦縛 名得解脫 是人於何 而得解脫
但離虛妄 名為解脫 其實未得 一切解脫
佛說是人 未實滅度 斯人未得 無上道故
我意不欲 令至滅度 我為法王 於法自在
安隱衆生 故現於世 汝舍利弗 我此法印
為欲利益 世間故說 在所遊方 勿妄宣傳
若有聞者 隨喜頂受 當知是人 阿鞞跋致
若有信受 此經法者 是人已曾 見過去佛
恭敬供養 亦聞是法 若人有能 信汝所說
則為見我 亦見於汝 及比丘僧 并諸菩薩
斯法華經 為深智說 淺識聞之 迷惑不解
一切聲聞 及辟支佛 於此經中 力所不及
汝舍利弗 尚於此經 以信得入 況餘聲聞
其餘聲聞 信佛語故 隨順此經 非己智分
又舍利弗 憍慢懈怠 計我見者 莫說此經
凡夫淺識 深著五欲 聞不能解 亦勿為說
若人不信 毀謗此經 則斷一切 世間佛種
或復顰蹙 而懷疑惑 汝當聽說 此人罪報
若佛在世 若滅度後 其有誹謗 如斯經典
見有讀誦 書持經者 輕賤憎嫉 而懷結恨
此人罪報 汝今復聽 其人命終 入阿鼻獄
具足一劫 劫盡更生 如是展轉 至無數劫

BD00689號　妙法蓮華經卷二　(16–5)

或復顰蹙 而懷疑惑 汝當聽說 此人罪報
若佛在世 若滅度後 其有誹謗 如斯經典
見有讀誦 書持經者 輕賤憎嫉 而懷結恨
此人罪報 汝今復聽 其人命終 入阿鼻獄
具足一劫 劫盡更生 如是展轉 至無數劫
從地獄出 當墮畜生 若狗野干 其形頷瘦
黧黮疥癩 人所觸嬈 又復為人 之所惡賤
常困飢渴 骨肉枯竭 生受楚毒 死被瓦石
斷佛種故 受斯罪報 若作駱駝 或生驢中
身常負重 加諸杖捶 但念水草 餘無所知
謗斯經故 獲罪如是 有作野干 來入聚落
身體疥癩 又無一目 為諸童子 之所打擲
受諸苦痛 或時致死 於此死已 更受蟒身
其形長大 五百由旬 聾騃無足 宛轉腹行
為諸小虫 之所唼食 晝夜受苦 無有休息
謗斯經故 獲罪如是 若得為人 諸根闇鈍
矬陋攣躄 盲聾背傴 有所言說 人不信受
口氣常臭 鬼魅所著 貧窮下賤 為人所使
多病痟瘦 無所依怙 雖親附人 人不在意
若有所得 尋復忘失 若脩醫道 順方治病
更增他疾 或復致死 若自有病 無人救療
設服良藥 而復增劇 若他反逆 抄劫竊盜
如是等罪 橫羅其殃 如斯罪人 永不見佛
衆聖之王 說法教化 如斯罪人 常生難處
狂聾心亂 永不聞法 於無數劫 如恒河沙
生輒聾瘂 諸根不具 常處地獄 如遊園觀
在餘惡道 如己舍宅 駝驢猪狗 是其行處
謗斯經故 獲罪如是 若得為人 聾盲瘖瘂

BD00689號　妙法蓮華經卷二　(16–6)

生輒聾瘂　諸根不具　常處地獄　如遊園觀
在餘惡道　如己舍宅　駝驢豬狗　是其行處
謗斯經故　獲罪如是　若得為人　聾盲瘖瘂
貧窮諸衰　以自莊嚴　水腫乾痟　疥癩癰疽
如是等病　以為衣服　身常臭處　垢穢不淨
深著我見　增益瞋恚　婬欲熾盛　不擇禽獸
謗斯經故　獲罪如是　告舍利弗　謗斯經者
若說其罪　窮劫不盡　以是因緣　我故語汝
無智人中　莫說此經　若有利根　智慧明了
多聞強識　求佛道者　如是之人　乃可為說
若人曾見　億百千佛　殖諸善本　深心堅固
如是之人　乃可為說　若人精進　常修慈心
不惜身命　乃可為說　若人恭敬　無有異心
離諸凡愚　獨處山澤　如是之人　乃可為說
又舍利弗　若見有人　捨惡知識　親近善友
如是之人　乃可為說　若見佛子　持戒清潔
如淨明珠　求大乘經　如是之人　乃可為說
若人無瞋　質直柔軟　常愍一切　恭敬諸佛
如是之人　乃可為說　復有佛子　於大眾中
以清淨心　種種因緣　譬喻言辭　說法無礙
如是之人　乃可為說　若有比丘　為一切智
四方求法　合掌頂受　但樂受持　大乘經典
乃至不受　餘經一偈　如是之人　乃可為說
如人至心　求佛舍利　如是求經　得已頂受
其人不復　志求餘經　亦未曾念　外道典籍
如是之人　乃可為說　告舍利弗　我說是相
求佛道者　窮劫不盡　如是等人　則能信解
汝當為說　妙法華經

BD00689號　妙法蓮華經卷二　（16–7）

如人至心　求佛舍利　如是求經　得已頂受
其人不復　志求餘經　亦未曾念　外道典籍
如是之人　乃可為說　告舍利弗　我說是相
求佛道者　窮劫不盡　如是等人　則能信解
汝當為說　妙法華經

妙法蓮華經信解品第四

尒時慧命須菩提摩訶迦旃延摩訶迦葉摩
訶目揵連從佛所聞未曾有法世尊授舍利
弗阿耨多羅三藐三菩提記發希有心歡喜
踊躍即從座起整衣服偏袒右肩右膝著地
一心合掌曲躬恭敬瞻仰尊顏而白佛言我
等居僧之首年並朽邁自謂已得涅槃無所
堪任不復進求阿耨多羅三藐三菩提世尊
往昔說法既久我時在座身體疲懈但念空
無相無作於菩薩法遊戲神通淨佛國土成
就眾生心不喜樂所以者何世尊令我等出
於三界得涅槃證又今我年已朽邁於佛教
化菩薩阿耨多羅三藐三菩提不生一念好
樂之心我等今於佛前聞授聲聞阿耨多羅
三藐三菩提記心甚歡喜得未曾有不謂於
今忽然得聞希有之法深自慶幸獲大善利
無量珍寶不求自得世尊我等今者樂說譬
喻以明斯義譬若有人年既幼稚捨父逃逝
久住他國或十廿至五十歲年既長大加復
窮困馳騁四方以求衣食漸漸遊行遇向本
國其父先來求子不得中止一城其家大富
財寶無量金銀琉璃珊瑚虎珀頗梨珠等其
諸倉庫悉皆盈溢多有僮僕臣佐吏民象馬

BD00689號　妙法蓮華經卷二　（16–8）

窮困馳騁四方以求衣食漸漸遊行遇向本
國其父先來求子不得中止一城其家大富
財寶無量金銀琉璃珊瑚虎珀頗梨珠等其
諸倉庫悉皆盈溢多有僮僕臣佐吏民象馬
車乘牛馬無數出入息利乃遍他國商估賈
客亦甚衆多時貧窮子遊諸聚落經歷國邑
遂到其父所止之城父每念子與子離別五
十餘年而未曾向人說如此事但自思惟心
懷悔恨自念老朽多有財物金銀珍寶倉庫
盈溢無有子息一旦終沒財物散失無所委
付是以慇懃每憶其子復作是念我若得子
委付財物坦然快樂無復憂慮世尊爾時窮
子傭賃展轉遇到父舍住立門側遙見其父
踞師子床寶机承足諸婆羅門剎利居士皆
恭敬圍遶以真珠瓔珞價直千万莊嚴其身
吏民僮僕手執白拂侍立左右覆以寶帳垂
諸華幡香水灑地散衆名華羅列寶物出內
取與有如是等種種嚴飾威德特尊窮子見
父有大力勢即懷恐怖悔來至此竊作是念
此或是王或是王等非我傭力得物之處不
如往至貧里肆力有地衣食易得若久住此
或見逼迫強使我作作是念已疾走而去時
富長者於師子座見子便識心大歡喜即作
是念我財物庫藏今有所付我常思念此子
無由見之而忽自來甚適我願我雖年朽猶
故貪惜即遣傍人急追將還爾時使者疾走
往捉窮子驚愕稱怨大喚我不相犯何為見
捉使者執之愈急強牽將還于時窮子自念

無由見之而忽自來甚適我願我雖年朽猶
故貪惜即遣傍人急追將還爾時使者疾走
往捉窮子驚愕稱怨大喚我不相犯何為見
捉使者執之愈急強牽將還于時窮子自念
無罪而被囚執此必定死轉更惶怖悶絕躃
地父遙見之而語使言不須此人勿強將來
以冷水灑面令得醒悟莫復與語所以者何
父知其子志意下劣自知豪貴為子所難審
知是子而以方便不語他人云是我子使者
語之我今放汝隨意所趣窮子歡喜得未曾
有從地而起往至貧里以求衣食爾時長者
將欲誘引其子而設方便密遣二人形色顦
顇無威德者汝可詣彼徐語窮子此有作處
倍與汝直窮子若許將來使作若言欲何所
作便可語之雇汝除糞我等二人亦共汝作
時二使人即求窮子既已得之具陳上事
爾時窮子先取其價尋與除糞其父見子愍
而怪之又以他日於窗牖中遙見子身羸瘦
顦顇糞土塵坌汙穢不淨即脫瓔珞細軟上
服嚴飾之具更著麤弊垢膩之衣塵土坌身
右手執持除糞之器狀有所畏語諸作人汝
等勤作勿得懈息以方便故得近其子又復
告言咄男子汝常此作勿復餘去當知汝價
諸有所須瓮器米麵鹽醋之屬莫自疑難亦
有老弊使人須者相給好自安意我如汝父
勿復憂慮所以者何我年老大而汝少壯汝
常作時無有欺怠瞋恨怨言都不見汝有此
諸惡如餘作人自今已後如所生子即時長

諸有所須瓫器米麪塩酢之屬莫自疑難亦
有老弊使人須者相給好自安意我如汝父
勿復憂慮所以者何我年老大而汝少壯汝
常作時無有欺怠瞋恨怨言都不見汝有此
諸惡如餘作人自今已後如所生子即時長
者更與作字名之為兒尒時窮子雖欣此遇
猶故自謂客作賤人由是之故於廿年中常
令除糞過是已後心相體信入出無難然其
所止猶在本處世尊尒時長者有疾自知將
死不久語窮子言我今多有金銀珎寶倉庫
盈溢其中多少所應取與汝悉知之我心如
是當體此意所以者何今我與汝便為不異
宜加用心無令漏失尒時窮子即受教勅領
知衆物金銀珎寶及諸庫藏而無悕取一飡
之意然其所止故在本處下劣之心亦未能
捨復經少時父知子意漸已通泰成就大志
自鄙先心臨欲終時而命其子并會親族國
王大臣剎利居士皆悉已集即自宣言諸君
當知此是我子我之所生於某城中捨吾逃
走跉跰辛苦五十餘年其本字某我名某
甲昔在本城懷憂推覓忽於是間遇會得之此
實我子我實其父今吾所有一切財物皆是
子有先所出內是子所知世尊是時窮子聞
父此言即大歡喜得未曾有而作是念我本
無心有所悕求今此寶藏自然而至世尊大
富長者則是如來我等皆似佛子如來常說
我等為子世尊我等以三苦故於生死中受
諸熱惱迷惑無知樂著小法今日世尊令我
等思惟蠲除諸法戲論之糞我等於中勤加

BD00689號　妙法蓮華經卷二　（16–11）

父此言即大歡喜得未曾有而作是念我本
無心有所悕求今此寶藏自然而至世尊大
富長者則是如來我等皆似佛子如來常說
我等為子世尊我等以三苦故於生死中受
諸熱惱迷惑無知樂著小法今日世尊令我
等思惟蠲除諸法戲論之糞我等於中勤加
精進得至涅槃一日之價既得此已心大歡喜
自以為足而便自謂於佛法中勤精進故所
得弘多然世尊先知我等心著弊欲樂於
小法便見縱捨不為分別汝等當有如來知
見寶藏之分世尊以方便力說如來智惠我
等從佛得涅槃一日之價以為大得於此大
乘無有志求我等又因如來智惠為諸菩薩
開示演說而自於此無有志願所以者何佛
知我等心樂小法以方便力隨我等說而我
等不知真是佛子今我等方知世尊於佛智
惠無所悋惜所以者何我等昔來真是佛子
而但樂小法若我等有樂大之心佛則為我
說大乘法於此經中唯說一乘而昔於菩薩
前毀呰聲聞樂小法者然佛實以大乘教化
是故我等說本無心有所悕求今法王大寶
自然而至如佛子所應得者皆已得之尒時
摩訶迦葉欲重宣此義而說偈言
我等今日　聞佛音教　歡喜踊躍　得未曾有
佛說聲聞　當得作佛　無上寶聚　不求自得
譬如童子　幼稚無識　捨父逃走　遠到他土
周流諸國　五十餘年　其父憂念　四方推求
求之既疲　頓止一城　造立舍宅　五欲自娛

BD00689號　妙法蓮華經卷二　（16–12）

我等今日 聞佛音教 歡喜踊躍 得未曾有
佛說聲聞 當得作佛 無上寶聚 不求自得
譬如童子 幼稚無識 捨父逃逝 遠到他土
周流諸國 五十餘年 其父憂念 四方推求
求之既疲 頓止一城 造立舍宅 五欲自娛
其家巨富 多諸金銀 車璖馬瑙 真珠琉璃
象馬牛羊 輦輿車乘 田業僮僕 人民眾多
出入息利 乃遍他國 商估賈人 無處不有
千萬億眾 圍遶恭敬 常為王者 之所愛念
群臣豪族 皆共宗重 以諸緣故 往來者眾
豪富如是 有大力勢 而年朽邁 益憂念子
夙夜惟念 死時將至 癡子捨我 五十餘年
庫藏諸物 當如之何 爾時窮子 求索衣食
從邑至邑 從國至國 或有所得 或無所得
飢餓羸瘦 體生瘡癬 漸次經歷 到父住城
傭賃展轉 遂至父舍 爾時長者 於其門內
施大寶帳 處師子座 眷屬圍遶 諸人侍衛
或有計算 金銀寶物 出內財產 注記券疏
窮子見父 豪貴尊嚴 謂是國王 若是王等
驚怖自怪 何故至此 覆自念言 我若久住
或見逼迫 強驅使作 思惟是已 馳走而去
借問貧里 欲往傭作 長者是時 在師子座
遙見其子 默而識之 即勅使者 追捉將來
窮子驚喚 迷悶躄地 是人執我 必當見殺
何用衣食 使我至此 長者知子 愚癡狹劣
不信我言 不信是父 即以方便 更遣餘人
眇目矬陋 無威德者 汝可語之 云當相雇
除諸糞穢 倍與汝價 窮子聞之 歡喜隨來
為除糞穢 淨諸房舍 長者於牖 常見其子

BD00689 號　妙法蓮華經卷二　（16–13）

何用衣食 使我至此 長者知子 愚癡狹劣
不信我言 不信是父 即以方便 更遣餘人
眇目矬陋 無威德者 汝可語之 云當相雇
除諸糞穢 倍與汝價 窮子聞之 歡喜隨來
為除糞穢 淨諸房舍 長者於牖 常見其子
念子愚劣 樂為鄙事 於是長者 著弊垢衣
執除糞器 往到子所 方便附近 語令勤作
既益汝價 并塗足油 飲食充足 薦席厚煖
如是苦言 汝當勤作 又以軟語 若如我子
長者有智 漸令入出 經二十年 執作家事
示其金銀 真珠頗梨 諸物出入 皆使令知
猶處門外 止宿草菴 自念貧事 我無此物
父知子心 漸已曠大 欲與財物 即聚親族
國王大臣 剎利居士 於此大眾 說是我子
捨我他行 經五十歲 自見子來 已二十年
昔於某城 而失是子 周行求索 遂來至此
凡我所有 舍宅人民 悉以付之 恣其所用
子念昔貧 志意下劣 今於父所 大獲珍寶
并及舍宅 一切財物 甚大歡喜 得未曾有
佛亦如是 知我樂小 未曾說言 汝等作佛
而說我等 得諸無漏 成就小乘 聲聞弟子
佛勅我等 說最上道 修習此者 當得成佛
我承佛教 為大菩薩 以諸因緣 種種譬喻
若干言辭 說無上道 諸佛子等 從佛聞法
日夜思惟 精勤修習 是時諸佛 即授其記
汝於來世 當得作佛 一切諸佛 祕藏之法
但為菩薩 演其實事 而不為我 說斯真要
如彼窮子 得近其父 雖知諸物 心不悕取
我雖說是 佛法寶藏 自無志願 亦復如是

BD00689 號　妙法蓮華經卷二　（16–14）

日夜思惟　精勤脩習　是時諸佛　即授其記
汝於来世　當得作佛　一切諸佛　秘藏之法
但為菩薩　演其實事　而不為我　説斯真要
如彼窮子　得近其父　雖知諸物　心不怖取
我等雖説　佛法寶藏　自無志願　亦復如是
我等內滅　自謂為足　唯了此事　更無餘事
我等若聞　淨佛國土　教化衆生　都無欣樂
所以者何　一切諸法　皆悉空寂　無生無滅
無大無小　無漏無為　如是思惟　不生喜樂
我等長夜　於佛智慧　無貪無著　無復志願
而自於法　謂是究竟　我等長夜　脩習空法
得脫三界　苦惱之患　住最後身　有餘涅槃
佛所教化　得道不虛　則為已報　諸佛之恩
我等雖為　諸佛子等　説菩薩法　以求佛道
而於是法　永無願樂　導師見捨　觀我心故
初不勸進　説有實利　如冨長者　知子志劣
以方便力　柔伏其心　然後乃付　一切財寶
佛亦如是　現希有事　知樂小者　以方便力
調伏其心　乃教大智　我等今日　得未曾有
非先所望　而今自得　如彼窮子　得無量寶
世尊我今　得道得果　於無漏法　得清淨眼
我等長夜　持佛淨戒　始於今日　得其果報
法王法中　久脩梵行　今得無漏　無上大果
我等今者　真是聲聞　以佛道聲　令一切聞
我等今者　真阿羅漢　於諸世間　天人魔梵
普於其中　應受供養　世尊大恩　以希有事
憐愍教化　利益我等　無量億劫　誰能報者
手是供給　頭頂礼敬　一切供養　皆不能報

BD00689號　妙法蓮華經卷二　　（16–15）

世尊我今　得道得果　於無漏法　得清淨眼
我等長夜　持佛淨戒　始於今日　得其果報
法王法中　久脩梵行　今得無漏　無上大果
我等今者　真是聲聞　以佛道聲　令一切聞
我等今者　真阿羅漢　於諸世間　天人魔梵
普於其中　應受供養　世尊大恩　以希有事
憐愍教化　利益我等　無量億劫　誰能報者
手是供給　頭頂礼敬　一切供養　皆不能報
若以頂戴　兩肩荷負　於恒沙劫　盡心恭敬
又美以饍　無量寶衣　及諸卧具　種種湯藥
牛頭栴檀　及諸珍寶　以起塔廟　寶衣布地
如斯等事　以用供養　於恒沙劫　亦不能報
諸佛希有　無量無邊　不可思議　大神通力
無漏無為　諸法之王　能為下劣　忍於斯事
取相凡夫　隨宜為説　諸佛於法　得最自在
知諸衆生　種種欲樂　及其志力　隨所堪任
以無量喻　而為説法　隨諸衆生　宿世善根
又知成熟　未成熟者　種種籌量　分別知已
於一乘道　隨宜説三

BD00689號　妙法蓮華經卷二　　（16–16）

味觸法界樂无樂相亦不可得宣說色界我無
我相不可得宣說聲香味觸法界我无我
相亦不可得宣說色界淨不淨相不可得宣說
聲香味觸法界淨不淨相亦不可得宣說色
界遠離不遠離相不可得宣說聲香味觸
法界遠離不遠離相亦不可得宣說色界寂
静不寂静相不可得宣說聲香味觸法界寂
聲不寂静相亦不可得无數如來應正等覺
為諸菩薩摩訶薩衆宣說眼識界常无常
相不可得宣說耳鼻舌身意識界常无常相亦
不可得宣說眼識界樂无樂相不可得宣說耳
鼻舌身意識界樂无樂相亦不可得宣說
眼識界我无我相不可得宣說耳鼻舌身意
識界我无我相亦不可得宣說眼識界淨不
淨相不可得宣說耳鼻舌身意識界淨不淨
相亦不可得宣說眼識界遠離不遠離相不
可得宣說耳鼻舌身意識界遠離不遠離相
亦不可得宣說眼識界寂静不寂静相不可
得宣說耳鼻舌身意識界寂静不寂静相亦
不可得无數如來應正等覺為諸菩薩摩訶

BD00690 號　大般若波羅蜜多經卷五八二　　（2–1）

鼻舌身意識界樂无樂相亦不可得宣說
眼識界我无我相不可得宣說耳鼻舌身意
識界我无我相亦不可得宣說眼識界淨不
淨相不可得宣說耳鼻舌身意識界淨不淨
相亦不可得宣說眼識界遠離不遠離相不
可得宣說耳鼻舌身意識界遠離不遠離相
亦不可得宣說眼識界寂静不寂静相不可
得宣說耳鼻舌身意識界寂静不寂静相亦
不可得无數如來應正等覺為諸菩薩摩訶
薩衆宣說眼觸常无常相不可得宣說耳鼻
舌身意觸常无常相亦不可得宣說眼觸樂
无樂相不可得宣說耳鼻舌身意觸樂无樂
相亦不可得宣說眼觸我无我相不可得宣說
說耳鼻舌身意觸我无我相亦不可得宣說
眼觸淨不淨相不可得宣說耳鼻舌身意
觸淨不淨相亦不可得宣說眼觸遠離不遠離
相不可得宣說耳鼻舌身意觸遠離不遠離
相亦不可得宣說眼觸寂静不寂静相不可

BD00690 號　大般若波羅蜜多經卷五八二　　（2–2）

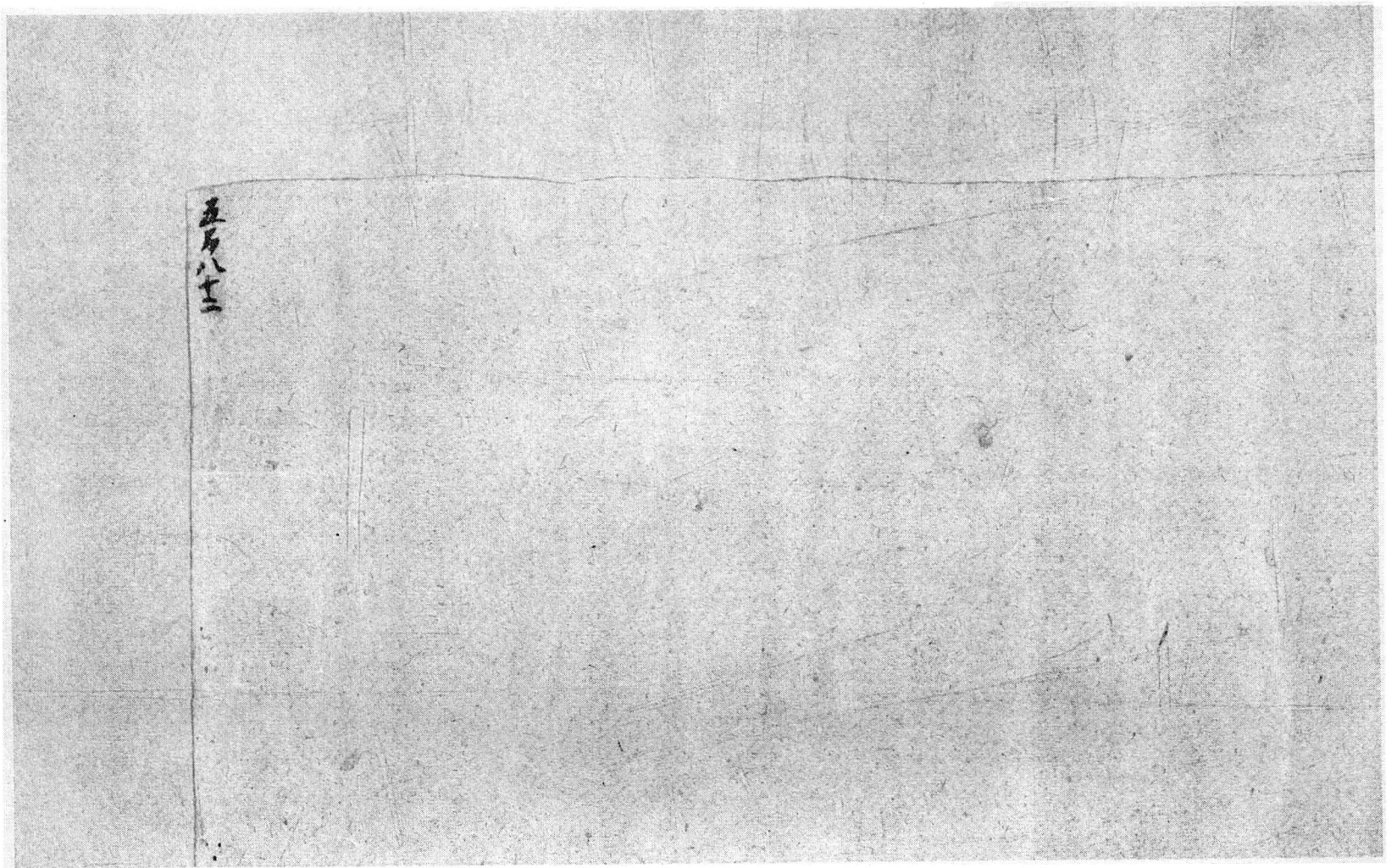

BD00690 號背　勘記　(1–1)

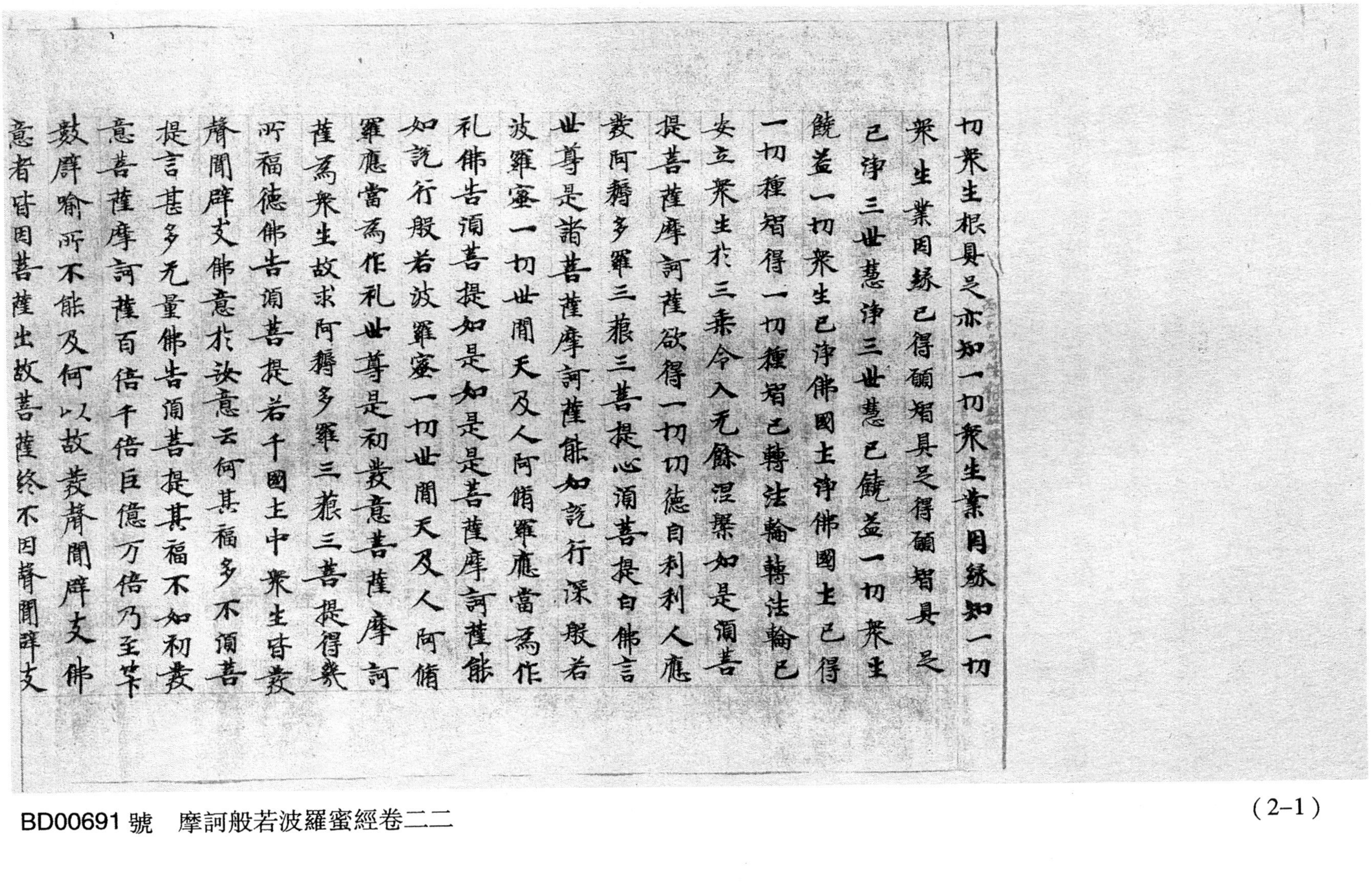

切衆生根具足亦知一切衆生業因緣知一切
衆生業因緣已得爾智具足得爾智具足
已淨三世慧淨三世慧已饒益一切衆生
饒益一切衆生已淨佛國土淨佛國土已得
一切種智得一切種智已轉法輪轉法輪已
安立衆生於三乘令入无餘涅槃如是須菩
提菩薩摩訶薩欲得一切功德自利利人應
發阿耨多羅三藐三菩提心須菩提白佛言
世尊是諸菩薩摩訶薩能如說行深般若
波羅蜜一切世間天及人阿脩羅應當為作
礼佛告須菩提如是如是菩薩摩訶薩能
如說行般若波羅蜜一切世間天及人阿脩
羅應當為作礼世尊是初發意菩薩摩訶
薩為衆生故求阿耨多羅三藐三菩提得幾
所福德佛告須菩提若千國土中衆生皆發
聲聞辟支佛意於汝意云何其福多不須菩
提言甚多无量佛告須菩提其福不如初發
意菩薩摩訶薩百倍千倍巨億万倍乃至筭
數譬喻所不能及何以故發聲聞辟支佛
意者皆因菩薩出故菩薩終不因聲聞辟支

BD00691 號　摩訶般若波羅蜜經卷二二　(2–1)

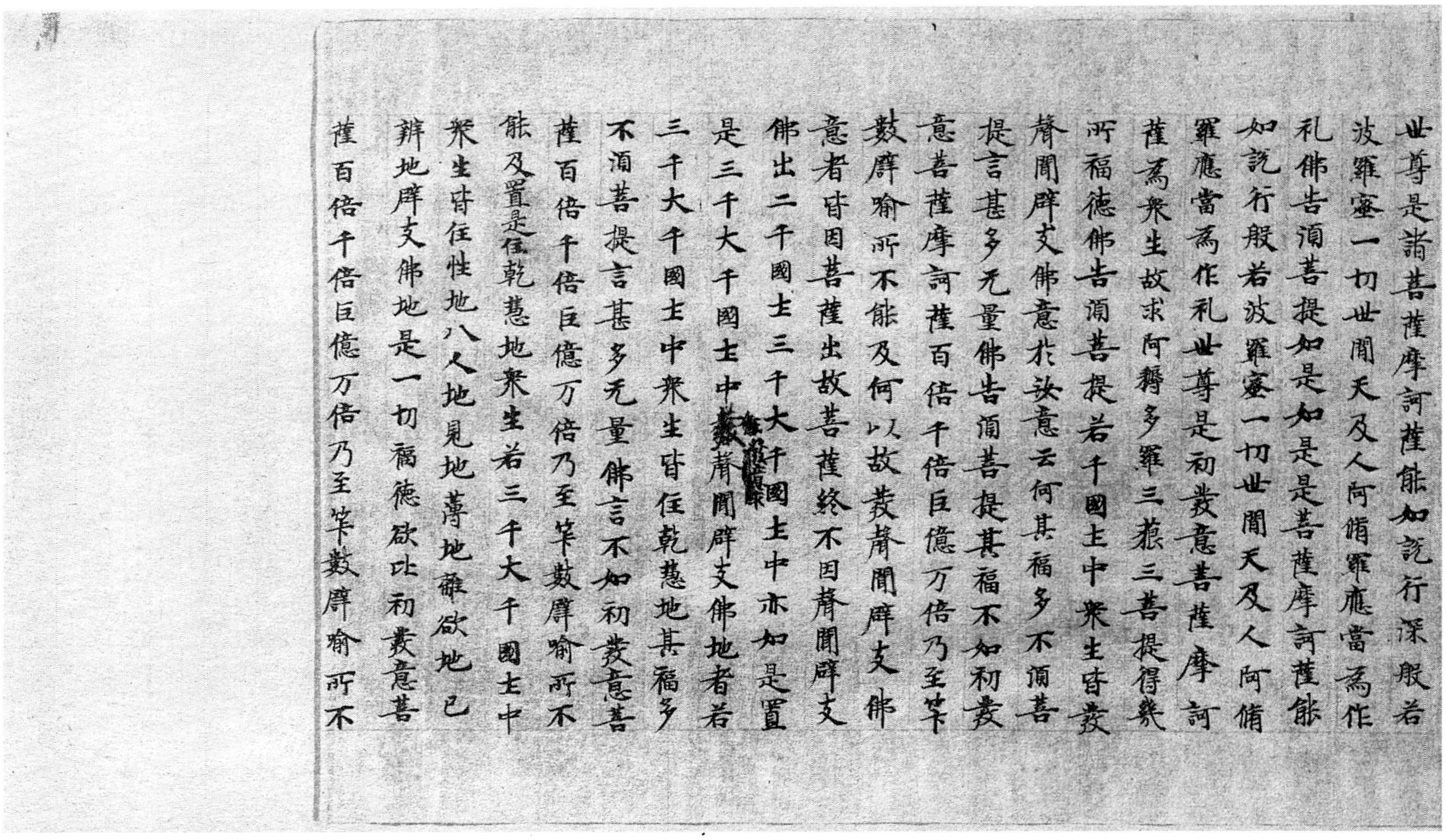

世尊是諸菩薩摩訶薩能如說行深般若
波羅蜜一切世間天及人阿脩羅應當為作
礼佛告須菩提如是如是菩薩摩訶薩能
如說行般若波羅蜜一切世間天及人阿脩
羅應當為作礼世尊是初發意菩薩摩訶
薩為衆生故求阿耨多羅三藐三菩提得幾
所福德佛告須菩提若千國土中衆生皆發
聲聞辟支佛意於汝意云何其福多不須菩
提言甚多无量佛告須菩提其福不如初發
意菩薩摩訶薩百倍千倍巨億万倍乃至筭
數譬喻所不能及何以故發聲聞辟支佛
意者皆因菩薩出故菩薩終不因聲聞辟支
佛出二千國土三千大千國土中亦如是置
是三千大千國土中聲聞辟支佛地者若
三千大千國土中衆生皆住乾慧地其福多
不須菩提言甚多无量佛言不如初發意菩
薩百倍千倍巨億万倍乃至筭數譬喻所不
能及置是住乾慧地衆生若三千大千國土中
衆生皆住性地八人地見地薄地離欲地已
辨地辟支佛地是一切福德欲比初發意菩
薩百倍千倍巨億万倍乃至筭數譬喻所不

BD00691號　摩訶般若波羅蜜經卷二二　（2–2）

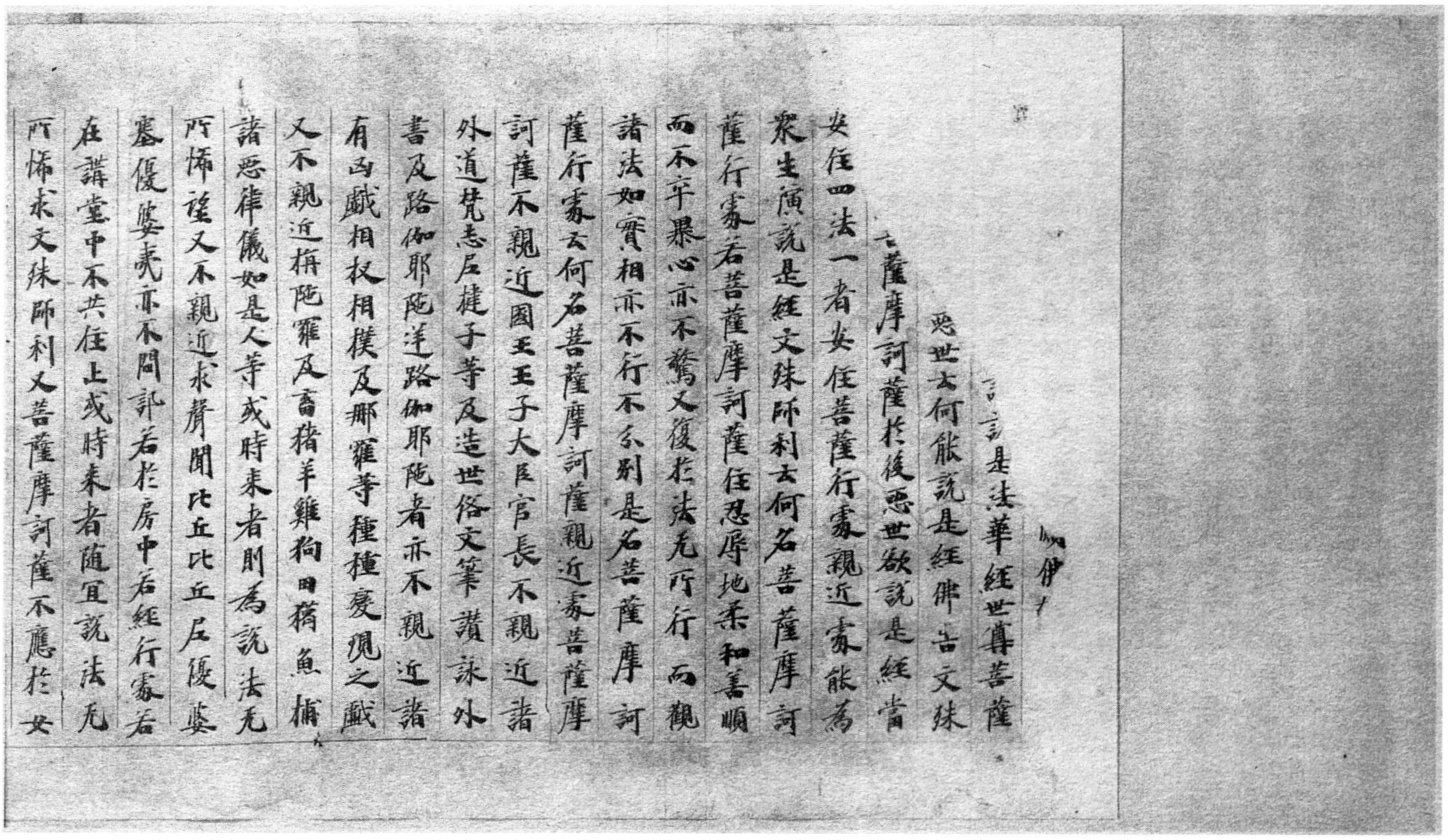

說是法華經世尊菩薩
惡世云何能說是經佛告文殊
薩摩訶薩於後惡世欲說是經當
安住四法一者安住菩薩行處親近處能為
衆生演說是經文殊師利云何名菩薩摩訶
薩行處若菩薩摩訶薩住忍辱地柔和善順
而不卒暴心亦不驚又復於法无所行而觀
諸法如實相亦不行不分別是名菩薩摩訶
薩行處云何名菩薩摩訶薩親近處菩薩摩
訶薩不親近國王王子大臣官長不親近諸
外道梵志尼揵子等及造世俗文筆讚詠外
書及路伽耶陀逆路伽耶陀者亦不親近諸
有凶戲相扠相撲及那羅等種種變現之戲
又不親近旃陀羅及畜猪羊雞狗畋獵魚捕
諸惡律儀如是人等或時來者則為說法无
所悕望又不親近求聲聞比丘比丘尼優婆
塞優婆夷亦不問訊若於房中若經行處若
在講堂中不共住止或時來者隨宜說法无
所悕求文殊師利又菩薩摩訶薩不應於女

BD00692號　妙法蓮華經卷五　（29–1）

在講堂中不共住上或時來者隨宜說法无
所悕求文殊師利又菩薩摩訶薩不應於女
人身取能生欲想相而為說法亦不樂見若
入他家不與小女處女寡女等共語亦復不
近五種不男之人以為親厚不獨入他家若
有因緣須獨入時但一心念佛若為女人說法
不露齒咲不現胸臆乃至為法猶不親厚
況復餘事不樂畜年少弟子沙彌小兒亦不
樂與同師常好坐禪在於閑處脩攝其心文
殊師利是名初親近處復次菩薩摩訶薩觀
一切法空如實相不顛倒不動不退不轉如
虛空无所有性一切語言道斷不生不出不
起无名无相實无所有无量无邊无礙无障
但以因緣有從顛倒生故說常樂觀如是法
相是名菩薩摩訶薩第二親近處尒時世尊
欲重宣此義而說偈言
若有菩薩　於後惡世　无怖畏心　欲說是經
應入行處　及親近處　常離國王　及國王子
大臣官長　凶險戲者　及旃陀羅　外道梵志
亦不親近　增上慢人　貪著小乘　三藏學者
破戒比丘　名字羅漢　及比丘尼　好戲咲者
深著五欲　求現滅度　諸優婆夷　皆勿親近
若是人等　以好心來　到菩薩所　為聞佛道
菩薩則以　无所畏心　不懷悕望　而為說法
寡女處女　及諸不男　皆勿親近　以為親厚
亦莫親近　屠兒魁膾　畋獵魚捕　為利煞害

BD00692號　妙法蓮華經卷五　（29–2）

若是人等　以好心來　到菩薩所　為聞佛道
菩薩則以　无所畏心　不懷悕望　而為說法
寡女處女　及諸不男　皆勿親近　以為親厚
亦莫親近　屠兒魁膾　畋獵魚捕　為利煞害
販肉自活　衒賣女色　如是之人　皆勿親近
凶險相撲　種種嬉戲　諸婬女等　盡勿親近
莫獨屏處　為女說法　若說法時　无得戲咲
入里乞食　將一比丘　若无比丘　一心念佛
是則名為　行處近處　以此二處　能安樂說
又復不行　上中下法　有為无為　實不實法
亦不分別　是男是女　不得諸法　不知不見
是則名為　菩薩行處　一切諸法　空无所有
无有常住　亦无起滅　是名智者　所親近處
顛倒分別　諸法有无　是實非實　是生非生
在於閑處　脩攝其心　安住不動　如須彌山
觀一切法　皆无所有　猶如虛空　无有堅固
不生不出　不動不退　常住一相　是名近處
若有比丘　於我滅後　入是行處　及親近處
說斯經時　无有怯弱　菩薩有時　入於靜室
以正憶念　隨義觀法　從禪定起　為諸國王
王子臣民　婆羅門等　開化演暢　說斯經典
其心安隱　无有怯弱　文殊師利　是名菩薩
安住初法　能於後世　說法華經
又文殊師利如來滅後於末法中欲說是經
應住安樂行若口宣說若讀經時不樂說人
及經典過亦不輕慢諸餘法師不說他人好
惡長短於聲聞人亦不稱名說其過惡亦不

BD00692號　妙法蓮華經卷五　（29–3）

又文殊師利如來滅後於末法中欲說是經
應住安樂行若口宣說若讀經時不樂說人
及經典過亦不輕慢諸餘法師不說他人好
惡長短於聲聞人亦不稱名說其過惡亦不
稱名讚歎其美又亦不生怨嫌之心善脩如
是安樂心故諸有聽者不逆其意有所難問
不以小乘法荅但以大乘而為解說令得一
切種智尒時世尊欲重宣此義而說偈言
菩薩常樂　安隱說法　於清淨地　而施床座
以油塗身　澡浴塵穢　著新淨衣　內外俱淨
安處法座　隨問為說　若有比丘　及比丘尼
諸優婆塞　及優婆夷　國王王子　群臣士民
以微妙義　和顏為說　若有難問　隨義而荅
因緣譬喻　敷演分別　以是方便　皆使發心
漸漸增益　入於佛道　除嬾惰意　及懈怠想
離諸憂惱　慈心說法　晝夜常說　无上道教
以諸因緣　无量譬喻　開示眾生　咸令歡喜
衣服臥具　飲食醫藥　而於其中　无所悕望
但一心念　說法因緣　願成佛道　令眾亦尒
是則大利　安樂供養　我滅度後　若有比丘
能演說斯　妙法華經　心无嫉恚　諸惱障礙
亦无憂愁　及罵詈者　又无怖畏　加刀杖等
亦无擯出　安住忍故　智者如是　善脩其心
能住安樂　如我上說　其人功德　千万億劫
筭數譬喻　說不能盡
又文殊師利菩薩摩訶薩於後末世法欲滅
時受持讀誦斯經典者无懷嫉妬諂誑之心

BD00692 號　妙法蓮華經卷五　（29–4）

能住安樂　如我上說　其人功德　千万億劫
筭數譬喻　說不能盡
又文殊師利菩薩摩訶薩於後末世法欲滅
時受持讀誦斯經典者无懷嫉妬諂誑之心
亦勿輕罵學佛道者求其長短若比丘比丘
尼優婆塞優婆夷求聲聞者求辟支佛者求
菩薩道者无得惱之令其疑悔語其人言汝
等去道甚遠終不能得一切種智所以者何
汝是放逸之人於道懈怠故又亦不應戲論
諸法有所諍競當於一切眾生起大悲想於
諸如來起慈父想於諸菩薩起大師想於十
方諸大菩薩常應深心恭敬禮拜於一切眾
生平等說法以順法故不多不少乃至深愛
法者亦不為多說文殊師利是菩薩摩訶薩
於後末世法欲滅時有成就是第三安樂行
者說是法時无能惱亂得好同學共讀誦是
經亦得大眾而來聽受聽已能持持已能誦
誦已能說說已能書若使人書供養經卷恭敬
尊重讚歎尒時世尊欲重宣此義而說偈言
若欲說是經　當捨嫉恚慢　諂誑邪偽心　常脩質直行
不輕蔑於人　亦不戲論法　不令他疑悔　云汝不得佛
是佛子說法　常柔和能忍　慈悲於一切　不生懈怠心
十方大菩薩　愍眾故行道　應生恭敬心　是則我大師
於諸佛世尊　生无上父想　破於憍慢心　說法无障礙
第三法如是　智者應守護　一心安樂行　无量眾所敬
又文殊師利菩薩摩訶薩於後末世法欲滅
時有持法華經者於在家出家人中生大慈

BD00692 號　妙法蓮華經卷五　（29–5）

於諸佛世尊　生无上父想　破於憍慢心　說法无障礙
第三法如是　智者應守護　一心安樂行　无量衆所敬
又文殊師利菩薩摩訶薩於後末世法欲滅
時有持法華經者於在家出家人中生大慈
心於非菩薩人中生大悲心應作是念如是
之人則為大失如來方便隨宜說法不聞不
知不覺不問不信不解其人雖不問不信不
解是經我得阿耨多羅三藐三菩提時隨在
何地以神通力智慧力引之令得住是法中
文殊師利是菩薩摩訶薩於如來滅後有成
就此第四法者說是法時无有過失常為比
丘比丘尼優婆塞優婆夷國王王子大臣人
民婆羅門居士等供養恭敬尊重讚歎虛空
諸天為聽法故亦常隨侍若在聚落城邑空
閑林中有人來欲難問者諸天晝夜常為法
故而衛護之能令聽者皆得歡喜所以者何
此經是一切過去未來現在諸佛神力所護
故文殊師利是法華經於无量國中乃至名
字不可得聞何況得見受持讀誦文殊師利
譬如強力轉輪聖王欲以威勢降伏諸國而
諸小王不順其命時轉輪王起種種兵而往
討伐王見兵衆戰有功者即大歡喜隨功賞
賜或與田宅聚落城邑或與衣服嚴身之具
或與種種珍寶金銀琉璃車𤦲馬瑙珊瑚虎
珀象馬車乘奴婢人民唯髻中明珠不以與
之所以者何獨王頂上有此一珠若以與之
王諸眷屬必大驚怪文殊師利如來亦復如

BD00692號　妙法蓮華經卷五　（29–6）

或與種種珍寶金銀琉璃車𤦲馬瑙珊瑚虎
珀象馬車乘奴婢人民唯髻中明珠不以與
之所以者何獨王頂上有此一珠若以與之
王諸眷屬必大驚怪文殊師利如來亦復如
是以禪定智慧力得法國土王於三界而諸魔
王不肯順伏如來賢聖諸將與之共戰其
有功者心亦歡喜於四衆中為說諸經令其
心悅賜以禪定解脫无漏根力諸法之財又
復賜與涅槃之城言得滅度引導其心令皆
歡喜而不為說是法華經文殊師利如轉輪
王見諸兵衆有大功者心甚歡喜以此難信
之珠久在髻中不妄與人而今與之如來亦
復如是於三界中為大法王以法教化一切
衆生見賢聖軍與五陰魔煩惱魔死魔共戰
有大功勳滅三毒出三界破魔網尒時如來
亦大歡喜此法華經能令衆生至一切智一
切世間多怨難信先所未說而今說之文殊
師利此法華經是諸如來第一之說於諸說
中最為甚深末後賜與如彼強力之王久護
明珠今乃與之文殊師利此法華經諸佛如
來祕密之藏於諸經中最在其上長夜守護
不妄宣說始於今日乃與汝等而敷演之尒
時世尊欲重宣此義而說偈言
常行忍辱　哀愍一切　乃能演說　佛所讚經
後末世時　持此經者　於家出家　及非菩薩
應生慈悲　斯等不聞　不信是經　則為大失

BD00692號　妙法蓮華經卷五　（29–7）

時世尊欲重宣此義而說偈言
常行忍辱　哀愍一切　乃能演說　佛所讚經
後末世時　持此經者　於家出家　及非菩薩
應生慈悲　斯等不聞　不信是經　則為大失
我得佛道　以諸方便　為說此法　令住其中
譬如強力　轉輪之王　兵戰有功　賞賜諸物
象馬車乘　嚴身之具　及諸田宅　聚落城邑
或與衣服　種種珍寶　奴婢財物　歡喜賜與
如有勇健　能為難事　王解髻中　明珠賜之
如來亦尒　為諸法王　忍辱大力　智慧寶藏
以大慈悲　如法化世　見一切人　受諸苦惱
欲求解脫　與諸魔戰　為是眾生　說種種法
以大方便　說此諸經　既知眾生　得其力已
末後乃為　說是法華　如王解髻　明珠與之
此經為尊　眾經中上　我常守護　不妄開示
今正是時　為汝等說　我滅度後　求佛道者
欲得安隱　演說斯經　應當親近　如是四法
讀是經者　常无憂惱　又无病痛　顏色鮮白
不生貧窮　卑賤醜陋　眾生樂見　如慕賢聖
天諸童子　以為給使　刀杖不加　毒不能害
若人惡罵　口則閉塞　遊行无畏　如師子王
智慧光明　如日之照　若於夢中　但見妙事
見諸如來　坐師子座　諸比丘眾　圍繞說法
又見龍神　阿脩羅等　數如恒沙　恭敬合掌
自見其身　而為說法　又見諸佛　身相金色
放无量光　照於一切　以梵音聲　演說諸法
佛為四眾　說无上法　見身處中　合掌讚佛

BD00692號　妙法蓮華經卷五　（29–8）

又見龍神　阿脩羅等　數如恒沙　恭敬合掌
自見其身　而為說法　又見諸佛　身相金色
放无量光　照於一切　以梵音聲　演說諸法
佛為四眾　說无上法　見身處中　合掌讚佛
聞法歡喜　而為供養　得陀羅尼　證不退智
佛知其心　深入佛道　即為授記　成最正覺
汝善男子　當於來世　得无量智　佛之大道
國土嚴淨　廣大无比　亦有四眾　合掌聽法
又見自身　在山林中　脩習善法　證諸實相
深入禪定　見十方佛
諸佛身金色　百福相莊嚴　聞法為人說　常有是好夢
又夢作國王　捨宮殿眷屬　及上妙五欲　行詣於道場
在菩提樹下　而處師子座　求道過七日　得諸佛之智
成无上道已　起而轉法輪　為四眾說法　經千万億劫
說无漏妙法　度无量眾生　後當入涅槃　如烟盡火滅
若後惡世中　說是第一法　是人得大利　如上諸功德
妙法蓮華經從地踊出品第十五
尒時他方國土諸來菩薩摩訶薩過八恒河
沙數於大眾中起立合掌作礼而白佛言世尊
若聽我等於佛滅後在此娑婆世界勤加精
進護持讀誦書寫供養是經典者當於此土
而廣說之尒時佛告諸菩薩摩訶薩眾止善
男子不須汝等護持此經所以者何我娑婆
世界自有六万恒河沙等菩薩摩訶薩一一
菩薩各有六万恒河沙眷屬是諸人等能於
我滅後護持讀誦廣說此經佛說是時娑婆
世界三千大千國土地皆震裂而於其中有

BD00692號　妙法蓮華經卷五　（29–9）

世界自有六万恒河沙等菩薩摩訶薩一一
菩薩各有六万恒河沙眷屬是諸人等能於
我滅後護持讀誦廣說此經佛說是時娑婆
世界三千大千國土地皆震裂而於其中有
无量千万億菩薩摩訶薩同時踊出是諸菩
薩身皆金色三十二相无量光明先盡在此
娑婆世界之下此界虛空中住是諸菩薩聞
釋迦牟尼佛所說音聲從下發來一一菩薩
皆是大衆唱導之首各將六万恒河沙眷屬
況將五万四万三万二万一万恒河沙等眷
屬者況復乃至一恒河沙半恒河沙四分之
一乃至千万億那由他分之一況復千万億
那由他眷屬況復億万眷屬況復千万百万
乃至一万況復一千一百乃至一十況復將
五四三二一弟子者況復單己樂遠離行如
是等比无量无邊筭數譬喻所不能知是諸
菩薩從地出已各詣虛空七寶妙塔多寶如
來釋迦牟尼佛所到已向二世尊頭面礼足
及至諸寶樹下師子座上佛所亦皆作礼右
繞三帀合掌恭敬以諸菩薩種種讚法而以
讚歎住在一面欣樂瞻仰於二世尊是諸菩
薩摩訶薩從初踊出以諸菩薩種種讚法而
讚於佛如是時間經五十小劫是時釋迦牟
尼佛默然而坐及諸四衆亦皆默然五十小
劫佛神力故令諸大衆謂如半日尒時四衆
亦以佛神力故見諸菩薩遍滿无量百千万
億國土虛空是菩薩衆中有四導師一名上

BD00692 號　妙法蓮華經卷五

（29–10）

尼佛默然而坐及諸四衆亦皆默然五十小
劫佛神力故令諸大衆謂如半日尒時四衆
亦以佛神力故見諸菩薩遍滿无量百千万
億國土虛空是菩薩衆中有四導師一名上
行二名无邊行三名淨行四名安立行是四
菩薩於其衆中最為上首唱導之師在大衆
前各共合掌觀釋迦牟尼佛而問訊言世尊
少病少惱安樂行不所應度者受教易不不
令世尊生疲勞耶尒時四大菩薩而說偈言
世尊安樂　少病少惱　教化衆生　得无疲惓
又諸衆生　受化易不　不令世尊　生疲勞耶
尒時世尊於菩薩大衆中而作是言如是如
是諸善男子如來安樂少病少惱諸衆生等
易可化度无有疲勞所以者何是諸衆生世
世已來常受我化亦於過去諸佛供養尊重
種諸善根此諸衆生始見我身聞我所說即
皆信受入如來慧除先脩習學小乘者如是
之人我今亦令得聞是經入於佛慧尒時諸
大菩薩而說偈言
善哉善哉　大雄世尊　諸衆生等　易可化度
能問諸佛　甚深智慧　聞已信行　我等隨喜
於時世尊讚歎上首諸大菩薩善哉善哉善
男子汝等能於如來發隨喜心尒時弥勒菩
薩及八千恒河沙諸菩薩衆皆作是念我等
從昔已來不見不聞如是大菩薩摩訶薩衆
從地踊出住世尊前合掌供養問訊如來時
弥勒菩薩摩訶薩知八千恒河沙諸菩薩等

BD00692 號　妙法蓮華經卷五

（29–11）

薩及八千恒河沙諸菩薩衆皆作是念我等
從昔已來不見不聞如是大菩薩摩訶薩衆
從地踊出住世尊前合掌供養問訊如來時
弥勒菩薩摩訶薩知八千恒河沙諸菩薩等
心之所念并欲自決所疑合掌向佛以偈問曰
无量千万億　大衆諸菩薩　昔所未曾見　願兩足尊說
是從何所來　以何因緣集　巨身大神通　智慧叵思議
其志念堅固　有大忍辱力　衆生所樂見　為從何所來
一一諸菩薩　所將諸眷屬　其數无有量　如恒河沙等
或有大菩薩　將六万恒沙　如是諸大衆　一心求佛道
是諸大師等　六万恒河沙　俱來供養佛　及護持此經
將五万恒沙　其數過於是　四万及三万　二万至一万
一千一百等　乃至一恒沙　半及三四分　億万分之一
千万那由他　万億諸弟子　乃至於半億　其數復過上
百万至一万　一千及一百　五十與一十　乃至三二一
單己无眷屬　樂於獨處者　俱來至佛所　其數轉過上
如是諸大衆　若人行籌數　過於恒沙劫　猶不能盡知
是諸大威德　精進菩薩衆　誰為其說法　教化而成就
從誰初發心　稱揚何佛法　受持行誰經　脩習何佛道
如是諸菩薩　神通大智力　四方地震裂　皆從中踊出
世尊我昔來　未曾見是事　願說其所從　國土之名号
我常遊諸國　未曾見是衆　我於此衆中　乃不識一人
忽然從地出　願說其因緣　今此之大會　无量百千億
是諸菩薩等　皆欲知此事　是諸菩薩衆　本末之因緣
无量德世尊　唯願決衆疑
尒時釋迦牟尼佛分身諸佛從无量千万億
他方國土來者在於八方諸寶樹下師子座

BD00692 號　妙法蓮華經卷五　（29–12）

是諸菩薩等　皆欲知此事　是諸菩薩衆　本末之因緣
无量德世尊　唯願決衆疑
尒時釋迦牟尼佛分身諸佛從无量千万億
他方國土來者在於八方諸寶樹下師子座
上結加趺坐其佛侍者各各見是菩薩大衆
於三千大千世界四方從地踊出住於虛空
各白其佛言世尊此諸无量无邊阿僧祇菩
薩大衆從何所來尒時諸佛各告侍者諸善
男子且待須臾有菩薩摩訶薩名弥勒釋迦
牟尼佛之所授記次後作佛已問斯事佛今
荅之汝等自當因是得聞尒時釋迦牟尼佛
告弥勒菩薩善哉善哉阿逸多乃能問佛如
是大事汝等當共一心被精進鎧發堅固意
如來今欲顯發宣示諸佛智慧諸佛自在神
通之力諸佛師子奮迅之力諸佛威猛大勢
之力尒時世尊欲重宣此義而說偈言
當精進一心　我欲說此事　勿得有疑悔　佛智叵思議
汝今出信力　住於忍善中　昔所未聞法　今皆當得聞
我今安慰汝　勿得懷疑懼　佛无不實語　智慧不可量
所得第一法　甚深叵分別　如是今當說　汝等一心聽
尒時世尊說此偈已告弥勒菩薩我今於此
大衆宣告汝等阿逸多是諸大菩薩摩訶薩
无量无數阿僧祇從地踊出汝等昔所未見
者我於是娑婆世界得阿耨多羅三藐三菩
提已教化示道是諸菩薩調伏其心令發道
意此諸菩薩皆於是娑婆世界之下此界虛
空中住於諸經典讀誦通利思惟分別正憶

BD00692 號　妙法蓮華經卷五　（29–13）

无量无數阿僧祇從地踊出汝等昔所未見
者我於是娑婆世界得阿耨多羅三藐三菩
提已教化示導是諸菩薩調伏其心令發道
意此諸菩薩皆於是娑婆世界之下此界虛
空中住於諸經典讀誦通利思惟分別正憶
念阿逸多是諸善男子等不樂在衆多有所
說常樂靜處勤行精進未曾休息亦不依止
人天而住常樂深智无有障礙亦常樂於諸
佛之法一心精進求无上慧尒時世尊欲重
宣此義而說偈言
阿逸汝當知　是諸大菩薩　從无數劫來　脩習佛智慧
悉是我所化　令發大道心　此等是我子　依止是世界
常行頭陁事　志樂於靜處　捨大衆憒閙　不樂多所說
如是諸子等　學習我道法　晝夜常精進　為求佛道故
在娑婆世界　下方空中住　志念力堅固　常勤求智慧
說種種妙法　其心无所畏　我於伽耶城　菩提樹下坐
得成最正覺　轉无上法輪　尒乃教化之　令初發道心
今皆住不退　悉當得成佛　我今說實語　汝等一心信
我從久遠來　教化是等衆
尒時彌勒菩薩摩訶薩及无數諸菩薩等心
生疑惑怪未曾有而作是念云何世尊於少
時間教化如是无量无邊阿僧祇諸大菩薩
令住阿耨多羅三藐三菩提即白佛言世尊
如來為太子時出於釋宮去伽耶城不遠坐
於道場得成阿耨多羅三藐三菩提從是已
來始過四十餘年世尊云何於此少時大作
佛事以佛勢力以佛功德教化如是无量大

BD00692號　妙法蓮華經卷五　（29–14）

如來為太子時出於釋宮去伽耶城不遠坐
於道場得成阿耨多羅三藐三菩提從是已
來始過四十餘年世尊云何於此少時大作
佛事以佛勢力以佛功德教化如是无量大
菩薩衆當成阿耨多羅三藐三菩提世尊此
大菩薩衆假使有人於千万億劫數不能盡
不得其邊斯等久遠已來於无量无邊諸佛
所殖諸善根成就菩薩道常脩梵行世尊如
此之事世所難信譬如有人色美髮黑年二
十五指百歲人言是我子其百歲人亦指年
少言是我父生育我等是事難信佛亦如是
得道已來其實未久而此大衆諸菩薩等已
於无量千万億劫為佛道故勤行精進善入
出住无量百千万億三昧得大神通久脩梵
行善能次第習諸善法巧於問答人中之寶
一切世間甚為希有今日世尊方云得佛道
時初令發心教示導令向阿耨多羅三藐
三菩提世尊得佛未久乃能作此大功德事
我等雖復信佛隨宜所說佛所出言未曾虛
妄佛所知事皆悉通達然諸新發意菩薩於
佛滅後若聞是語或不信受而起破法罪業
因緣唯然世尊願為解說除我等疑及未來
世諸善男子聞此事已亦不生疑尒時彌勒
菩薩欲重宣此義而說偈言
佛昔從釋種　出家近伽耶　坐於菩提樹　尒來尚未久
此諸佛子等　其數不可量　久已行佛道　住於神通力
善學菩薩道　不染世間法　如蓮華在水　從地而踊出

BD00692號　妙法蓮華經卷五　（29–15）

世諸善男子聞此事已亦不生疑尒時弥勒
菩薩欲重宣此義而說偈言
佛昔從釋種　出家近伽耶　坐於菩提樹　尒來尚未久
此諸佛子等　其數不可量　久已行佛道　住神通智力
善學菩薩道　不染世間法　如蓮華在水　從地而踊出
皆起恭敬心　住於世尊前　是事難思議　云何而可信
佛得道甚近　所成就甚多　願為除衆疑　如實分別說
譬如少壯人　年始二十五　示人百歲子　髮白而面皺
是等我所生　子亦說是父　父少而子老　舉世所不信
世尊亦如是　得道來甚近　是諸菩薩等　志固无怯弱
從无量劫來　而行菩薩道　巧於難問答　其心无所畏
忍辱心決定　端正有威德　十方佛所讚　善能分別說
不樂在人衆　常好在禪定　為求佛道故　於下空中住
我等從佛聞　於此事无疑　願佛為未來　演說令開解
若有於此經　生疑不信者　即當墮惡道　願今為解說
是无量菩薩　云何於少時　教化令發心　而住不退地

妙法蓮華經如來壽量品第十六

尒時佛告諸菩薩及一切大衆諸善男子汝
等當信解如來誠諦之語復告大衆汝等當
信解如來誠諦之語又復告諸大衆汝等當
信解如來誠諦之語是時菩薩大衆弥勒為
首合掌白佛言世尊唯願說之我等當信受
佛語如是三白已復言唯願說之我等當信
受佛語尒時世尊知諸菩薩三請不止而告
之言汝等諦聽如來秘密神通之力一切世
間天人及阿脩羅皆謂今釋迦牟尼佛出釋
氏宮去伽耶城不遠坐於道場得阿耨多羅

BD00692 號　妙法蓮華經卷五　（29-16）

受佛語尒時世尊知諸菩薩三請不止而告
之言汝等諦聽如來秘密神通之力一切世
間天人及阿脩羅皆謂今釋迦牟尼佛出釋
氏宮去伽耶城不遠坐於道場得阿耨多羅
三藐三菩提然善男子我實成佛已來无量
无邊百千万億那由他劫譬如五百千万億
那由他阿僧祇三千大千世界假使有人末
為微塵過於東方五百千万億那由他阿僧
祇國乃下一塵如是東行盡是微塵諸善男
子於意云何是諸世界可得思惟挍計知其
數不弥勒菩薩等俱白佛言世尊是諸世界
无量无邊非筭數所知亦非心力所及一切
聲聞辟支佛以无漏智不能思惟知其限數
我等住阿惟越致地於是事中亦所不達世
尊如是諸世界无量无邊尒時佛告大菩薩
衆諸善男子今當分明宣語汝等是諸世界
若著微塵及不著者盡以為塵一塵一劫我
成佛已來復過於此百千万億那由他阿僧
祇劫自從是來我常在此娑婆世界說法教
化亦於餘處百千万億那由他阿僧祇國導
利衆生諸善男子於是中間我說然燈佛等
又復言其入於涅槃如是皆以方便分別諸
善男子若有衆生來至我所我以佛眼觀其
信等諸根利鈍隨所應度處處自說名字不
同年紀大小亦復現言當入涅槃又以種種
方便說微妙法能令衆生發歡喜心諸善男
子如來見諸衆生樂於小法德薄垢重者為

BD00692 號　妙法蓮華經卷五　（29-17）

善男子若有衆生来至我所我以佛眼觀其
信等諸根利鈍隨所應度處處自說名字不
同年紀大小亦復現言當入涅槃又以種種
方便說微妙法能令衆生發歡喜心諸善男
子如来見諸衆生樂於小法德薄垢重者爲
是人說我少出家得阿耨多羅三藐三菩提
然我實成佛已来久遠若斯但以方便教化
衆生令入佛道作如是說諸善男子如来所
演經典皆爲度脫衆生或說己身或說他身
或示己身或示他身或示己事或示他事諸
所言說皆實不虛所以者何如来如實知見
三界之相无有生死若退若出亦无在世及
滅度者非實非虛非如非異不如三界見於
三界如斯之事如来明見无有錯謬以諸衆
生有種種性種種欲種種行種種憶想分別
故欲令生諸善根以若干因緣譬喻言辞種
種說法所作佛事未曾暫廢如是我成佛已
来甚大久遠壽命无量阿僧祇劫常住不滅
諸善男子我本行菩薩道所成壽命今猶未
盡復倍上數然今非實滅度而便唱言當取
滅度如来以是方便教化衆生所以者何若
佛久住於世薄德之人不種善根貧窮下賤
貪著五欲入於憶想妄見網中若見如来常
在不滅便起憍恣而懷猒怠不能生難遭之
想恭敬之心是故如来以方便說比丘當知
諸佛出世難可值遇所以者何諸薄德人過
无量百千万億劫或有見佛或不見者以此

在不滅便起憍恣而懷猒怠不能生難遭之
想恭敬之心是故如来以方便說比丘當知
諸佛出世難可值遇所以者何諸薄德人過
无量百千万億劫或有見佛或不見者以此
事故我作是言諸比丘如来難可得見斯衆
生等聞如是語必當生於難遭之想心懷戀
慕渴仰於佛便種善根是故如来雖不實滅
而言滅度又善男子諸佛如来法皆如是爲
度衆生皆實不虛譬如良醫智慧聰達明練
方藥善治衆病其人多諸子息若十二十乃
至百數以有事緣遠至餘國諸子於後飲他
毒藥藥發悶亂宛轉于地是時其父還来歸
家諸子飲毒或失本心或不失者遙見其父
皆大歡喜拜跪問訊善安隱歸我等愚癡誤
服毒藥願見救療更賜壽命父見子等苦惱
如是依諸經方求好藥草色香美味皆悉具
足擣篩和合與子令服而作是言此大良藥
色香美味皆悉具足汝等可服速除苦惱无
復衆患其諸子中不失心者見此良藥色香
俱好即便服之病盡除愈餘失心者見其父
来雖亦歡喜問訊求索治病然與其藥而不
肯服所以者何毒氣深入失本心故於此好
色香藥而謂不美父作是念此子可愍爲毒
所中心皆顛倒雖見我喜求索救療如是好
藥而不肯服我今當設方便令服此藥即作
是言汝等當知我今衰老死時已至是好良
藥今留在此汝可取服勿憂不差作是教已

所中心皆顛倒雖見我喜求索救療如是好
藥而不肯服我今當設方便令服此藥即作
是言汝等當知我今衰老死時已至是好良
藥今留在此汝可取服勿憂不差作是教已
復至他國遣使還告汝父已死是時諸子聞
父背喪心大憂惱而作是念若父在者慈愍
我等能見救護今者捨我遠喪他國自惟孤
露无復恃怙常懷悲感心遂醒悟乃知此藥
色味香美即取服之毒病皆愈其父聞子悉
已得差尋便來歸咸使見之諸善男子於意
云何頗有人能說此良醫虛妄罪不不也世
尊佛言我亦如是成佛已來无量无邊百千
万億那由他阿僧祇劫為眾生故以方便力
言當滅度亦无有能如法說我虛妄過者尒
時世尊欲重宣此義而說偈言
自我得佛來　所經諸劫數　无量百千万　億載阿僧祇
常說法教化　无數億眾生　令入於佛道　尒來无量劫
為度眾生故　方便現涅槃　而實不滅度　常住此說法
我常住於此　以諸神通力　令顛倒眾生　雖近而不見
眾見我滅度　廣供養舍利　咸皆懷戀慕　而生渴仰心
眾生既信伏　質直意柔軟　一心欲見佛　不自惜身命
時我及眾僧　俱出靈鷲山　我時語眾生　常在此不滅
以方便力故　現有滅不滅　餘國有眾生　恭敬信樂者
我復於彼中　為說无上法　汝等不聞此　但謂我滅度
我見諸眾生　沒在於苦惱　故不為現身　令其生渴仰
因其心戀慕　乃出為說法　神通力如是　於阿僧祇劫

以方便力故　現有滅不滅　餘國有眾生　恭敬信樂者
我復於彼中　為說无上法　汝等不聞此　但謂我滅度
我見諸眾生　沒在於苦惱　故不為現身　令其生渴仰
因其心戀慕　乃出為說法　神通力如是　於阿僧祇劫
常在靈鷲山　及餘諸住處　眾生見劫盡　大火所燒時
我此土安隱　天人常充滿　園林諸堂閣　種種寶莊嚴
寶樹多華菓　眾生所遊樂　諸天擊天鼓　常作眾伎樂
雨曼陁羅華　散佛及大眾　我淨土不毀　而眾見燒盡
憂怖諸苦惱　如是悉充滿　是諸罪眾生　以惡業因緣
過阿僧祇劫　不聞三寶名　諸有脩功德　柔和質直者
則皆見我身　在此而說法　或時為此眾　說佛壽无量
久乃見佛者　為說佛難值　我智力如是　慧光照无量
壽命无數劫　久脩業所得　汝等有智者　勿於此生疑
當斷令永盡　佛語實不虛　如醫善方便　為治狂子故
實在而言死　无能說虛妄　我亦為世父　救諸苦患者
為凡夫顛倒　實在而言滅　以常見我故　而生憍恣心
放逸著五欲　墮於惡道中　我常知眾生　行道不行道
隨應所可度　為說種種法　每自作是意　以何令眾生
得入无上道　速成就佛身

妙法蓮華經分別功德品第十七

尒時大會聞佛說壽命劫數長遠如是无量
无邊阿僧祇眾生得大饒益於時世尊告弥
勒菩薩摩訶薩阿逸多我說是如來壽命長
遠時六百八十万億那由他恒河沙眾生得
无生法忍復千倍菩薩摩訶薩得聞持陀羅
尼門復有一世界微塵數菩薩摩訶薩得樂
說无礙辯才復有一世界微塵數菩薩摩訶

勒菩薩摩訶薩阿逸多我說是如來壽命長
遠時六百八十万億那由他恒河沙衆生得
无生法忍復千倍菩薩摩訶薩得聞持陁羅
尼門復有一世界微塵數菩薩摩訶薩得樂
說无礙辯才復有一世界微塵數菩薩摩訶
薩得百千万億无量旋陁羅尼復有三千大
千世界微塵數菩薩摩訶薩能轉不退法輪
復有二千中國土微塵數菩薩摩訶薩能轉
清淨法輪復有小千國土微塵數菩薩摩訶
薩八生當得阿耨多羅三藐三菩提復有四
四天下微塵數菩薩摩訶薩四生當得阿耨
多羅三藐三菩提復有三四天下微塵數菩
薩摩訶薩三生當得阿耨多羅三藐三菩提
復有二四天下微塵數菩薩摩訶薩二生當
得阿耨多羅三藐三菩提復有一四天下微
塵數菩薩摩訶薩一生當得阿耨多羅三藐
三菩提復有八世界微塵數衆生皆發阿耨
多羅三藐三菩提心佛說是諸菩薩摩訶薩
得大法利時於虛空中雨曼陁羅華摩訶曼
陁羅華以散无量百千万億寶樹下師子座
上諸佛并散七寶塔中師子座上釋迦牟尼
佛及久滅度多寶如來亦散一切諸大菩薩
及四部衆又雨細末栴檀沉水香等於虛空
中天鼓自鳴妙聲深遠又雨千種天衣垂諸
瓔珞真珠瓔珞摩尼珠瓔珞如意珠瓔珞遍
於九方衆寶香爐燒无價香自然周至供養
大會一一佛上有諸菩薩執持幡蓋次第而

中天鼓自鳴妙聲深遠又雨千種天衣垂諸
瓔珞真珠瓔珞摩尼珠瓔珞如意珠瓔珞遍
於九方衆寶香爐燒无價香自然周至供養
大會一一佛上有諸菩薩執持幡蓋次第而
上至于梵天是諸菩薩以妙音聲歌无量頌
讚歎諸佛尒時弥勒菩薩從座而起偏袒右
肩合掌向佛而說偈言
佛說希有法　昔所未曾聞　世尊有大力　壽命不可量
无數諸佛子　聞世尊分別　說得法利者　歡喜充遍身
或住不退地　或得陁羅尼　或无礙樂說　万億旋惣持
或有大千界　微塵數菩薩　各各皆能轉　不退之法輪
或有中千界　微塵數菩薩　各各皆能轉　清淨之法輪
復有小千界　微塵數菩薩　餘各八生在　當得成佛道
復有四三二　如是四天下　微塵諸菩薩　隨數生成佛
或一四天下　微塵數菩薩　餘有一生在　當成一切智
如是等衆生　聞佛壽長遠　得无量无漏　清淨之果報
復有八世界　微塵數衆生　聞佛說壽命　皆發无上心
世尊說无量　不可思議法　多有所饒益　如虛空无邊
雨天曼陁羅　摩訶曼陁羅　釋梵如恒沙　无數佛土來
雨栴檀沉水　繽紛而亂墜　如鳥飛空下　供散於諸佛
天鼓虛空中　自然出妙聲　天衣千万種　旋轉而來下
衆寶妙香爐　燒无價之香　自然悉周遍　供養諸世尊
其大菩薩衆　執七寶幡蓋　高妙万億種　次第至梵天
一一諸佛前　寶幢懸勝幡　亦以千万偈　歌詠諸如來
如是種種事　昔所未曾有　聞佛壽无量　一切皆歡喜
佛名聞十方　廣饒益衆生　一切具善根　以助无上心
尒時佛告弥勒菩薩摩訶薩阿逸多其有衆生

其大菩薩衆　執七寶幡蓋　高妙万億種　次第至梵天
一一諸佛前　寶幢懸勝幡　亦以千万偈　歌詠諸如來
如是種種事　昔所未曾有　聞佛壽无量　一切皆歡喜
佛名聞十方　廣饒益衆生　一切具善根　以助无上心
尒時佛告弥勒菩薩摩訶薩阿逸多其有衆
生聞佛壽命長遠如是乃至能生一念信解
所得功德无有限量若有善男子善女人為
阿耨多羅三藐三菩提於八十万億那由他
劫行五波羅蜜檀波羅蜜尸羅波羅蜜羼提
波羅蜜毗梨耶波羅蜜禪波羅蜜除般若波
羅蜜以是功德比前功德百分千分百千万
億分不及其一乃至筭數譬喻所不能知若
善男子有如是功德於阿耨多羅三藐三菩
提退者无有是處尒時世尊欲重宣此義而
說偈言
若人求佛慧　於八十万億　那由他劫數　行五波羅蜜
於是諸劫中　布施供養佛　及緣覺弟子　并諸菩薩衆
珍異之飲食　上服與卧具　栴檀立精舍　以園林莊嚴
如是等布施　種種皆微妙　盡此諸劫數　以迴向佛道
若復持禁戒　清淨无缺漏　求於无上道　諸佛之所歎
若復行忍辱　住於調柔地　設衆惡來加　其心不傾動
諸有得法者　懷於增上慢　為此所輕惱　如是亦能忍
若復勤精進　志念常堅固　於无量億劫　一心不懈息
又於无數劫　住於空閑處　若坐若經行　除睡常攝心
以是因緣故　能生諸禪定　八十億万劫　安住心不亂
持此一心福　願求无上道　我得一切智　盡諸禪定際

BD00692號　妙法蓮華經卷五　（29–24）

若復勤精進　志念常堅固　於无量億劫　一心不懈息
又於无數劫　住於空閑處　若坐若經行　除睡常攝心
以是因緣故　能生諸禪定　八十億万劫　安住心不亂
持此一心福　願求无上道　我得一切智　盡諸禪定際
是人於百千　万億劫數中　行此諸功德　如上之所說
有善男女等　聞我說壽命　乃至一念信　其福過於彼
若人悉无有　一切諸疑悔　深心須臾信　其福為如此
其有諸菩薩　无量劫行道　聞我說壽命　是則能信受
如是諸人等　頂受此經典　願我於未來　長壽度衆生
如今日世尊　諸釋中之王　道場師子吼　說法无所畏
我等未來世　一切所尊敬　坐於道場時　說壽亦如是
若有深心者　清淨而質直　多聞能總持　隨義解佛語
如是諸人等　於此无有疑
又阿逸多若有聞佛壽命長遠解其言趣是
人所得功德无有限量能起如來无上之慧
何況廣聞是經若教人聞若自持若教人持
若自書若教人書若以華香瓔珞幢幡繒蓋
香油蘇燈供養經卷是人功德无量无邊能
生一切種智阿逸多若善男子善女人聞我
說壽命長遠深心信解則為見佛常在耆闍
崛山共大菩薩諸聲聞衆圍繞說法又見此
娑婆世界其地瑠璃坦然平正閻浮檀金以
界八道寶樹行列諸臺樓觀皆悉寶成其菩
薩衆咸處其中若能如是觀者當知是為深
信解相又復如來滅後若聞是經而不毀呰
起隨喜心當知已為深信解相何況讀誦受

BD00692號　妙法蓮華經卷五　（29–25）

界八道寶樹行列諸臺樓觀皆悉寶成其菩
薩衆咸處其中若能如是觀者當知是為深
信解相又復如來滅後若聞是經而不毀呰
起隨喜心當知已為深信解相何況讀誦受
持之者斯人則為頂戴如來阿逸多是善男
子善女人不須為我復起塔寺及作僧坊以
四事供養衆僧所以者何是善男子善女人
受持讀誦是經典者為已起塔造立僧坊
供養衆僧則為以佛舍利起七寶塔高廣漸
小至于梵天懸諸幡蓋及衆寶鈴華香瓔珞
末香塗香燒香衆鼓伎樂簫笛箜篌種種儛
戲以妙音聲歌唄讚頌則為於无量千万億
劫作是供養已阿逸多若我滅後聞是經典
有能受持若自書若教人書則為起立僧坊
以赤栴檀作諸殿堂三十有二高八多羅樹
高廣嚴好百千比丘於其中止園林流池經
行禪窟衣服飲食床褥湯藥一切樂具充滿
其中如是僧坊堂閣若干百千万億其數无
量以此現前供養於我及比丘僧是故我說
如來滅後若有受持讀誦為他人說若自書
若教人書供養經卷不須復起塔寺及造僧
坊供養衆僧況復有人能持是經兼行布施
持戒忍辱精進一心智慧其德最勝无量无
邊譬如虛空東西南北四維上下无量无邊
是人功德亦復如是无量无邊疾至一切種
智若人讀誦受持是經為他人說若自書若

持戒忍辱精進一心智慧其德最勝无量无
邊譬如虛空東西南北四維上下无量无邊
是人功德亦復如是无量无邊疾至一切種
智若人讀誦受持是經為他人說若自書若
教人書復能起塔及造僧坊供養讚歎聲聞
衆僧亦以百千万億讚歎之法讚歎菩薩功德
又為他人種種因緣隨義解說此法華經
復能清淨持戒與柔和者而共同止忍辱无
瞋志念堅固常貴坐禪得諸深定精進勇猛
攝諸善法利根智慧善答問難阿逸多若我
滅後諸善男子善女人受持讀誦是經典者
復有如是諸善功德當知是人已趣道場近
阿耨多羅三藐三菩提坐道樹下阿逸多是
善男子若坐若立若行處此中便應起塔一
切天人皆應供養如佛之塔尒時世尊欲重
宣此義而說偈言
若我滅度後　能奉持此經　斯人福无量　如上之所說
是則為具足　一切諸供養　以舍利起塔　七寶而莊嚴
表刹甚高廣　漸小至梵天　寶鈴千万億　風動出妙音
又於无量劫　而供養此塔　華香諸瓔珞　天衣衆伎樂
然香油蘇燈　周帀常照明　惡世法末時　能持是經者
則為已如上　具足諸供養　若能持此經　則如佛現在
以牛頭栴檀　起僧坊供養　堂有三十二　高八多羅樹
上饌妙衣服　床臥皆具足　百千衆住處　園林諸流池
經行及禪窟　種種皆嚴好　若有信解心　受持讀誦書
若復教人書　及供養經卷　散華香末香　以須曼瞻蔔

燃香油酥燈　周帀常照明　惡世法末時　能持是經者
則為已如上　具足諸供養　若能持此經　則如佛見在
以牛頭栴檀　起僧坊供養　堂有三十二　高八多羅樹
上饌妙衣服　床卧皆具足　百千眾住處　園林諸流池
經行及禪窟　種種皆嚴好　若有信解心　受持讀誦書
若復教人書　及供養經卷　散華香末香　以須曼瞻蔔
阿提目多伽　薰油常燃之　如是供養者　得无量功德
如虛空无邊　其福亦如是　況復持此經　兼布施持戒
忍辱樂禪定　不瞋不惡口　恭敬於塔廟　謙下諸比丘
遠離自高心　常思惟智慧　有問難不瞋　隨順為解說
若能行是行　功德不可量　若見此法師　成就如是德
應以天華散　天衣覆其身　頭面接足禮　生心如佛想
又應作是念　不久詣道樹　得无漏无為　廣利諸人天
其所住止處　經行若坐卧　乃至說一偈　是中應起塔
莊嚴令妙好　種種以供養　佛子住此地　則是佛受用
其在於其中　經行及坐卧

妙法蓮華經卷第五

BD00692號　妙法蓮華經卷五　（29–28）

如虛空无邊　其福亦如是　況復持此經　兼布施持戒
忍辱樂禪定　不瞋不惡口　恭敬於塔廟　謙下諸比丘
遠離自高心　常思惟智慧　有問難不瞋　隨順為解說
若能行是行　功德不可量　若見此法師　成就如是德
應以天華散　天衣覆其身　頭面接足禮　生心如佛想
又應作是念　不久詣道樹　得无漏无為　廣利諸人天
其所住止處　經行若坐卧　乃至說一偈　是中應起塔
莊嚴令妙好　種種以供養　佛子住此地　則是佛受用
其在於其中　經行及坐卧

妙法蓮華經卷第五

BD00692號　妙法蓮華經卷五　（29–29）

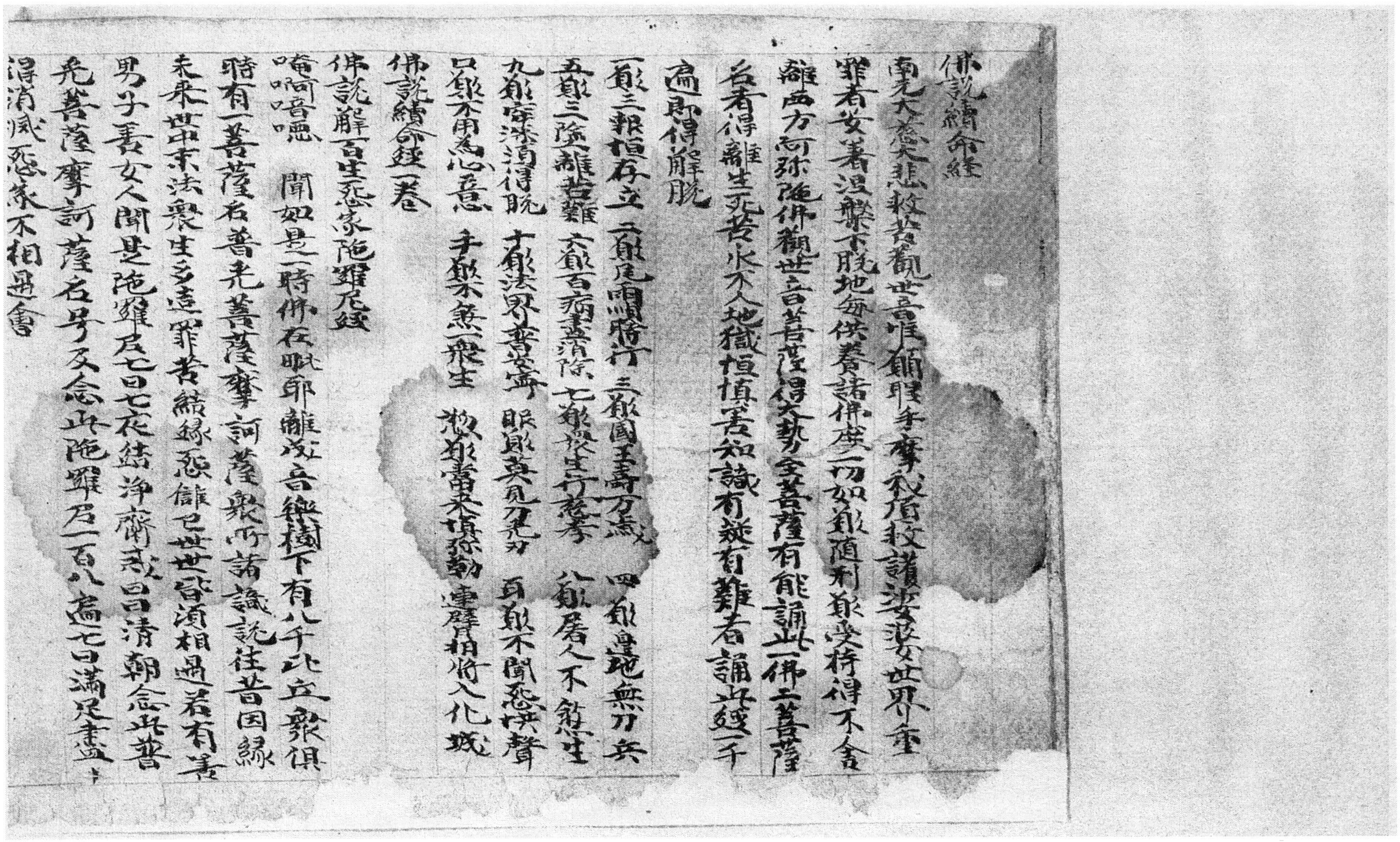

佛說續命經
南无大慈大悲救苦觀世音唯願舒手摩我頂救護娑婆世界衆
罪者安著涅槃下脫地獄供養諸佛座一切如願隨利願受持得不舍
離西方阿弥陀佛觀世音菩薩得大勢至菩薩有能誦此一佛二菩薩
名者得離生死苦水火不入地獄恒值善知識有疑有難者誦此經一千
遍即得解脫
一願三報恒存立　二願足雨順時行　三願國王壽万歲　四願皇地無刀兵
五願三塗離苦難　六願百病盡消除　七願放生行慈孝　八願屠人不殺生
九願寃深消得脫　十願法界普安寧　眼願莫見刀兵刃　耳願不聞惡哭聲
口願不用惡心意　手願不煞一衆生　脚願常來填孫動　違辟相將入化城
佛說續命經一卷
佛說解百生怨家陀羅尼經
唵呵唵嗯　聞如是一時佛在毗耶離城音樂樹下有八千比丘衆俱
時有一菩薩名普光菩薩摩訶薩衆所諸識說往昔因緣
未來世中末法衆生多造罪業結緣怨讎已世世皆須相遇若有善
男子善女人聞是陀羅尼七日七夜結淨齋戒日日清朝念此普
光菩薩摩訶薩名号及念此陀羅尼一百八遍七日滿足盡盡
得消滅怨家不相逢會

BD00693 號 1　續命經　（6–1）
BD00693 號 2　解百生怨家陀羅尼經

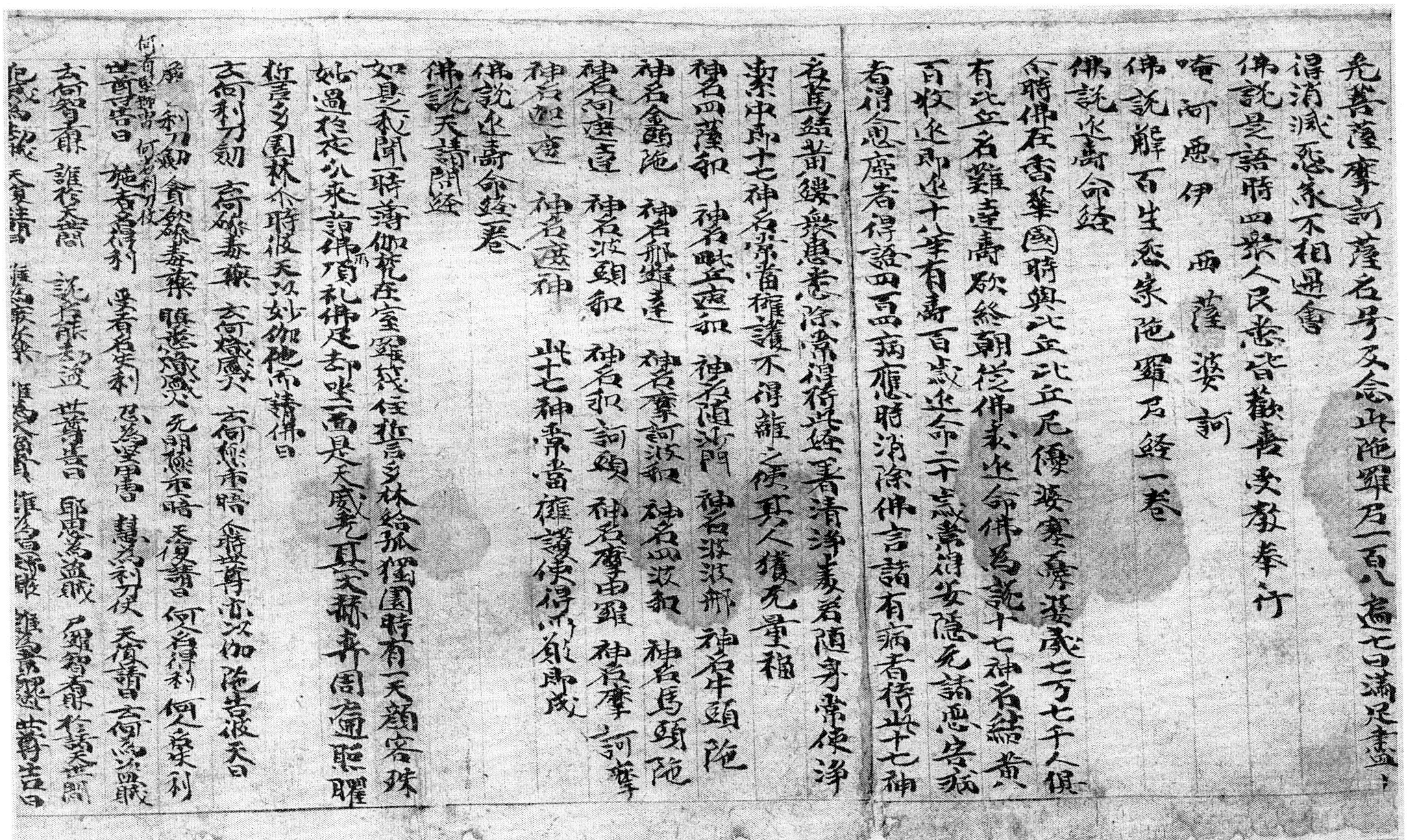

光菩薩摩訶薩名号及念此陀羅尼一百八遍七日滿足盡盡
得消滅怨家不相逢會
佛說是語時四衆人民悉皆歡喜受教奉行
唵　阿　悉　伊　西　薩　婆　訶
佛說解百生怨家陀羅尼經一卷
佛說延壽命經
尒時佛在香華國時與比丘比丘尼優婆塞優婆夷七万七千人俱
有比丘名難達壽欲終朝從佛求延命佛為說十七神名結黃
百枚延即延十八年有壽百歲延命二千歲常得安隱无諸惡害疾
者得命息壓者得語四百四病應時消除佛言諸有病者持此十七神
名為結黃縷繫患者除常得持此經書清淨素若隨身常使淨
潔中即十七神名常當擁護不得離之使其人獲无量福
神名四藻和　神名毗丘庭和　神名隨沙門　神名波波耶　神名牛頭陀
神名金爾陀　神名耶蝉達　神名摩訶波和　神名四波和　神名馬頭陀
神名阿遮達　神名波頭和　神名和訶嗔　神名摩由羅　神名摩訶摩
神名迦遮　神名遮神　此十七神常當擁護使得所願即成
佛說延壽命經一卷
佛說天請問經
如是我聞一時薄伽梵在室羅筏住誓多林給孤獨園時有一天顏容殊
妙過於夜分來詣佛所頂禮佛足却坐一面是天威光赫奕周遍照曜
誓多園林尒時彼天以妙伽他而請佛曰
云何利刀劍　云何麤毒藥　云何熾盛火　云何極重暗　尒時薄伽梵亦以伽陀告彼天曰
麁言利刀劍　貪欲麤毒藥　瞋恚熾盛火　无明極重暗　天復請曰　何人為得利　何人為失利
何者堅甲胄　何者利刀杖
世尊告曰　施者為得利　受者為失利　忍為堅甲胄　慧為利刀杖　天復請曰　云何為盜賊
云何智者財　誰名為盜賊　世尊告曰　邪思為盜賊　尸羅智者財　於諸天世間
毀戒為盜賊　天復請曰　誰為最安樂　誰為大富貴　誰為端嚴　誰為鬼魅　世尊告曰

BD00693 號 2　解百生怨家陀羅尼經　（6–2）
BD00693 號 3　延壽命經（小本）　BD00693 號 4　天請問經

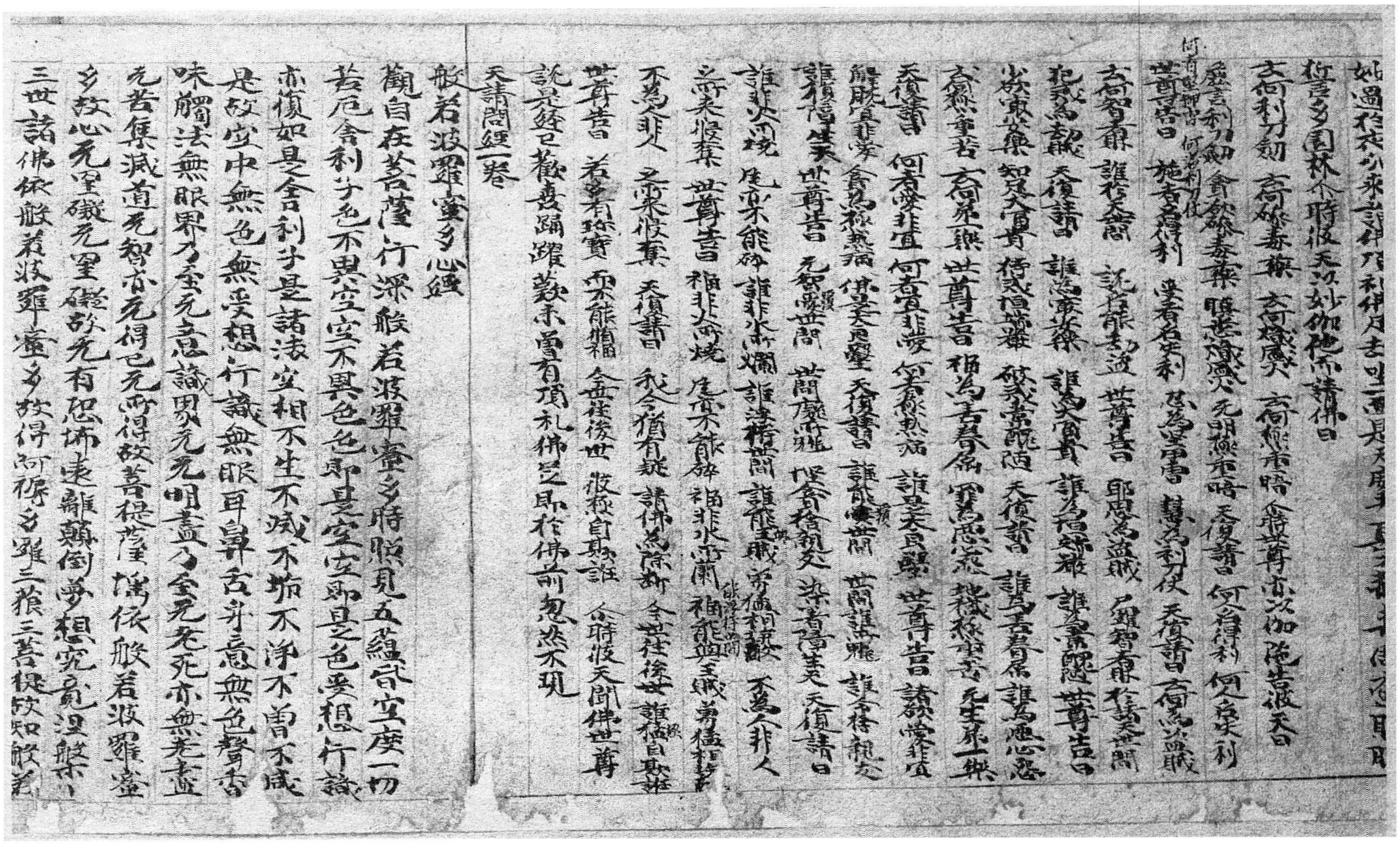

BD00693 號 4　天請問經　　　　（6–3）
BD00693 號 5　般若波羅蜜多心經

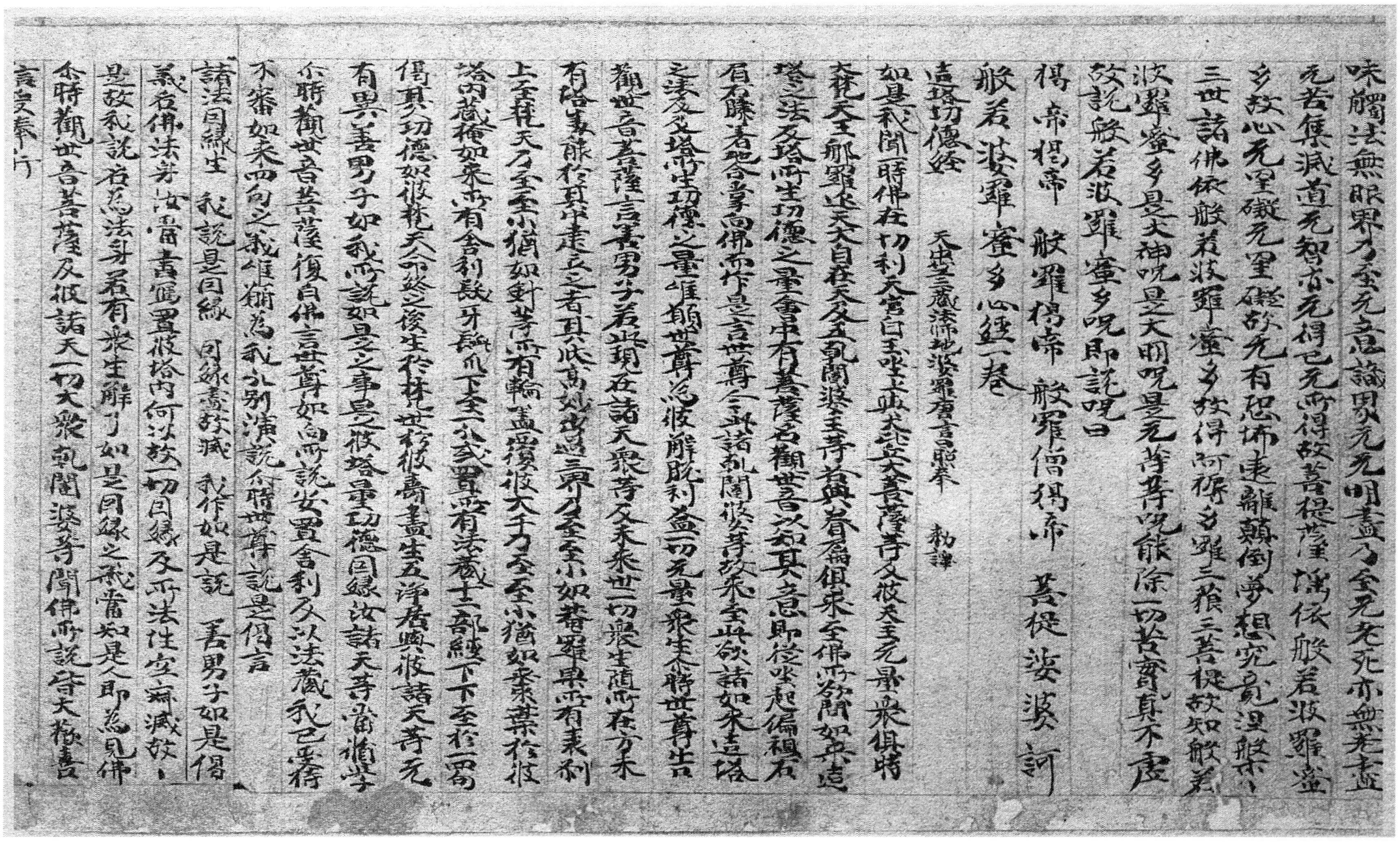

BD00693 號 5　般若波羅蜜多心經　　　　（6–4）
BD00693 號 6　造塔功德經

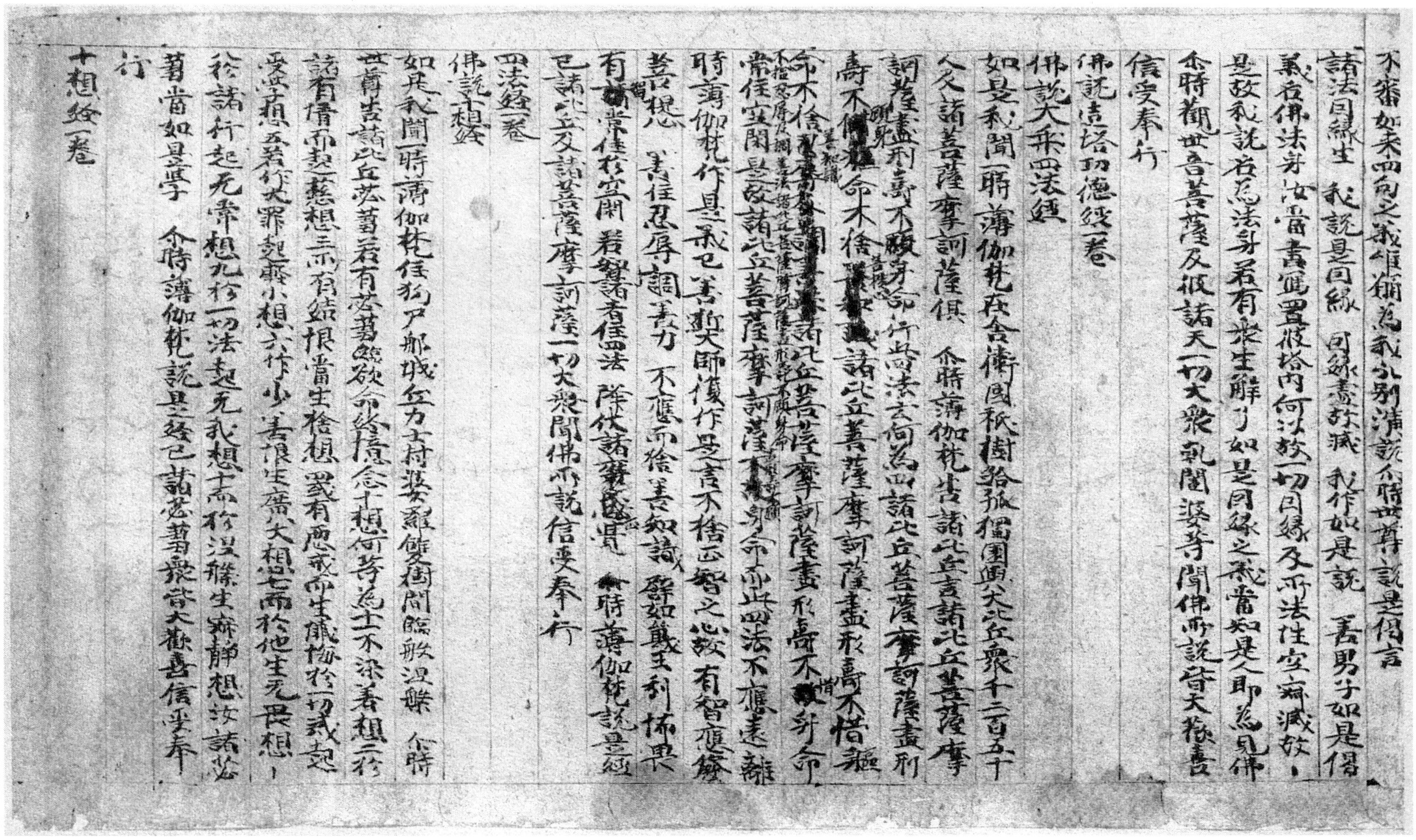
不審如來四句之義，唯願為我分別演說。尒時世尊說是偈言：
諸法因緣生，我說是因緣，因緣盡故滅，我作如是說。善男子，如是偈
義名佛法身，汝當書寫置彼塔內。何以故？一切因緣及所法性空寂滅故，
是故我說名為法身。若有衆生解了如是因緣之義，當知是人即為見佛。
尒時觀世音菩薩及彼諸天一切大衆，聞佛所說，皆大歡喜
信受奉行
佛說造塔功德經一卷
佛說大乘四法經
如是我聞。一時薄伽梵在舍衛國祇樹給孤獨園，與大比丘衆千二百五十
人及諸菩薩摩訶薩俱。尒時薄伽梵告諸比丘言：諸比丘，菩薩摩
訶薩盡形壽不顧身命，行此四法。云何為四？諸比丘，菩薩摩訶薩盡形
壽不[illegible]命不捨[illegible]。諸比丘，菩薩摩訶薩盡形壽不惜軀
命不捨[illegible]諸比丘，菩薩摩訶薩盡形壽不[illegible]身命，
常住空閑。是故諸比丘，菩薩摩訶薩[illegible]身命而此四法不應遠離。
時薄伽梵作是說已，善逝大師復作是言：不捨正智之心故，有智應發
菩提心，善住忍辱調柔力，不應而捨善知識，譬如獸王刹帝利
有[illegible]常住於空閑，着[illegible]著者住四法，降伏諸魔[illegible]。尒時薄伽梵說是經
已，諸比丘及諸菩薩摩訶薩一切大衆，聞佛所說，信受奉行
四法經一卷
佛說十想經
如是我聞。一時薄伽梵住拘尸那城力士村娑羅雙樹間，臨般涅槃。尒時
世尊告諸比丘苾芻：若有苾芻欲命終時，應念十想。何等為十？不殺害想，二於
諸有情而起慈想，三於有結恨當生捨想，四或有惡戒而生慚愧，悔於一切戒起
受，受持，五於大罪起輕小想，六於小善很生廣大想，七而於他生无畏想，八
於諸行起无常想，九於一切法起无我想，十而於涅槃生寂靜想。汝諸苾
芻當如是學。尒時薄伽梵說是經已，諸苾芻衆皆大歡喜，信受奉
行
十想經一卷

BD00693 號 6　造塔功德經　　（6–5）
BD00693 號 7　大乘四法經
BD00693 號 8　十想經

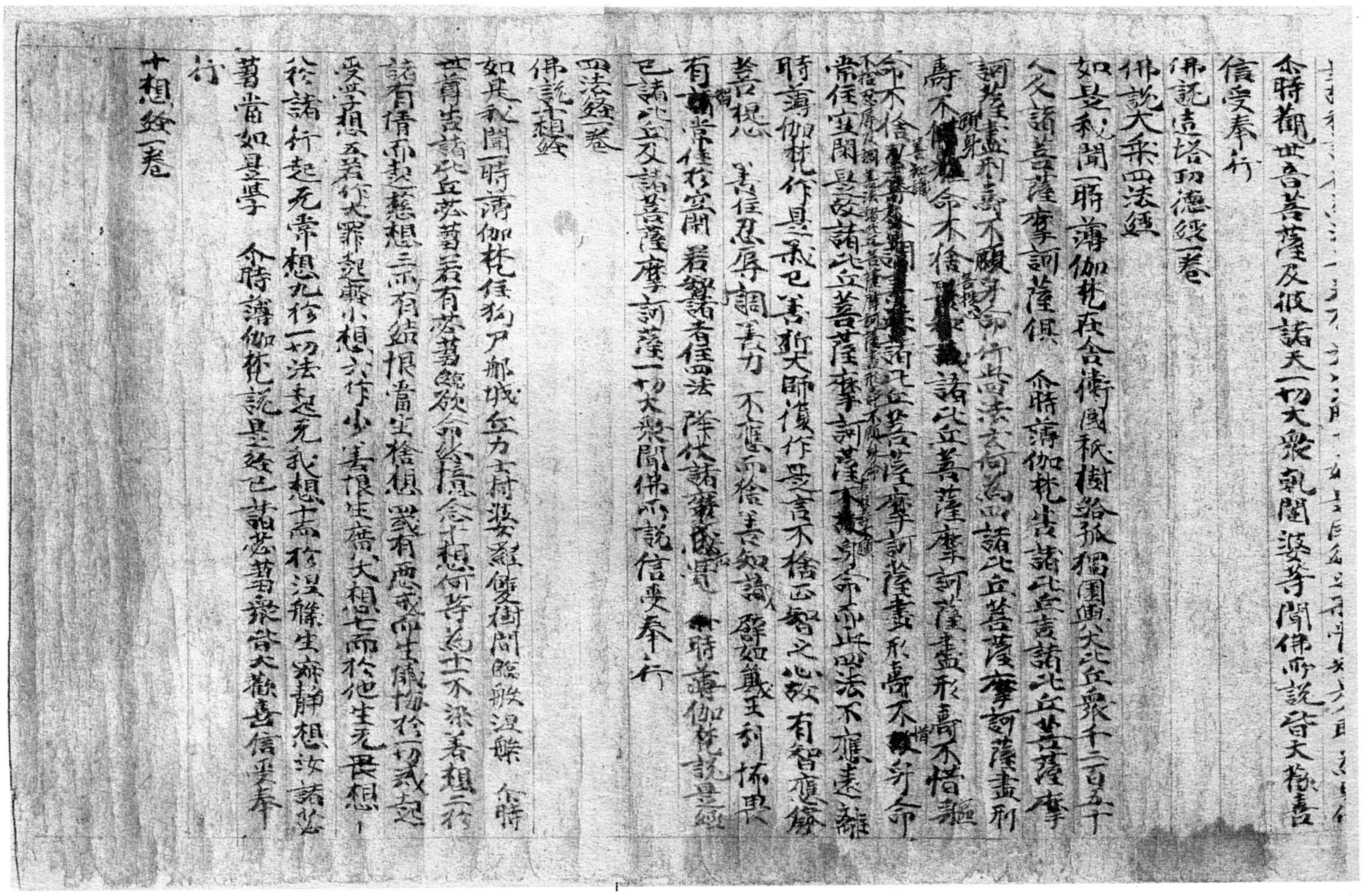

尒時觀世音菩薩及彼諸天一切大衆，聞佛所說，皆大歡喜
信受奉行
佛說造塔功德經一卷
佛說大乘四法經
如是我聞。一時薄伽梵在舍衛國祇樹給孤獨園，與大比丘衆千二百五十
人及諸菩薩摩訶薩俱。尒時薄伽梵告諸比丘言：諸比丘，菩薩摩
訶薩盡形壽不顧身命，行此四法。云何為四？諸比丘，菩薩摩訶薩盡形
壽不[illegible]命不捨[illegible]。諸比丘，菩薩摩訶薩盡形壽不惜軀
命不捨[illegible]諸比丘，菩薩摩訶薩盡形壽不[illegible]身命，
常住空閑。是故諸比丘，菩薩摩訶薩[illegible]身命而此四法不應遠離。
時薄伽梵作是說已，善逝大師復作是言：不捨正智之心故，有智應發
菩提心，善住忍辱調柔力，不應而捨善知識，譬如獸王刹帝利
有[illegible]常住於空閑，着[illegible]著者住四法，降伏諸魔[illegible]。尒時薄伽梵說是經
已，諸比丘及諸菩薩摩訶薩一切大衆，聞佛所說，信受奉行
四法經一卷
佛說十想經
如是我聞。一時薄伽梵住拘尸那城力士村娑羅雙樹間，臨般涅槃。尒時
世尊告諸比丘苾芻：若有苾芻欲命終時，應念十想。何等為十？不殺害想，二於
諸有情而起慈想，三於有結恨當生捨想，四或有惡戒而生慚愧，悔於一切戒起
受，受持，五於大罪起輕小想，六於小善很生廣大想，七而於他生无畏想，八
於諸行起无常想，九於一切法起无我想，十而於涅槃生寂靜想。汝諸苾
芻當如是學。尒時薄伽梵說是經已，諸苾芻衆皆大歡喜，信受奉
行
十想經一卷

BD00693 號 8　十想經　　（6–6）

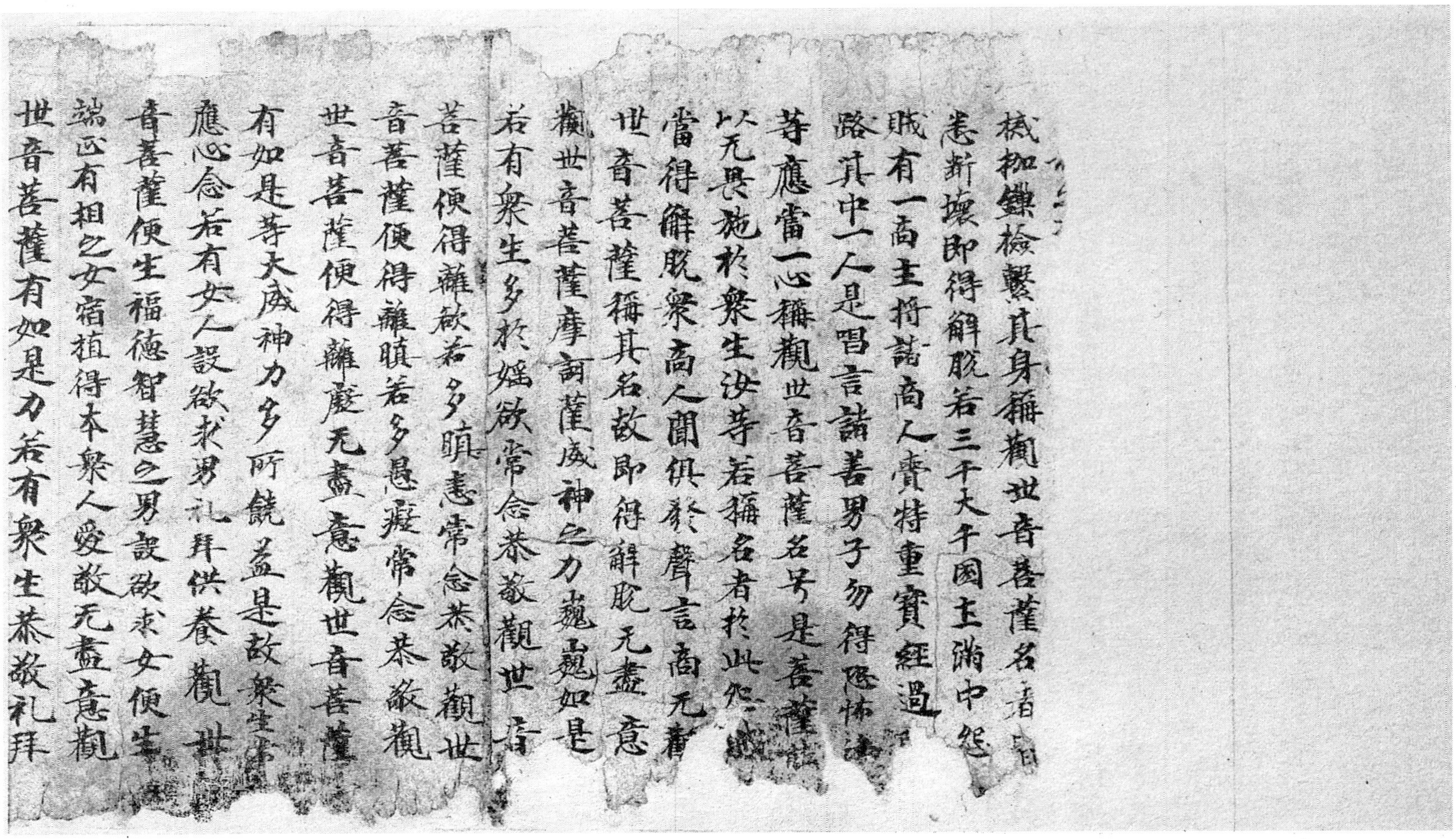
械枷鎖檢繫其身稱觀世音菩薩名者皆
悉斷壞即得解脫若三千大千國土滿中怨
賊有一商主將諸商人賫持重寶經過嶮
路其中一人是唱言諸善男子勿得恐怖汝
等應當一心稱觀世音菩薩名号是菩薩能
以无畏施於衆生汝等若稱名者於此怨賊
當得解脫衆商人聞俱發聲言南无觀
世音菩薩稱其名故即得解脫无盡意
觀世音菩薩摩訶薩威神之力巍巍如是
若有衆生多於婬欲常念恭敬觀世音
菩薩便得離欲若多瞋恚常念恭敬觀世
音菩薩便得離瞋若多愚癡常念恭敬觀
世音菩薩便得離癡无盡意觀世音菩薩
有如是等大威神力多所饒益是故衆生常
應心念若有女人設欲求男礼拜供養觀世
音菩薩便生福德智慧之男設欲求女便生
端正有相之女宿植得本衆人愛敬无盡意觀
世音菩薩有如是力若有衆生恭敬礼拜

BD00694號　妙法蓮華經卷七　（5–1）

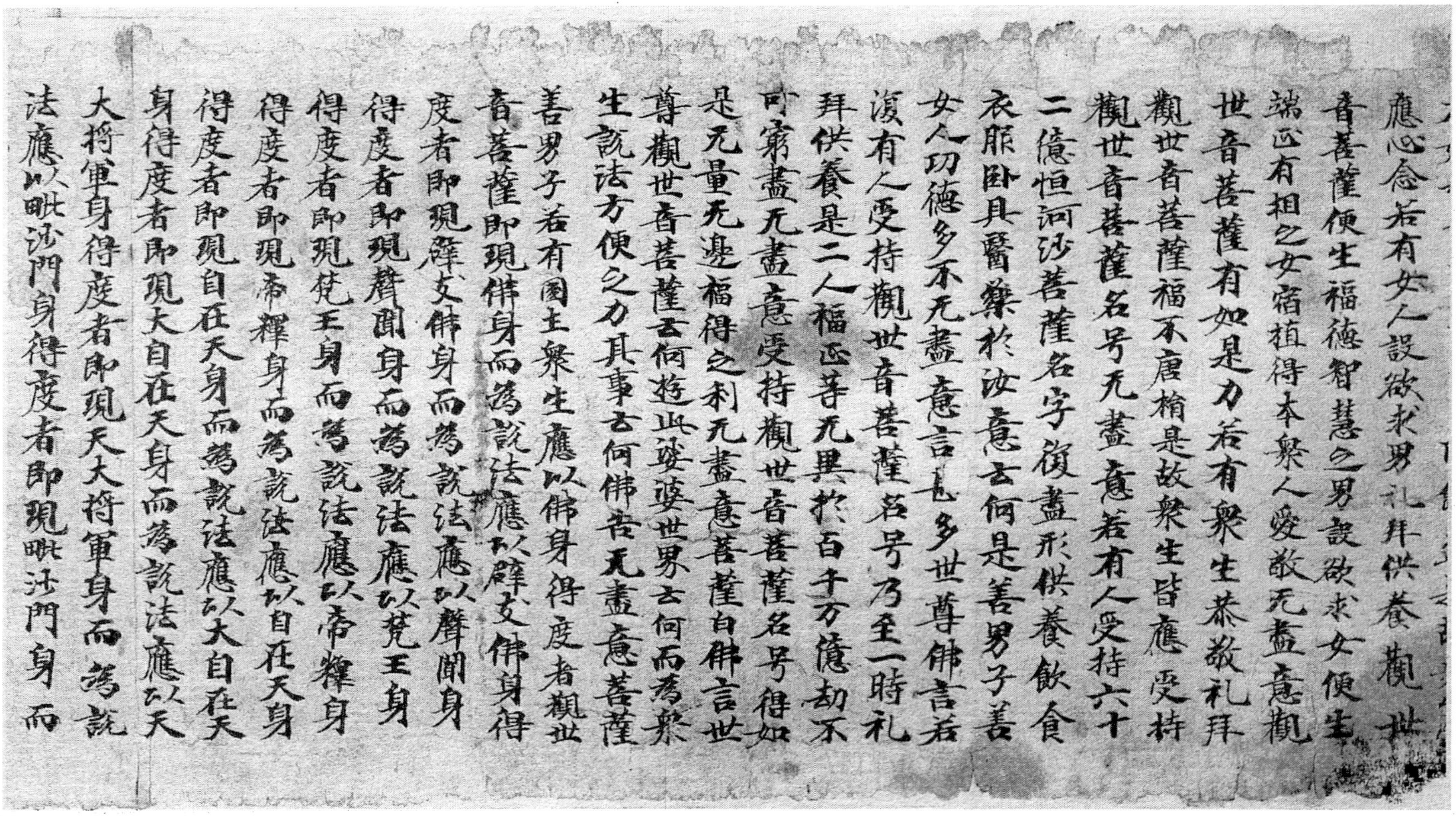
應心念若有女人設欲求男礼拜供養觀世
音菩薩便生福德智慧之男設欲求女便生
端正有相之女宿植得本衆人愛敬无盡意觀
世音菩薩有如是力若有衆生恭敬礼拜
觀世音菩薩福不唐捐是故衆生皆應受持
觀世音菩薩名号无盡意若有人受持六十
二億恒河沙菩薩名字復盡形供養飲食
衣服臥具醫藥於汝意云何是善男子善
女人功德多不无盡意言甚多世尊佛言若
復有人受持觀世音菩薩名号乃至一時礼
拜供養是二人福正等无異於百千万億劫不
可窮盡无盡意受持觀世音菩薩名号得如
是无量无邊福德之利无盡意菩薩白佛言世
尊觀世音菩薩云何遊此娑婆世界云何而為衆
生說法方便之力其事云何佛告无盡意菩薩
善男子若有國土衆生應以佛身得度者觀世
音菩薩即現佛身而為說法應以辟支佛身得
度者即現辟支佛身而為說法應以聲聞身
得度者即現聲聞身而為說法應以梵王身
得度者即現梵王身而為說法應以帝釋身
得度者即現帝釋身而為說法應以自在天身
得度者即現自在天身而為說法應以大自在天
身得度者即現大自在天身而為說法應以天
大將軍身得度者即現天大將軍身而為說
法應以毗沙門身得度者即現毗沙門身而

BD00694號　妙法蓮華經卷七　（5–2）

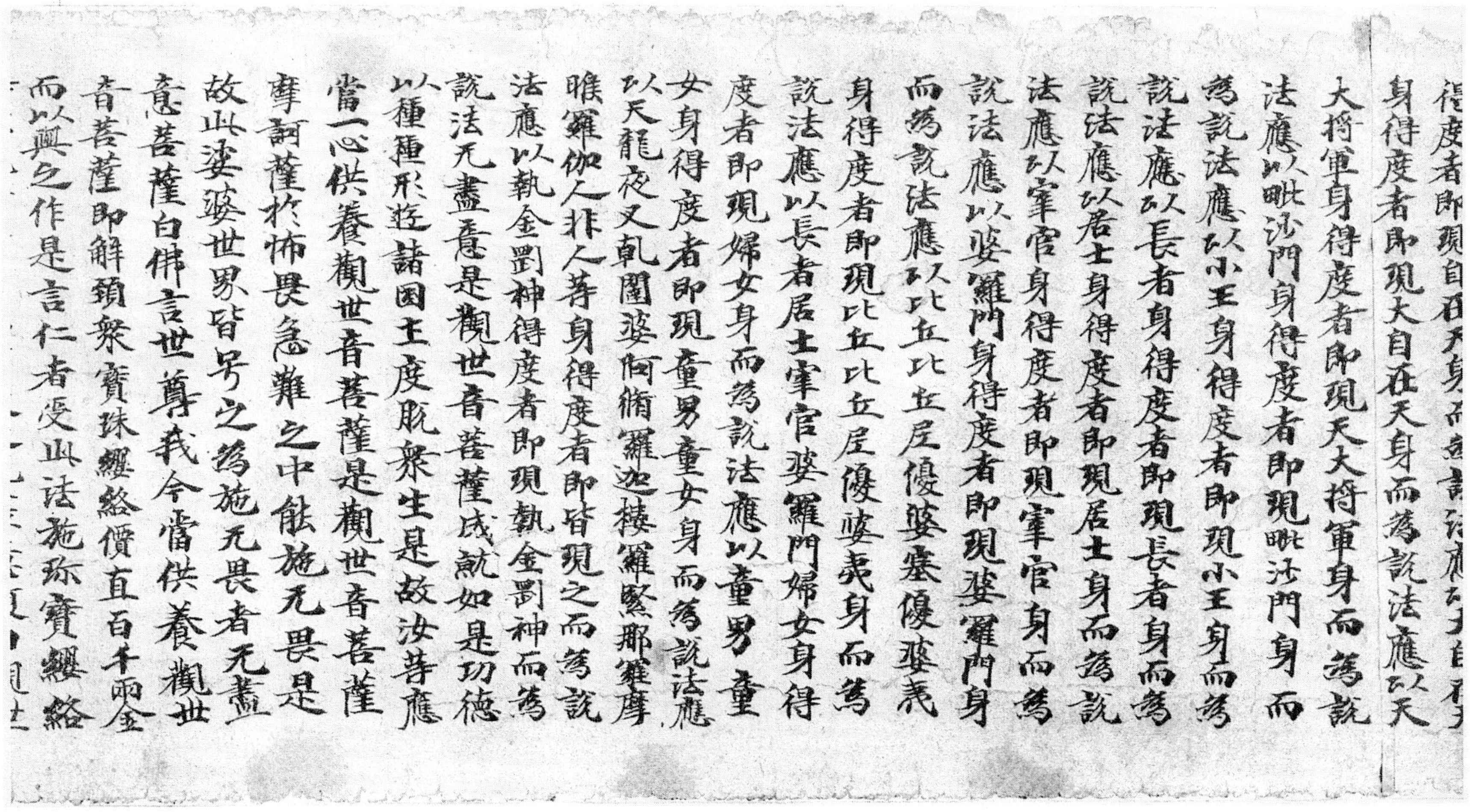

身得度者即現大自在天身而為說法應以天
大將軍身得度者即現天大將軍身而為說
法應以毗沙門身得度者即現毗沙門身而
為說法應以小王身得度者即現小王身而為
說法應以長者身得度者即現長者身而為
說法應以居士身得度者即現居士身而為說
法應以宰官身得度者即現宰官身而為
說法應以婆羅門身得度者即現婆羅門身
而為說法應以比丘比丘尼優婆塞優婆夷
身得度者即現比丘比丘尼優婆塞優婆夷身而為
說法應以長者居士宰官婆羅門婦女身得
度者即現婦女身而為說法應以童男童
女身得度者即現童男童女身而為說法應
以天龍夜叉乾闥婆阿脩羅迦樓羅緊那羅摩
睺羅伽人非人等身得度者即皆現之而為說
法應以執金剛神得度者即現執金剛神而為
說法无盡意是觀世音菩薩成就如是功德
以種種形遊諸國土度脫衆生是故汝等應
當一心供養觀世音菩薩是觀世音菩薩
摩訶薩於怖畏急難之中能施无畏是
故此娑婆世界皆号之為施无畏者无盡
意菩薩白佛言世尊我今當供養觀世
音菩薩即解頸衆寶珠瓔珞價直百千兩金
而以與之作是言仁者受此法施珎寶瓔珞

BD00694號　妙法蓮華經卷七　(5–3)

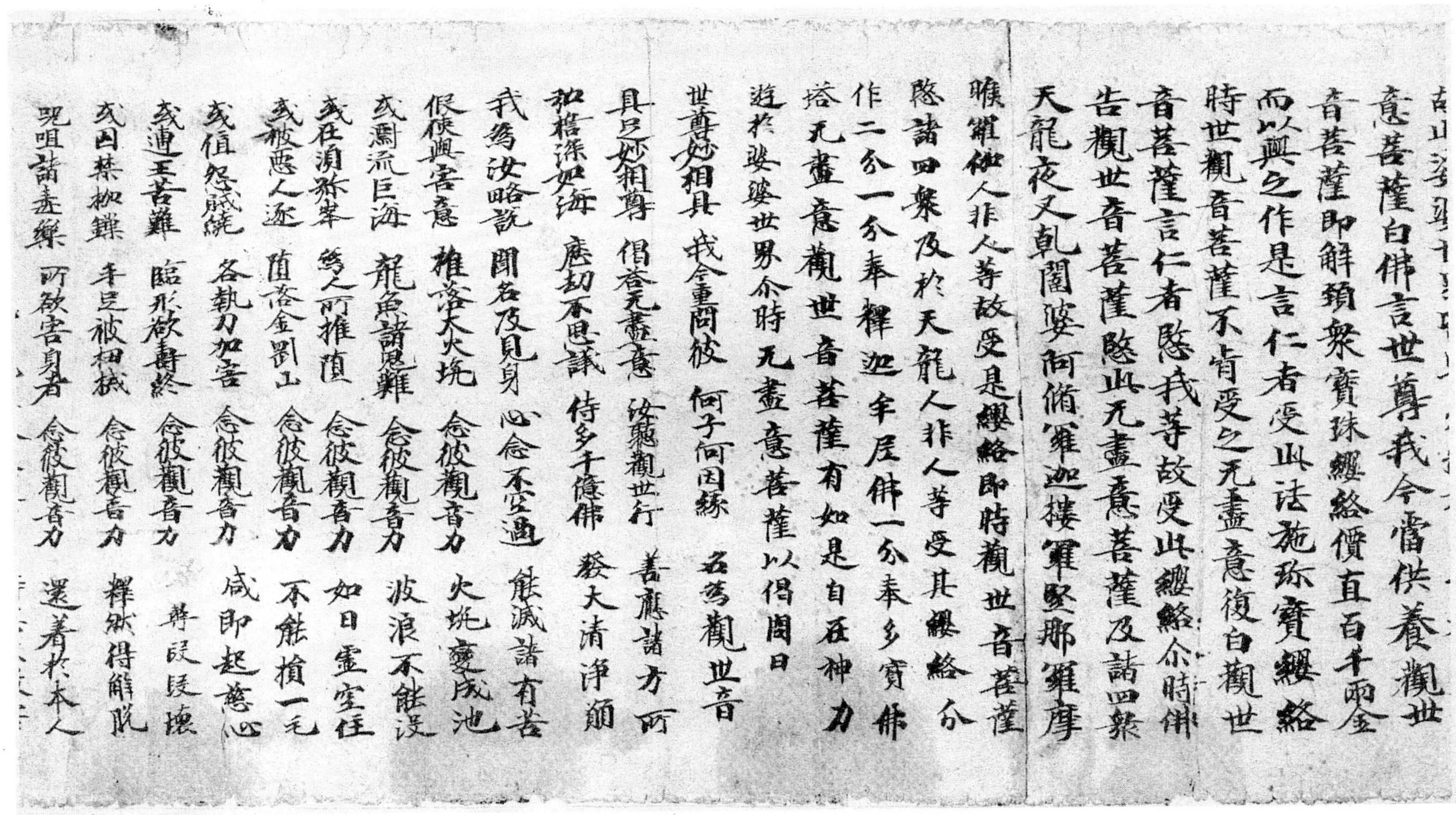

意菩薩白佛言世尊我今當供養觀世
音菩薩即解頸衆寶珠瓔珞價直百千兩金
而以與之作是言仁者受此法施珎寶瓔珞
時觀世音菩薩不肯受之无盡意復白觀世
音菩薩言仁者愍我等故受此瓔珞尒時佛
告觀世音菩薩愍此无盡意菩薩及諸四衆
天龍夜叉乾闥婆阿脩羅迦樓羅緊那羅摩
睺羅伽人非人等故受是瓔珞即時觀世音菩薩
愍諸四衆及於天龍人非人等受其瓔珞分
作二分一分奉釋迦牟尼佛一分奉多寶佛
塔无盡意觀世音菩薩有如是自在神力
遊於娑婆世界尒時无盡意菩薩以偈問曰
世尊妙相具　我今重問彼　佛子何因緣　名為觀世音
具足妙相尊　偈荅无盡意　汝聽觀世行　善應諸方所
弘誓深如海　歷劫不思議　侍多千億佛　發大清淨願
我為汝略說　聞名及見身　心念不空過　能滅諸有苦
假使興害意　推落大火坑　念彼觀音力　火坑變成池
或漂流巨海　龍魚諸鬼難　念彼觀音力　波浪不能沒
或在須彌峯　為人所推墮　念彼觀音力　如日虛空住
或被惡人逐　墮落金剛山　念彼觀音力　不能損一毛
或值怨賊繞　各執刀加害　念彼觀音力　咸即起慈心
或遭王難苦　臨刑欲壽終　念彼觀音力　刀尋段段壞
或囚禁枷鎖　手足被杻械　念彼觀音力　釋然得解脫
呪詛諸毒藥　所欲害身者　念彼觀音力　還著於本人

BD00694號　妙法蓮華經卷七　(5–4)

我為汝略說 聞名及見身 心念不空過 能滅諸有苦
假使興害意 推落大火坑 念彼觀音力 火坑變成池
或漂流巨海 龍魚諸鬼難 念彼觀音力 波浪不能沒
或在須彌峯 為人所推墮 念彼觀音力 如日虛空住
或被惡人逐 墮落金剛山 念彼觀音力 不能損一毛
或值怨賊繞 各執刀加害 念彼觀音力 咸即起慈心
或遭王苦難 臨刑欲壽終 念彼觀音力 尋段段壞
或囚禁枷鎖 手足被杻械 念彼觀音力 釋然得解脫
呪詛諸毒藥 所欲害身者 念彼觀音力 還著於本人
或遇惡羅剎 毒龍諸鬼等 念彼觀音力 時悉不敢害
利牙爪可怖 念彼觀音力 疾走无邊方
毒煙火燃 念彼觀音力 尋聲自迴去
雹澍大雨 念彼觀音力 應時得消散
无量苦逼身 觀音妙智力 能救世間苦
智方便 十方諸國土 无剎不現身
生 生老病死苦 以漸悉令滅
悲觀及慈觀 常願常瞻仰
風火 普明照世間
滅除煩惱焰

BD00694 號　妙法蓮華經卷七　（5–5）

樂受持是人廿 不墮地獄苦得宿命
智是故今敬礼
說是十二部經名時八万五千菩薩得金剛
三昧十億聲聞發大乘心十千比丘比丘尼
得阿羅漢道无量天人得法眼淨
南无諸大菩薩摩訶薩眾
南无十方无量菩薩 南无文殊師利菩薩
南无觀世音菩薩 南无得大勢菩薩
南无常精進菩薩 南无不休息菩薩
南无寶掌菩薩 南无藥王菩薩
南无勇施菩薩 南无寶月菩薩
南无月光菩薩 南无滿月菩薩
南无大力菩薩 南无无量力菩薩
南无越三界菩薩 南无颰陁波羅菩薩
南无彌勒菩薩 南无寶積菩薩
南无導師菩薩 南无德藏菩薩
南无樂說菩薩 南无龍樹菩薩

BD00695 號　佛名經（二十卷本）卷二〇　（8–1）

南无弥勒菩薩　南无寶積菩薩
南无導師菩薩　南无德藏菩薩
南无樂說菩薩　南无龍樹菩薩
南无寶檀華菩薩　南无上行菩薩
南无无邊行菩薩　南无安立行菩薩
南无淨行菩薩　南无陁羅尼菩薩
南无金剛那羅延菩薩　南无常不輕菩薩
南无宿王華菩薩　南无喜見菩薩
南无妙音菩薩　南无德勤精進力菩薩
南无无進意菩薩　南无淨藏菩薩
南无淨眼菩薩　南无普賢菩薩
南无妙德菩薩　南无慈氏菩薩
南无善思議菩薩　南无空无菩薩
南无神通華菩薩　南无光英菩薩
南无上慧菩薩　南无智幢菩薩
南无寂根菩薩　南无順慧菩薩
南无香像菩薩　南无寶英菩薩
南无中住菩薩　南无制行菩薩
南无解脱菩薩　南无法藏菩薩
南无等觀菩薩　南无不等觀菩薩
南无等不等觀菩薩　南无定自在王菩薩
南无法自在王菩薩　南无法相菩薩
南无光相菩薩　南无光嚴菩薩

BD00695號　佛名經（二十卷本）卷二〇　（8–2）

南无等觀菩薩　南无不等觀菩薩
南无等不等觀菩薩　南无定自在王菩薩
南无法自在王菩薩　南无法相菩薩
南无光相菩薩　南无光嚴菩薩
南无大嚴菩薩　南无寶積菩薩
南无辯積菩薩　南无寶手菩薩
南无寶印手菩薩　南无常舉手菩薩
南无常下手菩薩　南无常慘菩薩
南无喜根菩薩　南无喜王菩薩
南无辯音菩薩　南无虛空藏菩薩
南无執寶炬菩薩　南无寶勇菩薩
南无寶見菩薩　南无帝網菩薩
南无明網菩薩　南无无緣觀菩薩
南无慧積菩薩　南无寶勝菩薩
南无天王菩薩　南无壞魔菩薩
南无電德菩薩　南无自在王菩薩
南无功德相嚴菩薩　南无師子吼菩薩
南无雷音菩薩　南无山相擊音菩薩
南无香象菩薩　南无白香象菩薩　一万三
南无妙音菩薩　南无華嚴菩薩
南无梵網菩薩　南无寶杖菩薩
南无无勝菩薩　南无嚴土菩薩
南无金髻菩薩　南无珠髻菩薩

BD00695號　佛名經（二十卷本）卷二〇　（8–3）

南无香象菩薩
南无白香象菩薩一万三
南无妙音菩薩
南无華嚴菩薩
南无梵網菩薩
南无寶杖菩薩
南无无勝菩薩
南无嚴上菩薩
南无金髻菩薩
南无珠髻菩薩
南无光嚴童子菩薩
南无持世菩薩
南无善德菩薩
南无難勝菩薩
南无照明菩薩
南无華光菩薩
南无寶檀華菩薩
南无薩陁波論菩薩
南无曇无竭菩薩
南无法自在菩薩
南无德守菩薩
南无不詢菩薩
南无德頂菩薩
南无善宿菩薩
南无善眼菩薩
南无妙臂菩薩
南无弗沙菩薩
南无師子菩薩
南无師子意菩薩
南无淨解菩薩
南无那羅延菩薩
南无善意菩薩
南无現見菩薩
南无普守菩薩
南无電光菩薩
南无喜見菩薩
南无明相菩薩
南无妙意菩薩
南无无盡意菩薩
南无深慧菩薩
南无寂根菩薩
南无无㝵菩薩
南无上善菩薩
南无福田菩薩
南无華嚴菩薩
南无德藏菩薩
南无月上菩薩
南无寶印手菩薩

BD00695 號　佛名經（二十卷本）卷二〇　（8–4）

南无无盡意菩薩
南无深慧菩薩
南无寂根菩薩
南无无㝵菩薩
南无上善菩薩
南无福田菩薩
南无華嚴菩薩
南无德藏菩薩
南无月上菩薩
南无寶印手菩薩
南无珠頂王菩薩
南无樂實菩薩
南无慧見菩薩
南无登王菩薩
南无深王菩薩
南无華王菩薩
南无妙色菩薩
南无善問菩薩
南无善眷菩薩
南无了相菩薩
南无定相菩薩
南无定積菩薩
南无發喜菩薩
南无定住菩薩
南无怖魔菩薩
南无慧施菩薩
南无救脫菩薩
南无慧登菩薩
南无勇施菩薩
南无習道菩薩
南无願慧菩薩
南无四攝菩薩
南无教音菩薩
南无海妙菩薩
南无法喜菩薩
南无道品菩薩
南无總持菩薩
南无慈王菩薩
南无大自在菩薩
南无梵音菩薩
南无妙色菩薩
南无檀林菩薩
南无師子音菩薩
南无妙臂菩薩
南无妙色形菩薩
南无種種莊嚴菩薩
南无樺幢菩薩
南无頂生菩薩

BD00695 號　佛名經（二十卷本）卷二〇　（8–5）

南无大自在菩薩　南无梵音菩薩
南无妙色菩薩　南无檀林菩薩
南无師子音菩薩　南无妙聲菩薩
南无妙色形菩薩　南无種種莊嚴菩薩
南无釋幢菩薩　南无頂生菩薩
南无明王菩薩　南无大光菩薩
南无奢提菩薩　南无密積菩薩
南无華眹菩薩　南无上首菩薩
南无普現色身菩薩　南无神通菩薩
南无海德菩薩　南无无邊身菩薩
南无衣王自在菩薩　南无迦葉菩薩
南无无垢藏王菩薩　南无持一切菩薩
南无高貴德王菩薩　南无流璃光菩薩　一万三千一百
南无无畏菩薩　南无海王菩薩
南无師子吼菩薩　南无信相菩薩
南无持地菩薩　南无光嚴菩薩
南无光明菩薩　南无大辯菩薩
南无慈力菩薩　南无大悲菩薩
南无依王菩薩　南无依力菩薩
南无依德菩薩　南无普濟菩薩
南无普攝菩薩　南无空光菩薩
南无普光菩薩　南无真光菩薩
南无拘摟菩薩　南无天光菩薩

BD00695號　佛名經（二十卷本）卷二〇　（8–6）

南无依德菩薩　南无普濟菩薩
南无普攝菩薩　南无空光菩薩
南无普光菩薩　南无真光菩薩
南无拘摟菩薩　南无天光菩薩
南无寶王菩薩　南无弥光菩薩
南无教導師菩薩　南无華積菩薩
南无華王菩薩　南无大忍菩薩
南无慧光菩薩　南无海慧菩薩
南无堅意菩薩　南无釋魔男菩薩
南无金光明菩薩　南无金藏菩薩
南无常悲菩薩　南无法上菩薩
南无財首菩薩　南无山光菩薩
南无山慧菩薩　南无大明菩薩
南无捴持菩薩　南无山剛菩薩
南无登王菩薩　南无山頂菩薩
南无山幢菩薩　南无山王菩薩
南无伏魔菩薩　南无雷音菩薩
南无雨王菩薩　南无雷王菩薩
南无寶輪菩薩　南无寶英菩薩
南无寶首菩薩　南无寶藏菩薩
南无寶明菩薩　南无寶空菩薩
南无寶印菩薩　南无寶場菩薩
南无寶嚴菩薩　南无寶水菩薩
南无寶光菩薩　南无寶登菩薩

BD00695號　佛名經（二十卷本）卷二〇　（8–7）

南无華王菩薩　南无華積菩薩
南无慧光菩薩　南无海慧菩薩
南无堅意菩薩　南无釋魔男菩薩
南无金光明菩薩　南无金藏菩薩
南无常悲菩薩　南无法上菩薩
南无眛首菩薩　南无山光菩薩
南无山慧菩薩　南无大明菩薩
南无揔持菩薩　南无山剛菩薩
南无登王菩薩　南无山頂菩薩
南无山幢菩薩　南无山王菩薩
南无伏魔菩薩　南无雷音菩薩
南无雨王菩薩　南无雷王菩薩
南无寶輪菩薩　南无寶英菩薩
南无寶首菩薩　南无寶藏菩薩
南无寶明菩薩　南无寶定菩薩
南无寶印菩薩　南无寶場菩薩
南无寶嚴菩薩　南无寶水菩薩
南无寶光菩薩　南无寶登菩薩

BD00695 號　佛名經（二十卷本）卷二〇　　（8–8）

[illegible]
民奴婢畜生一切種殖及諸財寶皆當遠離
如避火坑不得斬伐草木墾土掘地合和湯
藥占相吉凶仰觀星宿推步盈虛歷數筭計
皆所不應節身時食清淨自活不得參預
世事通致使命呪術仙藥結好貴人親友媟
慢皆不應作當自端心正念求度不得苞藏
瑕疵顯異惑衆於四供養知量知足趣得供
事不應畜積此則略說持戒之相戒是正順
解脫之本故名波羅提木叉依因此戒得生
諸禪定及滅苦智慧是故比丘當持淨戒勿
令毀缺若人能持淨戒是則能有善法若无
淨戒諸善功德皆不得生是以當知戒爲第
一安隱功德住處
汝等比丘已能住戒當制五根勿令放逸入
於五欲辟如牧牛之人執杖視之不令縱逸犯
人苗稼若縱五根非唯五欲將无崖畔不可
制也亦如惡馬不以轡制將當牽人墜於
[illegible]

BD00696 號　佛垂般涅槃略說教誡經　　（8–1）

[illegible]
於五欲譬如牧牛之人執杖視之不令縱逸犯
人苗稼若縱五根非唯五欲將无崖畔不可
制也亦如惡馬不以轡制將當牽人墜於
坑陷如被劫害苦止一世五根賊禍殃及累
世為害甚重不可不慎是故智者制而不隨
持之如賊不令縱逸假令縱之皆亦不久見
其磨滅此五根者心為其主是故汝等當好
制心心之可畏甚於毒虵惡獸怨賊大火越
逸未足喻也動轉輕躁但觀於蜜不見深坑
譬如狂象无鉤猨猴得樹騰躍踔躑難可禁
制當急挫之无令放逸縱此心者喪人善事
制之一處无事不辦是故比丘當懃精進折
伏汝心
汝等比丘受諸飲食當如服藥於好於惡勿
生增減趣得支身以除飢渴如蜂採華但取
其味不損色香比丘亦介受人供養趣自除
惱无得多求壞其善心譬如智者籌量牛力
所堪多少不令過分以竭其力
汝等比丘晝則懃心脩習善法无令失時初
夜後夜亦勿有癈中夜誦經以自消息无以
睡眠因緣令一生空過无所得也當念无常
之火燒諸世間早求自度勿睡眠也諸煩惱
賊常伺煞人甚於怨家安可睡眠不自警悟
煩惱毒虵睡在汝心譬如黑蚖在汝室睡當
以持戒之鉤早屏除之睡虵既出乃可安眠

睡眠因緣令一生空過无所得也當念无常
之火燒諸世間早求自度勿睡眠也諸煩惱
賊常伺煞人甚於怨家安可睡眠不自警悟
煩惱毒虵睡在汝心譬如黑蚖在汝室睡當
以持戒之鉤早屏除之睡虵既出乃可安眠
不出而眠者是无慚人也慚恥之服於諸莊
嚴最為第一慚如鐵鉤能制人非法是故比
丘常當慚恥勿得暫替若離慚恥則失諸功
德有愧之人則有善法若无愧者與諸禽獸
无相異也
汝等比丘若有人來節節支解當自攝心无
令瞋恨亦當護口勿出惡言若縱恚心則自
妨道失功德利忍之為德持戒苦行所不能
及能行忍者乃可名為有力大人若其不能
歡喜忍受惡罵之毒如飲甘露者不名入道
智慧人也所以者何瞋恚之害則破諸善法壞
好名聞今世後世人不喜見當知瞋心甚
於猛火常當防護勿令得入劫功德賊无
過瞋恚白衣受欲非行道人无法自制瞋猶
可恕出家行道无欲之人而懷瞋恚甚不可也
譬如清冷雲中而霹靂起火非所應也
汝等比丘當自摩頭已捨飾好著壞色衣執
持應器以乞自活自見如是若起憍慢當自
滅之增長憍慢尚非世俗白衣所宜何況出
家入道之人為解脫故自降其身而行乞也
汝等比丘諂曲之心與道相違是故宜應質

汝等比丘當自摩頭以捨飾好著壞色衣執
持應器以乞自活自見如是若起憍慢當自
滅之增長憍慢尚非世俗白衣所宜何況出
家入道之人為解脫故自降其身而行乞也
汝等比丘諂曲之心與道相違是故宜應質
直其心當知諂曲但為欺誑入道之人則无
是處是故汝等宜應端心以質直為本
汝等比丘當知多欲之人多求利故苦惱亦
多少欲之人无求无欲則无此患直尒少欲
尚應脩集何況少欲能生諸功德少欲之人
則无諂曲以求人意亦復不為諸根所牽行
少欲者心則坦然无所憂畏觸事有餘常无
不足有少欲者則有涅槃是名少欲
汝等比丘若欲脫諸苦惱當觀知足知足之
法即是富樂安隱之處知足之人雖臥地上
猶為安樂不知足者雖處天堂亦不稱意
不知足者雖富而貧知足之人雖貧而富不
知足者常為五欲所牽為知足者之所憐
愍是名知足
汝等比丘若求寂靜无為安樂當離憒丙
獨處閑居靜處之人帝釋諸天所共敬重
是故當捨己衆他衆空閑獨處思滅苦本
若樂衆者則受衆惱譬如大樹衆鳥集之
則有枯折之患世間縛著沒於衆苦譬如
老象溺泥不能自出是名遠離
汝等比丘若懃精進則事无難者是故汝

是故當捨己衆他衆空閑獨處思滅苦本
若樂衆者則受衆惱譬如大樹衆鳥集之
則有枯折之患世間縛著沒於衆苦譬如
老象溺泥不能自出是名遠離
汝等比丘若懃精進則事无難者是故汝
等當懃精進譬如小水常流則能穿石若行
者之心數數懈癈譬如鑽火未熱而息雖欲
得火火難可得是名精進
汝等比丘求善知識求善護助如不忘念
者若有不忘念者諸煩惱賊則不得入是故
汝等常當攝念在心若失念者則失諸功
德若念力堅強雖入五欲賊中不為所害譬
如著鎧入陣則无所畏是名不忘念
汝等比丘若攝心者心則在定心在定故能
知世間生滅法相是故汝等常當精懃脩集
諸定若得定者心則不散譬如惜水之家善
治堤塘行者為智慧水故善脩禪定不令漏
失是名為定
汝等比丘若有智慧則无貪著常自省察不
令有失是則於我法中能得解脫若不尒者
既非道人又非白衣无所名也實智慧者則
是度老病死海堅牢船也亦是无明黑闇大
明燈也一切病者之良藥也伐煩惱樹之利
斧也是故汝等當以聞思脩慧而自增益若
人有智慧之照雖无天眼而是明見人也是

是度老病死海堅牢船也亦是无明黑闇大
明燈也一切病者之良藥也伐煩惱樹之利
斧也是故汝等當以聞思脩慧而自增益若
人有智慧之照雖无天眼而是明見人也是
為智慧
汝等比丘若種種戲論其心則亂雖復出家
猶未得脫是故比丘當急捨離亂心戲論若
汝欲得寂滅樂者唯當善滅戲論之患是名
不戲論
汝等比丘於諸功德常當一心捨諸放逸如
離怨賊大悲世尊所欲利益皆已究竟汝等
但當懃而行之若於山閒若空澤中若在樹
下閑處靜室念所受法勿令忘失常當自勉
精進脩之无為空死後致有悔我如良醫知
病說藥服與不服非醫咎也又如善導導人
善道聞之不行非導過也汝等若於苦等四
諦有所疑者可疾問之无得懷疑不求決也
尒時世尊如是三唱人无問者所以者何衆
无疑故時阿㝹樓馱觀察衆心而白佛言月
可令熱日可令冷佛說四諦不可令異佛說
苦諦實苦不可令樂集真是因更无異因苦
若滅者即是因滅因滅故果滅滅苦之道實
是真道更无餘道世尊是諸比丘於四諦中
決定无疑於此衆中所作未辦者見佛滅度
當有悲感若有初入法者聞佛所說即皆得

若滅者即是因滅因滅故果滅滅苦之道實
是真道更无餘道世尊是諸比丘於四諦中
決定无疑於此衆中所作未辦者見佛滅度
當有悲感若有初入法者聞佛所說即皆得
度譬如夜見電光即得見道若所作已辦已
度苦海者但作是念世尊滅度一何疾哉阿
㝹樓馱雖說衆中皆悉了達四聖諦義世尊
欲令此諸大衆皆得堅固以大悲心復為衆
說
汝等比丘勿懷悲惱若我住世一劫會亦當
滅會而不離終不可得自利利人法皆具足
若我久住更无所益應可度者若天上人閒
皆悉已度其未度者皆亦已作得度因緣
自今已後我諸弟子展轉行之則是如來法
身常在而不滅也是故當知世皆无常會必有
離勿懷憂也世相如是當懃精進求早解脫
以智慧明滅諸癡闇世實危脆无牢強者我
今得滅如除惡病此是應捨罪惡之物假名
為身沒在老病生死大海何有智者得除滅
之如煞怨賊而不歡喜
汝等比丘常當一心懃求出道一切世閒動
不動法皆是敗壞不安之相汝等且止勿得
復語時將欲過我欲滅度是我最後之所教
誨

自今已後我諸弟子展轉行之則是如来法
身常在而不滅也是故當知世皆无常會必有
離勿懷憂也世相如是當勤精進求早解脫
以智慧明滅諸癡闇世實危脆无牢強者我
今得滅如除惡病此是應捨罪惡之物假名
為身沒在老病生死大海何有智者得除滅
之如煞怨賊而不歡喜
汝等比丘常當一心勤求出道一切世間動
不動法皆是敗壞不安之相汝等且止勿得
復語時將欲過我欲滅度是我最後之所教
誨

佛說教經一卷

BD00696號　佛垂般涅槃略說教誡經　　（8–8）

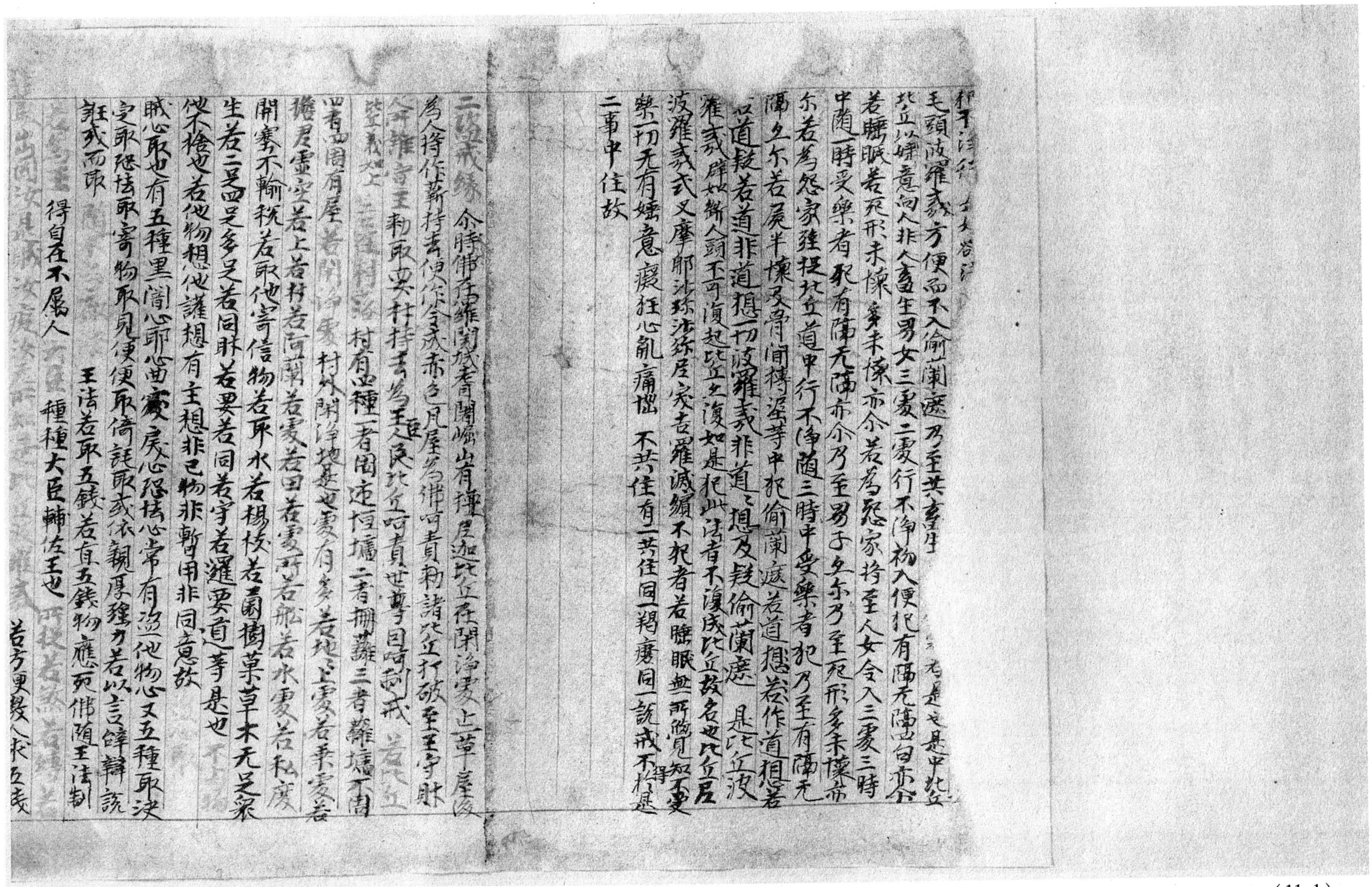
毛頭波羅夷方便而不入偷蘭遮乃至共畜生……是中比丘
比丘以婬意向人非人畜生男女三處二處行不淨物入便犯有隔无隔亦尒
若睡眠若死形未壞多未壞亦尒若為怨家將至人女令入三處三時
中隨一時受樂者犯有隔无隔亦尒乃至男子亦尒乃至死形多未壞亦
尒若為怨家強捉比丘道中行不淨隨三時中受樂者犯乃至有隔无
隔亦尒若屍半壞及骨間構逕等中犯偷蘭遮若道想若作道想若
以道疑若道非道想一切波羅夷非道道想及疑偷蘭遮　是比丘波
羅夷譬如斷人頭不可復起比丘之復如是犯此法者不復成比丘故名也比丘尼
波羅夷式叉摩那沙彌沙彌尼突吉羅滅擯不犯者若睡眠無所覺知不受
樂一切无有婬意癡狂心亂痛惱　不共住有二共住同一羯磨同一說戒不得於是
二事中住故

二盜戒緣　尒時佛在羅閱城耆闍崛山有檀尼迦比丘在閑靜處立草屋後
為人持作薪持去便作全成赤色瓦屋為佛呵責勑諸比丘打破至王守財
尒羅閱王勑取要材持去為王臣民比丘呵責世尊呵責制戒　若比丘
盜戒如上　在村落　村有四種一者周匝垣墻二者柵籬三者籬墻不周
四者四周有屋　若閑靜處　村外閑淨地是也處有多種若地上處若乘處若
擔處虛空若上若材若同蘭若處若田若處所若船若水處若私度
關塞不輸稅若取他寄信物若取水若楊枝若園樹菓草木无足衆
生若二足四足多足若同財若要若同若守若邏要道等是也
他不捨也若他物想他護想有主想非己物非暫用非同意故
賊心取也有五種黑闇心邪心曲戾心恐怯心常有盜他物心又五種取決
定取恐怯取寄物取見便便取倚託取或依親厚強力若以言辭辯說
誑或而取　王法若取五錢若直五錢物應死佛隨王法制
得自在不屬人　種種大臣輔佐王也
若方便殺人求五錢

BD00697號　四分比丘尼含注戒本（撮略本）卷上

（11–1）

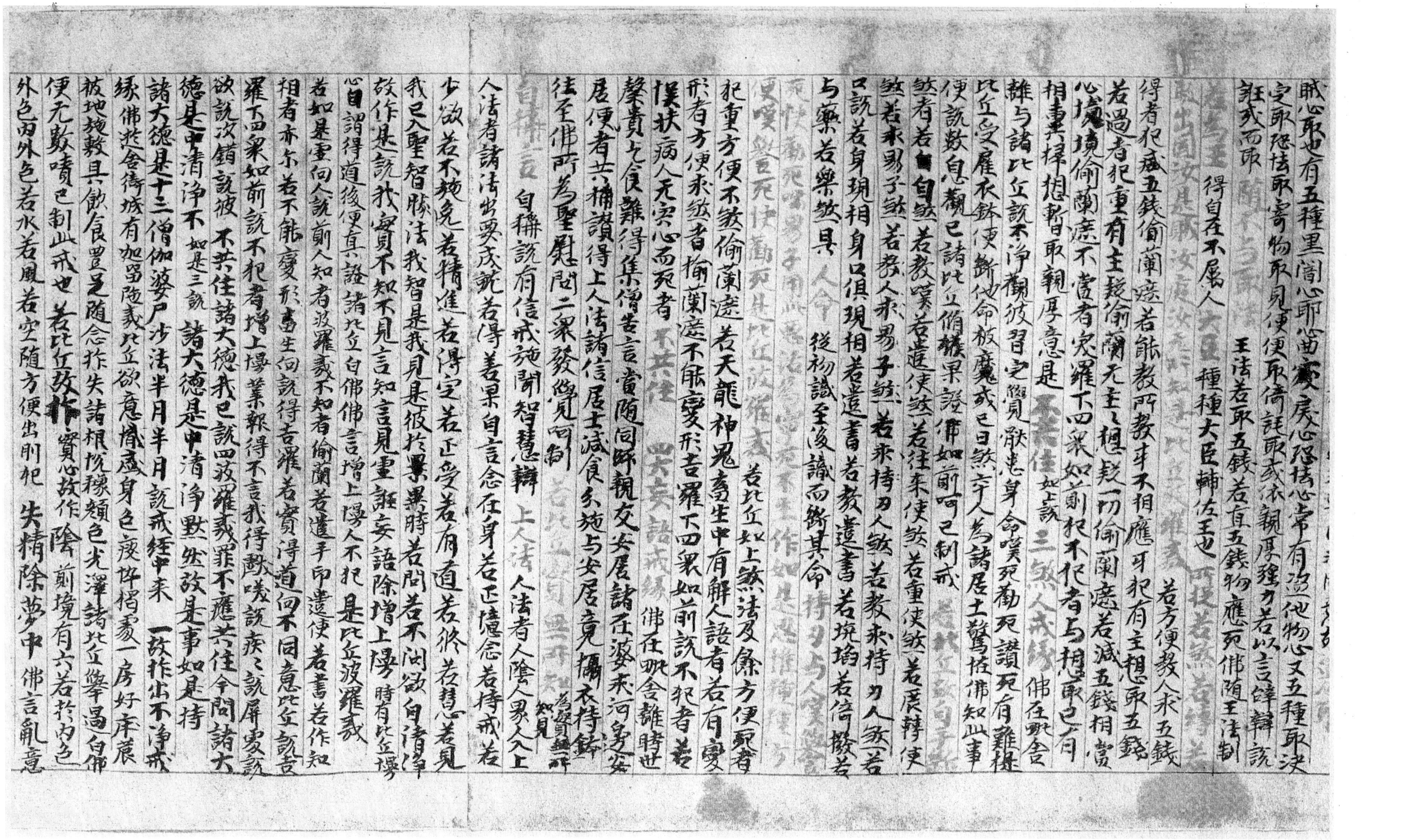

BD00697號　四分比丘尼含注戒本（撮略本）卷上　　（11–2）

諸大德是十三僧伽婆尸沙法半月半月說戒經中來　一故出不淨戒
緣佛在舍衛城有迦留陀夷比丘欲意熾盛身色瘦悴獨處一房好床褥
敷地敷具飲食豐足隨念作失諸根悅豫顏色光澤諸比丘舉過白佛
便無數嘖已制此戒也　若比丘故作　實心故作　陰　前境有六若於內色
外色內外色若水若風若空隨方便出削犯　失精除夢中　佛言亂意
睡眠有五過失一者惡夢二者諸天不護三者心不入法四者不思惟明相五者
於夢中失精若意睡眠有五功德即反上句　僧伽婆尸沙若方便於不
失偷蘭比丘自相教若失犯偷蘭不失吉羅尼波逸提三眾吉羅不犯者一
切不精意　二觸人女戒緣佛在舍衛國時迦留陀夷以佛制前戒故便在
門外伺諸婦女將至房中手捉摩抆樂者便咲不樂者瞋罵呵責諸比丘
舉過呵責往白世尊佛便集僧制戒　若比丘婬欲意　愛染污心　與
女人　覺知能斬死少分壞四種也　身　從髮至足　相觸　若捉摩重摩或牽
推或逆摩順摩或舉或下捉或捺若餘觸方便　若捉手若捉髮若
觸一一身分僧伽婆尸沙　若比丘往觸四種女但得犯僧殘若女來觸比
丘動身受樂亦同犯若不動身吉羅若先有染心偷蘭互有衣相觸
偷蘭俱有衣吉羅若与二形相觸偷蘭若欲心觸男子或衣鉢座具乃
至自觸身及以畜生一切突吉羅尼波羅夷下三眾吉羅不犯者有所
取与戲咲相解等是　三与女人麤語戒緣佛在舍衛國時迦留陀夷
以聞佛制前二戒故便持諸婦女入房中以欲心向彼麤惡語諸比丘舉過
白佛因制此戒　若比丘婬欲意与女人　女有智命根不斷
麤惡婬欲語　麤惡者非梵行婬欲語者稱說二道好惡若求若教他求
若問若答若解若說若教若罵求者言与我二道作如是如是事
若復作餘語次第如是解　若隨麤惡婬欲語僧伽婆尸沙
若一反麤語僧殘隨語多少說而了了者二僧殘不了了偷蘭若与
書印遣使作相令彼女知僧殘不知偷蘭除大小便道說餘處好惡偷
蘭与非人女黃門二形麤語知者偷蘭畜生不能變形若向男子麤
惡語一切吉羅尼偷蘭下三眾吉羅及至下戒亦尒不犯者為說不淨觀若
毗尼受經問答無欲心故也　四嘆身向女人索婬欲供養戒緣佛在舍
衛國時迦留陀夷以聞佛前制三戒故便門外伺諸婦女將入房自讚嘆身
汝可持欲供養諸女呵祐比丘舉過白佛因制此戒　若比丘婬欲意於女人前
女人如上　自嘆身　嘆身端正好顏色我是刹帝利長者居士婆羅門種
言大妹我修梵行　勤修離欲渴　持戒精進　不缺不穿漏無染汙也
脩善法　樂閑淨處時到乞食著糞掃衣作餘食法不食一坐食一摶食塚
間坐露坐樹下坐常坐隨坐持三衣唄匿多聞能說法持毗尼坐禪
可持是婬欲法供養我如是供養第一最僧伽婆尸沙　若作如上自
舉已供養我來不說婬欲者偷蘭餘境離犯如前戒說不犯者若比丘語女人
言此處妙尊最上此比丘精進持戒脩善法汝等應以身口意業供養彼
女意謂為我故嘆身若說毗尼時言次及此彼謂嘆身若錯說不犯　五媒
人戒緣佛在羅閱城有迦羅比丘本是大臣善知俗法城中嫁娶盡往諮問時婚
娶或得好者便願迦羅受於喜樂諸居士譏呵言若欲結婚者可往沙門釋子中
問諸比丘舉過白佛因制戒　若比丘往來彼此　從家所往至可信令者是　持彼

BD00697 號　四分比丘尼含注戒本（擬略本）卷上　　（11–4）

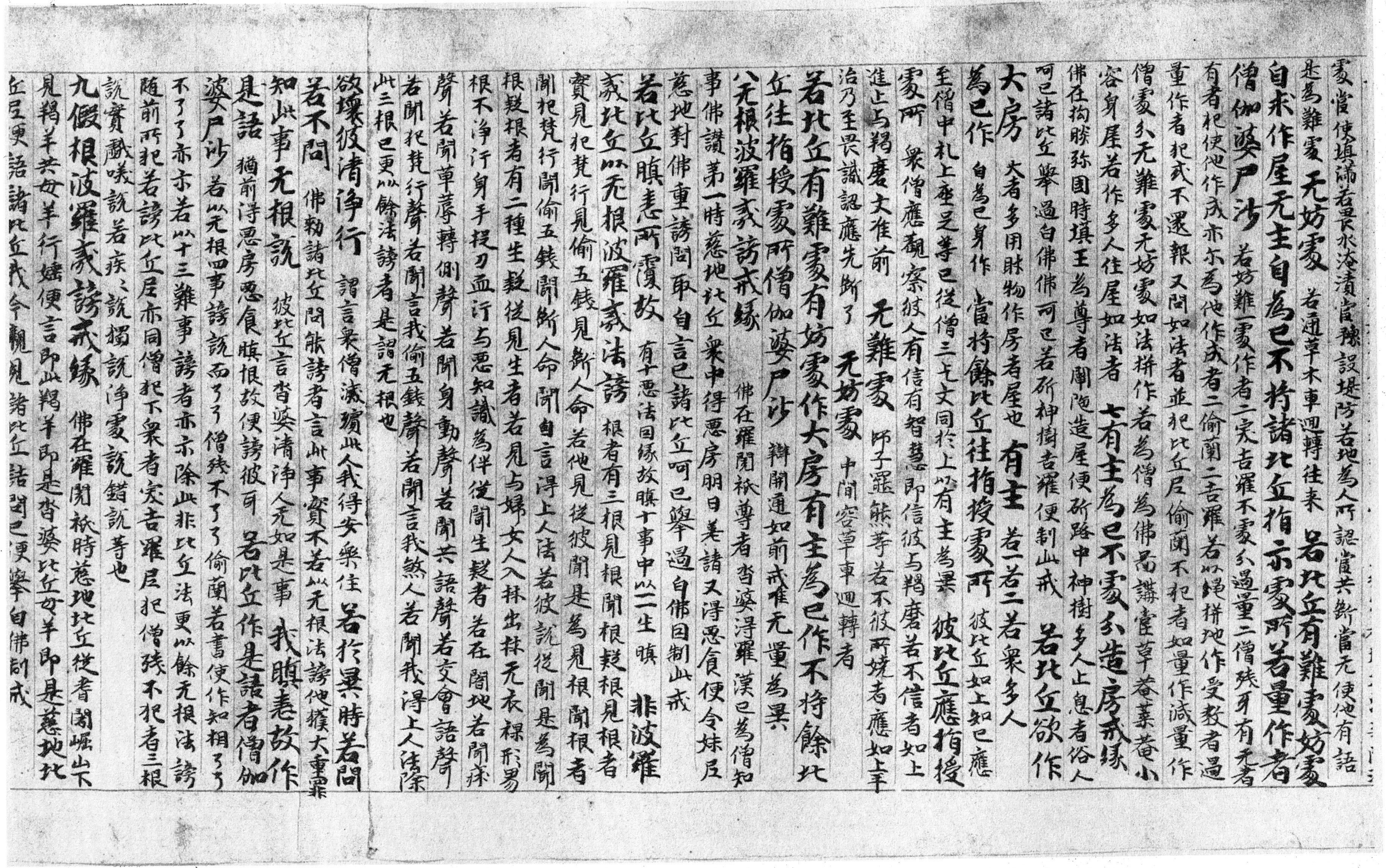

BD00697號　四分比丘尼含注戒本（撮略本）卷上

（11–5）

婆尸沙 [illegible]
不了了亦亦若以十三難事謗者亦亦除此非比丘法更以餘无根法謗
隨前所犯若謗比丘尼亦同僧犯下衆者突吉羅尼犯僧殘不犯者三根
說實戲咲說若疾疾說獨說淨處說錯說等也
九假根波羅夷謗戒緣 佛在羅閱祇時慈地比丘從耆闍崛山下
見羖羊共母羊行婬便言即此羖羊即是沓婆比丘母羊即是慈地比
丘尼便語諸比丘我今親見諸比丘詰問已便舉白佛制戒
若比丘以瞋恚故 如上說 於異分事中取片 異分者若異罪
若異趣異人若本在家時若假說 非波羅夷比丘以无根波羅
夷法謗欲壞彼清淨行彼於異時若問若不問知是異分
事中取片是比丘自言我瞋恚故作是語僧伽婆尸沙
辯相開通並同前戒 十破僧違諫戒緣 佛在弥尼樓國度八釋
子已還詣占波國並得增上地唯提婆達得神足詣佛還羅閱祇時提婆
達教王害父事既發覺惡名流布利養斷絕又別衆食為佛訶責因
即破僧舉過設諫制此戒 若比丘欲壞和合 一羯磨同說戒也 僧
四比丘若五若十乃至无數 方便受壞和合僧法堅持不捨 破者
破有十八事法非法律非律犯不犯若輕若重有殘无殘麁惡常所行非常
所行制非制說非說住破僧法者即住此十八事是也 彼比丘應諫是
比丘言大德莫壞和合僧莫方便壞和合僧莫受壞僧法堅
持不捨大德應与僧和合和合歡喜不諍同一師學如水乳合於佛
法中有增益安樂住 應語可捨此事莫令僧作訶諫而犯重罪若
用語者善若不用語復令餘比丘比丘尼憂婆塞優婆夷王若大臣種
種異道沙門婆羅門求若餘方比丘聞知其人信用言者應來
是比丘如是諫時不捨彼比丘應三諫捨此事故乃至三諫捨者善
彼比丘作白已應更求乃至二羯磨亦尓 不捨者僧伽婆尸沙 白二竟
捨三偷蘭乃至白竟捨者一偷蘭白未竟捨者吉羅一切未白前受破僧法堅持
不捨並吉羅比丘尼僧殘不犯者初諫便捨若五非羯磨作訶諫非法非律非
佛所教若破惡友知識若欲破僧者若作非法者若為僧塔和上知識作損減
破者不犯 十一助破僧違諫戒緣 佛在羅閱祇時提婆達故執此五
法盡形受乞食著糞掃衣露坐不食蘇鹽及肉教諸比丘衆僧諫時伴儻
比丘助破諫僧比丘舉過白佛設制戒也 若比丘伴儻 若四人若過四人
有二種順從者以法教授增戒增心增慧諷誦永受衣食順從者給与衣被飲
食牀卧具病瘦醫藥 若一若二若三乃至无數 助伴儻語比丘若一二三若
衆多 彼比丘語是比丘言大德莫諫此比丘此比丘是法語比丘律
語比丘此比丘所說我等喜樂此比丘所說我等忍可彼比丘應
諫是比丘言大德莫作是說言此比丘是法語比丘律語比丘此
所說我等喜樂此比丘所說我忍可然此比丘非法語比丘非律語
比丘大德莫欲壞和合僧汝等當樂欲和合僧大德与僧和合歡
喜不諍同一師學如水乳合於佛法中有增益安樂住是
比丘如是諫時堅持不捨彼比丘應三諫捨是事故乃至三
[illegible]

語比丘此比丘所說我等喜樂此比丘所說我等忍可彼比丘應
諫是比丘言大德莫作是說言此比丘是法語比丘律語比丘此
所說我等喜樂此比丘所說我忍可然此比丘非法語比丘非律語
比丘大德莫欲壞和合僧汝等當樂欲和合僧大德與僧和合歡
喜不諍同一師學如水乳合於佛法中有增益安樂住是
比丘如是諫時堅持不捨彼比丘應三諫捨是事故乃至三
諫捨者善不捨者僧伽婆尸沙 辯相如上
十二污家擯謗違諫戒緣 佛在舍衛國時阿濕婆及富那婆在羈
連聚落行惡行污他家比丘舉過白佛便令舍利弗目連往彼擯舉當
作法時謗僧不受以過白佛 違呵諫犯制戒 若比丘依聚落 村有
四種如上 若城邑住 屬王也 污他家 家有者男女污他家者有四
事一依家污家從一家得物與一家所得物處聞之不喜所與物處思當
報恩即作是言若有與我當報之若不與我者我何故與二者依利養
污家若比丘如法得利乃至鉢中之餘或與一居事不與一居事彼得者作
此念當報其恩若不與我我何故與三者依親利友污家若比丘依若大
臣或為一居事或不為一居事所為者即思報恩其為我者我當供養
不為我者我不供養四者依僧伽藍污家若比丘取僧華菓與一居事不與
一居事彼得者思賞供養不與我者我不供養 行惡行 彼比丘作如是
非法行自種華樹自溉灌自摘華自作華鬘自以綖貫若繫自持華自
持花鬘與人若復教人作如上事若彼村落中有婦女若童女共同一牀坐起
同一器飲食言語戲笑或自歌舞倡伎或他作已倡和或俳說或彈鼓簧吹貝
作象鳥鳴或走或擲石行或嘯或自作拍身或受雇戲笑是名行惡行
污他家亦見亦聞行惡行亦見亦聞 時有眾多比丘於彼遊行
止宿晨朝著衣持鉢入村乞食法服齊整行步庠序低目直前不左右顧
視以次乞食諸居士見已自相謂言此是何人低目而行不左右顧視亦不言
笑亦不周接善言問訊我等不應與其飲食我等阿濕婆二人與人周接友
上所言應與飲食為苦耶彼具供養彼於羈連乞食因乃得之往至佛所問
言止安樂不眾僧和合不不以飲食為苦耶彼具白佛便遂訶說擯言
諸比丘當語是比丘言大德污他家行惡行污他家亦見亦聞
行惡行亦見亦聞大德汝等污他家行惡行今可遠此聚
落去不須住此 時舍利弗為諸居士說法令得信樂食訖集僧
為彼比丘作舉舉已作憶念作憶念已與罪如上作羯磨已驅出聚落嘖作
法時二比丘謗僧言更有餘同犯罪比丘不驅而獨驅我便作是言
是比丘語彼比丘作如是語大德諸比丘有愛有恚有
怖有癡有如是同罪比丘有驅者有不驅者 時舍利弗還白
世尊具陳謗事佛便遂呵令設諫言 諸比丘報言大德莫作
是語有愛有恚有怖有癡有如是同罪比丘有驅
者有不驅者而諸比丘不愛不恚不怖不癡大德污他
家行惡行污他家亦見亦聞行惡行亦見亦聞是比丘
如是諫時堅持不捨彼比丘應三諫捨此事故乃至三

BD00697號 四分比丘尼含注戒本(撮略本)卷上

是比丘語彼比丘作如是語大德諸比丘有愛有恚有
怖有癡有如是同罪比丘有駈者有不駈者 時舍利弗還白
世尊具陳諍事佛便遣呵令設諫言 諸比丘報言大德莫作
是語有愛有恚有怖有癡有如是同罪比丘有駈
者有不駈者而諸比丘不愛不恚不怖不癡大德行他
家行惡行行他家亦見亦聞行惡行亦見亦聞是比丘
如是諫時堅持不捨彼比丘應三諫捨此事故乃至三
諫捨者善不捨者僧伽婆尸沙 若未白前言僧有愛恚
怖癡突吉羅若不為書持往及為与衣信使一切突吉羅尼同僧犯不犯者
初語時捨非法呵諫若与父母与病人与小兒与任身人与牢獄繫人与
寺中客作者是若種華樹自取華乃至教人貫華持供養佛法僧者
一切不犯若人欲打被賊象狼恐怖之難處若擔刺來於中走避者不犯若
渡河溝渠坑跳蹤者不犯若同伴在後還顧不見而嘯喚不犯若為父母看
為病人若閉牢獄若篤信憂婆塞有病獄看書持往若為塔僧病比丘事
開持書往反 十三惡性拒僧違諫戒緣 佛在拘睒弥國時尊者闡陀惡
性不受人語 諸比丘設諫違拒反言我應教諸大德何以故我聖主得正覺故
并說水風二譬比丘呵責舉過白佛便語諫制戒 若比丘惡性不受人語
不忍不受人教誨也 於戒法中 以戒律如法教授者有七犯聚 波羅夷
僧伽婆尸沙波逸提波羅提提舍尼偷蘭遮吉羅惡說 諸比丘如法諫
已 如法如律如佛所教 自身作不受諫語言諸大德莫向我說
若好若惡我亦不向諸大德說若好若惡諸大德且止莫諫
我彼比丘諫是比丘言大德莫自身不受諫語大德自身當
受諫語大德如法諫諸比丘諸比丘亦當如法諫大德如是佛
弟子眾得增益展轉相諫展轉相教展轉懺悔是比丘如
是諫時堅持不捨彼比丘應三諫捨是事故乃至三諫捨者
善不捨者僧伽婆尸沙 若未白前惡性不受人語一切吉羅尼同犯不犯
者若初諫便捨非法呵諫非法非律非佛所說者若无智人呵諫時語
彼言汝和上阿闍利所行亦尔汝可更學問經誦若其事如是若錯說也
諸大德我已說十三僧伽婆尸沙法九初犯四乃至三諫若比丘
犯一一法知而覆藏應強與波利婆沙行波利婆沙竟增
上與六夜摩那埵行摩那埵已應與出罪應廿僧中出是
比丘罪若少一人不滿廿眾出是比丘罪是比丘罪不得除諸
比丘亦可呵此是時今問諸大德是中清淨不 三說
諸大德是中清淨默然故是事如是持 諸大德是二不
定法半月半月說戒經中來 一屏處不定緣 佛在舍
衛國時迦留陀夷先白衣時有親友婦名齋憂婆夷俱並端政各有繫
意迦留陀夷時到詣彼家与共獨屏覆坐說非法語時毗舍佉母聞
見疾往白佛因訶制戒 若比丘共女人 人女有智未命終獨一比丘
一女人 在屏處 有二種一者見屏若處若霧若里闇中不相見也二

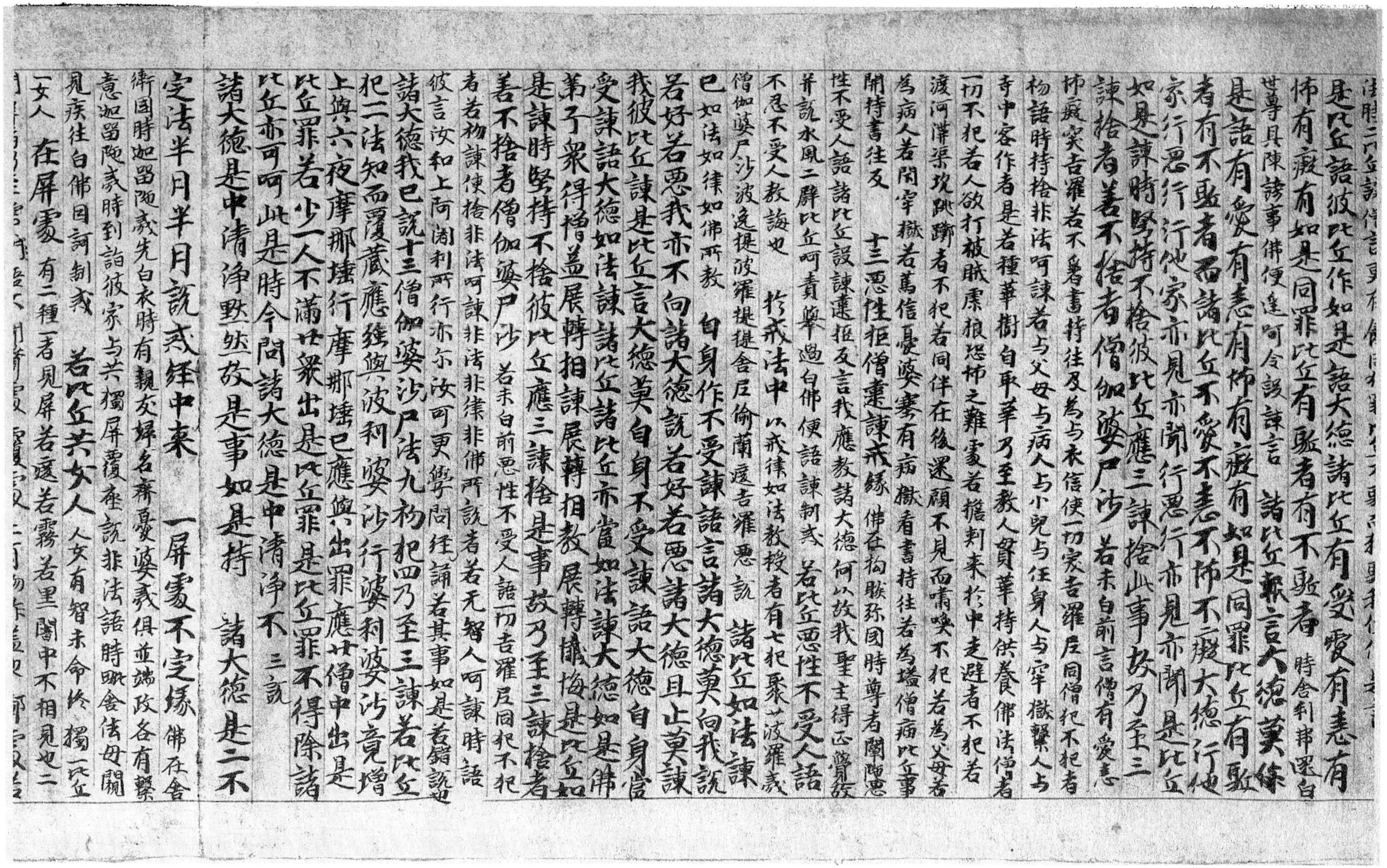

諸大德是中清淨默然故是事如是持　諸大德是二不
定法半月半月說戒經中來　一屏處不定緣　佛在舍
衛国時迦留陁夷先白衣時有親友婦名齋憂婆夷俱並端政各有繫
意迦留陁夷時到詣彼家与共獨屏覆處坐說非法語時毗舍佉母觸
見疾往白佛因訶制戒　若比丘共女人　人女有智未命終獨一比丘
一女人　在屏處　有二種一者見屏若處若霧若闇中不相見也二
聞屏者乃至常語不聞聲處　覆處　上有物作蓋也　鄣處若
樹若墻壁若籬若衣及餘物鄣也　可作婬處　得容行婬處　坐說非
法語　說婬欲法者　有住信優婆私　信佛法僧歸依佛法僧不殺
不盜不邪婬不妄語不飲酒善憶持事不錯所說真實而不虛妄　於三法
中一一法說若波羅夷若僧伽婆尸沙若波逸提是坐比丘
自言我犯是罪於三法中應一一治若波羅夷若僧伽婆尸
沙若波逸提如住信優婆私所說應如治是比丘是名不定
法　是中自言所趣向所到處若坐若臥若作若不自言若如優婆私所說
治　二露處不定之緣　佛在舍衛国時迦留陁夷家初犯此戒緣起
如前戒但以露處二罪為異也　若比丘共女人在露現處　謂无墻壁及
餘物鄣　不可作婬處　不容可婬處　坐作麁惡語　說婬欲不淨行
說者讚嘆二道好惡也　有住信優婆私於二法中以二法說若僧
伽婆尸沙若波逸提是坐比丘自言我犯是事於二法中應
二治若僧伽婆尸沙若波逸提如住信優婆私所說應如法
治是比丘是名不定法　是中自言所趣向處所到處若坐若臥或不白
應如優婆私所說治是中无定法故言不定
諸大德我已說二不定法今問諸大德是中清淨不　如是三說
諸大德是中清淨默然故是事如是持　諸大德是三十尼
薩耆波逸提法半月半月說戒經中來　佛在舍衛国久聽比丘持三
衣不得長時六群比丘畜長衣或早起衣或中時或晡時衣彼常經營莊嚴
如是衣服藏舉比丘舉過白佛便呵制戒因開重制　若比丘衣已竟　三衣也
迦絺那衣已出　謂出功德衣外　畜長衣經十日　衣者有十種長衣
者長如來八指手若廣四指是　不淨施德畜若過十日　初制不得畜長衣因
阿難得一貴價糞掃衣欲以奉大迦葉恐犯戒白佛以迦葉十日當還故佛言聽畜長衣
齋十日　尼薩耆波逸提

諸大德我已說二不定法今問諸大德是中清淨不　如是三說　諸大德是中清淨
默然故是事如是持　諸大德是三十尼薩耆波逸提法半月半月說戒經
中來　一畜長衣過日戒　佛在舍衛国久聽比丘持三衣不得長時六群比丘畜
長衣或早起衣或中時或晡時衣彼常經營莊嚴如是衣服藏舉比丘舉過

諸大德我已說二不定法今問諸大德是中清淨不 如是三說 諸大德是中清淨
默然故是事如是持 諸大德是三十尼薩耆波逸提法半月半月說戒經
中來 一畜長衣過日戒 佛在舍衛國人聽比丘持三衣不得長時六群比丘畜
長衣或早起衣或中時衣或晡時衣彼常經營莊嚴如是衣服藏舉比丘舉過
白佛便呵已制戒因開重制 若比丘衣已竟 三衣也 迦絺那衣已出 謂出功德
衣外 畜長衣經十日 衣者有十種長衣者長如來八指若廣四指是 不淨施
得畜若過十日 初制不得畜長衣因阿難得一貴價糞掃衣欲以奉大迦葉恐犯戒白
佛以迦葉十日當還故佛言聽畜長衣齊十日 尼薩耆波逸提 若不得衣若淨施
若遣與人若失衣若故壞若作非衣若作親厚意若忘去八門作句反上並尼薩
耆波逸提若捨墮衣不捨更貿餘衣一一尼薩耆波逸提一突吉羅此捨墮衣應捨與僧
若眾多人若一人不得別眾捨不成捨突吉羅比丘尼同犯下三眾乃至下戒並犯吉羅
不犯者十日內若轉淨施若遣與人若賊奪想不淨施不犯若奪衣失衣取者若他與
著若他作被不犯若付衣者遠行水陸道斷如是不淨施不遣與人不犯
二離衣宿戒 佛在舍衛國時六群比丘持衣付囑親友比丘往人間遊行彼受付比丘數數
出衣曬之諸比丘問言佛聽比丘畜三衣不得長此是誰衣具答被呵白佛重責制此戒也
若比丘衣已竟迦絺那衣已出 並如上解 三衣中 僧伽梨鬱多羅僧安多會
衣者有十種如上說 離一一衣異處宿 不失衣者僧伽藍裏有一界失衣者
僧伽藍裏有若干界如是樹場車船村舍堂庫倉界亦爾比僧伽藍有四
種如上樹者與人等足覆蓋跏趺坐場者於中治五穀處車者若車迴轉處船
界亦爾村者有四種堂者多敞露庫者積藏諸車乘輦輿財寶之物倉者儲積米
穀阿蘭若者無界八樹中間一一樹間七弓一一長四肘量也僧伽藍界非彼僧伽藍界亦非
彼樹界乃至庫藏倉界亦如是餘者作句亦如是僧伽藍界者在僧伽藍邊以中人
若用石若塼擲所及處是名界乃至庫藏界亦爾若比丘置衣在僧伽藍中乃
至在樹下宿明相未出若捨衣若手捉衣若至擲石所及處若不捨衣若不
至擲石所及處明相出隨所離衣宿尼薩耆波逸提 除僧羯磨 時有比丘得
乾痟病糞掃僧伽梨極重有因緣事人間遊行不堪持行以事白佛令三乞已僧白
二結捷 尼薩耆波逸提

白佛便呵已制戒曰開重制　若比丘衣已竟三衣也　迦絺那衣已出謂出功德
衣外　畜長衣經十日　衣者有十種長衣者長如來八指若廣四指是　不淨施
得畜若過十日　初制不得畜長衣因阿難得一貴價糞掃衣欲以奉大迦葉恐犯戒白
佛以迦葉十日當還故佛言聽畜長衣齊十日　尼薩耆波逸提　若不得衣若淨施
若遣与人若失衣若故壞若作非衣若作親厚意若忘去八門作句反上並尼薩
耆波逸提若捨墮衣不捨更貿餘衣こ尼薩耆波逸提一突吉羅此捨墮衣應捨与僧
若衆多人若一人不得別衆捨不成捨突吉羅比丘尼同犯下三衆乃至下戒並犯吉羅
不犯者十日內若轉淨施若遣与人若賊奪想不淨施不犯若奪衣失衣取者若他与
著若他作被不犯若付衣者遠行水陸道斷如是不淨施不遣与人不犯
二離衣宿戒　佛在舍衛國時六群比丘持衣付寫親友比丘往人間遊行彼受付比丘数こ
出衣曬之諸比丘問言佛聽比丘畜三衣不得長此是誰衣具答被呵白佛重責制此戒也
若比丘衣已竟迦絺那衣已出　並如上解　三衣中　僧伽梨鬱多羅僧安多會
衣者有十種如上說　離一一衣異處宿　不失衣者僧伽藍裏有一界失衣者
僧伽藍裏有若干界如是樹場車舩村舍堂庫倉界亦尔此僧伽藍有四
種如上樹者与人等足覆蔽跏趺坐場者於中治五穀處車者若車迴轉處舩
界亦尔村者有四種堂者多敞庫者積藏諸車乘輦輿財寶之物倉者儲積米
鞞阿蘭若者无界八樹中間こ別七弓こ長四肘量也僧伽藍界非彼僧伽藍界亦非
彼樹界乃至庫藏倉界亦如是餘者作句亦如是僧伽藍界者在僧伽藍邊以中人
若用石若塼擲所及處是名界乃至庫藏界亦尔若比丘置衣在僧伽藍中乃
至在樹下宿明相未出若捨衣若手捉衣若至擲石所及處若不捨衣若不
至擲石所及處明相出隨所離衣宿尼薩耆波逸提　除僧羯磨　時有比丘得
乾痟病糞掃僧伽梨極重有因緣事人間遊行不堪持行以事白佛令三乞已僧白
二結捉　尼薩耆波逸提

BD00697號　四分比丘尼含注戒本（撮略本）卷上

（11–11）

既而諦觀一一物中无舍可得又如多指共
合成拳離指求拳即无所有軍徒車乘城邑
山林衲衣等物一切皆是和合所成智者觀
之悉如夢事凡夫身宅亦復如是諸界積集
譬如高山危脆不安同於朽屋不生不滅非
自非他如乾闥婆城如影如雲如陽焰如繢
像雖可現覩性常清淨遠離一切有无分別
如盲與跛相假而行无決定性乃至分析至
於微塵但有空名都无實物若諸定者作是
思惟即於色聲等法不生覺念離覺念已心
得休息泰然解脫不受諸有常樂修行甚深
禪定諸天仙等端正女人而來供養如觀夢
事不生染著身雖在此諸仙外道持呪之人
乃至梵天不能見頂是人不久生摩尼寶藏
宮殿之中遊戲神通具諸功德此觀行法是
大心者所行境界仁應速發廣大之心大心
之人疾得生於光明宮殿離諸貪欲瞋恚愚
癡乃至當詣密嚴佛土此土廣博微妙寂靜
无諸老死衰惱之患遠離衆相非識所行妄
計之人所不能得諸仁者此土清淨觀行所
居若懷希仰當勤修習斷貪瞋癡離我我所

BD00698 號　大乘密嚴經（地婆訶羅本）卷中　（4–1）

之人疾得生於光明宮殿離諸貪欲瞋恚愚
癡乃至當詣密嚴佛土此土廣博微妙寂靜
无諸老死衰惱之患遠離衆相非識所行妄
計之人所不能得諸仁者此土清淨觀行所
居若懷希仰當勤修習斷貪瞋癡離我我所
何以故貪等煩惱取諸境界若取於境即二
覺生如有女人端正可喜有多欲者見已生
著欲心迷亂若行若坐飲食睡眠專想思惟
更无餘念彼女容相常現於心此心即爲境
界淤泥之所濁亂是故於境不應貪著諸仁
者譬如有人見牛麻山羊有角之獸即於兔
菟生无角解若使不見牛等有角於兔菟等
決定不生无角之見世間妄見悉亦如是妄
有所得起有分別後求其體不可得故便言
諸法決定是无乃至未離分別之心常生如
是不平等覺諸仁者應以智慧審諦觀察心
之所行一切境界皆如妄計見牛菟等若諸
佛子作如是觀隨其意樂或生人中爲轉輪
王有大威力騰空來往或生日月星宿之宮
四天王天三十三天夜摩天兜率陁天乃至
自在天主摩尼藏殿或生色界梵身等天修
行定者十梵之處无煩无熱善見善現阿迦
尼吒空處識處无所有處非想非非想處任
於彼已漸除貪欲從此而生清淨佛土常遊
妙定至真解脫尒時金剛藏菩薩摩訶薩
復說偈言

BD00698 號　大乘密嚴經（地婆訶羅本）卷中　（4–2）

足吃空處識處无所有處非想非非想處住
於彼已漸除貪欲從此而生清淨佛土常遊
妙定至真解脫尒時金剛藏菩薩摩訶薩
復說偈言
如因緣破　而成於凡　剎那各別　恒是无常
因種生牙　牙生種壞　又如陶匠　以泥作瓶
泥是奢摩　瓶如其色　若復兼用　餘色泥作
火燒熟已　各雜色生　箭竹生葱　角生於蒜
不淨之處　蠅生於蟲　世間之中　有果似因
或有諸物　不似因者　皆因變壞　而有果生
微塵等因　體不變壞　不應妄作　如是分別
无能作我　內我勝我　亦无我意　境界諸根
和合為因　而生於識　智者方便　善知衆境
破煩惱等　一切諸魔　世有貪愛　如淡得蜜
貪愛若除　衆縛悉解　如蛇螫物　瞋毒而然
生死趣中　多所惱害　諸仁若欲　令彼除盡
宜各勤心　修於觀行

大乘密嚴經阿賴邪建立品第六

尒時金剛藏菩薩摩訶薩復告衆言諸仁者
我念昔曾蒙佛與力而得妙定廓然明見十
方國土修世定之人及佛菩薩所住之處於如
是處中密嚴佛土安樂第一諸佛菩薩數如
微塵處蓮花藏我於尒時一心瞻仰尋從定
出即自見身與諸菩薩在密嚴土復於尒時
見解脫藏住在宮中其量大小如一指節色
相明潔如阿恒斯花亦如空中清淨滿月我

BD00698號　大乘密嚴經（地婆訶羅本）卷中　（4–3）

是處中密嚴佛土安樂第一諸佛菩薩數如
微塵處蓮花藏我於尒時一心瞻仰尋從定
出即自見身與諸菩薩在密嚴土復於尒時
見解脫藏住在宮中其量大小如一指節色
相明潔如阿恒斯花亦如空中清淨滿月我
時見已便生念言此為是誰而有如是不思
議事作是念時即見我身在其身內於中普
見一切世間尒時蓮花藏中无量菩薩以佛
神力亦如是見咸生是念此為希有不可思
議時天中天所為事畢還攝神力諸菩薩等
悉復如故我時見此希有事已知諸菩薩種
種變現是佛境界不可思議諸仁者如來昔
為菩薩之時從初歡喜至法雲地得陁羅尼
句義无盡及首楞嚴等諸大三昧意生之身
八種自在如應而現遊戲神通名稱光明如
是等一切功德悉已成就轉復清淨逮成正
覺住密嚴土隨宜變化佛及菩薩種種色像
自然周遍一切世間轉妙法輪令諸衆生速
滅癡闇修行善法或有菩薩見佛身相尸利
婆蹉等具足莊嚴自然光明猶如盛火與諸
菩薩住如蓮花清淨之宮常遊妙定以為安
樂或見大樹緊那羅王現百千億種種變化
如月光明遍諸國土或見无量佛子智慧善
巧衆相莊嚴頂飾寶冠身佩瓔珞住兜率陁

BD00698號　大乘密嚴經（地婆訶羅本）卷中　（4–4）

空外空乃至無性自性空[illegible]一切智智復
次善現若菩薩摩訶薩如是學時是學真
如是學法界法性不虛妄性不變異性平等性
離生性法定法住實際虛空界不思議界若
菩薩摩訶薩學真如法界乃至不思議界是
學一切智智復次善現若菩薩摩訶薩如是
學時是學苦聖諦是學集滅道聖諦若菩
薩摩訶薩學苦集滅道聖諦是學一切智智
復次善現若菩薩摩訶薩如是學時是學四
靜慮是學四無量四無色定若菩薩摩訶薩學
四靜慮四無量四無色定是學一切智智復
次善現若菩薩摩訶薩如是學時是學八解
脫是學八勝處九次第定十遍處若菩薩摩薩
薩學八解脫八勝處九次第定十遍處是學
一切智智復次善現若菩薩摩訶薩如是
學時是學四念住是學四正斷四神足五根
五力七等覺支八聖道支若菩薩摩訶薩學
四念住四正斷乃至八聖道支是學一切智

BD00699 號　大般若波羅蜜多經卷三四一　（5–1）

學時是學四念住是學四正斷四神足五根
五力七等覺支八聖道支若菩薩摩訶薩學
四念住四正斷乃至八聖道支是學一切智
智復次善現若菩薩摩訶薩如是學時是學
空解脫門是學無相無願解脫門若菩薩摩
訶薩學空無相無願解脫門是學一切智智
復次善現若菩薩摩訶薩如是學時是學極
喜地是學離垢地發光地焰慧地極難勝地
現前地遠行地不動地善慧地法雲地若菩
薩摩訶薩學極喜地離垢地乃至法雲地是
學一切智智復次善現若菩薩摩訶薩如是
學時是學五眼是學六神通若菩薩摩訶薩學
五眼六神通是學一切智智復次善現若菩薩
摩訶薩如是學時是學佛十力是學四無
所畏四無礙解大慈大悲大喜大捨十八佛
不共法若菩薩摩訶薩學佛十力四無所畏
乃至十八佛不共法是學一切智智復次善
現若菩薩摩訶薩如是學時是學无忘失法
是學恒住捨性若菩薩摩訶薩學无忘失法
恒住捨性是學一切智智復次善現若菩薩
摩訶薩如是學時是學一切智是學道相智
一切相智若菩薩摩訶薩學一切智道相智
一切相智是學一切智智復次善現若菩薩
摩訶薩如是學時是學一切陀羅尼門是學
一切三摩地門若菩薩摩訶薩學一切陀羅
尼門一切三摩地門是學一切智智復次善

BD00699 號　大般若波羅蜜多經卷三四一　（5–2）

一切相智若菩薩摩訶薩學一切智道相智
一切相智是學一切智智復次善現若菩薩
摩訶薩如是學時是學一切陁羅尼門是學
一切三摩地門若菩薩摩訶薩學一切陁羅
尼門一切三摩地門是學一切智智復次善
現若菩薩摩訶薩如是學時是學一切菩薩
摩訶薩行若菩薩摩訶薩學一切菩薩摩訶
薩行是學一切智智復次善現若菩薩摩訶
薩如是學時是學諸佛无上正等菩提若菩
薩摩訶薩學諸佛无上正等菩提是學一切
智智
復次善現若菩薩摩訶薩如是學時至一切
學圓滿彼岸若菩薩摩訶薩如是學時一切
天魔及諸外道皆不能壞若菩薩摩訶薩如
是學時疾至菩薩不退轉地若菩薩摩訶薩
如是學時行自祖父一切如來應正等覺所
應行處若菩薩摩訶薩如是學時於能護法
无倒隨轉若菩薩摩訶薩如是學時能行離
暗所應作法若菩薩摩訶薩如是學時是學
嚴淨自佛土法若菩薩摩訶薩如是學時是
學成熟諸有情法若菩薩摩訶薩如是學時
便能如實嚴淨佛土若菩薩摩訶薩如是學
時便能如實成熟有情若菩薩摩訶薩如是
學時則能發起大慈大悲哀愍一切若菩薩
摩訶薩如是學時是學三轉十二行相微妙
法輪若菩薩摩訶薩如是學時是學度脫一

時便能如實成熟有情若菩薩摩訶薩如是
學時則能發起大慈大悲哀愍一切若菩薩
摩訶薩如是學時是學三轉十二行相微妙
法輪若菩薩摩訶薩如是學時是學度脫一
切有情置无餘依般涅槃界若菩薩摩訶薩
如是學時是學不斷佛種妙行若菩薩摩訶
薩如是學時是學諸佛為有情類開甘露門
若菩薩摩訶薩如是學時是學安立无量无
數无邊有情住三乘法若菩薩摩訶薩如是
學時是學示現一切有情究竟寂滅真无為
界是真脩學一切智智如是學者下劣有情
所不能學若菩薩摩訶薩如是學時能實拔
濟一切有情生老病死令勤脩學所應學處
復次善現若菩薩摩訶薩如是學時決定不
復墮於地獄傍生鬼界若菩薩摩訶薩如是
學時決定不生邊地達絮蔑戾車中若菩薩
摩訶薩如是學時決定不生旃荼羅家補羯
娑家及餘種種貧窮卑賤不律儀家若菩薩
摩訶薩如是學時終不聾盲瘖瘂攣躄根支
不具背僂癲癎及餘種種癃殘惡疾若菩薩
摩訶薩如是學時生生常得眷屬圓滿形貌
端嚴言詞威肅衆人愛敬若菩薩摩訶薩如
是學時生生之處離害生命離不與取離欲
邪行離虛誑語離麁惡語離離間語離雜穢
語亦離貪欲瞋恚邪見若菩薩摩訶薩如是
學時生生之處不以邪法而自活命終不攝受

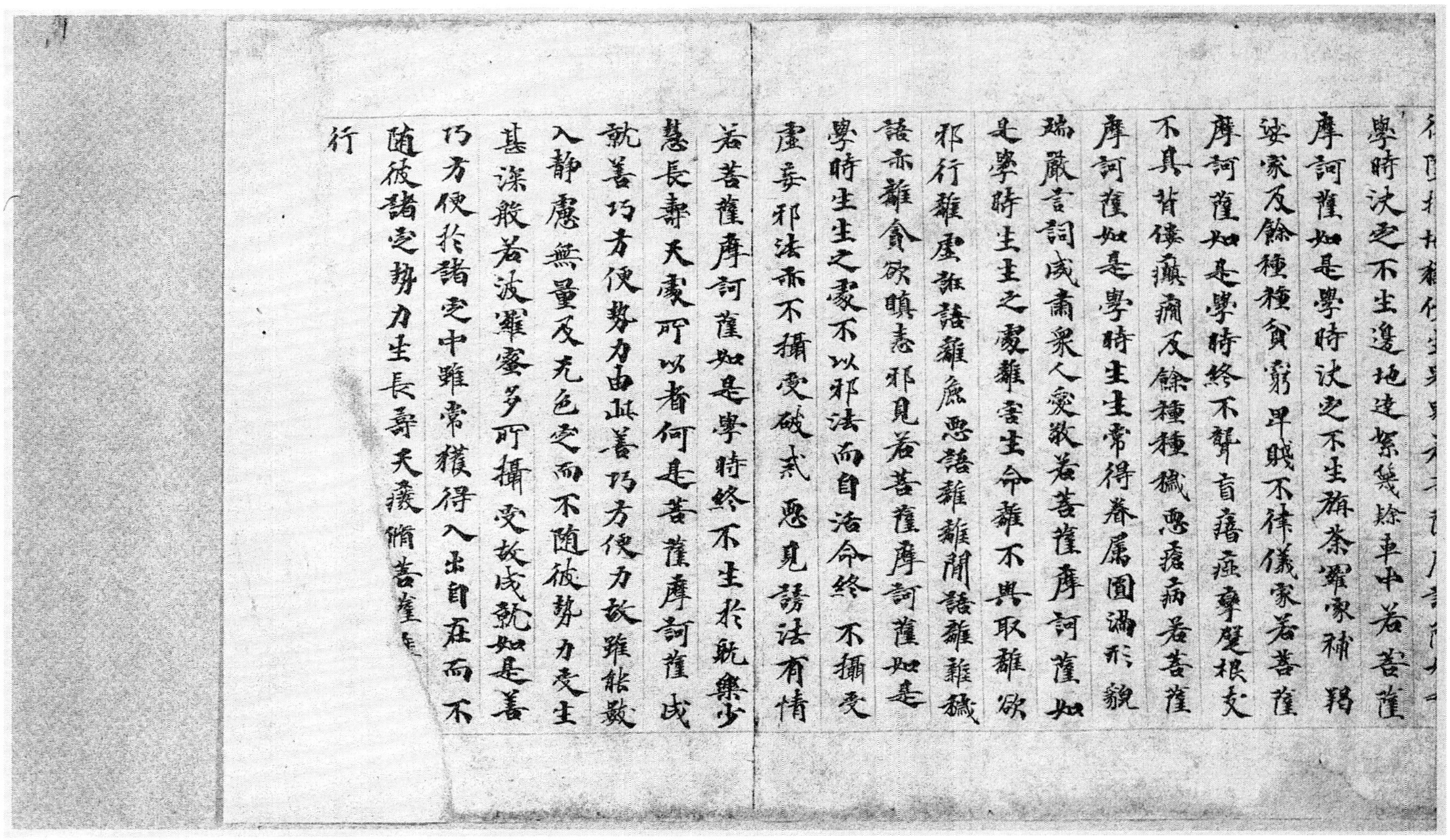

學時決定不生邊地達絮蔑戾車中若菩薩
摩訶薩如是學時決定不生旃荼羅家補羯
娑家及餘種種貧窮卑賤不律儀家若菩薩
摩訶薩如是學時終不聾盲瘖瘂攣躄根支
不具背僂癲癇及餘種種穢惡瘡病若菩薩
摩訶薩如是學時生生常得眷屬圓滿形貌
端嚴言詞威肅衆人愛敬若菩薩摩訶薩如
是學時生生之處離害生命離不與取離欲
邪行離虛誑語離麁惡語離離間語離雜穢
語亦離貪欲瞋恚邪見若菩薩摩訶薩如是
學時生生之處不以邪法而自活命終不攝受
虛妄邪法亦不攝受破戒惡見謗法有情
若菩薩摩訶薩如是學時終不生於耽樂少
慧長壽天處所以者何是菩薩摩訶薩成
就善巧方便勢力由此善巧方便力故雖能數
入靜慮無量及無色定而不隨彼勢力受生
甚深般若波羅蜜多所攝受故成就如是善
巧方便於諸定中雖常獲得入出自在而不
隨彼諸定勢力生長壽天處脩菩薩
行

BD00699 號　大般若波羅蜜多經卷三四一　（5–5）

卅五

BD00699 號背　勘記　（1–1）

是夢乃至化虛妄不實世尊不應用不實虛
妄法能具足檀波羅蜜乃至十八不共法佛
告須菩提如是如是不實虛妄法不能具足
法不能得阿耨多羅三藐三菩提須菩提是
一切法皆是憶想思惟作法用是思惟憶想
作法不能得一切種智須菩提是一切法能助
道法不能益果所謂是諸法无生无出无相
菩薩從初發心來所作善業若檀波羅蜜
乃至一切種智何以故知諸法皆如夢乃至如
化如是等法不具足檀波羅蜜乃至一切種智
不能得成就衆生淨佛國土得阿耨多羅三
藐三菩提是菩薩摩訶薩所作善業檀波
羅蜜乃至一切種智知如夢乃至如化亦知
一切衆生如夢中行乃至知如化中行是菩薩
摩訶薩不取般若波羅蜜是有法用是不取
故得一切種智知是法如夢无所取乃至諸
法如化无所取何以故般若波羅蜜是不可
取相禪波羅蜜乃至十八不共法是不可取相

BD00700號　摩訶般若波羅蜜經（兌廢稿）卷二六　（7–1）

故得一切種智知是法如夢无所取乃至諸
法如化无所取何以故般若波羅蜜是不可
取相禪波羅蜜乃至十八不共法是不可取相
是菩薩摩訶薩知一切法是不可取相已發
心求阿耨多羅三藐三菩提何以故一切法不
可取相无根本定實如夢乃至如化用不可
取相法不能得不可取相法但以衆生不知
不見如是諸法相是菩薩摩訶薩為是衆生
故求阿耨多羅三藐三菩提是菩薩從初發
意已來所有布施為一切衆生故乃至有所
脩智慧皆為一切衆生不為己身菩薩摩訶
薩不為餘事故求阿耨多羅三藐三菩提但
為一切衆生故是菩薩行般若波羅蜜時見
衆生无衆生但衆生相中住乃至无知者无
見者知見相中住令衆生遠離顛倒遠離已
置甘露性中住是中无有妄相所謂衆生相
乃至知者見者相是時菩薩動心念心戲
論心皆捨常行不動心不念心不戲論心須
菩提以是方便力故菩薩摩訶薩行般若波
羅蜜時自无所着亦教一切衆生令得无所
着世諦故非第一義須菩提白佛言世尊世
尊得阿耨多羅三藐三菩提時得諸佛法以
世諦故得以第一義中得佛言以世諦故說
佛得是法是法中无有法可得是人得是法
何以故是人得是法是為大有所得用二法无

BD00700號　摩訶般若波羅蜜經（兌廢稿）卷二六　（7–2）

尊得阿耨多羅三藐三菩提時得諸佛法以
世諦故得以第一義中得佛言以世諦故説
佛得是法是法中无有法可得是人得是法
何以故是人得是法是爲大有所得用二法无
道无果須菩提白佛言世尊若行二法无
道无果行不二法有道有果不佛言行二法
无道无果行不二法亦无道无果若无二法
无不二法即是道即是果何以故用如是法
得道得果用是法不得道不得果是爲戲論
諸平等法中无有戲論无戲論相是諸法平
等須菩提白佛言世尊諸法无所有性是中
何等是平等佛言若无有法无有无法亦不
説諸法平等相除平等更无餘法離一切法平
等相平等者若凡夫若聖人不能行不能
到須菩提白佛言世尊乃至佛亦不能行
亦不能到佛言是諸法平等一切聖人皆不
能行不能到所謂諸須陁洹斯陁含阿那含
阿羅漢辟支佛諸菩薩摩訶薩及諸佛須
菩提白佛言世尊佛者一切諸法中行力自
在云何説佛亦不能行亦不能到佛告須菩
提若諸法平等與佛有異應當如是問須菩
提今諸凡夫人平等諸須陁洹斯陁含阿那含
阿羅漢辟支佛諸菩薩摩訶薩諸佛及聖法
皆平等是一平等无二所謂是凡夫人是須
陁洹乃至佛是一切法等中皆不可得須菩

BD00700 號　摩訶般若波羅蜜經（兑廢稿）卷二六　（7–3）

提若諸法平等與佛有異應當如是問須菩
提今諸凡夫人平等諸須陁洹斯陁含阿那含
阿羅漢辟支佛諸菩薩摩訶薩諸佛及聖法
皆平等是一平等无二所謂是凡夫人是須
陁洹乃至佛是一切法等中皆不可得須菩
提白佛言世尊若諸法等中皆不可得是凡
夫人乃至是佛世尊凡夫人須陁洹乃至佛
爲无有分別佛告須菩提如是如是諸法平
等中无有分別是凡夫人是須陁洹乃至是
佛世尊若无分別諸凡夫人須陁洹乃至
佛云何分別有三寶現於世佛寶法寶僧寶
佛言於意云何佛寶法寶僧寶與諸法等
異不須菩提白佛言如我從佛所聞義佛寶
法寶僧寶與諸法等无異世尊是佛寶法寶
僧寶即是平等是法皆不合不散无色无形
无對一相所謂无相佛有是力能分別无相諸
法處所是凡夫人是須陁洹是斯陁含是阿那含
是阿羅漢是辟支佛是菩薩摩訶薩是諸佛
佛告須菩提如是如是諸佛得阿耨多羅三藐
三菩提分別諸法是地獄是餓鬼是畜生是
人是天是四天王乃至是他化自在天是梵天
乃至是非有想非无想天處是四念處乃
至八聖道分是內空乃至是无法有法空
是佛十力乃至是十八不共法不須菩提言
不知也世尊以是故須菩提當知佛有大

BD00700 號　摩訶般若波羅蜜經（兑廢稿）卷二六　（7–4）

至八聖道分是內空乃至是无法有法空
是佛十力乃至是十八不共法不須菩提言
不知也世尊以是故須菩提當知佛有大
恩力於諸法等中不動而分别諸法須菩提
白佛言世尊如佛於諸法等中不動凡夫亦
於諸法平等中亦不動須陁洹乃至辟支佛
亦於諸法平等中亦不動世尊若諸法等相
即是凡夫人相即是須陁洹相乃至諸佛即
是平等相世尊今諸法相各各相所謂色相
異受想行識相異眼相異耳鼻舌身意相
異地相異水火風空識相異欲相異瞋癡相
異邪見相異禪相異无量心相異无色定相異
四念處相異乃至八聖道分相異檀波羅蜜
相異乃至般若波羅蜜異三解脫門想異
十八空相異佛十力相異无所畏相異四无
礙智相異十八不共法相異有為法相異无
為法相異凡夫人相異乃至佛相異諸法各
各相云何菩薩摩訶薩行般若波羅蜜時
諸異相中不作分别若不作不分别不能行
般若波羅蜜若不行般若波羅蜜不能從
一地至一地若不從一地至一地不能入菩薩
位不能入菩薩位故不能過聲聞辟支佛地
不能過聲聞辟支佛地故不能具足神通波
羅蜜不具足神通波羅蜜故不能具足檀

BD00700號　摩訶般若波羅蜜經（兑廢稿）卷二六　（7–5）

般若波羅蜜若不行般若波羅蜜不能從
一地至一地若不從一地至一地不能入菩薩
位不能入菩薩位故不能過聲聞辟支佛地
不能過聲聞辟支佛地故不能具足神通波
羅蜜不具足神通波羅蜜故不能具足檀
波羅蜜乃至不能具足般若波羅蜜從一佛國
至一佛國供養諸佛於諸佛所種善根用是
善根能成就衆生淨佛國土佛告須菩提如
汝所問是諸法相亦是凡夫人亦是須陁洹乃
至佛世尊是諸法各各相所謂色相異乃至
有為无為法相異云何菩薩摩訶薩觀一切
相不作分别須菩提於汝意云何是色相空
不乃至諸佛相空不世尊實空須菩提空中
各各相法可得不所謂色相乃至諸佛相須菩提
言不可得佛言以是因緣故當知諸法平等中
非凡夫人亦不離凡夫人乃至非佛亦不離
佛須菩提白佛言世尊是平等為是有為
法為是无為法佛言非有為法非无為法何
以故離有為法无為法不可得離无為法有
為法不可得須菩提是有為性无為性是二
法不合不散无色无形无對一相所謂无相佛
亦以世諦故說非以第一義何以故第一義
中无身行无口行无意行亦不離身口意
行得第一義是諸有為法无為法平等相即
是第一義菩薩摩訶薩行般若波羅蜜時

BD00700號　摩訶般若波羅蜜經（兑廢稿）卷二六　（7–6）

以故[illegible]
為法不可得須菩提是有為性无為性是二
法不合不散无色无形无對一相所謂无相佛
亦以世諦故說非以第一義何以故第一義
中无身行无口行无意行亦不離身口意
行得第一義是諸有為法无為法平等相即
是第一義菩薩摩訶薩行般若波羅蜜時
第一義中不動而行菩薩事饒益衆生
摩訶般若波羅蜜經化品第七十六
須菩提白佛言世尊若諸法平等无所為作
云何菩薩摩訶薩行般若波羅蜜於平等法
中不動而行菩薩事以布施愛語利益同事
佛告須菩提如是如是如汝所言是諸法平等

BD00700 號　摩訶般若波羅蜜經(兌廢稿)卷二六　(7–7)

衆生心
說諸禪解月
不能勤脩十呈　名令滿之十善道故復
有衆生隨於邪聚或不定聚於无漏法便為
非器欲令曉了正聚法故令衆生成熟善根
而自調伏隨所願求而為說法世尊我今
為如是等諸因緣故向佛聽法欲有所門
尒時一切衆會歎未曾有而作是言如來之
法甚為希有菩提薩埵雖處胎中饒益衆生
法言不廢若善男子善女人有見聞者其誰
不發阿耨多羅三藐三菩提心
尒時此女以佛神力猶如後邊身菩薩從母
右脅忽然化生此女福慧因緣力故令其母
身无諸惱患平服如故其女生已未久之間
地大震動雨衆天華一切樂器不鼓自鳴陸
地生華大如車輪種種莊嚴色香妙好悅可

BD00701 號　轉女身經　(10–1)

右脅忽然化生此女福慧因緣力故令其母
身无諸惱患平服如故其女生已未久之間
地大震動雨衆天華一切樂器不鼓自鳴陸
地生華大如車輪種種莊嚴色香妙好悅可
人心有百千葉黃金為莖白銀為葉馬瑙為
鬚赤真珠臺女在上立身形猶如二三歲兒
顏貌端正甚可愛敬皆從前世善果報生
尒時釋提桓因持天衣瓔珞往詣其所而語
之言善女著此衣服瓔珞莫裸形立女報釋
提桓因言夫為菩薩不以是衣服瓔珞而自
莊嚴所以者何菩薩恒以菩提之心以為衣
服瓔珞而自莊嚴則勝一切世間天人莊嚴
復次憍尸迦菩薩有十種衣服瓔珞而自莊
嚴何等為十所謂不失菩提之心不忘發深
心常以大慈為一切衆生而作救護大悲為
大勤行精進度諸衆生不捨成就一切衆生
常以慚愧莊嚴身口意業一切物施不望其
報持諸戒行頭陀功德終不違犯住忍辱力
能忍難忍以正方便求勝善根其心雖住禪
无量等諸三昧中終不求證非時解脫憍尸
迦是名菩薩十種衣服瓔珞莊嚴於一切時
常不遠離復次憍尸迦菩薩以相好嚴身勝
諸瓔珞而此相好從福慧生何等福慧所謂
種種布施愛重之物能捨與他於諸衆生无
恚恨心常求善行不限布施令他滿足觀一
切衆生皆是福田憍尸迦是名菩薩第一衣

常不遠離復次憍尸迦菩薩以相好嚴身勝
諸瓔珞而此相好從福慧生何等福慧所謂
種種布施愛重之物能捨與他於諸衆生无
恚恨心常求善行不限布施令他滿足觀一
切衆生皆是福田憍尸迦是名菩薩第一衣
服瓔珞莊嚴若菩薩欲證聲聞辟支佛乘不
名莊嚴若住慳心破戒心瞋恚心懈怠心亂
想心惡慧雜諸煩惱卑小之心我不能得阿
耨多羅三藐三菩提驚怖悔恨則非菩薩莊
嚴所以者何遠離菩薩莊嚴法故尒時衆會
聞說菩薩諸莊嚴法有万二千諸天及人先
種善根皆發阿耨多羅三藐三菩提心
尒時世尊告此女言汝可受是釋提桓因衣
服瓔珞女白佛言世尊我不堪受所以者何
共我志同應同衣服瓔珞莊嚴而此帝釋願
求小智所樂卑下猒患生死常懷怖畏欲速
入涅槃恒從他邊聽受法要所有慧明唯獨
照己不及他人如執草束欲渡江河不能為
人作淨福田永離諸佛清淨智眼不能曉了
諸衆生根世尊我今者堅固鎧願求大乘欲
饒益一切集大法船度未度者求自然智轉
于法輪不於他人有所希求以如來智而自莊
嚴亦令一切悉得諸佛清淨智眼世尊我
從彼國來生此間欲見如來釋迦牟尼禮拜
供養聽說法耳彼佛世尊自當與我衣服瓔
珞使我著之尒時衆會諸天人等皆是念
[illegible]

嚴亦令一切悲得諸佛清淨智眼世尊我
從彼國來生此間欲見如來釋迦牟尼礼拜
供養聽說法耳彼佛世尊自當與我衣服瓔
珞使我著之尒時衆會諸天人等皆是念
此女來處世界名何去此近遠爲在何方彼
國如來復名何等今爲現在說法教不
尒時世尊知此衆會心之所念告利弗
東南方去此世界過世六那由他佛土有世
界名淨住佛号无垢稱王如來應等正覺今
現在說法舍利弗此女從淨住世界沒來生
此間欲成就衆生亦欲礼拜供養於我聽說
法教佛說是已未久之間彼无垢稱王如來
發慈念心即以神力遣諸菩薩所著衣服瓔
珞莊嚴來在女前懸虛空中又出聲言善女
淨住世界无垢稱王如來遣此衣服瓔珞與
汝汝可著之當如此間諸菩薩等若著衣服
瓔珞莊嚴即時皆得具五神通汝亦應尒其
女尒時於虛空中取衣服瓔珞即便著之須
臾之間衣服瓔珞出妙光明除如來光其餘梵
釋護世天王日月光明悉不復現其女即時
具五神通下蓮華臺行詣佛所舉足下足
大地即時六種震動到佛前已頭面礼足遶
佛七匝白佛言世尊唯願如來爲諸菩薩摩
訶薩說攝菩提增長之法令諸菩薩於无上
道而不退轉過諸魔行速成阿耨多羅三藐
三菩提

BD00701號　轉女身經　（10–4）

大地即時六種震動到佛前已頭面礼足遶
佛七匝白佛言世尊唯願如來爲諸菩薩摩
訶薩說攝菩提增長之法令諸菩薩於无上
道而不退轉過諸魔行速成阿耨多羅三藐
三菩提
尒時世尊告此女言若菩薩成就四法能攝
菩提亦令增長何等爲四一者淨心二者深
心三者方便四者不捨菩提之心是名爲四
復有四法一者恒欲利益一切衆生二者常
當慈心愍諸衆生三者當以大悲度脫衆生
四者堅固精進具足一切佛法是名爲四復有
四法一者分別諸法多生信心二者遠離
聲聞辟支佛心三者樂觀勝法欲具滿一切
佛法四者勤行精進必成其果是名爲四復
有四法一者離於憍慢二者除自大心三者
敬重尊長四者易可教誨是名爲四復有四
法一者於未來者不生恚恨二者捨一切物
不求其報三者已施不悔四者所有善根盡
迴向菩提是名爲四復有四法一者不破戒
二者不穿戒三者不雜戒四者不濁戒是名
爲四復有四法一者性和能忍二者善護他
意三者自護已身終不犯他四者迴向菩提
是名爲四復有四法一者堅固精進二者明淨
精進三者不怯弱精進四者迴向菩提是名
爲四復有四法一者身能堪能二者心能
堪能三者善能脩集諸禪及救四者恒不忘

BD00701號　轉女身經　（10–5）

二者不穿式三者不離式四者不濁式是名
為四復有四法一者性和能忍二者善護他
意三者自護己身終不犯他四者迴向菩提
是名為四復有四法一者堅固精進二者明淨
精進三者不怯弱精進四者迴向菩提是名
為四復有四法一者身輕堪能二者心輕
堪能三者善能脩集諸禪及枝四者恒不忘
失菩提之心是名為四復有四法一者布施
二者愛語三者利益四者同事是名為四復
有四法一者慈心遍一切處二者大悲无有
猒悔三者喜心深愛敬法四者捨心離於憎
愛是名為四復有四法一者聽法无猒二者
正觀思惟三者隨法能行四者迴向菩提是
名為四復有四法一者知諸行无常二者決
定知陰是苦三者定知諸法而无有我四者
定知涅槃是寂滅法是名為四復有四法一
者得利不喜二者失利不憂三者雖有名譽
其心常等四者雖聞惡名心亦不惱是名為
四復有四法一者他毀不瞋二者稱讚不喜
三者遭苦能忍四者雖樂不逸亦不輕他是
名為四復有四法一者觀因二者知果三者離
二邊見四者覺緣起法是名為四復有四
法一者知內无我二者知外无有眾生三者
俱知內外无有壽命四者畢竟清淨无人是
名為四復有四法一者行空不畏二者觀无
相不沒三者不分別无願四者樂觀諸法无
生是名為四復有四法一者不證苦智二者

BD00701號　轉女身經　（10–6）

法一者知內无我二者知外无有眾生三者
俱知內外无有壽命四者畢竟清淨无人是
名為四復有四法一者行空不畏二者觀无
相不沒三者不分別无願四者樂觀諸法无
生是名為四復有四法一者不證苦智二者
不證集智三者不證滅智四者不證道智是
名為四復有四法一者深觀菩提二者不謗
正法三者身在僧數終不退轉四者於法不
起諍訟是名為四復有四法一者能令貪欲
不起二者亦斷攀緣三者斷貪欲瞋恚愚癡
四者及餘煩惱亦復如是是名為四復有四
法一者於諸眾生心常平等二者等觀眾生
皆是福田三者佛及眾生皆悲平等四者法
及眾生亦悲平等是名為四復有四法一者
不顯己身二者不下他人三者不輕末學四者
於已學者愛敬如師是名為四復有四法一
者遠離无益之言二者恒求閑靜三者樂住
阿蘭若處而无猒足四者勤求阿蘭若諸
功德利是名為四復有四法一者少欲二者
知足三者淨物知量四者樂行頭陀不貪上
妙衣服飲食是名為四復有四法一者知己
二者知他三者知時四者名為四復有四法
一者樂法二者樂義三者樂諦四者樂成就
眾生是名為四復有四法一者內淨能護自
心二者外淨能護眾生三者法淨行善之處
四者知淨能離憍慢名為四復有四法一
者離我所二者去我所三者除諸見四者斷

BD00701號　轉女身經　（10–7）

一者樂法二者樂義三者樂諦四者樂成就
衆生是名爲四復有四法一者内淨能護自
心二者外淨能護衆生三者法淨行善之處
四者知淨能離憒閙名爲四復有四法一
者離我所二者去我所三者除諸見四者斷
愛恚是名爲四復有四法一者善權攝慧二
者慧攝善權三者大悲攝一切施四者精進
攝一切道品之法善女菩薩成就如是四法
能攝菩提亦令增長
尒時世尊說此四法能攝菩提亦令增長之
時會中有三万二千諸天及人皆發阿耨多
羅三藐三菩提心
尒時尊者舍利弗問此女言汝父母爲汝作
字名曰何等時女報言尊者舍利弗一切諸
法本无名字雖隨分別而立名字非是真實
无定主故又尊者舍利弗菩薩摩訶薩隨其
所行而立名字若得淨心名淨心者若遠深
心名深心者若行方便名得方便者若行布
施名善能施者若脩尸羅名淨戒者若住忍
辱名有忍力者若勤精進名著精進鎧者若
住諸禪名常三昧者逮得智慧名大慧者若
住慈悲喜捨名大慈大悲大喜大捨者若住
阿蘭若處名閑居无事者若不捨頭陁名行
清淨功德者若樂集善法名喜求法者略而
言之隨其以何善根發趣大乘而得名字
尒時世尊告舍利弗言當此女者衣服瓔珞

BD00701號　轉女身經　（10–8）

住慈悲喜捨名大慈大悲大喜大捨者若住
阿蘭若處名閑居无事者若不捨頭陁名行
清淨功德者若樂集善法名喜求法者略而
言之隨其以何善根發趣大乘而得名字
尒時世尊告舍利弗言當此女者衣服瓔珞
之時放大光明普照大衆是故此女名无垢
光當憶持之
尒時尊者舍利弗復問无垢光女言汝從淨
住世界无垢稱王佛所以此女身來此間也
无垢光女荅言尊者舍利弗彼佛世界无有
女人舍利弗言汝今何故以此女形來生此
間女即荅言我今不以男形女形亦不以色
受想行識來生此間所以者何尊者舍利弗
於意云何如來所化化人從一佛國至一佛
國爲有男女陰界諸入差別相不舍利弗言
不也所以者何如來所化无有差別女言尊者
者舍利弗如如來所化无有差別一切諸法
皆悉如化若知諸法悉同化相從一佛國至一
佛國不見差別舍利弗言汝於諸法見无
差別云何能成就衆生女荅言尊者舍利弗
若於諸法見差別者是則不能成就衆生若
於諸法不見差別是則必能成就衆生舍利
弗女言汝今爲已成就幾所衆生女荅言
所斷煩惱舍利弗言我所斷
生之性亦无所有舍
煩惱无性

BD00701號　轉女身經　（10–9）

任世界无垢稱王佛所没此女身來此間也
无垢光女荅言尊者舍利弗彼佛世界无有
女人舍利弗言汝今何故以此女形來生此
間女即荅言我今不以男形女形亦不以色
受想行識來生此間所以者何尊者舍利弗
於意云何如來所化化人從一佛國至一佛
國為有男女陰界諸入差別相不舍利弗言
不也所以者何如來所化无有差別女言尊者
者舍利弗如如來所化无有差別一切諸法
皆悉如化若知諸法悉同化相從一佛國至一
佛國不見差別舍利弗言汝於諸法見无
差別云何能成就衆生女荅言尊者舍利弗
若於諸法見差別者是則不能成就衆生若
於諸法不見差別是則必能成就衆生舍利
月女言汝今為已成就幾所衆生女荅言
所斷煩惱舍利弗言我所斷
生之性亦无所有舍
煩惱无性

BD00701 號　轉女身經　（10–10）

窶建陀　摩多也　莎訶
尼攞建佗也　莎訶
阿鉢囉市哆　毗㗚耶也　莎訶
呬摩槃哆　三步多也　莎訶
阿你蜜攞　薄怛囉也　莎訶
南謨薄伽伐都　跋囉甜摩寫　莎訶
南謨薩囉酸（薩伐）底　莫訶提（鉢）鼻裔　莎訶
悉甸覩漫（此云成就我某甲）　曼怛囉陁　莎訶
怛姪他　跋囉甜摩奴末覩莎訶
尒時大辯才天女說洗浴法壇場呪已前礼
佛足白佛言世尊若有苾芻苾芻尼鄔波索
迦鄔波斯迦受持讀誦書寫流布是妙經王
如說行者若在城邑聚落曠野山林僧尼住
處我為是人將諸眷屬作天伎樂來詣其所
而為擁護除諸病苦流星變怪疫病鬥諍王
法所拘惡夢惡神為障礙者蠱道厭術悉皆
除殄饒益是等持經之人苾芻等衆及諸聽
者皆念速渡生死大海不退菩提
尒時世尊聞是說已讚辯才天女言善哉善
哉天女汝能安樂利益無量無邊有情說此
神呪及以香水壇場法式果報難思汝當擁

BD00702 號　金光明最勝王經卷七　（4–1）

法所拘惡夢惡神為障礙者蠱道厭術悉皆
除殄饒益是等持經之人苾芻等衆及諸聽衆
者皆念速渡生死大海不退菩提
尒時世尊聞是說已讚辯才天女言善哉善
哉天女汝能安樂利益無量無邊有情說此
神呪及以香水壇場法式果報難思汝當擁護
最勝經王勿令隱沒常得流通尒時大辯才
天女礼佛足已還復本座
尒時法師授記憍陳如婆羅門承佛威力於
大衆前讚請辯才天女曰
聰明勇進辯才天　人天供養悉應受
名聞世間遍充滿　能與一切衆生願
依高山頂勝住處　葺茅為室在中居
恒結耎草以為衣　在處常翹於一足
諸天大衆皆來集　咸同一心申讚請
唯願智慧辯才天　以妙言詞施一切
尒時辯才天女即便受請為說呪曰
怛姪他慕囇只囇　阿伐帝貞厲阿伐吒伐底丁里下同
馨遏黎名具黎　名具羅伐底
鴦具末唎只三末底　毗三末底惡近入唎
莫近唎怛羅 只　怛囉者伐底
質質哩室里蜜里　末難地 曇 去
末唎 只　八囉拏畢唎裏
盧迦逝瑟跓丑世反　書迦失囇娑恥
盧迦畢唎裏　悉䭾䭾喇帝
毗鞞目企度輕利反　輸只術底唎
阿鉢唎底羯帝　阿鉢喇喝多勤地
南母只南母只　莫訶提鼻

BD00702 號　金光明最勝王經卷七　（4–2）

盧迦逝瑟跓丑世反　書迦失囇娑恥
盧迦畢唎裏　悉䭾䭾喇帝
毗鞞目企度輕利反　輸只術底唎
阿鉢唎底羯帝　阿鉢喇喝多勤地
南母只南母只　莫訶提鼻
鉢喇近底入唎釘火根拏上　南摩塞迦囉
我某甲勤地　達哩奢呬
勤地阿鉢唎底喝多　婆上怛路上跋覩
索誐毗輸姪覩　舍悉囉輸路迦
曷怛囉畢捋迦　迦婢耶地數
怛姪里他　莫訶鉢喇婆鼻
呬里蜜呬里蜜里　毗術喇覩諜勤地
我某甲勤地輸提　薄伽伐點提毗䈰
薩羅酸蘇活反點丁簟引　羯囉曾家滯雞由囇
雞由囉末底　呬里蜜里呬里蜜里
阿婆訶耶須　莫訶提鼻
勤陀薩帝那　達摩薩帝娜
僧伽薩帝娜　因達囉薩帝娜
跋嘍拏薩帝娜　裏盧雞薩底婆地娜
㲼餘薩帝娜　薩底伐者泥娜
阿婆訶耶須　莫訶提鼻
呬里蜜里呬里蜜里　毗術唎觀
我某甲勤地　南謨薄伽伐底丁利觀
莫訶提鼻薩囉酸底　悉甸
曷怛囉鉢陀弥　莎訶
尒時辯才天女說是呪已告婆羅門言善哉

BD00702 號　金光明最勝王經卷七　（4–3）

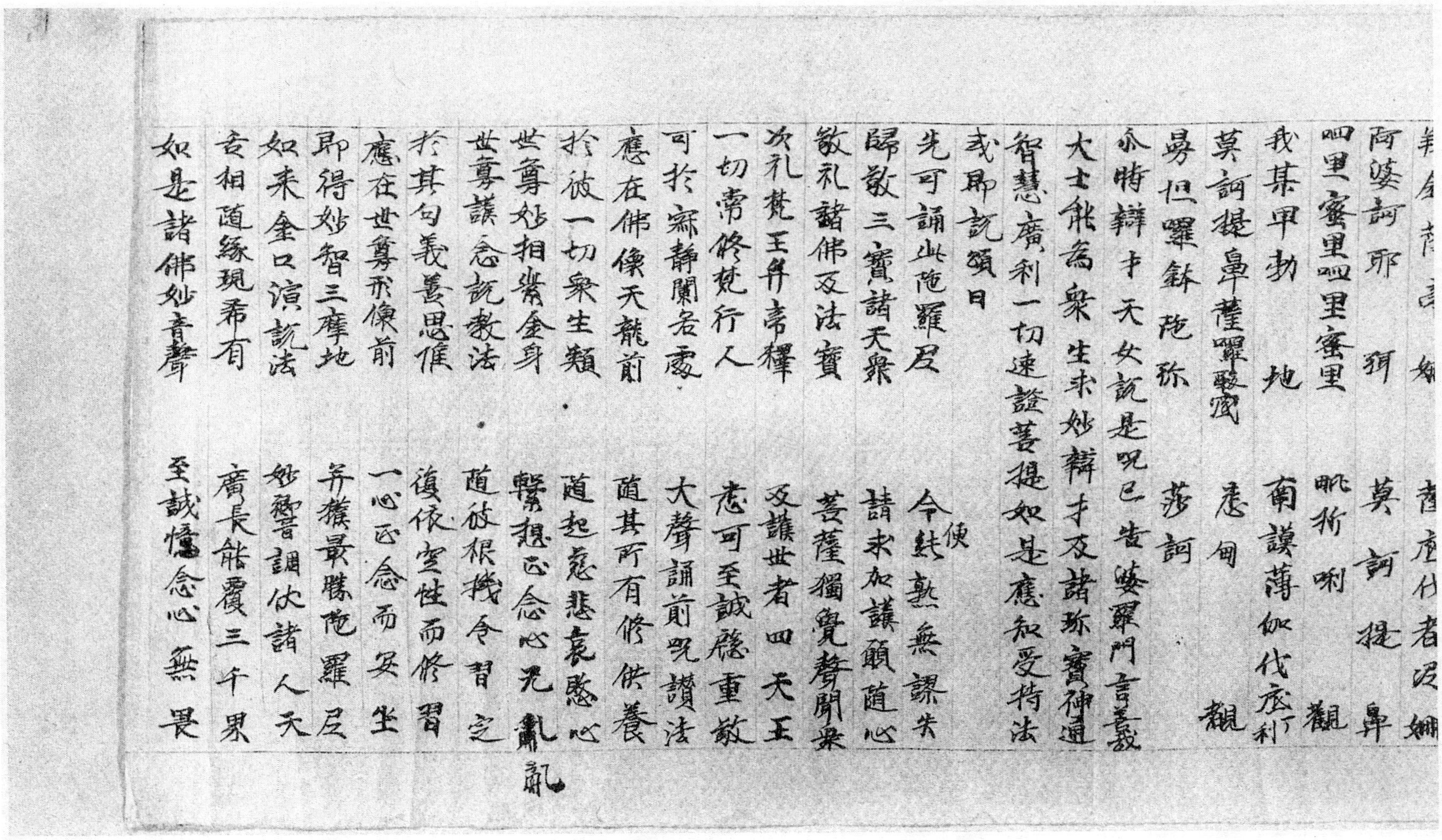

[illegible]盧伐者[illegible]
阿婆訶耶獮　莫訶提鼻
呬里呬里蜜里呬里蜜里　毗折唎　觀
我某甲勅地　南謨薄伽伐底丁利
莫訶提鼻薩囉酸底　悉甸覩
曷但囉鉢陁弥　莎訶
爾時辯才天女說是呪已告婆羅門言善哉
大士能為衆生求妙辯才及諸珎寶神通
智慧廣利一切速證菩提如是應知受持法
式即說頌曰
先可誦此陁羅尼　令使熟無謬失
歸敬三寶諸天衆　請求加護願隨心
敬礼諸佛及法寶　菩薩獨覺聲聞衆
次礼梵王并帝釋　及護世者四天王
一切常修梵行人　悉可至誠慇重敬
可於寂靜蘭若處　大聲誦前呪讚法
應在佛像天龍前　隨其所有修供養
於彼一切衆生類　隨起慈悲哀愍心
世尊妙相紫金身　繫想正念心无亂 亂
世尊讃念說教法　隨彼根機令習定
於其句義善思惟　復依空性而修習
應在世尊形像前　一心正念而安坐
即得妙智三摩地　并獲最勝陁羅尼
如來金口演說法　妙響調伏諸人天
舌相隨緣現希有　廣長能覆三千界
如是諸佛妙音聲　至誠憶念心無畏

BD00702 號　金光明最勝王經卷七　（4–4）

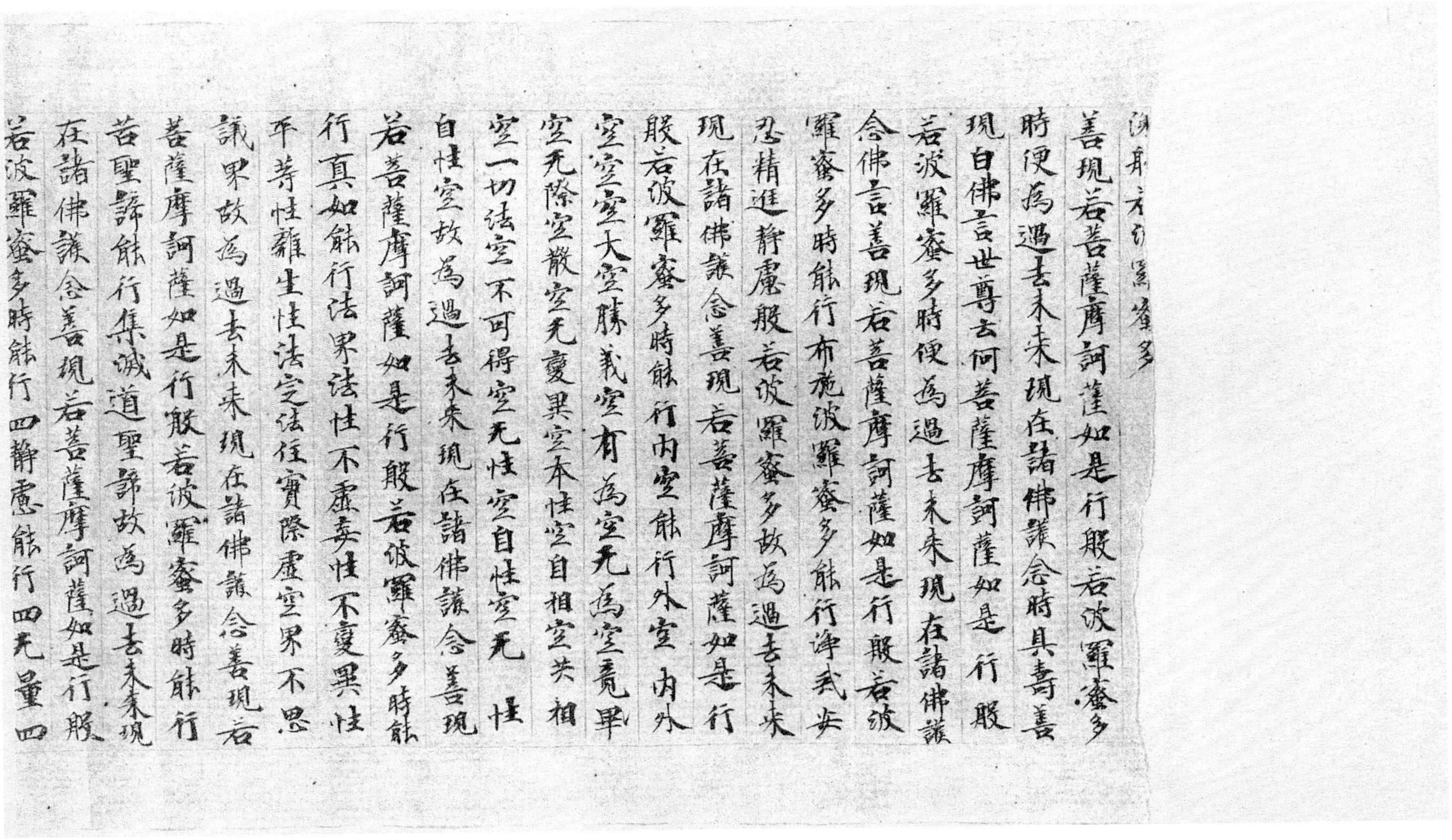

[illegible]般若波羅蜜多
善現若菩薩摩訶薩如是行般若波羅蜜多
時便為過去未來現在諸佛護念時具壽善
現白佛言世尊云何菩薩摩訶薩如是行般
若波羅蜜多時便為過去未來現在諸佛護
念佛言善現若菩薩摩訶薩如是行般若波
羅蜜多時能行布施波羅蜜多能行淨戒安
忍精進靜慮般若波羅蜜多故為過去未來
現在諸佛護念善現若菩薩摩訶薩如是行
般若波羅蜜多時能行內空能行外空內外
空空空大空勝義空有為空无為空畢竟
空无際空散空无變異空本性空自相空共相
空一切法空不可得空无性空自性空无性
自性空故為過去未來現在諸佛護念善現
若菩薩摩訶薩如是行般若波羅蜜多時能
行真如能行法界法性不虛妄性不變異性
平等性離生性法定法住實際虛空界不思
議界故為過去未來現在諸佛護念善現若
菩薩摩訶薩如是行般若波羅蜜多時能行
苦聖諦能行集滅道聖諦故為過去未來現
在諸佛護念善現若菩薩摩訶薩如是行般
若波羅蜜多時能行四靜慮能行四无量四

BD00703 號　大般若波羅蜜多經卷三五六　（4–1）

平等性離生性法定法住實際虛空界不思
議界故為過去未來現在諸佛讚念善現若
菩薩摩訶薩如是行般若波羅蜜多時能行
苦聖諦能行集滅道聖諦故為過去未來現
在諸佛讚念善現若菩薩摩訶薩如是行般
若波羅蜜多時能行四靜慮能行四无量四
无色定故為過去未來現在諸佛讚念善現
若菩薩摩訶薩如是行般若波羅蜜多時能
行八解脫能行八勝處九次第定十遍處故
為過去未來現在諸佛讚念善現若菩薩摩
訶薩如是行般若波羅蜜多時能行四念住
能行四正斷四神足五根五力七等覺支八
聖道支故為過去未來現在諸佛讚念善現
若菩薩摩訶薩如是行般若波羅蜜多時能
行空解脫門能行无相无願解脫門故為過
去未來現在諸佛讚念善現若菩薩摩訶薩
如是行般若波羅蜜多時能行五眼能行六
神通故為過去未來現在諸佛讚念善現若
菩薩摩訶薩如是行般若波羅蜜多時能行
佛十力能行四无所畏四无礙解大慈大悲
大喜大捨十八佛不共法故為過去未來現
在諸佛讚念善現若菩薩摩訶薩如是行般
若波羅蜜多時能行无忘失法能行恒住捨
性故為過去未來現在諸佛讚念善現若菩
薩摩訶薩如是行般若波羅蜜多時能行一
切陀羅尼門能行一切三摩地門故為過去
未來現在諸佛讚念善現若菩薩摩訶薩如

BD00703 號　大般若波羅蜜多經卷三五六　（4–2）

在諸佛讚念善現若菩薩摩訶薩如是行般
若波羅蜜多時能行无忘失法能行恒住捨
性故為過去未來現在諸佛讚念善現若菩
薩摩訶薩如是行般若波羅蜜多時能行一
切陀羅尼門能行一切三摩地門故為過去
未來現在諸佛讚念善現若菩薩摩訶薩如
是行般若波羅蜜多時能行一切智能行道
相智一切相智故為過去未來現在諸佛讚
念具壽善現復白佛言世尊是菩薩摩訶薩
云何行布施波羅蜜多時便為過去未來現
在諸佛讚念云何行淨戒安忍精進靜慮般
若波羅蜜多時便為過去未來現在諸佛讚
念世尊是菩薩摩訶薩云何行內空時便為
過去未來現在諸佛讚念云何行外空內外
空空空大空勝義空有為空无為空畢竟空
无際空散空无變異空本性空自相空共相
空一切法空不可得空无性空自性空无性
自性空時便為過去未來現在諸佛讚念世
尊是菩薩摩訶薩云何行真如時便為過去
未來現在諸佛讚念云何行法界法性不虛
妄性不變異性平等性離生性法定法住實
際虛空界不思議界時便為過去未來現在
諸佛讚念世尊是菩薩摩訶薩云何行苦聖
諦時便為過去未來現在諸佛讚念云何行
集滅道聖諦時便為過去未來現在諸佛讚
念世尊是菩薩摩訶薩云何行四靜慮時便
為過去未來現在諸佛讚念云何行四无量

BD00703 號　大般若波羅蜜多經卷三五六　（4–3）

在諸佛護念云何行淨戒安忍精進靜慮般
若波羅蜜多時便爲過去未來現在諸佛護
念世尊是菩薩摩訶薩云何行內空時便爲
過去未來現在諸佛護念云何行外空內外
空空空大空勝義空有爲空无爲空畢竟空
无際空散空无變異空本性空自相空共相
空一切法空不可得空无性空自性空无性
自性空時便爲過去未來現在諸佛護念世
尊是菩薩摩訶薩云何行真如時便爲過去
未來現在諸佛護念云何行法界法性不虛
妄性不變異性平等性離生性法定法住實
際虛空界不思議界時便爲過去未來現在
諸佛護念世尊是菩薩摩訶薩云何行苦聖
諦時便爲過去未來現在諸佛護念云何行
集滅道聖諦時便爲過去未來現在諸佛護
念世尊是菩薩摩訶薩云何行四靜慮時便
爲過去未來現在諸佛護念云何行四无量
四无色定時便爲過去未來現在諸佛護念
世尊是菩薩摩訶薩云何行八解脫時便爲
過去未來現在諸佛護念云何行八勝處九
次第定十遍處時便爲過去未來現在諸佛

BD00703號　大般若波羅蜜多經卷三五六　（4–4）

洛及人非人等一切世
諸菩薩由如是等方便善
有情乘大乘故復名摩訶薩
舍利子如是爲欲利樂諸有情故乘於大
菩薩摩訶薩普爲十方各如殑伽沙等世界
諸佛世尊於大衆中歡喜讚歎作如是言某
方某世界中有某名菩薩摩訶薩爲欲利樂
諸有情故乘於大乘不久當得一切智智及
天人等轉正法輪其輪世間天人魔梵及閻
等衆皆不能轉如是之轉濟遍十方天人等
衆聞皆歡喜咸作是言如是菩薩不久當得
一切智智轉正法輪利安含識

初分大乘鎧品第十四之一

爾時具壽善現白佛言世尊如說菩薩摩訶
薩擐大乘鎧者云何名爲菩薩摩訶薩擐大
乘鎧佛言善現若菩薩摩訶薩擐布施波羅
蜜多鎧擐淨戒安忍精進靜慮般若波羅蜜
多鎧善現如是名爲菩薩摩訶薩擐大乘鎧

BD00704號　大般若波羅蜜多經卷四九　（14–1）

尒時具壽善現白佛言世尊如說菩薩摩訶
薩擐大乘鎧者云何名為菩薩摩訶薩擐大
乘鎧佛言善現若菩薩摩訶薩擐布施波羅
蜜多鎧擐淨戒安忍精進靜慮般若波羅蜜
多鎧善現如是名為菩薩摩訶薩擐大乘鎧
若菩薩摩訶薩擐四靜慮鎧擐四无量四无
色定鎧善現如是名為菩薩摩訶薩擐大乘
鎧若菩薩摩訶薩擐四念住鎧擐四正斷四
神足五根五力七等覺支八聖道支鎧善現
如是名為菩薩摩訶薩擐大乘鎧若菩薩
摩訶薩擐內空鎧擐外空內外空空空大空
勝義空有為空无為空畢竟空无際空散空
无變異空本性空自相空共相空一切法空不
可得空无性空自性空无性自性空鎧善現
如是名為菩薩摩訶薩擐大乘鎧若菩薩摩
訶薩擐五眼鎧擐六神通鎧善現如是名為
菩薩摩訶薩擐大乘鎧若菩薩摩訶薩擐
佛十力鎧擐四无所畏四无礙解大慈大悲大
喜大捨十八佛不共法一切智道相智一切相
智鎧善現如是名為菩薩摩訶薩擐大乘
鎧若菩薩摩訶薩擐佛身相諸功德鎧善現
如是名為菩薩摩訶薩擐大乘鎧
復次善現若菩薩摩訶薩擐如是等諸功德
鎧放大光明遍照三千大千世界亦令此界
六三變動其中地獄火等皆具及彼有情身
心痛惱皆得除滅菩薩知其既離衆苦便為

BD00704 號　大般若波羅蜜多經卷四九　（14–2）

如是名為菩薩摩訶薩擐大乘鎧
復次善現若菩薩摩訶薩擐如是等諸功德
鎧放大光明遍照三千大千世界亦令此界
六三變動其中地獄火等皆具及彼有情身
心痛惱皆得除滅菩薩知其既離衆苦便為
稱讚三寶功德彼得聞已身心安樂從自趣
沒生天人中即得奉覲諸佛菩薩親承供養
稟正法音其中傍生牙相殘害鞭撻驅逼无
量種苦皆得滅除菩薩知其既離衆苦亦為
稱讚三寶功德彼得聞已身心安樂從自趣
沒生天人中即得奉覲諸佛菩薩親承供養
稟正法音其中鬼界怨怖飢渴身心燋惱无
量種苦皆得除滅菩薩知其既離衆苦亦為
稱讚三寶功德彼得聞已身心安樂從自趣
沒生天人中即得奉覲諸佛菩薩親承供養
稟正法音善現如是名為菩薩摩訶薩擐大
乘鎧若菩薩摩訶薩擐如是等諸功德鎧放
大光明遍照十方各如殑伽沙等諸佛世界
亦令彼界六三變動其中地獄傍生鬼界所
有衆苦皆得除滅菩薩知其既離衆苦亦為
稱讚三寶功德彼得聞已身心安樂從自趣
沒生天人中即得奉覲諸佛菩薩親承供養
稟正法音善現如是名為菩薩摩訶薩擐大
乘鎧善現如巧幻師或彼弟子於四衢道在
大衆前幻作地獄傍生鬼界无量有情各受
衆苦亦復放光變動大地令彼有情衆苦皆
息復為稱讚佛法僧寶令彼聞已身心安樂

BD00704 號　大般若波羅蜜多經卷四九　（14–3）

稟正法音。善現！如是名為菩薩摩訶薩擐大
乘鎧。善現！如巧幻師或彼弟子，於四衢道在
大衆前幻作地獄、傍生、鬼界无量有情各受
衆苦，亦復放光，震動大地，令彼有情衆苦皆
息，復為稱讚佛、法、僧寶，令彼聞已，身心安樂，
從自趣沒，生天人中，承事供養諸佛菩薩，於
諸佛所稟正法音。善現！於汝意云何？如是幻
事為有實不？善現答言：不也，世尊！佛告善現：
菩薩摩訶薩擐如是等諸功德鎧，放大光明，
震動大地，救濟无量世界有情三惡趣苦，令
生天人，見佛聞法，亦復如是，雖有所為而无
一實。何以故？善現！諸法性空，皆如幻故。
復次，善現！若菩薩摩訶薩安住布施波羅蜜
多，普化三千大千世界如吠瑠璃，亦化自身為
轉輪王，七寶眷屬尊從圍繞，其中有情須
食與食，須飲與飲，須衣與衣，須乘與乘，塗
香、末香、燒香、花鬘、房舍、臥具、燈燭、醫藥、金、銀、真
珠、珊瑚、璧玉及餘種種資生之具，隨其所須
一切施與，作是施已，復為宣說六波羅蜜多
相應之法，令彼聞已，乃至證得阿耨多羅三
藐三菩提，於六波羅蜜多相應之法常不捨
離。善現！如是名為菩薩摩訶薩擐大乘鎧。善
現！如巧幻師或彼弟子，於四衢道在大衆前
幻作種種貧窮孤露、根支殘缺、疾病有情，隨
其所須皆幻施與。善現！於汝意云何？如是幻
事為有實不？善現答言：不也，世尊！佛告善現：

BD00704號　大般若波羅蜜多經卷四九　（14–4）

離。善現！如是名為菩薩摩訶薩擐大乘鎧。善
現！如巧幻師或彼弟子，於四衢道在大衆前
幻作種種貧窮孤露、根支殘缺、疾病有情，隨
其所須皆幻施與。善現！於汝意云何？如是幻
事為有實不？善現答言：不也，世尊！佛告善現：
菩薩摩訶薩安住布施波羅蜜多，或化世界
如吠瑠璃，或化自身為輪王等，隨有情類所
須施與，及為宣說六波羅蜜多相應之法，亦
復如是，雖有所為而无一實。何以故？善現！諸
法性空，皆如幻故。
復次，善現！若菩薩摩訶薩自住淨戒波羅蜜
多，為欲利樂諸有情故，生轉輪王家，紹轉輪
王位，安立无量百千俱胝那庾多有情於十
善業道，或復安立无量百千俱胝那庾多有
情於四靜慮、四无量、四无色定，或復安立
无量百千俱胝那庾多有情於四念住、四
正斷、四神足、五根、五力、七等覺支、八聖道支，
或復安立无量百千俱胝那庾多有情於空
解脫門、无相无願解脫門，或復安立无量
百千俱胝那庾多有情於布施波羅蜜多，若
淨戒、安忍、精進、靜慮、般若波羅蜜多，或復安
立无量百千俱胝那庾多有情於五眼、六
神通，或復安立无量百千俱胝那庾多有情
於佛十力、四无所畏、四无礙解、大慈、大悲、
大喜、大捨、十八佛不共法、一切智、道相智、一
切相智，令安住已，乃至證得阿耨多羅三藐

BD00704號　大般若波羅蜜多經卷四九　（14–5）

立無量百千俱胝那庾多有情於五眼若六
神通或復安立無量百千俱胝那庾多有情
於佛十力若四無所畏四無礙解大慈大悲
大喜大捨十八佛不共法一切智道相智一
切相智令安住已乃至證得阿耨多羅三藐
三菩提於如是法常不捨離善現如是名為
菩薩摩訶薩擐大乘鎧善現如巧幻師或彼
弟子於四衢道在大眾前幻作無量有情令
住十善業道或復令住四靜慮乃至一切相
智善現於汝意云何如是幻事為有實不善
現答言不也世尊佛告善現菩薩摩訶薩亦復
有情故生轉輪王家紹轉輪王位安立無量
百千俱胝那庾多有情於十善業道或復安
立無量百千俱胝那庾多有情於四靜慮乃
至一切相智亦復如是雖有所為而無一實
何以故善現諸法性空皆如幻故
復次善現若菩薩摩訶薩自住安忍波羅蜜
多亦勸無量百千俱胝那庾多有情令住安
忍波羅蜜多善現云何菩薩摩訶薩自住安
忍波羅蜜多亦勸無量百千俱胝那庾多有
情令住安忍波羅蜜多善現若菩薩摩訶薩
從初發心乃至證得一切智智擐安忍鎧常
自念言假使一切有情持刀杖塊石來見加
害我終不起一念忿心勸諸有情亦如是忍
善現是菩薩摩訶薩如心所念境觸無遽勸
諸有情住如是忍乃至證得阿耨多羅三藐

BD00704號　大般若波羅蜜多經卷四九　（14–6）

自念言假使一切有情持刀杖塊石來見加
害我終不起一念忿心勸諸有情亦如是忍
善現是菩薩摩訶薩如心所念境觸無遽勸
諸有情住如是忍乃至證得阿耨多羅三藐
三菩提於如是忍常不捨離善現如是名為
菩薩摩訶薩擐大乘鎧善現如巧幻師或彼
弟子於四衢道在大眾前幻作種種諸有情
類各各執持刀杖塊等加害幻師或彼弟子
時幻師等於幻有情都不起心欲為恚報而
勸彼住如是安忍善現於汝意云何如是幻
事為有實不善現答言不也世尊佛告善現
菩薩摩訶薩擐安忍鎧自住安忍波羅蜜多
亦勸無量百千俱胝那庾多有情令住安忍
波羅蜜多常不捨離亦復如是雖有所為而
無一實何以故善現諸法性空皆如幻故
復次善現若菩薩摩訶薩自住精進波羅
蜜多亦勸無量百千俱胝那庾多有情令住精
進波羅蜜多善現云何菩薩摩訶薩自住精
進波羅蜜多亦勸無量百千俱胝那庾多有
情令住精進波羅蜜多善現若菩薩摩訶薩
以應一切智智心身心精進斷諸惡法脩諸善
法亦勸無量百千俱胝那庾多有情脩習如
是身心精進乃至證得阿耨多羅三藐三菩
提於如是精進常不捨離善現如是名為菩
薩摩訶薩擐大乘鎧善現如巧幻師或彼弟
子於四衢道在大眾前幻作種種諸有情

BD00704號　大般若波羅蜜多經卷四九　（14–7）

法亦勸無量百千俱胝那庾多有情修習如
是身心精進乃至證得阿耨多羅三藐三菩
提於如是精進常不捨離善現如是名為菩
薩摩訶薩擐大乘鎧善現如巧幻師或彼弟
子於四衢道在大衆前幻作種種諸有情類
而彼巧幻自現熾然身心精進亦勸所幻令
修如是熾然精進善現於汝意云何如是幻
事為有實不善現答言不也世尊佛告善現
菩薩摩訶薩以應一切智智心身心精進斷
諸惡法修諸善法亦勸有情修習如是身心
精進常不捨離亦復如是雖有所為而無一
實何以故善現諸法性空皆如幻故
復次善現若菩薩摩訶薩自住靜慮波羅蜜
多亦勸無量百千俱胝那庾多有情令住靜
慮波羅蜜多善現云何菩薩摩訶薩自住靜
慮波羅蜜多亦勸無量百千俱胝那庾多有
情令住靜慮波羅蜜多善現若菩薩摩訶薩
於一切法住平等定不見諸法有定有亂而常
修習如是靜慮波羅蜜多亦勸無量百千
俱胝那庾多有情修習如是平等靜慮乃至
證得阿耨多羅三藐三菩提於如是定常不
捨離善現如是名為菩薩摩訶薩擐大乘鎧
善現如巧幻師或彼弟子於四衢道在大衆
前幻作種種諸有情類而彼巧幻自現於法
住平等定亦勸所幻令修如是平等靜慮善
現於汝意云何如是幻事為有實不善現答

捨離善現如[illegible]
善現如巧幻師或彼弟子於四衢道在大衆
前幻作種種諸有情類而彼巧幻自現於法
住平等定亦勸所幻令修如是平等靜慮善
現於汝意云何如是幻事為有實不善現答
言不也世尊佛告善現菩薩摩訶薩於一切
法住平等定亦勸有情修習如是平等靜慮
常不捨離亦復如是雖有所為而無一實何
以故善現諸法性空皆如幻變
復次善現若菩薩摩訶薩自住般若波羅蜜
多亦勸無量百千俱胝那庾多有情令住般
若波羅蜜多善現云何菩薩摩訶薩自住般
若波羅蜜多亦勸無量百千俱胝那庾多有
情令住般若波羅蜜多善現若菩薩摩訶薩
自住無戲論般若波羅蜜多不見諸法有生
有滅有染有淨亦不得此岸彼岸差別亦
勸無量百千俱胝那庾多有情安住如是無戲
論慧乃至證得阿耨多羅三藐三菩提於如
是慧常不捨離善現如是名為菩薩摩訶薩
擐大乘鎧善現如巧幻師或彼弟子於四衢
道在大衆前幻作種種諸有情類而彼巧幻
自現安住無戲論慧亦勸所幻令其修習如
是般若善現於汝意云何如是幻事為有實
不善現答言不也世尊佛告善現菩薩摩訶
薩自住無戲論般若波羅蜜多亦勸有情修
習如是無戲論慧常不捨離亦復如是雖有
所為而無一實何以故善現諸法性空皆如

不善現答言不也世尊佛告善現菩薩摩訶
薩自住无戲論般若波羅蜜多亦勸有情修
習如是无戲論慧常不捨離亦復如是雖有
所為而无一實何以故善現諸法性空皆如
幻故
復次善現若菩薩摩訶薩擐如上說諸功德
鎧普於十方各如殑伽沙等諸佛世界以神
通力自變其身遍滿如是諸佛世界隨諸有
情所樂示現自住布施波羅蜜多勸慳貪者
令住布施自住淨戒波羅蜜多勸犯戒者令
住淨戒自住安忍波羅蜜多勸暴惡者令住
安忍自住精進波羅蜜多勸懈怠者令住精
進自住靜慮波羅蜜多勸亂心者令住靜慮
自住般若波羅蜜多勸愚癡者令住妙慧如
是菩薩摩訶薩安立有情於六波羅蜜多已
復隨其類音為說六波羅蜜多相應之法令
彼聞已乃至證得阿耨多羅三藐三菩提於
六波羅蜜多相應之法常不捨離善現如是
名為菩薩摩訶薩擐大乘鎧善現如巧幻師
或彼弟子於四衢道在大眾前幻作種種諸
有情類而彼巧幻自現安住六住波羅蜜多亦
勸所幻有情令其安住善現於汝意云何如
是幻事為有實不善現答言不也世尊佛告
善現菩薩摩訶薩普於十方各如殑伽沙等
諸佛世界自現其身隨類安住六波羅蜜多
亦勸有情令其安住乃至證得无上菩提常
不捨離亦復如是雖有所為而无一實何以

BD00704號　大般若波羅蜜多經卷四九　（14–10）

是幻事為有實不善現答言不也世尊佛告
善現菩薩摩訶薩普於十方各如殑伽沙等
諸佛世界自現其身隨類安住六波羅蜜多
亦勸有情令其安住乃至證得无上菩提常
不捨離亦復如是雖有所為而无一實何以
故善現諸法性空皆如幻故
復次善現若菩薩摩訶薩擐如上說諸功德
鎧以應一切智智心大悲為上首用无所得
而為方便利益安樂一切有情不離聲聞獨
覺作意謂不作是念我當安立尒所有情於
布施波羅蜜多尒所有情不當安立但作是
念我當安立无量无數无邊有情於布施波
羅蜜多不作是念我當安立尒所有情於淨
戒安忍精進靜慮般若波羅蜜多尒所有情
不當安立但作是念我當安立无量无數无
邊有情於淨戒乃至般若波羅蜜多不作是
念我當安立尒所有情於內空尒所有情不
當安立但作是念我當安立无量无數无邊
有情於內空不作是念我當安立尒所有情
於外空內外空空空大空勝義空有為空无
為空畢竟空无際空散空无變異空本性空
自相空共相空一切法空不可得空无性空
自性空无性自性空尒所有情不當安立但
作是念我當安立无量无數无邊有情於外
空乃至无性自性空不作是念我當安立尒
所有情於四靜慮尒所有情不當安立但作

BD00704號　大般若波羅蜜多經卷四九　（14–11）

自性空无性自性空尒所有情不當安立但
住是念我當安立无量无數无邊有情於外
空乃至无性自性空不住是念我當安立尒
所有情於四靜慮尒所有情不當安立但住
是念我當安立无量无數无邊有情於四靜
慮不住是念我當安立尒所有情於四无量
四无色定尒所有情不當安立但住是念我
當安立无量无數无邊有情於四无量四无
色定不住是念我當安立尒所有情於四念
住尒所有情不當安立但住是念我當安立
无量无數无邊有情於四念住不住是念我
當安立尒所有情於四正斷四神足五根五
力七等覺支八聖道支尒所有情不當安立
但住是念我當安立无量无數无邊有情於
四正斷乃至八聖道支不住是念我當安立
尒所有情於空解脫門尒所有情不當安立
但住是念我當安立无量无數无邊有情於
空解脫門不住是念我當安立尒所有情於无
相无願解脫門尒所有情不當安立但住
是念我當安立无量无數无邊有情於无相
无願解脫門不住是念我當安立尒所有情
於五眼尒所有情不當安立但住是念我當
安立无量无數无邊有情於五眼不住是念
我當安立尒所有情於六神通尒所有情不
當安立但住是念我當安立无量无數无邊
有情於六神通不住是念我當安立尒所有

BD00704 號　大般若波羅蜜多經卷四九　（14–12）

无願解脫門不住是念我當安立尒所有情
於五眼尒所有情不當安立但住是念我當
安立无量无數无邊有情於五眼不住是念
我當安立尒所有情於六神通尒所有情不
當安立但住是念我當安立无量无數无邊
有情於六神通不住是念我當安立尒所有
情於佛十力尒所有情不當安立但住是念
我當安立无量无數无邊有情於佛十力不
住是念我當安立尒所有情於四无所畏四
无礙解大慈大悲大喜大捨十八佛不共法
一切智道相智一切相智尒所有情不當安
立但住是念我當安立无量无數无邊有情
於四无所畏乃至一切相智不住是念我當
安立尒所有情於預流果尒所有情不當安
立但住是念我當安立无量无數无邊有情
於預流果不住是念我當安立尒所有情於
一來不還阿羅漢果獨覺菩提尒所有情不
當安立但住是念我當安立无量无數无邊
有情於一來不還阿羅漢果獨覺菩提不住
是念我當安立尒所有情於菩薩道无上菩
提尒所有情不當安立但住是念我當安立
无量无數无邊有情於菩薩道无上菩提善
現如是名為菩薩摩訶薩擐大乘鎧善現如
巧幻師或彼弟子於四衢道在大衆前幻作
无量无邊有情安立於六波羅蜜多乃至安立
於无上菩提善現於汝意云何如是幻事

BD00704 號　大般若波羅蜜多經卷四九　（14–13）

一來不還阿羅漢果獨覺菩提尒所有情不
當安立但住是念我當安立无量无數无邊
有情於一來不還阿羅漢果獨覺菩提不住
是念我當安立尒所有情於菩薩道无上菩
提尒所有情不當安立但住是念我當安立
无量无數无邊有情於菩薩道无上菩提善
現如是名為菩薩摩訶薩擐大乘鎧善現如
巧幻師或彼弟子於四衢道在大衆前幻住
无量无邊有情安立於六波羅蜜多乃至安立
於无上菩提善現於汝意云何如是幻事
為有實不善現荅言不也世尊佛告善現菩
薩摩訶薩以應一切智智心大悲為上首用
无所得而為方便安立无量无數无邊有情
於六波羅蜜多乃至安立无量无數无邊有
情於无上菩提亦復如是雖有所為而无一
實何以故善現諸法性空皆如幻故

大般若波羅蜜多經卷第卌九

BD00704號　大般若波羅蜜多經卷四九　（14–14）

四分戒本

稽首礼諸佛　及法比丘僧　今演毗尼法　令正法久住
戒如海无涯　如寶求无猒　欲護聖法財　衆集聽我說
欲除四弃法　及滅僧殘法　障三十捨墮　衆集聽我說
毗婆尸式弃　毗舍拘留孫　拘那含牟尼　迦葉釋迦文
諸世尊大德　為我說是事　我今欲善說　諸賢咸共聽
如人毀足　不堪有所涉　毀戒亦如是　不得生天人
欲得生天上　若生人閒者　常當護戒足　勿令有毀損
如御入險道　失轄折軸憂　毀戒亦如是　死時懷恐懼
如人自照鏡　好醜生欣戚　說戒亦如是　全毀生憂喜
如兩陣共戰　勇怯有進退　說戒亦如是　淨穢生安畏
世間王為最　衆流海為最　衆星月為最　衆聖佛為最
一切衆律中　戒經為上最　如來立禁戒　半月半月說
和合僧集會未受大戒者出不來諸比丘說欲及
清淨誰遣比丘尼來請教戒僧今和合何所作為

BD00705號　四分律比丘戒本　（14–1）

閻王為最　衆流海為最　衆星月為最　衆聖佛為最
一切衆律中　戒經為上最　如來立禁戒　半月半月說
和合僧集會未受大戒者出不來諸比丘說欲及
清淨誰遣比丘尼來請教誡僧今和合何所作為
大德僧聽今十五日衆僧說戒若僧時到僧忍聽和合
說戒白如是
諸大德我今欲說波羅提木叉戒汝等諦聽善思念
之若自知有犯者即應自懺悔不犯者嘿然嘿然故
知諸大德清淨若有他問者亦如是荅如是比丘在於
衆中乃至三問憶念有罪不懺悔者得故妄語罪
故妄語者佛說是鄣道法若彼比丘憶念有罪欲求
清淨者應懺悔懺悔得安樂諸大德我已說戒經序
今問諸大德是中清淨不 三稱
諸大德是中清淨嘿然故是事如是持
諸大德是四波羅夷法半月半月說戒經中來若比
丘共比丘同戒若不捨戒戒羸不自悔犯不淨行乃
至共畜生是比丘波羅夷不共住
若比丘若在村落中若閑靜處不与物盜心取隨不与
取法若為王王大臣所捉若煞若縛若駈出國汝是
賊汝癡汝無所知是比丘波羅夷不共住
若比丘故自手斷人命持刀與人歎譽死快勸死咄
男子用此惡活為寧死不生作如是心思惟種種方
便歎譽死快勸死是比丘波羅夷不共住
若比丘實无所知自稱言我得上人法我已入聖智知

取法若為王王大臣所捉若煞若縛若駈出國汝是
賊汝癡汝無所知是比丘波羅夷不共住
若比丘故自手斷人命持刀與人歎譽死快勸死咄
男子用此惡活為寧死不生作如是心思惟種種方
便歎譽死快勸死是比丘波羅夷不共住
若比丘實无所知自稱言我得上人法我已入聖智知
勝法我知是我見是彼於異時若問若不問欲自
清淨故作是說我實不知不見言知言見虛誑妄
語除增上慢是比丘波羅夷不共住
諸大德我已說四波羅夷法若比丘犯一一波羅夷
法不得與諸比丘共住如前後亦如是是比丘得波
羅夷罪不應共住今問諸大德是中清淨不 三稱
諸大德是中清淨嘿然故是事如是持
諸大德是十三僧伽婆尸沙法半月半月說戒經
中來
若比丘故弄陰失精除夢中僧伽婆尸沙
若比丘婬欲意與女人身相觸若捉手若捉髮
若單一一身分者僧伽婆尸沙
若比丘婬欲意與女人麁惡婬欲語隨麁惡婬欲
語僧伽婆尸沙
若比丘婬欲意於女人前自歎身言大妹我脩梵
行持戒精進脩善法可持是婬欲法供養我如
是供養第一最僧伽婆尸沙
若比丘往來彼此媒嫁持男意語女持女意語
男若為成婦事若為私通事乃至須臾頃僧伽

行持戒精進脩善法可持是婬欲法供養我如
是供養第一最僧伽婆尸沙
若比丘往來彼此媒嫁持男意語女持女意語
男若為成婦事若為私通事乃至須臾頃僧伽
婆尸沙
若比丘自求作屋無主自為已當應量作是中量
者長十二佛𢺞手內廣七𢺞手當將餘比丘指
授處所彼比丘當指示處所无難處无妨處
若比丘有難處妨處自求作屋无主自為已不將
餘比丘指示處所若過量作者僧伽婆尸沙
若比丘欲作大房有主為已作當將餘比丘往指
授處所彼比丘應指授處所无難處无妨處若
比丘有難處妨處作大房有主為已作不將餘
比丘指授處所者僧伽婆尸沙
若比丘瞋恚所覆故非波羅夷比丘以无根波羅夷
法謗欲壞彼清淨行彼於異時若問若不問知
此事无根說我嗔恚故若比丘作是語者僧伽
婆尸沙
若比丘以瞋恚故於異分事中取片非波羅夷
比丘以无根波羅夷法謗欲壞彼清淨行彼於
異時若問若不問知是異分事中取片是比丘
自言我瞋恚故作是語若比丘作是語者僧伽婆
尸沙
若比丘欲壞和合僧方便受壞和合僧法堅持

自言我瞋恚故作是語若比丘作是語者僧伽婆
尸沙
若比丘欲壞和合僧方便受壞和合僧法堅持
不捨彼比丘應諫是比丘言大德莫壞和合僧
莫方便壞和合僧莫受壞僧法堅持捨大德應
與僧和合歡喜不諍同一師學如水乳合於佛
法中有增益安樂住是比丘如是諫時堅持不
捨彼比丘應三諫捨此事故乃至三諫捨者善不
捨者僧伽婆尸沙
若比丘有餘伴黨若一若二若三乃至无數彼比丘
語是比丘言大德莫諫此比丘此比丘是法語比丘
律語比丘此比丘所說我等喜樂此比丘所說我等
忍可彼比丘言大德莫作是說言此比丘是法語比
丘律語比丘此比丘所說我等喜樂此比丘所說
我等忍可然此比丘非法語比丘非律語比丘大
德莫破壞和合僧汝等當樂欲和合僧大德應
與僧和合歡喜不諍同一師學如水乳合於佛
法中有增益安樂住是比丘如是諫時堅持不
捨彼比丘應三諫捨是事故乃至三諫捨者善不
捨者僧伽婆尸沙
若比丘依聚落若城邑住汙他家行惡行汙他
家亦見亦聞行惡行亦見亦聞諸比丘當語是比
丘言大德汙他家行惡行汙他家亦見亦聞行
惡行亦見亦聞大德汝汙他家行惡行今可遠此

捨者僧伽婆尸沙
若比丘依聚落若城邑住汙他家行惡行汙他
家亦見亦聞行亦見亦聞諸比丘當語是比
丘言大德汙他家行惡行汙他家亦見亦聞
惡行亦見亦聞大德汝汙他家行惡行今可遠此
聚落去不須住此是比丘語彼比丘言大德諸比
丘有愛有恚有怖有癡有如是同罪比丘有駈者
有不駈者諸比丘報言大德莫作是語有愛有
恚有怖有癡有如是同罪比丘有駈者有不駈
者而諸比丘不愛不恚不怖不癡大德汙他家行
惡行汙他家亦見亦聞行惡行亦見亦聞是比丘
如是諫時堅持不捨彼比丘應三諫捨此事故乃
至三諫捨者善不捨者僧伽婆尸沙
若比丘惡性不受人語於戒法中諸比丘如法諫已
自身不受諫語言諸大德莫向我說若好若惡
我亦不向諸大德說若好若惡諸大德且止莫諫
我彼比丘諫是比丘言大德莫自身不受諫語大德
自身當受諫語大德如法諫諸比丘諸比丘亦如法
諫諸大德如是佛弟子衆得增益展轉相諫展
轉相教展轉懺悔是比丘如是諫時堅持不捨彼
比丘應三諫捨是事故乃至三諫捨者善不捨者僧
伽婆尸沙
諸大德我已說十三僧伽婆尸沙法九初犯四乃
至三諫若比丘犯一一法知而覆藏應強與波利婆
沙行波利婆沙竟增上與六夜摩那埵行摩那

BD00705號　四分律比丘戒本　（14–6）

比丘應三諫捨是事故乃至三諫捨者善不捨者僧
伽婆尸沙
諸大德我已說十三僧伽婆尸沙法九初犯四乃
至三諫若比丘犯一一法知而覆藏應強與波利婆
沙行波利婆沙竟增上與六夜摩那埵行摩那
埵已餘有出罪法應二十僧中出是比丘罪若少一
人不滿二十衆出是比丘罪不得除諸比
丘亦可呵此是時今問諸大德是中清淨不　三說
諸大德是中清淨嘿然故是事如是持
諸大德是二不定法半月半月說戒經中來若比
丘共女人獨在屏處覆處鄣處可作婬處坐說非
法語有住信優婆私於三法中一一法說若波羅
夷若僧伽婆尸沙若波逸提是坐比丘自言我犯
是罪於三法中應一一治若波羅夷若僧伽婆尸
沙若波逸提如住信優婆私所說應如法治是
比丘是名不定法
若比丘共女人在露現處不可作婬處坐說麁惡
語有住信優婆私於二法中一一法說若僧伽婆尸
沙若波逸提是坐比丘自言我犯是事於二法中
應一一法治若僧伽婆尸沙若波逸提如住信優婆
私所說應如法治是比丘是名不定法
諸大德我已說二不定法今問諸大德是中清　淨
不　三說
諸大德是中清淨嘿然故是事如是持
諸大德是三十尼薩耆波逸提法半月半月戒經
中來

BD00705號　四分律比丘戒本　（14–7）

諸大德我已說二不定法今問諸大德是中清淨
不三說
諸大德是中清淨嘿然故是事如是持
諸大德是三十尼薩耆波逸提法半月半月戒經
中來
若比丘衣已竟迦絺那衣已出畜長衣經十日不淨施
得畜若過十日尼薩耆波逸提
若比丘衣已竟迦絺那衣已出於三衣中離一一衣異
處宿除僧羯磨尼薩耆波逸提
若比丘衣已竟迦絺那衣已出若比丘得非時衣欲
須便受受已疾疾成若足者善若不足者得畜
經一月為滿足故若過畜尼薩耆波逸提
若比丘從非親里比丘尼取衣除貿易尼薩耆波
逸提
若比丘令非親里比丘尼浣故衣若染若打尼薩耆
波逸提
若比丘從非親里居士若居士婦乞衣除餘時尼薩
耆波逸提餘時者若比丘奪衣失衣燒衣漂衣是
謂餘時
若比丘失衣奪衣燒衣漂衣若非親里居士居士
婦自恣請多與衣是比丘當知足受衣若過受者
尼薩耆波逸提
若比丘居士居士婦為比丘辦衣價買如是衣與
某甲比丘是比丘先不受自恣請到居士家作如是
說善哉居士為我買如是如是衣與我為好故若

尼薩耆波逸提
若比丘居士居士婦為比丘辦衣價買如是衣與
某甲比丘是比丘先不受自恣請到居士家作如是
說善哉居士為我買如是如是衣與我為好故若
得衣者尼薩耆波逸提
若比丘二居士居士婦與比丘辦衣價持如是衣價買
如是衣與某甲比丘是比丘先不受自恣請到二居
士家作如是言善哉居士辦如是如是衣價與我
共作一衣為好故若得衣者尼薩耆波逸提
若比丘若王若大臣若婆羅門若居士居士婦遣使
為比丘送衣價持如是衣價與某甲比丘彼使人
至比丘所語比丘言大德今為汝故送是衣價受取
是比丘應語彼使如是言我不應受此衣價我若
須衣合時清淨當受彼使語比丘言大德有執事
人不須衣比丘應語言有若僧伽藍民若優婆塞
此是比丘執事人常為諸比丘執事時彼使往至執
事人所與衣價已還至比丘所作如是言大德所示某
甲執事人我已與衣價大德知時往彼當得衣須衣
比丘當往執事人所若二反三反為作憶念應語言
我須衣若二反三反為作憶念若得衣者善若不得
衣應四反五反六反在前嘿然立若四反五反六反在
前嘿然住得衣者善若不得衣過是求得衣者尼薩
耆波逸提若不得衣從所得衣價處若自往若
遣使往語言汝先遣使持衣價與某甲比丘是比丘
竟不得衣汝還取莫使失此是時若比丘雜野蠶綿

衣應四反五反六反在前嘿然立若四反五反六反在前嘿然住得衣者善若不得衣過是求得衣者尼薩耆波逸提若不得衣從所得衣價處若自往若遣使往語言汝先遣使持衣價與某甲比丘是比丘竟不得衣汝還取莫使失此是時

若比丘雜野蠶綿作新卧具者尼薩耆波逸提

若比丘以新純黑羺羊毛作新卧具者尼薩耆逸波提

若比丘作新卧具應用二分純黑羊毛三分白四分尨若比丘不用二分黑三分白四分尨作新卧具者尼薩耆波逸提

若比丘作新卧具持至滿六年若減六年不捨故更作新者除僧羯磨尼薩耆波逸提

若比丘作新坐具當取故者縱廣一搩手梂新者上用壞色故若作新坐具不取故者縱廣一搩手梂着新者上用壞色故尼薩耆波逸提

若比丘道路行得羊毛若無人持得自持乃至三由旬若无人持自持過三由旬者尼薩耆波逸提

若比丘使非親里比丘尼浣染擘羊毛者尼薩耆波逸提

若比丘自手捉錢若金銀若教人捉若置地受者尼薩耆波逸提

若比丘種種賣買者尼薩耆波逸提

若比丘種種販賣者尼薩耆波逸提 二十

若比丘自手捉錢若金銀若教人捉若置地受者尼薩耆波逸提

若比丘種種賣買者尼薩耆波逸提

若比丘種種販賣者尼薩耆波逸提 二十

若比丘畜長鉢不淨施得齊十日過者尼薩耆波逸提

若比丘畜鉢減五綴不漏更求新鉢為好故尼薩耆波逸提彼比丘應往僧中捨展轉取最下鉢與之令持乃至破應持此是時

若比丘自乞縷線使非親里織師織作衣者尼薩耆波逸提

若比丘居士居士婦使織師為比丘織作衣彼比丘先不受自恣請便往織師所語言此衣為我作與我極好織令廣長堅緻我當少與汝價是比丘與衣價乃至一食直若得衣者尼薩耆波逸提

若比丘先與比丘衣後瞋恚故若自奪若教人奪取還我衣來不與汝若比丘還衣彼取衣者尼薩耆波逸提

若比丘有病畜殘藥蘇油生蘇蜜石蜜齊七日得服若過七日服者尼薩耆波逸提

若比丘春殘一月在當求雨浴衣半月應用浴若比丘過一月前求雨浴衣過半月前用浴尼薩耆波逸提

若比丘十日未滿夏三月諸比丘得急施衣比丘知

若比丘有病畜殘藥酥油生酥蜜石蜜齊七
日得服若過七日服者尼薩耆波逸提
若比丘春殘一月在當求雨浴衣半月應用浴若
比丘過一月前求雨浴衣過半月前用浴尼薩耆
波逸提
若比丘十日未滿夏三月諸比丘得急施衣比丘知
是急施衣當受受已乃至衣時應畜若過畜者
尼薩耆波逸提
若比丘夏三月竟後迦提一月滿在阿蘭若有疑恐
懼處住比丘在如是處住三衣中欲留一一衣置村舍
內諸比丘有因緣離衣宿乃至六夜若過者尼薩
耆波逸提
若比丘知是僧物自求入已者尼薩耆波逸提 三十
諸大德我已說三十尼薩耆波逸提法今問
諸大德是中清淨不如是三說 諸大德是中清淨
默然故是事如是持
諸大德是九十波逸提法半月半月說戒經中來
若比丘知而妄語者波逸提
若比丘種類毀呰語者波逸提
若比丘兩舌語者波逸提
若比丘與婦女同室宿者波逸提
若比丘與未受大戒人共宿過二宿至三宿波
逸提
若比丘與未受大戒人共誦者波逸提

若比丘兩舌語者波逸提
若比丘與婦女同室宿者波逸提
若比丘與未受大戒人共宿過二宿至三宿波
逸提
若比丘與未受大戒人共誦者波逸提
若比丘知他比丘有麤惡罪向未受大戒人說除僧
羯磨波逸提
若比丘向未受大戒人說過人法言我見是我
知是實者波逸提
若比丘與女人說法過五六語除有知男子
波逸提
若比丘自手掘地若教人掘者波逸提 一十
若比丘壞鬼神村者波逸提
若比丘妄作異語惱他者波逸提
若比丘嫌罵知事者波逸提
若比丘取僧繩牀木牀若臥具坐蓐露地敷
若教人敷捨去不自舉不教人舉波逸提
若比丘於僧房舍中敷僧臥具若自敷若
教人敷若坐若臥去時不自舉不教人舉
波逸提
若比丘知先比丘住處後來強於中間敷臥止宿
念言彼若嫌迮者自當避我去作如是因緣非
餘非威儀波逸提

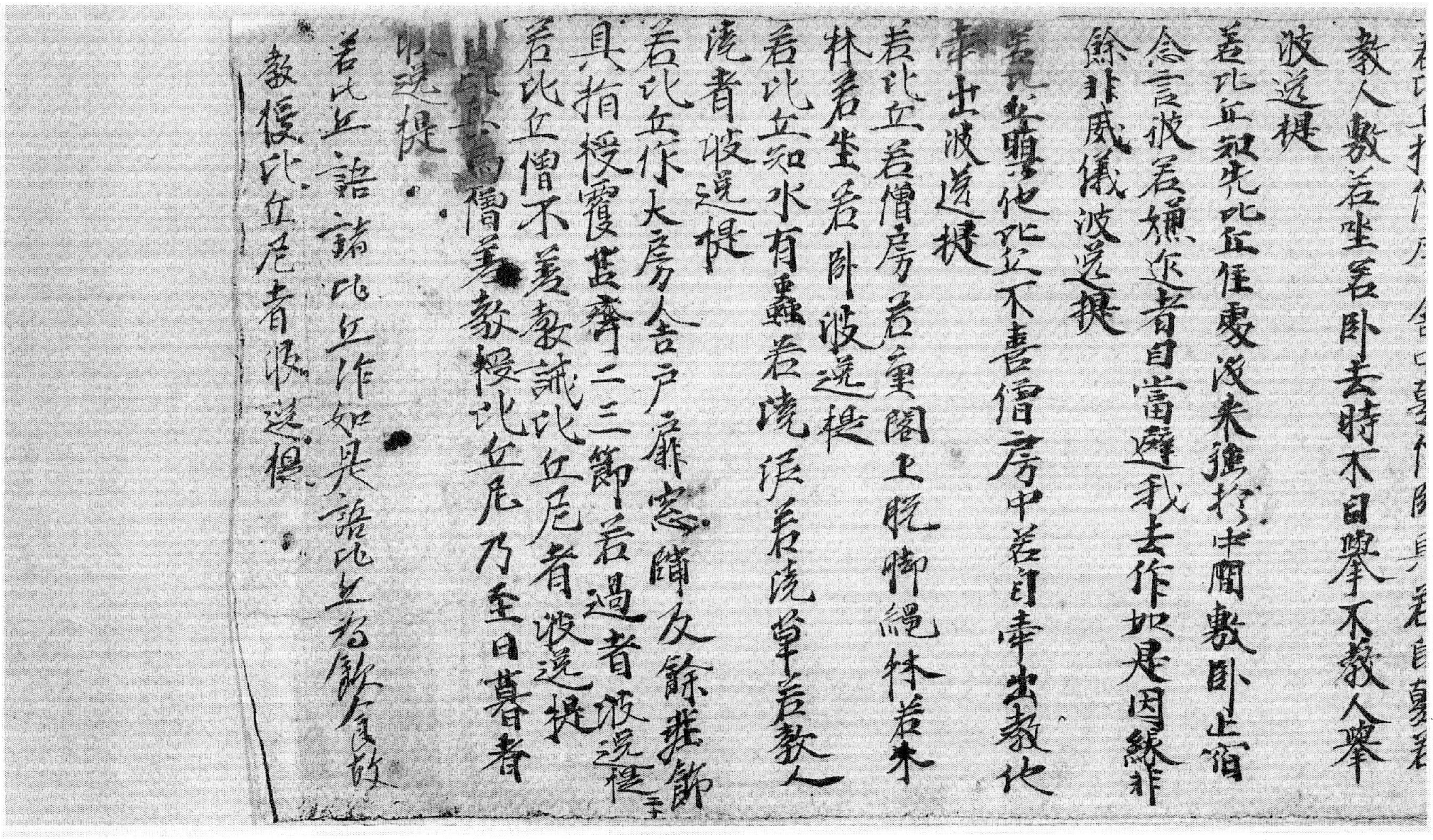

若比丘於僧房中敷僧臥具若自敷若
教人敷若坐若臥去時不自舉不教人舉
波逸提
若比丘知先比丘住處後來強於中間敷臥止宿
念言彼若嫌迮者自當避我去作如是因緣非
餘非威儀波逸提
若比丘瞋他比丘不喜僧房中若自牽出教他
牽出波逸提
若比丘若僧房若重閣上脫腳繩牀若木
牀若坐若臥波逸提
若比丘知水有蟲若澆泥若澆草若教人
澆者波逸提
若比丘作大房舍戶扉窗牖及餘莊飾
具指授覆苫齊二三節若過者波逸提
若比丘僧不差教誡比丘尼者波逸提
若比丘為僧差教授比丘尼乃至日暮者
波逸提
若比丘語諸比丘作如是語比丘為飲食故
教授比丘尼者波逸提

BD00705 號　四分律比丘戒本　（14–14）

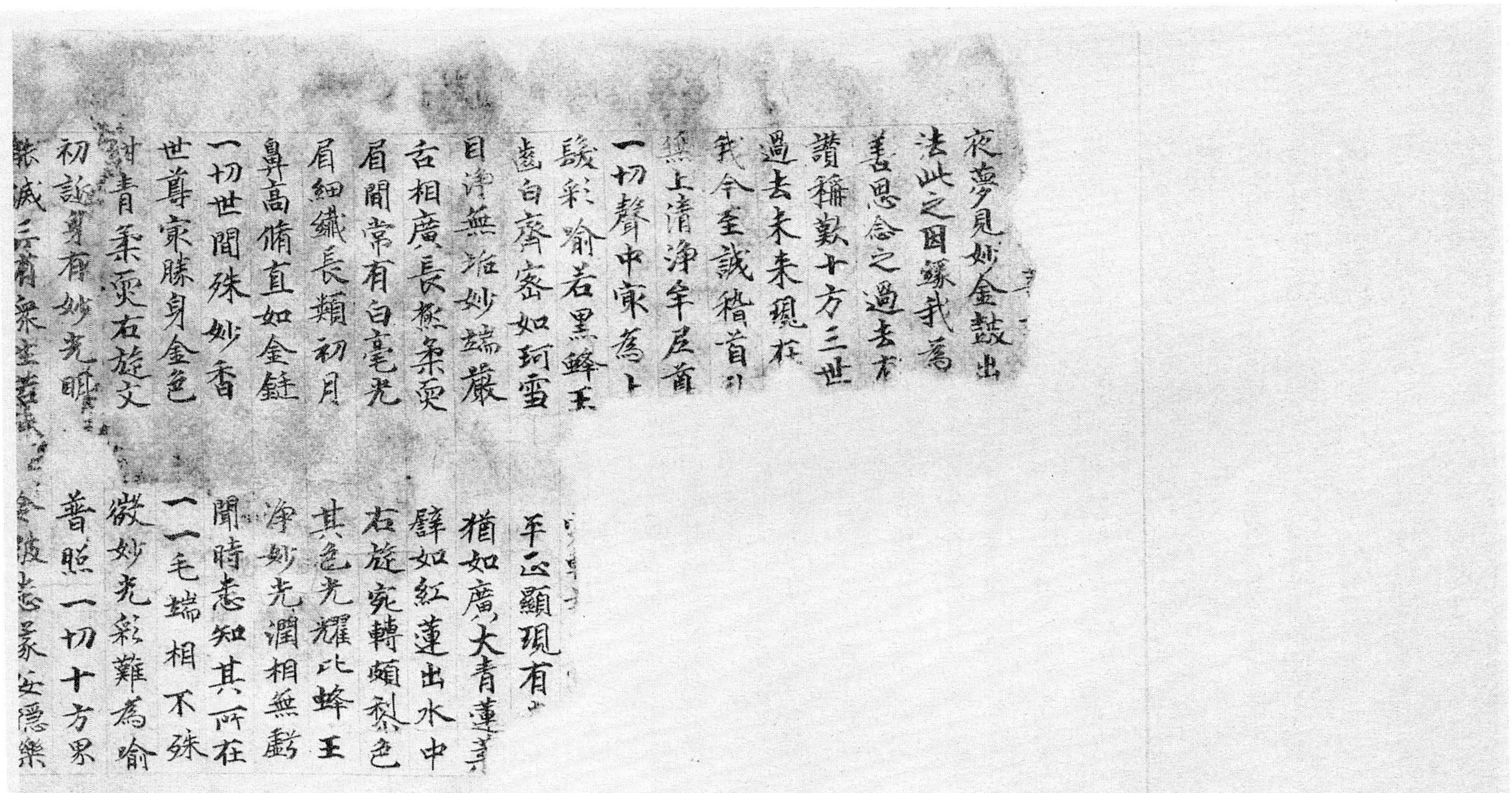

夜夢見妙金鼓出
法此之因緣我為
善思念之過去有
讚稱歎十方三世
過去未來現在
我今至誠稽首禮
無上清淨牟尼尊
一切聲中最為上
髮彩喻若黑蜂王
齒白齊密如珂雪　平正顯現有
目淨無垢妙端嚴　猶如廣大青蓮葉
舌相廣長極柔軟　譬如紅蓮出水中
眉間常有白毫光　右旋宛轉頗梨色
眉細纖長類初月　其色光耀比蜂王
鼻高脩直如金鋌　淨妙光潤相無虧
一切世間殊妙香　聞時悉知其所在
世尊最勝身金色　一一毛端相不殊
紺青柔軟右旋文　微妙光彩難為喻
初誕身有妙光明　普照一切十方界
能滅三有眾生苦　令彼悉蒙安隱樂

BD00706 號　金光明最勝王經卷五　（18–1）

世尊寶髻身金色　[illegible]
紺青柔軟右旋文　微妙光彩難為喻
初誕有妙光明　普照一切十方界
能滅三有衆生苦　令彼悉蒙安隱樂
地獄傍生餓鬼道　阿蘇羅天及人趣
令彼除滅於衆苦　常受自然安隱樂
身色光明常普照　譬如鎔金妙無比
面貌圓明如滿月　脣色赤好喻頻婆
行步威儀類師子　身光朗耀同初日
臂肘纖長立過膝　狀等垂下娑羅枝
圓光一尋照無邊　赫弈猶如百千日
悲能遍至諸佛剎　隨緣所在覺群迷
淨光明網無倫比　流輝遍滿百千界
普照十方無障礙　一切冥闇悉皆除
善逝慈光能與樂　妙色映徹等金山
流光悉至百千土　衆生遇者皆出離
佛身成就無量福　一切功德共莊嚴
超過三界獨稱尊　世間殊勝無與等
所有過去一切佛　數同大地諸微塵
未來現在十方尊　亦如大地微塵衆
我以至誠身語意　稽首歸依三世佛
讚歎無邊功德海　種種香花皆供養
設我口中有千舌　經無量劫讚如來
世尊功德不思議　最勝甚深難可說
假令我舌有百千　讚歎一佛一功德
於中少分尚難知　況諸佛德無邊際
假使大地及諸天　乃至有頂為海水
可以毛端滴知數　佛一功德甚難量
我以至誠身語意　礼讚諸佛德無邊
[illegible]

BD00706 號　金光明最勝王經卷五　（18–2）

於中少分尚難知　況諸佛德無邊際
假使大地及諸天　乃至有頂為海水
可以毛端滴知數　佛一功德甚難量
我以至誠身語意　礼讚諸佛德無邊
所有勝福果難思　迴施衆生速成佛
彼王讚歎如來已　倍復深心發弘願
願我當於未來世　生在無量無數劫
夢中常見大金鼓　得聞顯說懺悔音
讚佛功德喻蓮花　願證無生成正覺
諸佛出世時一現　於百千劫甚難逢
夜夢常聞妙鼓音　晝則隨應而懺悔
我當圓滿修六度　拔濟衆生出苦海
然後得成無上覺　佛土清淨不思議
以妙金鼓奉如來　并讚諸佛實功德
因斯當見釋迦佛　記我當紹人中尊
金龍金光是我子　過去曾為善知識
世世願生於我家　共受無上菩提記
若有衆生無救護　長夜輪迴受衆苦
我於來世作歸依　令彼常得安隱樂
三有衆苦願除滅　悉得隨心安樂處
於未來世修菩提　皆如過去成佛者
願此金光懺悔福　永竭苦海罪消除
業障煩惱悉皆亡　令我速招清淨果
福智大海量無邊　清淨離垢深無底
願我獲斯功德海　速成無上大菩提
以此金光懺悔力　當獲福德淨光明
既得清淨妙光明　常以智光照一切
願我身光等諸佛　福德智慧亦復然
一切世界獨稱尊　威力自在無倫匹
[illegible]

BD00706 號　金光明最勝王經卷五　（18–3）

願我獲斯功德海　速成無上大菩提
以此金光懺悔力　當獲福德淨光明
既得清淨妙光明　常以智光照一切
願我身光等諸佛　福德智慧亦復然
一切世界獨稱尊　威力自在無倫匹
有漏苦海願超越　無爲樂海願常遊
現在福海願恒盈　當來智海願圓滿
願我剎土超三界　殊勝功德量無邊
諸有緣者悉同生　皆得速成清淨智
妙幢汝當知　國王金龍主　曾發如是願　彼即是汝身
往時有二子　金龍及金光　即銀相銀光　當受我所記
大衆聞是說　皆發菩提心　願現在未來　常依此懺悔
金光明最勝王經金勝陀羅尼品第八
尒時世尊復於衆中告善住菩薩摩訶薩善
男子有陀羅尼名曰金勝若有善男子善女
人欲求親見過去未來現在諸佛恭敬供養
者應當受持此陀羅尼何以故此陀羅尼乃
是過現未來諸佛之母是故當知持此陀羅
尼者具大福德已於過去無量佛所殖諸善
本今得受持於戒清淨不毀不缺無有障礙
決定能入甚深法門世尊即爲說持呪法先
稱諸佛及菩薩名至心礼敬然後誦呪
南謨十方一切諸佛　南謨諸大菩薩摩訶薩
南謨聲聞緣覺一切賢聖
南謨釋迦牟尼佛　南謨東方不動佛
南謨南方寶幢佛　南謨西方阿弥陁佛
南謨北方天鼓音王佛　南謨上方廣衆德佛
南謨下方明德佛　南謨寶藏佛
南謨普光佛　南謨普明佛
南謨香積王佛　南謨蓮花勝佛

BD00706號　金光明最勝王經卷五　（18–4）

南謨南方寶幢佛　南謨西方阿弥陁佛
南謨北方天鼓音王佛　南謨上方廣衆德佛
南謨下方明德佛　南謨寶藏佛
南謨普光佛　南謨普明佛
南謨香積王佛　南謨蓮花勝佛
南謨平等見佛　南謨寶髻佛
南謨寶上佛　南謨寶光佛
南謨無垢光明佛　南謨辯才莊嚴思惟佛
南謨淨月光稱相王佛　南謨花嚴光佛
南謨光明王佛　南謨善光無垢稱王佛
南謨觀察無畏自在佛　南謨無畏名稱佛
南謨最勝王佛
南謨觀自在菩薩摩訶薩　南謨地藏菩薩摩訶薩
南謨虛空藏菩薩摩訶薩　南謨妙吉祥菩薩摩訶薩
南謨金剛手菩薩摩訶薩　南謨普賢菩薩摩訶薩
南謨無盡意菩薩摩訶薩　南謨大勢至菩薩摩訶薩
南謨慈氏菩薩摩訶薩　南謨善慧菩薩摩訶薩
陁羅尼曰
南謨曷喇怛娜怛喇夜也　怛姪他
君睇君睇　矩折嚟矩折嚟
壹窒哩蜜窒哩　莎訶
佛告善住菩薩此陀羅尼是三世佛母若
有善男子善女人持此呪者能生無量無邊福
德之聚即是供養恭敬尊重讚歎無數諸
佛如是諸佛皆與此人授阿耨多羅三藐三
菩提記善住若有人能持此呪者隨其所欲
衣食財寶多聞聰慧無病長壽獲福甚多
隨所願求無不遂意善住持是呪者乃至未
證無上菩提常與金城山菩薩慈氏菩薩大

BD00706號　金光明最勝王經卷五　（18–5）

佛如是諸佛皆與此人授阿耨多羅三藐三
菩提記善任若有人能持此呪者隨其所欲
衣食財寶多聞聡慧無病長壽獲福甚多
隨所願求無不遂意善任持是呪者乃至未
證無上菩提常與金城山菩薩慈氏菩薩大
海菩薩觀自在菩薩妙吉祥菩薩大氷伽羅
菩薩等而共居止為諸菩薩之所攝護善任
當知持此呪時作如是法先應誦持滿一万遍
為前方便次於闇室莊嚴道場黑月一日清
淨洗浴著鮮潔衣燒香散花種種供養并
諸飲食入道場中先當稱礼如前所說諸佛
菩薩至心慇重悔先罪已右膝著地可誦前
呪滿一千八遍端坐思惟念其所願日未出時
於道場中食淨黑食日唯一食至十五日方出
道場能令此人福德威力不可思議隨所願
求無不圓滿若不遂意重入道場既稱心已
常持莫忘

金光明最勝王經顯空性品第九

尒時世尊說此呪已為欲利益菩薩摩訶薩
人天大衆令得悟解甚深真實第一義故重
明空性而說頌曰

我已於餘甚深經　廣說真空微妙法
今復於此經王內　略說空法不思議
於諸廣大甚深法　有情無智不能解
故我於斯重敷演　令於空法得開悟
大悲哀愍有情故　以善方便勝因緣
我今於此大衆中　演說令彼明空義
當知此身如空聚　六賊依止不相知
六塵諸賊別依根　各不相知亦如是

故我於斯重敷演　令於空法得開悟
大悲哀愍有情故　以善方便勝因緣
我今於此大衆中　演說令彼明空義
當知此身如空聚　六賊依止不相知
六塵諸賊別依根　各不相知亦如是
眼根常觀於色處　耳根聽聲不斷絕
鼻根恒齅於香境　舌根鎮嘗於美味
身根受於輕耎觸　意根了法不知猒
此等六根隨事起　各於自境生分別
識如幻化非真實　依止根處妄貪求
如人奔走空聚中　六識依根亦如是
心遍馳求隨處轉　託根緣境了諸事
常愛色聲香味觸　於法尋思無暫停
隨緣遍行於六根　如鳥飛空無障礙
藉此諸根作依處　方能了別於外境
此身無知無作者　體不堅固託緣成
皆從虛妄分別生　譬如機關由業轉
地水火風共成身　隨彼因緣招異果
同在一處相違害　如四毒蛇居一篋
此四大蛇性各異　雖居一處有昇沉
或上或下遍於身　斯等終歸於滅法
於此四種毒蛇中　地水二蛇多沉下
風火二蛇性輕舉　由此乖違衆病生
心識依止於此身　造作種種善惡業
當往人天三惡趣　隨其業力受身形
遭諸疾病身死後　大小便利悉盈流
體爛蟲蛆不可樂　棄在屍林如朽木
汝等當觀法如是　云何執有我衆生
一切諸法悉無常　悉從無明緣力起

遭諸疾病身死後　大小便利悉盈流
體爛蟲蛆不可樂　棄在屍林如朽木
汝等當觀法如是　云何執有我衆生
一切諸法盡無常　悉從無明緣力起
彼諸大種咸虛妄　本非實有體無生
故說大種性皆空　知此浮虛非實有
無明自性本是無　藉衆緣力和合有
於一切時失正慧　故我說彼為無明
行識為緣有名色　六處及觸受隨生
愛取有緣生老死　憂悲苦惱恒隨逐
衆苦惡業常纏迫　生死輪迴無息時
本來非有體是空　由不如理生分別
我斷一切諸煩惱　常以正智現前行
了五蘊宅悉皆空　求證菩提真實處
我開甘露大城門　示現甘露微妙器
既得甘露真實味　常以甘露施群生
我擊冣勝大法鼓　我吹冣勝大法螺
我然冣勝大明燈　我降冣勝大法雨
降伏煩惱諸怨結　建立無上大法幢
於生死海濟群迷　我當關閉三惡趣
煩惱熾火燒衆生　無有救護無依止
清涼甘露充足彼　身心熱惱普皆除
由是我於無量劫　恭敬供養諸如來
堅持禁戒趣菩提　求證法身安樂處
施他眼耳及手足　妻子僮僕心無悋
財寶七珍莊嚴具　隨來求者咸供給
忍等諸度皆遍修　十地圓滿成正覺
故我得稱一切智　無有衆生度量者
假使三千大千界　盡此土地生長物

BD00706號　金光明最勝王經卷五　（18–8）

財寶七珍莊嚴具　隨來求者咸供給
忍等諸度皆遍修　十地圓滿成正覺
故我得稱一切智　無有衆生度量者
假使三千大千界　盡此土地生長物
所有叢林諸樹木　稻麻竹葦及枝條
此等諸物皆伐取　並悉細末作微塵
隨處積集量難知　乃至充滿虛空界
一切十方諸剎土　所有三千大千界
地土皆悉末為塵　此微塵量不可數
假使一切衆生智　以此智慧與一人
如是智者量無邊　容可知彼微塵數
牟尼世尊一念智　令彼智人共度量
於多俱胝劫數中　不能算知其少分

時諸大衆聞佛說此甚深空性有無量衆生悉能了達四大五蘊體性俱空六根六境妄生繫縛願捨輪迴正修出離深心慶喜如說奉持

金光明冣勝王經依空滿願品第十

爾時如意寶光耀天女於大衆中聞說深法歡喜踊躍從座而起偏袒右肩右膝著地合掌恭敬白佛言世尊唯願為說於甚深理修行之法而說頌言

我問照世界　兩足冣勝尊　菩薩正行法　唯願慈聽許
佛言善天女　若有疑惑者　隨汝意所問　吾當分別說

是時天女請世尊曰

云何諸菩薩　行菩提正行　離生死涅槃　饒益自他故

佛告善女天依於法界行菩提法修平等行云何依於法界行菩提法修平等行謂於五蘊能現法界法界即是五蘊五蘊不可說非

BD00706號　金光明最勝王經卷五　（18–9）

云何諸菩薩　行菩提正行　離生死涅槃　饒益自他故
佛告善女天依於法界行菩提法修平等行
云何依於法界行菩提法修平等行謂於五
蘊能現法界法界即是五蘊五蘊不可說非
五蘊亦不可說何以故若法界是五蘊即是
斷見若離五蘊即是常見離於二相不著二
邊不可見過所見無名無相是則名為說於
法界善女天云何五蘊能現法界如是五蘊
不從因緣生何以故若從因緣生者為已生
故生為未生故生若已生生者何用因緣若
未生生者不可得生何以故未生諸法即是
非有無名無相非校量譬喻之所能及非是
因緣之所生故善女天譬如鼓聲依木依皮
及桴手等故得出聲如是鼓聲過去亦空
未來亦空現在亦空何以故是鼓音聲不從
木生不從皮生及桴手生不於三世生是則不
生若不可生則不可滅若不可滅無所從來
若無所從來亦無所去若無所去則非常非
斷若非常非斷則不一不異何以故此若是一
則不異法界若如是者凡夫之人應見真諦
得於無上安樂涅槃既不如是故知不一若
言異者一切諸佛菩薩行相即是執著未
得解脫煩惱繫縛即不證阿耨多羅三藐三
菩提何以故一切聖人於行非行同真實性是
故不異故知五蘊非有非無不從因緣生非
無因緣生是聖所知非餘境故亦非　言說
之所能及無名無相無因無緣亦無譬喻始
終寂靜本來自空是故五蘊能現法界善
女天若善男子善女人欲求阿耨多羅三藐三

菩提何以故一切聖人於行非行同真實性是
故不異故知五蘊非有非無不從因緣生非
無因緣生是聖所知非餘境故亦非　言說
之所能及無名無相無因無緣亦無譬喻始
終寂靜本來自空是故五蘊能現法界善
女天若善男子善女人欲求阿耨多羅三藐三
菩提異真異俗難可思量於凡聖境體非一
異不捨於俗不離於真依於法界行菩提行
尒時世尊作是語已時善女天踊躍歡喜即
從座起偏袒右肩右膝著地合掌恭敬一心
頂禮而白佛言世尊如上所說菩提正行我
今當學是時索訶世界主大梵天王於大眾
中問如意寶光耀善女天曰此菩提行難可
修行汝今云何於菩提行而得自在尒時善
女天荅梵王曰大梵王如佛所說實是甚深
一切異生不解其義是聖境界微妙難知若
使我今依於此法得安樂住是實語者願令
一切五濁惡世無量無數無邊眾生皆得金
色卅二相非男非女坐寶蓮花受無量樂雨
天妙花諸天音樂不鼓自鳴一切供養皆悉
具足善女天說是語已一切五濁惡世所有
眾生皆悉金色具大人相非男非女坐寶
蓮花受無量樂猶如他化自在天宮無諸惡
道寶樹行列七寶蓮花遍滿世界又雨七寶
上妙天花作天伎樂如意寶光耀善女天即
轉女身作梵天身時大梵天王問如意寶光耀
菩薩言仁者如何行菩提行荅言梵王若
水中月行菩提行我亦行菩提行若夢中行
菩提行我亦行菩提行若陽燄行菩提行我

上妙天花作天伎樂如意寶光耀善女天即
轉女身作梵天身時大梵王問如意寶光耀
菩薩言仁者如何行菩提行荅言梵王若
水中月行菩提行我亦行菩提行若夢中行
菩提行我亦行菩提行若陽焰行菩提行我
亦行菩提行若谷響行菩提行我亦行菩提
行時大梵王聞此說已白菩薩言仁依何義
說此語荅言梵王無有一法是實相者但由
因緣而得成故梵王言若如是者諸凡夫人
皆悉應得阿耨多羅三藐三菩提荅言以
何意而作是說愚癡人異智慧人異菩提異
非菩提異解脫異非解脫異梵王如是諸法平
等無異於此法界真如不異無有中間而可
執著無增無減梵王譬如幻師及幻弟子
善解幻術於四衢道取諸沙土草木葉等
聚在一處作諸幻術使人覩見象眾馬眾車兵
等眾七寶之聚種種倉庫若有眾生愚癡
無智不能思惟不知幻本若見若聞作是思惟
我所見聞象馬等眾此是實有餘皆虛妄於
後更不審察思惟有智之人則不如是了於
幻本若見若聞作如是念如我所見象馬等
眾非是真實唯有幻事惑人眼目妄謂象
等及諸倉庫有名無實如我見聞不執為實後
時思惟知其虛妄是故智者了一切法皆無
實體但隨世俗如見如聞表宣其事思惟諦
理則不如是復由假說顯實義故梵王愚癡
異生未得出世聖慧之眼未知一切諸法真如
不可說故是諸凡愚若見若聞行非行法
如是思惟便生執著謂以為實於第一義不

實體但隨世俗如見如聞表宣其事思惟諦
理則不如是復由假說顯實義故梵王愚癡
異生未得出世聖慧之眼未知一切諸法真如
不可說故是諸凡愚若見若聞行非行法
如是思惟便生執著謂以為實於第一義不
能了知諸法真如是不可說是諸聖人若見
若聞行非行法隨其力能不生執著以為實
有了知一切無實行法無實非行法但妄思
量行非行相唯有名字無有實體是諸聖人
隨世俗說為欲令他知真實義如是梵王是
諸聖人以聖智見了法真如不可說故行非
行法亦復如是令他證知故說種種世俗名言
時大梵王問如意寶光耀菩薩言有幾眾生
能解如是甚深正法荅言梵王有眾幻人心
心數法能解如是甚深正法梵王曰此幻化
人體是非有此之心數從何而生荅曰若知法
界不有不無如是眾生能解深義
尒時梵王白佛言世尊是如意寶光耀菩薩
不可思議通達如是甚深之義佛言如是如
是梵王如汝所言此如意寶光耀已教汝等發
心修學無生忍法是時大梵天王與諸梵眾
從座而起偏袒右肩合掌恭敬頂礼如意寶
光耀菩薩是作如是言希有希有我等今
日幸遇大士得聞正法
尒時世尊告梵王言是如意寶光耀於未來
世當得作佛号寶焰吉祥藏如來應正遍知
明行圓滿善逝世間解無上士調御丈夫天
人師佛世尊說是品時有三千億菩薩於阿
耨多羅三藐三菩提得不退轉八千億天子
無量無數國王臣民遠塵離垢得法眼淨

尒時世尊告梵王言是如意寶光耀於未来
世當得作佛号寶燄吉祥藏如来應正遍知
明行圓滿善逝世間解無上士調御丈夫天
人師佛世尊說是品時有三千億菩薩於阿
耨多羅三藐三菩提得不退轉八千億天子
無量無數國王臣民遠塵離垢得法眼淨
尒時會中有五十億苾芻行菩薩行欲退菩
提心聞如意寶光耀菩薩說是法時皆得堅
固不可思議滿足上願更復發起菩提之心
各自脫衣供養菩薩重發無上勝進之心作
如是願願令我等功德善根悉皆不退迴向
阿耨多羅三藐三菩提梵王是諸苾芻依此
功德如說修行過九十大劫當得解悟出離
生死尒時世尊即為授記汝諸苾芻過卅阿
僧祇劫當得作佛劫名難勝光王國名無垢
光同時皆得阿耨多羅三藐三菩提皆同一号
名願莊嚴聞飾王十号具足梵王是金光
明微妙經典若正聞持有大威力假使有人
於百千大劫行六波羅蜜無有方便若有善
男子善女人書寫如是金光明經半月半月
專心讀誦是功德聚於前功德百分不及一
乃至筭數譬喻所不能及梵王是故我今令
汝脩學憶念受持為他廣說何以故我於往昔
行菩薩道時猶如勇士入於戰陣不惜身命
流通如是微妙經王受持讀誦為他解說梵
王譬如轉輪聖王若王在世七寶不滅王若命
終所有七寶自然滅盡梵王是金光明微妙
經王若現在世無上法寶悉皆不滅若無是
經隨處隱沒是故應當於此經王專心聽

王譬如轉輪聖王若王在世七寶不滅王若命
終所有七寶自然滅盡梵王是金光明微妙
經王若現在世無上法寶悉皆不滅若無是
經隨處隱沒是故應當於此經王專心聽
聞受持讀誦為他解說勸令書寫行精進
波羅蜜不惜身命不憚疲勞功德中勝我
諸弟子應當如是精勤修學
尒時大梵天王與無量梵眾帝釋四王及諸
藥叉俱從座起偏袒右肩右膝著地合掌恭
敬而白佛言世尊我等皆願守護流通是金
光明微妙經典及說法師若有諸難我當除
遣令具眾善色力充足辯才無礙身意泰
然時會聽者皆受安樂所在國土若有飢饉惡
賊非人為惱害者我等天眾皆為擁護使其
人民安隱豐樂無諸枉橫皆是我等天眾之
力若有供養是經典者我等亦當恭敬供
養如佛不異
尒時佛告大梵天王及諸梵眾乃至四王諸
藥叉等善哉善哉汝等得聞甚深妙法復能
於此微妙經王發心擁護及持經者當獲無
邊殊勝之福速成無上正等菩提時梵王等
聞佛語已歡喜頂受
金光明最勝王經四天王觀察人天品第十一
尒時多聞天王持國天王增長天王廣目天王
俱從座起偏袒右肩右膝著地合掌向佛礼
佛足已白言世尊是金光明最勝王經一切諸
佛常念觀察一切菩薩之所恭敬一切天龍常
所供養及諸天眾常生歡喜一切護世稱揚
讚歎聲聞獨覺皆共受持悉能明照諸

佛是已白言世尊是金光明㝡勝王經一切諸
佛常念觀察一切菩薩之所恭敬一切天龍常
所供養及諸天衆常生歡喜一切護世稱揚
讚歎聲聞獨覺皆共受持悉能明照諸
天宮殿能與一切衆生殊勝安樂止息地
獄餓鬼傍生諸趣苦惱一切怖畏悉能除殄
所有怨敵尋即退散飢饉惡時能令豐稔
疾疫病苦皆令蠲愈一切災變百千苦惱咸
悉消滅世尊是金光明㝡勝王經能爲如是
安隱利樂饒益我等唯願世尊於大衆中廣
爲宣說我等四王并諸眷屬聞此甘露無上
法味氣力充實增益威光精進勇猛神通倍
勝世尊我等四王修行正法常說正法以法化
世我等令彼天龍藥叉揵闥婆阿蘇羅揭路
荼俱槃荼緊那羅莫呼羅伽及諸人王常以
正法而化於世遮去諸惡所有鬼神吸人精
氣無慈悲者悉令遠去世尊我等四王與二
十八部藥叉大將并與無量百千藥叉以淨天
眼過於世人觀察擁護此贍部洲世尊以
此因緣我等諸王名護世者又復於此洲中若
有國王被他怨賊常來侵擾及多飢饉疾疫
流行無量百千災厄之事世尊我等四王於
此金光明㝡勝王經恭敬供養若有苾芻
法師受持讀誦我等四王共往覺悟勸請
其人時彼法師由我神通覺悟力故往彼國
界廣宣流布是金光明微妙經典由經力故
令彼無量百千衰惱災厄之事悉皆除遣世
尊若諸人王於其國內有持是經苾芻法師
至彼國時當知此經亦至其國世尊時彼國王

BD00706號　金光明最勝王經卷五　（18–16）

眼過於世人觀察擁護此贍部洲世尊以
此因緣我等諸王名護世者又復於此洲中若
有國王被他怨賊常來侵擾及多飢饉疾疫
流行無量百千災厄之事世尊我等四王於
此金光明㝡勝王經恭敬供養若有苾芻
法師受持讀誦我等四王共往覺悟勸請
其人時彼法師由我神通覺悟力故往彼國
界廣宣流布是金光明微妙經典由經力故
令彼無量百千衰惱災厄之事悉皆除遣世
尊若諸人王於其國內有持是經苾芻法師
至彼國時當知此經亦至其國世尊時彼國王
應往法師處聽其所說聞已歡喜於彼法師
恭敬供養深心擁護令無憂惱演說此經利
益一切世尊以是緣故我等四王皆共一心護
是人王及國人民令離災患常得安隱世尊
若有苾芻苾芻尼鄔波索迦鄔波斯迦持
是經者時彼人王隨其所須供給供養令無
之少我等四王令彼國主及以國人悉皆安隱
人王於此供養恭敬尊重讚歎我等當令
彼王於諸王中恭敬尊重㝡爲第一諸餘國
王共所稱歎大衆聞已歡喜受持

金光明㝡勝王經卷第五

弈盈益　齅許救　窒丁結　稔任甚

BD00706號　金光明最勝王經卷五　（18–17）

恭敬供養深心擁護令無憂惱演說此經利
益一切世尊以是緣故我等四王皆共一心護
是人王及國人民令離灾患常得安隱世尊
若有苾芻苾芻尼鄔波索迦鄔波斯迦持
是經者時彼人王隨其所須供給供養令無
乏少我等四王令彼國主及以國人悉皆安隱
人王於此供養恭敬尊重讚歎我等當令
彼王於諸王中恭敬尊重最為第一諸餘國
王共所稱歎大衆聞已歡喜受持

金光明最勝王經卷第五

弈盈益 龔許救 窒丁結 稔任甚

BD00706 號　金光明最勝王經卷五　（18–18）

BD00707 號背　金光明最勝王經卷六護首　（1–1）

金光明最勝王經四天王護國品第十二 六

三藏法師義淨奉 制譯

尒時世尊聞四天王恭敬供養金光明 經及
能擁護諸持經者讚言善哉善哉汝等四王
已於過去无量百千万億佛所恭敬供養尊
重讚嘆植諸善根脩行正法常說正法以法
化世汝等長夜於諸衆生常思利益起大慈
心願与安樂以是因緣能令汝等現受勝報
若有人王恭敬供養此金光明最勝經典汝
等應當勤加守護令得安隱汝諸四王及餘
眷屬无量无數百千藥叉護是經者即是護

BD00707 號　金光明最勝王經卷六　（10–1）

若有人王恭敬供養此金光明最勝經典汝
等應當勤加守護令得安隱汝諸四王及餘
眷屬无量无數百千藥叉護是經者即是護
持去來現在諸佛正法汝等四王及餘天衆
并諸藥叉与阿蘇羅共鬪戰時常得勝利汝
等若能護持是經由經力故能除衆苦怨賊
飢饉及諸疾疫是故汝等若見四衆受持讀
誦此經王者亦應勤心共加守護為除衰惱
施与安樂
尒時四天王即從座起偏袒右肩右膝著地合
掌恭敬白佛言世尊此金光明最勝經王於未
來世若有國主城邑聚落山林曠野隨所至
處流布之時若彼國王於此經典至心聽受
稱嘆供養并復供給受持是經四部之衆
深心擁護令離衰惱以是因緣我護彼王
及諸人衆皆令安隱遠離憂苦增益壽命威
德具足世尊若彼國王見於四衆受持經者
恭敬守護猶如父母一切所須悉皆供給我
等四王常為守護令諸有情无不尊敬是故
我等并与无量藥叉諸神隨此經王所流布
處潛身擁護令无留難亦當護念聽是經人
諸國王等除其衰患悉令安隱他方怨賊皆
使退散若有人王聽是經時隣國怨敵興如
是念當具四兵壞彼國土世尊以是經王威
神力故是時隣敵更有異怨而來侵擾於其
境界多諸灾變疫病流行時王見已即嚴四
兵發向彼國欲為討罰我等尒時當與眷屬
无量无邊藥叉諸神各自隱形為作護助令

BD00707 號　金光明最勝王經卷六　（10–2）

是念當具四兵壞彼國土世尊以是經王威
神力故是時鄰敵更有異怨而來侵擾於其
境界多諸災變疫病流行時王見已即嚴四
兵發向彼國欲為討罰我等尒時當與眷屬
无量无邊藥叉諸神各自隱形為作護助令
彼怨敵自然降伏尚不敢來至其國界豈復
得有兵戈相罰
尒時佛告四天王善哉善哉汝等四王乃能
擁護如是經典我於過去百千俱胝那庾多
劫脩諸苦行得阿耨多羅三藐三菩提證一
切智今說是法若有人王受持是經恭敬供
養者為消衰患令其安隱亦復擁護城邑聚
落乃至怨賊悉令退散亦令一切贍部洲內
所有諸王永无衰惱鬪諍之事四王當知此
贍部洲八万四千城邑聚落八万四千諸人
王等各於其國受諸快樂皆得自在所有財
寶豊足受用不相侵奪隨彼宿因而受其報
不起惡念貪求他國咸生少欲利樂之心无
有鬪戰繫縛等苦其土人民自然受樂上下
和穆猶如水乳情相愛重歡喜遊戲慈悲謙
讓增長善根以是因緣此贍部洲安隱豊樂
人民熾盛大地沃壤寒暑調和時不乖序日
月星宿常度无虧風雨隨時離諸災橫資產
財寶皆悉豊盈心无慳鄙常行慧施具十善
業若人命終多生天上增益天衆大王若未
來世有諸人王聽受是經恭敬供養并受持
經四部之衆尊重稱讚復欲安樂饒益汝等
及諸眷屬无量百千諸藥叉衆是故彼王常

BD00707號　金光明最勝王經卷六　（10–3）

月星宿常度无虧風雨隨時離諸災橫資產
財寶皆悉豊盈心无慳鄙常行慧施具十善
業若人命終多生天上增益天衆大王若未
來世有諸人王聽受是經恭敬供養并受持
經四部之衆尊重稱讚復欲安樂饒益汝等
及諸眷屬无量百千諸藥叉衆是故彼王常
當聽受是妙經王由得聞此正法之水甘露
上味增益汝等身心勢力精進勇猛福德威
光悉令充滿是諸人王若能至心聽受是經
則為廣大希有供養供養我釋迦牟尼應
正等覺若供養我則是供養三世諸佛則
得无量不可思議功德之聚以是因緣汝等
應當擁護彼王后妃眷屬令无衰惱及宮宅
神常受安樂功德難思是諸國土所有人民
亦受種種五欲之樂一切惡事皆令消殄
尒時四天王白佛言世尊若未來世若有人
王樂聽如是金光明經為欲擁護自身后妃
王子乃至內宮諸婇女等城邑宮殿皆得第
一不可思議最上歡喜寂靜安樂於現世中
王位尊高自在昌盛常得增長復欲攝受无
量无邊難思福聚於自國土令无怨敵及諸
憂惱災厄事者世尊如是人王不應放逸令
心散亂當生恭敬至誠慇重聽受如是最勝
經王欲聽之時先當莊嚴最上宮室王所愛
重顯敞之處香水灑地散衆名花安置師子
殊勝法座以諸珎寶而為校飾張施種種寶

BD00707號　金光明最勝王經卷六　（10–4）

憂惱災厄事者世尊如是人王不應放逸令
心散亂當生恭敬至誠慇重聽受如是最勝
經王欲聽之時先當莊嚴最上宮室王所愛
重顯敞之處香水灑地散衆名花安置師子
殊勝法座以諸珎寶而為校飾張施種種寶
蓋幢幡燒无價香奏諸音樂其王尒時當淨
澡浴以香塗身著新淨衣及諸瓔珞坐小卑
座不生高舉捨自在位離諸憍慢端心正念
聽是經王於法師所起大師想復於宮內后
妃王子婇女眷屬生慈愍心喜悅相視和顏
耎語於自身心大喜充遍作如是念我今獲
得難思殊勝廣大利益於此經王盛興供養
既敷設已見法師至當起虔敬渴仰之心尒
時佛告四天王不應如是不迎法師時彼人
王應著純淨鮮潔之衣種種瓔珞以為嚴飾
自持白蓋及以香花備整軍儀盛陳音樂步
出城闕迎彼法師運想虔恭為吉祥事四王
以何因緣令彼人王親作如是恭敬供養 由
彼人王舉足下足步步即是恭敬供養承事
尊重百千万億那庾多諸佛世尊復得超越
如是劫數生死之苦復於來世如是數劫當
受輪王殊勝尊位隨其步步亦於現世福德
增長自在為王感應難思衆所欽重當於无
量百千億劫人天受用七寶宮殿所在生處
常得為王增益壽命言詞辯了人天信受无
所畏懼有大名稱咸共瞻仰天上人中受勝
妙樂獲大力勢有大威德身相奇妙端嚴无
比值天人師遇善知識成就具足无量福聚
四王當知彼諸人王見如是等種種无量 功

BD00707 號　金光明最勝王經卷六　（10–5）

量百千億劫人天受用七寶宮殿所在生處
常得為王增益壽命言詞辯了人天信受无
所畏懼有大名稱咸共瞻仰天上人中受勝
妙樂獲大力勢有大威德身相奇妙端嚴无
比值天人師遇善知識成就具足无量福聚
四王當知彼諸人王見如是等種種无量 功
德利益故應自往奉迎法師若一踰繕那乃
至百千踰繕那於說法師應生佛想還至城
已作如是念今日釋迦牟尼如來應正等覺
入我宮中受我供養為我說法我聞法已 即
於阿耨多羅三藐三菩提不復退轉即是值
遇百千万億那庾多諸佛世尊我於今日即
是種種廣大殊勝上妙樂具供養過去未來
現在諸佛我於今日即是永拔琰魔王界地
獄餓鬼傍生之苦便為已種无量百千万億
輪轉聖王釋梵天主善根種子當令无量百
千万億衆生出生死苦得涅槃樂積集无量
无邊不可思議福德之聚後宮眷屬及諸人
民皆蒙安隱國土清泰无諸災厄毒害惡人
他方怨敵不來侵擾遠離憂患四王當知時
彼人王應作如是尊重正法亦於受持是妙
經典苾芻苾芻尼鄔波索迦鄔波斯迦供養
恭敬尊重讚歎所獲善根先以勝福施與汝
等及諸眷屬彼之人王有大福德善業因緣
於現世中得大自在增益威光吉祥妙相皆
悉莊嚴一切怨敵能以正法而摧伏之尒時
四天王白佛言世尊若有人王能作如是恭
敬正法聽此經王并於四衆持經之人恭敬
供養尊重讚歎時彼人王欲為我等生歡
喜故當在一邊近於法座香水灑地散衆

BD00707 號　金光明最勝王經卷六　（10–6）

悉莊嚴一切悉皆能以正法而摧伏之尒時
四天王白佛言世尊若有人王能作如是恭
敬正法聽此經王并於四衆持經之人恭敬
供養尊重讚嘆時彼人王欲為我等生歡
喜故當在一邊近於法座香水灑地散衆
名花安置處所設四王座我與彼王共聽正
法其王所有自利善根亦以福分施及我等
世尊時彼人王請說法者昇座之時便為
我等燒衆名香供養是經世尊時彼香烟於
一念頃上昇虛空即至我等諸天宮殿於虛
空中變成香蓋我等天衆聞彼妙香香有金
光照曜我等所居宮殿乃至梵宮及以帝釋
大辯才天大吉祥天堅牢地神正了知大將二
十八部諸藥叉神大自在天金剛密主寶賢
大將訶利底母五百眷屬无熱惱池龍王大
海龍王所居之處世尊如是等衆於自宮殿
見彼香烟一剎那頃變成香蓋聞香芬馥覩
色光明遍至一切諸天神宮佛告四天王是香
光明非但至此宮殿變成香蓋放大光明由
彼人王手執香爐燒衆名香供養經時其香
烟氣於一念頃遍至三千大千世界百億日
月百億妙高山王百億四洲於此三千大千
世界一切天龍藥叉揵闥婆阿蘇羅揭路荼
緊那羅莫呼洛伽宮殿之所於虛空中充滿
而住種種香烟變成雲蓋其蓋金色普照天
宮如是三千大千世界所有種種香雲香蓋
皆是金光明最勝王經威神之力是諸人王
手持香爐供養經時種種香氣非但遍此三
千大千世界於一念頃遍十方无量无邊
[illegible]

BD00707 號　金光明最勝王經卷六　（10–7）

宮如是三千大千世界所有種種香雲香蓋
皆是金光明最勝王經威神之力是諸人王
手持香爐供養經時種種香氣非但遍此三
千大千世界於一念頃遍十方无量无邊
恒河沙等百千万億諸佛國土於諸佛上虛
空之中變成香蓋金色普照亦復如是時彼
諸佛聞此妙香覩斯雲蓋及以金色於十
方界恒河沙等諸世尊現神變已彼諸世
尊悉共觀察異口同音讚法師曰善哉善哉
汝大丈夫能廣流布如是甚深微妙經典則
為成就无量无邊不可思議福德之聚若有
聽聞如是經者所獲功德其量甚多何況書
寫受持讀誦為他敷演如說修行何以故善
男子若有衆生聞此金光明最勝王經者即
於阿耨多羅三藐三菩提不復退轉
尒時十方有百千俱胝那庾多无量无數恒
河沙等諸佛剎土彼諸剎土一切如來異口
同音於法座上讚彼法師言善哉善哉善男
子汝於來世以精勤力當脩无量百千苦行
具足資粮超諸聖衆出過三界為最勝尊
當坐菩提樹王之下殊勝莊嚴能救三千大千
世界有緣衆生善能摧伏可畏形儀諸魔軍
衆覺了諸法最勝清淨甚深无上正等菩提
善男子汝當坐於金剛之座轉於无上諸佛
所讚十二妙行甚深法輪能擊无上最大法
鼓能吹无上極妙法螺能建无上殊勝法幢
能然无上極明法炬能降无上甘露法雨能
斷无量煩惱怨結能令无量百千万億那庾
多有情度於无涯可畏大海解脫生死无際
[illegible]

BD00707 號　金光明最勝王經卷六　（10–8）

[illegible]
所讚十二妙行甚深法輪能擊无上最大法
鼓能吹无上極妙法螺能建无上殊勝法幢
能然无上極明法炬能降无上甘露法雨能
斷无量煩惱怨結能令无量百千万億那庾
多有情度於无涯可畏大海解脫生死无際
輪迴值遇无量百千万億那庾多佛
尒時四天王復白佛言世尊是金光明最勝
王經能於未來現在成就如是无量功德是
故人王若得聞是微妙經典即是已於百千
万億无量佛所種諸善根於彼人王我當護
念復見无量福德利故我等四王及餘眷屬
无量百千万億諸神於自宮殿見是種種香
烟雲蓋神變之時我當隱蔽不現其身為聽
法故當至是王清淨嚴飾所止宮殿講法之
處如是乃至梵宮帝釋大辯才天大吉祥天
堅牢地神正了知神大將二十八部諸藥叉
神大自在天金剛密主寶賢大將訶利底母
五百眷屬无熱惱池龍王大海龍王无量百
千万億那庾多諸天藥叉如是等眾為聽法
故皆不現身至彼人王殊勝宮殿莊嚴高座
說法之所世尊我等四王及餘眷屬藥叉諸
神皆當一心共彼人王為善知識因是无上
大法施主以甘露味充足於我是故我等當
護是王除其衰患令得安隱及其宮殿城
邑國土諸惡災變悉令消滅尒時四天王俱共
合掌白佛言世尊若有人王於其國土雖有
此經未嘗流布心生捨離不樂聽聞亦不供
養尊重讚歎見四部眾持經之人亦復不能
尊重供養遂令我等及餘眷屬无量諸天

BD00707 號　金光明最勝王經卷六

（10–9）

說法之所世尊我等四王及餘眷屬藥叉諸
神皆當一心共彼人王為善知識因是无上
大法施主以甘露味充足於我是故我等當
護是王除其衰患令得安隱及其宮殿城
邑國土諸惡災變悉令消滅尒時四天王俱共
合掌白佛言世尊若有人王於其國土雖有
此經未嘗流布心生捨離不樂聽聞亦不供
養尊重讚歎見四部眾持經之人亦復不能
尊重供養遂令我等及餘眷屬无量諸天
不得聞此甚深妙法背甘露味失正法流无有
威光及以勢增長惡趣損減人天墜生死河
乖涅槃路世尊我等四王并諸眷屬及藥叉
等見如斯事捨其國土无擁護心非但我等
捨棄是王亦有无量守護國土諸大善神悉
皆捨去既捨離已其國當有種種災禍喪失
國位一切人眾皆无善心唯有繫縛殺害瞋
諍互相讒諂枉及无辜疾疫流行彗星數出
兩日並現薄蝕无恒黑白二虹表不祥相星
流地動井內聲出暴雨惡風不依時節常遭
飢饉　　　　　　　　侵掠國內人
　　　　　　　　　　　　　　我等

BD00707 號　金光明最勝王經卷六

（10–10）

無□
定清淨無二無
智智清淨故無忘失法清淨無忘失法清
故四無色定清淨何以故若一切智智清淨
若無忘失法清淨若四無色定清淨無二無
二分無別無斷故一切智智清淨故恒住捨
性清淨恒住捨性清淨故四無色定清淨何
以故若一切智智清淨若恒住捨性清淨若
四無色定清淨無二無二分無別無斷故善
現一切智智清淨故一切智清淨一切智清
淨故四無色定清淨何以故若一切智智清淨
若一切智智清淨若四無色定清淨無二無
二分無別無斷故一切智智清淨故道相智
一切相智清淨道相智一切相智清淨故四
無色定清淨何以故若一切智智清淨若道
相智一切相智清淨若四無色定清淨無二
無二分無別無斷故善現一切智智清淨故
一切陀羅尼門清淨一切陀羅尼門清淨故
四無色定清淨何以故若一切智智清淨若
一切陀羅尼門清淨若四無色定清淨無二
無二分無別無斷故一切智智清淨故一切
三摩地門清淨一切三摩地門清淨故四
無色定清淨何以故若一切智智清淨若一

BD00708 號　大般若波羅蜜多經卷二六六　（12–1）

一切陀羅尼門清淨若四無色定清淨無二
無二分無別無斷故一切智智清淨故一切
三摩地門清淨一切三摩地門清淨故四
無色定清淨何以故若一切智智清淨若一
切三摩地門清淨若四無色定清淨無二無
二分無別無斷故
善現一切智智清淨故預流果清淨預流果
清淨故四無色定清淨何以故若一切智智
清淨若預流果清淨若四無色定清淨無二
無二分無別無斷故一切智智清淨故一來
不還阿羅漢果清淨一來不還阿羅漢果清
淨故四無色定清淨何以故若一切智智清
淨若一來不還阿羅漢果清淨若四無色定
清淨無二無二分無別無斷故善現一切智
智清淨故獨覺菩提清淨獨覺菩提清淨故
四無色定清淨何以故若一切智智清淨若
獨覺菩提清淨若四無色定清淨無二無二
分無別無斷故善現一切智智清淨故一切
菩薩摩訶薩行清淨一切菩薩摩訶薩行清
淨故四無色定清淨何以故若一切智智清
淨若一切菩薩摩訶薩行清淨若四無色定
清淨無二無二分無別無斷故善現一切智
智清淨故諸佛無上正等菩提清淨諸佛無
上正等菩提清淨故四無色定清淨何以故
若一切智智清淨若諸佛無上正等菩提清
淨若四無色定清淨無二無二分無別無斷
故
復次善現一切智智清淨故色清淨色清淨

BD00708 號　大般若波羅蜜多經卷二六六　（12–2）

若一切智智清淨若諸佛無上正等菩提清
淨若四無色定清淨無二無二分無別無斷
故
復次善現一切智智清淨故色清淨色清淨
故八解脫清淨何以故若一切智智清淨若
色清淨若八解脫清淨無二無二分無別無
斷故一切智智清淨故受想行識清淨受想
行識清淨故八解脫清淨何以故若一切智
智清淨若受想行識清淨若八解脫清淨無
二無二分無別無斷故善現一切智智清淨
故眼處清淨眼處清淨故八解脫清淨何以
故若一切智智清淨若眼處清淨若八解脫
清淨無二無二分無別無斷故一切智智清
淨故耳鼻舌身意處清淨耳鼻舌身意處
清淨故八解脫清淨何以故若一切智智清淨
若耳鼻舌身意處清淨若八解脫清淨無二
無二分無別無斷故善現一切智智清淨故
色處清淨色處清淨故八解脫清淨何以故
若一切智智清淨若色處清淨若八解脫清
淨無二無二分無別無斷故一切智智清淨
故聲香味觸法處清淨聲香味觸法處清
淨故八解脫清淨何以故若一切智智清淨若
聲香味觸法處清淨若八解脫清淨無二無
二分無別無斷故善現一切智智清淨故眼
界清淨眼界清淨故八解脫清淨何以故若
一切智智清淨若眼界清淨若八解脫清淨
無二無二分無別無斷故一切智智清淨故
色界眼識界及眼觸眼觸為緣所生諸受清

BD00708號　大般若波羅蜜多經卷二六六　（12–3）

界清淨眼界清淨故八解脫清淨何以故若
一切智智清淨若眼界清淨若八解脫清淨
無二無二分無別無斷故一切智智清淨故
色界眼識界及眼觸眼觸為緣所生諸受清
淨色界乃至眼觸為緣所生諸受清淨故八
解脫清淨何以故若一切智智清淨若色界
乃至眼觸為緣所生諸受清淨若八解脫清
淨無二無二分無別無斷故善現一切智智
清淨故耳界清淨耳界清淨故八解脫清淨
何以故若一切智智清淨若耳界清淨若八
解脫清淨無二無二分無別無斷故一切智
智清淨故聲界耳識界及耳觸耳觸為緣所
生諸受清淨聲界乃至耳觸為緣所生諸受
清淨故八解脫清淨何以故若一切智智清
淨若聲界乃至耳觸為緣所生諸受清淨若
八解脫清淨無二無二分無別無斷故善現一
切智智清淨故鼻界清淨鼻界清淨故八
解脫清淨何以故若一切智智清淨若鼻界
清淨若八解脫清淨無二無二分無別無斷
故一切智智清淨故香界鼻識界及鼻觸鼻
觸為緣所生諸受清淨香界乃至鼻觸為緣
所生諸受清淨故八解脫清淨何以故若一
切智智清淨若香界乃至鼻觸緣所生諸
受清淨若八解脫清淨無二無二分無別無
斷故善現一切智智清淨故舌界清淨舌界
清淨故八解脫清淨何以故若一切智智清
淨若舌界清淨若八解脫清淨無二無二分
無別無斷故一切智智清淨故味界舌識界

BD00708號　大般若波羅蜜多經卷二六六　（12–4）

斷故善現一切智智清淨故舌界清淨舌界
清淨故八解脫清淨何以故若一切智智清
淨若舌界清淨若八解脫清淨無二無二分
無別無斷故一切智智清淨故味界舌識界
及舌觸舌觸為緣所生諸受清淨味界乃至
舌觸為緣所生諸受清淨故八解脫清淨何
以故若一切智智清淨若味界乃至舌觸為
緣所生諸受清淨若八解脫清淨無二無二
分無別無斷故善現一切智智清淨故身界
清淨身界清淨故八解脫清淨何以故若一
切智智清淨若身界清淨若八解脫清淨
無二無二分無別無斷故一切智智清淨故
觸界身識界及身觸身觸為緣所生諸受清
淨觸界乃至身觸為緣所生諸受清淨故八解
脫清淨何以故若一切智智清淨若觸界乃
至身觸為緣所生諸受清淨若八解脫清淨
無二無二分無別無斷故善現一切智智清
淨故意界清淨意界清淨故八解脫清淨何
以故若一切智智清淨若意界清淨若八解
脫清淨無二無二分無別無斷故一切智智
清淨故法界意識界及意觸意觸為緣所生
諸受清淨法界乃至意觸為緣所生諸受清
淨故八解脫清淨何以故若一切智智清淨
若法界乃至意觸為緣所生諸受清淨若八
解脫清淨無二無二分無別無斷故善現一
切智智清淨故地界清淨地界清淨故八解
脫清淨何以故若一切智智清淨若地界清

BD00708 號　大般若波羅蜜多經卷二六六　（12–5）

若法界乃至意觸為緣所生諸受清淨若八
解脫清淨無二無二分無別無斷故善現一
切智智清淨故地界清淨地界清淨故八解
脫清淨何以故若一切智智清淨若地界清
淨若八解脫清淨無二無二分無別無斷故
一切智智清淨故水火風空識界清淨水火
風空識界清淨故八解脫清淨何以故若一
切智智清淨若水火風空識界清淨若八解
脫清淨無二無二分無別無斷故善現一切
智智清淨故無明清淨無明清淨故八解脫
清淨何以故若一切智智清淨若無明清淨
若八解脫清淨無二無二分無別無斷故一切
智智清淨故行識名色六處觸受愛取有生
老死愁歎苦憂惱清淨行乃至老死愁歎苦
憂惱清淨故八解脫清淨何以故若一切智
智清淨若行乃至老死愁歎苦憂惱清淨若
八解脫清淨無二無二分無別無斷故
善現一切智智清淨故布施波羅蜜多清淨
布施波羅蜜多清淨故八解脫清淨何以故
若一切智智清淨若布施波羅蜜多清淨若
八解脫清淨無二無二分無別無斷故一切
智智清淨故淨戒安忍精進靜慮般若波羅
蜜多清淨淨戒乃至般若波羅蜜多清淨故
八解脫清淨何以故若一切智智清淨若淨
戒乃至般若波羅蜜多清淨若八解脫清淨
無二無二分無別無斷故善現一切智智清
淨故內空清淨內空清淨故八解脫清淨何

BD00708 號　大般若波羅蜜多經卷二六六　（12–6）

八解脱清淨何以故若一切智智清淨若淨
戒乃至般若波羅蜜多清淨若八解脱清淨
無二無二分無別無斷故善現一切智智清
淨故内空清淨内空清淨故八解脱清淨何
以故若一切智智清淨若内空清淨若八解
脱清淨無二無二分無別無斷故一切智智
清淨故外空内外空空空大空勝義空有爲
空無爲空畢竟空無際空散空無變異空本
性空自相空共相空一切法空不可得空無
性空自性空無性自性空清淨外空乃至無
性自性空清淨故八解脱清淨何以故若一
切智智清淨若外空乃至無性自性空清淨
若八解脱清淨無二無二分無別無斷故
善現一切智智清淨故真如清淨真如清淨
故八解脱清淨何以故若一切智智清淨若
真如清淨若八解脱清淨無二無二分無別
無斷故一切智智清淨故法界法性不虚妄
性不變異性平等性離生性法定法住實際
虚空界不思議界清淨法界乃至不思議界
清淨故八解脱清淨何以故若一切智智清
淨若法界乃至不思議界清淨若八解脱清
淨無二無二分無別無斷故善現一切智智
清淨故苦聖諦清淨苦聖諦清淨故八解脱
清淨何以故若一切智智清淨若苦聖諦清
淨若八解脱清淨無二無二分無別無斷故
一切智智清淨故集滅道聖諦清淨集滅道
聖諦清淨故八解脱清淨何以故若一切智
智清淨若集滅道聖諦清淨若八解脱清淨

BD00708 號　大般若波羅蜜多經卷二六六　（12–7）

淨若八解脱清淨無二無二分無別無斷故
一切智智清淨故集滅道聖諦清淨集滅道
聖諦清淨故八解脱清淨何以故若一切智
智清淨若集滅道聖諦清淨若八解脱清淨
無二無二分無別無斷故善現一切智智清
淨故四靜慮清淨四靜慮清淨故八解脱清
淨何以故若一切智智清淨若四靜慮清淨
若八解脱清淨無二無二分無別無斷故一
切智智清淨故四無量四無色定清淨四無
量四無色定清淨故八解脱清淨何以故若
一切智智清淨若四無量四無色定清淨若
八解脱清淨無二無二分無別無斷故善現
一切智智清淨故八勝處清淨八勝處清淨
故八解脱清淨何以故若一切智智清淨若
八勝處清淨若八解脱清淨無二無二分無
別無斷故一切智智清淨故九次第定十遍
處清淨九次第定十遍處清淨故八解脱清
淨何以故若一切智智清淨若九次第定十
遍處清淨若八解脱清淨無二無二分無別
無斷故善現一切智智清淨故四念住清淨
四念住清淨故八解脱清淨何以故若一切
智智清淨若四念住清淨若八解脱清淨無
二無二分無別無斷故一切智智清淨故四正
斷四神足五根五力七等覺支八聖道支清
淨四正斷乃至八聖道支清淨故八解脱
清淨何以故若一切智智清淨若四正斷乃
至八聖道支清清淨八解脱清淨無二無二
分無別無斷故善現一切智智清淨故空解

BD00708 號　大般若波羅蜜多經卷二六六　（12–8）

斷四神足五根五力七等覺支八聖道支清
淨四正斷乃至八聖道支清淨故八解脫
清淨何以故若一切智智清淨若四正斷乃
至八聖道支清淨若八解脫清淨無二無二
分無別無斷故善現一切智智清淨故空解
脫門清淨空解脫門清淨故八解脫清淨何
以故若一切智智清淨若空解脫門清淨若
八解脫清淨無二無二分無別無斷故一切
智智清淨故無相無願解脫門清淨無相無
願解脫門清淨故八解脫清淨何以故若一
切智智清淨若無相無願解脫門清淨若八
解脫清淨無二無二分無別無斷故善現一
切智智清淨故菩薩十地清淨菩薩十地清
淨故八解脫清淨何以故若一切智智清淨
若菩薩十地清淨若八解脫清淨無二無二
分無別無斷故
善現一切智智清淨故五眼清淨五眼清淨
故八解脫清淨何以故若一切智智清淨若
五眼清淨若八解脫清淨無二無二分無別
無斷故善現一切智智清淨故六神通清淨
六神通清淨故八解脫清淨何以故若一切
智智清淨若六神通清淨若八解脫清淨無
二無二分無別無斷故善現一切智智清淨
故佛十力清淨佛十力清淨故八解脫清淨
何以故若一切智智清淨若佛十力清淨若
八解脫清淨無二無二分無別無斷故一切
智智清淨故四無所畏四無礙解大慈大悲

BD00708 號　大般若波羅蜜多經卷二六六　（12–9）

智智清淨若六神通清淨若八解脫清淨無
二無二分無別無斷故善現一切智智清淨
故佛十力清淨佛十力清淨故八解脫清淨
何以故若一切智智清淨若佛十力清淨若
八解脫清淨無二無二分無別無斷故一切
智智清淨故四無所畏四無礙解大慈大悲
大喜大捨十八佛不共法清淨四無所畏乃
至十八佛不共法清淨故八解脫清淨何以
故若一切智智清淨若四無所畏乃至十
八佛不共法清淨若八解脫清淨無二無二
分無別無斷故善現一切智智清淨故無忘
失法清淨無忘失法清淨故八解脫清淨何
以故若一切智智清淨若無忘失法清淨若
八解脫清淨無二無二分無別無斷故一切
智智清淨故恒住捨性清淨恒住捨性清淨
故八解脫清淨何以故若一切智智清淨若
恒住捨性清淨若八解脫清淨無二無二分
無別無斷故善現一切智智清淨故一切智
清淨一切智清淨故八解脫清淨何以故若
一切智智清淨若一切智清淨若八解脫清淨
無二無二分無別無斷故一切智智清淨
故道相智一切相智清淨道相智一切相智
清淨故八解脫清淨何以故若一切智智清淨
若道相智一切相智清淨若八解脫清淨
無二無二分無別無斷故善現一切智智清
淨故一切陀羅尼門清淨一切陀羅尼門清
淨故八解脫清淨何以故若一切智智清淨
若一切陀羅尼門清淨若八解脫清淨無二

BD00708 號　大般若波羅蜜多經卷二六六　（12–10）

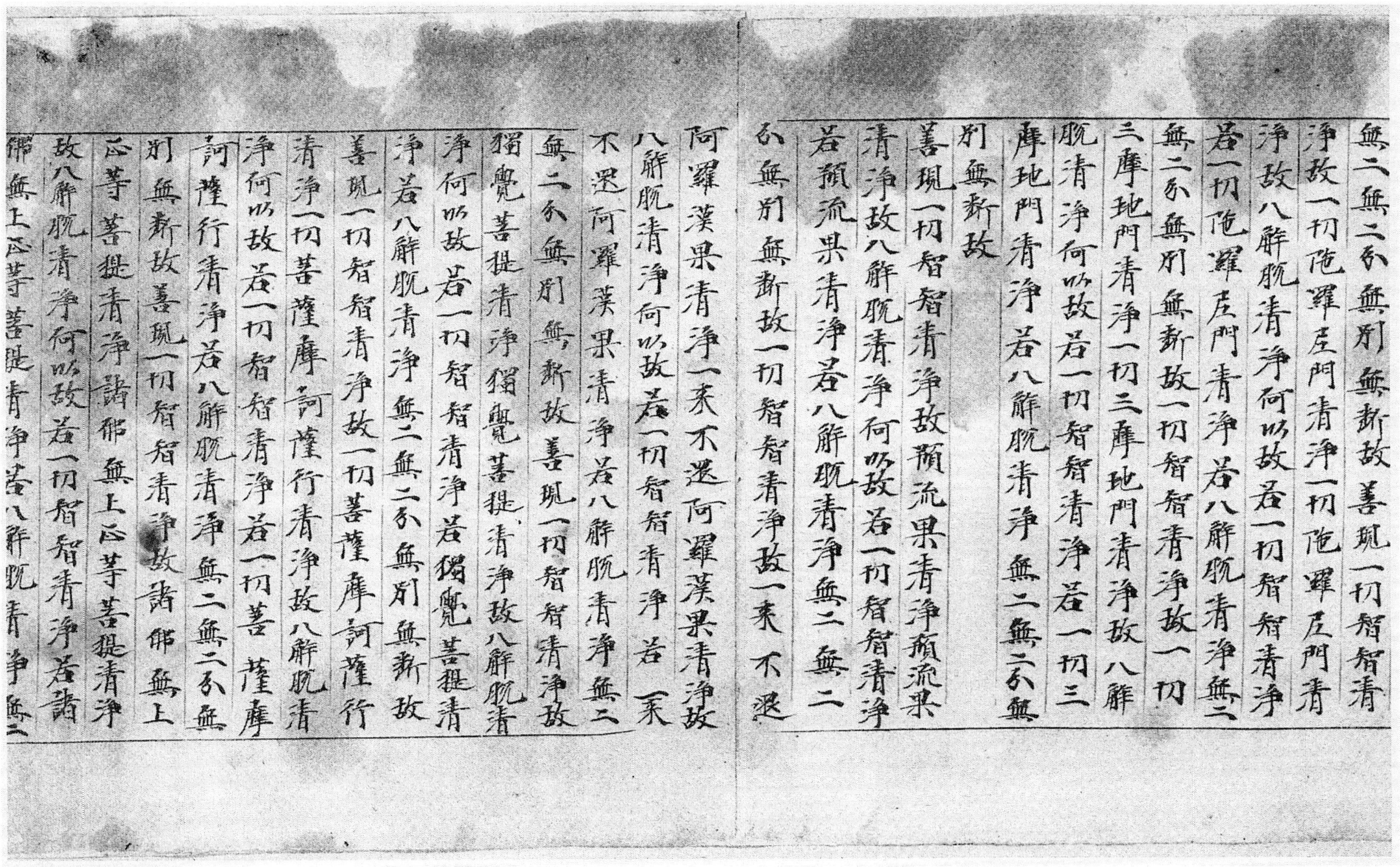
無二無二分無別無斷故善現一切智智清
淨故一切陀羅尼門清淨一切陀羅尼門清
淨故八解脫清淨何以故若一切智智清淨
若一切陀羅尼門清淨若八解脫清淨無二
無二分無別無斷故一切智智清淨故一切
三摩地門清淨一切三摩地門清淨故八解
脫清淨何以故若一切智智清淨若一切三
摩地門清淨若八解脫清淨無二無二分無
別無斷故
善現一切智智清淨故預流果清淨預流果
清淨故八解脫清淨何以故若一切智智清淨
若預流果清淨若八解脫清淨無二無二
分無別無斷故一切智智清淨故一來不還
阿羅漢果清淨一來不還阿羅漢果清淨故
八解脫清淨何以故若一切智智清淨若一來
不還阿羅漢果清淨若八解脫清淨無二
無二分無別無斷故善現一切智智清淨故
獨覺菩提清淨獨覺菩提清淨故八解脫清
淨何以故若一切智智清淨若獨覺菩提清
淨若八解脫清淨無二無二分無別無斷故
善現一切智智清淨故一切菩薩摩訶薩行
清淨一切菩薩摩訶薩行清淨故八解脫清
淨何以故若一切智智清淨若一切菩薩摩
訶薩行清淨若八解脫清淨無二無二分無
別無斷故善現一切智智清淨故諸佛無上
正等菩提清淨諸佛無上正等菩提清淨
故八解脫清淨何以故若一切智智清淨若諸
佛無上正等菩提清淨若八解脫清淨無二

BD00708 號　大般若波羅蜜多經卷二六六　（12–11）

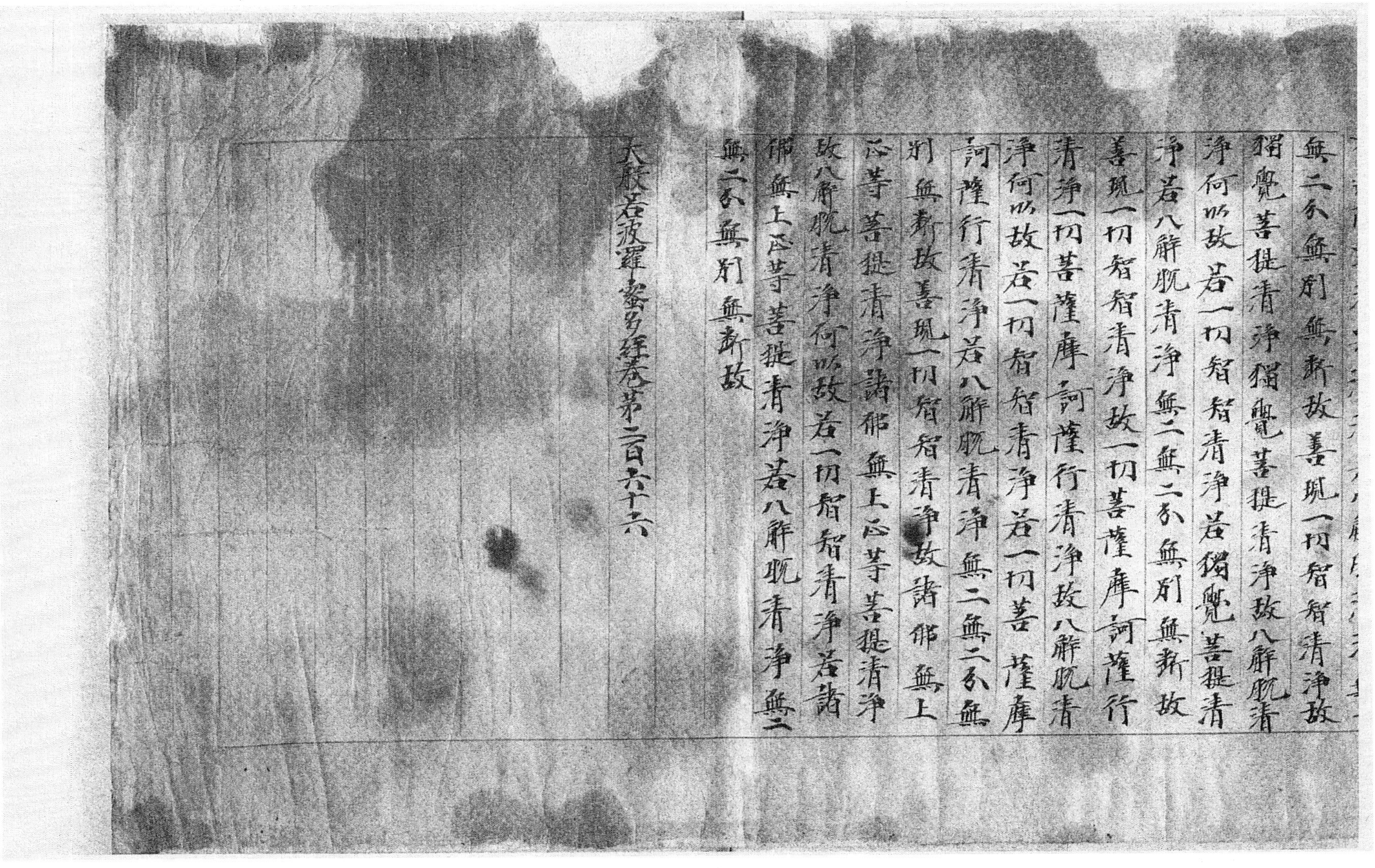
無二分無別無斷故善現一切智智清淨故
獨覺菩提清淨獨覺菩提清淨故八解脫清
淨何以故若一切智智清淨若獨覺菩提清
淨若八解脫清淨無二無二分無別無斷故
善現一切智智清淨故一切菩薩摩訶薩行
清淨一切菩薩摩訶薩行清淨故八解脫清
淨何以故若一切智智清淨若一切菩薩摩
訶薩行清淨若八解脫清淨無二無二分無
別無斷故善現一切智智清淨故諸佛無上
正等菩提清淨諸佛無上正等菩提清淨
故八解脫清淨何以故若一切智智清淨若諸
佛無上正等菩提清淨若八解脫清淨無二
無二分無別無斷故
大般若波羅蜜多經卷第二百六十六

BD00708 號　大般若波羅蜜多經卷二六六　（12–12）

於諸若相待不成待於有故言兔角无不應
分別不正因故有无論者執有執无二俱不
成大慧復有外道見色形狀虛空分齊而生
執着言色異虛空起於分別大慧虛空是色
隨入色種大慧色是虛空能持所持建立性
故色空分齊應如是知大慧大種生時自相
各別不住虛空中非彼无虛空大慧兔角亦
尒觀待牛角言彼角无大慧分析牛角乃至
微塵又折彼塵其相不現彼何所待而言无
耶若待餘物彼亦如是大慧汝應遠離兔角
牛角虛空及色所有分別汝及諸菩薩摩訶
薩應常觀察自心所見分別之相於一切國
土爲諸佛子說觀察自心修行之法尒時世
尊即說頌言
心所見无有　唯依心故起　身資所住影　衆生藏識現
心意及與識　自性五種法　二无我清淨　諸導師演說
長短共觀待　展轉互相生　因有故成无　因无故成有
微塵分析事　不起色分別　唯心所安立　惡見者不信

BD00709 號　大乘入楞伽經卷二　（18–1）

尊即說頌言
心所見无有　唯依心故起　身資所住影　衆生藏識現
心意及與識　自性五種法　二无我清淨　諸導師演說
長短共觀待　展轉互相生　因有故成无　因无故成有
微塵分析事　不起色分別　唯心所安立　惡見者不信
非外道行處　聲聞亦復然　救世之所說　自證之境界
尒時大慧菩薩摩訶薩爲淨自心現流故而請
佛言世尊云何淨諸衆生自心現流爲漸次
淨爲頓淨耶佛言大慧漸淨非頓如菴羅果
漸熟非頓諸佛如來淨諸衆生自心現流亦
復如是漸淨非頓如陶師造器漸成非頓諸
佛如來淨諸衆生自心現流亦復如是漸而
非頓譬如大地生諸草木漸生非頓諸佛如
來淨諸衆生自心現流亦復如是漸而非頓
大慧譬如人學音樂書畫種種伎術漸成非
頓諸佛如來淨諸衆生自心現流亦復如是
漸而非頓譬如明鏡頓現衆像而无分別諸
佛如來淨諸衆生自心現流亦復如是頓現
一切无相境界而无分別如日月輪一時遍
照一切色像諸佛如來淨諸衆生自心過習
亦復如是頓爲示現不可思議諸佛如來智
慧境界譬如藏識頓現於身及資生國土一
切境界報佛亦尒於色究竟天頓能成熟一
切衆生令修諸行譬如法佛頓現報佛及以
化佛光明照曜自證聖境亦復如是頓現法
相而爲照曜令離一切有无惡見
復次大慧法性所流佛說一切法入自相共相

BD00709 號　大乘入楞伽經卷二　（18–2）

切境界報佛亦尒於色究竟天現能成熟一
切衆生令脩諸行譬如法佛頓現報佛及以
化佛光明照曜自證聖境亦復如是頓現法
相而為照曜令離一切有无惡見
復次大慧法性所流佛說一切法自相共相
自心現習氣因相妄計性所執因相更相繫
屬種種幻事皆无自性而諸衆生種種執著
取以為實悉不可得復次大慧妄計自性執
著緣起自性起大慧譬如幻師以幻術力依
草木瓦石幻作衆生若干色像令其見者種
種分別皆无真實大慧此亦如是由取著境
界習氣力故於緣起性中有妄計性種種相
現是名妄計性生大慧是名法性所流佛說
法之相大慧法性佛者建立自證智所行離
心自性相大慧應化佛說施戒忍進静慮智
慧蘊界處法及諸解脫諸識行相建立差別
越外道見超无色行復次大慧法性佛非所
攀緣一切所緣一切所作根量等相悉皆遠
離非凡夫二乘及諸外道執著我相所取境
界是故大慧於自證聖智勝境界相當勤脩
學於自心所現分別見相當速捨離
復次大慧聲聞乘有二種差別相所謂自證
聖智殊勝相分別執著自性相云何自證聖
智殊勝相謂明見苦空无常无我諸諦境界
離欲寂滅故於蘊界處若自若共外不壞相
如實了知故心住一境住一境已獲禪解脫

BD00709號　大乘入楞伽經卷二　（18–3）

聖智殊勝相分別執著自性相云何自證聖
智殊勝相謂明見苦空无常无我諸諦境界
離欲寂滅故於蘊界處若自若共外不壞相
如實了知故心住一境住一境已獲禪解脫
三昧道果而得出離住自證聖智境界樂未
離習氣及不思議變易死是名聲聞乘自證
聖智境界相菩薩摩訶薩雖亦得此聖智境
界以憐愍衆生故本願所持故不證寂滅門
及三昧樂諸菩薩摩訶薩於此自證聖智樂
中不應脩學大慧云何分別執著自性相所
謂知堅濕煖動青黄赤白如是等法非作者
生然依教理見自共相分別執著是名聲聞
乘分別執著相菩薩摩訶薩於此法中應知
應捨離人无我見入法无我相漸住諸地
尒時大慧菩薩摩訶薩白佛言世尊如來所
說常不思議自證聖智第一義境將无同諸
外道所說常不思議作者耶佛言大慧非諸
外道作者得常不思議所以者何諸外道常
不思議因自相不成既因自相不成以何顯
示常不思議大慧外道所說常不思議若因
自相成彼則有常但以作者為因相故常不
思議不成大慧我第一義常不思議第一義
因相成遠離有无自證聖智所行相故有相
第一義智為其因故有因離有无故非作者
故如虚空涅槃寂滅法故常不思議是故我
說常不思議不同外道所有諍論大慧此常

BD00709號　大乘入楞伽經卷二　（18–4）

因相成遠離有无自證聖智所行相故有相
第一義智為其因故有因離有无故非作者
故如虛空涅槃寂滅法故常不思議是故我
說常不思議不同外道所有諍論大慧此常
不思議是諸如來自證聖智所行真理是故
菩薩當勤修學復次大慧外道常不思議以
无常異相因故常非自相因力故常大慧外
道常不思議以見所作法有已還无无常已
比知是常我亦見所作法有已還无无常已
不因此說為常大慧外道以如是因相成常
不思議此因相非有同於兔角故常不思議
唯是分別但有言說何故彼因同於兔角无
自因相故大慧我常不思議以自證為因相不
以外法有已還无无常為因外道反此曾不
能知常不思議自因之相而恒在於自證聖
智所行相外此不應說
復次大慧諸聲聞畏生死妄想苦而求涅槃
不知生死涅槃差別之相一切皆是妄分別
有无所有故妄計未來諸根境滅以為涅槃
不知證自智境界轉所依藏識為大涅槃彼
愚癡人說有三乘不說唯心无有境界大慧
彼人不知去來現在諸佛所說自心境界取
心外境常於生死輪轉不絕復次大慧去來
現在諸如來說一切法不生何以故自心所
見非有性故離有无生故如兔馬等角凡愚妄
取唯自證聖智所行之處非諸愚夫二分
別境大慧身及資生器世間等一切皆是藏

彼人不知去來現在諸佛所說自心境界取
心外境常於生死輪轉不絕復次大慧去來
現在諸如來說一切法不生何以故自心所
見非有性故離有无生故如兔馬等角凡愚妄
取唯自證聖智所行之處非諸愚夫二分
別境大慧身及資生器世間等一切皆是藏
識影像所取能取二種相現彼諸愚夫墮生
住滅二見中故於中妄起有无分別大慧汝
於此義當勤修學
復次大慧有五種種性何等為五謂聲聞乘
種性緣覺乘種性如來乘種性不定種性无
種性大慧云何知是聲聞乘種性謂若聞說
於蘊界處自相共相若知若證舉身毛竪心
樂修習於緣起相不樂觀察應知此是聲聞
乘種性彼於自乘見所證已於五六地斷煩
惱結不斷煩惱習住不思議死正師子吼言
我生已盡梵行已立所作已辦不受後有修
習人无我乃至生於得涅槃覺大慧復有眾
生求證涅槃言能覺知我人眾生養者取者
此是涅槃復有說言見一切法因作者有此
是涅槃大慧彼无解脫以未能見法无我故
此是聲聞乘及外道種性於未出中生出離
想應勤修習捨此惡見大慧云何知是緣覺
乘種性謂若聞說緣覺乘法舉身毛竪悲泣
流淚離憒鬧緣无所染著有時聞說現種種
身或聚或散神通變化其心信受无所違逆

此是聲聞乘及外道種性於未出中生出離
想應勤修習捨此惡見大慧云何知是緣覺
乘種性謂若聞說緣覺乘法舉身毛竪悲泣
流淚離憒閙緣无所染著有時聞說現種種
身或聚或散神通變化其心信受无所違逆
當知此是緣覺乘種性應爲其說緣覺乘法
大慧如來乘種性所證法有三種所謂自性
无自性法內身自證聖智法外諸佛刹廣大
法大慧若有聞說此一一法及自心所現身
財建立阿賴耶識不思議境不驚不怖不畏
當知此是如來乘性大慧不定種性者謂聞
說彼三種法時隨生信解而順修學大慧爲
初治地人而說種性欲令其入无影像地作
此建立大慧彼住三昧樂聲聞若能證知自
所依識見法无我淨煩惱習畢竟當得如來
之身尒時世尊即說頌言
預流一來果　不還阿羅漢　是等諸聖人　其心悉迷惑
我所立三乘　一乘及非乘　爲愚夫少智　樂寂諸聖說
第一義法門　遠離於二取　住於无境界　何建立三乘
諸禪及无量　无色三摩地　乃至滅受想　唯心不可得
復次大慧此中一闡提何故於解脫中不生
欲樂大慧以捨一切善根故爲无始衆生起
願故云何捨一切善根謂謗菩薩藏言此非
隨順契經調伏解脫之說作是語時善根悉
斷不入涅槃云何爲无始衆生起願謂諸菩
薩以本願方便願一切衆生悉入涅槃若一衆

BD00709號　大乘入楞伽經卷二　（18–7）

欲樂大慧以捨一切善根故爲无始衆生起
願故云何捨一切善根謂謗菩薩藏言此非
隨順契經調伏解脫之說作是語時善根悉
斷不入涅槃云何爲无始衆生起願謂諸菩
薩以本願方便願一切衆生悉入涅槃若一衆
生未涅槃者我終不入此亦住一闡提趣此
是无涅槃種性相大慧菩薩言世尊此中何
者畢竟不入涅槃佛言大慧彼菩薩一闡提
知一切法本來涅槃畢竟不入非捨善根何
以故捨善根一闡提以佛威力故或時善根
生所以者何佛於一切衆生无捨時故是故
菩薩一闡提不入涅槃
復次大慧菩薩摩訶薩當善知三自性相何
者爲三所謂妄計自性緣起自性圓成自性
大慧妄計自性從相生云何從相生謂彼依
緣起事相種類顯現生計著故大慧彼計著
事相有二種妄計性生是諸如來之所演說
謂名相計著相事相計著相大慧名計著相
者謂計著內外法相事計著相者謂即彼內
外法中計著自共相是名二種妄計自性相
大慧從所依所緣起是緣起性何者圓成自
性謂離名相事相一切分別自證聖智所行
真如大慧此是圓成自性如來藏心尒時世
尊即說頌言
名相分別　二自性相　正智真如　是圓成性
大慧是名觀察五法自性相法門自證聖智

BD00709號　大乘入楞伽經卷二　（18–8）

性謂離名相事相一切分別自證聖智所行
真如大慧此是圓成自性如來藏心尒時世
尊即說頌言
名相分別　二自性相　正智真如　是圓成性
大慧是名觀察五法自性相法門自證聖智
所行境界汝及諸菩薩摩訶薩當勤脩學復
次大慧菩薩摩訶薩當善觀察二无我相何
者為二所謂人无我相法无我相大慧何者
是人无我相謂蘊界處離我我所无明愛業
之所生起眼等識生取於色等而生計著又
自心所見身器世間皆是藏心之所顯現剎
那相續變壞不停如河流如種子如燈焰如
迅風如浮雲躁動不安如猨猴樂不淨處如
飛蠅不知猒足如猛火无始虛偽習氣為
因諸有趣中流轉不息如汲水輪種種色身
威儀進止譬如死屍咒力故行亦如木人因
機運動若能於此善知其相是名人无我智
大慧云何為法无我智謂知蘊界處是妄
計性如蘊界處離我我所唯共積聚愛業繩
縛互為緣起无能作者蘊等亦尒離自共相
虛妄分別種種相現愚夫分別非諸聖者
如是觀察一切諸法離心意意識五法自性
是名菩薩摩訶薩法无我智得此智已知无
境界了諸地相即入初地心生歡喜次第漸
進乃至善慧及以法雲諸有所作皆悉已辦
住是地已有大寶蓮華王衆寶莊嚴於其花

BD00709 號　大乘入楞伽經卷二　（18–9）

如是觀察一切諸法離心意意識五法自性
是名菩薩摩訶薩法无我智得此智已知无
境界了諸地相即入初地心生歡喜次第漸
進乃至善慧及以法雲諸有所作皆悉已辦
住是地已有大寶蓮華王衆寶莊嚴於其花
上有寶宮殿狀如蓮花菩薩往脩幻性法門
之所成就而坐其上同行佛子前後圍繞一
切佛剎所有如來皆舒其手如轉輪王子灌
頂之法而灌其頂起佛子地獲自證法成就
如來自在法身大慧是名見法无我相汝及
諸菩薩摩訶薩應勤脩學
尒時大慧菩薩摩訶薩復白佛言世尊願
說建立誹謗相令我及諸菩薩摩訶薩離此
惡見疾得阿耨多羅三藐三菩提得菩提已
破建立常毀諸斷見令於正法不生誹謗佛
受其請即說頌言
身資財所住　皆唯心影像　凡愚不能了　起建立誹謗
所起但是心　離心不可得
尒時世尊欲重明此義告大慧言有四種无
有建立何者為四所謂无有相建立无有
見建立无有因建立无有性建立是
為四大慧誹謗者謂於諸惡見所建立法求
不可得不善觀察遂生誹謗此是建立誹謗
相大慧云何无有相建立相謂於蘊界處自
相共相本无所有而生計著此如是此不異
而此分別從无始種種惡見習氣所生是名无

BD00709 號　大乘入楞伽經卷二　（18–10）

[illegible]
為四大慧誹謗者謂於諸惡見所建立法求
不可得不善觀察遂生誹謗此是建立誹謗
相大慧云何无有相建立相謂於蘊界處自
相共相本无所有而生計著此如是此不異
而此分別從无始種種惡見習氣所生是名无
有相建立相云何无有見建立見謂於蘊界處
建立我人衆生等見是名无有見建立見云
何无有因建立因謂初識前无因不生其初
識本无後眼色明念等為因如幻生生已有
有還滅是名无有因建立因云何无有性建
立性謂於虛空涅槃非數滅无作性執著建
立大慧此離性非性一切諸法離於有无猶
如毛輪兔馬等角是名无有性建立性大慧
建立誹謗皆是凡愚不了唯心而生分別非
諸聖者是故汝等當勤觀察遠離此見大慧
菩薩摩訶薩善知心意意識五法自性二无
我相已為衆生故作種種身如依緣起妄
計性亦如摩尼隨心現色普入佛會聽聞佛
說諸法如幻如夢如影如鏡中像如水中月
遠離生滅及以斷常不住聲聞辟支佛道聞
已成就无量百千俱胝踰膳三摩地得此三
摩地已遍遊一切諸佛國土供養諸佛生諸
天上顯揚三寶示現佛身為諸聲聞菩薩大
衆說外境界皆唯是心悉令遠離有无等執
尒時世尊即說頌言
佛子能觀見　世間惟是心　亦見重重身　所作[illegible]

BD00709號　大乘入楞伽經卷二　（18–11）

摩地已遍遊一切諸佛國土供養諸佛生諸
天上顯揚三寶示現佛身為諸聲聞菩薩大
衆說外境界皆唯是心悉令遠離有无等執
尒時世尊即說頌言
佛子能觀見　世間唯是心　亦現種種身　所作无郭礙
神通力自在　一切皆成就
尒時大慧菩薩摩訶薩復請佛言願為我說
一切法空无生无二无自性相我及諸菩薩
悟此相故離有无分別疾得阿耨多羅三藐
三菩提佛言諦聽當為汝說大慧空者即是
妄計性句義大慧為執著妄計自性故說空
无生无二无自性大慧略說空性有七種謂
相空自性空无行空行空一切法不可說空
第一義聖智大空彼彼空云何相空謂一切
法自相共相空展轉積聚互相待故分析推
求无所有故自他及共皆不生故自共相无
生亦无住是故名一切法自相空云何自性
空謂一切法自性不生是名自性空云何无
行空所謂諸蘊本來涅槃无有諸行是名无
行空云何行空所謂諸蘊由業及因和合而
起離我我所是名行空云何一切法不可說
空謂一切法妄計自性无可言說是名不可
說空云何第一義聖智大空謂得自證聖智
時一切諸見習氣悉離是名第一義聖智大
空云何彼彼空謂於此无彼是名彼彼空大
慧我曾為鹿子母說堂无象馬牛羊等我說彼
堂空非无比丘衆大慧非謂堂无堂性非謂

BD00709號　大乘入楞伽經卷二　（18–12）

空謂一切法妄計自性无可言說是名不可
說空云何第一義聖智大空謂得自證聖智
時一切諸見習氣悉離是名第一義聖智大
空云何彼彼空謂於此无彼是名彼彼空大
慧我曾為鹿子母說堂无象馬牛羊等我說彼
堂空非无比丘衆大慧非謂堂无堂自性非謂
比丘无比丘自性非謂餘處无象馬牛羊大慧
一切諸法自相共相彼彼求不可得是故說名
彼彼空是名七種空大慧此彼彼空空中最麁
汝應遠離復次大慧无生者自體不生生言
不生除住三昧是名无生大慧无自性者以
无生故密意而說大慧一切法无自性以剎
那不住故見後變異故是名无自性云何无
二相大慧如日光影如長短如黑白皆相待立
獨則不成大慧非於生死外有涅槃非於涅槃
外有生死生死涅槃无相違相如生死涅槃
一切法亦如是是名无二相大慧空无生无
二无自性相汝當勤學尒時世尊重說頌言
我常說空法　遠離於斷常　生死如幻夢　而業亦不壞
虛空及涅槃　滅二亦如是　愚夫妄分別　諸聖離有无
尒時世尊復告大慧菩薩摩訶薩言大慧此
空无生无自性无二相悉入一切諸佛所說脩
多羅中佛所說經皆有是義大慧諸脩多羅
隨順一切衆生心說而非真實在於言中
譬如陽燄誑惑諸獸令生水想而實无水衆
經所說亦復如是隨諸愚夫自所分別令生

多羅中佛所說經皆有是義大慧諸脩多羅
隨順一切衆生心說而非真實在於言中
譬如陽燄誑惑諸獸令生水想而實无水衆
經所說亦復如是隨諸愚夫自所分別令生
歡喜非皆顯示聖智證處真實之法大慧應
隨順義莫著言說
尒時大慧菩薩摩訶薩白佛言世尊脩多羅
中說如來藏本性清淨常恒不斷无有變易
具三十二相在於一切衆生身中為蘊界處
垢衣所纏貪恚癡等妄分別垢之所汙染如
无價寶在垢衣中外道說我是常作者離於
求那自在无滅世尊所說如來藏義豈不同
於外道我耶佛言大慧我說如來藏不同外
道所說之我大慧如來應正等覺以性空實
際涅槃不生无相无願等諸句義說如來藏
為令愚夫離无我怖說无分別无影像處如
來藏門未來現在諸菩薩摩訶薩不應於此
執著於我大慧譬如陶師於泥聚中以人功
水杖輪繩方便作種種器如來亦尒於遠離
一切分別相无我法中以種種智慧方便善
巧或說如來藏或說為无我種種名字各各
差別大慧我說如來藏為攝著我諸外道衆
令離妄見仝解脫速得證於阿耨多羅三藐
三菩提是故諸佛說如來藏不同外道所說
之我若欲離於外道見者應知无我如來藏
義尒時世尊即說頌言

令離妄見今解脫速得證於阿耨多羅三藐
三菩提是故諸佛說如來藏不同外道所說
之我若欲離於外道見者應知无我如來藏
義尒時世尊即說頌言
士夫相續蘊　衆緣及微塵　勝自在作者　此但心分別
尒時大慧菩薩摩訶薩普觀未來一切衆生
復請佛言願為我說具脩行法如諸菩薩摩
訶薩成大脩行佛言大慧菩薩摩訶薩具四
種法成大脩行何者為四謂觀察自心所現
故遠離生住滅見故善知外法无性故專求
自證聖智故若諸菩薩成此四法則得名為
大脩行者大慧云何觀察自心所現謂觀三
界唯是自心離我我所无動作无来去无始
執着過習所熏三界種種色行名言繫縛身
資所住分別隨入之所顯現菩薩摩訶薩如
是觀察自心所現大慧云何得離生住滅見
所謂觀一切法如幻夢生自他及俱皆不生
故隨自心量之所現故見外物无有故見諸
識不起故及衆緣无積聚故分別因緣起三
界故如是觀時若內若外一切諸法皆不可
得知无體實遠離生見證如幻性即時逮得
无生法忍住第八地了心意意識五法自性
二无我境轉所依止獲意生身大慧言世尊
以何因緣名意生身佛言大慧意生身者譬
如意去速疾无礙名意生身大慧譬如心意
於无量百千踰膳那之外憶先所見種種諸

无生法忍住第八地了心意意識五法自性
二无我境轉所依止獲意生身大慧言世尊
以何因緣名意生身佛言大慧意生身者譬
如意去速疾无礙名意生身大慧譬如心意
於无量百千踰膳那之外憶先所見種種諸
物念念相續疾詣於彼非是其身及山河石
壁所能為礙意生身者亦復如是如幻三昧
力通自在諸相莊嚴憶本成就衆生願故猶
如意去生於一切諸聖衆中是名菩薩摩訶
薩得遠離於生住滅見大慧云何觀察外法
无性謂觀察一切法如陽燄如夢境如毛輪
无始戲論種種執着虛妄習氣為其因故如
是觀察一切法時即是專求自證聖智大慧
是名菩薩具四種法成大脩行汝應如是勤
加脩學
尒時大慧菩薩摩訶薩復請佛言願說一切
法因緣相令我及諸菩薩摩訶薩了達其義
離有无見不妄執諸法漸生頓生佛言大慧
一切法因緣生有二種謂外及內外者謂以
泥團水杖輪繩人功等緣和合成瓶如泥瓶
縷疊草席種芽酪蘇悉亦如是名外緣前
後轉生內者謂无明愛業等生蘊界處法是
為內緣起此但愚夫之所分別大慧因有六
種謂當有因相屬因相因能作因顯了因觀
待因大慧當有因者謂內外法作因生果相
屬因者謂內外法作所緣生果蘊種子等相

泥團水杖輪繩人功等緣和合成瓶如泥瓶
縷疊草席種牙酪蘇悉亦如是是名外緣前
後轉生内者謂无明愛業等生蘊界處法是
爲内緣起此但愚夫之所分別大慧因有六
種謂當有因相屬因相因能作因顯了因觀
待因大慧當有因者謂内外法作因生果相
屬因者謂内外法作所緣生果蘊種子等相
因者作无間相生相續果能作因者謂作境
上而生於果如轉輪王顯了因者謂分別生
能現境相如燈照物觀待因者謂滅時相續
斷无妄想生大慧此是愚夫自所分別非漸
次生亦非頓生何以故大慧若頓生者則作
與所作无有差別求其因相不可得故若漸
生者求其體相亦不可得如未生子云何名
父諸計度人言以因緣所緣緣等无間緣增
上緣等所生能生互相繫屬次第生者理不
得成皆是妄情執著相故大慧漸次與頓皆
悉不生但有心現身資等故外自共相皆无
性故唯除識起自分別見大慧是故應離因
緣所作和合相中漸頓生見今時世尊重說
頌言
一切法无生　亦復无有滅　於彼諸緣中　分別生滅相
非遮諸緣會　如是滅復生　但以於凡愚　妄情之所著
緣中法有无　是悉无有生　習氣迷轉心　從是三有現
本來无有生　亦復无有滅　觀一切有爲　譬如虛空花
離能取所取　一切迷惑見　无能生所生　亦復无因緣
但隨世俗故　而說有生滅

BD00709號　大乘入楞伽經卷二　（18–17）

次生亦非頓生何以故大慧若頓生者則作
與所作无有差別求其因相不可得故若漸
生者求其體相亦不可得如未生子云何名
父諸計度人言以因緣所緣緣等无間緣增
上緣等所生能生互相繫屬次第生者理不
得成皆是妄情執著相故大慧漸次與頓皆
悉不生但有心現身資等故外自共相皆无
性故唯除識起自分別見大慧是故應離因
緣所作和合相中漸頓生見今時世尊重說
頌言
一切法无生　亦復无有滅　於彼諸緣中　分別生滅相
非遮諸緣會　如是滅復生　但以於凡愚　妄情之所著
緣中法有无　是悉无有生　習氣迷轉心　從是三有現
本來无有生　亦復无有滅　觀一切有爲　譬如虛空花
離能取所取　一切迷惑見　无能生所生　亦復无因緣
但隨世俗故　而說有生滅

大乘入楞伽經卷第二

BD00709號　大乘入楞伽經卷二　（18–18）

疾不能救而能救諸疾人可密速去勿使人
聞當知阿難諸如來身即是法身非思欲
身佛為世尊過於三界佛身無漏諸漏已盡
佛身無為不墮諸數如此之身當有何疾時
我世尊實懷慚愧得無近佛而謬聽耶即
聞空中聲曰阿難如居士言但為佛出五濁惡
世現行斯法度脫衆生行矣阿難取乳勿慚
世尊維摩詰智慧辯才為若此也是故不任
詣彼問疾如是五百大弟子各各向佛說其本
緣稱述維摩詰所言皆曰不任詣彼問疾

菩薩品第四

於是佛告弥勒菩薩汝行詣維摩詰問疾弥
勒白佛言世尊我不堪任詣彼問疾所以者
何憶念我昔為兜率天王及其眷屬說不
退轉地之行時維摩詰來謂我言弥勒世尊授
仁者記一生當得阿耨多羅三藐三菩提為
用何生得受記乎過去耶未來耶現在耶若
過去生過去生已滅若未來生未來生未至若
現在生現在生無住如佛所說比丘汝今即時
亦生亦老亦滅若以無生得受記者無
生即是正位於正位中亦無受記亦無得阿
耨多羅三藐三菩提云何弥勒受一生記乎為
從如生得受記耶為從如滅得受記耶若

BD00710 號　維摩詰所說經卷上　（5–1）

現在生現在生無住……
亦生亦老亦滅若以無生得受記者無
生即是正位於正位中亦無受記亦無得阿
耨多羅三藐三菩提云何弥勒受一生記乎為
從如生得受記耶為從如滅得受記耶若
以如生得受記者如無有生若以如滅得受記
者如無有滅一切衆生皆如也一切法亦如也
衆賢聖亦如也至於弥勒亦如也若弥勒得
受記者一切衆生亦應受記所以者何夫如
者不二不異若弥勒得阿耨多羅三藐三
菩提者一切衆生皆亦應得所以者何一切
衆生即菩提相若弥勒滅度者一切衆生
亦當滅度所以者何諸佛知一切衆生畢竟
寂滅即涅槃相不復更滅是故弥勒無以此
法誘諸天子實無發阿耨多羅三藐三菩提
心者亦無退者弥勒當令此諸天子捨於分
別菩提之見所以者何菩提者不可以身得
不可以心得寂滅是菩提滅諸相故不觀是菩
提離諸緣故不行是菩提無憶念故斷是
菩提捨諸見故離是菩提離諸妄想故鄣是
菩提鄣諸願故不入是菩提無貪著故順是
菩提順於如故住是菩提住法性故至是菩提
至實際故不二是菩提離意法故等是菩提
等虛空故無為是菩提无生住滅故知是
菩提了衆生心行故不會是菩提諸入不會
故不合是菩提離煩惱習故無處是菩提無

BD00710 號　維摩詰所說經卷上　（5–2）

菩提鄣諸願故不入是菩提無貪著故順是
菩提順於如故住是菩提住法性故至是菩提
至實際故不二是菩提離意法故等是菩提
等虛空故無為是菩提無生住滅故知是
菩提了衆生心行故不會是菩提諸入不會
故不合是菩提離煩惱習故無處是菩提無
形色故假名是菩提名字空故如化是菩提
無取捨故無亂是菩提常自靜故善寂是菩
提性清淨故無取是菩提離攀緣故無異是
菩提諸法等故無比是菩提無可喻故微妙
是菩提諸法難知故世尊維摩詰說是法
時二百天子得無生法忍故我不任詣彼問疾
佛告光嚴童子汝行詣維摩詰問疾光嚴
白佛言世尊我不堪任詣彼問疾所以者何
憶念我昔出毗耶離大城時維摩詰方入城
我即為作礼而問言居士從何所來答我言
吾從道場來我問道場者何所是答曰直心
是道場無虛假故發行是道場能辦事故深
心是道場增益功德故菩提心是道場無錯
謬故布施是道場不望報故持戒是道場
得願具故忍辱是道場於諸衆生心無导故
精進是道場不懈退故禪定是道場心調柔
故智慧是道場現見諸法故慈是道場等衆
生故悲是道場忍疲苦故喜是道場悅樂法
故捨是道場憎愛斷故神通是場成就六通
故解脫是道場能背捨故方便是道場教化

BD00710 號　維摩詰所說經卷上　（5–3）

得願具故忍辱是道場於諸衆生心無导故
精進是道場不懈退故禪定是道場心調柔
故智慧是道場現見諸法故慈是道場等衆
生故悲是道場忍疲苦故喜是道場悅樂法
故捨是道場憎愛斷故神通是道場成就六通
故解脫是道場能背捨故方便是道場教化
衆生故四攝法是道場攝衆生故多聞是道
場如聞行故伏心是道場正觀諸法故三十
七品是道場捨有為法故諦是道場不誑世
間故緣起是道場無明乃至老死皆無盡故
諸煩惱是道場知如實故衆生是道場知無
我故一切法是道場知諸法空故降魔是道場
不傾動故三界是道場無所趣故師子吼是
道場無所畏故力無畏不共法是道場無諸
過故三明是道場無餘导故一念知一切法是
道場成就一切智故如是善男子菩薩若應
諸波羅蜜教化衆生諸有所作舉足下足當
知皆從道場來住於佛法矣說是法時五百
天人皆發阿耨多羅三藐三菩提心故我不
任詣彼問疾
佛告持世菩薩汝行詣維摩詰問疾持世白
佛言世尊我不堪任詣彼問疾所以者何憶
念我昔住於靜室時魔波旬從万二千天女狀
如帝釋鼓樂絃歌來詣我所與其眷屬稽
首我足合掌恭敬於一面立我意謂是帝釋
而語之言善來憍尸迦雖福應有不當自恣

BD00710 號　維摩詰所說經卷上　（5–4）

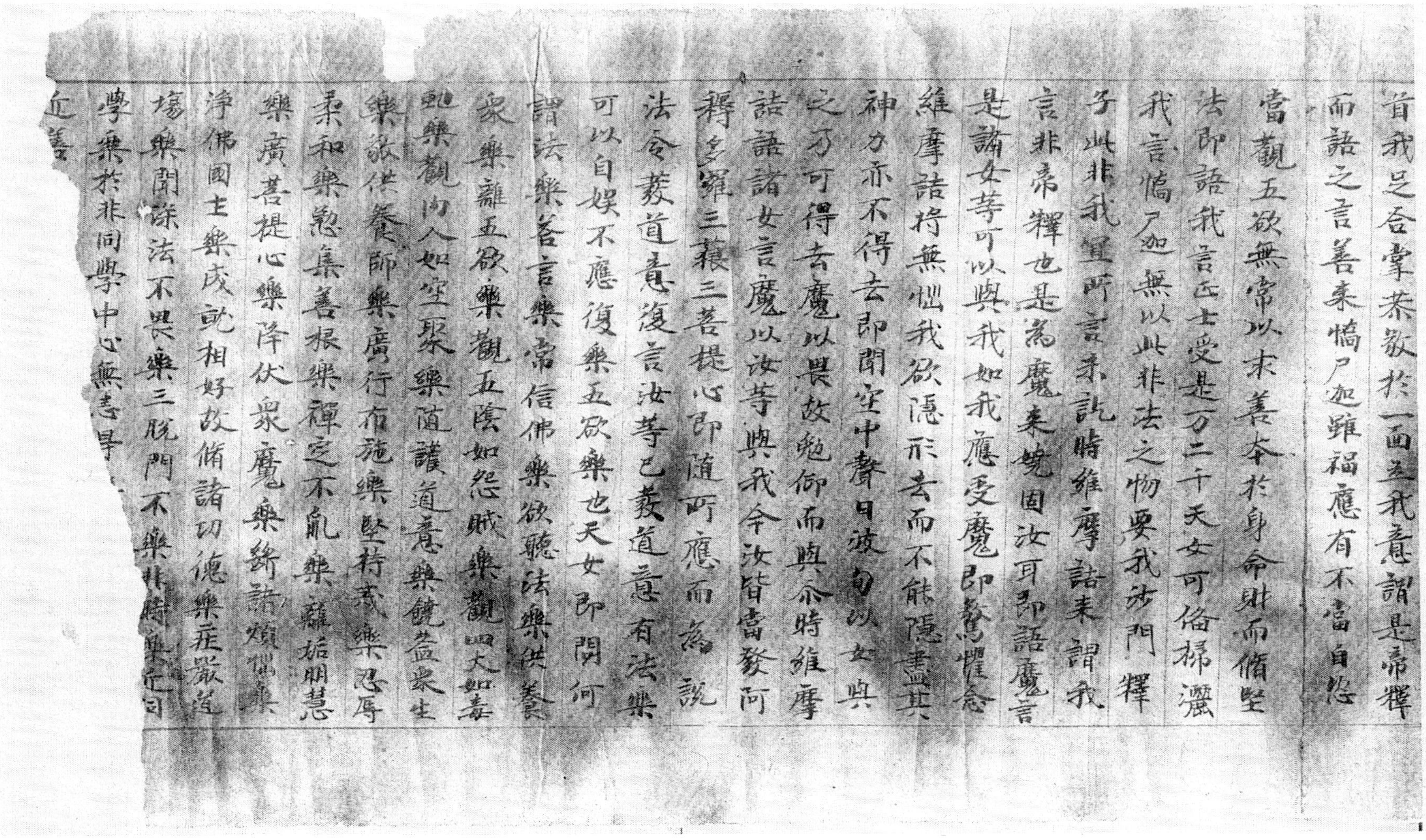

首我足合掌恭敬於一面立我意謂是帝釋
而語之言善來憍尸迦雖福應有不當自恣
當觀五欲無常以求善本於身命財而修堅
法即語我言正士受是万二千天女可備掃灑
我言憍尸迦無以此非法之物要我沙門釋
子此非我宜所言未訖時維摩詰來謂我
言非帝釋也是為魔來嬈固汝耳即語魔言
是諸女等可以與我如我應受魔即驚懼念
維摩詰將無惱我欲隱形去而不能隱盡其
神力亦不得去即聞空中聲曰波旬以女與
之乃可得去魔以畏故俛仰而與尒時維摩
詰語諸女言魔以汝等與我今汝皆當發阿
耨多羅三藐三菩提心即隨所應而為說
法令發道意復言汝等已發道意有法樂
可以自娛不應復樂五欲樂也天女即問何
謂法樂答言樂常信佛樂欲聽法樂供養
衆樂離五欲樂觀五陰如怨賊樂觀四大如毒
虵樂觀內入如空聚樂隨護道意樂饒益衆生
樂敬供養師樂廣行施樂堅持戒樂忍辱
柔和樂懃集善根樂禪定不亂樂離垢明慧
樂廣菩提心樂降伏衆魔樂斷諸煩惱樂
淨佛國土樂成就相好故修諸功德樂莊嚴道
場樂聞深法不畏樂三脫門不樂非時樂近同
學樂於非同學中心無恚导
近善

BD00710 號　維摩詰所說經卷上　（5–5）

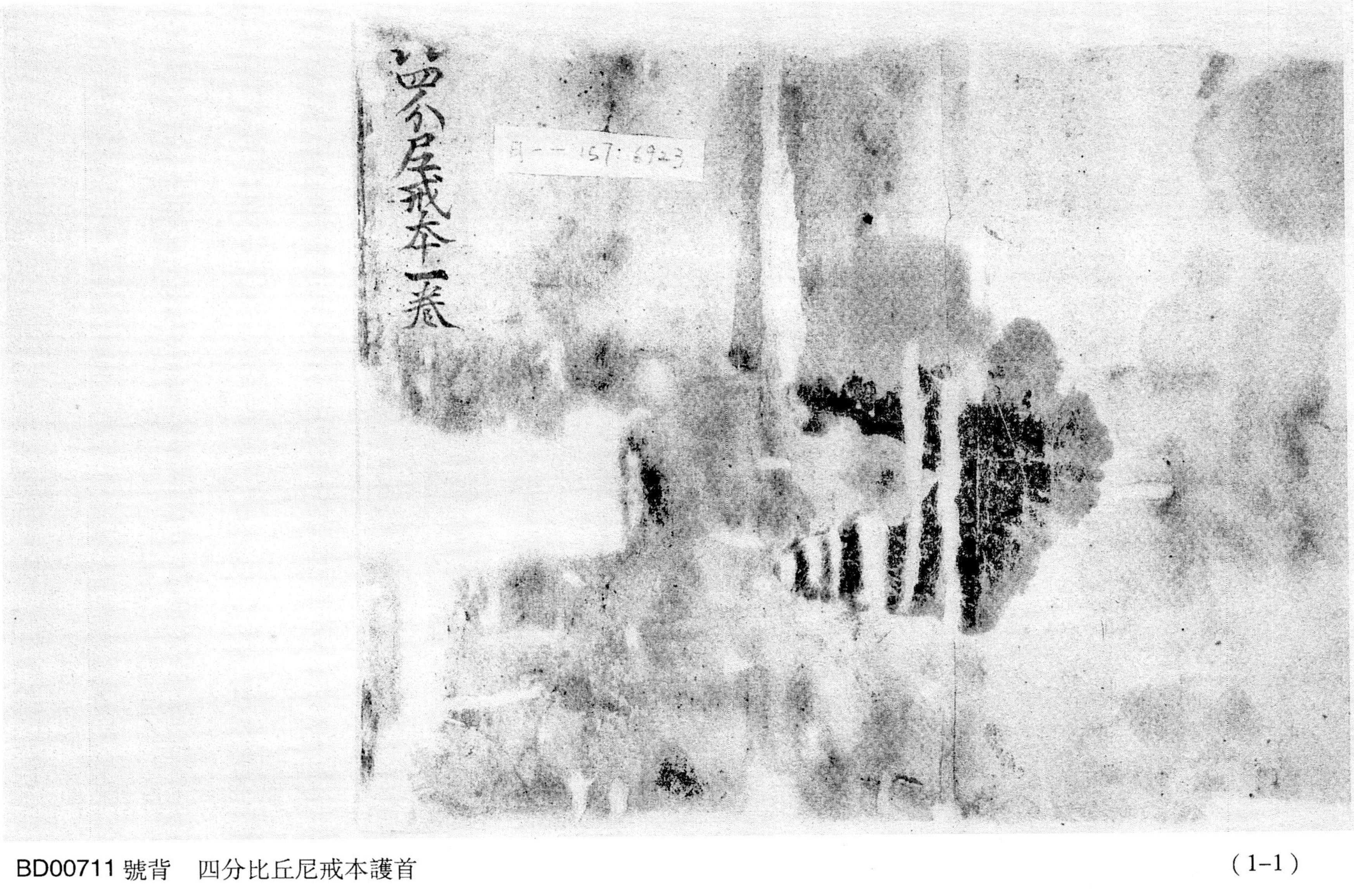

BD00711 號背　四分比丘尼戒本護首　（1–1）

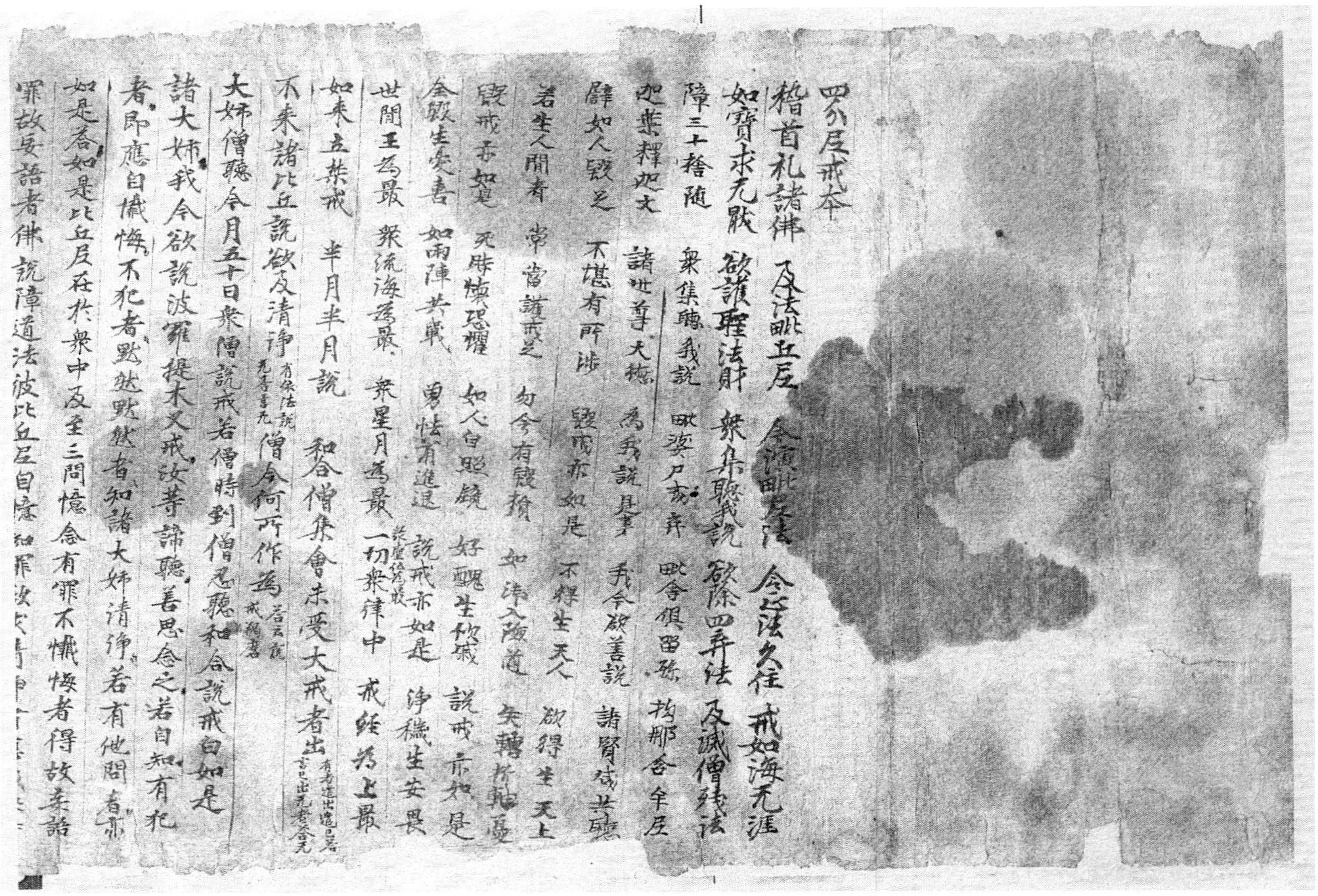

BD00711 號　四分比丘尼戒本　（17–1）

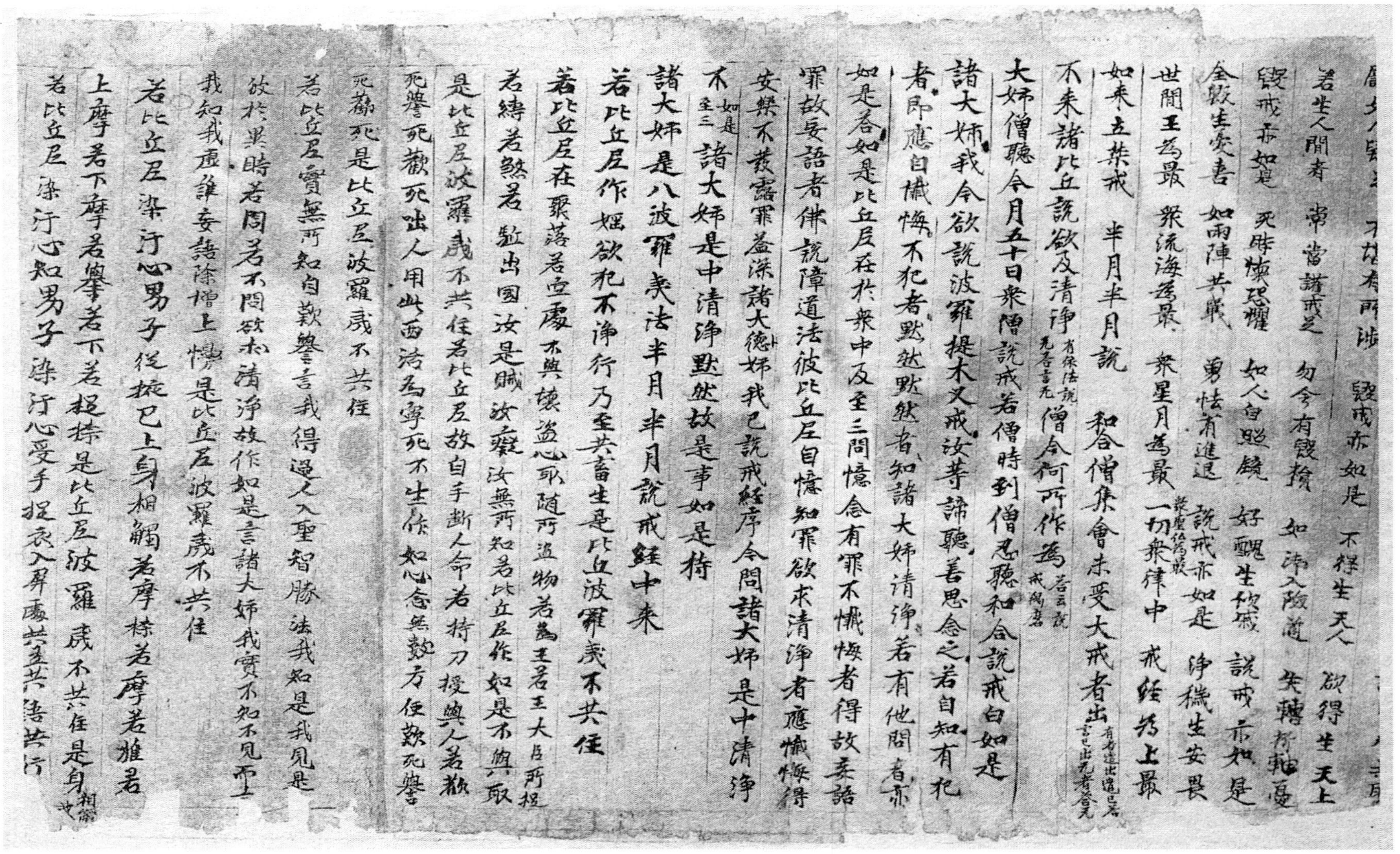

BD00711 號　四分比丘尼戒本　（17–2）

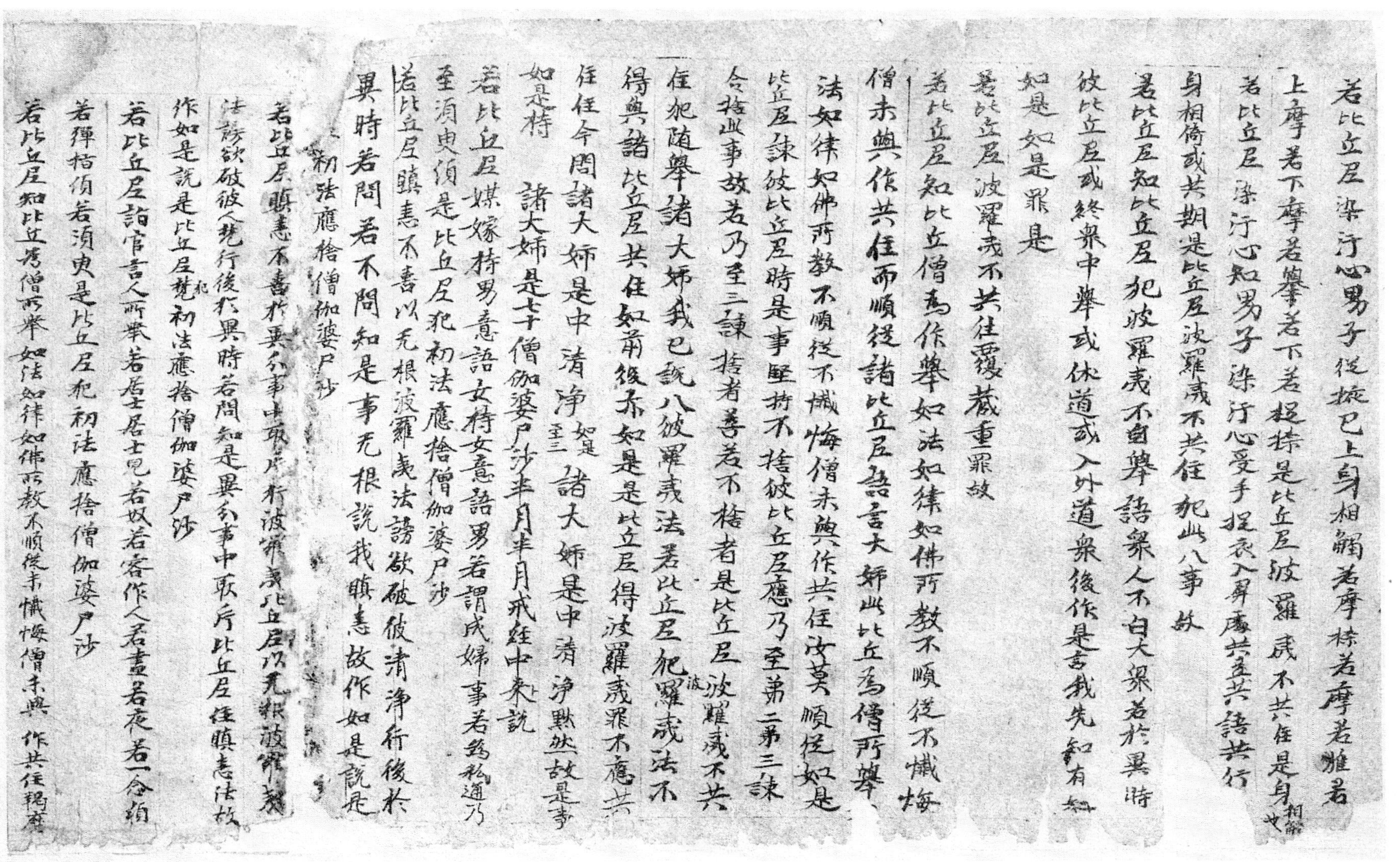

若比丘尼染污心男子從腋已上身相觸若摩若捺若牽若推若
上摩若下摩若舉若下若捉若捺是比丘尼波羅夷不共住是身相觸也
若比丘尼染污心知男子染污心受手捉衣入屏處共立共語共行
身相倚或共期是比丘尼波羅夷不共住犯此八事故
若比丘尼知比丘尼犯波羅夷不自舉不白大衆若於異時
彼比丘尼或終衆中舉或休道或入外道衆後作是言我先知有如
如是如是罪是
是比丘尼波羅夷不共住覆藏重罪故
若比丘尼知比丘僧為作舉如法如律如佛所教不順從不懺悔
僧未與作共住而順從諸比丘尼語言大姊此比丘為僧所舉
法如律如佛所教不順從不懺悔僧未與作共住汝莫順從如是
比丘尼諫彼比丘尼時是事堅持不捨彼比丘尼應乃至第二第三諫
令捨此事故若乃至三諫捨者善若不捨者是比丘尼波羅夷不共
住犯隨舉諸大姊我已說八波羅夷法若比丘尼犯波羅夷法不
得與諸比丘尼共住如前後亦如是比丘尼得波羅夷罪不應共
住今問諸大姊是中清淨不如是至三諸大姊是中清淨默然故是事
如是持
諸大姊是十七僧伽婆尸沙法半月半月戒經中來說
若比丘尼媒嫁持男意語女持女意語男若為成婦事若為私通乃
至須臾頃是比丘尼犯初法應捨僧伽婆尸沙
若比丘尼瞋恚不喜以無根波羅夷法謗欲破彼清淨行後於
異時若問若不問知是事無根說我瞋恚故作如是說是
初法應捨僧伽婆尸沙
若比丘尼瞋恚不喜於異分事中取片行波羅夷比丘尼以無根波羅夷
法謗欲破彼人梵行後於異時若問知是異分事中取片比丘尼住瞋恚法故
作如是說是比丘尼犯初法應捨僧伽婆尸沙
若比丘尼詣官言人所舉若居士居士兒若奴若客作人若晝若夜若一念頃
若彈指頃若須臾頃是比丘尼犯初法應捨僧伽婆尸沙
若比丘尼知比丘為僧所舉如法如律如佛所教不順從未懺悔僧未與作共住羯磨

BD00711號　四分比丘尼戒本　（17–3）

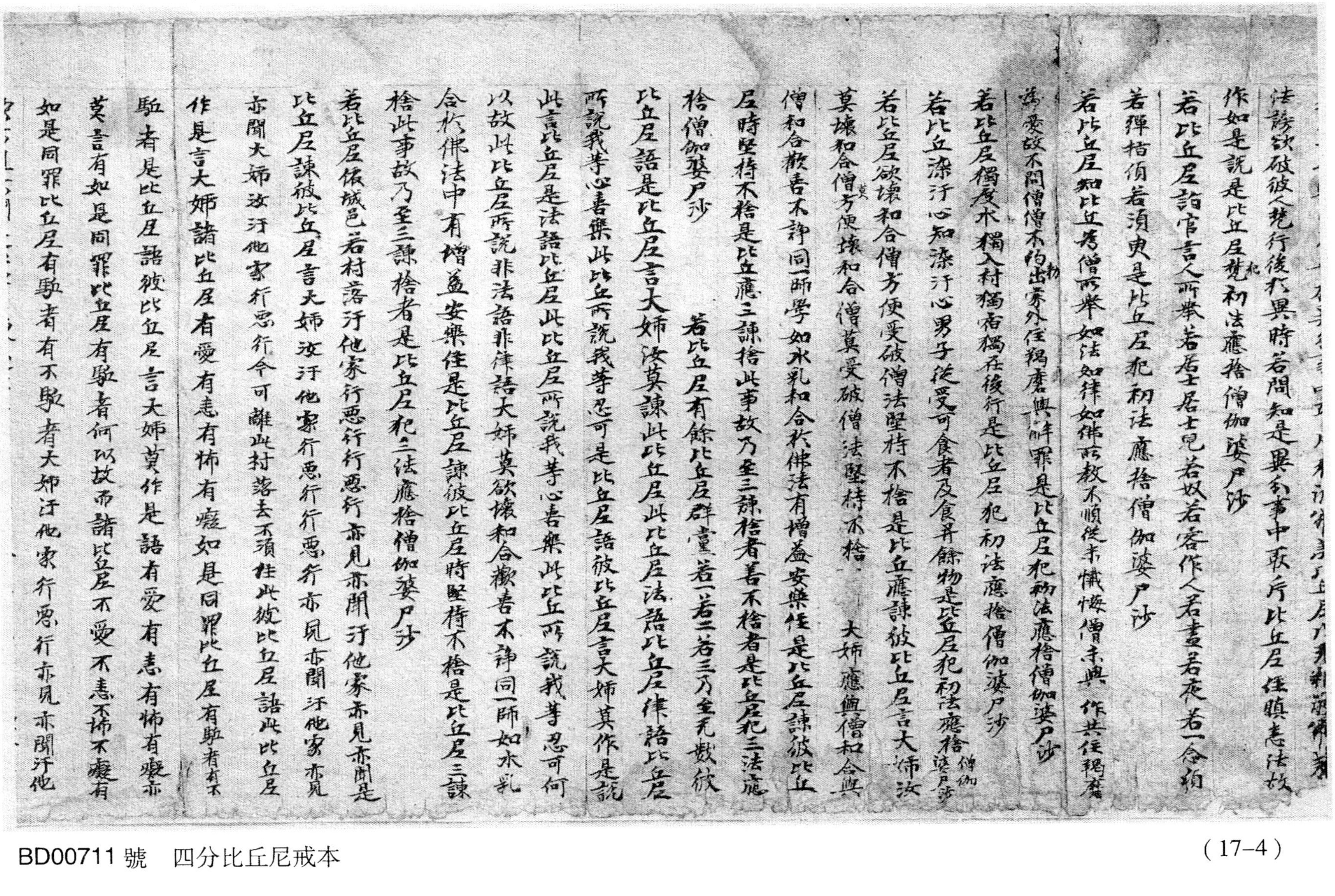

法謗欲破彼人梵行後於異時若問知是異分事中取片比丘尼住瞋恚法故
作如是說是比丘尼犯初法應捨僧伽婆尸沙
若比丘尼詣官言人所舉若居士居士兒若奴若客作人若晝若夜若一念頃
若彈指頃若須臾頃是比丘尼犯初法應捨僧伽婆尸沙
若比丘尼知比丘為僧所舉如法如律如佛所教不順從未懺悔僧未與作共住羯磨
為愛故不問僧僧不約出界外作羯磨與解罪是比丘尼犯初法應捨僧伽婆尸沙
若比丘尼獨度水獨入村獨宿獨在後行是比丘尼犯初法應捨僧伽婆尸沙
若比丘染污心知染污心男子從受可食者及食并餘物是比丘尼犯初法應捨僧伽婆尸沙
若比丘尼欲壞和合僧方便受破僧法堅持不捨是比丘尼應諫彼比丘尼言大姊汝
莫壞和合僧方便壞和合僧莫受破僧法堅持不捨　大姊應與僧和合與
僧和合歡喜不諍同一師學如水乳和合於佛法有增益安樂住是比丘尼諫彼比丘
尼時堅持不捨是比丘尼應三諫捨此事故乃至三諫捨者善不捨者是比丘尼犯三法應
捨僧伽婆尸沙
若比丘尼有餘比丘尼群黨若一若二若三乃至無數彼
比丘尼語是比丘尼言大姊汝莫諫此比丘尼此比丘尼法語比丘尼律語比丘尼
所說我等心喜樂此比丘尼所說我等忍可是比丘尼語彼比丘尼言大姊莫作是說
此言比丘尼是法語比丘尼此比丘尼所說我等心喜樂此比丘尼所說我等忍可何
以故此比丘尼所說非法語非律語大姊莫欲壞和合歡喜不諍同一師如水乳
合於佛法中有增益安樂住是比丘尼諫彼比丘尼時堅持不捨是比丘尼三諫
捨此事故乃至三諫捨者是比丘尼犯三法應捨僧伽婆尸沙
若比丘尼依城邑若村落污他家行惡行行惡行亦見亦聞污他家亦見亦聞是
比丘尼諫彼比丘尼言大姊汝污他家行惡行行惡行亦見亦聞污他家亦見
亦聞大姊汝污他家行惡行今可離此村落去不須住此彼比丘尼語此比丘尼
作是言大姊諸比丘尼有愛有恚有怖有癡如是同罪比丘尼有驅者有不
驅者是比丘尼語彼比丘尼言大姊莫作是語有愛有恚有怖有癡亦
莫言有如是同罪比丘尼有驅者何以故而諸比丘尼不愛不恚不怖不癡有
如是同罪比丘尼有驅者有不驅者大姊污他家行惡行亦見亦聞污他

BD00711號　四分比丘尼戒本　（17–4）

亦聞大姊汝汙他家行惡行今可離此村落去不須住此彼比丘尼語此比丘尼
作是言大姊諸比丘尼有愛有恚有怖有癡如是同罪比丘尼有驅者有不
驅者是比丘尼語彼比丘尼言大姊莫作是語有愛有恚有怖有癡亦
莫言有如是同罪比丘尼有驅者何以故而諸比丘尼不愛不恚不怖不癡有
如是同罪比丘尼有驅者有不驅者大姊汙他家行惡行亦見亦聞汙他
家亦見亦聞是比丘尼諫彼比丘尼時堅持不捨是比丘尼應三諫捨此事
故乃至三諫捨者善不捨者是比丘尼犯三法應捨僧伽婆尸沙
若比丘尼惡性不受人諫語於戒法中諸比丘尼如法諫已自身不受諫語
言語大姊汝莫向我說若好若惡我亦不向汝說若好若惡諸大姊止莫
諫我是比丘尼當諫彼比丘尼言大姊汝莫自身不受諫語大姊自身當
受諫語大姊如法諫語比丘尼諸比丘尼亦當如法諫大姊如是佛弟
子衆得增益展轉相諫展轉相教展轉懺悔是比丘尼如是諫時堅持
不捨是比丘尼應三諫捨此事故乃至三諫捨者善不捨者是比丘尼三法應
捨僧伽婆尸沙　若比丘尼相親住共作惡行惡聲流布展轉共相覆
罪是比丘尼當諫此比丘尼言大姊汝等莫相親近共作惡行惡聲流布共
相覆罪汝等若相親近於佛法中得增上安樂住是比丘尼諫彼比丘尼
時持不捨是比丘尼應三諫捨此事故乃至三諫捨者善若比丘尼僧犯三
法應捨僧伽婆尸沙　若比丘尼僧為作呵諫時餘比丘尼教作
如是言汝等莫別住當共住我亦見餘比丘尼應諫彼比丘尼言大姊汝
流布共相覆罪僧以恚故教汝別住是比丘尼應諫彼比丘尼言大姊汝
莫教餘比丘言大姊汝等汝等莫別住我亦見餘比丘尼共住作惡行惡聲
流布共相覆罪更無有餘若此比丘尼時別住佛法中有增益安樂住
是比丘尼諫彼比丘尼時堅持不捨是比丘尼應三諫今捨此事故乃至
三諫捨者善不捨者是比丘尼犯三法應捨僧伽婆尸沙
若比丘尼趣以一小事瞋恚不喜便作是語我捨佛捨法捨僧不獨有此沙
門釋子亦更有餘沙門婆羅門脩梵行者我等亦可於彼脩梵行是

BD00711號　四分比丘尼戒本　（17–5）

莫教餘比丘言大姊汝等汝等莫別住我亦見餘比丘尼共住作惡行惡聲
流布共相覆罪更無有餘若此比丘尼時別住佛法中有增益安樂住
是比丘尼諫彼比丘尼時堅持不捨是比丘尼應三諫今捨此事故乃至
三諫捨者善不捨者是比丘尼犯三法應捨僧伽婆尸沙
若比丘尼趣以一小事瞋恚不喜便作是語我捨佛捨法捨僧不獨有此沙
門釋子亦更有餘沙門婆羅門脩梵行者我等亦可於彼脩梵行是
比丘尼諫彼比丘尼時堅持不捨彼比丘尼應三諫今捨此事故乃至三諫
捨者善不捨者是比丘尼犯三應捨僧伽婆尸沙
若比丘尼喜鬪諍不善憶持諍事後瞋恚作是語僧有愛有恚有怖
有癡是比丘尼應語彼比丘尼言妹汝莫喜鬪諍不善
憶持諍事後瞋恚作是語僧有愛有恚有怖有癡而僧不愛不恚
不怖不癡汝自有愛有恚有怖有癡是比丘尼諫彼比丘尼時堅持不
捨彼比丘尼應三諫捨此事故乃至三諫捨者善不捨者是比丘尼犯三法應
捨僧伽婆尸沙　諸大姊已說十七僧伽婆尸沙法九初犯罪八
乃至三諫若比丘尼犯一二法應半月二部僧中行摩那埵行摩那埵
已餘有罪應卅僧中出是比丘尼罪若少一人不滿卅衆出是比丘尼罪是
比丘尼罪不得除諸大姊亦可呵此是時今問諸大姊是中清淨不第二第三亦如是
諸大姊是中清淨默然故是事如是持　諸大姊是卅尼薩耆波逸提
法半月戒經中說　若比丘尼衣已竟迦絺那衣已捨畜長衣
經十日不淨施得畜若過者尼薩耆波逸提
若比丘尼衣已竟迦絺那衣已捨五衣中若離一一衣異處宿經一夜
除僧羯磨尼薩耆波逸提　若比丘尼衣已竟迦絺那
衣已捨若得非時衣欲須便受受已疾成衣若足者善若不足者
得畜乃至一月為滿足故若過畜者薩耆波逸提
若比丘尼從非親里居士婦乞衣除時尼薩耆波逸提餘時者
若奪衣失衣燒衣漂衣是名時
若比丘尼奪衣失衣燒衣漂衣是非親里居士居婦自恣請

BD00711號　四分比丘尼戒本　（17–6）

得畜長一月為滿足故若過畜者尼薩耆波逸提
若比丘尼從非親里居士婦乞衣除餘時尼薩耆波逸提餘時者
若奪衣失衣燒衣漂衣是名時
若比丘尼奪衣失衣燒衣漂衣是非親里居士居士婦自恣請
多與衣是比丘尼當知足受衣若過受尼薩耆波逸提
若比丘尼居士居士婦為比丘尼辦衣價具如是衣價與某甲比
丘尼是比丘尼先不受自恣請到居士家作如是說善哉居士為
我辦如是如是衣價與我為好故若得衣者尼薩耆波逸提
若比丘尼二居士居士婦與比丘尼辦衣價我曹辦如是衣價與
某甲比丘尼是比丘尼先不受自恣請到二居士家作如是言善
哉居士辦如是如是衣價與我共作一衣為好若得衣者尼薩耆波逸提
若比丘尼若王若大臣若婆羅門若居士居士婦遣使為比丘尼
送衣價持如是衣價與某甲比丘尼彼比丘尼比丘尼所語言阿
姨為汝送衣價受取是比丘尼語彼使如是言我不應受此衣價我
若須衣合時清淨當受彼使語比丘尼言阿姨有執事人不須衣
比丘尼應言有僧伽藍民若優婆塞此是比丘尼執事人常為比
丘尼執事彼使至執事人所與衣價已還到比丘尼所如是言阿姨所
示某甲執事人我已與衣價大姊知時往彼當得衣比丘尼若須
衣者當往彼執事人所二反語言我須衣若二反三反為作憶
念得衣者善若不得衣四反五反六反在前嘿然住令彼憶念
若四若五反六反在前嘿然住得衣者善若不得衣過是求
得衣者尼薩耆波逸提若不得衣隨彼使所來處若自往若
遣使往語言汝先遣使持衣價與某甲比丘尼是比丘尼竟不
得衣汝還取莫使失此是時
若比丘尼自取金銀若錢若教人取若口可受者尼薩耆波
若比丘尼種種賣買寶物者尼薩耆波逸提

得衣者尼薩耆波逸提若不得衣隨彼使所來處若自往若
遣使往語言汝先遣使持衣價與某甲比丘尼是比丘尼竟不
得衣汝還取莫使失此是時
若比丘尼自取金銀若錢若教人取若口可受者尼薩耆波
若比丘尼種種賣買寶物者尼薩耆波逸提
若比丘尼種種販賣者尼薩耆波逸提
若比丘尼鉢減五綴不漏更求新鉢為好故尼薩耆波
逸提是比丘尼當持此鉢於尼眾中捨從次第貿至下
坐以下坐鉢與此比丘尼言妹持此鉢乃至破此時
若比丘尼自求縷使非親里織師織作衣者尼薩耆
自恣請使往彼所語織師言此衣為我織極好織令廣長
堅緻齊整好我當少多與比丘 若比丘尼與價乃至一食直得
衣者尼薩耆波逸提
若比丘尼與比丘尼衣已後瞋恚若自奪若教人奪取還我衣來
不與汝是比丘尼應還衣彼取衣者尼薩耆波逸提若比丘尼
病畜藥酥油生酥蜜得食殘宿乃至七日得服若過七日服
者尼薩耆波逸提
若比丘尼十日未滿夏三月若有急施衣比丘尼知是急施衣應
受受已乃至衣時應畜若過畜者尼薩耆波逸提 若比丘尼
知物向僧自求入己者尼薩耆波逸提
若比丘尼欲索是更索彼者尼薩耆波逸提 若比丘尼知檀越所請
僧施異迴作餘用者尼薩耆波逸提
若比丘尼所讚施物異自求為僧迴作餘用者尼薩耆波逸提
若比丘尼檀越所為施物異自求為僧迴作餘用者尼薩耆波逸提
若比丘尼畜長鉢者尼薩耆波逸提
若比丘尼多畜好色器者尼薩耆波逸提

僧施異迴作餘用者尼薩耆波逸提
若比丘尼所謂施物異自求為僧迴作餘用者尼薩耆波逸提
若比丘尼檀越所為施物異自求為僧迴作餘用者尼薩耆波逸提
若比丘尼畜長鉢者尼薩耆波逸提
若比丘尼多畜好色器者尼薩耆波逸提
若比丘尼許他比丘尼病衣後不與者尼薩耆波逸提 若比丘尼以非時衣
受作時衣者尼薩耆波逸提
若比丘尼與比丘尼貿易衣後瞋恚還自奪取若使人奪取妹還
我衣來我不與汝汝衣屬汝我衣還我者尼薩耆波逸提
若比丘尼乞重衣齊價直四張疊過者尼薩耆波逸提
若比丘尼乞輕衣極至價直兩張半疊過者尼薩耆波逸提 卅
諸大姊已說卅尼薩耆波逸提法今問諸大德是中清淨不 三說
諸大姊是中清淨嘿然故是事如是持
諸大姊是一百七十八波逸提法半月半月說戒經中來 若比丘尼故
妄語者波逸提 若比丘尼毀呰語者波逸提
若比丘尼兩舌語者波逸提 若比丘尼與男子同室宿者波逸提
若比丘尼共未受大戒女人同一室宿若過三宿者波逸提 若比丘尼
與未受大戒人共誦法者波逸提
若比丘尼知他有麁惡罪向未受大戒人說除僧羯磨者波逸提
若比丘尼向未受大戒人說過人法言我知我見實者波逸提
若比丘尼與男子說法過五六語除有知女人波逸提
若比丘尼自掘地若教人掘者波逸提 十 若比丘尼壞鬼神村者波逸提
若比丘尼妄作異語惱他人者波逸提 若比丘尼嫌罵者波逸提
若比丘尼取僧繩床若木床若臥具坐蓐露地自敷若教敷捨去不自舉不教人
舉波逸提 若比丘尼於僧房中取僧臥具自敷教人敷在中若
坐若臥從彼處捨去不自舉不教人舉者波逸提
若比丘尼知比丘尼先住處後來於中間敷坐臥具止宿念言彼若嫌迮者自

BD00711 號　四分比丘尼戒本　　（17–9）

若比丘尼自掘地若教人掘者波逸提 十 若比丘尼壞鬼神村者波逸提
若比丘尼妄作異語惱他人者波逸提 若比丘尼嫌罵者波逸提
若比丘尼取僧繩床若木床若臥具坐蓐露地自敷若教敷捨去不自舉不教人
舉波逸提 若比丘尼於僧房中取僧臥具自敷教人敷在中若
坐若臥從彼處捨去不自舉不教人舉者波逸提
若比丘尼知比丘尼先住處後來於中間敷坐臥具止宿念言彼若嫌迮者自
當避我去作如是因緣非餘非威儀者波逸提
若比丘尼瞋他比丘尼不喜眾僧房中自牽出若教人牽出者波逸提
若比丘尼在重閣上脫腳繩床若木床若坐若臥波逸提
若比丘尼知水有虫自用澆泥澆草若教人澆者波逸提
若比丘尼作大房戶扉牕牖及餘莊飾具指授覆苫齊二三節若過者波逸提
若比丘尼施一食處無病比丘尼應一食若過受者波逸提
若比丘尼別眾食除餘時波逸提餘時者病時作衣時施衣時道行時船
上時大會時沙門施食時此是時 若比丘尼至檀越家殷勤請與
餅麨飯比丘尼欲須者二三鉢應受持至寺內應分與餘比丘尼食若比丘尼
無病過二鉢受持至寺中不分與餘比丘尼食者波逸提
若比丘尼非時受食者波逸提 若比丘尼殘宿食啖者波逸提
若比丘尼不受食及藥著口中除水及楊枝波逸提
若比丘尼先受請已者前食後食行詣餘家不囑餘比丘尼除餘時波
逸提餘時者病時作衣時施衣時此是時
若比丘尼食家中有寶強安坐者波逸提
若比丘尼獨與男子露地一處共坐者波逸提 卅
若比丘尼語比丘尼如是語大姊共汝至聚落當與汝食彼比丘尼竟
不教與是比丘尼食如是言大姊去我與汝一處共坐共語不樂我
獨坐獨語以是因緣非餘方便遣他去者波逸提
若比丘尼請比丘尼四月與藥無病比丘尼應受若過受除常請更
請分請盡形請者波逸提 若比丘尼往觀軍陣除時因緣波逸提
若比丘尼有軍中住若二宿三宿或時觀軍陣闘戰若觀遊軍象
馬勢力者波逸提 若比丘尼飲酒者波逸提
若比丘尼水中戲者波逸提 若比丘尼以指相擊攊者波逸提

BD00711 號　四分比丘尼戒本　　（17–10）

若比丘尼請比丘尼四月與藥无病比丘尼應受若過受除常請更
請分請盡形請者波逸提　若比丘尼往觀軍陣除時因緣波逸提
若比丘尼有軍中住若二宿三宿或時觀軍中陣鬪戰若觀遊軍象
馬勢力者波逸提　若比丘尼飲酒者波逸提
若比丘尼水中戲者波逸提　若比丘尼以指相擊攊者波逸提
若比丘尼不受諫者波逸提　若比丘尼恐怖他比丘尼者波逸提卅
若比丘尼半月洗浴无病比丘尼應受若過受除餘時波逸提餘時
熱時病時作時大風時雨時遠行來時此是時
若比丘尼无病為炙身故露地然火若教人然除餘時波逸提
若比丘尼藏他比丘尼若鉢若衣若坐具針筩若自藏教人藏下
至戲咲者波逸提
若比丘尼藏他比丘尼若鉢若衣若又摩那沙弥尼衣後不問
主取著者波逸提　若比丘尼得新衣當作三種染壞色青黑
木蘭若比丘尼得新衣不作三種染壞色青黑木蘭新衣持者波逸提
若比丘尼故斷畜生命者波逸提　若比丘尼知水有虫飲用者波逸提
若比丘尼故惱他比丘尼乃至少時不樂者波逸提
若比丘尼知比丘尼有麁惡罪覆藏者波逸提
若比丘尼知諍事如法懺悔已後更發舉者波逸提
若比丘尼知是賊伴期共一道行乃至聚落者波逸提
若比丘尼作如是語我知佛所說法行婬欲非是障道法彼比丘
尼諫此比丘尼言大姊莫作是語莫謗世尊謗世尊者不善世
尊不作是語世尊无數方便說行婬欲是障道法犯婬欲者是障
道法彼比丘尼諫此比丘尼時堅持不捨彼比丘尼乃至三諫令捨是
事乃至三諫時捨者善不捨者波逸提
若比丘尼知如是語人未作法如是邪見而不捨若畜同一

BD00711 號　四分比丘尼戒本　（17–11）

尼諫此比丘尼言大姊莫作是語莫謗世尊謗世尊者不善世
尊不作是語世尊无數方便說行婬欲是障道法犯婬欲者是障
道法彼比丘尼諫此比丘尼時堅持不捨彼比丘尼乃至三諫令捨是
事乃至三諫時捨者善不捨者波逸提
若比丘尼知如是語人未作法如是邪見而不捨若畜同一
羯磨同一止宿者波逸提
若比丘尼知沙弥尼作如是語我知佛所說法行婬欲非鄣道法
彼比丘尼諫此沙弥尼言汝莫作是語莫誹謗世尊誹謗世尊不
善世尊不作是語沙弥尼世尊无數方便說行婬欲是鄣道
法犯婬者是鄣道法比丘尼諫此沙弥尼時堅特不捨彼比丘尼
應乃至三呵諫捨此事故乃至三諫時若捨者善不捨者彼比丘尼
應語是沙弥尼言汝自今已去非佛弟子不得隨餘比丘尼行如諸
沙弥尼得與比丘尼二宿汝今无是事汝去滅去不須此中住若比
丘尼知如是破擯沙弥尼若畜共同止宿者波逸提
若比丘尼如法諫時作如是語我今不學是戒乃至問有智慧持
律者當難問波逸提若為求解應當難　若比丘尼說戒時
如是語大姊用是雜碎戒為說是戒時令人惱愧懷疑輕毀戒故波逸提
若比丘尼說戒時作如是語大姊我今始知是戒半月半說戒經中
來餘比丘尼知是比丘尼若二若三說戒中坐何況多彼比丘尼无知无解
若犯罪應如法治更重增无知法大姊汝聽法時不一心攝耳聽法无知故波逸提
若比丘尼共同羯磨已後作如是說諸比丘尼隨親厚以衆僧物與者波逸提
若比丘尼僧斷事時不與欲而起去者波逸提
若比丘尼與欲竟後更呵者波逸提六十　若比丘尼比共鬪諍後
聽此語已欲向彼說者波逸提　若比丘尼瞋恚故不喜打彼比丘
尼者波逸提　若比丘尼瞋恚故不喜以手搏比丘尼者波逸提

BD00711 號　四分比丘尼戒本　（17–12）

若比丘尼共同羯磨已後悔如是說諸比丘尼隨親厚以衆僧物與者波逸提
若比丘尼僧斷事時不與欲而起去者波逸提
若比丘尼與欲竟後更呵者波逸提六十　若比丘尼比共鬪諍後
聽此語已欲向彼說者波逸提　若比丘尼瞋恚故不喜打彼比丘
尼者波逸提　若比丘尼瞋恚故不喜以手搏比丘尼者波逸提
若比丘尼刹利水澆頭王王未出未藏寶若入過宮門閾者波逸提
若比丘尼若寶及以寶莊飾具自捉若教人捉除僧伽藍中及
寄宿處波逸提若僧伽藍中若寄宿處若寶若以莊寶飾
具自捉若教人捉若識者當取如是因緣非餘　若比丘尼非時入聚
落不囑比丘尼者波逸提　若比丘尼作繩床若木床足應高如來八
指除入陛孔上截竟過者波逸提　若比丘尼持兜羅綿貯繩
床木床若臥具坐具者波逸提　若比丘尼噉蒜者波逸提　若比丘尼
剃三處毛者波逸提　若比丘尼以水作淨應齊兩指各一節若過者波逸提
若比丘尼以胡膠作男根者波逸提　若比丘尼共相拍者波逸提
若比丘尼乞生穀者波逸提
若比丘尼在生草上大小便者波逸提　若比丘尼夜便大小便器
器中晝不看牆外棄者波逸提　若比丘尼往觀聽伎樂者波逸提
若比丘尼村內與男子在屏處共立共語者波逸提八十
若比丘尼與男子共入屏覆處者波逸提
若比丘尼入村內巷陌中遣伴遠去在屏處與男子共立耳
語者波逸提　若比丘尼入白衣家內坐不語主人捨去波逸提
若比丘尼入白衣家內不語主人輒坐牀者波逸提
若比丘尼入白衣家內不語主人輒自敷坐宿者波逸提
若比丘尼與男子共入闇室中者波逸提
若比丘尼不審諦受師語便向人說者波逸提
若比丘尼有小因緣事便呪詛墮三惡道不生佛法中若我
有如是事墮三惡道不生佛法中若汝有如是事亦墮

BD00711 號　四分比丘尼戒本　（17–13）

若比丘尼入白衣家內不語主人輒牀坐者波逸提
若比丘尼入白衣家內不語主人輒自敷坐宿者波逸提
若比丘尼與男子共入闇室中者波逸提
若比丘尼不審諦受師語便向人說者波逸提
若比丘尼有小因緣事便呪詛墮三惡道不生佛法中若我
有如是事墮三惡道不生佛法中若汝有如是事亦墮
三惡道不生佛法中者波逸提
若比丘尼共鬪諍不善憶持諍事推胸啼哭者波逸提
若比丘尼無病二人共牀臥者波逸提九十　若比丘尼共一褥同
一被臥除餘時者波逸提　若比丘尼知先住後至知後
至先住為惱故在前誦經問義教授者波逸提
若比丘尼同活比丘尼病不瞻視者波逸提　若比丘尼安居初
聽餘比丘尼房中安牀後瞋恚駈去者波逸提
若比丘尼春夏冬一時人間遊行除因緣者波逸提
若比丘尼夏安居訖不去者波逸提　若比丘尼邊界有疑恐
怖處人間遊行者波逸提　若比丘尼於界內有疑恐怖處人
間遊行者波逸提　若比丘尼於界內有疑恐怖處在人間
遊行者波逸提　若比丘尼親近居士居士兒共住作不隨
順行者波逸提比丘尼諫此比丘尼言妹汝莫親近居士居士兒共住作不
隨順行大姊可別住於佛法有增益安樂住彼比丘尼諫此
比丘尼時堅持不捨彼比丘尼應三諫捨此事故乃至三諫捨此
事者善不捨者波逸提　若比丘尼往觀王宮文飾畫堂園林
浴池者波逸提百　若比丘尼露身形在河水泉渠水中者波逸提
若比丘尼作浴衣應量作應量作者長佛六搩手廣二搩手半
若過者波逸提　若比丘尼縫僧伽梨過五日者波逸提
若比丘尼過五日不看僧伽梨者波逸提
若比丘尼與衆僧衣者作留難者波逸提　若比丘尼不問主便

BD00711 號　四分比丘尼戒本　（17–14）

若過者波逸提　若比丘尼縫僧伽梨過五日者波逸提
若比丘尼過五日不看僧伽梨者波逸提
若比丘尼與衆僧衣作留難者波逸提　若比丘尼不問主便
著他衣者波逸提　若比丘尼持沙門衣施與外道白衣者波逸提
若比丘尼作如是意衆僧如法分衣遮令不分恐弟子不得者波逸提
若比丘尼作如是意令衆僧令不得出迦絺那衣後當出欲令五事
不得放捨者波逸提　若比丘尼作如是意遮比丘尼僧不出迦絺那
衣欲令不得五事放捨者波逸提百下　若比丘尼作如是意遮比
為我滅此諍事而不作方便令滅者波逸提　若比丘尼自手持
食與白衣入外道食者波逸提　若比丘尼為白衣作使者波逸提
若比丘尼自手紡績者波逸提　若比丘尼至白衣舍內在小牀大
牀上若坐若臥者波逸提　若比丘尼入白衣舍語主人
敷敷止宿明日不辭主人而去者波逸提　若比丘尼自誦習世俗呪術波逸提
若比丘尼教人誦習世俗呪術者波逸提　若比丘尼知女人任身度
與受具足戒者波逸提　若比丘尼知婦女乳兒與受具足戒者波逸提
若比丘尼知年不滿廿受具足戒者波逸提
若比丘尼年十八童子不與二歲學戒年滿廿便與受具足戒波逸提
若比丘尼年十八童女與二歲學戒與六法滿二十衆僧不聽便與
受具足戒者波逸提　若比丘尼曾嫁婦女年十歲與二歲學戒
年滿十二聽與受具足戒若減十二與受具足戒者波逸提
若比丘尼度小年曾嫁婦女與二歲學戒年滿十二不白衆僧
便與受具足戒者波逸提　若比丘尼知是人與受具足戒者波逸提
若比丘尼多度弟子不教二歲學戒不以法攝取者波逸提
若比丘尼不二歲隨和上尼者波逸提　若比丘尼僧聽而授
人具足戒者波逸提百卅　若比丘尼年未滿十二歲授人具足戒波逸提
若比丘尼年滿十二歲衆僧不聽便授具足戒者波逸提
若比丘尼僧不聽授人具足戒便言衆僧有愛有恚有怖有癡

BD00711號　四分比丘尼戒本　（17–15）

便與受具足戒者波逸提　若比丘尼[illegible]
若比丘尼多度弟子不教二歲學戒不以法攝取者波逸提
若比丘尼不二歲隨和上尼者波逸提　若比丘尼僧聽而授
人具足戒者波逸提百卅　若比丘尼年未滿十二歲授人具足戒波逸提
若比丘尼年滿十二歲衆僧不聽便授具足戒者波逸提
若比丘尼僧不聽授人具足戒便言衆僧有愛有恚有怖有癡
欲聽者便聽者便聽不欲者便不聽如是語者波逸提
若比丘尼父母夫主不聽與受具足戒者波逸提
若比丘尼知女人與童男子相敬愛愁憂瞋恚女人度令出家
受具足戒者波逸提　若比丘尼語式叉摩那言汝捨是
當與汝受具足戒若不方便與受具足戒者波逸提
若比丘尼語式叉摩那言持衣來與我當與汝受具足戒而
不方便與受具足戒者波逸提　若比丘尼不滿一歲授人具足
戒者波逸提　若比丘尼與人授具足戒已經宿方往比丘僧中
與受具足戒者波逸提　若比丘尼不病不往受教授者波逸提百卌
若比丘尼半月應往比丘僧中求教授若不求者波逸提
若比丘尼僧夏安居竟應往比丘僧中說三事自恣見
往者波逸提　若比丘尼在无比丘處夏安居者波逸
若比丘尼知有比丘僧伽藍不白而入者波逸提
丘者波逸提　若比丘尼喜鬪諍不善憶持諍事
比丘尼衆者波逸提　若比丘尼身生癰及種種瘡不白衆及餘
子破若裹者波逸提　若比丘尼先受請若足食已後食飯
麨乾飯魚及肉者波逸提　若比丘尼於家生嫉妒心波逸提
若比丘尼以香塗摩身者波逸提　若比丘尼以胡麻滓塗摩身
若比丘尼使比丘尼塗摩身者波逸提　若比丘尼式叉摩那塗摩身
逸提　若比丘尼使沙弥尼塗摩身者波逸提
[illegible]女人塗摩身者波逸提　若比丘尼著貯跨衣者波逸提
[illegible]

BD00711號　四分比丘尼戒本　（17–16）

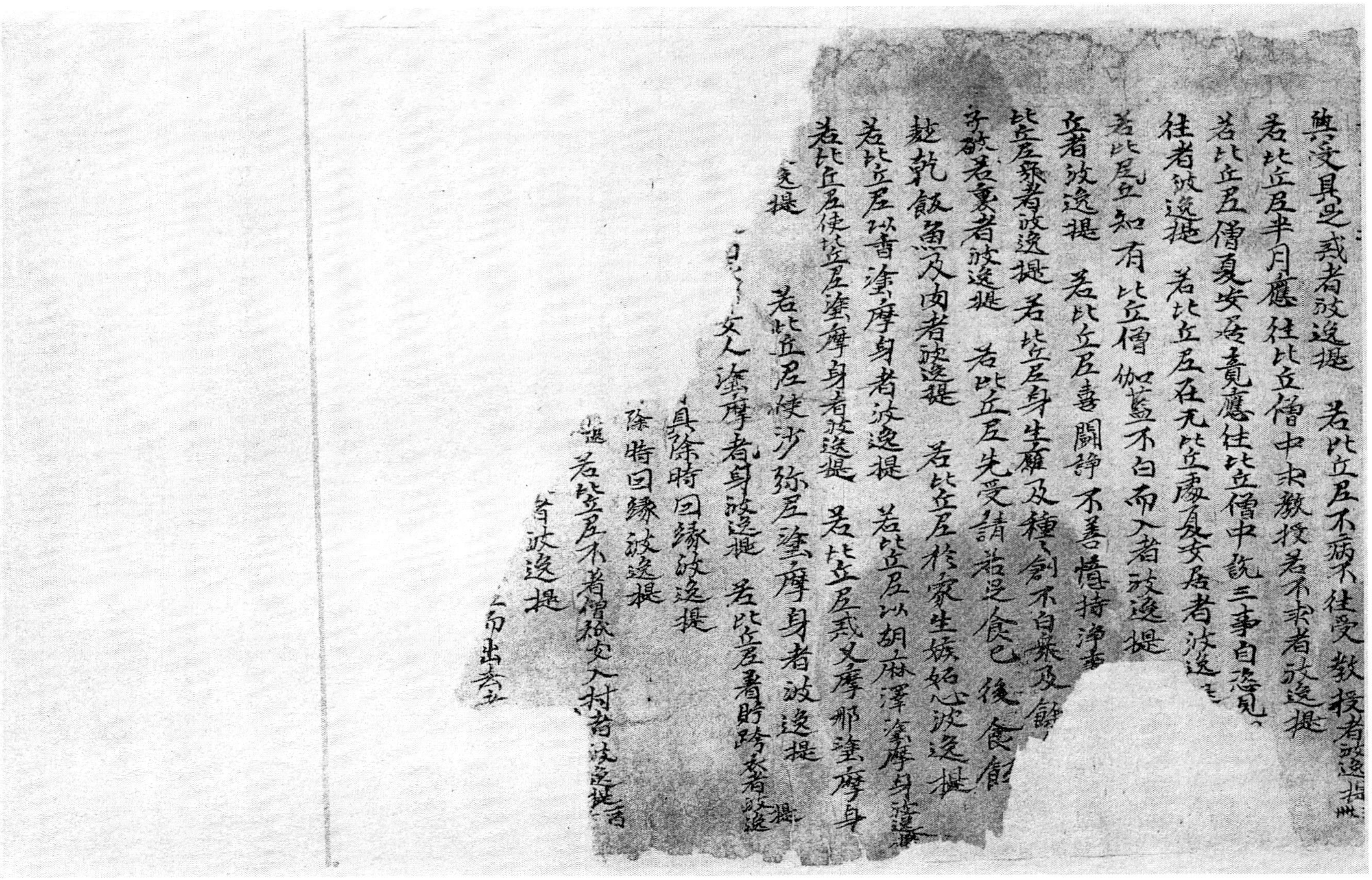
與受具足戒者波逸提　若比丘尼不病不往受教授者波逸提
若比丘尼半月應往比丘僧中求教授若不求者波逸提
若比丘尼僧夏安居竟應往比丘僧中說三事自恣見
往者波逸提　若比丘尼在无比丘處夏安居者波逸
若比丘尼知有比丘僧伽藍不白而入者波逸提
丘者波逸提　若比丘尼喜鬬諍不善憶持諍事
比丘尼眾者波逸提　若比丘尼身生癰及種種瘡不白眾及餘
子故若裹者波逸提　若比丘尼先受請若足食已後食飯
麨乾飯魚及肉者波逸提　若比丘尼於家生嫉妬心波逸提
若比丘尼以香塗摩身者波逸提　若比丘尼以胡麻滓塗摩身者波逸
若比丘尼使比丘尼塗摩身者波逸提　若比丘尼式叉摩那塗摩身
逸提　若比丘尼使沙彌尼塗摩身者波逸提
女人塗摩身者波逸提　若比丘尼著貯跨衣者波逸提
具除時因緣波逸提
除時因緣波逸提
逸　若比丘尼不著僧祇支入村者波逸提
者波逸提
而出者

BD00711 號　四分比丘尼戒本　　（17–17）

闍崛山中與
羅漢諸漏已
結心得自在
訶迦葉優樓頻螺迦
舍利弗大目揵連摩
賓那憍梵波提離婆
多畢陵伽婆蹉薄拘羅摩訶拘絺羅難陀孫
陀羅難陀富樓那彌多羅尼子須菩提阿難
羅睺羅如是眾所知識大阿羅漢等復有學
无學二千人摩訶波闍波提比丘尼與眷屬
六千人俱羅睺羅母耶輸陀羅比丘尼亦與
眷屬俱菩薩摩訶薩八萬人皆於阿耨多羅
三藐三菩提不退轉皆得陀羅尼樂說辯才
轉不退轉法輪供養无量百千諸佛於諸佛
所殖眾德本常為諸佛之所稱歎以慈脩身
善入佛慧通達大智到於彼岸名稱普聞无
量世界能度无數百千眾生其名曰文殊師
利菩薩觀世音菩薩得大勢菩薩常精進菩

BD00712 號　妙法蓮華經卷一　　（8–1）

[illegible]
善入佛慧通達大智到於彼岸名稱普聞无
量世界能度无數百千衆生其名曰文殊師
利菩薩觀世音菩薩得大勢菩薩常精進菩
薩不休息菩薩寶掌菩薩藥王菩薩勇施菩
薩寶月菩薩月光菩薩滿月菩薩大力菩薩
无量力菩薩越三界菩薩跋陀婆羅菩薩弥
勒菩薩寶積菩薩導師菩薩如是等菩薩摩
訶薩八萬人俱尒時釋提桓因與其眷屬二
萬天子俱復有名月天子普香天子寶光天
子四大天王與其眷屬萬天子俱自在天子
大自在天子與其眷屬三萬天子俱娑婆世
界主梵天王尸棄大梵光明大梵等與其眷
屬萬二千天子俱有八龍王難陁龍王跋難
陁龍王娑伽羅龍王和脩吉龍王德叉迦龍
王阿那婆達多龍王摩那斯龍王優鉢羅龍
王等各與若干百千眷屬俱有四緊那羅王
法緊那羅王妙法緊那羅王大法緊那羅王
持法緊那羅王各與若干百千眷屬俱有四
乾闥婆王樂乾闥婆王樂音乾闥婆王美乾
闥婆王美音乾闥婆王各與若干百千眷屬
俱有四阿脩羅王婆稚阿脩羅王佉羅騫大
阿脩羅王毗摩質多羅阿脩羅王羅睺羅阿脩
羅王各與若干百千眷屬俱有四迦樓羅王
大威德迦樓羅王大身迦樓羅王大滿迦樓
羅王如意迦樓羅王各與若干百千眷屬俱

阿脩羅王毗摩質多羅阿脩羅王羅睺羅阿脩
羅王各與若干百千眷屬俱有四迦樓羅王
大威德迦樓羅王大身迦樓羅王大滿迦樓
羅王如意迦樓羅王各與若干百千眷屬俱
韋提希子阿闍世王與若干百千眷屬俱各
礼佛足退坐一面
尒時世尊四衆圍繞供養恭敬尊重讚嘆爲
諸菩薩說大乘經名无量義教菩薩法佛所
護念佛說此經已結跏趺坐入於无量義處
三昧身心不動是時天雨曼陁羅華摩訶曼
陁羅華曼殊沙華摩訶曼殊沙華而散佛上
及諸大衆普佛世界六種震動尒時會中比
丘比丘尼優婆塞優婆夷天龍夜叉乾闥婆
阿脩羅迦樓羅緊那羅摩睺羅伽人非人等及
諸小王轉輪聖王是諸大衆得未曾有歡喜
合掌一心觀佛尒時佛放眉間白豪相光照
東方萬八千世界靡不周遍下至阿鼻地獄
上至阿迦尼吒天於此世界盡見彼土六趣
衆生又見彼土現在諸佛及聞諸佛所說經
法并見彼諸比丘比丘尼優婆塞優婆夷諸
脩行得道者復見諸菩薩摩訶薩種種因緣
種種信解種種相貌行菩薩道復見諸佛般
涅槃者復見諸佛般涅槃後以佛舍利起七
寶塔尒時弥勒菩薩作是念今者世尊現神
變相以何因緣而有此瑞今佛世尊入于三
昧是不可思議現希有事當以問誰誰能答

種種信解種種相貌行菩薩道復見諸佛般
涅槃者復見諸佛般涅槃後以佛舍利起七
寶塔尒時弥勒菩薩作是念今者世尊現神
變相以何因緣而有此瑞今佛世尊入于三
昧是不可思議現希有事當以問誰誰能荅
者復作此念是文殊師利法王之子已曾親
近供養過去无量諸佛必應見此希有之相
我今當問尒時比丘比丘尼優婆塞優婆夷
及諸天龍鬼神等咸作此念是佛光明神通
之相今當問誰尒時弥勒菩薩欲自決疑又
觀四衆比丘比丘尼優婆塞優婆夷及諸天
龍鬼神等衆會之心而問文殊師利言以何
因緣而有此瑞神通之相放大光明照于東
方萬八千土悉見彼佛國界莊嚴於是弥勒
菩薩欲重宣此義以偈問曰
文殊師利 導師何故 眉間白毫 大光普照
雨曼陁羅 曼殊沙華 栴檀香風 悅可衆心
以是因緣 地皆嚴淨 而此世界 六種震動
時四部衆 咸皆歡喜 身意快然 得未曾有
眉間光明 照于東方 萬八千土 皆如金色
從阿鼻獄 上至有頂 諸世界中 六道衆生
生死所趣 善惡業緣 受報好醜 於此悉見
又覩諸佛 聖主師子 演說經典 微妙第一
其聲清淨 出柔軟音 教諸菩薩 无數億萬
梵音深妙 令人樂聞 各於世界 講說正法

BD00712號　妙法蓮華經卷一　（8–4）

生死所趣 善惡業緣 受報好醜 於此悉見
又覩諸佛 聖主師子 演說經典 微妙第一
其聲清淨 出柔軟音 教諸菩薩 无數億萬
梵音深妙 令人樂聞 各於世界 講說正法
種種因緣 以无量喻 照明佛法 開悟衆生
若人遭苦 猒老病死 爲說涅槃 盡諸苦際
若人有福 曾供養佛 志求勝法 爲說緣覺
若有佛子 脩種種行 求无上慧 爲說淨道
文殊師利 我住於此 見聞若斯 及千億事
如是衆多 今當略說 我見彼土 恒沙菩薩
種種因緣 而求佛道 或有行施 金銀珊瑚
真珠摩尼 車𤦲馬瑙 金剛諸珎 奴婢車乘
寶飾輦轝 歡喜布施 迴向佛道 願得是乘
三界第一 諸佛所歎 或有菩薩 駟馬寶車
欄楯華蓋 軒飾布施 復見菩薩 身肉手足
及妻子施 求无上道 又見菩薩 頭目身體
欣樂施與 求佛智慧 文殊師利 我見諸王
往詣佛所 問无上道 便捨樂土 宮殿臣妾
剃除鬚髮 而被法服 或見菩薩 而作比丘
獨處閑靜 樂誦經典 又見菩薩 勇猛精進
入於深山 思惟佛道 又見離欲 常處空閑
深脩禪定 得五神通 又見菩薩 安禪合掌
以千萬偈 讚諸法王 復見菩薩 智深志固
能問諸佛 聞悉受持 又見佛子 定慧具足
以无量喻 爲衆講法 欣樂說法 化諸菩薩

BD00712號　妙法蓮華經卷一　（8–5）

入於深山 思惟佛道 又見離欲 常處空閑
深脩禪定 得五神通 又見菩薩 安禪合掌
以千萬偈 讚諸法王 復見菩薩 智深志固
能問諸佛 聞悉受持 又見佛子 定慧具足
以无量喻 為衆講法 欣樂說法 化諸菩薩
破魔兵衆 而擊法鼓 又見菩薩 寂然宴黙
天龍恭敬 不以為喜 又見菩薩 處林放光
濟地獄苦 令入佛道 又見佛子 未嘗睡眠
經行林中 懃求佛道 又見具戒 威儀无缺
淨如寶珠 以求佛道 又見佛子 住忍辱力
增上慢人 惡罵捶打 皆悉能忍 以求佛道
又見菩薩 離諸戲咲 及癡眷屬 親近智者
一心除亂 攝念山林 億千萬歲 以求佛道
或見菩薩 餚饍飲食 百種湯藥 施佛及僧
名衣上服 價直千萬 或无價衣 施佛及僧
千萬億種 栴檀寶舍 衆妙臥具 施佛及僧
清淨園林 華菓茂盛 流泉浴池 施佛及僧
如是等施 種種微妙 歡喜无猒 求无上道
或有菩薩 說寂滅法 種種教詔 无數衆生
或見菩薩 觀諸法性 无有二相 猶如虛空
又見佛子 心无所着 以此妙慧 求无上道
文殊師利 又有菩薩 佛滅度後 供養舍利
又見佛子 造諸塔廟 无數恒沙 嚴飾國界
寶塔高妙 五千由旬 縱廣正等 二千由旬
一一塔廟 各千幢幡 珠交露幔 寶鈴和鳴

又見佛子 心无所着 以此妙慧 求无上道
文殊師利 又有菩薩 佛滅度後 供養舍利
又見佛子 造諸塔廟 无數恒沙 嚴飾國界
寶塔高妙 五千由旬 縱廣正等 二千由旬
一一塔廟 各千幢幡 珠交露幔 寶鈴和鳴
諸天龍神 人及非人 香華伎樂 常以供養
文殊師利 諸佛子等 為供舍利 嚴飾塔廟
國界自然 殊特妙好 如天樹王 其華開敷
佛放一光 我及衆會 見此國界 種種殊妙
諸佛神力 智慧希有 放一淨光 照无量國
我等見此 得未曾有 佛子文殊 願決衆疑
四衆欣仰 瞻仁及我 世尊何故 放斯光明
佛子時答 決疑令喜 何所饒益 演斯光明
佛坐道場 所得妙法 為欲說此 為當授記
示諸佛土 衆寶嚴淨 及見諸佛 此非小緣
文殊當知 四衆龍神 瞻察仁者 為說何等
尒時文殊師利語彌勒菩薩摩訶薩及諸大
士善男子等如我惟忖今佛世尊欲說大法
雨大法雨吹大法螺擊大法鼓演大法義諸
善男子我於過去諸佛曾見此瑞放斯光已
即說大法是故當知今佛現光亦復如是欲
令衆生咸得聞知一切世間難信之法故現
斯瑞諸善男子如過去无量无邊不可思議
阿僧祇劫尒時有佛号日月燈明如來應供
正遍知明行足善逝世間解无上士調御丈
夫天人師佛世尊演說正法初善中善後善

我等見此　得未曾有　佛子文殊　願決衆疑
四衆欣仰　瞻仁及我　世尊何故　放斯光明
佛子時答　決疑令喜　何所饒益　演斯光明
佛坐道場　所得妙法　為欲說此　為當授記
示諸佛土　衆寶嚴淨　及見諸佛　此非小緣
文殊當知　四衆龍神　瞻察仁者　為說何等
尒時文殊師利語弥勒菩薩摩訶薩及諸大
士善男子等如我惟忖今佛世尊欲說大法
雨大法雨吹大法螺擊大法鼓演大法義諸
善男子我於過去諸佛曾見此瑞放斯光已
即說大法是故當知今佛現光亦復如是欲
令衆生咸得聞知一切世間難信之法故現
斯瑞諸善男子如過去无量无邊不可思議
阿僧祇劫尒時有佛号日月燈明如來應供
正遍知明行足善逝世間解无上士調御丈
夫天人師佛世尊演說正法初善中善後善
其義深遠其語巧妙純一无雜具足清白梵
行之相[illegible]

BD00712 號　妙法蓮華經卷一　（8–8）

般若波羅蜜多名不得菩薩摩訶薩不得菩
薩摩訶薩名亦不得菩薩摩訶薩心善現應
如是教誡教授諸菩薩摩訶薩令於般若波
羅蜜多皆得成辦　第二分入離生品第七
尒時具壽善現白佛言世尊若菩薩摩訶薩
欲圓滿布施波羅蜜多當學般若波羅蜜多
欲圓滿淨戒安忍精進靜慮般若波羅蜜多
當學般若波羅蜜多若菩薩摩訶薩欲遍知
色當學般若波羅蜜多欲遍知受想行識當
學般若波羅蜜多若菩薩摩訶薩欲遍知眼
處當學般若波羅蜜多欲遍知耳鼻舌身意
處當學般若波羅蜜多若菩薩摩訶薩欲遍
知色處當學般若波羅蜜多欲遍知聲香味
觸法處當學般若波羅蜜多若菩薩摩訶薩
欲遍知眼界當學般若波羅蜜多欲遍知耳
鼻舌身意界當學般若波羅蜜多若菩薩摩
訶薩欲遍知色界當學般若波羅蜜多欲遍
知聲香味觸法界當學般若波羅蜜多若菩
薩摩訶薩欲遍知眼識界當學般若波羅蜜

BD00713 號　大般若波羅蜜多經卷四〇八　（2–1）

處當學般若波羅蜜多欲遍知耳鼻舌身意
處當學般若波羅蜜多若菩薩摩訶薩欲遍
知色處當學般若波羅蜜多欲遍知聲香味
觸法處當學般若波羅蜜多若菩薩摩訶薩
欲遍知眼界當學般若波羅蜜多欲遍知耳
鼻舌身意界當學般若波羅蜜多若菩薩摩
訶薩欲遍知色界當學般若波羅蜜多欲遍
知聲香味觸法界當學般若波羅蜜多若菩
薩摩訶薩欲遍知眼識界當學般若波羅蜜
多欲遍知耳鼻舌身意識界當學般若波羅
蜜多若菩薩摩訶薩欲遍知眼觸當學般若
波羅蜜多欲遍知耳鼻舌身意觸當學般若
波羅蜜多若菩薩摩訶薩欲遍知眼觸為緣
所生諸受當學般若波羅蜜多欲遍知耳鼻
舌身意觸為緣所生諸受當學般若波羅蜜
多若菩薩摩訶薩欲遍知地界當學般若波
羅蜜多欲遍知水火風空識界當學般若波

BD00713 號　大般若波羅蜜多經卷四〇八　（2–2）

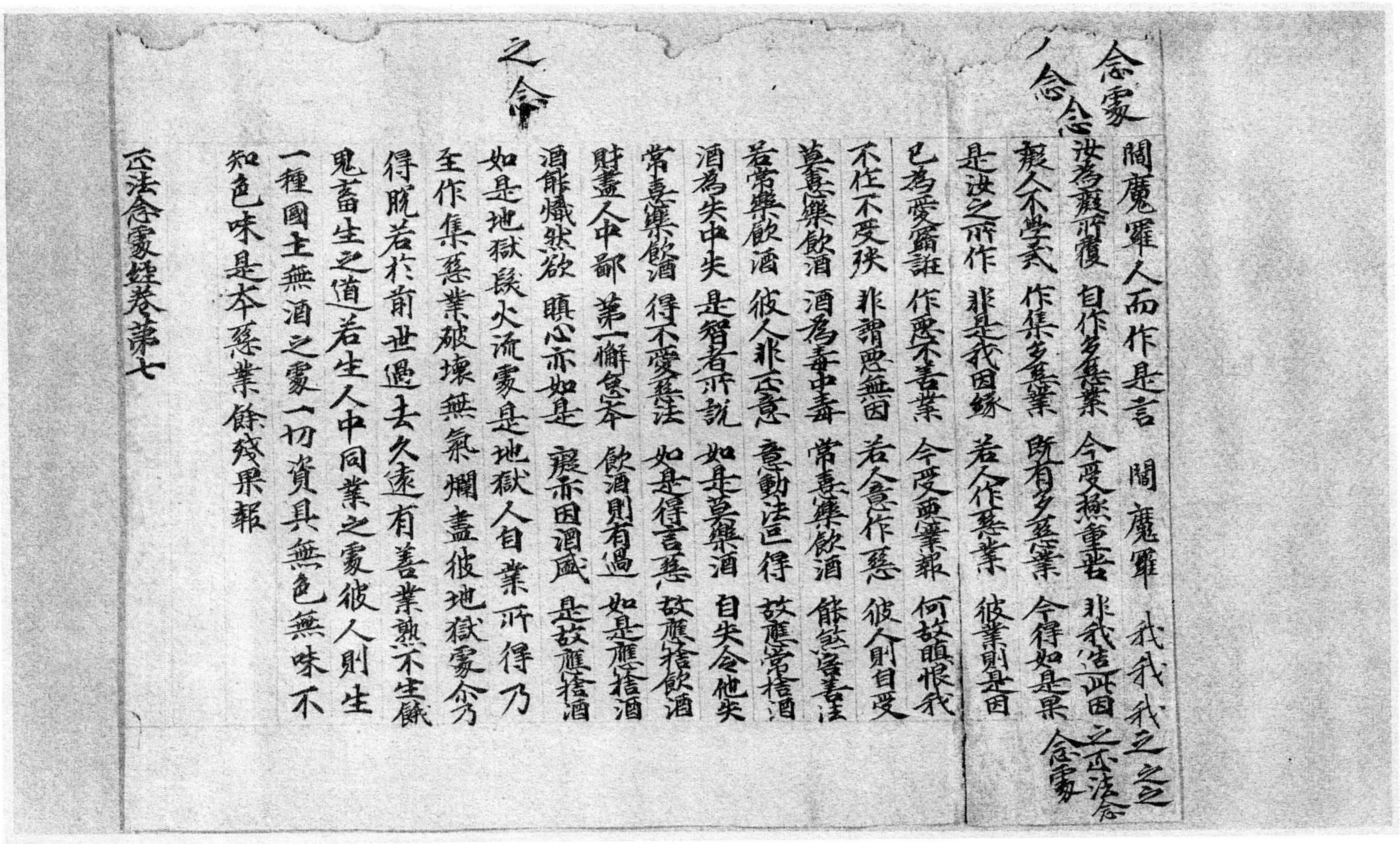

念處
念念
之念
閻魔羅人而作是言　閻魔羅　我我我之之之
汝為癡所覆　自作多惡業　今受㦖重苦　非我造此因　之正法念
癡人不學天　作集多惡業　既有多惡業　今得如是果　念處
是汝之所作　非是我因緣　若人作惡業　彼業則是因
已為愛所誑　作惡不善業　今受惡業報　何故瞋恨我
不住不受殃　非謂惡無因　若人意作惡　彼人則自受
莫憙樂飲酒　酒為毒中毒　常憙樂飲酒　能燒害善法
若常樂飲酒　彼人非正意　意動法且得　故應常捨酒
酒為失中失　是智者所說　如是莫樂酒　自失令他失
常憙樂飲酒　得不愛惡法　如是得言惡　故應捨飲酒
財盡人中鄙　第一衰患本　飲酒則有過　如是應捨酒
酒能燒然欲　瞋心亦如是　癡亦因酒盛　是故應捨酒
如是地獄疑火流處是地獄人自業所得乃
至作集惡業破壞無氣爛盡彼地獄處命乃
得脫若於前世過去久遠有善業熟不生餓
鬼畜生之道若生人中同業之處彼人則生
一種國土無酒之處一切資具無色無味不
知色味是本惡業餘殘果報
正法念處經卷第七

BD00714 號 A　正法念處經（兌廢稿）卷七　（1–1）

色一切華果如前所說河池衆鳥亦復如是
故名雜林於此林中五欲自娛揵闥婆音久
受快樂釋天王作是思惟我諸子等何處
[illegible]覺之樂不覺退沒時諸天子知天帝
釋心之所念至帝釋所諸天女等各還本宮
遊戲受樂尒時帝釋見諸天子而說頌曰
悕望諸境界　愛心難猒足　離愛則知足　此人无憂惱
若人愛欲境　則不得安樂　境界如毒害　後世受苦惱
若初若中後　若現在未來　求樂不可得　後則受苦惱
和合必有離　未曾有免者　樂為苦所覆　无量諸誑惑
[illegible]誑　遊戲於愛欲　一切癡愛人　未曾有猒足
境界難猒足　如火益乾薪　世間愛所誑　難滿亦如是
雖近於死地　猶不生猒患　為愛境所誑　不求善資粮
天退不自在　為愛所誑惑　我今教呵汝　汝為欲所迷
當作自利益　法為第一道　若有行法者　從樂得樂報
能如是行者　得寂滅涅槃　是故應脩福　以求涅槃樂
若有常脩福　得至无盡處
天間帝釋說　寂靜心調柔　是時帝釋子　調伏順又教
時天帝釋教呵諸子令順正道脩行善業閑

BD00714 號 B　正法念處經（兑廢稿）卷二五　（2–1）

悕望諸境界　愛心難猒足　離愛則知足　此人无憂惱
若人愛欲境　則不得安樂　境界如毒害　後世受苦惱
若初若中後　若現在未來　求樂不可得　後則受苦惱
和合必有離　未曾有免者　樂為苦所覆　无量諸誑惑
[illegible]誑　遊戲於愛欲　一切癡愛人　未曾有猒足
境界難猒足　如火益乾薪　世間愛所誑　難滿亦如是
雖近於死地　猶不生猒患　為愛境所誑　不求善資粮
天退不自在　為愛所誑惑　我今教呵汝　汝為欲所迷
當作自利益　法為第一道　若有行法者　從樂得樂報
能如是行者　得寂滅涅槃　是故應脩福　以求涅槃樂
若有常脩福　得至无盡處
天間帝釋說　寂靜心調柔　是時帝釋子　調伏順又教
時天帝釋教呵諸子令順正道脩行善業閑
惡道門詣於雜林遊戲受樂諸善所生帝釋
天王有五百殿種種諸寶頗梨珊瑚金銀天
青寶王天大青寶種種諸寶釋迦天王見種
種林諸蓮華葉如日初出以為莊嚴帝釋見
已而說頌曰

BD00714 號 B　正法念處經（兑廢稿）卷二五　（2–2）

BD00714號B背　雜寫　（1–1）

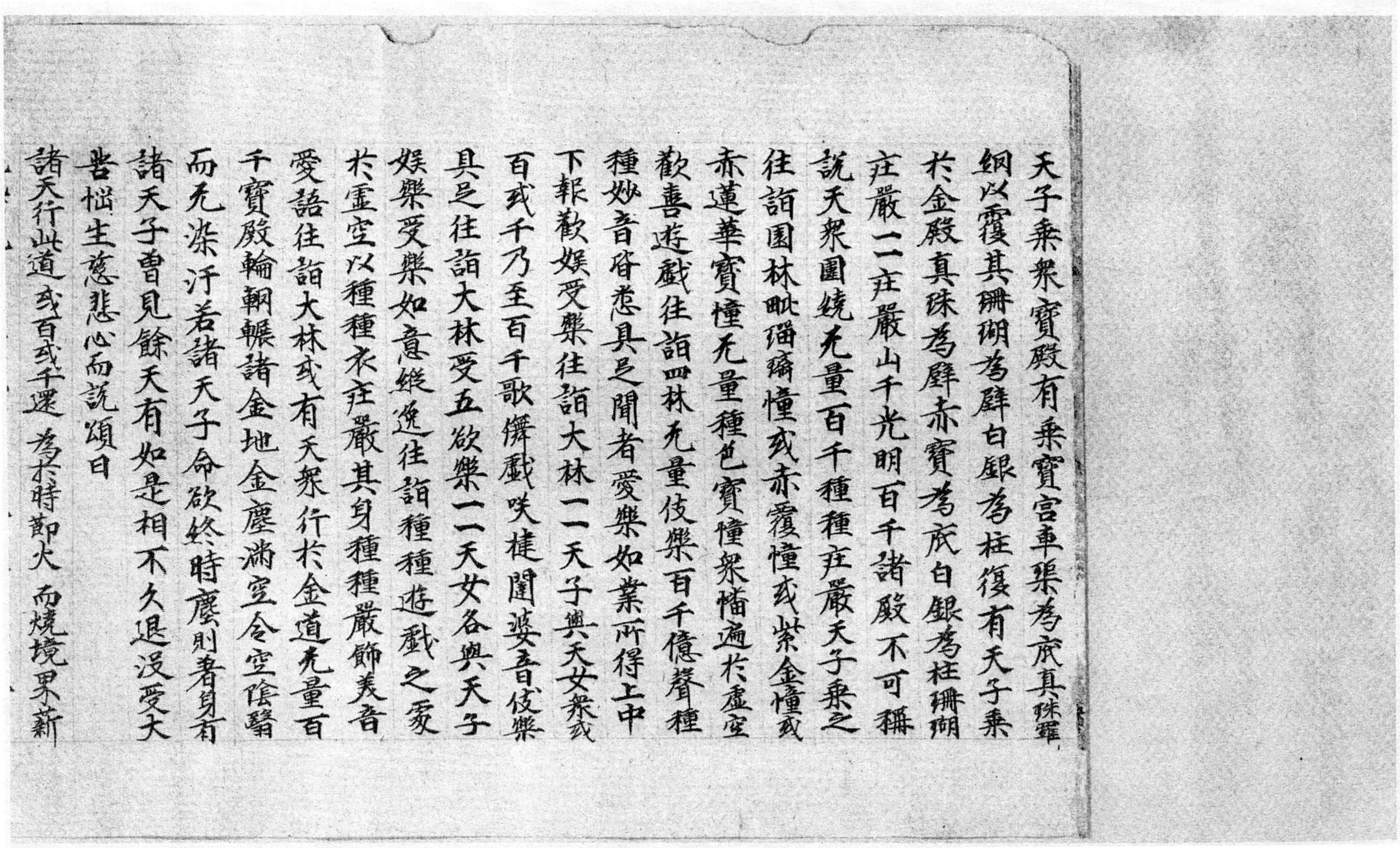

天子乘衆寶殿有乘寶宮車渠為床真珠羅
網以覆其珊瑚為壁白銀為柱復有天子乘
於金殿真珠為壁赤寶為床白銀為柱珊瑚
莊嚴一一莊嚴山千光明百千諸殿不可稱
說天衆圍繞无量百千種種莊嚴天子乘之
往詣園林毗瑠璃幢或赤霞幢或紫金幢或
赤蓮華寶幢无量種色寶幢衆幡遍於虛空
歡喜遊戲往詣四林无量伎樂百千億聲種
種妙音皆悉具足聞者愛樂如業所得上中
下報歡娛受樂往詣大林一一天子與天女衆或
百或千乃至百千歌儛戲笑揵闥婆音伎樂
具足往詣大林受五欲樂一一天女各與天子
娛樂受樂如意縱逸往詣種種遊戲之處
於虛空以種種衣莊嚴其身種種嚴飾美音
愛語往詣大林或有天衆行於金道无量百
千寶殿輪輞輾諸金地金塵滿空令空陰翳
而无染汙若諸天子命欲終時塵則著身有
諸天子曾見餘天有如是相不久退沒受大
苦惱生慈悲心而說頌曰
諸天行此道　或百或千還　為於時節火　而燒境界薪

BD00714號C　正法念處經（兌廢稿）卷二六　（2–1）

赤蓮華寶幢无量種色寶幢衆幡遍於虛空
歡喜遊戲往詣四林无量伎樂百千億聲種
種妙音皆悉具足聞者愛樂如業所得上中
下報歡娛受樂往詣大林一一天子與天女衆或
百或千乃至百千歌儛戲笑揵闥婆音伎樂
具足往詣大林受五欲樂一一天女各與天子
娛樂受樂如意縱逸往詣種種遊戲之處
於虛空以種種衣莊嚴其身種種嚴飾美音
愛語往詣大林或有天衆行於金道无量百
千寶殿輪輞帳諸金地金塵滿空令空陰翳
而无染汙善諸天子命欲終時塵則著身有
諸天子曾見餘天有如是相不久退沒受大
苦惱生慈悲心而說頌曰
諸天行此道　或百或千還　為於時節火　而燒境界薪
見他病死相　而自不覺知　衰相既至已　乃知自苦惱
放逸自濁心　常樂於境界　不覺死隨逐　常不離衆生
愛樂遊戲人　樂行於放逸　死軍將欲至　破壞如毒害

BD00714 號 C　正法念處經（兌廢稿）卷二六　（2–2）

正法念處經天品之卅三　夜摩天之九　卌四
又復業示若人生天不曾布施雖持於戒得
生天中雖有一種功德具足五欲功德劣於
餘天是業因緣人勝天劣毗婆尸佛當尒之
時而說偈言
人中布施已　則生於善道　非天能布施　以是果地故
命念念不住　如是轉不迴　業果將欲盡　應當作福德
一切是心力　能令命流轉　是故有智者　不為命作惡
一切皆不畏　未來諸苦惱　如是苦惱人　癡羂所縛故
布施持戒寶　於誰心中有　若天若是人　則到於善道
有為生住滅　皆是无常故　一切有為業　亦如是无常
雖壞而生貪　念念動不住　衆命皆如是　是故應捨離
如是此法一切有為悉皆无常苦空无我一
切世間无量衰惱處處普遍有五種縛縛
天縛人愚癡自盲惡欲壞心雖生愛樂一切
愚癡毛道凡天迭相愛縛如鳥在籠一切人
天於生死中流轉常行以是義故若人若
天或命或業幼生常相應於世間一切諸法不
生常想不作无量種種分別
又復具足十二種施如是布施天中所无雖

BD00714 號 D　正法念處經（兌廢稿）卷四四　（2–1）

命念念不住如是轉不迴業果將欲盡應當作福德
一切是心力能令命流轉是故有智者不為命作惡
一切皆不畏未來諸苦惱如是苦惱人癡羂所縛故
布施持戒寶於誰心中有若天若是人則到於善道
有為生住滅皆是无常故一切有為業亦如是无常
雖壞而生貪念念動不住業命皆如是是故應捨離
如是此法一切有為悉皆无常苦空无我一
切世間无量衰惱處處普遍有五種縛縛
天縛人愚癡自盲惡欲壞心唯生愛樂一切
愚癡毛道凡天迷相愛縛如鳥在籠一切人
天於生死中流轉常行以是義故若人若
天或命或業切生常相應於世間一切諸法不
生常想不住无量種種分別
又復具足十二種施如是布施天中所无唯
人中有天唯食果若食果盡爛失破壞退彼
天處何等十二布施具足一者方處具足二
者時節具足三者功德具足四者可愛具足
謂所愛物五者福田具足六者施飢渴者七
者信心施與八者不求而施功德具足九者
有歡喜心施妻子等十者簡擇心所敬重勝

BD00714號D　正法念處經（兌廢稿）卷四四　（2–2）

[illegible]六年

BD00714號D背　勘記　（1–1）

金光明最勝王經無染著陀羅尼品第十三 三藏法師義淨奉制譯
尒時世尊告具壽舍利子今有法門名無染
著陀羅尼是諸菩薩所脩行法過去菩薩之
所受持是菩薩母說是語已具壽舍利子白
佛言世尊陀羅尼者是何句義世尊陀羅尼
者非方處非非方處作是語已佛告舍利子
善哉善哉舍利子汝於大乘已能發趣信解
大乘尊重大乘如汝所說陀羅尼者非方處
非非方處非法非非法非過去非未來非現
在非事非非事非緣非非緣非行非非行無
有法生亦無滅然為利益諸菩薩故作如、
是說於此陀羅尼功用正(道)理趣勢力安立
即是諸佛功德諸佛禁戒諸佛所學諸佛密
意諸佛生處故名無染著陀羅尼最妙法門
作是語已舍利子白佛言世尊唯願善逝為
我說此陀羅尼法若諸菩薩能安住者於無
上菩提不復退轉成就正願得無所依自性
辯才獲希有事安住聖道皆由得此陀羅尼
故佛告舍利子善哉善哉如是如是如汝所說

BD00715號　金光明最勝王經卷七　（7–1）

我說此陀羅尼法若諸菩薩能安住者於無
上菩提不復退轉成就正願得無所依自性
辯才獲希有事安住聖道皆由得此陀羅尼
故佛告舍利子善哉善哉如是如是如汝所說
若有菩薩得此陀羅尼者應知是人與佛
無異若有供養尊重承事供給此菩薩者應
知即是供養於佛舍利子若有餘人聞此陀
羅尼受持讀誦生信解者亦應如是恭敬供
養與佛無異以是因緣獲無上果尒時世尊
即為演說陀羅尼曰
怛姪他 刪陀喇你唱多喇你
蘇三鉢囉底瑟恥多 蘊 那 麼
蘇鉢喇底瑟恥哆 鼻逝也 馱 羅
薩底也鉢喇底慎若 蘇 阿嚧 訶
慎若那 末底 溫波彈 你
阿伐那 末你 阿毗師彈 你
阿鞞毗耶 訶囉 輸婆伐 底
蘇尼室唎多列 薄虎郡 社引
阿毗婆馱引 莎訶
佛告舍利子此無染著陀羅尼句若有菩薩
能善安住能正受持者當知是人若於一劫
若百劫若千劫若百千劫所發正願無有窮
盡身亦不被刀杖毒藥水火猛獸之所損害
何以故舍利子此無染著陀羅尼是過去諸
佛母未來諸佛母現在諸佛母舍利子若復
有人以十阿僧企耶三千大千世界滿中七
寶奉施諸佛及以上妙衣服飲食種種供養
經無數劫若復有人於此陀羅尼乃至一句

BD00715號　金光明最勝王經卷七　（7–2）

何以故舍利子此無染著陀羅尼是過去諸
佛母未來諸佛母現在諸佛母舍利子若復
有人以十阿僧企耶三千大千世界滿中七
寶奉施諸佛及以上妙衣服飲食種種供養
經無數劫若復有人於此陀羅尼乃至一句
能受持者所生之福倍多於彼何以故舍利
子此無染著陀羅尼甚深法門是諸佛母故
時具壽舍利子及諸大衆聞是法已皆大歡
喜咸願受持
金光明最勝王經如意寶珠品第十四
爾時世尊於大衆中告阿難陀曰汝等當知
有陀羅尼名如意寶珠遠離一切災厄亦能
遮止諸惡雷電過去如來應正等覺所共宣
說我於今時於此經中亦為汝等大衆宣說
能於人天為大利益哀愍世間擁護一切令
得安樂時諸大衆及阿難陀聞佛語已各各
至誠瞻仰世尊聽受神呪佛言汝等諦聽於
此東方有光明電王名阿揭多南方有光明
電王名設羝嚕西方有光明電王名主多光
北方有光明電王名蘇多末尼若有善男子
善女人得聞如是電王名字及知方處者此
人即便遠離一切怖畏之事及諸災橫悉皆
消殄若於住處書此四方電王名者於所住
處無雷電怖亦無災厄及諸障惱非時枉死
悉皆遠離爾時世尊即說呪曰
怛姪他　你弭你弭你弭
尼民達　哩　室哩盧迦盧羯儞
室哩輸攞波儞　曷路叉曷路叉
我某甲及此住處一切怖所有[illegible]

BD00715號　金光明最勝王經卷七　（7–3）

處無雷電怖亦無災厄及諸障惱非時枉死
悉皆遠離爾時世尊即說呪曰
怛姪他　你弭你弭你弭
尼民達　哩　室哩盧迦盧羯儞
室哩輸攞波儞　曷路叉曷路叉
我某甲及此住處一切恐怖所有苦惱雷電
霹靂乃至枉死悉皆遠離莎訶
爾時觀自在菩薩摩訶薩在大衆中即從座
起偏袒右肩合掌恭敬白佛言世尊我今亦
於佛前略說如意寶珠神呪於諸人天為大
利益哀愍世間擁護一切令得安樂有大威
力所求如願即說呪曰
怛姪他　曷帝　毗喝帝你喝帝
鉢喇室體雞　鉢喇底丁耶反寠室囉
戍提目羝毗末麗　鉢喇婆莎濕嚩囉
安荼入聲囉　般荼囉　稅平聲帝
般荼囉婆死你　喝囉羯荼引囉
劫畢囉　水揭羅惡綺
達地目企　曷路叉曷路叉
我某甲及此住處一切恐怖所有苦惱乃至
枉死悉皆遠離願我莫見罪惡之事常
蒙聖觀自在菩薩大悲威光之所護念莎訶
爾時執金剛秘密主菩薩即從座起合掌恭
敬白佛言世尊我今亦說陀羅尼呪名曰無
勝於諸人天為大利益哀愍世間擁護一切
有大威力所求如願即說呪曰
怛姪他母你母你　母尼囉末底末底

BD00715號　金光明最勝王經卷七　（7–4）

勝於諸人天為大利益哀愍世間擁護一切
有大威力所求如願即說呪曰
怛姪他毋你毋你　毋尼㘑末底末底
蘇末底莫訶末底　訶呵呵磨娑以
耶悉底帝列珠跋　跋折攞波你
惡鉗含火姪嚟莾上　莎訶
世尊我此神呪名曰無勝擁護若有男女一
心受持書寫讀誦憶念不忘我於晝夜常
護是人於一切恐怖乃至枉死悉皆遠離
尒時索訶世界主梵天王即從座起合掌恭
敬白佛言世尊我亦有陁羅尼微妙法門於諸
人天為大利益哀愍世間擁護一切有大
威力所求如願即說呪曰
怛　姪　他　腦里羽里地里　莎訶
跋羅鉗魔布囇　跋羅鉗末泥
跋羅鉗麼揭羯　褐邏跋僧悉怛囇莎訶
世尊我此神呪名曰梵治悉能擁護持是呪
者令離憂惱及諸罪業乃至枉死悉皆遠離
尒時帝釋天主即從座起合掌恭敬白佛言
世尊我亦有陁羅尼名跋折羅扇你是大明呪
呪能除一切恐怖厄難乃至枉死悉皆遠離救
善與樂利益人天即說呪曰
怛姪他毗你婆喇你　畔稚麼彈滯
麼臧你撥撥會哩　達陁哩旃荼哩
摩登耆上卜羯死　薩羅跋喇羯去
四鄉末任荅摩曪多喇你　莫呼剌你達剌你計
斫羯囉婆枳　捨伐哩香伐哩莎訶
尒時多聞天王持國天王增長天王

摩登耆上卜羯死　薩羅跋喇羯去
四鄉末任荅摩曪多喇你　莫呼剌你達剌你計
斫羯囉婆枳　捨伐哩香伐哩莎訶
尒時多聞天王持國天王增長天王廣目天
王俱從座起合掌恭敬白佛言世尊我今亦
有神呪名施一切衆生無畏於諸苦惱常為
擁護令得安樂增益壽命無諸患苦乃至枉
死悉皆遠離即說呪曰
怛姪他補澀閉　蘊補澀閉
鉢麼鉢喇呵囇　阿難耶鉢喇設悉帝
扇帝涅目帝　揭例窣覩帝
悉哆鼻帝　莎訶
尒時復有諸大龍王所謂末那斯龍王電光
龍王無熱池龍王電舌龍王妙光龍王俱從座
起合掌恭敬白佛言世尊我亦有如意寶
珠陁羅尼能遮惡電除諸恐怖能於人天為
大利益哀愍世間擁護一切有大威力所求
如願乃至枉死悉皆遠離一切毒藥皆令止
息一切造作蠱道呪術不吉祥事悉令除滅
我今以此神呪奉獻世尊唯願哀愍慈悲納
受當令我等離此龍趣永捨慳貪何以故由
此慳貪於生死中受諸苦惱我等願斷慳貪
種子即說呪曰
怛姪他阿折囇　阿末囇阿蜜㗚帝
惡叉裊阿弊裊　奔尼鉢喇耶法帝
薩婆波跛　鉢喇苦摩尼裊沙訶
阿離裊　般豆蘊波尼裊莎訶
世尊若有善男子善女人口中說此陁羅尼

尒時復有諸大龍王所謂末那斯龍王電光
龍王無熱池龍王電舌龍王妙光龍王倶從座
起合掌恭敬白佛言世尊我亦有如意寶
珠陁羅尼能遮惡電除諸恐怖能於人天為
大利益衆愍世間擁護一切有大威力所求
如願乃至枉死悉皆遠離一切毒藥皆令止
息一切造作蠱道呪術不吉祥事悉令除滅
我今以此神呪奉獻世尊唯願哀愍慈悲納
受當令我等離此龍趣永捨慳貪何以故由
此慳貪於生死中受諸苦惱我等願斷慳貪
種子即說呪曰
怛姪他 阿折 囉 阿末囉阿蜜㗚帝
惡叉裒阿鞞裒 奔尼鉢唎耶法帝
薩婆波 跛 鉢唎苦摩尼裒沙訶
阿 離 裒 般豆蘊波尼裒莎訶
世尊若有善男子善女人口中說此陁羅尼
明呪或書經卷受持讀誦恭敬供養者終無

BD00715號　金光明最勝王經卷七　（7–7）

……者於
……以此為……當知是人不於一
……四五佛而種善根已於无量千万……
諸善根聞是章句乃至一念生淨信
菩提如来悉知悉見是諸衆生得如是无
量福德何以故是諸衆生无復我相人相衆
生相壽者相无法相亦无非法相何以故是諸
衆生若心取相則為着我人衆生壽者若取
法相即着我人衆生壽者何以故若取非法
相即着我人衆生壽者是故不應取法不應
取非法以是義故如来常說汝等比丘知我
說法如筏喻者法尚應捨何況非法
須菩提於意云何如来得阿耨多羅三藐三
菩提耶如来有所說法耶須菩提言如我解
佛所說義无有定法名阿耨多羅三藐三菩
提亦无有定法如来可說何以故如来所說
法皆不可取不可說非法非非法所以者何
一切賢聖皆以无為法而有差別

BD00716號　金剛般若波羅蜜經　（15–1）

提亦无有定法如来可說何以故如来所說
法皆不可取不可說非法非非法所以者何
一切賢聖皆以无為法而有差別
須菩提於意云何若人滿三千大千世界七
寶以用布施是人所得福德寧為多不須菩
提言甚多世尊何以故是福德即非福德性
是故如来說得福德多須菩提於意云何若
復有人於此經中受持乃至四句偈等為他
人說其福勝彼何以故須菩提一切諸佛及
諸佛阿耨多羅三藐三菩提法皆從此經
出須菩提所謂佛法者即非佛法
須菩提於意云何須陁洹能作是念我得須
陁洹果不須菩提言不也世尊何以故須陁
洹名為入流而无所入不入色聲香味觸法是
名須陁洹須菩提於意云何斯陁含能作
是念我得斯陁含果不須菩提言不也世尊
何以故斯陁含名一往来而實无往来是名
斯陁含須菩提於意云何阿那含能作是
念我得阿那含果不須菩提言不也世尊何以
故阿那含名為不来而實无来是故名阿那
含須菩提於意云何阿羅漢能作是念我得
阿羅漢道不須菩提言不也世尊何以故實
无有法名阿羅漢世尊若阿羅漢作是念
我得阿羅漢道即為著我人衆生壽者世
尊佛說我得无諍三昧人中最為第一是第

BD00716 號　金剛般若波羅蜜經　（15–2）

是念我得斯陁含果不須菩提言不也世尊
何以故斯陁含名一往来而實无往来是名
斯陁含須菩提於意云何阿那含能作是
念我得阿那含果不須菩提言不也世尊何以
故阿那含名為不来而實无来是故名阿那
含須菩提於意云何阿羅漢能作是念我得
阿羅漢道不須菩提言不也世尊何以故實
无有法名阿羅漢世尊若阿羅漢作是念
我得阿羅漢道即為著我人衆生壽者世
尊佛說我得无諍三昧人中最為第一是第
一離欲阿羅漢我不作是念我是離欲阿羅
漢世尊我若作是念我得阿羅漢道世尊則
不說須菩提是樂阿蘭那行者以須菩提實
无所行而名須菩提是樂阿蘭那行
佛告須菩提於意云何如来昔在然燈佛所
於法有所得不世尊如来在然燈佛所於法
實无所得須菩提於意云何菩薩莊嚴佛
土不不也世尊何以故莊嚴佛土者則非莊嚴
是名莊嚴是故須菩提諸菩薩摩訶薩應
如是生清淨心不應住色生心不應住聲香味
觸法生心應无所住而生其心須菩提譬如
有人身如須弥山王於意云何是身為大不
須菩提言甚大世尊何以故佛說非身是
名大身須菩提如恒河中所有沙數如是沙等
恒河於意云何是諸恒河沙寧為多不須菩
提言甚多世尊但諸恒河尚多无數何况其

BD00716 號　金剛般若波羅蜜經　（15–3）

須菩提言甚大世尊何以故佛說非身是
名大身須菩提如恒河中所有沙數如是沙等
恒河於意云何是諸恒河沙寧為多不須菩
提言甚多世尊但諸恒河尚多无數何況其
沙須菩提我今實言告汝若有善男子善女
人以七寶滿尒所恒河沙數三千大千世界
以用布施得福多不須菩提言甚多世尊佛
告須菩提若善男子善女人於此經中乃至
受持四句偈等為他人說而此福德勝前福
德復次須菩提隨說是經乃至四句偈等當
知此處一切世間天人阿脩羅皆應供養如
佛塔廟何況有人盡能受持讀誦須菩提
當知是人成就最上第一希有之法若是經
典所在之處則為有佛若尊重弟子
尒時須菩提白佛言世尊當何名此經我等
云何奉持佛告須菩提是經名為金剛般若
波羅蜜以是名字汝當奉持所以者何須菩
提佛說般若波羅蜜則非般若波羅蜜須菩
提於意云何如來有所說法不須菩提白佛言
世尊如來无所說須菩提於意云何三千大
千世界所有微塵是為多不須菩提言甚
多世尊須菩提諸微塵如來說非微塵是名
微塵如來說世界非世界是名世界須菩提
於意云何可以三十二相得見如來不不也
世尊不可以三十二相得見如來何以故如來

BD00716號　金剛般若波羅蜜經　（15–4）

多世尊須菩提諸微塵如來說非微塵是名
微塵如來說世界非世界是名世界須菩提
於意云何可以三十二相得見如來不不也
世尊不可以三十二相得見如來何以故如來
所說三十二相即是非相是名三十二相須
菩提若有善男子善女人以恒河沙等身命
布施若復有人於此經中乃至受持四句偈
等為他人說其福甚多
尒時須菩提聞說是經深解義趣涕淚悲
泣而白佛言希有世尊佛說如是甚深經典
我從昔來所得慧眼未曾得聞如是之經世尊
若復有人得聞是經信心清淨則生實相當
知是人成就第一希有功德世尊是實相者
則是非相是故如來說名實相世尊我今得
聞如是經典信解受持不足為難若當來世
後五百歲其有眾生得聞是經信解受持
是人則為第一希有何以故此人无我相人相
眾生相壽者相所以者何我相即是非相人
相眾生相壽者相即是非相何以故離一切
諸相則名諸佛佛告須菩提如是如是若復
有人得聞是經不驚不怖不畏當知是人甚
為希有何以故須菩提如來說第一波羅蜜
非第一波羅蜜是名第一波羅蜜
須菩提忍辱波羅蜜如來說非忍辱波羅蜜
何以故須菩提如我昔為歌利王割截身體

BD00716號　金剛般若波羅蜜經　（15–5）

有人得聞是經不驚不怖不畏當知是人甚
為希有何以故須菩提如來說第一波羅蜜
非第一波羅蜜是名第一波羅蜜
須菩提忍辱波羅蜜如來說非忍辱波羅蜜
何以故須菩提如我昔為歌利王割截身體
我於尒時无我相无人相无眾生相无壽者
相何以故我於往昔節節支解時若有我相
人相眾生相壽者相應生瞋恨須菩提又念
過去於五百世作忍辱仙人於尒所世无我相
无人相无眾生相无壽者相是故須菩提
菩薩應離一切相發阿耨多羅三藐三菩提
心不應住色生心不應住聲香味觸法生心
應生无所住心若心有住則為非住是故佛
說菩薩心不應住色布施須菩提菩薩為
利益一切眾生應如是布施如來說一切諸相
即是非相又說一切眾生則非眾生須菩提
如來是真語者實語者如語者不誑語者
不異語者須菩提如來所得法此法无實无虛
須菩提若菩薩心住於法而行布施如人入闇
則无所見若菩薩心不住法而行布施如人
有目日光明照見種種色須菩提當來之
世若有善男子善女人能於此經受持讀誦
則為如來以佛智慧悉知是人悉見是人皆
得成就无量无邊功德
須菩提若有善男子善女人初日分以恒河沙
等身布施中日分復以恒河沙等身布施後

BD00716號　金剛般若波羅蜜經　（15–6）

世若有善男子善女人能於此經受持讀誦
則為如來以佛智慧悉知是人悉見是人皆
得成就无量无邊功德
須菩提若有善男子善女人初日分以恒河沙
等身布施中日分復以恒河沙等身布施後
日分亦以恒河沙等身布施如是无量百千
万億劫以身布施若復有人聞此經典信
心不逆其福勝彼何況書寫受持讀誦為
人解說須菩提以要言之是經有不可思議
不可稱量无邊功德如來為發大乘者說為
發最上乘者說若有人能受持讀誦廣為
人說如來悉知是人悉見是人皆得成就不可
量不可稱无有邊不可思議功德如是人等則
為荷擔如來阿耨多羅三藐三菩提何以故
須菩提若樂小法者著我見人見眾生見壽
者見則於此經不能聽受讀誦為人解說須
菩提在在處處若有此經一切世間天人阿
脩羅所應供養當知此處則為是塔皆應
恭敬作禮圍繞以諸華香而散其處
復次須菩提若善男子善女人受持讀誦此
經若為人輕賤是人先世罪業應墮惡道以
今世人輕賤故先世罪業則為消滅當得阿
耨多羅三藐三菩提須菩提我念過去无量
阿僧祇劫於然燈佛前得值八百四千万億
那由他諸佛悉皆供養承事无空過者若

BD00716號　金剛般若波羅蜜經　（15–7）

今世人輕賤故先世罪業則為消滅當得阿
耨多羅三藐三菩提須菩提我念過去无量
阿僧祇劫於然燈佛前得值八百四千万億
那由他諸佛悉皆供養承事无空過者若
復有人於後末世能受持讀誦此經所得功德
於我所供養諸佛功德百分不及一千万億分
乃至筭數譬喻所不能及須菩提若善男
子善女人於後末世有受持讀誦此經所得
功德我若具說者或有人聞心則狂亂狐疑
不信須菩提當知是經義不可思議果報亦
不可思議
尒時須菩提白佛言世尊善男子善女人發
阿耨多羅三藐三菩提心云何應住云何降
伏其心佛告須菩提善男子善女人發阿耨
多羅三藐三菩提者當生如是心我應滅度
一切衆生滅度一切衆生已而无有一衆生實
滅度者何以故若菩薩有我相人相衆生
相壽者相則非菩薩所以者何須菩提實无
有法發阿耨多羅三藐三菩提者須菩提於
意云何如來於然燈佛所有法得阿耨多羅
三藐三菩提不不也世尊如我解佛所說義
佛於然燈佛所无有法得阿耨多羅三藐三
菩提佛言如是如是須菩提實无有法如來
得阿耨多羅三藐三菩提
須菩提若有法如來得阿耨多羅三藐三菩

BD00716號　金剛般若波羅蜜經　（15–8）

菩提佛言如是如是須菩提實无有法如來
得阿耨多羅三藐三菩提
須菩提若有法如來得阿耨多羅三藐三菩
提然燈佛則不與我受記汝於來世當得
作佛号釋迦牟尼以實无有法得阿耨多
羅三藐三菩提是故然燈佛與我受記作是
言汝於來世當得作佛号釋迦牟尼何以故
如來者即諸法如義若有人言如來得阿耨
多羅三藐三菩提須菩提實无有法佛得阿
耨多羅三藐三菩提須菩提如來所得阿耨
多羅三藐三菩提於是中无實无虛是故如
來說一切法皆是佛法須菩提所言一切法者
即非一切法是故名一切法須菩提譬如人
身長大須菩提言世尊如來說人身長大
則非大身是名大身須菩提菩薩亦如是若
作是言我當滅度无量衆生則不名菩薩
何以故須菩提實无有法名為菩薩是故佛
一切法无我无人无衆生无壽者須菩提若
菩薩作是言我當莊嚴佛土是不名菩薩
何以故如來說莊嚴佛土者即非莊嚴是名
莊嚴須菩提若菩薩通達无我法者如來
說名真是菩薩
須菩提於意云何如來有肉眼不如是世尊
如來有肉眼須菩提於意云何如來有天
眼不如是世尊如來有天眼須菩提於意云

BD00716號　金剛般若波羅蜜經　（15–9）

莊嚴須菩提若菩薩通達无我法者如来
說名真是菩薩
須菩提於意云何如来有肉眼不如是世尊
如来有肉眼須菩提於意云何如来有天
眼不如是世尊如来有天眼須菩提於意云
何如来有慧眼不如是世尊如来有慧眼須菩
提於意云何如来有法眼不如是世尊如来有
法眼須菩提於意云何如来有佛眼不如
是世尊如来有佛眼須菩提於意云何恒河
中所有沙佛說是沙不如是世尊如来說是
沙須菩提於意云何如一恒河中所有沙有
如是等恒河是諸恒河所有沙數佛世界
如是寧為多不甚多世尊佛告須菩提尒所國
土中所有衆生若干種心如来悉知何以故
如来說諸心皆為非心是名為心所以者何須
菩提過去心不可得現在心不可得未来心
不可得須菩提於意云何若有人滿三千
大千世界七寶以用布施是人以是因緣得
福多不如是世尊此人以是因緣得福甚多
須菩提若福德有實如来不說得福德多
以福德无故如来說得福德多
須菩提於意云何佛可以具足色身見不不也
世尊如来不應以具足色身見何以故如来說
具足色身即非具足色身是名具足色身須
菩提於意云何如来可以具足諸相見不不

以福德无故如来說得福德多
須菩提於意云何佛可以具足色身見不不也
世尊如来不應以具足色身見何以故如来說
具足色身即非具足色身是名具足色身須
菩提於意云何如来可以具足諸相見不不
也世尊如来不應以具足諸相見何以故如来
說諸相具足即非具足是名諸相具足須菩
提汝等勿謂如来作是念我當有所說法莫
作是念何以故若人言如来有所說法即為
謗佛不能解我所說故須菩提說法者无法
可說是名說法須菩提白佛言世尊佛得阿
耨多羅三藐三菩提為无所得邪如是如是須
菩提我於阿耨多羅三藐三菩提乃至无
有少法可得是名阿耨多羅三藐三菩提
復次須菩提是法平等无有高下是名阿
耨多羅三藐三菩提以无我无人无衆生无
壽者脩一切善法則得阿耨多羅三藐三菩
提須菩提所言善法者如来說非善法是名善
法須菩提若三千大千世界中所有諸須弥山
王如是等七寶聚有人持用布施若人以此般
若波羅蜜經乃至四句偈等受持讀誦為
他人說於前福德百分不及一百千万億分乃
至筭數譬喻所不能及
須菩提於意云何汝等勿謂如来作是念我
當度衆生須菩提莫作是念何以故實无有

若波羅蜜經乃至四句偈等受持讀誦為
他人說於前福德百分不及一百千万億分乃
至筭數譬喻所不能及
須菩提於意云何汝等勿謂如來作是念我
當度衆生須菩提莫作是念何以故實无有
衆生如來度者若有衆生如來度者如來則
有我人衆生壽者須菩提如來說有我者
則非有我而凡夫之人以為有我須菩提凡
夫者如來說則非凡夫須菩提於意云何可
以三十二相觀如來不須菩提言如是如是
以三十二相觀如來佛言須菩提若以三十
二相觀如來者轉輪聖王則是如來須菩
提白佛言世尊如我解佛所說義不應以三
十二相觀如來尒時世尊而說偈言
若以色見我 以音聲求我 是人行邪道 不能見如來
須菩提汝若作是念如來不以具足相故得阿
耨多羅三藐三菩提須菩提莫作是念如來
不以具足相故得阿耨多羅三藐三菩提須
菩提汝若作是念發阿耨多羅三藐三菩提
者說諸法斷滅相莫作是念何以故發阿耨
多羅三藐三菩提者於法不說斷滅相須菩
提若菩薩以滿恒河沙等世界七寶布施若
復有人知一切法无我得成於忍此菩薩勝
前菩薩所得功德須菩提以諸菩薩不受
福德故須菩提白佛言世尊云何菩薩不
受福德須菩提菩薩所作福德不應貪著

多羅三藐三菩提者於法不說斷滅相須菩
提若菩薩以滿恒河沙等世界七寶布施若
復有人知一切法无我得成於忍此菩薩勝
前菩薩所得功德須菩提以諸菩薩不受
福德故須菩提白佛言世尊云何菩薩不
受福德須菩提菩薩所作福德不應貪著
是故說不受福德須菩提若有人言如來若
來若去若坐若臥是人不解我所說義何
以故如來者无所從來亦无所去故名如來
須菩提若善男子善女人以三千大千世界
碎為微塵於意云何是微塵衆寧為多不甚
多世尊何以故若是微塵衆實有者佛則
不說是微塵衆所以者何佛說微塵衆則非微
塵衆是名微塵衆世尊如來所說三千大千
世界則非世界是名世界何以故若世界實
有者則是一合相如來說一合相則非一合
相是名一合相須菩提一合相者則是不可
說但凡夫之人貪著其事
須菩提若人言佛說我見人見衆生見壽者
見須菩提於意云何是人解我所說義不不
也世尊是人不解如來所說義何以故世尊
說我見人見衆生見壽者見即非我見人見
衆生見壽者見是名我見人見衆生見壽者
者見須菩提發阿耨多羅三藐三菩提心者
於一切法應如是知如是見如是信解不生法

見須菩提於意云何是人解我所說義不不
世世尊是人不解如來所說義何以故世尊
說我見人見衆生見壽者見即非我見人見
衆生見壽者見是名我見人見衆生見壽者
者見須菩提發阿耨多羅三藐三菩提心者
於一切法應如是知如是見如是信解不生法
相須菩提所言法相者如來說即非法相是
名法相須菩提若有人以滿无量阿僧祇世
界七寶持用布施若有善男子善女人發菩
薩心者持於此經乃至四句偈等受持讀誦
為人演說其福勝彼云何為人演說不取於
相如如不動何以故
一切有為法　如夢幻泡影　如露亦如電　應作如是觀
佛說是經已長老須菩提及諸比丘比丘尼
優婆塞優婆夷一切世間天人阿脩羅聞佛
所說皆大歡喜信受奉行

金剛般若波羅蜜經

BD00716 號　金剛般若波羅蜜經　（15–14）

一切有為法　如夢幻泡影　如露亦如電　應作如是觀
佛說是經已長老須菩提及諸比丘比丘尼
優婆塞優婆夷一切世間天人阿脩羅聞佛
所說皆大歡喜信受奉行

金剛般若波羅蜜經

BD00716 號　金剛般若波羅蜜經　（15–15）

聽　我今次第說　諸佛境難思　世間無與等
無差別　諸佛體皆同　所說法亦爾　諸佛無作者
剛體　權現於化身　是故佛舍利　無如芥子許
舍利　方便留身骨　為益諸眾生　法身是正覺
佛真身　亦說如是法　爾時會中三万二千天子聞說
皆發阿耨多羅三藐三菩提心歡喜踊躍得未曾有異
說頌曰　佛不般涅槃　正法亦不滅　為利眾生故　示現有滅盡
思議　妙體無異相　為利眾生故　現種種莊嚴
爾時妙幢菩薩親於佛前及四如來并二大士諸天子所聞說釋迦牟尼如來壽
量事已復從座起合掌恭敬白佛言世尊若實如是諸佛如來不般涅槃無
舍利者云何經中說有涅槃及佛舍利令諸人天恭敬供養過去諸佛現有身骨
流布於世人天供養得福無邊今復言無致生疑惑唯願世尊哀愍我等廣為分
爾時佛告妙幢菩薩及諸大眾汝等當知若般涅槃有舍利者是密意說如是
之義當一心聽善男子菩薩摩訶薩如是應知有其十法能解如來應正等覺
真實理趣說有究竟大般涅槃云何為十一者諸佛如來究竟斷盡諸煩惱障
所知障故名為涅槃二者諸佛如來善能解了有情無性及法無性故名為
涅槃三者能轉身依及法依故名為涅槃四者於諸有情任運休息化因緣
故名為涅槃五者證得真實無差別相平等法身故名為涅槃六者了
知生死及以涅槃無二性故名為涅槃七者於一切法了其根本證清淨故名
為涅槃八者於一切法無生無滅善修行故名為涅槃九者真如法界實際
平得正智故名為涅槃十者於諸法性及涅槃性得無差別故名為涅
槃是名十法說有涅槃　復次善男子菩薩摩訶薩如是應知復有十
法如來應正等覺真實理趣說有究竟大般涅槃云何為十一
者一切煩惱以樂欲為本從樂欲生諸佛世尊斷樂欲故名為涅槃二者以
諸如來斷諸樂欲不取一法以不取故無去無來無所取故名為涅槃三者
以無去來及無所取是則法身不生不滅無生滅故名為涅槃四者此無生
滅非言所宣言語斷故名為涅槃五者無有我人唯法生滅得轉依故名為
涅槃六者煩惱隨惑皆是客塵法性是主無來無去佛了知故名為涅

惱以樂欲為本從樂欲生諸佛世尊斷樂欲故名為涅槃二者以
諸如來斷諸樂欲不取一法以不取故無去無來無所取故名為涅槃三者
以無去來及無所取是則法身不生不滅無生滅故名為涅槃四者此無生
滅非言所宣言語斷故名為涅槃五者無有我人唯法生滅得轉依故名為
涅槃六者煩惱隨惑皆是客塵法性是主無來無去佛了知故名為涅
槃七者真如是實餘皆虛妄實性體者即是真如真如性者即是如
來名為涅槃八者實際之性無有戲論唯獨如來證實際法戲論永斷
名為涅槃九者無生是實生是虛妄愚癡之人漂溺生死如來體實無
有虛妄名為涅槃十者不實之法是從緣生真實之法不從緣起如來法
身體是真實名為涅槃善男子是謂十法說有涅槃
復次善男子菩薩摩訶薩如是應知復有十法能解如來應正等覺
真實理趣說有究竟大般涅槃云何為十一者如來善知施及施果無我我
所此施及果不正分別永除滅故名為涅槃二者如來善知戒果無我我所此
戒及果不正分別永除滅故名為涅槃三者如來善知忍及忍果無我我所
此忍及果不正分別永除滅故名為涅槃四者如來善知勤及勤果無我我
所此勤及果不正分別永除滅故名為涅槃五者如來善知定及定果無我
我所此定及果不正分別永除滅故名為涅槃六者如來善知慧及慧果
無我我所此慧及果不正分別永除滅故名為涅槃七者諸佛如來善能了
知一切有情非有情一切諸法皆無性不正分別永除滅故名為涅槃八者若自愛
著便起追求由追求故受眾苦惱諸佛如來除自愛故永絕追求無追求故
名為涅槃九者有為之法皆有數量無為法者數量皆除佛離有為證
無為法無數量故名為涅槃十者如來了知有情及法體性皆空離空非有空
性即是真法身故名為涅槃善男子是謂十法說有涅槃
復次善男子豈唯如來不般涅槃是希有事復有十種希有之法是如來行云
何為十一者生死過失涅槃寂靜由於生死及以涅槃證平等故不處流轉不住涅
槃於諸有情不生厭背是如來行二者佛於眾生不作是念此諸愚夫行顛倒
見為諸煩惱之所纏迫我今開悟令其解脫然由往昔慈善根力於彼有情
隨其根性意樂勝解不起分別任運濟度示教利喜盡未來際無有窮盡
是如來行三者佛無是念我今演說十二分教利益有情然由往昔慈善根力
於彼有情廣說乃至盡未來際無有窮盡是如來行四者佛無是念我今
往彼城邑聚落王及大臣婆羅門剎帝利薜舍戍達羅等舍從其乞食然
由往昔身語意行串習力故任運詣彼為利益事而行乞食是如來行五者
如來之身無有飢渴亦無便利羸憊之相行乞取而無所食亦無分別然
為利益有情故示現食相是如來行六者佛無是念此諸眾生有上

隨其根性意樂勝解不起分別任運濟度示教利喜盡未來際無有窮盡
是如來行。三者佛无是念我今演說十二分教利益有情然由往昔慈善根力
於彼有情廣說乃至盡未來際无有窮盡是如來行。四者佛无是念我今
往彼城邑聚落王及大臣婆羅門刹帝利薜舍戍達羅等舍從其乞食然
由往昔身語意行串習力故任運詣彼為利益事而行乞食是如來行。五者
如來之身无有飢渴亦无便利羸憊之相行乞取而無所食亦無分別然
為任運利益有情是有食相是如來行。六者佛无是念此諸眾生有上
中下隨彼機性而為說法然佛世尊无有分別隨其器量善應機緣為彼
說法是如來行。七者佛无是念此類有情不恭敬我常於我所出呵罵言不
能與彼共為言論彼類有情恭敬於我常於我所共相讚歎我當與彼共為
言說而如來起慈悲平等无二是如來行。八者諸佛如來无有愛憎憍慢貪悋
諸煩惱然而如來常樂寂靜讚歎少欲離諸諠鬧是如來行。九者如來无有
一法不知不善通達於一切處鏡智現前无有分別然而如來見彼有情所作
事業隨彼意轉方便誘引令得出離是如來行。十者如來若見一分有情得
富盛時不生歡喜見其衰損不起憂慼然而如來見彼有情脩習正行無礙
大慈自然救攝若見有情脩習邪行無礙大悲自然救攝是如來行。善男子
如是當知如來應正等覺說有如是无邊正行汝等當知是謂涅槃真
實之相或時見有般涅槃者是權方便及留舍利令諸有情恭敬供養皆
是如來慈善根力若供養者於未來世遠離八難逢事諸佛遇善知識
不失善心福報无邊速當出離不為生死之所纏縛如是妙行汝等勤脩勿為
放逸

爾時妙幢菩薩聞佛親說不般涅槃及甚深法合掌恭敬白言
世尊我今始知如來大師不般涅槃及留舍利普益眾生身心踊悅歎未曾
有說是如來壽量品時無量无數无邊眾生皆發无等等阿耨多羅三
藐三菩提心時四如來忽然不現妙幢菩薩礼佛足已從座而起還其本處

金光明最勝王經卷第一

澀 失入聲 燕 駛 所吏反 搏 補各反 瘂 尼下反 吶 內骨反 瞖 於計反 鵂 鶹 ……
揭 紫 即委反 儱 蒲拜反 荼 宅加反 蛭 之日反

金光明最勝王經分別三身品第三　二　三藏法師義淨奉　制譯

爾時虛空藏菩薩摩訶薩在大眾中從座而起偏袒右肩右膝著地合掌恭敬
頂礼佛足以上微妙金寶之華寶幢幡蓋而為供養白佛言世尊云何菩薩
摩訶薩於諸如來甚深秘密如法脩行佛言善男子諦聽諦聽善思念
之吾當為汝分別解說。善男子一切如來有三種身云何為三一者化身二者應
身三者法身如是三身具足攝受阿耨多羅三藐三菩提若正了知速出生死云
何菩薩了知化身善男子如來昔在脩行地中為一切眾生脩種種法如是脩習
至脩行滿脩行力故得大自在自在力故隨眾生意隨眾生行隨眾生界悉皆了別

BD00717 號 1　金光明最勝王經卷一　（11–3）
BD00717 號 2　金光明最勝王經卷二

爾時虛空藏菩薩摩訶薩在大眾中從座而起偏袒右肩右膝著地合掌恭敬
頂礼佛足以上微妙金寶之華寶幢幡蓋而為供養白佛言世尊云何菩薩
摩訶薩於諸如來甚深秘密如法脩行佛言善男子諦聽諦聽善思念
之吾當為汝分別解說。善男子一切如來有三種身云何為三一者化身二者應
身三者法身如是三身具足攝受阿耨多羅三藐三菩提若正了知速出生死云
何菩薩了知化身善男子如來昔在脩行地中為一切眾生脩種種法如是脩習
至脩行滿脩行力故得大自在自在力故隨眾生意隨眾生行隨眾生界悉皆了別
不待時不過時處相應時相應行相應說法相應現種種身是名化身善男子
云何菩薩了知應身謂諸如來為諸菩薩得通達故說於真諦為令解了
生死涅槃是一味故為除身見眾生怖畏歡喜故為无邊佛法而作本故如實
相應如如如如智本願力故是身得現具三十二相八十種好項背圓光是名應
身善男子云何菩薩摩訶薩了知法身為除諸煩惱等障為具諸善法
故唯有如如如如智是名法身前二種身是假名有此第三身是真實有為前二
身而作根本何以故離法如如離无分別智一切諸佛无有別法一切諸佛智慧具
足一切煩惱究竟滅盡得清淨佛地是故法如如如如智攝一切佛法
復次善男子一切諸佛利益自他至於究竟自利益者是法如如利益他者是如
如智能於自他利益之事而得自在成就種種无邊用故是分別一切佛法有无量
无邊種種差別善男子譬如依止妄想思惟說種種煩惱說種種業因種
種果報如是依法如如依如如智說種種佛法說種種獨覺法說種種聲聞法
依法如如依如如智一切佛法自在成就是為第一不可思議譬如畫空作莊嚴
具是難思議如是依法如如依如如智成就佛法亦難思議善男子云何法
如如如如智二无分別而得自在事善男子譬如如來入於涅槃願自在
故種種事業皆得成就法如如如如智自在事成亦復如是
復次菩薩摩訶薩入无心定依前願力從禪定起作眾事業如是二法无有分別自
在事成善男子譬如日月无有分別亦如水鏡无有分別光明亦无分別三種和合得有
影生如是法如如如如智亦无分別以願自在故眾生有感現應化身如日月影和合出
現復次善男子譬如无量无邊水鏡依於光故空影得現種種異相空者即是
无相善男子如是受化諸弟子等是法身影以願力故於二種身現種種相
於法身地无有異相善男子依此二身一切諸佛說有餘涅槃依此法身說无餘涅槃
何以故一切餘法究竟盡故依此三身一切諸佛說无住處涅槃為二身故不住涅槃離於
法身无有別佛何故二身不住涅槃二身假名實念念生滅不定住故數數出現以不
定故法身不介是故二身不住涅槃法身不二是故不住涅槃故依三身說无住涅槃
善男子一切凡夫為三相故有縛有障遠離三身不至三身何為三一者遍計所執相二者

BD00717 號 2　金光明最勝王經卷二　（11–4）

无相善男子如是變化諸弟子等是法身影以願力故於二種身現種種相
於法身地无有異相善男子依此二身一切諸佛說有餘涅槃依此法身說无餘涅槃
何以故一切餘法究竟盡故依此三身一切諸佛說无住處涅槃為二身故不住涅槃離於
法身无有別佛何故二身不住涅槃二身假名實念念生滅不定住故數數出現以不
定故法身不尒是故二身不住涅槃法身不二是故不住涅槃故依三身說无住涅槃
善男子一切凡夫為三相故有縛有障遠離三身不至三身何為三一者遍計所執相二者
依他起相三者成就相如是諸相不能解故不能滅故不能淨故是故不得至於三身
如是三相能解能滅能淨故是故諸佛具足三身善男子諸凡夫人未能除遣此三心
故遠離三身不能得至何者為三一者起事心二者依根本心三者根本心依諸伏道起
事心盡依法斷道依根本心盡依最勝道根本心滅起事心滅故得現化身依根本
心滅故得顯應身根本心滅故得至法身是故一切如來具足三身 善男子一切諸佛
於第一身與諸佛同事於第二身與諸佛同意於第三身與諸佛同體善男子是
初佛身隨眾生意有多種故現種種相是故說多第二佛身弟子一意故現一相是
故說一第三佛身過一切種相非執相境界是故說名不一不二 善男子是第一身依於應
身得顯現故是第二身依於法身得顯現故是法身者是真實有无依處故 善
男子如是三身以有義故而說於常以有義故說於无常化身者恒轉法輪處處
隨緣方便相續不斷絕故是故說常非是本故具足大用不顯現故說為无
常應身者從无始來相續不斷一切諸佛不共之法能攝持故眾生无盡用
亦无盡是故說常非是本故以具足用不顯現故說為无常法身者非是行
法无有異相是根本故猶如虛空是故說常 善男子離无分別智更无勝智
離法如如无勝境界是法如如是慧如如是二種如如如如不一不異是故法身慧
清淨故滅清淨故是二清淨是法身具足清淨 復次善男子分別三身有四
種異有化身非應身有應身非化身有化身亦應身有非化身亦非應身何者
化身非應身謂諸如來般涅槃後以願自在故隨緣利益是名化身何者應身
非化身是地前身何者化身亦應身謂住有餘涅槃之身何者非化身非應身謂
是法身善男子是法身者二无所有所顯現故何者名為二无所有於此法身相及
相處二皆是无非有非无非一非異非數非非數非明非闇如是如如智不見相及相
處不見非有非无不見非一非異不見非數非非數不見非明非闇是故當知境界清淨
智慧清淨不可分別无有中間為滅道本故於此法身能顯如來種種事業
善男子是身因緣境界處所果依於本難思議故若了此義是身即是大乘是如
來性是如來藏依於此身得發初心修行地心而得顯現不退地心亦皆得現一生補處
心金剛之心如來之心而悉顯現无量无邊如來妙法皆悉顯現依此法身不
可思議摩訶三昧而得顯現依此法身得現一切大智是故二身依於三昧依於智
慧而得顯現如此法身依於自體說常說我依大三昧故說於樂依於大智故說

BD00717號2　金光明最勝王經卷二　（11–5）

智慧清淨不可分別无有中間為滅道本故於此法身能顯如來種種事業
善男子是身因緣境界處所果依於本難思議故若了此義是身即是大乘是如
來性是如來藏依於此身得發初心修行地心而得顯現不退地心亦皆得現一生補處
心金剛之心如來之心而悉顯現无量无邊如來妙法皆悉顯現依此法身不
可思議摩訶三昧而得顯現依此法身得現一切大智是故二身依於三昧依於智
慧而得顯現如此法身依於自體說常說我依大三昧故說於樂依於大智故說
清淨是故說清淨是故如來常住自在安樂清淨依大三昧一切禪定首楞嚴等一
切念處大法念等大慈大悲一切陀羅尼一切神通一切自在一切法平等攝受如是佛
法悉皆出現依此大智十力四无所畏四无礙辯一百八十不共之法一切希有不可思議法
悉皆顯現譬如依如意寶珠无量无邊種種珍寶悉皆得現如是依三昧寶依
大智慧寶能出種種无量无邊諸佛妙法善男子如是法身三昧智慧過一切相
不著於相不可分別非常非斷是名中道雖有分別體无分別雖有三數而无三體不
增不減猶如夢幻亦无所執亦无能執法體如如是解脫處過死王境越生死闇
一切眾生不能修行所不能至一切諸佛菩薩之所住處善男子譬如有人願欲得
金處處求覓遂得金礦既得礦已即便碎之擇取精者鑪中銷鍊得清淨金
隨意迴轉作諸鐶釧種種嚴具雖有諸用金性不改 復次善男子若善男子善
女人求勝解脫修行世善得見如來及弟子眾得親近已白佛言世尊何者為善
何者不善何者正修得清淨行諸佛如來及弟子眾見彼問時如是思惟是善
男子善女人欲求清淨欲聽正法即便為說令其開悟彼既聞已正念憶持發心
修行得精進力除懶惰障滅一切罪於諸學處離不尊重息掉悔心入於初地
依初地心除利有情障得入二地於此地中除不逼惱障入於三地於此地中除心軟淨障
入於四地於此地中除善方便障入於五地於此地中除見真俗障入於六地於此地中除見行
相障入於七地於此地中除不見滅相障入於八地於此地中除不見生相障入於九地於此
地中除六通障入於十地此地中除所知障除根本心入如來地如來地者由三淨故名
極清淨云何為三一者煩惱淨二者苦淨三者相淨譬如真金鎔銷冶鍊既
燒打已无復塵垢為顯金性本清淨故金體清淨非謂无金譬如濁水
澄渟清淨无復滓穢為顯水性本清淨故非謂无水如是法身與煩惱
雜苦集除已无復餘習為顯佛性本清淨故非謂无體譬如虛空烟
雲塵霧之所障蔽若除屏已是空界淨非謂无空如是法身一切眾苦
悉皆盡故說為清淨非謂无體如有人於睡夢中見大河水漂泛其身
運手動足截流而渡得至彼岸由彼身心不懈退故從夢覺已不見
有水彼此岸別非謂无心生死妄想既滅盡已是覺清淨非謂无覺如
是法界一切妄想不復生故說為清淨非是諸佛无其實體
復次善男子是法身者惑障清淨能現應身業障清淨能現化身智

BD00717號2　金光明最勝王經卷二　（11–6）

離苦集除已无復餘習為顯佛性本清淨故非謂无體譬如虛空烟
雲塵霧之所障蔽若除屛已是空界淨非謂无空如是法身一切衆苦
悉皆盡故說為清淨非謂无體如有人於睡夢中見大河水漂泛其身
運手動足截流而渡得至彼岸由彼身心不懈退故從夢覺已不見
有水彼此岸別非謂无心生死妄相既滅盡已是覺清淨非謂无覺如
是法界一切妄想不復生故說為清淨非是諸佛无其實體
復次善男子是法身者惑障清淨能現應身業障清淨能現化身智
障清淨能現法身譬如依空出電依電出光如是依法身故能現應身
依應身故能化身由性淨故能現法身智慧清淨能現應身三昧清淨能
現化身此三清淨是法如如不異如如一味如如解脫如如究竟如如是故諸佛體
无有異善男子若有善男子善女人說於如來是我大師若作如是決定信
者此人即應深心解了如來之身无有別異善男子以是義故於諸境界
不正思惟悉皆除斷即知彼法无有二相亦无分別聖所修行如於彼无二相正
修行故如是如是一切諸障悉皆除滅如如一切障滅如是法如如如智得最清淨
如如法界正智清淨如是如是一切自在具足攝受皆得成就一切諸障悉皆除滅一
切諸障得清淨故是名真如正智真實之相如是見者是名聖見是則名為真
實見佛何以故如實得見法真如故是故諸佛悉能普見一切如來何以故聲聞獨
覺已出三界求真實境不能知見如是聖人所不知見一切凡夫皆生疑惑顛倒分別
不能得度如兔浮海必不能過所以者何力微劣故凡夫之人亦復如是不能通達法如
如故然諸如來无分別心於一切法得大自在具足清淨深智慧故是自境界不共他故
諸佛如來於无量无邊阿僧祇劫不惜身命難行苦行方得此身最上无比不可思
議過言說境是妙寂靜離諸怖畏　善男子如是知見法真如者无生老死壽命
无限无有睡眠亦无飢渴心常在定无散動若於如來起諍論心是則不能見於
如來諸佛所說皆能利益有聽聞者无不解脫諸惡禽獸惡人惡鬼不相逢值
由聞法故果報无盡然諸如來无无記事一切境界无欲知心生死涅槃无有異想如來
所說不決定諸佛如來四威儀中无非智攝一切諸法无有不為慈悲所攝无有不
為慈悲所攝无有不為利益安樂諸衆生者善男子善女人於此金光明經聽聞
信解不墮地獄餓鬼傍生阿蘇羅道常處人天不生下賤恒得親近諸佛如來聽受
正法常生諸佛清淨國土所以者何由得聞此甚深法故是善男子善女人則為如來之
知已記當得不退阿耨多羅三藐三菩提若善男子善女人於此甚深微妙之法一經
耳者當知是人不謗如來不毀正法不輕聖衆一切衆生未種善根令得種故已善
根令增長成就故一切世界所有衆生皆勸修行六波羅蜜多　尒時虛空藏菩
薩梵釋四王諸天衆等即從座起偏袒右肩合掌恭敬頂禮佛足白佛言世尊

BD00717 號 2　金光明最勝王經卷二　（11–7）

信解不墮地獄餓鬼傍生阿蘇羅道常處人天不生下賤恒得親近諸佛如來聽受
正法常生諸佛清淨國土所以者何由得聞此甚深法故是善男子善女人則為如來之
知已記當得不退阿耨多羅三藐三菩提若善男子善女人於此甚深微妙之法一經
耳者當知是人不謗如來不毀正法不輕聖衆一切衆生未種善根令得種故已善
根令增長成就故一切世界所有衆生皆勸修行六波羅蜜多　尒時虛空藏菩
薩梵釋四王諸天衆等即從座起偏袒右肩合掌恭敬頂禮佛足白佛言世尊
若所在處講說如是金光明王微妙經典於其國土有四種利益何者為四一者
國王軍衆強盛无諸怨敵離於疾病壽命延長吉祥安樂正法興顯二者中
宮妃后王子諸臣和悅无諍離於諂佞王所愛重三者沙門婆羅門及諸國人
修行正法无病安樂无枉死者於諸福田悉皆修立四者於三時中四大調適常
為諸天增加守護慈悲平等无傷害心令諸衆生歸敬三寶皆願修習
菩提之行是為四種利益之事世尊我等亦常為弘經故隨逐如是持經
之人所在住處為作利益佛言善哉善哉善男子如是如是汝等應當勤心流布
此妙經王則令正法久住於世　金光明最勝王經夢見懺悔品第四　尒時妙幢
菩薩親於佛前聞妙法已歡喜踊躍一心思惟還至本處於夜夢中見大金
鼓光明晃耀猶如日輪於此光中得見十方无量諸佛於寶樹下坐琉璃座无
量百千大衆圍繞而為說法見一婆羅門桴擊金鼓出大音聲聲中演說微妙
伽他明懺悔法妙幢聞已皆悉憶持繫念而住至天曉已與无量百千大衆圍繞
持諸供具出王舍城詣鷲峯山至世尊所禮佛足已布設香華右繞三匝退坐一面合
掌恭敬瞻仰尊顏白佛言世尊我於夢中見婆羅門以手執桴擊妙金鼓出
大音聲聲中演說微妙伽他明懺悔法我皆憶持唯願世尊降大慈悲聽我所說
即於佛前而說頌曰
我於昨夜中　夢見大金鼓　其形極姝妙　周遍有金光
猶如盛日輪　光明皆普耀　充滿十方界　咸見於諸佛
在於寶樹下　各處琉璃座　无量百千衆　恭敬而圍繞
有一婆羅門　以桴擊金鼓　於其鼓聲內　說此妙伽他
金光明鼓出妙聲　遍至三千大千界　能滅三塗極重罪　及以人中諸苦厄
由此金鼓聲威力　永滅一切煩惱障　斷除怖畏令安隱　譬如自在牟尼尊
佛於生死大海中　積行脩成一切智　能令衆生覺品具　究竟咸歸功德海
由此金鼓出妙聲　普令聞者獲梵響　證得无上菩提果　常轉清淨妙法輪
住壽不可思議劫　隨機說法利群生　能斷煩惱衆苦流　貪瞋癡等皆除滅
若有衆生處惡趣　大火猛燄周遍身　若得聞是妙鼓音　即能離苦歸依佛
皆得成就宿命智　能憶過去百千生　悉皆正念牟尼尊　得聞如來甚深教
由聞金鼓勝妙音　常得親近於諸佛　悉能捨離諸惡業　純修清淨諸善品
一切天人有情類　殷重至誠祈願者　得聞金鼓妙音聲　能令所求皆滿足

BD00717 號 2　金光明最勝王經卷二　（11–8）

由此金鼓出妙聲　普令聞者獲梵響　證得无上菩提果　常轉清淨妙法輪
住壽不可思議劫　隨機說法利群生　能斷煩惱眾苦流　貪瞋癡等皆除滅
若有眾生處惡趣　大火猛焰周遍身　若得聞是妙鼓音　即能離苦歸依佛
皆得成就宿命智　能憶過去百千生　悉皆正念牟尼尊　得聞如來甚深教
由聞金鼓勝妙音　常得親近於諸佛　悉能捨離諸惡業　純修清淨諸善品
一切天人有情類　殷重至誠祈願者　得聞金鼓妙音聲　能令所求皆滿足
眾生墮在无間獄　猛火炎熾苦焚身　无有救護處輪迴　聞者能令苦除滅
人天餓鬼傍生中　所有現受諸苦難　得聞金鼓發妙響　皆蒙離苦得解脫
現在十方界　常住兩足尊　願以大悲心　哀愍憶念我　眾生无歸依　亦无有救護
為如是等類　能作大歸依　我先所作罪　極重諸惡業　今對十力前　至心皆懺悔
我不信諸佛　亦不敬尊親　不務修眾善　常造諸惡業　或自恃尊高　種姓及財位
盛年行放逸　盛年行放逸　常造諸惡業　心恒起邪念　口陳於惡言　不見於過罪
常造諸惡業　或因諸戲樂　或復懷憂惱　為貪瞋所纏　故我造諸惡　親近不善人
及由慳嫉意　貧窮行諂誑　故我造諸惡　雖不樂眾過　由有怖畏故　及不得自在
故我造諸惡　或為躁動心　或因瞋恚恨　及以飢渴惱　故我造諸惡　由飲食衣服
及貪愛女人　煩惱火所燒　故我造諸惡　於佛法僧眾　不生恭敬心　作如是眾罪
我今悉懺悔　於獨覺菩薩　亦无恭敬心　作如是眾罪　我今悉懺悔　无知謗正法
不孝於父母　作如是眾罪　我今悉懺悔　由愚癡憍慢　及以貪瞋力　作如是眾罪
我今悉懺悔　我於十方界　供養无數佛　當願拔眾生　令離諸苦難　願一切有情
皆令住十地　福智圓滿已　成佛導群迷　我為諸眾生　苦行百千劫　以大智慧力
皆令出苦海　我為諸含識　演說甚深經　最勝金光明　能除諸惡業　若人百千劫
造諸極重罪　暫時能發露　眾惡盡消除　依此金光明　作如是懺悔　由斯能速盡
一切諸苦業　勝定百千種　不思議總持　根力覺道支　修習常无倦　我當至十地
具足珍寶處　圓滿佛功德　濟度生死流　我於諸佛海　甚深功德藏　妙智難思議
皆令得具足　唯願十方佛　觀察護念我　皆以大悲心　哀受我懺悔　我於多劫中
所造諸惡業　由斯生苦惱　哀愍願消除　我造諸惡業　常生憂惱心　於四威儀中
曾无歡樂想　諸佛具大悲　能除眾生怖　願受我懺悔　令得離憂苦　我有煩惱障
及以諸報業　願以大悲水　洗濯令清淨　我先作諸罪　及現造惡業
至心皆發露　咸願得蠲除　未來諸惡業　防護不令起　設令有違者　終不敢覆藏
身三語四種　意業復有三　繫縛諸有情　无始恒相續　由斯三種行　造作十惡業
如是眾多罪　我今皆懺悔　我造諸惡業　苦報當自受　今於諸佛前　至誠皆懺悔
於此贍部洲　及他方世界　所有諸善業　今我皆隨喜　願離十惡業　修行十善道
安住十地中　常見十方佛　我以身語意　所修福智業　願以此善根　速成无上慧
我今親對十力前　發露眾多苦難事　凡愚迷惑三有難　恒造極重惡業難

BD00717號2　金光明最勝王經卷二　（11–9）

及以諸報業　願以大悲水　洗濯令清淨　我先作諸罪　及現造惡業
至心皆發露　咸願得蠲除　未來諸惡業　防護不令起　設令有違者　終不敢覆藏
身三語四種　意業復有三　繫縛諸有情　无始恒相續　由斯三種行　造作十惡業
如是眾多罪　我今皆懺悔　我造諸惡業　苦報當自受　今於諸佛前　至誠皆懺悔
於此贍部洲　及他方世界　所有諸善業　今我皆隨喜　願離十惡業　修行十善道
安住十地中　常見十方佛　我以身語意　所修福智業　願以此善根　速成无上慧
我今親對十力前　發露眾多苦難事　凡愚迷惑三有難　恒造極重惡業難
我所積集欲邪難　常起貪愛流轉難　於此世間耽著難　一切愚夫煩惱難
狂心散動顛倒難　及以親近惡友難　於生死中貪染難　瞋癡闇鈍造罪難
生八无暇惡處難　未曾積集功德難　我今皆於最勝前　懺悔无邊罪惡業
我今歸依諸善逝　我禮德海无上尊　如大金山照十方　唯願慈悲哀攝受
身色金光淨无垢　目如清淨紺琉璃　吉祥威德名稱尊　大悲慧日除眾闇
佛日光明常普遍　善淨无垢離諸塵　牟尼月照極清涼　能除眾生煩惱熱
三十二相遍莊嚴　八十隨好皆圓滿　福德難思无與等　如日流光照世間
色如琉璃淨无垢　猶如滿月處虛空　妙頗梨網映金軀　種種光明以嚴飾
於生死苦暴流內　老病憂愁水所漂　如是苦海難堪忍　佛日舒光令永竭
我今稽首一切智　三千世界希有尊　光明晃耀紫金身　種種妙好皆嚴飾
如大海水量難知　大地微塵不可數　如妙高山叵稱量　亦如虛空无有際
諸佛功德亦如是　一切有情不能知　於无量劫諦思惟　无有能知德海岸
盡此大地諸山岳　析如微塵能算知　毛端渧海尚可量　佛之功德无能數
一切有情皆共讚　世尊名稱諸功德　清淨相好妙莊嚴　不可稱量知分齊
我之所有眾善業　願得速成无上尊　廣說正法利群生　悉令解脫於眾苦
降伏大力魔軍眾　當轉无上正法輪　久住劫數難思議　充足眾生甘露味
猶如過去諸最勝　六波羅蜜皆圓滿　滅諸貪欲及瞋癡　降伏煩惱除眾苦
願我常得宿命智　能憶過去百千生　亦常憶念牟尼尊　得聞諸佛甚深法
願我以斯諸善業　奉事无邊最勝尊　遠離一切不善因　恒得修行真妙法
一切世界諸眾生　悉皆離苦得安樂　所有諸根不具足　令彼身相皆圓滿
若有眾生遭病苦　身形羸瘦无所依　咸令病苦得消除　諸根色力皆充滿
若犯王法當刑戮　眾苦逼迫生憂惱　彼受如斯極苦時　无有歸依能救護
若受鞭杖枷鎖繫　種種苦具切其身　无量百千憂惱時　逼迫身心无暫樂
皆令得免於繫縛　及以鞭杖苦楚事　將臨刑者得命全　眾苦皆令永除盡
若有眾生飢渴逼　令得種種殊勝味　盲者得視聾者聞　跛者能行瘂能語
貧窮眾生獲寶藏　倉庫盈溢无所乏　皆令得受上妙樂　无一眾生受苦惱
一切人天皆樂見　容儀溫雅甚端嚴　悉皆現受无量樂　受用豐饒福德具

BD00717號2　金光明最勝王經卷二　（11–10）

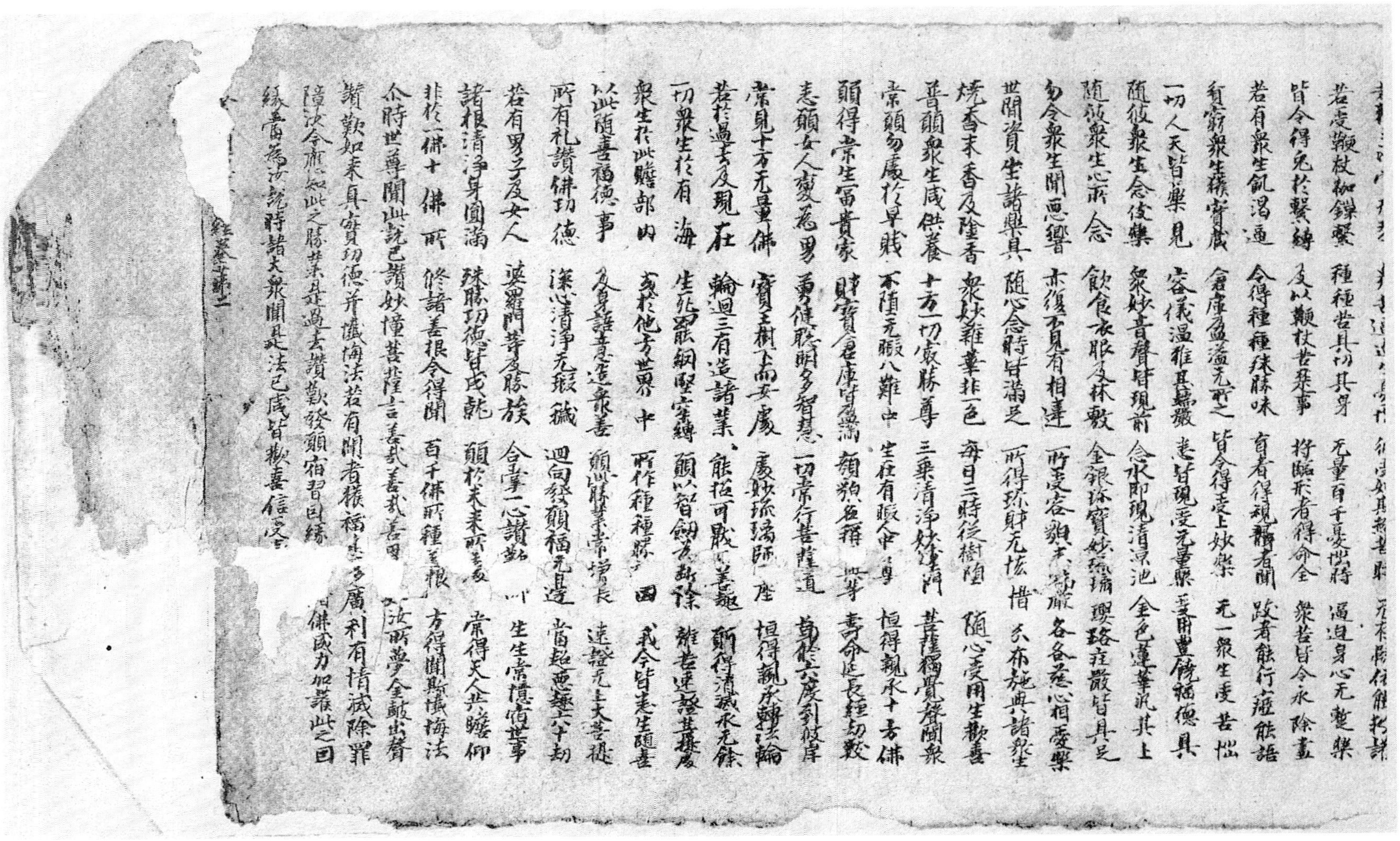

BD00717 號 2　金光明最勝王經卷二　　（11–11）

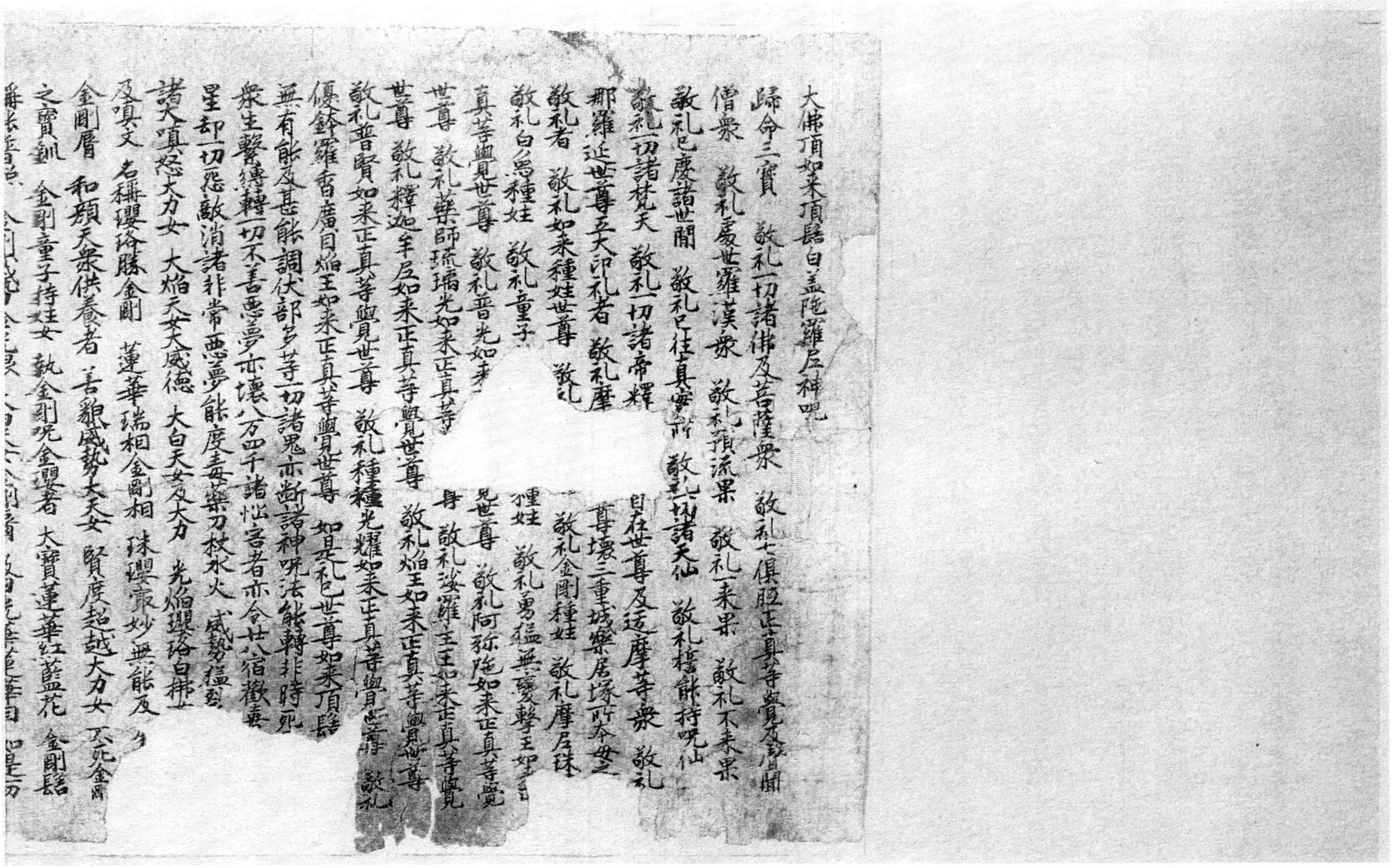

BD00718 號　大佛頂如來頂髻白蓋陀羅尼神咒　　（6–1）

衆生繫縛輒一切不善惡夢亦壞八万四千諸惱害者亦令廿八宿歡喜
星却一切怨敵消諸非常惡夢能度毒藥刀杖水火 威勢猛烈
諸天嗔怒大力女 大焰天女大威德 大白天女及大力 光焰瓔珞白拂女
及嗔文 名稱瓔珞勝金剛 蓮華瑞相金剛相 珠瓔寂妙無能及 多
金剛脣 和顏天衆供養者 善貌威勢大天女 賢度超越大力女 不死金剛
之寶釧 金剛童子持娃女 執金剛呪金瓔者 大寶蓮華紅藍花 金剛髻
稱能普照 金剛威勢金光眼 大白天女金剛脣 及日光華蓮華目 如是一切
諸呪印 願悉威神守護我 比丘光暑及一切衆生等 呪曰 烏吽 結護
曩 鉢囉舍 引 悉多 引 耶 怛拖揭都 引 烏瑟尼舍悉多 去聲 多鉢
怛嚩 呼吽咄嚕吽 瞻婆耶 呼吽咄嚕吽 悉馱伴耶 呼吽咄嚕吽 摩
訶蜜娃 地夜反 三擣乞叉耶曷邏 呼吽咄嚕吽 彼囉蜜地夜 同前 三擣乞叉
耶曷囉 呼吽咄嚕吽 薩婆怒瑟吒喃 悉擔盤耶曷囉 呼吽咄嚕吽
薩婆藥乞叉娑呼囉訶 去聲 喃 毗特望娑耶曷囉 呼吽咄嚕吽 楞都
囉 引 尸底喃呼邏訶娑訶 引 娑囉喃 毗特望娑耶曷囉 嗚吽咄嚕吽
阿瑟吒鼻亭 鼻亭反 奢底難諾乞叉怛囉喃 鉢囉娑馱耶曷囉 吽吽咄
嚕吽 阿瑟吒喃 摩訶呀囉訶喃 毗特望娑耶曷囉 呼吽咄嚕吽
世尊如来頂髻白蓋金剛頂髻能轉諸障之母大千辟大千頭百千俱眩眼無别異
大焰金剛杵三界寬廣壇場内願我等及一切衆生皆獲吉祥 唵 或遭王
難或賊難或火難或水難或毒難或刀杖難或怨敵難或飢饉難或惡家難
或霹靂難或橫死難或地動難或星難或王刑罰難或龍難或雷難或金
翅鳥難或惡獸難或藥叉王祟或羅乞叉娑祟或餓鬼祟或毗舍遮祟或
部多祟或鳩槃荼祟或布單那祟或揭吒布單那祟或塞建陁祟或阿波
悉摩囉祟或狂鬼祟或景摸鬼祟或嚕瞖伍祟如是等怖畏之中願我比丘
光暑及一切衆生等皆得安樂 或食人顔色者食胞胎者食血者食肉者食
脂者食髓者食氣者食命者食吐者食不淨者飲尿者食糞者食殘
食者食唾者食涕者食精者食膿者食撥散者食花鬘者食香氣者
食薰氣者食思想者食華者食果食苗者食燒灰者如是等神鬼所有
呪術並皆禁斷諸外道所作呪術亦皆禁斷或獸盡男或獸盡女
所有呪術悉皆禁斷或大自在天所作呪術悉皆禁斷那羅延衆所作呪術悉
皆禁斷 金翅鳥王共作呪術亦皆禁斷 摩訶迦羅及摩帝嚕衆所作呪
術亦皆禁斷 髑髏外道作諸呪術亦皆禁斷 諸作殊勝諸作憍慢所欲
成就一切事者輒作呪術亦皆禁斷 四姉妹神所作呪術亦皆禁斷波陵儀
哩知 云鬪戰神 歡喜之主 云孔雀王 及餘衆主欲作成就一切事者亦皆禁斷

BD00718 號　大佛頂如來頂髻白蓋陀羅尼神咒　（6–2）

食者食唾者食涕者食精者食膿者食撥散者食花鬘者食香氣者
食薰氣者食思想者食華者食果食苗者食燒灰者如是等神鬼所有
呪術並皆禁斷諸外道所作呪術亦皆禁斷或獸盡男或獸盡女
所有呪術悉皆禁斷或大自在天所作呪術悉皆禁斷那羅延衆所作呪術悉
皆禁斷 金翅鳥王共作呪術亦皆禁斷 摩訶迦羅及摩帝嚕衆所作呪
術亦皆禁斷 髑髏外道作諸呪術亦皆禁斷 諸作殊勝諸作憍慢所欲
成就一切事者輒作呪術亦皆禁斷 四姉妹神所作呪術亦皆禁斷波陵儀
哩知 云鬪戰神 歡喜之主 云孔雀王 及餘衆主欲作成就一切事者亦皆禁斷
裸形外道所作呪術亦皆禁斷 阿羅漢等所作呪術亦皆禁斷 離愛
著天所作呪術亦皆禁斷 執金剛神密跡之主所作呪術亦皆禁斷 守護
我於我比丘光暑及一切衆生等 世尊敬礼如来頂髻白蓋 呪曰
阿悉哆耶剌 引 迦 鉢囉婆薩普吒 弥箇悉哆多鉢怛嚩 唃鐇羅唃鐇羅
珂馱珂馱 馱囉馱囉 毗馱囉毗馱囉 親馱親馱 斷 北馱北馱 絶 呼吽
呼吽撥 引 吒 凡此字皆小作聲喚 娑婆訶 醯醯撥 引 吒 呼呼撥吒 阿牟伽 其甲 撥吒
阿鉢囉底訶哆撥 引 吒 無障碍 鐇囉波囉馱撥 引 吒 阿素囉毗多囉多
囉鐇迦撥吒 薩婆提吠毗夜 毗夜反 撥 引 吒 薩婆那偈毗夜 毗夜反 撥 引 已下並同引
吒 薩婆藥叉毗夜 毗夜反已上並同此音 撥吒 薩婆囉乞叉細毗夜撥吒 薩婆
乾達婆毗夜撥吒 薩婆鉢嚕帝毗夜撥吒 薩婆部帝毗夜撥吒 薩婆布
單僂毗夜撥吒 薩婆曷吒布單僂毗夜撥吒 薩婆突囉浪宜底毗夜撥吒
薩婆突瑟畢列乞𠯫帝毗夜撥吒 薩婆唃鐇唎毗夜撥吒 一切熱病 薩婆阿
波薩麽嚕毗夜撥吒 健忘 薩婆奢囉麽僂毗夜撥吒 薩婆底嘌耻鷄毗夜撥吒
一切外道 薩婆鐇緼麽剃毗夜撥 薩婆毗地夜 地夜 馱嚕毗夜撥吒 一切持呪 唃耶曷
囉 殊勝 摩度曷囉 憍慢 薩婆囉他娑陁鷄瓢 一切事欲成 蜜地夜唃唎毗夜
撥吒 唃咄瓢婆 去聲 祁僂毗夜撥吒 四姉妹 跋折囉高麽哩曳毗地夜囉嚩 兒郡反
曳毗夜撥吒 女王 摩訶鉢囉地槃 地槃反 宜嚕毗夜撥吒 跋折囉商歌邏耶波囉
地槃 同前 宜囉囉嚕耶撥吒 摩訶歌羅也麽怛哩揭那 南謨悉訖哩哆耶撥吒
毗瑟拏耶須曳撥吒 鐇囉鉢摩尼曳撥吒 阿宜僂曳撥吒 摩訶箇哩曳撥吒 迦羅囉
帝哩曳撥吒 夜麽檀地曳撥吒 紇潑帝哩曳撥吒 石悶智曳撥吒
歌邏檀地曳撥吒 印地唎曳撥吒 歌彼哩曳撥吒 阿地目歌多奢摩奢那寧
鐇悉你曳撥吒 若有衆生於我生惡心者嗔怒心者食顔色者食胎藏
者食血者食肉者食暗者食髓者食初産者食命者食力者食吐者食
不淨者飲尿者食糞掃者食殘食者食唾者食鼻涕者食膿者食撥散
者食花鬘者食香氣者食薰者食華者食果者食子者食燒灰者

BD00718 號　大佛頂如來頂髻白蓋陀羅尼神咒　（6–3）

陛瑟耶狽曳撥吒　睹囉斜摩㕧曳撥吒　阿宜倭曳撥吒　摩訶笛哩曳撥吒　迦羅囉
歌邏㯕地曳撥吒　印地唎曳撥吒　紇滂帝哩曳撥吒　石闍智曳撥吒　迦摩奢耶寧
帝哩曳撥吒　夜歷㯕地曳撥吒　歌彼哩曳撥吒　阿地目歌多奢摩奢耶寧
睹悉你曳撥吒
若有衆生於我生惡心者嗔怒心者食頭色者食胎藏
者食血者食肉者食脂者食髓者食初産者食命者食力者食唾者食
不淨者飲尿者食糞掃者食殘食者食唾者食鼻涕者食膿者食撥散
者食花鬘者食汗氣者食薰者食華者食果者食子者食燒炙者
或罪惡心損害心應猛心或羅刹娑所嬈或餓鬼所嬈或毗舍遮所嬈或部多
所嬈或鳩槃吒所嬈或布單那所嬈或葛吒布單那所嬈或瘦鬼所嬈或狂鬼或
景㨨鬼所嬈或健忘鬼所嬈或獸蟲女鬼所嬈或䗍嚼底所嬈或閻魔王所嬈或
惡鳥所嬈或讃本母鬼所嬈或阿藍婆所嬈或幹吒笛弥你所嬈　或熱病一日二
日或三日或四日或七日或常患熱或重熱病或虐病或風病或黃病或痰癊或
揔集病及一切時氣或頭痛著疾令悉除差　或半身痛或不能食或目痛
或鼻痛或口痛或頸痛或咽喉閉塞或耳痛或齒痛或心痛或骨節痛或
脅肋痛或背痛或腹痛或胃痛或小腹痛或腿痛或踝骨痛或手痛
或腳痛或身軀骨節等痛令悉除差　或部多鬼或起屍鬼或獸魅鬼或夭行
或患疥癬或風瘙或熱瘡或癩瘡或斑瘡或癰或疽或甜瘡或瘻瘡或瘦
病或驚怨或毒藥或蠱毒或獸禱或火或水或獸或怨賊或惡鬼或曠野
或非時撗死或咀囆蜃部迦或蜂或蝎或虵或鼠狼或師子或虎或熊或羆或
摩竭魚或犛牛等如是一切諸難是白蓋大金剛頂髻能令諸難自然退散
乃至十二由旬內或結界地諸餘威神及以明呪悉皆禁斷
怛姪他 即說呪曰　唵阿那隸阿那隸　毗舍剃毗舍剃　䟦囉䟦囉　跋椤囉馱剛
畔陁畔陁你　跋椤囉嫎你撥吒　呼吽呼吽撥吒撥吒　娑婆訶　呼吽咄
嚕吽伴馱撥吒　娑婆訶　若復有人或於緣上或於樺皮或於葉上書此如
来頂髻白蓋无有能及甚能調伏陁羅尼或帶身上或繫頸上乃至壽終
毒不能害刀不能傷水不能溺蟲蠱毒獸蠱非時撗死亦不能害亦令諸惡
鬼神毗那夜迦悉皆歡喜　亦令八万四億那由他諸金剛亦當守護歡喜敬
愛能知過去八十四百千劫宿命之事終不受夜叉餓鬼羯吒布單那貧窮
下賤之身亦能圓滿无量无邊恒河沙數諸佛世尊福德之聚若有持此
如来頂髻白蓋無有能及甚能調伏陁羅尼者非梵行者亦成梵行不調伏者亦
自調伏不清淨者能速清淨不一食者自當一食任五逆罪亦自消滅宿世業

BD00718 號　大佛頂如來頂髻白蓋陀羅尼神咒　（6–4）

嚕吽伴馱撥吒　娑婆訶　若復有人或於緣上或於樺皮或於葉上書此如
来頂髻白蓋无有能及甚能調伏陁羅尼或帶身上或繫頸上乃至壽終
毒不能害刀不能傷水不能溺蟲蠱毒獸蠱非時撗死亦不能害亦令諸惡
鬼神毗那夜迦悉皆歡喜　亦令八万四億那由他諸金剛亦當守護歡喜敬
愛能知過去八十四百千劫宿命之事終不受夜叉餓鬼羯吒布單那貧窮
下賤之身亦能圓滿无量无邊恒河沙數諸佛世尊福德之聚若有持此
如来頂髻白蓋無有能及甚能調伏陁羅尼者非梵行者亦成梵行不調伏者亦
自調伏不清淨者能速清淨不一食者自當一食任五逆罪亦自消滅宿世業
障盡滅无餘若有女人設欲求男持此如来頂髻白蓋無有能及甚能調伏
陁羅尼者便生有相福德具足長壽之男從此命終生極樂國若疫癘及
六畜疫或有災祟或外怨敵来相侵惱者或於城門聚落村邑或多人處或
曠野處安置高幢懸此如来頂髻白蓋無有能及甚能調伏陁羅尼恭
敬礼拜所有災祟及外怨敵来相侵惱者尋便退散　呪曰　怛地他
唵瑟咄嚕吽　伴陁伴陁　樂訖叉樂訖叉　娑婆訶　嗚呼吽二　瑟咄嚕
吽三　伴陁伴陁　樂訖叉樂訖叉四　跋椤囉滿莫敢反五　跋椤囉波耶曳　呼吽
撥吒　娑婆訶六　唵　怛他蕯都嗚瑟你沙七　阿那婆盧訖帝八　牟嘌迦敵實反
帝祖囉尸九　唵㮏羅㮏羅十　馱迦馱迦一十　馱囉馱囉二十　毗馱囉毗馱囉三十
親馱親馱四十　牝馱牝馱五十　呼吽呼吽撥吒　娑婆訶六十　唵　怛他蕯都嗚瑟
你沙七十　呼吽撥吒　娑婆訶八十　怛地他反　阿那隸阿那隸九十　珂湲明珂湲
明二十　毗囉毗囉一廿　蘇明蘇明二廿　蕯婆部陁三廿　阿地瑟吒耶四廿　阿地瑟秩底丁里反
吐五　蕯婆怛他蕯都嗚瑟你沙廿六　悉怛多鉢怛隸廿七　呼吽撥吒
娑婆訶廿八　呼吽麼麼廿九　呼吽寧撥吒　娑婆訶

BD00718 號　大佛頂如來頂髻白蓋陀羅尼神咒　（6–5）

吽十三 伴陁伴陁 樂訖乂樂訖乂四 跋撈囉滿 莫敢反五 跋撈囉波耶曳 呼吽
撥吒 娑婆訶六 唵 怛他蘗都嗚瑟你沙七 阿耶婆盧訖帝八 牟㗚池 敵寅反
啼祖囉尸九 唵 㮈囉㮈囉十 馱迦馱迦十一 馱囉馱囉十二 毗馱囉毗馱囉十三
親馱親馱十四 𤘽馱𤘽馱十五 呼吽呼吽撥吒 娑婆訶十六 唵 怛他蘗都嗚瑟
你沙十七 呼吽撥吒 娑婆訶十八 怛地、反 夜他 阿耶㮈阿耶㮈十九 珂娑明珂娑
明二十 毗囉毗囉廿一 蘇明蘇明廿二 薩婆部陁廿三 阿地瑟吒耶廿四 阿地瑟秩底
丁里反 吐廿五 薩婆怛他 蘗都嗚瑟你沙廿六 悉怛多鉢怛㮈廿七 呼吽撥吒
娑婆訶廿八 呼吽麼麼廿九 呼吽寧撥吒 娑婆訶

BD00718 號　大佛頂如來頂髻白蓋陀羅尼神咒　　（6–6）

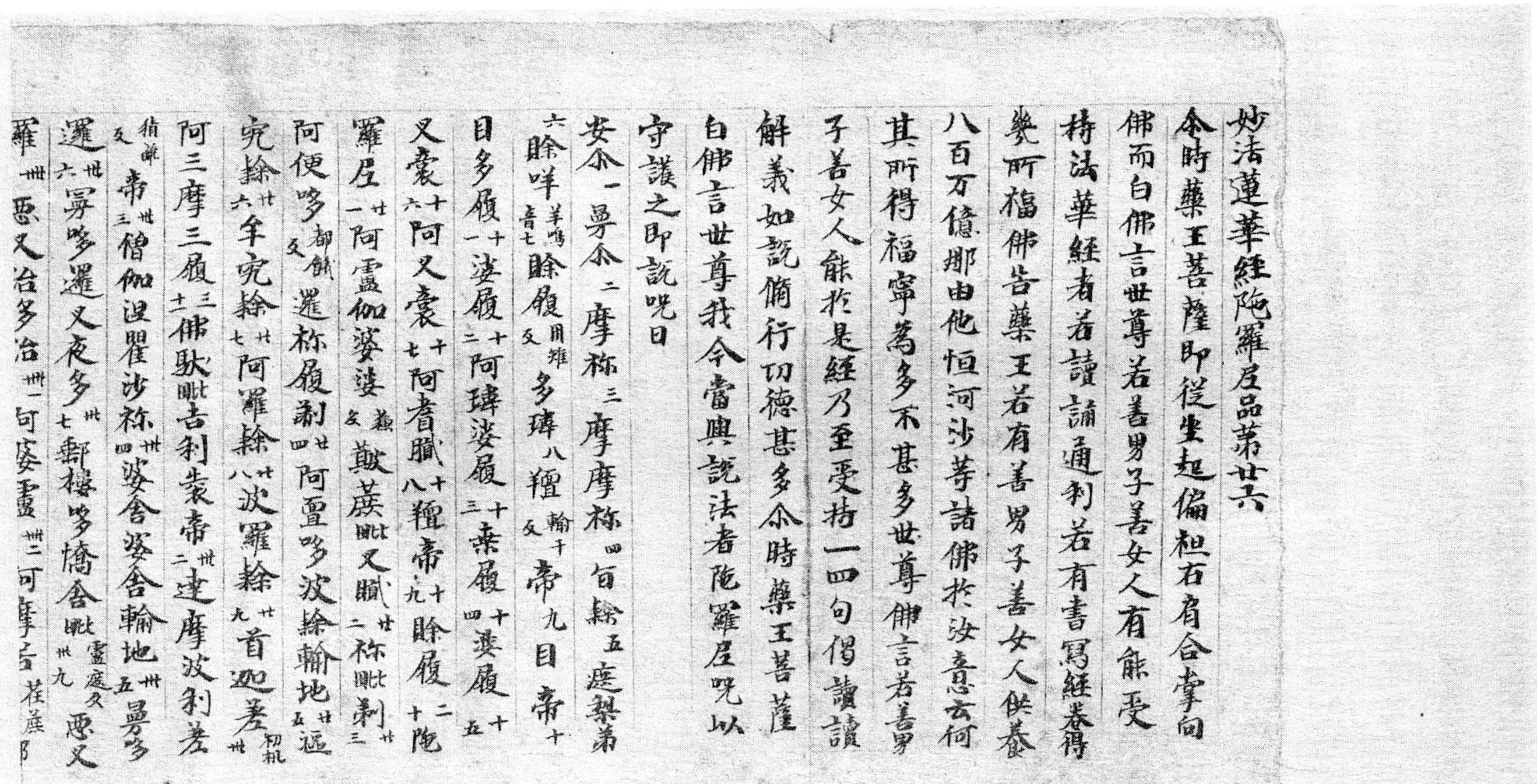

妙法蓮華經陁羅尼品第廿六
尒時藥王菩薩即從坐起偏袒右肩合掌向
佛而白佛言世尊若善男子善女人有能受
持法華經者若讀誦通利若有書寫經卷得
幾所福佛告藥王若有善男子善女人供養
八百万億那由他恒河沙等諸佛於汝意云何
其所得福寧為多不甚多世尊佛言若善男
子善女人能於是經乃至受持一四句偈讀
解義如說脩行功德甚多尒時藥王菩薩
白佛言世尊我今當與說法者陁羅尼呪以
守護之即說呪曰
安尒一 曼尒二 摩祢三 摩摩祢四 旨隸五 遮梨苐
六 賒咩羊鳴音七 賒履用雉反 多瑋八 羶輸干反 帝九 目帝十
目多履十一 娑履十二 阿瑋娑履十三 桒履十四 娑履十五
叉裔十六 阿叉裔十七 阿耆膩十八 羶帝十九 賒履二十 陁
羅尼廿一 阿盧伽婆娑蘇奈反 簸蔗毗叉膩廿二 祢毗剃廿三
阿便哆都餓反 邏祢履剃廿四 阿亶哆波隸輸地廿五 漚
究隸廿六 牟究隸廿七 阿羅隸廿八 波羅隸廿九 首迦差初机反 卅
阿三摩三履卅一 佛馱毗吉利袠帝卅二 達摩波利差
猜離反 帝卅三 僧伽涅瞿沙祢卅四 婆舍婆舍輸地卅五 曼哆
邏卅六 曼哆邏叉夜多卅七 郵樓哆憍舍略毗 盧庭反 卅九 惡叉
邏卌 惡叉冶多冶卌一 阿婆盧卌二 阿摩若荏蔗反

BD00719 號　妙法蓮華經卷七　　（15–1）

究隸廿六牟究隸廿七阿羅隸廿八波羅隸廿九首迦差卅初机
阿三摩三履卅一佛馱毗吉利袠帝卅二達摩波利差
猜薛反帝卅三僧伽涅瞿沙祢卅四婆舍婆舍輸地卅五曼多
邏卅六冐哆邏叉夜多卅七郵樓哆憍舍毗卅八盧遮反惡叉
羅卅九惡叉治多治卌一阿婆盧卌二阿摩若荏蔗反那
多夜卌三
世尊是陀羅尼神呪六十二恒河沙等諸佛
所說若有侵毀此法師者則為侵毀是諸佛
已時釋迦牟尼佛讚藥王菩薩言善哉善哉
藥王汝愍念擁護此法師故說是陀羅尼於
諸衆生多所饒益
尒時勇施菩薩白佛言世尊我亦為擁護讀
誦受持法華經者說陀羅尼若此法師得是
陀羅尼若夜叉若羅剎若冨單那若吉蔗若
鳩槃荼若餓鬼等伺求其短无能得便即於
佛前而說呪曰
痤猎瓦反隸一摩訶痤隸二郁枳三目枳四阿隸五
阿羅婆弟六涅隸弟七涅隸多婆弟八伊緻猪履反
柅九韋緻柅十旨緻柅十一涅隸墀柅十二涅隸墀婆
底十三
世尊是陀羅尼神呪恒河沙等諸佛所說亦
皆隨喜若有侵毀此法師者則為侵是諸佛
已
尒時毗沙門天王護世者白佛言世尊我亦
為愍念衆生擁護此法師故說是陀羅尼即
說呪曰

BD00719號　妙法蓮華經卷七　（15–2）

皆隨喜若有侵毀此法師者則為侵是諸佛
已
尒時毗沙門天王護世者白佛言世尊我亦
為愍念衆生擁護此法師故說是陀羅尼即
說呪曰
阿梨一那梨二菟那梨三阿那盧四那履五拘那
履六
世尊以是神呪擁護法師我亦自當擁護持
是經者令百由旬内无諸衰患
尒時持國天王在此會中與千万億那由他
乾闥婆衆恭敬圍遶前詣佛所合掌白佛
言世尊我亦以陀羅尼神呪擁護持法華經
者即說呪曰
阿伽祢一伽祢二瞿利三乹陀利四旃陀利五摩蹬
耆六常求利七浮樓莎柅八頞底九
世尊是陀羅尼神呪四十二億諸佛所說若
有侵毀此法師者則為侵毀是諸佛已
尒時有羅剎女等一名藍婆二名毗藍婆三
名曲齒四名華齒五名黒齒六名多髮七名
无猒足八名持瓔珞九名睪帝十名奪一切
衆生精氣是十羅剎女与鬼子母并其子及
眷屬俱詣佛所同聲白佛言世尊我等亦欲
擁護讀誦受持法華經者除其衰患若有
伺求法師短者令不得便即於佛前而說呪曰
伊提履一伊提泯二伊提履三阿提履四伊提履
五泥履六泥履七泥履八泥履九泥履十樓醯十一

BD00719號　妙法蓮華經卷七　（15–3）

擁護讀誦受持法華經者除其衰患若有
伺求法師短者令不得便即於佛前而說呪曰
伊提履一 伊提泯二 伊提履三 阿提履四 伊提履
五 泥履六 泥履七 泥履八 泥履九 泥履十 樓醯十一
樓醯十二 樓醯十三 樓醯十四 多醯十五 多醯十六
多醯十七 兜醯十八 㝹醯十九
寧上我頭上莫惱於法師若夜叉若羅剎
餓鬼若富單那若吉蔗若毗陀羅若揵馱若
烏摩勒伽若阿跋摩羅若夜叉吉蔗若人吉
蔗若熱病若一日若二日若三日若四日乃至
七日若常熱病若男形若女形若童男形若
童女形乃至夢中亦復莫惱即於佛前而
說偈言
若不順我呪　惱亂說法者　頭破作七分　如阿梨樹枝
如殺父母罪　亦如押油殃　斗秤欺誑人　調達破僧罪
犯此法師者　當獲如是殃
諸羅剎女說此偈已白佛言世尊我等亦當身
自擁護受持讀誦脩行是經者令得安隱
離諸衰患消衆毒藥佛告諸羅剎女善哉善
哉汝等但能擁護受持法華經名者福不可
量何况擁護具足受持供養經卷華香瓔珞
末香塗香燒香幡蓋伎樂然種種燈蘇燈油
燈諸香油燈蘇摩那華油燈瞻蔔華油燈婆
師迦華油燈優鉢羅華油燈如是等百千種
供養者睪帝汝等及眷屬應當擁護如是
法師說此陀羅尼品時六万八千人得无生

BD00719 號　妙法蓮華經卷七　（15–4）

量何况擁護具足受持供養經卷華香瓔珞
末香塗香燒香幡蓋伎樂然種種燈蘇燈油
燈諸香油燈蘇摩那華油燈瞻蔔華油燈婆
師迦華油燈優鉢羅華油燈如是等百千種
供養者睪帝汝等及眷屬應當擁護如是
法師說此陀羅尼品時六万八千人得无生
法忍
妙法蓮華經妙莊嚴王本事品第廿七
尒時佛告諸大衆乃往古世過无量无邊不
可思議阿僧祇劫有佛名雲雷音宿王華智
多陀阿伽度阿羅呵三藐三佛陀國名光明
莊嚴劫名喜見彼佛法中有王名妙莊嚴其
王夫人名曰淨德有二子一名淨藏二名淨
眼是二子有大神力福德智慧久脩菩薩所
行之道所謂檀波羅蜜尸波羅蜜羼提波
羅蜜毗梨耶波羅蜜禪波羅蜜般若波羅蜜方
便波羅蜜慈悲喜捨乃至卅七助道法皆悉
明了通達又得菩薩淨三昧日星宿三昧淨
光三昧淨色三昧淨照明三昧長莊嚴三昧
大威德藏三昧於此三昧亦悉通達
尒時彼佛欲引導妙莊嚴王及愍念衆生故
說是法華經時淨藏淨眼二子到其母所合
十指爪掌白言願母往詣雲雷音宿王華智
佛所我等亦當侍從親覲供養礼拜所以者
何此佛於一切天人衆中說法華經宜應聽
受母告子言汝父信受外道深著婆羅門法

BD00719 號　妙法蓮華經卷七　（15–5）

尒時彼佛欲引導妙莊嚴王及愍念衆生故
說是法華經時淨藏淨眼二子到其母所合
十指爪掌白言願母往詣雲雷音宿王華智
佛所我等亦當侍從親覲供養礼拜所以者
何此佛於一切天人衆中說法華經宜應聽
受母告子言汝父信受外道深著婆羅門法
汝等應往白父與共俱去淨藏淨眼合十指爪
掌白母我等是法王子而生此耶見家母告
子言汝等當憂念汝父為現神變若得見
者心必清淨或聽我等往至佛所於是二子念
其父故踊在虛空高七多羅樹現種種神變
於虛空中行住坐卧身上出水身下出火身
下出水身上出火或現大身滿虛空中而復
復現小小復現大於虛空中滅忽然在地入
地如水履水如地現如是等種種神變令其父
王心淨信解時父見子神力如是心大歡喜
得未曾有合掌向子言汝等師為是誰
誰之弟子二子白言大王彼雲雷音宿王華智
佛今在七寶菩提樹下法坐上坐於一切世間
天人衆中廣說法華經是我等師我是弟
子父語子言我今亦欲見汝等師可共俱往
於是二子從空中下到其母所合掌白母
父王今已信解堪任發阿耨多羅三藐三菩
提心我等為父已作佛事願母見聽於彼佛所
出家脩道尒時二子欲重宣其意以偈白母
願母放我等　出家作沙門　諸佛甚難值　我等隨佛學

子父語子言我今亦欲見汝等師可共俱往
於是二子從空中下到其母所合掌白母
父王今已信解堪任發阿耨多羅三藐三菩
提心我等為父已作佛事願母見聽於彼佛所
出家脩道尒時二子欲重宣其意以偈白母
願母放我等　出家作沙門　諸佛甚難值　我等隨佛學
如優曇鉢羅　值佛復難是　脫諸難亦難　願聽我出家
母即告言聽汝出家所以者何佛難值故於
是二子白父母言善哉父母願時往詣雲雷音
宿王華智佛所親覲供養所以者何佛難
得值如優曇鉢羅華又如一眼之龜值浮木
孔而我等宿福深厚生值佛法是故父母當
聽我等令得出家所以者何諸佛難值時亦
難遇彼時妙莊嚴王後宮八万四千人悉皆
堪任受持是法華經淨眼菩薩於法華三昧
久已通達淨藏菩薩已於无量百千万億劫
通達離諸惡趣三昧欲令一切衆生離諸惡
趣故其王夫人得諸佛集三昧能知諸佛秘
密之藏二子如是以方便力善化其父令心
信解好樂佛法於是妙莊嚴王與群臣眷屬
俱淨德夫人與後宮婇女眷屬俱其王二子
與四万二千人俱一時共詣佛所到已頭面
礼足遶佛三帀却住一面尒時彼佛為王說
法示教利喜王大歡
尒時妙莊嚴王及其夫人解頸真珠瓔珞價
直百千以散佛上於虛空中化成四柱寶臺

礼足遶佛三帀却住一面尒時彼佛為王説
法示教利喜王大歡
尒時妙莊嚴王及其夫人解頸真珠瓔珞價
直百千以散佛上於虛空中化成四柱寶臺
臺中有大寶床敷百千万天衣其上有佛
結加趺坐放大光明尒時妙莊嚴王作是念佛
身希有端嚴殊特成就第一微妙之色時雲
雷音宿王華智佛告四衆言汝等見是妙莊
嚴王於我前合掌立不此王於我法中作比
丘精勤脩習助佛道法當得作佛号娑羅樹
王國名大光劫名大高王其娑羅樹王佛有
无量菩薩衆及无量聲聞其國平正功德如
是其王即時以國付弟王与夫人二子并諸
眷屬於佛法中出家脩道王出家已於八万
四千歲常勤精進脩行妙法華經過是已後
得一切淨功德莊嚴三昧即昇虛空高七多
羅樹而白佛言世尊此我二子已作佛事以
神通變化轉我邪心令得安住於佛法中得
見世尊此二子者是我善知識為欲發起宿
世善根饒益我故來生我家
尒時雲雷音宿王華智佛告妙莊嚴王言
如是如是如汝所言若善男子善女人種善根
故世世得善知識其善知識能作佛事示教
利喜令入阿耨多羅三藐三菩提大王當知
善知識者是大因緣所謂化導令得見佛發
阿耨多羅三藐三菩提心大王汝見此二子

BD00719號　妙法蓮華經卷七

（15-8）

尒時雲雷音宿王華智佛告妙莊嚴王言
如是如是如汝所言若善男子善女人種善根
故世世得善知識其善知識能作佛事示教
利喜令入阿耨多羅三藐三菩提大王當知
善知識者是大因緣所謂化導令得見佛發
阿耨多羅三藐三菩提心大王汝見此二子
不此二子已曾供養六十五百千万億那由
他恒河沙諸佛親覲恭敬於諸佛所受持法
華經愍念邪見衆生令住正見妙莊嚴王即
從虛空中下而白佛言世尊如來甚希有以
功德智慧故頂上肉髻光明顯照其眼長廣
而紺青色眉間毫相白如珂月齒白齊密常
有光明脣色赤好如頻婆菓尒時妙莊嚴王
讚歎佛如是等无量百千万億功德已於如
來前一心合掌復白佛言世尊未曾有也如
來之法具足成就不可思議微妙功德教戒所
行安隱快善我從今日不復自隨心行不生
邪見憍慢瞋恚諸惡之心説是語已礼佛而
出佛告大衆於意云何妙莊嚴王豈異人乎
今華德菩薩是其淨德夫人今佛前光照
莊嚴相菩薩是哀愍妙莊嚴王及諸眷屬故
於彼中生其二子者今藥王菩薩藥上菩薩
是藥王藥上菩薩成就如此諸大功德已
於无量百千万億諸佛所殖衆德本成就不
可思議諸善功德若有人識是二菩薩名字
者一切世間諸天人民亦應礼拜佛説是妙

BD00719號　妙法蓮華經卷七

（15-9）

今華德菩薩是其淨德夫人今佛前光照
莊嚴相菩薩是哀愍妙莊嚴王及諸眷屬故
於彼中生其二子者今藥王菩薩藥上菩薩
是是藥王藥上菩薩成就如此諸大功德已
於无量百千万億諸佛所殖衆德本成就不
可思議諸善功德若有人識是二菩薩名字
者一切世間諸天人民亦應礼拜佛說是妙
莊嚴王本事品時八万四千人遠塵離垢於
諸法中得法眼淨

妙法蓮華經普賢菩薩勸發品第廿八

尒時普賢菩薩以自在神通力威德名聞與大
菩薩无量无邊不可稱數從東方來所經過
國普皆震動雨寶蓮華作无量百千万億種
種伎樂又與无數諸天龍夜叉乾闥婆阿脩
羅迦樓羅緊那羅摩睺羅伽人非人等大衆
圍繞各現威德神通之力到娑婆世界耆闍
崛山中頭面礼釋迦牟尼佛右繞七迊白佛言
世尊我於寶威德上王佛國遙聞此娑婆世
界說法華經與无量无邊百千万億諸菩薩
衆共來聽受唯願世尊當為說之若善男子
善女人於如來滅後云何能得是法華經佛
告普賢菩薩若有善男子善女人成就四
法於如來滅後當得是法華經一者為諸
佛護念二者殖諸德本三者入正定聚四者
發救一切衆生之心善男子善女人如是成就
四法於如來滅後必得是經

BD00719號　妙法蓮華經卷七　（15–10）

告普賢菩薩若有善男子善女人成就四
法於如來滅後當得是法華經一者為諸
佛護念二者殖諸德本三者入正定聚四者
發救一切衆生之心善男子善女人如是成就
四法於如來滅後必得是經
尒時普賢菩薩白佛言世尊於後五百歲濁
惡世中其有受持是經典者我當守護除其
衰患令得安隱使无伺求得其便者若魔
魔子若魔女若魔民若為魔所著者若夜
叉若羅剎若鳩槃荼若毗舍闍若吉蔗若富單
那若韋陁羅等諸惱人者皆不得便是人若
行若立讀誦此經我尒時乘六牙白象王與大
菩薩衆俱詣其所而自現身供養守護安慰
其心亦為供養法華經故是人若坐思惟此
經尒時我復乘白象王現其人前其人若於
法華經有所忘失一句一偈我當教之與共讀
誦還令通利
尒時受持讀誦法華經者得見我身甚大歡
喜轉復精進以見我故即得三昧及陁羅尼名
為旋陁羅尼百千万億旋陁羅尼法音方便
陁羅尼得如是等陁羅尼世尊若後世後
五百歲濁惡世中比丘比丘尼優婆塞優婆夷
求索者受持者讀誦者書寫者欲脩習是
法華經於三七日中應一心精進滿三七日已
我當乘六牙白象與无量菩薩而自圍遶
以一切衆生所憙見身現其人前而為說法
示教利喜亦復與其陁羅尼呪得是陁羅尼

BD00719號　妙法蓮華經卷七　（15–11）

五百歲濁惡世中比丘比丘尼優婆塞優婆夷
求索者受持者讀誦者書寫者欲脩習是
法華經於三七日中應一心精進滿三七日已
我當乘六牙白象與无量菩薩而自圍遶
以一切衆生所憙見身現其人前而為說法
亦教利憙亦復與其陁羅尼呪得是陁羅尼
故无有非人能破壞者亦復不為女人之所惑
亂我身亦自常護是人唯願世尊聽我說
此陁羅尼即於佛前而說呪曰
阿檀地 途賣反 一 檀陁婆地 二 檀地婆帝 三 檀陁鳩舍隸 四
檀陁脩陁隸 五 脩陁隸 六 脩陁羅婆底 七 佛馱波
羶禰 八 薩婆陁羅尼阿婆多尼 九 薩婆婆沙阿婆
多尼 十 脩阿婆多尼 十一 僧伽婆履叉尼 十二 僧伽涅伽
陁尼 十三 阿僧祇 十四 僧伽波伽地 十五 帝隸阿惰僧伽兜
略 盧遮反 波羅帝 十六 薩婆僧伽三摩地伽蘭地 十七 薩婆
達摩脩波利剎帝 十八 薩婆薩埵樓馱憍舍略阿㝹
伽地 十九 辛阿毗吉利地帝 二十
世尊若有菩薩得聞是陁羅尼者當知普
賢神通之力若法華經行閻浮提有受持者
應作此念皆是普賢威神之力若有受持讀
誦正憶念解其義趣如說行當知是人行普賢
行於无量无邊諸佛所深種善根為諸如來
手摩其頭若但書寫是人命終當生忉利天
上是時八万四千天女作衆伎樂而來迎之其
人即著七寶冠於婇女中娛樂快樂何況
受持讀誦正憶念解其義趣如說脩行

誦正憶念解其義趣如說行當知是人行普賢
行於无量无邊諸佛所深種善根為諸如來
手摩其頭若但書寫是人命終當生忉利天
上是時八万四千天女作衆伎樂而來迎之其
人即著七寶冠於婇女中娛樂快樂何況
受持讀誦正憶念解其義趣如說脩行若有
人受持讀誦解其義趣是人命終為千佛授
手令不恐怖不墮惡趣即往兜率天上弥勒菩
薩所弥勒菩薩有三十二相大菩薩衆所共
圍繞有百千万億天女眷屬而於中生有如
是等功德利益是故智者應當一心自書若
使人書受持讀誦正憶念如說脩行世尊
我今以神通力守護是經於如來滅後閻浮
提內廣令流布使不斷絕
尒時釋迦牟尼佛讚言善哉善哉普賢汝能
護助是經令多所衆生安樂利益汝已成就不
可思議功德深大慈悲從久遠來發阿耨多
羅三藐三菩提意而能作神通之願守護是
經我當以神通力守護能受持普賢菩薩
名者普賢若有受持讀誦正憶念脩習書寫
是法華經者當知是人則見釋迦牟尼佛如
從佛口聞此經典當知是人供養釋迦牟尼
佛當知是人佛讚善哉當知是人為釋迦牟
尼佛手摩其頭當知是人為釋迦牟尼佛衣
之所覆如是之人不復貪著世樂不好外道
經書手筆亦復不喜親近其人及諸惡者若屠

是法華經者當知是人則見釋迦牟尼佛如
從佛口聞此經典當知是人供養釋迦牟尼
佛當知是人佛讚善哉當知是人為釋迦牟
尼佛手摩其頭當知是人為釋迦牟尼佛衣
之所覆如是之人不復貪著世樂不好外道
經書手筆亦復不喜親近其人及諸惡者若屠
兒若畜猪羊鷄狗若獵師若衒賣女色是人
心意質直有正憶念有福德力是人不為
三毒所惱亦復不為嫉妬我慢邪慢增上慢所
惱是人少欲知足能脩普賢之行
普賢若如來滅後五百歲若有人見受持讀
誦法華經者應作是念此人不久當詣道場
破諸魔眾得阿耨多羅三藐三菩提轉法輪
擊法鼓吹法螺雨法雨當坐天人大眾中師
子法坐上普賢若於後世受持讀誦是經典
者是人不復貪著衣服卧具飲食資生之物
所願不虛亦於現世得其福報若有人輕毀
之言汝狂人耳空作是行終无所獲如是罪
報當世世无眼若有供養讚歎之者當於
今世得現果報若復見受持是經者出其過
惡若實若不實此人現世得白癩病若有輕
咲之者當世世牙齒踈缺醜脣平鼻手脚繚戾
眼目角睞身體臭穢惡瘡膿血水腹短氣諸
惡重病是故普賢若見受持是經者當起
遠迎當如敬佛說是普賢勸發品時恒河沙
等无量无邊菩薩得百千億旋陁羅尼三千

BD00719 號　妙法蓮華經卷七　（15–14）

惡若實若不實此人現世得白癩病若有輕
咲之者當世世牙齒踈缺醜脣平鼻手脚繚戾
眼目角睞身體臭穢惡瘡膿血水腹短氣諸
惡重病是故普賢若見受持是經者當起
遠迎當如敬佛說是普賢勸發品時恒河沙
等无量无邊菩薩得百千億旋陁羅尼三千
大千世界微塵等諸菩薩具普賢道佛說是
經時普賢等諸菩薩舍利弗等諸聲聞及
諸天龍人非人等一切大會皆大歡喜受持
佛語作礼而去

妙法蓮經卷第七

BD00719 號　妙法蓮華經卷七　（15–15）

故內空內空自性空外空內外空空空大空
勝義空有為空无為空畢竟空无際空散空
无變異空本性空自相空共相空一切法空
不可得空无性空自性空无性自性空外空
乃至无性自性空自性空是內空自性即非
自性是外空乃至无性自性空自性亦非自
性若非自性即是布施波羅蜜多於此布施
波羅蜜多內空不不得彼我无我亦不可得
外空乃至无性自性空皆不可得彼我无我
亦不可得所以者何此中尚无內空等可得
何況有彼我與无我汝若能脩如是布施是
脩布施波羅蜜多復作是言汝善男子應脩
布施波羅蜜多不應觀內空若淨若不淨
應觀外空內外空空空大空勝義空有為空
无為空畢竟空无際空散空无變異空本性
空自相空共相空一切法空不可得空无性
空自性空无性自性空若淨若不淨何以故
內空內空自性空外空內外空空空大空勝
義空有為空无為空畢竟空无際空散空无
變異空本性空自相空共相空一切法空不

BD00720 號　大般若波羅蜜多經卷一六三　（7–1）

空自相空共相空一切法空不可得空无性
空自性空无性自性空若淨若不淨何以故
內空內空自性空外空內外空空空大空勝
義空有為空无為空畢竟空无際空散空无
變異空本性空自相空共相空一切法空不
可得空无性空自性空无性自性空外空乃
至无性自性空自性空是內空自性即非自
性是外空乃至无性自性空自性亦非自性
若非自性即是布施波羅蜜多於此布施波
羅蜜多內空不可得彼淨不淨亦不可得外
空乃至无性自性空皆不可得彼淨不淨亦
不可得所以者何此中尚无內空等可得何
況有彼淨與不淨汝若能脩如是布施是脩
布施波羅蜜多憍尸迦是善男子善女人等
作此等說是為宣說真正布施波羅蜜多
復次憍尸迦若善男子善女人等為發无上
菩提心者宣說布施波羅蜜多作如是言汝
善男子應脩布施波羅蜜多不應觀真如若
常若无常不應觀法界法性不虛妄性不變
異性平等性離生性法定法住實際虛空界
不思議界若常若无常何以故真如真如自
性空法界法性不虛妄性不變異性平等性
離生性法定法住實際虛空界不思議界法
界乃至不思議界自性空是真如自性即非
自性是法界乃至不思議界自性亦非自性
若非自性即是布施波羅蜜多於此布施波
羅蜜多真如不可得彼常无常亦不可得法

BD00720 號　大般若波羅蜜多經卷一六三　（7–2）

離生性法定法住實際虛空界不思議界法
界乃至不思議界自性空是真如自性即非
自性是法界乃至不思議界自性亦非自性
若非自性即是布施波羅蜜多於此布施波
羅蜜多真如不可得彼常无常亦不可得法
界乃至不思議界皆不可得彼常无常亦不
可得所以者何此中尚无真如等可得何況
有彼常與无常汝若能脩如是布施是脩布
施波羅蜜多復作是言汝善男子應脩布施
波羅蜜多不應觀真如若樂若苦不應觀法
界法性不虛妄性不變異性平等性離生性
法定法住實際虛空界不思議界若樂若苦
何以故真如真如自性空法界法性不虛妄
性不變異性平等性離生性法定法住實際
虛空界不思議界法界乃至不思議界自性
空是真如自性即非自性是法界乃至不思
議界自性亦非自性若非自性即是布施波
羅蜜多於此布施波羅蜜多真如不可得彼
樂與苦亦不可得法界乃至不思議界皆不
可得彼樂與苦亦不可得所以者何此中尚
无真如等可得何況有彼樂之與苦汝若能
脩如是布施是脩布施波羅蜜多復作是言
汝善男子應脩布施波羅蜜多不應觀真如
若我若无我不應觀法界法性不虛妄性不
變異性平等性離生性法定法住實際虛
空界不思議界若我若无我何以故真如真如

BD00720號　大般若波羅蜜多經卷一六三　（7–3）

汝善男子應脩布施波羅蜜多不應觀真如
若我若无我不應觀法界法性不虛妄性不
變異性平等性離生性法定法住實際虛
空界不思議界若我若无我何以故真如真如
自性空法界法性不虛妄性不變異性平等
性離生性法定法住實際虛空界不思議界
法界乃至不思議界自性空是真如自性即
非自性是法界乃至不思議界自性亦非自
性若非自性即是布施波羅蜜多於此布施
波羅蜜多真如不可得彼我无我亦不可得
法界乃至不思議界皆不可得彼我无我亦
不可得所以者何此中尚无真如等可得何
況有彼我與无我汝若能脩如是布施是脩
布施波羅蜜多復作是言汝善男子應脩布
施波羅蜜多不應觀真如若淨若不淨不應
觀法界法性不虛妄性不變異性平等性離
生性法定法住實際虛空界不思議界若淨
若不淨何以故真如真如自性空法界法性
不虛妄性不變異性平等性離生性法定法
住實際虛空界不思議界法界乃至不思議
界自性空是真如自性即非自性是法界乃
至不思議界自性亦非自性若非自性即是
布施波羅蜜多於此布施波羅蜜多真如不
可得彼淨不淨亦不可得法界乃至不思議
界皆不可得彼淨不淨亦不可得所以者何
此中尚无真如等可得何況有彼淨與不淨
汝若能脩如是布施是脩布施波羅蜜多脩

BD00720號　大般若波羅蜜多經卷一六三　（7–4）

可得彼淨不淨亦不可得法果乃至不思議
界皆不可得彼淨不淨亦不可得所以者何
此中尚无真如等可得何況有彼淨與不淨
汝若能脩如是布施是脩布施波羅蜜多憍
尸迦是善男子善女人等作此等說是為宣
說真正布施波羅蜜多
復次憍尸迦若善男子善女人等為發无上
菩提心者宣說布施波羅蜜多作如是言汝
善男子應脩布施波羅蜜多不應觀苦聖諦
若常若无常不應觀集滅道聖諦若常若无
常何以故苦聖諦苦聖諦自性空集滅道聖
諦集滅道聖諦自性空是苦聖諦自性即非
自性是集滅道聖諦自性亦非自性若非自
性即是布施波羅蜜多於此布施波羅蜜多
苦聖諦不可得彼常無常亦不可得集滅道
聖諦皆不可得彼常無常亦不可得所以者
何此中尚無苦聖諦等可得何況有彼常與
無常汝若能脩如是布施是脩布施波羅蜜
多復作是言汝善男子應脩布施波羅蜜多
不應觀苦聖諦若樂若苦不應觀集滅道聖
諦若樂若苦何以故苦聖諦苦聖諦自性空
集滅道聖諦集滅道聖諦自性空是苦聖諦
自性即非自性是集滅道聖諦自性亦非自
性若非自性即是布施波羅蜜多於此布施
波羅蜜多苦聖諦不可得彼樂與苦亦不可
得集滅道聖諦皆不可得彼樂與苦亦不可
得所以者何此中尚无苦聖諦等可得何況
有彼樂之與苦汝若能如是布施是脩布

BD00720號　大般若波羅蜜多經卷一六三　（7–5）

波羅蜜多苦聖諦不可得彼樂與苦亦不可
得集滅道聖諦皆不可得彼樂與苦亦不可
得所以者何此中尚无苦聖諦等可得何況
有彼樂之與苦汝若能如是布施是脩布
施波羅蜜多復作是言汝善男子應脩布施
波羅蜜多不應觀苦聖諦若我若无我不應
觀集滅道聖諦若我若无我何以故苦聖諦
苦聖諦自性空集滅道聖諦集滅道聖諦自
性空是苦聖諦自性即非自性是集滅道聖
諦自性亦非自性若非自性即是布施波羅
蜜多於此布施波羅蜜多苦聖諦不可得彼
我无我亦不可得集滅道聖諦皆不可得彼
我无我亦不可得所以者何此中尚无苦聖諦
等可得何況有彼我與无我汝若能脩如
是布施是脩布施波羅蜜多復作是言汝善
男子應脩布施波羅蜜多不應觀苦聖諦若
淨若不淨不應觀集滅道聖諦若淨若不淨
何以故苦聖諦苦聖諦自性空集滅道聖諦
集滅道聖諦自性空是苦聖諦自性即非自
性是集滅道聖諦自性亦非自性若非自性
即是布施波羅蜜多於此布施波羅蜜多苦
聖諦不可得彼淨不淨亦不可得集滅道聖
諦皆不可得彼淨不淨亦不可得所以者何
此中尚无苦聖諦等可得何況有彼淨與不
淨汝若能脩如是布施是脩布施波羅蜜多
憍尸迦是善男子善女人等作此等說是為
宣說真正布施波羅蜜多

BD00720號　大般若波羅蜜多經卷一六三　（7–6）

何以故苦聖諦[illegible]
集滅道聖諦自性空是苦聖諦自性即非自
性是集滅道聖諦自性亦非自性若非自性
即是布施波羅蜜多於此布施波羅蜜多苦
聖諦不可得彼淨不淨亦不可得集滅道聖
諦皆不可得彼淨不淨亦不可得所以者何
此中尚无苦聖諦等可得何况有彼淨與不
淨故若能脩如是布施是脩布施波羅蜜多
憍尸迦是善男子善女人等作此等說是為
宣說真正布施波羅蜜多

大般若波羅蜜多經卷第一百六十三

BD00720號　大般若波羅蜜多經卷一六三　（7–7）

提於意云何三千大千世界所有微塵是為多
不須菩提言甚多世尊須菩提諸微塵如来
說非微塵是名微塵如来說世界非世界是
名世界須菩提於意云何可以三十二相見如来
不不也世尊不可以三十二相得見如来何以故
如来說三十二相即是非相是名三十二相須菩
提若有善男子善女人以恒河沙等身命布施
若復有人於此經中乃至受持四句偈等為他人
說其福甚多　尒時須菩提聞說是經深
解義趣涕淚悲泣而白佛言希有世尊佛
說如是甚深經典我從昔来所得慧眼未曾
得聞如是之經世尊若復有人得聞是經信
心清淨則生實相當知是人成就第一希有
功德世尊是實相者則是非相是故如来說名
實相世尊我今得聞如是經典信解受持不足
為難若當来世後五百歲其有衆生得聞是
經信解受持是人則為第一希有何以故此人無
我相人相衆生相壽者相所以者何我相即是

BD00721號　金剛般若波羅蜜經　（12–1）

為難若當來世後五百歲其有衆生得聞是
經信解受持是人則為第一希有何以故此人無
我相人相衆生相壽者相所以者何我相即是
非相人相衆生相壽者相即是非相何以故離
一切諸相則名諸佛佛告須菩提如是如是若復
有人得聞是經不驚不怖不畏當知是人甚
為希有何以故須菩提如來說第一波羅蜜
非第一波羅蜜是名第一波羅蜜　須菩提
忍辱波羅蜜如來說非忍辱波羅蜜何以故須
菩提如我昔為歌利王割截身體我於尒時無
我相人相無衆生相無壽者相何以故我於往
昔節節支解時若有我相人相衆生相壽
者相應生瞋恨須菩提又念過去於五百世
作忍辱仙人於尒所世無我相無人相無衆生
相無壽者相是故須菩提菩薩應離一切
相發阿耨多羅三藐三菩提心不應住色
生心不應住聲香味觸法生心應生無所住
心若心有住則為非住是故佛說菩薩心不
應住色布施須菩提菩薩為利益一切衆生
應如是布施如來說一切諸相即是非相又
說一切衆生則非衆生須菩提如來是真語者
實語者如語者不誑語者不異語者須菩

BD00721 號　金剛般若波羅蜜經　（12–2）

心若心有住則為非住是故佛說菩薩心不
應住色布施須菩提菩薩為利益一切衆生
應如是布施如來說一切諸相即是非相又
說一切衆生則非衆生須菩提如來是真語者
實語者如語者不誑語者不異語者須菩
提如來所得法此法無實無虛須菩提若
菩薩心住於法而行布施如人入闇則無所見
若菩薩心不住法而行布施如人有目日光明
照見種種色須菩提當來之世若有善男
子善女人能於此經受持讀誦則為如來以佛
智慧悉知是人悉見是人皆得成就無量無
邊功德須菩提若有善男子善女人初日分
以恒河沙等身布施中日分復以恒河沙等身
布施後日分亦以恒河沙等身布施如是無
量百千萬億劫以身布施若復有人聞此經
典信心不逆其福勝彼何況書寫受持讀誦
為人解說須菩提以要言之是經有不可思
議不可稱量無邊功德如來為發大乘者說
為發最上乘者說若有人能受持讀誦廣
為人說如來悉知是人悉見是人皆成就不可
量不可稱無有邊不可思議功德如是人等則
為荷擔如來阿耨多羅三藐三菩提何以故須

BD00721 號　金剛般若波羅蜜經　（12–3）

為人說如來悉知是人悉見是人皆成就不可
量不可稱無有邊不可思議功德如是人等則
為荷擔如來阿耨多羅三藐三菩提何以故須
菩提若樂小法者著我見人見衆生見壽
者見則於此經不能聽受讀誦為人解說
須菩提在在處處若有此經一切世間天人阿
修羅所應供養當知此處則為是塔皆應
供養敬作礼圍繞以諸華香而散其處
復次須菩提善男子善女人受持讀誦此經若
為人輕賤是人先世罪業應墮惡道以今世人
輕賤故先世罪業則為消滅當得阿耨多羅
三藐三菩提　須菩提我念過去無量阿僧
祇劫於然燈佛前得值八百四千萬億那由他諸
佛悉皆供養承事無空過者若復有人於後
末世能受持讀誦此經所得功德於我所供養
諸佛功德百分不及一千萬億分乃至筭數譬
喻所不能及須菩提若善男子善女人於
後末世有受持讀誦此經所得功德我若具說
者或有人聞心則狂亂狐疑不信須菩提當
知是經義不可思議果報亦不可思議
尒時須菩提白佛言世尊善男子善女人發
阿耨多羅三藐三菩提心云何住云何降伏其心

者或有人聞心則狂亂狐疑不信須菩提當
知是經義不可思議果報亦不可思議
尒時須菩提白佛言世尊善男子善女人發
阿耨多羅三藐三菩提心云何住云何降伏其心
佛告須菩提善男子善女人發阿耨多羅三
藐三菩提者當生如是心我應滅度一切衆生
滅度一切衆生已而無有一衆生實滅度者何以
故若菩薩有我相人相衆生相壽者相則非
菩薩所以者何須菩提實無有法發阿耨多
羅三藐三菩提者須菩提於意云何如來於
然燈佛所有法得阿耨多羅三藐三菩提
不不也世尊如我解佛所說義佛於然燈佛
所無有法得阿耨多羅三藐三菩提佛言
如是如是須菩提實無有法如來得阿耨
多羅三藐三菩提須菩提若有法如來得
阿耨多羅三藐三菩提者然燈佛則不與我
授記汝於來世當得作佛号釋迦牟尼以
實無有法得阿耨多羅三藐三菩提須菩
提然燈佛與我授記作是言汝於來世當得
作佛号釋迦牟尼佛何以故如來者即諸法如
義若有人言如來得阿耨多羅三藐三菩提
須菩提實無有法佛得阿耨多羅三藐

提然燈佛與我授記作是言汝於來世當得
作佛号釋迦牟尼佛何以故如來者即諸法如
義若有人言如來得阿耨多羅三藐三菩提
須菩提實無有法佛得阿耨多羅三藐
三菩提須菩提如來所得阿耨多羅三藐
三菩提於是中無實無虛是故如來說一
切法皆是佛法須菩提所言一切法者即非
一切法是故名一切法須菩提譬如人身長大
須菩提言世尊如來說人身長大則為非大
身是名大身須菩提菩薩亦如是若作
是言我當滅度無量衆生則不名菩薩何
以故須菩提實無有法名為菩薩是故佛
說一切法無我無人無衆生無壽者須菩提若
菩薩作是言我當莊嚴佛土是不名菩薩
何以故如來說莊嚴佛土者即非莊嚴是名
莊嚴須菩提若菩薩通達無我法者如來
說名真是菩薩須菩提於意云何如來有肉
眼不如是世尊如來有肉眼須菩提於意云何
如來有天眼不如是世尊如來有天眼須菩
提於意云何如來有慧眼不如是世尊如來有慧
眼須菩提於意云何如來有法眼不如是世尊
如來有法眼須菩提於意云何如來有佛眼

BD00721號　金剛般若波羅蜜經　（12–6）

如來有天眼不如是世尊如來有天眼須菩
提於意云何如來有慧眼不如是世尊如來有慧
眼須菩提於意云何如來有法眼不如是世尊
如來有法眼須菩提於意云何如來有佛眼
不如是世尊如來有佛眼須菩提於意云何恒河
中所有沙佛說是沙不如是世尊如來說是沙
須菩提於意云何如一恒河中所有沙有如是等
恒河是諸恒河所有沙數佛世界如是寧為多
不甚多世尊佛告須菩提尒所國土中所有
衆生若干種心如來悉知何以故如來說諸心
皆為非心是名為心所以者何須菩提過
去心不可得現在心不可得未來心不可得
須菩提於意云何若有人滿三千大千世界
七寶以用布施是人以是因緣得福多不如
是世尊此人以是因緣得福甚多須菩提
若福德有實如來不說得福德多以福德
無故如來說得福德多須菩提於意云何
佛可以具足色身見不不也世尊如來不應
以具足色身見何以故如來說具足色身即
非具足色身是名具足色身須菩提於意云何
如來可以具足諸相見不不也世尊如來不應以
具足諸相見何以故如來說諸相具足即非具

BD00721號　金剛般若波羅蜜經　（12–7）

以具足色身見何以故如来說具足色身即
非具足色身是名具足色身須菩提於意云何
如来可以具足諸相見不不也世尊如来不應以
具足諸相見何以故如来說諸相具足即非具
足是名諸相具足須菩提汝勿謂如来作是念
我當有所說法莫作是念何以故若人言如来
有所說法莫作是念何以故若人言如来有所
說法則為謗佛不能解我所說故須菩提說
法者無法可說是名說法　須菩提白佛言世
尊佛得阿耨多羅三藐三菩提為無所得耶
如是如是須菩提我於阿耨多羅三藐三菩提
乃至無有少法可得是名阿耨多羅三藐三菩
提復次須菩提是法平等無有高下是名阿耨
多羅三藐三菩提以無我無人無衆生無壽者
脩一切善法則得阿耨多羅三藐三菩提須菩
提所言善法者如来說非善法是名善法須
菩提若三千大千世界中所有諸須弥山王如
是等七寶聚有人持用布施若人以此般若
波羅蜜經乃至四句偈等受持為他人說於前
福德百分不及一百千萬億分乃至筭數譬

BD00721 號　金剛般若波羅蜜經　（12–8）

菩提若三千大千世界中所有諸須弥山王如
是等七寶聚有人持用布施若人以此般若
波羅蜜經乃至四句偈等受持為他人說於前
福德百分不及一百千萬億分乃至筭數譬
喻所不能及　須菩提於意云何汝等勿謂如
来作是念我當度衆生須菩提莫作是念何以
故實無有衆生如来度者若有衆生如来度
者如来則有我人衆生壽者須菩提如来說有我
者則非有我而凡夫之人以為有我須菩提凡夫
者如来說則非凡夫須菩提於意云何可以三十二
相觀如来不須菩提言如是如是以三十二相觀
如来佛言須菩提若以三十二相觀如来者轉輪
聖王則是如来須菩提白佛言世尊如我解佛
所說義不應以三十二相觀如来尒時世尊而說
偈言
若以色見我　以音聲求我　是人行邪道　不能見如来
須菩提汝若作是念如来不以具足相故得阿耨
多羅三藐三菩提須菩提莫作是念如来
不以具足相故得阿耨多羅三藐三菩提須
菩提汝若作是念發阿耨多羅三藐三菩提
者說諸法斷滅莫作是念何以故發阿耨多

BD00721 號　金剛般若波羅蜜經　（12–9）

多羅三藐三菩提須菩提莫作是念如來
不以具足相故得阿耨多羅三藐三菩提須
菩提汝若作是念發阿耨多羅三藐三菩提
者說諸法斷滅莫作是念何以故發阿耨多
羅三藐三菩提者於法不說斷滅相
須菩提若菩薩以滿恒河沙等世界七寶布
施若復有人知一切法無我得成於忍此菩薩
勝前菩薩所得功德須菩提以諸菩薩不
受福德故須菩提白佛言世尊云何菩薩
不受福德須菩提菩薩所作福德不應貪
着是故說不受福德須菩提若有人言如來
若來若去若坐若臥是人不解我所說義
何以故如來者無所從來亦無所去故名如來
須菩提若善男子善女人以三千大千世界
碎如微塵於意云何是微塵衆寧為多不
甚多世尊何以故若是微塵衆實有者
佛則不說是微塵衆所以者何佛說微塵
衆則非微塵衆是名微塵衆　世尊如來所
說三千大千世界則非世界是名世界何以故若
世界實有者則是一合相如來說一合相則非一
合相須菩提一合相者則是不可說但凡夫

衆則非微塵衆是名微塵衆　世尊如來所
說三千大千世界則非世界是名世界何以故若
世界實有者則是一合相如來說一合相則非一
合相須菩提一合相者則是不可說但凡夫
之人貪著其事　須菩提若人言佛說我見
人見衆生見壽者見須菩提於意云何是人
解我所說義不不也世尊是人不解如來所
說義何以故世尊說我見人見衆生見壽者
見即非我見人見衆生見壽者見是名我見
人見衆生見壽者見須菩提發阿耨多羅
三藐三菩提心者於一切法應如是見如是信
解不生法相須菩提所言法相者如來說即
非法相是名法相須菩提若有人以滿無量
無邊阿僧祇世界七寶持用布施若有善
男子善女人發菩薩心持於此經乃至四句
偈等受持讀誦為人演說其福勝彼云何
為人演說不取於相如如不動何以故
一切有為法　如夢幻泡影　如露亦如電　應作如是觀
佛說是經已長老須菩提及諸比丘比丘尼優
婆塞優婆夷一切世間天人阿脩羅聞佛所說

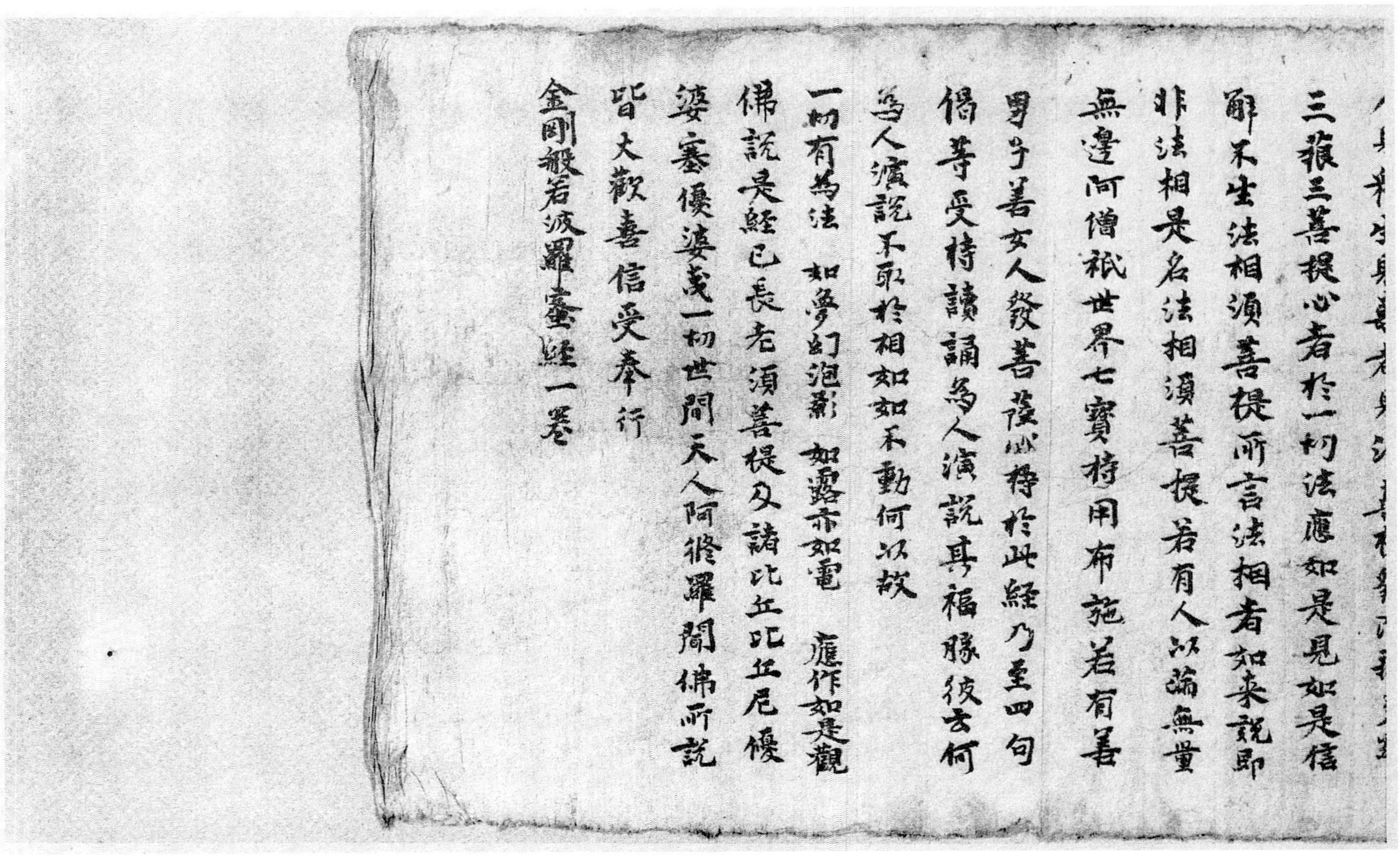

三藐三菩提心者於一切法應如是知如是見如是信
解不生法相須菩提所言法相者如來說即
非法相是名法相須菩提若有人以滿無量
無邊阿僧祇世界七寶持用布施若有善
男子善女人發菩薩心者持於此經乃至四句
偈等受持讀誦為人演說其福勝彼云何
為人演說不取於相如如不動何以故
一切有為法　如夢幻泡影　如露亦如電　應作如是觀
佛說是經已長老須菩提及諸比丘比丘尼優
婆塞優婆夷一切世間天人阿修羅聞佛所說
皆大歡喜信受奉行
金剛般若波羅蜜經一卷

BD00721 號　金剛般若波羅蜜經　（12–12）

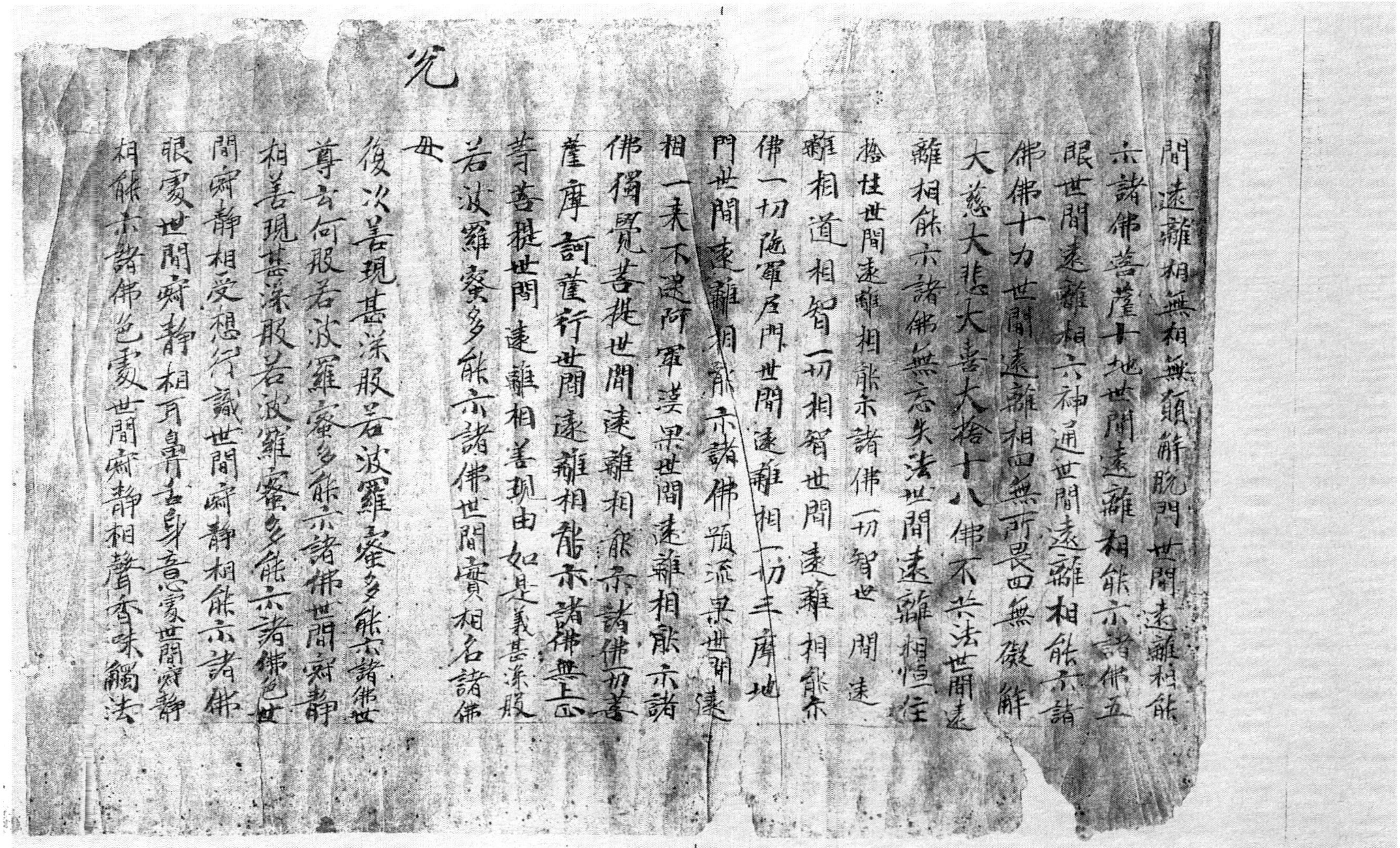

兌

間遠離相無相無願解脫門世間遠離相能
示諸佛菩薩十地世間遠離相能示諸佛五
眼世間遠離相六神通世間遠離相能示諸
佛佛十力世間遠離相四無所畏四無礙解
大慈大悲大喜大捨十八佛不共法世間遠
離相能示諸佛無忘失法世間遠離相恒住
捨性世間遠離相能示諸佛一切智世間遠
離相道相智一切相智世間遠離相能示
佛一切陀羅尼門世間遠離相一切三摩地
門世間遠離相能示諸佛預流果世間遠
相一來不還阿羅漢果世間遠離相能示諸
佛獨覺菩提世間遠離相能示諸佛一切菩
薩摩訶薩行世間遠離相能示諸佛無上正
等菩提世間遠離相善現由如是義甚深般
若波羅蜜多能示諸佛世間實相名諸佛
母
復次善現甚深般若波羅蜜多能示諸佛世
尊云何般若波羅蜜多能示諸佛世間寂靜
相善現甚深般若波羅蜜多能示諸佛色世
間寂靜相受想行識世間寂靜相能示諸佛
眼處世間寂靜相耳鼻舌身意處世間寂靜
相能示諸佛色處世間寂靜相聲香味觸法

BD00722 號 A　大般若波羅蜜多經（兌廢稿）卷三〇七　（2–1）

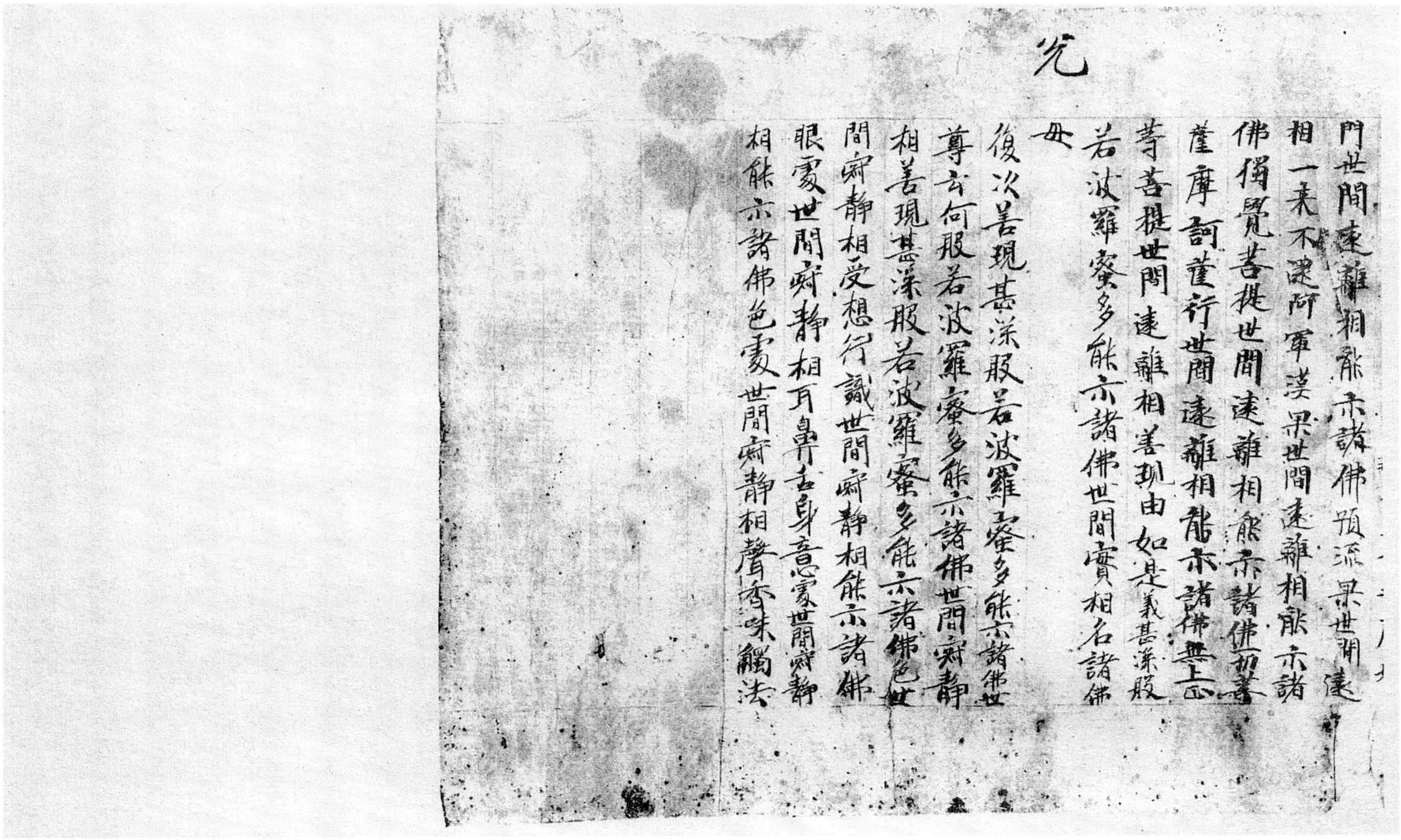

兊

門世間遠離相能示諸佛預流果世間遠
相一來不還阿羅漢果世間遠離相能示諸
佛獨覺菩提世間遠離相能示諸佛一切菩
薩摩訶薩行世間遠離相能示諸佛無上正
等菩提世間遠離相善現由如是義甚深般
若波羅蜜多能示諸佛世間實相名諸佛
母
復次善現甚深般若波羅蜜多能示諸佛世
尊云何般若波羅蜜多能示諸佛世間寂靜
相善現甚深般若波羅蜜多能示諸佛色世
間寂靜相受想行識世間寂靜相能示諸佛
眼處世間寂靜相耳鼻舌身意處世間寂靜
相能示諸佛色處世間寂靜相聲香味觸法

BD00722 號 A　大般若波羅蜜多經（兌廢稿）卷三〇七　　（2–2）

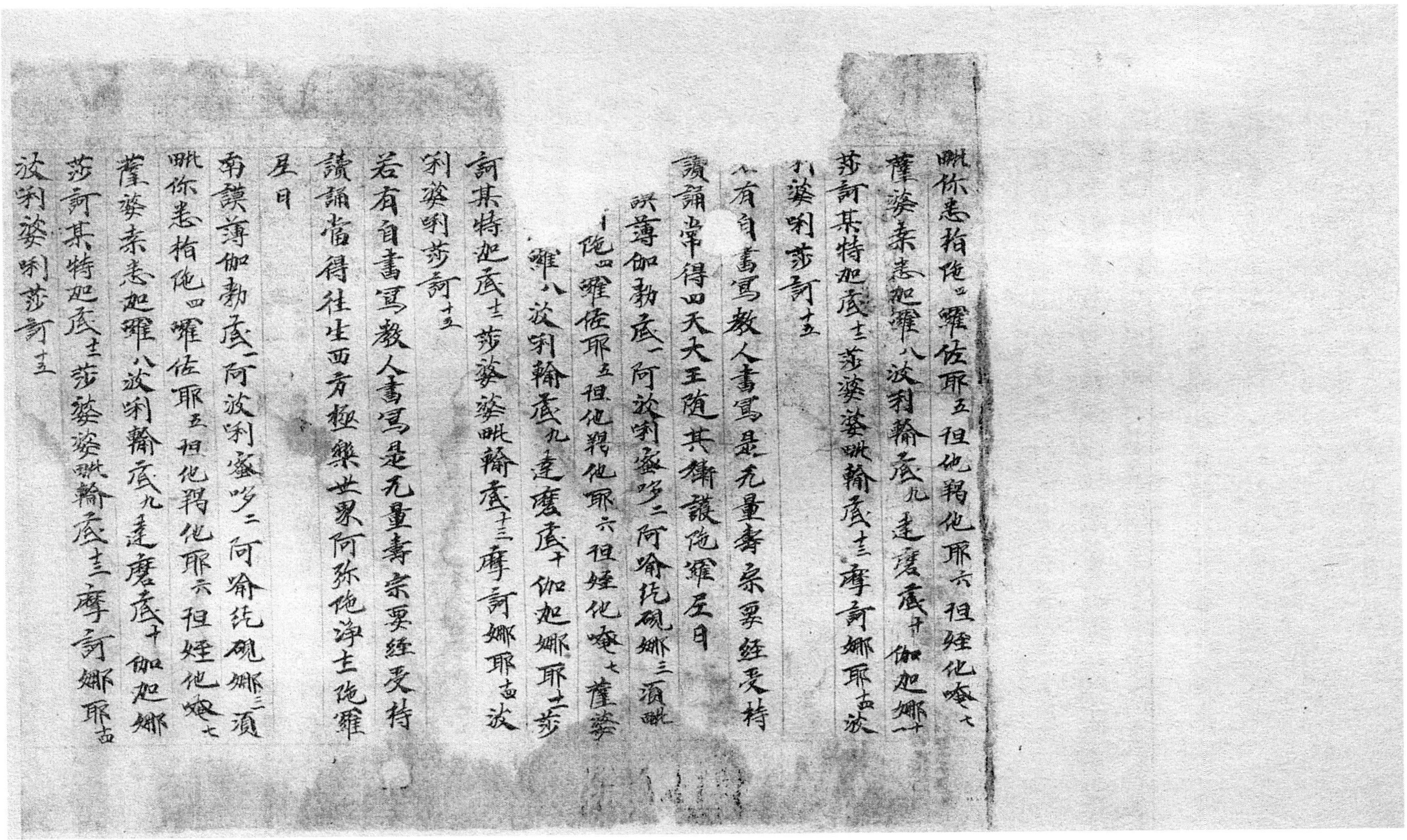

毗你恚指陁四囉佐耶五怛他羯他耶六怛姪他唵七
薩婆桑恚迦羅八波唎輸底九達磨底十伽迦娜十一
莎訶其特迦底十二莎婆婆毗輸底十三摩訶娜耶十四波
唎婆唎莎訶十五
若有自書寫教人書寫是无量壽宗要經受持
讀誦常得四天大王隨其衛護陁羅尼日
謨薄伽勃底一阿波唎蜜哆二阿喻紇硯娜三須毗
陁四囉佐耶五怛他羯他耶六怛姪他唵七薩婆
羅八波唎輸底九達磨底十伽迦娜耶十一莎
訶其特迦底十二莎婆婆毗輸底十三摩訶娜耶十四波
唎婆唎莎訶十五
若有自書寫教人書寫是无量壽宗要經受持
讀誦當得往生西方極樂世界阿弥陁淨土陁羅
尼日
南謨薄伽勃底一阿波唎蜜哆二阿喻紇硯娜三須
毗你恚指陁四囉佐耶五怛他羯他耶六怛姪他唵七
薩婆桑恚迦羅八波唎輸底九達磨底十伽迦娜
莎訶其特迦底十二莎婆婆毗輸底十三摩訶娜耶十四
波唎婆唎莎訶十五

BD00722 號 B　無量壽宗要經　　（2–1）

若有自書寫教人書寫是无量壽宗要經受持
讀誦當得往生西方極樂世界阿弥陁淨土陁羅
尼曰
南謨薄伽勃底一阿波唎蜜哆二阿喻紇硯娜三須
毗你悉栺陁四囉佐耶五怛他羯他耶六怛姪他唵七
薩婆桑悉迦囉八波唎輸底九達磨底十伽迦娜
莎訶其特迦底十一莎婆婆毗輸底十二摩訶娜耶十三
波唎婆唎莎訶十四
若有方所自書寫使人書寫是无量壽經典之
處則為是塔皆應恭敬作礼若是畜生交為鳥
獸得聞是經如是等類皆當不久得成一切種
智陁羅尼曰
南謨薄伽勃底一阿波唎蜜哆二阿喻紇硯娜三須
毗你悉栺陁四囉佐耶五怛他羯他耶六怛姪他唵七薩
婆桑悉迦囉八波唎輸底九達磨底十伽迦娜十一莎

BD00722號B　無量壽宗要經　（2–2）

菩提佛言如是如是須菩提實无有法如來
得阿耨多羅三藐三菩提須菩提若有法如
來得阿耨多羅三藐三菩提然燈佛則不與
我受記汝於來世當得作佛号釋迦牟尼以
實无有法得阿耨多羅三藐三菩提是故然
燈佛與我受記作是言汝於來世當得作佛
号釋迦牟尼何以故如來者即諸法如義若
有人言如來得阿耨多羅三藐三菩提須菩
提實无有法佛得阿耨多羅三藐三菩提須
菩提如來所得阿耨多羅三藐三菩提於是
中无實无虛是故如來說一切法皆是佛法
須菩提所言一切法者即非一切法是故名
一切法須菩提譬如人身長大須菩提言世
尊如來說人身長大則為非大身是名大身
須菩提菩薩亦如是若作是言我當滅度无
量衆生則不名菩薩何以故須菩提實无有
法名為菩薩是故佛說一切法无我无人无
衆生无壽者須菩提若菩薩作是言我當莊
嚴佛土是不名菩薩何以故如來說莊嚴佛
土者即非莊嚴是名莊嚴須菩提若菩薩通
達无我法者如來說名真是菩薩

BD00723號　金剛般若波羅蜜經　（6–1）

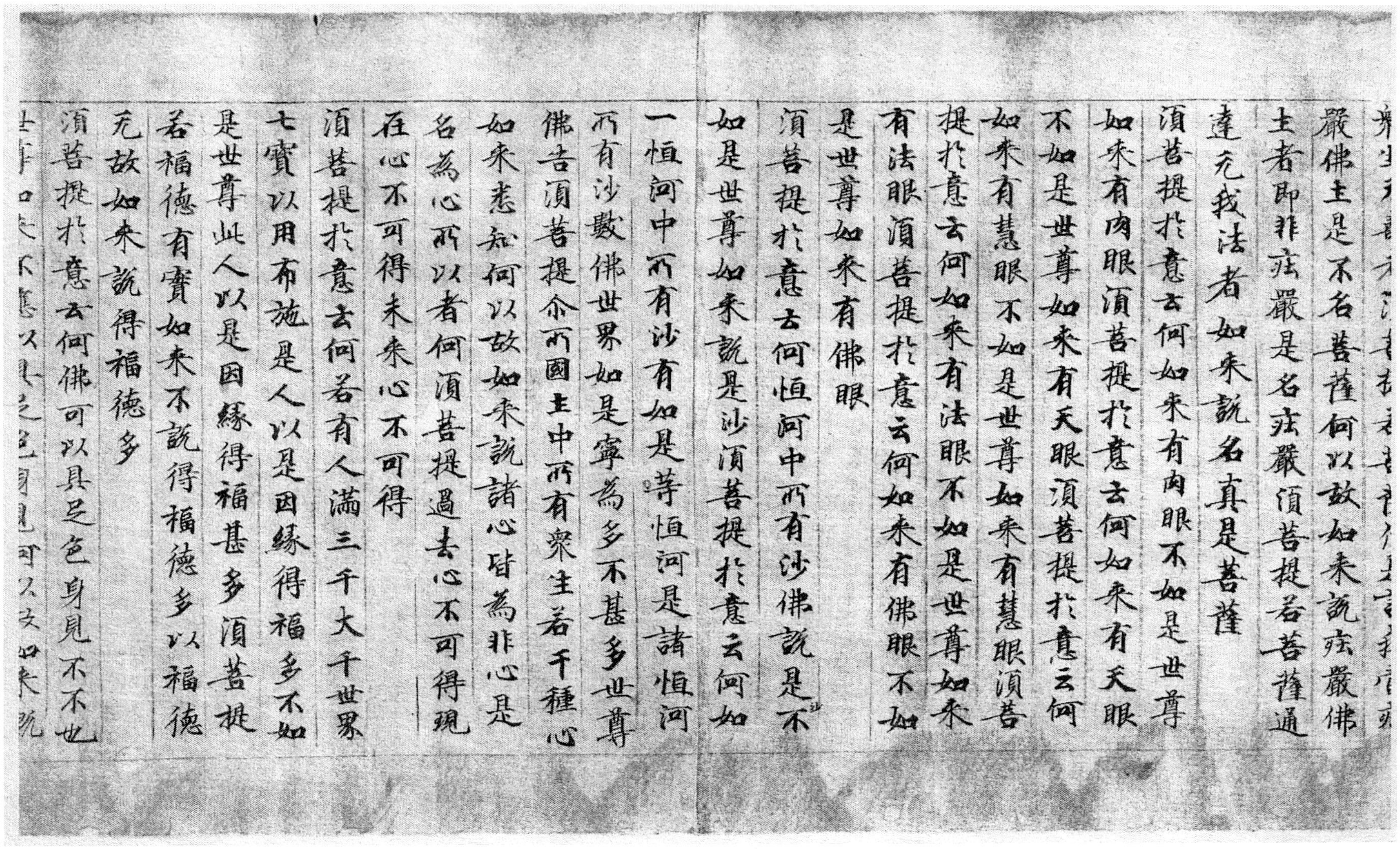
嚴佛土是不名菩薩何以故如來說莊嚴佛
土者即非莊嚴是名莊嚴須菩提若菩薩通
達无我法者如來說名真是菩薩
須菩提於意云何如來有肉眼不如是世尊
如來有肉眼須菩提於意云何如來有天眼
不如是世尊如來有天眼須菩提於意云何
如來有慧眼不如是世尊如來有慧眼須菩
提於意云何如來有法眼不如是世尊如來
有法眼須菩提於意云何如來有佛眼不如
是世尊如來有佛眼
須菩提於意云何恒河中所有沙佛說是不
如是世尊如來說是沙須菩提於意云何如
一恒河中所有沙有如是等恒河是諸恒河
所有沙數佛世界如是寧為多不甚多世尊
佛告須菩提尒所國土中所有衆生若干種心
如來悉知何以故如來說諸心皆為非心是
名為心所以者何須菩提過去心不可得現
在心不可得未來心不可得
須菩提於意云何若有人滿三千大千世界
七寶以用布施是人以是因緣得福多不如
是世尊此人以是因緣得福甚多須菩提
若福德有實如來不說得福德多以福德
无故如來說得福德多
須菩提於意云何佛可以具足色身見不不也

BD00723號　金剛般若波羅蜜經　（6–2）

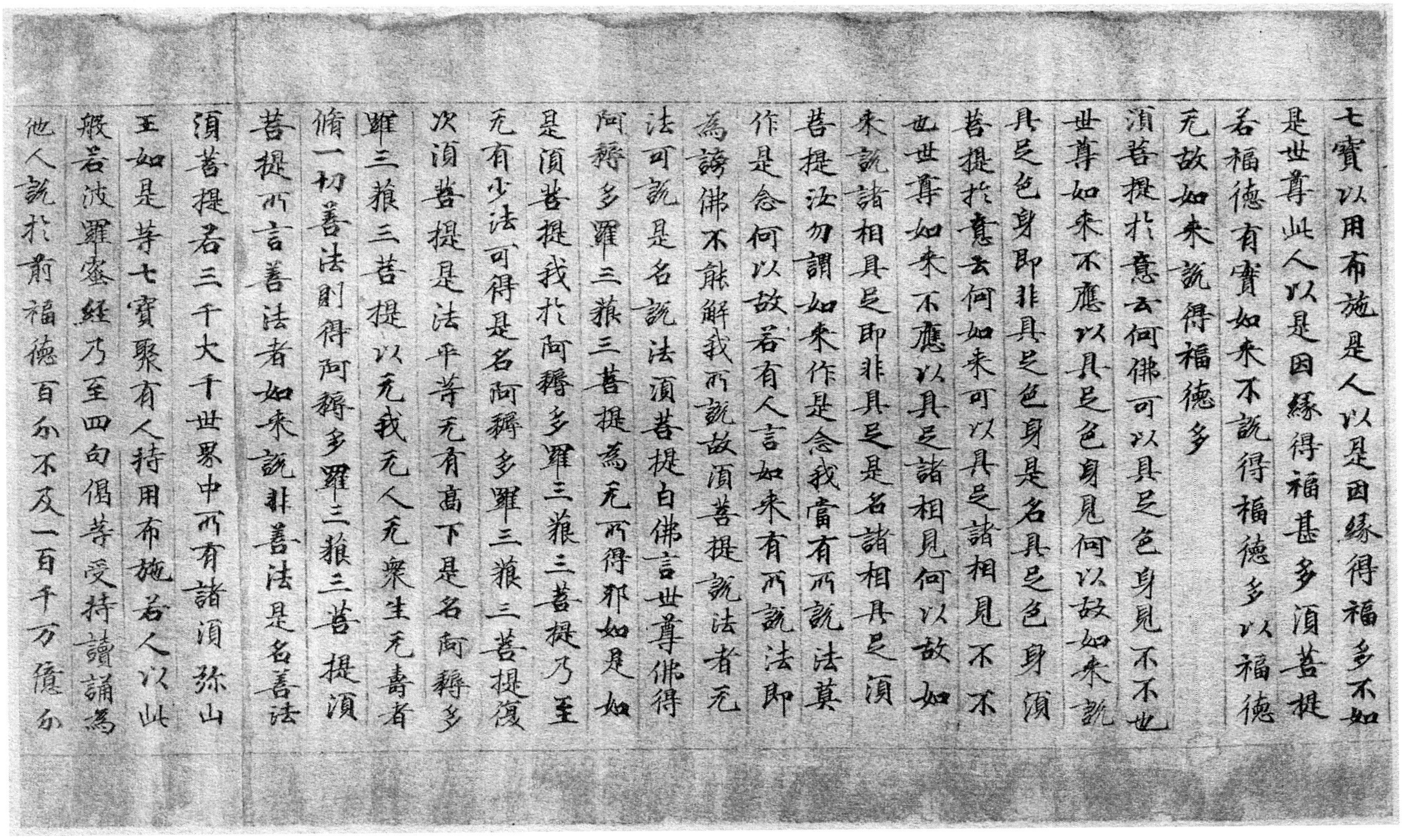
七寶以用布施是人以是因緣得福多不如
是世尊此人以是因緣得福甚多須菩提
若福德有實如來不說得福德多以福德
无故如來說得福德多
須菩提於意云何佛可以具足色身見不不也
世尊如來不應以具足色身見何以故如來說
具足色身即非具足色身是名具足色身須
菩提於意云何如來可以具足諸相見不不
也世尊如來不應以具足諸相見何以故如
來說諸相具足即非具足是名諸相具足須
菩提汝勿謂如來作是念我當有所說法莫
作是念何以故若有人言如來有所說法即
為謗佛不能解我所說故須菩提說法者无
法可說是名說法須菩提白佛言世尊佛得
阿耨多羅三藐三菩提為无所得耶如是如
是須菩提我於阿耨多羅三藐三菩提乃至
无有少法可得是名阿耨多羅三藐三菩提復
次須菩提是法平等无有高下是名阿耨多
羅三藐三菩提以无我无人无衆生无壽者
脩一切善法則得阿耨多羅三藐三菩提須
菩提所言善法者如來說非善法是名善法
須菩提若三千大千世界中所有諸須弥山
王如是等七寶聚有人持用布施若人以此
般若波羅蜜經乃至四句偈等受持讀誦為
他人說於前福德百分不及一百千万億分

BD00723號　金剛般若波羅蜜經　（6–3）

須菩提若三千大千世界中所有諸須弥山
王如是等七寶聚有人持用布施若人以此
般若波羅蜜經乃至四句偈等受持讀誦爲
他人說於前福德百分不及一百千万億分
乃至筭數辟喻所不能及
須菩提於意云何汝等勿謂如來作是念我
當度衆生須菩提莫作是念何以故實无有
衆生如來度者若有衆生如來度者如來則
有我人衆生壽者須菩提如來說有我者則
非有我而凡夫之人以爲有我須菩提凡夫
者如來說則非凡夫須菩提於意云何可以
三十二相觀如來不須菩提言如是如是以
三十二相觀如來佛言須菩提若以卅二相觀
如來者轉輪聖王則是如來須菩提白佛言
世尊如我解佛所說義不應以三十二相觀
如來尒時世尊而說偈言
若以色見我　以音聲求我　是人行邪道　不能見如來
須菩提汝若作是念如來不以具足相故得
阿耨多羅三藐三菩提須菩提莫作是念如
來不以具足相故得阿耨多羅三藐三菩提
須菩提汝若作是念發阿耨多羅三藐三菩
提者說諸法斷滅相莫作是念何以故發阿耨
多羅三藐三菩提者於法不說斷滅相須菩
提若菩薩以滿恒河沙等世界七寶布施若
復有人知一切法无我得成於忍此菩薩勝

BD00723 號　金剛般若波羅蜜經　（6–4）

須菩提汝若作是念發阿耨多羅三藐三菩
提者說諸法斷滅相莫作是念何以故發阿耨
多羅三藐三菩提者於法不說斷滅相須菩
提若菩薩以滿恒河沙等世界七寶布施若
復有人知一切法无我得成於忍此菩薩勝
前菩薩所得功德須菩提以諸菩薩不受福
德故須菩提白佛言世尊云何菩薩不受福
德須菩提菩薩所作福德不應貪著是故說
不受福德須菩提若有人言如來若來若去
若坐若卧是人不解我所說義何以故如來
者无所從來亦无所去故名如來
須菩提若善男子善女人以三千大千世界
碎爲微塵於意云何是諸微塵衆寧爲多
不甚多世尊何以故若是微塵衆實有者
佛則不說是微塵衆所以者何佛說微塵衆
則非微塵衆是名微塵衆世尊如來所說三
千大千世界則非世界是名世界何以故若世
界實有者則是一合相如來說一合相則非
一合相是名一合相須菩提一合相者則是
不可說但凡夫之人貪著其事
須菩提若人言佛說我見人見衆生見壽者
見須菩提於意云何是人解我所說義不世
尊是人不解如來所說義何以故世尊說我
見人見衆生見壽者見則非我見人見衆生
見壽者見是名我見人見衆生見壽者見

BD00723 號　金剛般若波羅蜜經　（6–5）

千大千世界則非世界是名世界何以故若世
界實有者則是一合相如來說一合相則非
一合相是名一合相須菩提一合相者則是
不可說但凡夫之人貪著其事
須菩提若人言佛說我見人見衆生見壽者
見須菩提於意云何是人解我所說義不世
尊是人不解如來所說義何以故世尊說我
見人見衆生見壽者見即非我見人見衆生
見壽者見是名我見人見衆生見壽者見
須菩提發阿耨多羅三藐三菩提心者於一
切法應如是知如是見如是信解不生法相
是名法相須菩提若有人以滿无量阿僧祇
世界七寶持用布施若有善男子善女人發
菩薩心者持於此經乃至四句偈等受持讀
誦為人演說其福勝彼云何為人演說不取
於相如如不動何以故
一切有為法 如夢幻泡影 如露亦如電 應作如是觀
佛說是經已長老須菩提及諸比丘比丘尼
優婆塞優婆夷一切世間天人阿脩羅聞佛
所說皆大歡喜信受奉持

BD00723 號　金剛般若波羅蜜經　（6–6）

善男子若菩薩摩訶薩若比丘比丘尼優婆塞優婆夷能修十想當知是人能
得涅槃云何為十一者無常想二者苦想三者無我想四者厭離食想五者一切世間
不可樂想六者死想七者多過罪想八者離想九者滅想十者無愛想善男子菩薩
摩訶薩比丘比丘尼優婆塞優婆夷修集如是十種想者是人畢竟定得涅槃不
隨他心自能分別善不善等是名真實稱比丘義乃至得稱優婆夷義迦葉
菩薩言世尊云何名為菩薩乃至優婆夷等修無常想善男子菩薩二種一初
發心二已行道無常想者亦復二種一麁二細初心菩薩觀無常想時作是思惟世
間之物凡有二種一內二外如是內物無常變異我見生時小時大時壯時老時死時
是諸時節各各不同是故當知內物無常復作是念我見衆生或有肥鮮具
足色力去來進止自在無礙或見病苦色力羸悴顏貌顦顇不得自在或見
財富庫藏盈溢或見貧窮觸事斷乏或見成就無量功德或見具足無量
惡法是故定知內法無常復觀外法子時牙時莖時葉時花時菓時如是諸
時各各不同如是外法或有具足或不具足是故當知一切外物定是無常既
觀是法是無常已復觀聞法我聞諸天具足成就極妙快樂神通自在亦有
五相是故當知即是無常復聞劫初有諸衆生各各具足上妙功德身光自照
不假日月無常力故光滅德損復聞昔有轉輪聖王統四天下成就七寶得
大自在而不能壞無常之相復觀大地往昔之時安處布置無量衆生間無
空處如車輪許具足生長一切好藥叢林樹木菓實滋茂衆生薄福令
此大地無復勢力所生之物悉成虛耗是故當知內外之法一切無常是則名為
麁無常也既觀麁已次觀細者云何名細菩薩摩訶薩觀於一切內外之物
乃至微塵在未來時已是無常何以故具足成就破壞相故未來色非無常
者不得言色有十時差別云何十時一者膜時二者泡時三者皰時四者肉團時
五者枝時六者嬰孩時七者童子時八者少年時九者盛壯時十者衰老
時菩薩觀膜若非無常不應至泡乃至盛壯若非無常者終不至老若是諸時
非念念滅終不漸長應當一時成長具足無是義故當知定有念念微細無常
復見有人諸根具足顏色輝曄後見枯悴復作是念是人定有念念無常復觀
四大及四威儀復觀內外各二苦因飢渴寒熱復觀是四若無念念微細無常亦
不得說如是四苦若有菩薩能作是念是名菩薩觀細無常如內外色心法亦介(爾)
何以故六處故行六處時或生喜心或生瞋心或生愛心或生念心展轉異生不得
一種是故當知一切色法及非色法悉是無常善男子菩薩若能於一念中見一切
法生滅無常是名菩薩具無常想　善男子智者修集無常想已遠離常慢
倒想倒次修苦想何因緣故有如是苦深知是苦因於無常因無常故受生老
病死生老病死因緣故名為無常無常因緣受內外苦飢渴寒熱鞭打罵辱如是
等苦皆因無常復次智者深觀此身即無常器即苦之器若是所受盛法亦

BD00724 號　大般涅槃經（北本）卷三八　（4–1）

若有菩薩能作是念是名菩薩觀細無常如内外色心法亦尒
何以故六處故行六處時或生善心或生瞋心或生愛心或生念心展轉異生不得
一種是故當知一切色法及非色法悉是無常善男子菩薩若能於一念中見一切
法生滅無常是名菩薩具無常想善男子智者修集無常想已遠離常慢常
倒想倒次修苦想何因緣故有如是苦深知是苦因於無常因無常故受生老
病死生老病死因緣故名為無常無常因緣受内外苦飢渴寒熱鞭打罵辱如是
等苦皆因無常復次智者深觀此身即無常器即是苦以器苦故所受盛法亦
復是苦善男子智者復觀生即是苦滅即是苦生滅故即是無常非我我
所修無我想智者復觀苦即無常無常即苦若苦無常智者云何說言有
我苦非是我無常亦尒如是五陰亦苦無常衆生云何說言有我復次觀一切
法有異和合不從一和合生一切法亦非一法是一切和合果一切和合皆無自
性亦無一性亦無異性亦無物性亦無自在諸法若有如是等相智者云何說
言有我復作是念一切法中無有一法能為作者若使一法不能作者衆法和合
亦不能作一切諸法性終不能獨生獨滅和合故滅和合故生是法生已衆生
倒想言是和合從和合生衆生倒想無有真實云何而有真實我耶是故智
者觀於無我又復諦觀何因緣故衆生說我是我若有應一應多我若一者云何
而有剎利婆羅門毗舍首陁人天地獄餓鬼畜生大小老壯是故知我非是一也我
若多者云何說言衆生我者是一是遍無有邊際若一若多二俱無我智
者如是觀無我已次復觀於猒離食想作是念言若一切法無常苦無我
云何為食起身口意三種惡業若有衆生貪食故起身口意三種惡業
所得財物衆皆共之後受苦果無共分者善男子智者復觀一切衆
生為飲食故身心受苦若從衆苦而得食者我當云何於是食中而生
貪著是故於食不生貪心復次智者當觀是身因於飲食身得增長
我今出家受戒修道為欲捨身今貪此食云何當得捨此身耶如是
觀已雖復受食猶如曠野食其子肉其心猒惡都不甘樂深觀揣食
有如是過次觀觸食如被剝牛為無量虫之所唼食次觀思食
如大火聚識食猶如三百鑽矛善男子智者如是觀四食已於食
終不生貪樂想若猶生貪當觀不淨何以故為離食愛故於一切
食善能分別不淨之想隨諸不淨令生與相似如是觀已若得好食
及以惡食受時猶如塗癰瘡藥終不於貪愛之心善男子智者若
能如是觀者是名成就猒離食想迦葉菩薩言世尊智者觀食作不
淨想為是實觀虛解觀耶若是實觀所觀之食實非不淨若
是虛解是法云何名為善想佛言善男子如是想者亦是實觀亦
是虛解能壞貪食故名為實非虫見虫故名虛解善男子一切有
漏皆名為虛亦能得實善男子若有比丘發心乞食預作是念我當乞
食願得好者莫得麁惡願必多得莫令少也亦願速得莫令遲晚如是
比丘不名於食得猒離想所修善法日夜衰耗不善之法
漸當增長善男子若有比丘欲乞食時先當願言令諸乞者悉得飽
滿其施食者得無量福我若得食為療毒身修集善法利益施
主作是願時所修善法日夜增長不善之法漸當消滅善男子若有
比丘能如是修當知是人不空食於國中信施善男子智者具足如是
四想能修世間不可樂想作是念言一切世間無處不有生老病死
而我此身無處不生若世間中無有一處當得離於生老病死我
當云何樂於世間無有進得而不退失是故世間定是無

願得好者莫得麁惡願必多得莫令少也亦願速得莫令遲晚如是
比丘不名於食得猒離想所修善法日夜衰耗不善之法
漸當增長善男子若有比丘欲乞食時先當願言令諸乞者悉得飽
滿其施食者得無量福我若得食為療毒身修集善法利益施
主作是願時所修善法日夜增長不善之法漸當消滅善男子若有
比丘能如是修當知是人不空食於國中信施善男子智者具足如是
四想能修世間不可樂想作是念言一切世間無處不有生老病死
而我此身無處不生若世間中無有一處當得離於生老病死我
當云何樂於世間無有進得而不退失是故世間定是無
常云何智人而樂於世二衆生周遍經歷一切世間具受苦樂雖復
得受梵天之身乃至非想非非想天命終還墮三惡道中雖為四
王乃至他化自在天身命終生於畜生道中或為師子虎豹犲狼
象馬牛驢次觀轉輪聖王之身統四天下豪貴自在福盡貧困
衣食不供智者深觀如是事已生於世間不可樂想智者復觀
世間有法所謂舍宅衣服飲食卧具醫藥香花瓔珞種種伎樂
財物寶貨如是等事皆為離苦而是等物體即是苦云何以苦
欲離於苦善男子智者如是觀已於世間物不生愛樂而作樂想
善男子譬如有人身嬰重病雖有種種音樂倡伎香花瓔珞終
不於中生貪愛樂智者觀已亦復如是善男子智者深觀一切世間
非歸依處非解脫處非寂靜處非彼岸處非是常樂
我淨之法若我貪樂如是世間我當云何得離是法如人不樂處
闇而求光明還復歸闇闇即世間明即出世若我樂世增長黑闇
遠離光明闇即無明光即智明是智明因即是世間不可樂想一切
貪結雖是繫縛然我今者貪於智明不貪世間智者深觀如是
法已具足世間不可樂想善男子有智之人已修世間不可樂想
次修死想觀是壽命常為無量怨讎所遶念念損減無有增
長猶山暴水不得停住亦如朝露勢不久停如囚趣市步步近
死如牽牛羊詣於屠所迦葉菩薩言世尊云何智者觀念念
滅善男子譬如四人皆善射術聚在一處各射一方俱作是念我等
四箭俱發俱墮復有一人作是念言如是四箭及其未墮我能一時
以手接取善男子如是之人可說疾不迦葉菩薩言如是世尊佛言
善男子地行鬼疾復速是人有飛行鬼復速地行四天王疾復速
飛行日月神天復速四王行堅疾天復速日月衆生壽命復速堅疾善
男子一息一眴衆生壽命四百生滅智者若能觀命如是是名能觀
念念滅也善男子智者觀命繫屬死王我若能離如是死王則
得永斷無常壽命復次智者觀是壽命猶如河岸臨峻大樹
亦如有人作大逆罪及其受戮無憐惜者如師子王大飢困時亦
如毒蛇吸大風時猶如渴馬護惜水時如大惡鬼瞋恚發時衆生死王
亦復如是善男子智者若能作如是觀是則名為修集死想善男子
智者復觀我今出家設得壽命七日七夜我當於中精勤修道
讀持禁戒說法教化利益衆生是名智者修於死想復以七日七夜
為多若得六日五日四日三日二日一日一時乃至出息入息之頃我當於中精
勤修道護持禁戒說法教化利益衆生是名智者善修死想智者具足
如上六想即七想因何等名七一者常修想二者樂修想
三者無瞋想四者無妬想五者善願想六者無[illegible]想七者[illegible]

……者貪於智明不貪世間智者深觀如是

法已具足世間不可樂想善男子有智之人已修世間不可樂想
次修死想觀是壽命常為无量怨讎所遶念念損減无有增
長猶山暴水不得停住亦如朝露勢不久停如囚趣市步步近
死如牽牛羊詣於屠所迦葉菩薩言世尊云何智者觀念念
滅善男子譬如四人皆善射術聚在一處各射一方俱作是念我等
四箭俱發俱墮復有一人作是念言如是四箭及其未墮我能一時
以手接取善男子如是之人可說疾不迦葉菩薩言如是世尊佛言
善男子地行鬼疾復速是人有飛行鬼復速地行四天王疾復速
飛行日月神天復速四王行堅疾天復速日月衆生壽命復速堅疾善
男子一息一眴衆生壽命四百生滅智者若能觀命如是是名能觀
念念滅也善男子智者觀命繫屬死王我若能離如是死王則
得永斷無常壽命復次智者觀是壽命猶如河岸臨峻大樹
亦如有人作大逆罪及其受戮無憐惜者如師子王大飢困時亦
如毒蛇吸大風時猶如渴馬護惜水時如大惡鬼瞋恚發時衆生死王
亦復如是善男子智者若能作如是觀是則名為修集死想善男子
智者復觀我今出家設得壽命七日七夜我當於中精勤修道
護持禁戒說法教化利益衆生是名智者修於死想復以七日七夜
為多若得六日五日四日三日二日一時乃至出息入息之頃我當於中精
勤修道護持禁戒說法教化利益衆生是名智者善修死想智者具足
如上六想即七想因何等名七一者常修想二者樂修想
三者無瞋想四者無妒想五者善願想六者無慢想七者三昧自在想
善男子若有比丘具是七想是名沙門名婆羅門是名寂靜是名淨潔是
名解脫是名智者是名正見名到彼岸名大醫王是大商主是名善解如
來秘密亦知諸佛七種之語名正見知斷七語中所生疑網善男子若
人具足如上六想當知是人能訶三界遠離三界滅除三界於三界中不生愛著是名
智者具足十想若有比丘具是十想則得稱可沙門之相爾時迦葉菩薩
即於佛前以偈讚佛

BD00724號　大般涅槃經（北本）卷三八　（4–4）

薄德少福人　衆苦所逼迫　入邪見稠林　若有若无等
依止此諸見　具足六十二　深著虛妄法　堅受不可捨
我慢自矜高　諂曲心不實　於千万億劫　不聞佛名字
亦不聞正法　如是人難度　是故舍利弗　我為設方便
說諸盡苦道　示之以涅槃　我雖說涅槃　是亦非真滅
諸法從本來　常自寂滅相　佛子行道已　來世得作佛
我有方便力　開示三乘法　一切諸世尊　皆說一乘道
今此諸大衆　皆應除疑惑　諸佛語无異　唯一无二乘
過去无數劫　无量滅度佛　百千万億種　其數不可量
如是諸世尊　種種緣譬喻　无數方便力　演說諸法相
是諸世尊等　皆說一乘法　化无量衆生　令入於佛道
又諸大聖主　知一切世間　天人群生類　深心之所欲
更以異方便　助顯第一義　若有衆生類　值諸過去佛
若聞法布施　或持戒忍辱　精進禪智等　種種脩福德
如是諸人等　皆已成佛道　諸佛滅度已　若人善軟心
如是諸衆生　皆已成佛道　諸佛滅度已　供養舍利者
起万億種塔　金銀及頗梨　車𤦲與馬瑙　玫瑰瑠璃珠
清淨廣嚴飾　莊校於諸塔　或有起石廟　栴檀及沈水
木櫁并餘材　塼瓦泥土等　若於曠野中　積土成佛廟
乃至童子戲　聚沙為佛塔　如是諸人等　皆已成佛道
若人為佛故　建立諸形像　刻雕成衆相　皆已成佛道
或以七寶成　鍮石赤白銅　白鑞及鈆錫　鐵木及與泥

BD00725號　妙法蓮華經卷一　（5–1）

木蜜并餘材　塼瓦泥土等　若於曠野中　積土成佛廟
乃至童子戲　聚沙為佛塔　如是諸人等　皆已成佛道
若人為佛故　建立諸形像　刻彫成衆相　皆已成佛道
或以七寶成　鍮石赤白銅　白鑞及鉛錫　鐵木及與泥
或以膠漆布　嚴飾作佛像　如是諸人等　皆已成佛道
彩畫作佛像　百福莊嚴相　自作若使人　皆已成佛道
乃至童子戲　若草木及筆　或以指爪甲　而畫作佛像
如是諸人等　漸漸積功德　具足大悲心　皆已成佛道
但化諸菩薩　度脫无量衆　若人於塔廟　寶像及畫像
以華香幡蓋　敬心而供養　若使人作樂　擊鼓吹角貝
簫笛琴箜篌　琵琶鐃銅鈸　如是衆妙音　盡持以供養
或以歡喜心　歌唄頌佛德　乃至一小音　皆已成佛道
若人散亂心　乃至以一華　供養於畫像　漸見无數佛
或有人禮拜　或復但合掌　乃至舉一手　或復小低頭
以此供養像　漸見无量佛　自成无上道　廣度无數衆
入无餘涅槃　如薪盡火滅　若人散亂心　入於塔廟中
一稱南无佛　皆已成佛道　於諸過去佛　在世或滅後
若有聞是法　皆已成佛道　未來諸世尊　其數无有量
是諸如來等　亦方便說法　一切諸如來　以无量方便
度脫諸衆生　入佛无漏智　若有聞法者　无一不成佛
諸佛本誓願　我所行佛道　普欲令衆生　亦同得此道
未來世諸佛　雖說百千億　无數諸法門　其實為一乘
諸佛兩足尊　知法常无性　佛種從緣起　是故說一乘
是法住法位　世間相常住　於道場知已　導師方便說
天人所供養　現在十方佛　其數如恒沙　出現於世間
安隱衆生故　亦說如是法　知第一寂滅　以方便力故
雖示種種道　其實為佛乘　知衆生諸行　深心之所念

BD00725號　妙法蓮華經卷一　（5-2）

未來世諸佛　雖說百千億　无數諸法門　其實為一乘
諸佛兩足尊　知法常无性　佛種從緣起　是故說一乘
是法住法位　世間相常住　於道場知已　導師方便說
天人所供養　現在十方佛　其數如恒沙　出現於世間
安隱衆生故　亦說如是法　知第一寂滅　以方便力故
雖示種種道　其實為佛乘　知衆生諸行　深心之所念
過去所習業　欲性精進力　及諸根利鈍　以種種因緣
譬喻亦言辭　隨應方便說　今我亦如是　安隱衆生故
以種種法門　宣示於佛道　我以智慧力　知衆生性欲
方便說諸法　皆令得歡喜　舍利弗當知　我以佛眼觀
見六道衆生　貧窮无福慧　入生死險道　相續苦不斷
深著於五欲　如犛牛愛尾　以貪愛自蔽　盲瞑无所見
不求大勢佛　及與斷苦法　深入諸邪見　以苦欲捨苦
為是衆生故　而起大悲心　我始坐道場　觀樹亦經行
於三七日中　思惟如是事　我所得智慧　微妙最第一
衆生諸根鈍　著樂癡所盲　如斯之等類　云何而可度
尒時諸梵王　及諸天帝釋　護世四天王　及大自在天
并餘諸天衆　眷屬百千万　恭敬合掌禮　請我轉法輪
我即自思惟　若但讚佛乘　衆生沒在苦　不能信是法
破法不信故　墜於三惡道　我寧不說法　疾入於涅槃
尋念過去佛　所行方便力　我今所得道　亦應說三乘
作是思惟時　十方佛皆現　梵音慰喻我　善哉釋迦文
第一之導師　得是无上法　隨諸一切佛　而用方便力
我等亦皆得　最妙第一法　為諸衆生類　分別說三乘
少智樂小法　不自信作佛　是故以方便　分別說諸果
雖復說三乘　但為教菩薩　舍利弗當知　我聞聖師子
深淨微妙音　喜稱南无佛　復作如是念　我出濁惡世

BD00725號　妙法蓮華經卷一　（5-3）

作是思惟時　十方佛皆現　梵音慰喻我　善哉釋迦文
第一之導師　得是无上法　隨諸一切佛　而用方便力
我等亦皆得　最妙第一法　為諸眾生類　分別說三乘
少智樂小法　不自信作佛　是故以方便　分別說諸果
雖復說三乘　但為教菩薩　舍利弗當知　我聞聖師子
深淨微妙音　喜稱南无佛　復作如是念　我出濁惡世
如諸佛所說　我亦隨順行　思惟是事已　即趣波羅柰
諸法寂滅相　不可以言宣　以方便力故　為五比丘說
是名轉法輪　便有涅槃音　及以阿羅漢　法僧差別名
從久遠劫來　讚示涅槃法　生死苦永盡　我常如是說
舍利弗當知　我見佛子等　志求佛道者　无量千万億
咸以恭敬心　皆來至佛所　曾從諸佛聞　方便所說法
我即作是念　如來所以出　為說佛慧故　今正是其時
舍利弗當知　鈍根小智人　著相憍慢者　不能信是法
今我喜无畏　於諸菩薩中　正直捨方便　但說无上道
菩薩聞是法　疑網皆已除　千二百羅漢　悉亦當作佛
如三世諸佛　說法之儀式　我今亦如是　說无分別法
諸佛興出世　懸遠值遇難　正使出于世　說是法復難
无量无數劫　聞是法亦難　能聽是法者　斯人亦復難
譬如優曇華　一切皆愛樂　天人所希有　時時乃一出
聞法歡喜讚　乃至發一言　則為已供養　一切三世佛
是人甚希有　過於優曇華　汝等勿有疑　我為諸法王
普告諸大眾　但以一乘道　教化諸菩薩　无聲聞弟子
汝等舍利弗　聲聞及菩薩　當知是妙法　諸佛之祕要
以五濁惡世　但樂著諸欲　如是等眾生　終不求佛道
當來世惡人　聞佛說一乘　迷惑不信受　破法墮惡道
有慚愧清淨　志求佛道者　當為如是等　廣讚一乘道

BD00725號　妙法蓮華經卷一　（5–4）

今我喜无畏　於諸菩薩中　正直捨方便　但說无上道
菩薩聞是法　疑網皆已除　千二百羅漢　悉亦當作佛
如三世諸佛　說法之儀式　我今亦如是　說无分別法
諸佛興出世　懸遠值遇難　正使出于世　說是法復難
无量无數劫　聞是法亦難　能聽是法者　斯人亦復難
譬如優曇華　一切皆愛樂　天人所希有　時時乃一出
聞法歡喜讚　乃至發一言　則為已供養　一切三世佛
是人甚希有　過於優曇華　汝等勿有疑　我為諸法王
普告諸大眾　但以一乘道　教化諸菩薩　无聲聞弟子
汝等舍利弗　聲聞及菩薩　當知是妙法　諸佛之祕要
以五濁惡世　但樂著諸欲　如是等眾生　終不求佛道
當來世惡人　聞佛說一乘　迷惑不信受　破法墮惡道
有慚愧清淨　志求佛道者　當為如是等　廣讚一乘道
舍利弗當知　諸佛法如是　以万億方便　隨宜而說法
其不習學者　不能曉了此　汝等既已知　諸佛世之師
隨宜方便事　无復諸疑惑　心生大歡喜　自知當作佛

妙法蓮華經卷第一

BD00725號　妙法蓮華經卷一　（5–5）

空空空大空勝義空有
无際空散空无變
空一切法空不可
自性空外空乃至无
摩訶薩不見外空乃
菩薩摩訶薩不見
故不於內空
外空乃至无性自性空故不於外空乃
性自性空學何以故憍尸迦不可內
內空空不可外空乃至无性自性空空尸
空乃至无性自性空空故憍尸迦不可內
空於內空空學不可外空乃至无性自性
空於外空乃至无性自性空空學故憍尸迦
真如真如性空故菩薩摩訶薩不見真如法
界法性不虛妄性不變異性平等性離生性
法定法住實際虛空界不思議界法界乃至
不思議界性空故菩薩摩訶薩不見法界乃
至不思議界憍尸迦菩薩摩訶薩不見真如
故不於真如學不見法界乃至不思議界故
不於法界乃至不思議界學何以故憍尸迦
不可真如空見真如空不可法界乃至不思
議界空見法界乃至不思議界空故憍尸迦

BD00726 號　大般若波羅蜜多經卷八六　（4–1）

不思議界性空故菩薩摩訶薩不見法界乃
至不思議界憍尸迦菩薩摩訶薩不見真如
故不於真如學不見法界乃至不思議界故
不於法界乃至不思議界學何以故憍尸迦
不可真如空見真如空不可法界乃至不思
議界空見法界乃至不思議界空故憍尸迦
不可真如空於真如空學不可法界乃至不
思議界空於法界乃至不思議界空學故
憍尸迦布施波羅蜜多布施波羅蜜多性空
故菩薩摩訶薩不見布施波羅蜜多淨戒安
忍精進靜慮般若波羅蜜多淨戒安忍精進
靜慮般若波羅蜜多性空故菩薩摩訶薩不
見淨戒安忍精進靜慮般若波羅蜜多憍尸
迦菩薩摩訶薩不見布施波羅蜜多故不於
布施波羅蜜多學不見淨戒安忍精進靜慮
般若波羅蜜多故不於淨戒安忍精進靜慮
般若波羅蜜多學何以故憍尸迦不可布施
波羅蜜多空見布施波羅蜜多空不可淨戒
安忍精進靜慮般若波羅蜜多空見淨戒安
忍精進靜慮般若波羅蜜多空故憍尸迦不
可布施波羅蜜多空於布施波羅蜜多空學
不可淨戒安忍精進靜慮般若波羅蜜多空
於淨戒安忍精進靜慮般若波羅蜜多空學
故憍尸迦四靜慮四靜慮性空故菩薩摩訶
薩不見四靜慮四无量四无色定四无量四
无色定性空故菩薩摩訶薩不見四无量四
无色定憍尸迦菩薩摩訶薩不見四靜慮故

BD00726 號　大般若波羅蜜多經卷八六　（4–2）

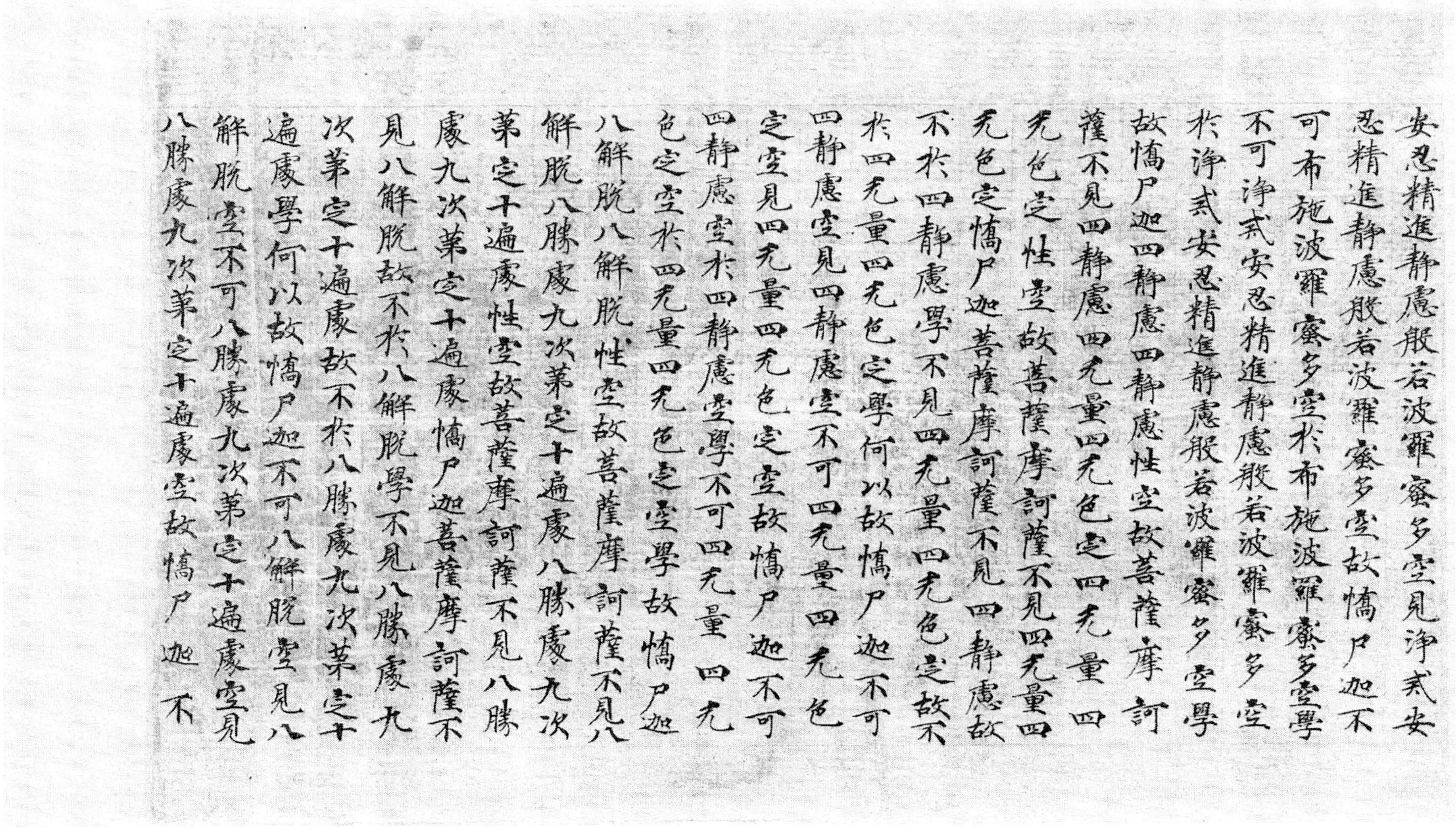

安忍精進靜慮般若波羅蜜多空見淨戒安
忍精進靜慮般若波羅蜜多空故憍尸迦不
可布施波羅蜜多空於布施波羅蜜多空學
不可淨戒安忍精進靜慮般若波羅蜜多空
於淨戒安忍精進靜慮般若波羅蜜多空學
故憍尸迦四靜慮四靜慮性空故菩薩摩訶
薩不見四靜慮四无量四无色定四无量四
无色定性空故菩薩摩訶薩不見四无量四
无色定憍尸迦菩薩摩訶薩不見四靜慮故
不於四靜慮學不見四无量四无色定故不
於四无量四无色定學何以故憍尸迦不可
四靜慮空見四靜慮空不可四无量四无色
定空見四无量四无色定空故憍尸迦不可
四靜慮空於四靜慮空學不可四无量四无
色定空於四无量四无色定空學故憍尸迦
八解脫八解脫性空故菩薩摩訶薩不見八
解脫八勝處九次第定十遍處八勝處九次
第定十遍處性空故菩薩摩訶薩不見八勝
處九次第定十遍處憍尸迦菩薩摩訶薩不
見八解脫故不於八解脫學不見八勝處九
次第定十遍處故不於八勝處九次第定十
遍處學何以故憍尸迦不可八解脫空見八
解脫空不可八勝處九次第定十遍處空見
八勝處九次第定十遍處空故憍尸迦不

BD00726 號　大般若波羅蜜多經卷八六　　（4–3）

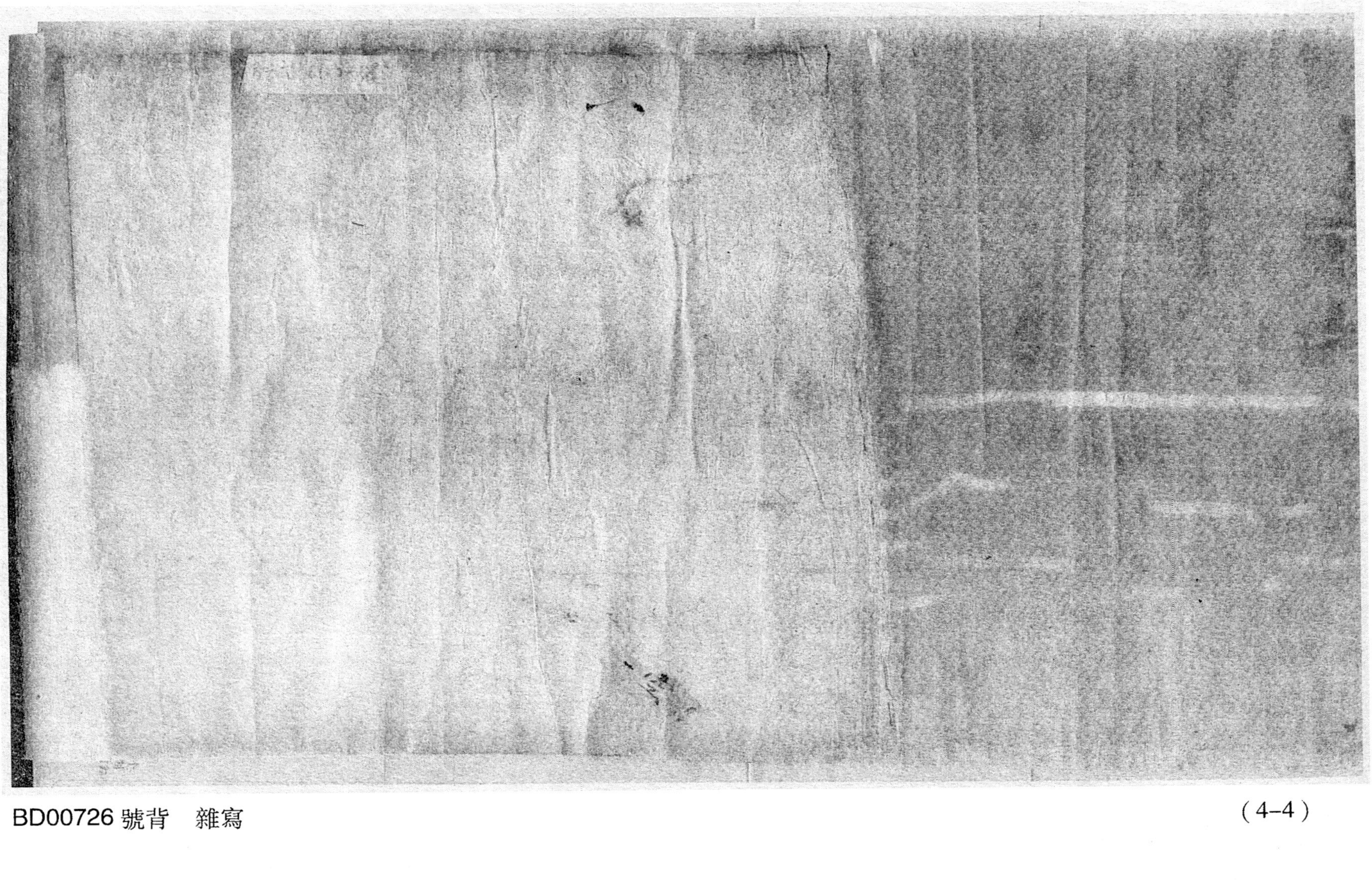

BD00726 號背　雜寫　　（4–4）

生具足乃一……道三趣女……

犯境十律云三趣女共宿並犯

若駝馬牛羊若卧若立等鵝鴈孔雀鷄等若一脚立頭量須上即

名犯宿乃至他舍有女人容攝身受宿各犯四知共同宿者但知宿即

犯不同二行要須共期方犯五分若母女姊妹近親病若有知男自伴

不卧者不犯此律下開自病不犯對此病開各應立緣已下正明戒本

此戒同阿耶律行路至媱女舍宿報女姨尊者耳在虛空中彼慚愧識

悔說法得道比丘舉過佛便制戒 若比丘与女人同室宿者 此釋

是戒本文有四句一犯人二女人三同室宿四犯 初句可知第二言与女人者律

云人女有知命根不斷三言同室宿者謂室有四種一四周障上有覆即同

在一室內中有隔者準論不合二前敞无壁即長行房簷下兩頭有

障三雖覆而不遍即周匝周院一門上通覆門中央四雖有覆遍而有

開受謂通覆障上少開明孔言宿者此等四室比丘共女人同宿或女人

後至或二人俱至若立若卧隨脇著地一一轉側一一犯四言波逸提者是犯句於中

有二若与女人同宿吉羅 若比丘晝日卧女人立者吉羅女人若坐犯屏

隨多善二論若都集 堂周障內設使堂中有諸小房

々雖各別以堂同故猶是一房若多房共一房立犯乃至由一扇

入者犯 十誦若在室中通夜坐者不犯必應夕夕共宿家有

明不睡者無去一房別戶有隔无犯若有大會通夜說法露地風雨寒

雪欲入房者應端身直坐若老病不能坐者當自施隔不得用臥物

高廣床褥下至地不得安猶儭過若无隔者女人可信應語女人言

汝先眠我坐比丘欲眠語令起我欲眠汝莫眠若者眠汝无福德多論

与十女宿得十墮一一轉各一一得十墮若白衣舍与女人並房不開自居處

不犯中律云若先不知室內有女宿若不展轉相若行若坐若病若

為強力所捉若為人所縛若命難梵行等並无犯

眠不眠者若去一房房戶有隔无犯若大會之遮夜說行處无屏可見
若欲入房應端身直坐若老病不能坐者當離牀不得用臥物
高廣牀下至地不得爲牆見過若无牆者女人可信應語女人言
汝先眠我坐比丘欲眠語令起我欲眠汝莫眠若眠汝无福德多論
与十女宿得十墮一一轉各一得十墮若白衣舍与女人並房不閉戶罪
不犯中律云若先不知室內有女宿若不戾宿相若行若坐若病若
爲强力所捉若爲人所縛若命難梵等並无犯
与未受具戒人同室宿過限戒第五制意者凡道俗路乖情事相反
始習未閑事多猥惱近則生慢亂道廢業故宜別受在道益教爲是
故須制然出家之人栖止无定事有遊行投人止宿在於齋令又涉緣
雜俗弄擾在此處无所依事須養接是以開聽限期二宿然禁則防其
過開則通其益開制之宜理所應然別具五一未受具人男子謂去
女人以仏不聽与人同室本不開二夜何有過三之各故伽論云以二夜
共沙弥宿第三夜共女人宿得二提罪二室相成就三共同室四知同室
五過過三夜犯提已下四階戒本此戒文三初句略制二緣制隨開二夜
三夜後廣制言略制者因共辟共長老同室宿中有比丘亂心睡眠
形露爲彼調弄仏制不聽共宿言隨開者次因羅云開聽二三宿仏
既不聽与未具人宿驅出羅云是須教何以呵言處人无慈不護我
意答失爲弟子有事之將理須諮啓仏曰事開聽示驗出乖弟子
之儀无慈之甚是以仏呵處人无慈觀是弟子有事之將理尚
仏子尚不慈念豈見餘人寧有慈悲　五六仏呵處人云何野干驗
遠師讚嘆持戒因聽共未受具人二宿言第三廣制者下所弁是　若
比丘与未受具戒人共宿過二宿三宿彼逸提　此補是戒本文有四句　一犯人
二未受具人三共宿過限四結罪初句可知二言未受具人者除比丘尼未受
大戒人是三言共宿者律云同室宿者有四種如前所中四句者別一人
一室異二室一人異三人室俱四人室俱異此等並是共宿中攝言過二宿至
……三夜明相未出應起避去若至第四宿若自

無別無斷故善現一切智智清淨故身界
清淨身界清淨故自性空清淨何以故若一
切智智清淨若身界清淨若自性空清淨無
二無二分無別無斷故一切智智清淨故觸界
身識界及身觸身觸爲緣所生諸受清淨
觸界乃至身觸爲緣所生諸受清淨故自性
空清淨何以故若一切智智清淨若觸界乃
至身觸爲緣所生諸受清若自性空清淨
無二無二分無別無斷故善現一切智智清淨
故意界清淨意界清淨故自性空清淨何
以故若一切智智清淨若意界清淨若自性
空清淨無二無二分無別無斷故一切智智清
淨故法界意識界及意觸意觸爲緣所生
諸受清淨法界乃至意觸爲緣所生諸受清
淨故自性空清淨何以故若一切智智清淨若
法界乃至意觸爲緣所生諸受清淨若自
性空清淨無二無二分無別無斷故善現一切
智智清淨故地界清淨地界清淨故自性
空清淨何以故若一切智智清淨若地界清
一切智智清淨故水火風空識界清淨水火
風空識界清淨故自性空清淨何以故若一
切智智清淨若水火風空識界清淨若自性

BD00728 號　大般若波羅蜜多經（兌廢稿）卷二五六　　（2–1）

觸界乃至身觸爲緣所生諸受清淨故自性
空清淨何以故若一切智智清淨若觸界乃
至身觸爲緣所生諸受清若自性空清淨
無二無二分無別無斷故善現一切智智清淨
故意界清淨意界清淨故自性空清淨何
以故若一切智智清淨若意界清淨若自性
空清淨無二無二分無別無斷故一切智智清
淨故法界意識界及意觸意觸爲緣所生
諸受清淨法界乃至意觸爲緣所生諸受清
淨故自性空清淨何以故若一切智智清淨若
法界乃至意觸爲緣所生諸受清淨若自
性空清淨無二無二分無別無斷故善現一切
智智清淨故地界清淨地界清淨故自性
空清淨何以故若一切智智清淨若地界清
一切智智清淨故水火風空識界清淨水火
風空識界清淨故自性空清淨何以故若一
切智智清淨若水火風空識界清淨若自性
空清淨無二無二分無別無斷故善現一切
智智清淨故無明清淨無明清淨故自性
空清淨何以故若一切智智清淨若無明清
淨若自性空清淨無二無二分無別無斷故

BD00728 號　大般若波羅蜜多經（兌廢稿）卷二五六　　（2–2）

[illegible]
須度如来以是方便教化衆生所以者何若
佛久住於世薄德之人不種善根貧窮下賤
貪著五欲入於憶想妄見網中若見如来常
在不滅便起憍恣而懷猒怠不能生難遭之
想恭敬之心是故如来以方便說比丘當知
諸佛出世難可值遇所以者何諸薄德人過
无量百千万億劫或有值佛或不見者以此事
故我作是言諸比丘如来難可得見斯衆生
等聞如是語必當生於難遭之想心懷戀慕
渴仰於佛便種善根是故如来雖不實滅而
言滅度又善男子諸佛如来法皆如是為度
衆生皆實不虛譬如良醫智慧聡達明練
方藥善治衆病其人多諸子息若十二十乃
至百數以有事緣遠至餘國諸子於後飲他
毒藥藥發悶亂宛轉于地是時其父還来歸
家諸子飲毒或失本心或不失者遙見其父
皆大歡喜拜跪問訊善安隱歸我等愚癡

BD00729 號　妙法蓮華經（八卷本）卷六

方藥善治衆病其人多諸子息若十二十乃
至百數以有事緣遠至餘國諸子於後飲他
毒藥藥發悶亂宛轉于地是時其父還来歸
家諸子飲毒或失本心或不失者遙見其父
皆大歡喜拜跪問訊善安隱歸我等愚癡
誤服毒藥願見救療更賜壽命父見子等苦
惱如是依諸經方求好藥草色香美味皆悉具
足擣簁和合與子令服而作是言此大良藥色
香美味皆悉具足汝等可服速除苦惱无復
衆患其諸子中不失心者見此良藥色香俱
好即便服之病盡除愈餘失心者見其父来
雖亦歡喜問訊求索治病然與其藥而不
肯服所以者何毒氣深入失本心故於此好
色香藥而謂不美父作此念此子可愍為毒
所中心皆顛倒雖見我喜求索救療如是好
藥不而肯服我今當設方便令服此藥即作是
言汝等當知我今衰老死時已至是好良藥
今留在此汝可取服勿憂不差作是教已復
至他國遣使還告汝父已死是時諸子聞
父背喪心大憂惱而作是念若父在者慈愍
我等能見救護今者捨我遠喪他國自惟孤
露无復恃怙常懷悲感心遂醒悟乃知此藥
色味香美即取服之毒病皆愈其父聞子悉
已得差尋便来歸咸使見之諸善男子於意
云何頗有人能說此良醫虛妄罪不不也世
尊佛言我亦如是成佛已来无量无邊百千
万億那由他阿僧祇劫為衆生故以方便力

BD00729 號　妙法蓮華經（八卷本）卷六

色味香美即取服之毒病皆愈其父聞子悉
已得差尋便來歸咸使見之諸善男子於意
云何頗有人能說此良醫虛妄罪不不也世
尊佛言我亦如是成佛已來无量无邊百千
万億那由他阿僧祇劫為眾生故以方便力
言當滅度亦无有能如法說我虛妄過者
尒時世尊欲重宣此義而說偈言
自我得佛來　所逕諸劫數　无量百千万　億載阿僧祇
常說法教化　无數億眾生　令入於佛道　尒來无量劫
為度眾生故　方便現涅槃　而實不滅度　常住此說法
我常住於此　以諸神通力　令顛倒眾生　雖近而不見
眾見我滅度　廣供養舍利　咸皆懷戀慕　而生渴仰心
眾生既信伏　質直意柔軟　一心欲見佛　不自惜身命
時我及眾僧　俱出靈鷲山　我時語眾生　常在此不滅
以方便力故　現有滅不滅　餘國有眾生　恭敬信樂者
我復於彼中　為說无上法　汝等不聞此　但謂我滅度
我見諸眾生　沒在於苦惱　故不為現身　令其生渴仰
因其心戀慕　乃出為說法　神通力如是　於阿僧祇劫
常在靈鷲山　及餘諸住處　眾生見劫盡　大火所燒時
我此土安隱　天人常充滿　園林諸堂閣　種種寶莊嚴
寶樹多華果　眾生所遊樂　諸天擊天鼓　常作眾伎樂
雨曼陀羅華　散佛及大眾　我淨土不毀　而眾見燒盡
憂怖諸苦惱　如是悉充滿　是諸罪眾生　以惡業因緣
過阿僧祇劫　不聞三寶名　諸有修功德　柔和質直者
則皆見我身　在此而說法　或時為此眾　說佛壽无量

BD00729號　妙法蓮華經（八卷本）卷六　（20–3）

寶樹多華果　眾生所遊樂　諸天擊天鼓　常作眾伎樂
雨曼陀羅華　散佛及大眾　我淨土不毀　而眾見燒盡
憂怖諸苦惱　如是悉充滿　是諸罪眾生　以惡業因緣
過阿僧祇劫　不聞三寶名　諸有修功德　柔和質直者
則皆見我身　在此而說法　或時為此眾　說佛壽无量
久乃見佛者　為說佛難值　我智力如是　慧光照无量
壽命无數劫　久脩業所得　汝等有智者　勿於此生疑
當斷令永盡　佛語實不虛　如醫善方便　為治狂子故
實在而言死　无能說虛妄　我亦為世父　救諸苦患者
為凡夫顛倒　實在而言滅　以常見我故　而生憍恣心
放逸著五欲　墮於惡道中　我常知眾生　行道不行道
隨應所可度　為說種種法　每自作是意　以何令眾生
得入无上道　速成就佛身
妙法蓮華經分別功德品第十七
尒時大會聞佛說壽命劫數長遠如是无量
无邊阿僧祇眾生得大饒益於時世尊告彌
勒菩薩摩訶薩阿逸多我說是如來壽命長
遠時六百八十万億那由他恒河沙眾生得无
生法忍復有千倍菩薩摩訶薩得聞持陀
羅尼門復有一世界微塵數菩薩摩訶薩得
樂說无导辯才復有一世界微塵數菩薩摩
訶薩得百万億无量旋陀羅尼復有三千大
千世界微塵數菩薩摩訶薩能轉不退法輪
復有三千中國土微塵數菩薩摩訶薩能轉
清淨法輪復有小千國土微塵數菩薩摩訶
薩八生當得阿耨多羅三藐三菩提復有四

BD00729號　妙法蓮華經（八卷本）卷六　（20–4）

千世界微塵數菩薩摩訶薩能轉不退法輪
復有三千中國土微塵數菩薩摩訶薩能轉
清淨法輪復有小千國土微塵數菩薩摩訶
薩八生當得阿耨多羅三藐三菩提復有四
天下微塵數菩薩摩訶薩四生當得阿耨
多羅三藐三菩提復有三四天下微塵數菩
薩摩訶薩三生當得阿耨多羅三藐三菩提
復有二四天下微塵數菩薩摩訶薩二生當
得阿耨多羅三藐三菩提復有一四天下微
塵數菩薩摩訶薩一生當得阿耨多羅三藐
三菩提復有八世界微塵數衆生皆發阿耨
多羅三藐三菩提心佛說是諸菩薩摩訶薩
得大法利時於虛空中雨曼陁羅華摩訶曼
陁羅華以散无量百千万億寶樹下師子座
上諸佛并散七寶塔中師子座上釋迦牟尼
佛及久滅度多寶如來亦散一切諸大菩薩
及四部衆又雨細末栴檀沉水香等於虛空
中天鼓自鳴妙聲深遠又雨千種天衣垂諸
瓔珞真珠瓔珞摩尼珠瓔珞如意珠瓔珞遍
於九方衆寶香爐燒无價香自然周至供養
大會一一佛上有諸菩薩執持幡蓋次第而
上至于梵天是諸菩薩以妙音聲歌无量頌
讚歎諸佛尒時弥勒菩薩從坐而起偏袒右
肩合掌向佛而說偈言
佛說希有法　昔所未曾聞　世尊有大力　壽命不可量
无數諸佛子　聞世尊分別　說得法利者　歡喜充遍身
或住不退地　或得陁羅尼　或无导樂說　万億旋總持

上至于梵天是諸菩薩以妙音聲歌无量頌
讚歎諸佛尒時弥勒菩薩從坐而起偏袒右
肩合掌向佛而說偈言
佛說希有法　昔所未曾聞　世尊有大力　壽命不可量
无數諸佛子　聞世尊分別　說得法利者　歡喜充遍身
或住不退地　或得陁羅尼　或无导樂說　万億旋總持
或有大千界　微塵數菩薩　各各皆能轉　不退之法輪
復有中千界　微塵數菩薩　各各皆能轉　清淨之法輪
復有小千界　微塵數菩薩　餘各八生在　皆得成佛道
復有四三二　如是四天下　微塵等菩薩　隨數生成佛
或一四天下　微塵數菩薩　餘有一生在　當成一切智
如是等衆生　聞佛壽長遠　得无量无漏　清淨果報
復有八世界　微塵數衆生　聞佛說壽命　皆發无上心
世尊說无量　不可思議法　多有所饒益　如虛空无邊
天雨曼陁羅　摩訶曼陁羅　釋梵如恒沙　无數佛土來
雨栴檀沉水　繽紛而亂墜　如鳥飛空下　供散於諸佛
天鼓虛空中　自然出妙聲　天衣千万種　旋轉而下來
衆寶妙香爐　燒无價之香　自然悉周遍　供養諸世尊
其大菩薩衆　執七寶幡蓋　高妙万億種　次第至梵天
一一諸佛前　寶幢懸勝幡　亦以千万偈　歌詠諸如來
如是種種事　昔所未曾有　聞佛壽无量　一切皆歡喜
佛名聞十方　廣饒益衆生　一切具善根　以助无上心
尒時佛告弥勒菩薩摩訶薩阿逸多其有
衆生聞佛壽命長遠如是乃至能生一念信解
所得功德无有限量若有善男子善女人爲
阿耨多羅三藐三菩提於八十万億那由他劫
行五波羅蜜檀波羅蜜尸羅波羅蜜羼[illegible]

佛名聞十方　廣饒益衆生　一切具善根　以助无上心
尒時佛告弥勒菩薩摩訶薩阿逸多　其有
衆生聞佛壽命長遠如是　乃至能生一念信解
所得功德无有限量　若有善男子善女人　為
阿耨多羅三藐三菩提　於八十万億那由他劫
行五波羅蜜　檀波羅蜜　尸羅波羅蜜　羼提
波羅蜜　毗梨耶波羅蜜　禪波羅蜜　除般若波
羅蜜　以是功德比前功德　百分　千分　百千万億
分不及其一　乃至算數譬喻所不能知　若善
男子有如是功德　於阿耨多羅三藐三菩提退
者　无有是處　尒時世尊欲重宣此義而說偈
言
若人求佛慧　於八十万億　那由他劫數　行五波羅蜜
於是諸劫中　布施供養佛　及緣覺弟子　并諸菩薩衆
珍異之飲食　上服與卧具　栴檀立精舍　以園林莊嚴
如是等布施　種種皆微妙　盡此諸劫數　以迴向佛道
若復持禁戒　清淨无缺漏　求於无上道　諸佛之所歎
若復行忍辱　住於調柔地　設衆惡來加　其心不傾動
諸有得法者　懷於增上慢　為此所輕惱　如是亦能忍
若復勤精進　志念常堅固　於无量億劫　一心不懈息
又於无量劫　住於空閑處　若坐若經行　除睡常攝心
以是因緣故　能生諸禪定　八十億万劫　安住心不亂
持此一心福　願求无上道　我得一切智　盡諸禪定際
是人於百千　万億劫數中　行此諸功德　如上之所說
有善男女等　聞我說壽命　乃至一念信　其福過於彼
若人悉无有　一切諸疑悔　深心須臾信　其福為如此
其有諸菩薩　无量劫行道　聞我說壽命　是則能信受

BD00729 號　妙法蓮華經（八卷本）卷六　（20–7）

又於无量劫　住於空閑處　若坐若經行　除睡常攝心
以是因緣故　能生諸禪定　八十億万劫　安住心不亂
持此一心福　願求无上道　我得一切智　盡諸禪定際
是人於百千　万億劫數中　行此諸功德　如上之所說
有善男女等　聞我說壽命　乃至一念信　其福過於彼
若人悉无有　一切諸疑悔　深心須臾信　其福為如此
其有諸菩薩　无量劫行道　聞我說壽命　是則能信受
如是諸人等　頂受此經典　願我於未來　長壽度衆生
如今日世尊　諸釋中之王　道場師子吼　說法无所畏
我等未來世　一切所尊敬　坐於道場時　說壽亦如是
若有深心者　清淨而質直　多聞能總持　隨義解佛語
如是諸人等　於此无有疑
又阿逸多　若有聞佛壽命長遠　解其義趣　是
人所得功德无有限量　能起如來无上之慧
何況廣聞是經　若教人聞　若自持　若教人持
若自書　若教人書　若以華香瓔珞幢幡繒蓋
香油蘇燈供養經卷　是人功德无量无邊　能
生一切種智　阿逸多　若善男子善女人　聞我說
壽命長遠　深心信解　則為見佛常在耆闍
崛山　共大菩薩諸聲聞衆圍遶說法　又見此
娑婆世界　其地琉璃　坦然平正　閻浮檀金以
界八道　寶樹行列　諸臺樓觀皆悉寶成　其
菩薩衆咸處其中　若有能如是觀者　當知是
為深信解相　又復如來滅後　若聞是經而不毀
呰　起隨喜心　當知已為深信解相　何況讀誦
受持之者　斯人則為頂戴如來　阿逸多　是善
男子善女人　不須為我復起塔寺　及作僧

BD00729 號　妙法蓮華經（八卷本）卷六　（20–8）

娑婆世界其地琉璃坦然平正閻浮檀金以
界八道寶樹行列諸臺樓觀皆悉寶成其
菩薩眾咸處其中若有能如是觀者當知是
為深信解相又復如來滅後若聞是經而不毀
呰起隨喜心當知已為深信解相何況讀誦
受持之者斯人則為頂戴如來阿逸多是善
男子善女人不須為我復起塔寺及作僧
坊以四事供養眾僧所以者何是善男子善女
人受持讀誦是經典者為已起塔造立僧坊
供養眾僧則為以佛舍利起七寶塔高廣漸
小至于梵天懸諸幡蓋及眾寶鈴華香瓔珞
末香塗香燒香眾鼓伎樂簫笛箜篌種種儛
戲以妙音聲歌唄讚頌則為已於无量千万
億劫作是供養已阿逸多若我滅後聞是經
典有能受持若自書若教人書則為起立僧
坊以赤栴檀作諸殿堂三十有二高八多羅樹
高廣嚴好百千比丘於其中止園林流池經行
禪窟衣服飲食牀蓐湯藥一切樂具充滿其
其中如是僧坊堂閣若干百千万億其數无
量以此現前供養於我及比丘僧是故我說如
來滅後若有受持讀誦為他人說若自書若
教人書供養經卷不須復起塔寺及造僧坊供
養眾僧況復有人能持是經兼行布施持
戒忍辱精進一心智慧其德最勝无量无
邊譬如虛空東西南北四維上下无量无邊
是人功德亦復如是无量无邊疾至一切種智
智若人讀誦受持是經為他人說若自書若

BD00729 號　妙法蓮華經（八卷本）卷六　（20–9）

養眾僧況復有人能持是經兼行布施持
戒忍辱精進一心智慧其德最勝无量无
邊譬如虛空東西南北四維上下无量无邊
是人功德亦復如是无量无邊疾至一切種智
智若人讀誦受持是經為他人說若自書若
教人書復能起塔及造僧坊供養讚歎聲聞
眾僧亦以百千万億讚歎之法讚歎菩薩功
德又為他人種種因緣隨義解說此法華經復
能清淨持戒與柔和者而共同止忍辱无瞋
志念堅固常貴坐禪得諸深定精進勇猛
攝諸善法利根智慧善荅問難阿逸多若我
滅後諸善男子善女人受持讀誦是經典者
復有如是諸善功德當知是人已趣道場近
阿耨多羅三藐三菩提坐道樹下阿逸多是
善男子若坐若立若行處是中便應起塔一
切天人皆應供養如佛之塔尒時世尊欲重
宣此義而說偈言
若我滅度後　能奉持此經　斯人福无量　如上之所說
是則為具足　一切諸供養　以舍利起塔　七寶而莊嚴
表刹甚高廣　漸小至梵天　寶鈴千万億　風動出妙音
又於无量劫　而供養此塔　華香諸瓔珞　天衣眾伎樂
然香油蘇燈　周匝常照明
惡世末法時　能持是經者　則為已如上　具足諸供養
若能持此經　則如佛現在　以牛頭栴檀　起僧坊供養
堂有三十二　高八多羅樹　上饌妙衣服　牀臥皆具足
百千眾住處　園林諸浴池　經行及禪窟　種種皆嚴好
若有信解心　受持讀誦書　若復教人書　及供養經卷

BD00729 號　妙法蓮華經（八卷本）卷六　（20–10）

惡世末法時　能持是經者　則為已如上　具足諸供養
若能持此經　則如佛現在　以牛頭栴檀　起僧坊供養
堂有三十二　高八多羅樹　上饌妙衣服　床臥皆具足
百千眾住處　園林諸浴池　經行及禪窟　種種皆嚴好
若有信解心　受持讀誦書　若復教人書　及供養經卷
散華香末香　以須曼瞻蔔　阿提目多伽　薰油常然之
如是供養者　得无量功德　如虛空无邊　其福亦如是
況復持此經　兼布施持戒　忍辱樂禪定　不瞋不惡口
恭敬於塔廟　謙下諸比丘　遠離自高心　常思惟智慧
有問難不瞋　隨順為解說　若能行是行　功德不可量
若見此法師　成就如是德　應以天華散　天衣覆其身
頭面接足禮　生心如佛想　又應作是念　不久詣道場
得无漏无為　廣利諸人天
其所住止處　經行若坐臥　乃至說一偈　是中應起塔
莊嚴令妙好　種種以供養　佛子住此地　則是佛受用
常在於其中　經行及坐臥
妙法蓮華經隨喜功德品第十八
尒時彌勒菩薩摩訶薩白佛言世尊若有善
男子善女人聞是法華經隨喜者得幾所福
而說偈言
世尊滅度後　其有聞是經　若能隨喜者　為得幾所福
尒時佛告彌勒菩薩摩訶薩阿逸多如來滅
後若比丘比丘尼優婆塞優婆夷及餘智者
若長若幼聞是經隨喜已從法會出至於餘
處若在僧坊若空閑地若城邑巷陌聚落田
里如其所聞為父母宗親善友知識隨力演
說是諸人等聞已隨喜復行轉教餘人聞已

BD00729號　妙法蓮華經（八卷本）卷六　（20–11）

後若比丘比丘尼優婆塞優婆夷及餘智者
若長若幼聞是經隨喜已從法會出至於餘
處若在僧坊若空閑地若城邑巷陌聚落田
里如其所聞為父母宗親善友知識隨力演
說是諸人等聞已隨喜復行轉教餘人聞已
亦隨喜轉教如是展轉至第五十阿逸多其
第五十善男子善女人隨喜功德我今說之
汝當善聽若四百万億阿僧祇世界六趣四
生眾生卵生胎生濕生化生若有形无形有
想无想非有想非无想无足二足四足多足
如是等在眾生數者有人求福隨其所欲娛
樂之具皆給與之一一眾生與滿閻浮提金
銀琉璃車𤦲馬瑙珊瑚虎珀諸妙珍寶及象
馬車乘七寶所成宮殿樓閣等是大施主
如是布施滿八十年已而作是念我已施眾生
娛樂之具隨意所欲然此眾生皆已衰老年
過八十髮白面皺將死不久我當以佛法而
訓導之即集此眾生宣布法化示教利喜一時
皆得須陀洹道斯陀含道阿那含道阿羅
漢道盡諸有漏於深禪定皆得自在具八解
脫於汝意云何是大施主所得功德寧為多
不彌勒白佛言世尊是人功德甚多无量无
邊若是施主但施眾生一切樂具功德无量
何況令得阿羅漢果佛告彌勒我今分明語
汝是人以一切樂具施於四百万億阿僧祇世
界六趣眾生又令得阿羅漢果所得功德不
如是第五十人聞法華經一偈隨喜功德百

BD00729號　妙法蓮華經（八卷本）卷六　（20–12）

不彌勒白佛言世尊是人功德甚多无量无
邊若是施主但施衆生一切樂具功德无量
何况令得阿羅漢果佛告弥勒我今分明語
汝是人以一切樂具施於四百万億阿僧祇世
界六趣衆生又令得阿羅漢果所得功德不
如是第五十人聞法華經一偈隨喜功德百
分千分百千万億分不及其一乃至筭數譬
喻所不能知阿逸多如是第五十人展轉聞
法華經隨喜功德尚无量无邊阿僧祇何
况最初於會中聞而隨喜者其福復勝无量
无邊阿僧祇不可得比又阿逸多若人為是
經故往詣僧房若坐若立須臾聽受緣
是功德轉身所生得好上妙象馬車乘珎寶輦
輿及乘天宮若復有人於講法處坐更有人來
勸令坐聽若分坐令坐是人功德轉身得帝
釋坐處若梵王坐處若轉輪聖王所坐之處
阿逸多若復有人語餘人言有經名法華可
共往聽即受其教乃至須臾間聞是人功德
轉身得與陁羅尼菩薩共生一處利根智慧
百千万世終不瘖瘂口氣不臭舌常无病口
亦无病齒不垢黑不黃不踈亦不缺落不差不
曲脣不下垂亦不褰縮不麁澁不瘡緊亦
不缺壞亦不喎邪不厚不大亦不黎黑无諸
可惡鼻不匾㔸亦不曲戾面色不黑不狹
長亦不窊曲无有一切不可喜相脣舌牙齒
悉皆嚴好鼻脩高直面貌圓滿眉高而長額
廣平正人相具足世世所生見佛聞法信受

曲脣不下垂亦不褰縮不麁澁不瘡緊亦
不缺壞亦不喎邪不厚不大亦不黎黑无諸
可惡鼻不匾㔸亦不曲戾面色不黑不狹
長亦不窊曲无有一切不可喜相脣舌牙齒
悉皆嚴好鼻脩高直面貌圓滿眉高而長額
廣平正人相具足世世所生見佛聞法信受
教誨阿逸多汝且觀是勸於一人令往聽法
功德如此何况一心聽說讀誦而於大衆為人
分別如說脩行尒時世尊欲重宣此義而說
偈言
若人於法會　得聞是經典　乃至於一偈　隨喜為他說
如是展轉教　至於第五十　最後人獲福　今當分別之
如有大施主　供給无量衆　具滿八十歲　隨意之所欲
見彼衰老相　髮白而面皺　齒踈形枯竭　念其死不久
我今應當教　令得於道果　即為方便說　涅槃真實法
世皆不牢固　如水沫泡焰　汝等咸應當　疾生猒離心
諸人聞是法　皆得阿羅漢　具足六神通　三明八解脫
最後第五十　聞一偈隨喜　是人福勝彼　不可為譬喻
如是展轉聞　其福尚无量　何况於法會　初聞隨喜者
若有勸一人　將引聽法華　言此經深妙　千万劫難遇
即受教往聽　乃至須臾聞　斯人之福報　今當分別說
世世无口患　齒不踈黃黑　脣不厚褰缺　无有可惡相
舌不乾黑短　鼻脩高且直　額廣而平正　面目悉端嚴
為人所喜見　口氣无臭穢　優鉢華之香　常從其口出
若故詣僧房　欲聽法華經　須臾聞歡喜　今當說其福
後生天人中　得好象馬車　珎寶之輦輿　及乘天宮殿
若於講法處　勸人坐聽經　是福因緣得　釋梵轉輪座

世世无口患　齒不踈黃黑　脣不厚褰缺　无有可惡相
舌不乾黑短　鼻脩高且直　額廣而平正　面目悉端嚴
為人所喜見　口氣无臭穢　優鉢華之香　常從其口出
若故詣僧房　欲聽法華經　須臾聞歡喜　今當說其福
後生天人中　得好象馬車　珍寶之輦輿　及乘天宮殿
若於講法處　勸人坐聽經　是福因緣得　釋梵轉輪座
何況一心聽　解說其義趣　如說而修行　其福不可限
妙法蓮華經法師功德品第十九
尒時佛告常精進菩薩摩訶薩：若善男子善
女人受持是法華經，若讀若誦若解說若書
寫，是人當得八百眼功德、千二百耳功德、八百
鼻功德、千二百舌功德、八百身功德、千二
百意功德，以是功德莊嚴六根，皆令清淨。是
善男子善女人父母所生清淨肉眼，見於三千
大千世界內外所有山林河海，下至阿鼻地
獄，上至有頂，亦見其中一切眾生，及業因緣
果報生處，悉見悉知。尒時世尊欲重宣此
義而說偈言：
若於大眾中　以无所畏心　說是法華經　汝聽其功德
是人得八百　功德殊勝眼　以是莊嚴故　其目甚清淨
父母所生眼　悉見三千界　內外彌樓山　須彌及鐵圍
并諸餘山林　大海江河水　下至阿鼻獄　上至有頂天
其中諸眾生　一切皆悉見　雖未得天眼　肉眼力如是
復次常精進，若善男子善女人受持此經，若
讀若誦若解說若書寫，得千二百耳功德。以
是清淨耳，聞三千大千世界，下至阿鼻地獄，
上至有頂，其中內外種種語言音聲，象聲馬

其中諸眾生　一切皆悉見　雖未得天眼　肉眼力如是
復次常精進，若善男子善女人受持此經，若
讀若誦若解說若書寫，得千二百耳功德。以
是清淨耳，聞三千大千世界，下至阿鼻地獄，
上至有頂，其中內外種種語言音聲，象聲馬
聲、牛聲、車聲、啼哭聲、愁歎聲、螺聲、鼓聲、鍾
聲、鈴聲、笑聲、語聲、男聲、女聲、童子聲、童女聲、
法聲、非法聲、苦聲、樂聲、凡夫聲、聖人聲、喜聲、
不喜聲、天聲、龍聲、夜叉聲、乾闥婆聲、阿脩羅
聲、迦樓羅聲、緊那羅聲、摩睺羅伽聲、火聲、水
聲、風聲、地獄聲、畜生聲、餓鬼聲、比丘聲、比丘
尼聲、聲聞聲、辟支佛聲、菩薩聲、佛聲。以要言
之，三千大千世界中一切內外所有諸聲，雖未
得天耳，以父母所生清淨常耳，皆悉聞知，如是
分別種種音聲而不壞耳根。尒時世尊欲重
宣此義而說偈言：
父母所生耳　清淨无濁穢　以此常耳聞　三千世界聲
象馬車牛聲　鍾鈴螺鼓聲　琴瑟箜篌聲　簫笛之音聲
清淨好歌聲　聽之而不著　无數種人聲　聞悉能解了
又聞諸天聲　微妙之歌音　及聞男女聲　童子童女聲
山川險谷中　迦陵頻伽聲　命命等諸鳥　悉聞其音聲
地獄眾苦痛　種種楚毒聲　餓鬼飢渴逼　求索飲食聲
諸阿脩羅等　居在大海邊　自共言語時　出于大音聲
如是說法者　安住於此間　遙聞是眾聲　而不壞耳根
十方世界中　禽獸鳴相呼　其說法之人　於此悉聞之
其諸梵天上　光音及遍淨　乃至有頂天　言語之音聲
法師住於此　悉皆得聞之

地獄眾苦痛　種種楚毒聲　餓鬼飢渴逼　求索飲食聲
諸阿修羅等　居在大海邊　自共言語時　出于大音聲
如是說法者　安住於此間　遙聞是眾聲　而不壞耳根
十方世界中　禽獸鳴相呼　其說法之人　於此悉聞之
其諸梵天上　光音及遍淨　乃至有頂天　言語之音聲
法師住於此　悉皆得聞之
一切比丘眾　及諸比丘尼　若讀誦經典　若為他人說
法師住於此　悉皆得聞之
復有諸菩薩　讀誦於經法　若為他人說　撰集解其義
如是諸音聲　悉皆得聞之
諸佛大聖尊　教化眾生者　於諸大會中　演說微妙法
持此法華者　悉皆得聞之
三千大千界　內外諸音聲　下至阿鼻獄　上至有頂天
皆聞其音聲　而不壞耳根　其耳聰利故　悉能分別知
持是法華者　雖未得天耳　但用所生耳　功德已如是
復次常精進　若善男子善女人受持是經若讀
若誦若解說若書寫　成就八百鼻功德　以是
清淨鼻根　聞於三千大千世界上下內外種
種諸香　須曼那華香　闍提華香　末利華香
瞻蔔華香　波羅羅華香　赤蓮華香　青蓮華
香　白蓮華香　華樹香　菓樹香　栴檀香　沈水香
多摩羅跋香　多伽羅香　及千万種和香　若末若
丸若塗香　持是經者　於此間住　悉能分別　又
復分別知眾生之香　象香　馬香　牛羊等香　男
香女香　童子香　童女香　及草木叢林香　若近若
遠所有諸香　悉皆得聞　分別不錯　持是經者

BD00729 號　妙法蓮華經（八卷本）卷六　（20–17）

丸若塗香　持是經者　於此間住　悉能分別　又
復分別知眾生之香　象香　馬香　牛羊等香　男
香女香　童子香　童女香　及草木叢林香　若近若
遠所有諸香　悉皆得聞　分別不錯　持是經者
雖住於此　亦聞天上諸天之香　波利質多羅　拘
鞞陀羅樹香　及曼陀羅華香　摩訶曼陀羅
華香　曼殊沙華香　摩訶曼殊沙華香　栴檀
沈水種種末香　諸雜華香　如是等天香和合所
出之香　無不聞知　又聞諸天身香　釋提桓因
在勝殿上　五欲娛樂嬉戲時香　若在妙法堂
上為忉利諸天說法時香　若於諸園遊戲時
香　及餘天等男女身香　皆悉遙聞　如是展轉
乃至梵世　上至有頂　諸天身香　亦皆聞之　并
聞諸天所燒之香　及聲聞香　辟支佛香　菩薩
香　諸佛身香　亦皆遙聞　知其所在　雖聞此香
然於鼻根不壞不錯　若欲分別為他人說　憶念
不謬　尒時世尊欲重宣此義而說偈言
是人鼻清淨　於此世界中　若香若臭物　種種悉聞知
須曼那闍提　多摩羅栴檀　沈水及桂香　種種華菓香
及知眾生香　男子女人香　說法者遠住　聞香知所在
大勢轉輪王　小轉輪及子　群臣諸宮人　聞香知所在
身所著寶衣　及地中伏藏　轉輪王寶女　聞香知所在
諸人嚴身具　衣服及瓔珞　種種所塗香　聞則知其身
諸天若行坐　遊戲及神變　持是法華者　聞香悉能知
諸樹華菓實　及酥油香氣　持經者住此　悉知其所在
諸山深嶮處　栴檀樹華敷　眾生在中者　聞香皆能知

BD00729 號　妙法蓮華經（八卷本）卷六　（20–18）

身所著寶衣　及地中伏藏　轉輪王寶女　聞香知所在
諸人嚴身具　衣服及瓔珞　種種所塗香　聞則知其身
諸天若行坐　遊戲及神變　持是法華者　聞香悉能知
諸樹華果實　及蘇油香氣　持經者住此　悉知其所在
諸山深險處　栴檀樹華敷　眾生在中者　聞香皆能知
鐵圍山大海　地中諸眾生　持經者聞香　悉知其所在
阿脩羅男女　及其諸眷屬　鬪諍遊戲時　聞香皆能知
曠野險隘處　師子象虎狼　野牛水牛等　聞香知所在
若有懷任者　未辯其男女　无根及非人　聞香悉能知
以聞香力故　知其初懷任　成就不成就　安樂產福子
以聞香力故　知男女所念　染欲癡恚心　亦知脩善者
地中眾伏藏　金銀諸珍寶　銅器之所盛　聞香悉能知
種種諸瓔珞　无能識其價　聞香知貴賤　出處及所在
天上諸華等　曼陁曼殊沙　波利質多樹　聞香悉能知
天園林勝殿　諸觀妙法堂　在中而娛樂　聞香悉能知
諸天若聽法　或受五欲時　來往行坐臥　聞香悉能知
天女所著衣　好華香莊嚴　周旋遊戲時　聞香悉能知
如是展轉上　乃至於梵世　入禪出禪者　聞香悉能知
光音遍淨天　乃至于有頂　初生及退沒　聞香悉能知
諸比丘眾等　於法常精進　若坐若經行　及讀誦經法
或在林樹下　專精而坐禪　持經者聞香　悉知其所在
菩薩志堅固　坐禪若讀經　或為人說法　聞香悉能知
天上諸宮殿　上中下差別　眾寶華莊嚴　聞香悉能知
在在方世尊　一切所恭敬　愍眾而說法　聞香悉能知
眾生在佛前　聞經皆歡喜　如法而脩行　聞香悉能知
雖未得菩薩　无漏法生鼻　而是持經者　先得此鼻相

BD00729號　妙法蓮華經（八卷本）卷六　（20–19）

菩薩志堅固　坐禪若讀經　或為人說法　聞香悉能知
天上諸宮殿　上中下差別　眾寶華莊嚴　聞香悉能知
在在方世尊　一切所恭敬　愍眾而說法　聞香悉能知
眾生在佛前　聞經皆歡喜　如法而脩行　聞香悉能知
雖未得菩薩　无漏法生鼻　而是持經者　先得此鼻相
復次常精進　若善男子善女人受持是經　若
讀若誦若解說若書寫得千二百舌功德若
好若醜若美不美及諸苦澀物在其舌根皆
變成上味如天甘露无不美者若以舌根於
大眾中有所演說出深妙聲能入其心皆令
歡喜快樂又諸天子天女釋梵諸天聞是深
妙音聲有所演說言論次第皆悉來聽及諸
龍龍女夜叉夜叉女乾闥婆乾闥婆女阿脩羅
阿脩羅女迦樓羅迦樓羅女緊那羅緊那
羅女摩睺羅伽摩睺羅伽女為聽法故皆來
親近恭敬供養及比丘比丘尼優婆塞優婆
夷國王王子群臣眷屬小轉輪王大轉輪王
七寶千子內外眷屬乘其宮殿俱來聽法以
是菩薩善說法故婆羅門居士國內人民盡
其形壽隨侍供養又諸聲聞辟支佛菩薩
諸佛常樂見之是人所在方面諸佛皆向其

BD00729號　妙法蓮華經（八卷本）卷六　（20–20）

未現在諸佛如八解脫不可得故讚念是菩
薩摩訶薩如八勝處九次第定十遍處不可
得故讚念是菩薩摩訶薩善現過去未來現
在諸佛如四念住不可得故讚念是菩薩摩
訶薩如四正斷四神足五根五力七等覺支
八聖道支不可得故讚念是菩薩摩訶薩善
現過去未來現在諸佛如空解脫門不可得
故讚念是菩薩摩訶薩如无相无願解脫門
不可得故讚念是菩薩摩訶薩善現過去未
來現在諸佛如五眼不可得故讚念是菩薩
摩訶薩如六神通不可得故讚念是菩薩摩
訶薩善現過去未來現在諸佛如佛十力不
可得故讚念是菩薩摩訶薩如四无所畏四
无礙解大慈大悲大喜大捨十八佛不共法
不可得故讚念是菩薩摩訶薩善現過去未
來現在諸佛如无忘失法不可得故讚念是菩
薩摩訶薩如恒住捨性不可得故讚念是
菩薩摩訶薩善現過去未來現在諸佛如一
切智不可得故讚念是菩薩摩訶薩如道相
智一切相智不可得故讚念是菩薩摩訶薩
善現過去未來現在諸佛如一切陀羅尼門
不可得故讚念是菩薩摩訶薩如一切三摩
地門不可得故讚念是菩薩摩訶薩善現過

BD00730號　大般若波羅蜜多經卷三五六　（4–1）

智一切相智不可得故讚念是菩薩摩訶薩
善現過去未來現在諸佛如一切陀羅尼門
不可得故讚念是菩薩摩訶薩如一切三摩
地門不可得故讚念是菩薩摩訶薩善現過
去未來現在諸佛如預流果不可得故讚念
是菩薩摩訶薩如一來不還阿羅漢果不可
得故讚念是菩薩摩訶薩善現過去未來現
在諸佛如獨覺菩提不可得故讚念是菩薩
摩訶薩善現過去未來現在諸佛如一切菩
薩摩訶薩行不可得故讚念是菩薩摩訶薩
善現過去未來現在諸佛如諸佛无上正等
菩提不可得故讚念是菩薩摩訶薩
復次善現過去未來現在諸佛不以色故讚
念是菩薩摩訶薩不以受想行識故讚念是
菩薩摩訶薩善現過去未來現在諸佛不以
眼處故讚念是菩薩摩訶薩不以耳鼻舌身
意處故讚念是菩薩摩訶薩善現過去未來
現在諸佛不以色處故讚念是菩薩摩訶薩
不以聲香味觸法處故讚念是菩薩摩訶薩
善現過去未來現在諸佛不以眼界故讚念
是菩薩摩訶薩不以耳鼻舌身意界讚念
是菩薩摩訶薩善現過去未來現在諸佛不
以色界故讚念是菩薩摩訶薩不以聲香味
觸法界故讚念是菩薩摩訶薩善現過去未
來現在諸佛不以眼識界故讚念是菩薩摩
訶薩不以耳鼻舌身意識界故讚念菩薩
摩訶薩善現過去未來現在諸佛不以眼觸

BD00730號　大般若波羅蜜多經卷三五六　（4–2）

以色界故護念是菩薩摩訶薩不以聲香味
觸法界故護念是菩薩摩訶薩善現過去未
來現在諸佛不以眼識界故護念是菩薩摩
訶薩不以耳鼻舌身意識界故護念菩薩
摩訶薩善現過去未來現在諸佛不以眼觸
故護念是菩薩摩訶薩不以耳鼻舌身意觸
故護念是菩薩摩訶薩善現過去未來現在諸
佛不以眼觸為緣所生諸受故護念是菩薩
摩訶薩不以耳鼻舌身意觸為緣所生諸
受故護念是菩薩摩訶薩善現過去未來現
在諸佛不以地界故護念是菩薩摩訶薩不
以水火風空識界故護念是菩薩摩訶薩善
現過去未來現在諸佛不以无明故護念是
菩薩摩訶薩不以行識名色六處觸受愛取
有生老死愁歎苦憂惱故護念是菩薩摩訶
薩善現過去未來現在諸佛不以布施波羅
蜜多故護念是菩薩摩訶薩不以淨戒安忍
精進靜慮般若波羅蜜多故護念是菩薩摩
訶薩善現過去未來現在諸佛不以內空故護
念是菩薩摩訶薩不以外空內外空空空
大空勝義空有為空无為空畢竟空无際空
散空无變異空本性空自相空共相空一切
法空不可得空无性空自性空无性自性空
故護念是菩薩摩訶薩善現過去未來現在
諸佛不以真如故護念是菩薩摩訶薩不以
法界法性不虛妄性不變異性平等性離生
性法定法住實際虛空界不思議界故護念

BD00730 號　大般若波羅蜜多經卷三五六　　（4–3）

散空无變異空本性空自相空共相空一切
法空不可得空无性空自性空无性自性空
故護念是菩薩摩訶薩善現過去未來現在
諸佛不以真如故護念是菩薩摩訶薩不以
法界法性不虛妄性不變異性平等性離生
性法定法住實際虛空界不思議界故護念
是菩薩摩訶薩善現過去未來現在諸佛不
以苦聖諦故護念是菩薩摩訶薩不以集滅
道聖諦故護念是菩薩摩訶薩善現過去未
來現在諸佛不以四靜慮故護念是菩薩摩
訶薩不以四无量四无色定故護念是菩薩
摩訶薩善現過去未來現在諸佛不以八解
脫故護念是菩薩摩訶薩不以八勝處九次
第定十遍處故護念是菩薩摩訶薩

大般若波羅蜜多經卷第三百五十六

BD00730 號　大般若波羅蜜多經卷三五六　　（4–4）

者何法无戲論若言我當見苦斷集證滅
脩道是則戲論非求法也唯舍利弗法名寂
滅若行生滅是求生滅非求法也法名无染若
染於法乃至涅槃是則染著非求法也法
无行處若行於法是則行處非求法也法无
取捨若取捨法是則取舍非求法也法无處
所若著處所是則著處非求法也法名无相
若隨相識是則求相非求法也法不可住若
住於法是則住法非求法也法不可見聞覺知
若行見聞覺知是則見聞覺知非求法也
法名无為若行有為是求有為非求法也是
故舍利弗若求法者於一切法應无所求說
是語時五百天子於諸法中得法眼淨尒時
長者維摩詰問文殊師利仁者遊於无量千
萬億阿僧祇國何等佛土有好上妙功德成
就師子之座文殊師利言居士東方度卅六
恒河沙國有世界名須弥相其佛号須弥燈
王今現在彼佛身長八萬四千由旬其師子
座高八萬四千由旬嚴飾第一於是長者維
摩詰現神通力即時彼佛遣三萬二千師子之
座高廣嚴淨來入維摩詰室諸菩薩大弟子

BD00731 號　維摩詰所說經卷中　（3–1）

恒河沙國有世界名須弥相其佛号須弥燈
王今現在彼佛身長八萬四千由旬其師子
座高八萬四千由旬嚴飾第一於是長者維
摩詰現神通力即時彼佛遣三萬二千師子之
座高廣嚴淨來入維摩詰室諸菩薩大弟子
釋梵四天王等昔所未見其室廣博悉皆苞
容三萬二千師子座无所妨礙於是毗耶離城
及閻浮提四天下亦不迫迮悉見如故尒時
維摩詰語文殊師利就師子座與諸菩薩上
人俱坐當自立身如彼座像其得神通菩
薩即自變形為四萬二千由旬坐師子座諸新
發意菩薩及大弟子皆不能昇尒時維摩詰語
舍利弗就師子座舍利弗言居士此座高廣
吾不能昇維摩詰言唯舍利弗為須弥燈王
如來作礼乃可得坐於是新發意菩薩及大
弟子即為須弥燈王如來作礼便得坐師子
座舍利弗言居士未曾有也如是小室乃容受
此高廣之座於毗耶離城无所妨礙又於閻
浮提聚落城邑及四天下諸天龍王鬼神
宮殿亦不迫迮維摩詰言唯舍利弗諸佛菩
薩有解脫名不可思議若菩薩住是解脫者
以須弥之高廣內芥子中无所增減須弥山
王本相如故而四天王忉利諸天不覺不知己
之所入唯應度者乃見須弥入芥子中是名
不可思議解脫法門又以四大海水入一毛
孔不嬈魚鼈黿鼉水性之屬而彼大海本
相如故諸龍鬼神阿脩羅[illegible]

BD00731 號　維摩詰所說經卷中　（3–2）

宫殿亦不迫迮維摩詰言唯舍利弗諸佛菩
薩有解脫名不可思議若菩薩住是解脫者
以須弥之高廣內芥子中无所增減須弥山
王本相如故而四天王忉利諸天不覺不知己
之所入唯應度者乃見須弥入芥子中是名
不可思議解脫法門又以四大海水入一毛
孔不嬈魚鼈黿鼉水性之屬而彼大海本
相如故諸龍鬼神阿脩羅等不覺不知己之
所入於此衆生亦无所嬈又舍利弗住不可
思議解脫菩薩斷取三千大千世界如陶家
輪著右掌中擲過恒河沙世界之外其中衆
生不覺不知己之所往又復還置本處都不
使人有往來想而此世界本相如故又舍利
弗或有衆生樂久住世而可度者菩薩即演
七日以為一劫令彼衆生謂之一劫或有衆生
不樂久住而可度者菩薩即促一劫以為
七日令彼衆生謂之七日又舍利弗住不可
思議解脫菩薩以一切佛土嚴飾之事集在
一國示於衆生又菩薩以一佛土衆生置之
右掌飛到十方遍示一切而不動本處又舍
利弗十方衆生供養諸佛之具菩薩於一毛
孔皆令得見又十方國土所有日月星宿於
一毛孔普使見之又舍利弗十方世界所有諸

BD00731 號　維摩詰所說經卷中　（3–3）

顛倒分別　諸法有无　是實非實　是生非生
在於閑處　脩攝其心　安住不動　如須弥山
觀一切法　皆无所有　猶如虛空　无有堅固
不生不出　不動不退　常住一相　是名近處
若有比丘　於我滅後　入是行處　及親近處
說斯經時　无有怯弱　菩薩有時　入於靜室
以正憶念　隨義觀法　從禪定起　為諸國王
王子臣民　婆羅門等　開化演暢　說斯經典
其心安隱　无有怯弱　文殊師利　是名菩薩
安住初法　能於後世　說法華經
又文殊師利如來滅後於末法中欲說是經
應住安樂行若口宣說若讀經時不樂說人
及經典過亦不輕慢諸餘法師不說他人好
惡長短於聲聞人亦不稱名說其過惡亦不
稱名讚歎其美又亦不生怨嫌之心善脩如
是安樂心故諸有聽者不逆其意有所難問
不以小乘法答但以大乘而為解說令得一
切種智尒時世尊欲重宣此義而說偈言
菩薩常樂　安隱說法　於清淨地　而施床座

BD00732 號　妙法蓮華經卷五　（2–1）

安住初法　能於後世　說法華經
又文殊師利如來滅後於末法中欲說是經
應住安樂行若口宣說若讀經時不樂說人
及經典過亦不輕慢諸餘法師不說他人好
惡長短於聲聞人亦不稱名說其過惡亦不
稱名讚歎其美又亦不生怨嫌之心善脩如
是安樂心故諸有聽者不逆其意有所難問
不以小乘法荅但以大乘而為解說令得一
切種智尒時世尊欲重宣此義而說偈言
菩薩常樂　安隱說法　於清淨地　而施床座
以油塗身　澡浴塵穢　著新淨衣　內外俱淨
安處法座　隨問為說　若有比丘　及比丘尼
諸優婆塞　及優婆夷　國王王子　群臣士民
以微妙義　和顏為說　若有難問　隨義而荅
因緣譬喻　敷演分別　以是方便　皆使發心
漸漸增益　入於佛道　除嬾惰意　及懈怠想
離諸憂惱　慈心說法　晝夜常說　无上道教
以諸因緣　无量譬喻　開示眾生　咸令歡喜
衣服卧具　飲食醫藥　而於其中　无所悕望

BD00732 號　妙法蓮華經卷五　（2–2）

貪欲瞋恚邪見等諸煩惱而殖眾德本迴向
阿耨多羅三藐三菩提是名有慧方便解文
殊師利彼有疾菩薩應如是觀諸法又復觀
身无常苦空非我是名為慧雖身有疾常
在生死饒益一切而不厭惓是名方便又復觀
身身不離病病不離身是病是身非新非故
是名為慧設身有疾而不永滅是名方便文
殊師利有疾菩薩應如是調伏其心不住其
中亦復不住不調伏心所以者何若住不調伏心
是愚人法若住調伏心是聲聞法是故菩薩
不當住於調伏不調伏心離此二法是菩薩
行在於生死不為汙行住於涅槃不永滅
度是菩薩行非凡夫行非賢聖行是菩薩
行非垢行非淨行是菩薩行雖過魔行而現
降伏眾魔是菩薩行求一切智无非時求是
菩薩行雖觀諸法不生不滅而不入正位是
菩薩行雖觀十二緣起而入諸邪見是菩薩行
雖攝一切眾生而不愛著是菩薩行雖樂遠離

BD00733 號　維摩詰所說經卷中　（3–1）

降伏衆魔是菩薩行求一切智无非時求是
菩薩行雖觀諸法不生不滅而不入正位是
菩薩行雖觀十二緣起而入諸邪見是菩薩行
雖攝一切衆生而不愛著是菩薩行雖樂遠離
而不依身心盡是菩薩行雖行三界而不壞
法性是菩薩行雖行於空而殖衆德本是菩
薩行雖行无相而度衆生是菩薩行雖行无
作而現受身是菩薩行雖行无起而起一切
善行是菩薩行雖行六波羅蜜而遍知衆生
心心數法是菩薩行雖行六通而不盡漏是
菩薩行雖行四无量心而不貪著生於梵世
是菩薩行雖行禪定解脫三昧而不起隨
禪生是菩薩行雖行四念處而不永離身受心
法是菩薩行雖行四正勤而不捨身心精進是
菩薩行雖行四如意足而得自在神通是菩
薩行雖行五根而分別衆生諸根利鈍是菩
薩行雖行五力而樂求佛十力是菩薩行雖
行七覺分而分別佛之智慧是菩薩行雖行
八正道而樂行无量佛道是菩薩行雖行止
觀助道之法而不畢竟墮於寂滅是菩薩行
雖行諸法不生不滅而以相好莊嚴其身是
菩薩行雖現聲聞辟支佛威儀而不捨佛法
是菩薩行雖隨諸法究竟淨相而隨所應為
現其身是菩薩行雖觀諸佛國土永寂如空
而現種種清淨佛土是菩薩行雖得佛道轉
于法輪入於涅槃而不捨於菩薩之道是菩

BD00733號　維摩詰所說經卷中　（3–2）

觀助道之法而不畢竟墮於寂滅是菩薩行
雖行諸法不生不滅而以相好莊嚴其身是
菩薩行雖現聲聞辟支佛威儀而不捨佛法
是菩薩行雖隨諸法究竟淨相而隨所應為
現其身是菩薩行雖觀諸佛國土永寂如空
而現種種清淨佛土是菩薩行雖得佛道轉
于法輪入於涅槃而不捨於菩薩之道是菩
薩行說是語時文殊師利所將大衆其中八
千天子皆發阿耨多羅三藐三菩提心

不思議品第六

尒時舍利弗見此室中无有牀坐作是念斯
諸菩薩大弟子衆當於何坐長者維摩詰知
其意語舍利弗言云何仁者為法來耶求牀
坐耶舍利弗言我為法來非為牀坐維摩詰
言唯舍利弗夫求法者不貪軀命何況牀坐
夫求法者非有色受想行識之求非有界入
之求非有欲色无色之求唯舍利弗夫求法者
不著佛求不著法求不著衆求夫求法者
无見苦求无斷集求无造盡證修道之求所

BD00733號　維摩詰所說經卷中　（3–3）

舍利子五明非有故當知作意亦非有六神
通非有故當知作意亦非有五眼無實故當
知作意亦無實六神通無實故當知作意亦
無實五眼無自性故當知作意亦無自性六
神通無自性故當知作意亦無自性五眼空
故當知作意亦空六神通空故當知作意亦
空五眼遠離故當知作意亦遠離六神通遠
離故當知作意亦遠離五眼寂靜故當知作
意亦寂靜六神通寂靜故當知作意亦寂靜
五眼無覺知故當知作意亦無覺知六神通
無覺知故當知作意亦無覺知
舍利子佛十力非有故當知作意亦非有四
無所畏四無礙解大慈大悲大喜大捨十八
佛不共法非有故當知作意亦非有佛十力
無實故當知作意亦無實四無所畏乃至十
八佛不共法無實故當知作意亦無實佛十
力無自性故當知作意亦無自性四無所畏
乃至十八佛不共法無自性故當知作意亦
無自性佛十力空故當知作意亦空四無所
畏乃至十八佛不共法空故當知作意亦空
佛十力遠離故當知作意亦遠離四無所畏

BD00734 號　大般若波羅蜜多經卷七六　（4–1）

力無自性故當知作意亦無自性四無所畏
乃至十八佛不共法無自性故當知作意亦
無自性佛十力空故當知作意亦空四無所
畏乃至十八佛不共法空故當知作意亦空
佛十力遠離故當知作意亦遠離四無所畏
乃至十八佛不共法遠離故當知作意亦遠
離佛十力寂靜故當知作意亦寂靜四無所
畏乃至十八佛不共法寂靜故當知作意亦
寂靜佛十力無覺知故當知作意亦無覺知
四無所畏乃至十八佛不共法無覺知故當
知作意亦無覺知
舍利子無忘失法非有故當知作意亦非有
恒住捨性非有故當知作意亦非有無忘失
法無實故當知作意亦無實恒住捨性無實
故當知作意亦無實無忘失法無自性故當
知作意亦無自性恒住捨性無自性故當知
作意亦無自性無忘失法空故當知作意亦
空恒住捨性空故當知作意亦空無忘失法
遠離故當知作意亦遠離恒住捨性遠離故
當知作意亦遠離無忘失法寂靜故當知作
意亦寂靜恒住捨性寂靜故當知作意亦寂
靜無忘失法無覺知故當知作意亦無覺知
恒住捨性無覺知故當知作意亦無覺知
舍利子一切陁羅尼門非有故當知作意亦
非有一切三摩地門非有故當知作意亦非
有一切陁羅尼門無實故當知作意亦無實
一切三摩地門無實故當知作意亦無實一

BD00734 號　大般若波羅蜜多經卷七六　（4–2）

恒住捨性無覺知故當知作意亦無覺知
舍利子一切陁羅尼門非有故當知作意亦
非有一切三摩地門非有故當知作意亦非
有一切陁羅尼門無實故當知作意亦無實
一切三摩地門無實故當知作意亦無實一
切陁羅尼門無自性故當知作意亦無自性
一切三摩地門無自性故當知作意亦無自
性一切陁羅尼門空故當知作意亦空一切
三摩地門空故當知作意亦空一切陁羅尼
門遠離故當知作意亦遠離一切三摩地門
遠離故當知作意亦遠離一切陁羅尼門寂
靜故當知作意亦寂靜一切三摩地門寂靜
故當知作意亦寂靜一切陁羅尼門無覺知
故當知作意亦無覺知一切三摩地門無覺
知故當知作意亦無覺知
舍利子一切智非有故當知作意亦非有道
相智一切相智非有故當知作意亦非有一
切智無實故當知作意亦無實道相智一切
相智無實故當知作意亦無實一切智無自
性故當知作意亦無自性道相智一切相智
無自性故當知作意亦無自性一切智空故
當知作意亦空道相智一切相智空故當知
作意亦空一切智遠離故當知作意亦遠離
道相智一切相智遠離故當知作意亦遠離
一切智寂靜故當知作意亦寂靜道相智一
切相智寂靜故當知作意亦寂靜一切智無

BD00734 號　大般若波羅蜜多經卷七六　（4–3）

門遠離故當知作意亦遠離一切三摩地門
遠離故當知作意亦遠離一切陁羅尼門寂
靜故當知作意亦寂靜一切三摩地門寂靜
故當知作意亦寂靜一切陁羅尼門無覺知
故當知作意亦無覺知一切三摩地門無覺
知故當知作意亦無覺知
舍利子一切智非有故當知作意亦非有道
相智一切相智非有故當知作意亦非有一
切智無實故當知作意亦無實道相智一切
相智無實故當知作意亦無實一切智無自
性故當知作意亦無自性道相智一切相智
無自性故當知作意亦無自性一切智空故
當知作意亦空道相智一切相智空故當知
作意亦空一切智遠離故當知作意亦遠離
道相智一切相智遠離故當知作意亦遠離
一切智寂靜故當知作意亦寂靜道相智一
切相智寂靜故當知作意亦寂靜一切智無
覺知故當知作意亦無覺知道相智一切相
智無覺知故當知作意亦無覺知
舍利子聲聞菩提非有故當知作意亦非有
獨覺菩提無上菩

BD00734 號　大般若波羅蜜多經卷七六　（4–4）

[illegible]
功德回者所有一切功德善
根悉皆回向阿耨多羅三藐三菩提。尒時天
帝釋白佛言：世尊，世間所有男子女人於
大乘行有能行者、有不行者，云何能得隨
喜一切衆生功德善根？佛言：善男子，若有
衆生雖於大乘未能脩習，然於晝夜六時偏
袒右肩，右膝着地，合掌恭敬，一心專念，作
隨喜時，得福无量。應作是言：十方世界一切
衆生現在脩行施戒心慧，我今皆悉深生隨
喜。由作如是隨喜福故，必當獲得尊重殊勝
无上无等最妙之果。如是過去未來一切衆生
所有善根，皆悉隨喜。又於現在初行菩薩
發菩提心，所有功德過百大劫行菩薩行，有
大功德獲无生忍至不退轉一生補處，如是
一切功德之蘊皆悉至心隨喜讚歎。過去未
來一切菩薩所有功德，隨喜讚歎亦復如是。
復於現在十方世界一切諸佛應正遍知，證妙
菩提，為度无邊諸衆生故，轉无上法輪，行

BD00735號　金光明最勝王經卷三

（10–1）

大功德獲无生忍至不退轉一生補處，如是
一切功德之蘊皆悉至心隨喜讚歎。過去未
來一切菩薩所有功德，隨喜讚歎亦復如是。
復於現在十方世界一切諸佛應正遍知，證妙
菩提，為度无邊諸衆生故，轉无上法輪，行
无礙法施，擊法鼓，吹法螺，建法幢，雨法雨，哀
愍勸化一切衆生，咸令信受，皆蒙法施，悉得
充足无盡安樂。又復所有菩薩、聲聞、獨覺
功德積集善根，若有衆生未具如是諸功
德者，悉令具足。我皆隨喜。如是過去未來諸
佛菩薩聲聞獨覺所有功德，亦皆至心隨喜
讚歎。善男子，如是隨喜當得无量功德之聚。
如恒河沙三千大千世界所有衆生皆斷煩
惱，成阿羅漢。若有善男子善女人盡其形
壽，常以上妙衣服、飲食、卧具、醫藥而為供養，
如是功德不及如前隨喜功德千分之一。何以故？
供養功德有數有量，不攝一切諸功德故。隨
喜功德无量无數，能攝三世一切功德。是故
若人欲求增長勝善根者，應脩如是隨喜功
德。若有女人願轉女身為男子者，亦應脩習
隨喜功德，必得隨心現成男子。尒時天帝釋
白佛言：世尊，已知隨喜功德。勸請功德，唯願為
說，欲令未來一切菩薩當轉法輪，現在菩薩正
脩行故。佛告帝釋：若有善男子善女人，願求
阿耨多羅三藐三菩提者，應當脩行聲聞、
獨覺、大乘之道。是人當於晝夜六時，如前威
儀，一心專念，作如是言：我今歸依十方一切諸佛

BD00735號　金光明最勝王經卷三

（10–2）

脩行故佛告帝釋若有善男子善女人願求
阿耨多羅三藐三菩提者應當脩行聲聞
獨覺大乘之道是人當於晝夜六時如前威
儀一心專念作如是言我今歸依十方一切諸佛
世尊已得阿耨多羅三藐三菩提未轉无上法
輪欲捨報身入涅槃者我皆至誠頂禮勸
請轉大法輪雨大法雨然大法燈照明理趣施无
礙法莫般涅槃久住於世度脫安樂一切衆
生如前所說乃至无盡安樂我今以此勸請
功德迴向阿耨多羅三藐三菩提如過去未
來現在諸大菩薩勸請功德迴向菩提我
亦如是勸請功德迴向无上正等菩提善男
子假使有人以三千大千世界滿中七寶供養如
來若復有人勸請如來轉大法輪所得功德
其福勝彼何以故彼是財施此是法施善
男子且置三千大千世界七寶布施若人以
滿恒河沙數大千世界七寶供養一切諸佛
勸請功德亦勝於彼由其法施有五勝利云
何為五一者法施兼利自他財施不尒二者
法施能令衆生出於三界財施之福不出欲
界三者法施能淨法身財施但唯增長於色
四者法施无窮財施有盡五者法施能斷无
明財施唯伏貪愛是故善男子勸請功德
无量无邊難可譬喻如我昔者菩薩道時勸請
諸佛轉大法輪由彼善根是故今日一切帝
釋諸梵王等勸請於我轉大法輪 善男子

BD00735號　金光明最勝王經卷三　　（10–3）

明財施唯伏貪愛是故善男子勸請功德
无量无邊難可譬喻如我昔者菩薩道時勸請
諸佛轉大法輪由彼善根是故今日一切帝
釋諸梵王等勸請於我轉大法輪 善男子
請轉法輪為欲度脫安樂諸衆生故我於
往昔為菩提行勸請如來久住於世莫般
涅槃依此善根我得十力四无所畏四无礙
辯大慈大悲證得无數不共之法我當入於
无餘涅槃我之正法久住於世我法身者清
淨无比種種妙相无量智慧无量自在无量
功德難可思議一切衆生皆蒙利益百千万
說不能盡法身攝藏一切諸法一切諸法不攝
法身法身常住不墮常見雖復斷滅亦非
斷見能破衆生種種異見能生衆生種種真
見能解一切衆生之縛无縛可解能植衆生
諸善根本未成熟者令成熟已成熟者令解
脫无作无動遠離閙鬧寂靜无為自在安樂
過於三世能現三世出於聲聞獨覺之境諸
大菩薩之所脩行一切如來體无有異此等皆
由勸請功德善根力故如是法身我今已得
是故若有欲得阿耨多羅三藐三菩提者於
諸經中一句一頌為人解說功德善根尚無
限量何況勸請如來轉大法輪久住於世
莫般涅槃
時天帝釋復白佛言世尊善男子善女人
為求阿耨多羅三藐三菩提故脩三乘道所

BD00735號　金光明最勝王經卷三　　（10–4）

限量何況勸請如來轉大法輪久住於世
莫般涅槃
時天帝釋復白佛言世尊若善男子善女人
為求阿耨多羅三藐三菩提故脩三乘道所
有善根云何迴向一切智佛告天帝善男子
若有衆生欲求菩提脩三乘道所有善根
願迴向者當於晝夜六時慇重至心作如是
說我從无始生死以來於三寶所脩行成就
所有善根乃至施與傍生一摶之食或以善
言我和解諍訟或受三歸及諸學處復懺悔
勸請隨喜行有善根我今作意悉皆攝取
迴施一切衆生无悔恡心是解脫分善根所
攝如佛世尊之所知見不可稱量无礙清淨如是
所有功德善根悉以迴施一切衆生不住相心
不捨相心我亦如是功德善根悉以迴施一切
衆生願皆獲得如意之手撝空出寶滿
衆生願富樂无盡智慧无窮妙法辯才悉
皆无滯共諸衆生同證阿耨多羅三藐三
菩提得一切智因此善根更復出生无量善
法亦皆迴向无上菩提又如過去諸大菩薩脩
行之時功德善根悉皆迴向一切種智現在
未來亦復如是然我所有功德善根亦皆迴
向阿耨多羅三藐三菩提是諸善根願共一
切衆生俱成正覺如餘諸佛坐於道場菩
提樹下不可思議無礙清淨住於无盡法藏

行之時功德善根悉皆迴向一切種智現在
未來亦復如是然我所有功德善根亦皆迴
向阿耨多羅三藐三菩提是諸善根願共一
切衆生俱成正覺如餘諸佛坐於道場菩
提樹下不可思議無礙清淨住於无盡法藏
陁羅尼首楞嚴定破魔波旬无量兵衆應
見覺知應可通達如是一切一刹那中悉皆
照了於後夜中獲甘露法證甘露義我及衆
生願皆同證如是妙覺猶如
无量壽佛　勝光佛　妙光佛　阿閦佛
功德善光佛　師子光明佛　百光明佛　網光明佛
寶相佛　寶炎佛　焰明佛　焰盛光明佛
吉祥上王佛　微妙聲佛　妙莊嚴佛　法幢佛
上勝身佛　可愛色身佛　光明遍照佛　梵淨王佛
上性佛
如是等如來應正遍知過去未來及以現在
示現應化得阿耨多羅三藐三菩提轉无上
法輪為度衆生我亦如是廣說如上
善男子若有淨信男子女人於此金光明
最勝經王滅業障品受持讀誦憶念不忘為他
廣說得无量无邊大功德聚譬如三千大千世
界所有衆生一時皆得成就人身得人身
已成獨覺道若有男子女人盡其形壽恭敬
尊重四事供養一一獨覺各施七寶如須弥
山此諸獨覺入涅槃後皆以珎寶起塔供養其
塔高廣十二踰繕那以諸花香寶幢幡蓋常

已成獨覺道若有男子女人盡其形壽恭敬
尊重四事供養一一獨覺各施七寶如須弥
山此諸獨覺入涅槃後皆以珎寶起塔供養其
塔高廣十二踰繕那以諸花香寶幢幡蓋常
為供養善男子於意云何是人所獲功德寧
為多不天帝釋言甚多世尊善男子若復
有人於此金光明微妙經典衆經之王滅業障
品受持讀誦憶念不忘為他廣說所獲功德
於前所說供養功德百分不及一百千万億分
及至校量譬喻所不能及何以故是善男子
善女人住正行中勸請十方一切諸佛轉无上
法輪皆為諸佛歡喜讚歎善男子如我所說
一切施中法施為勝是故善男子於三寶所
設諸供養不可為比勸受三歸持一切戒无
有毀犯三業不空不可為比一切世界一切衆
生隨力隨能隨所願樂於三乘中勸發菩提
心不可為比於三世中一切世界所有衆生皆
得无礙速令成就无量功德不可為比三世刹
土一切衆生令无障礙得三菩提不可為比
三世刹土一切衆生勸令速出四惡道苦不
可為比三世刹土一切衆生勸令除滅極重
惡業不可為比一切苦惱解脫不可為比一
切怖畏苦惱逼切皆令得解不可為比三世
佛前一切衆生所有功德勸令隨喜發菩提
願不可為比勸除惡行罵辱之業一切功德
皆願成就所在生中勸請供養尊重讚歎一

BD00735號　金光明最勝王經卷三　（10–7）

惡業不可為比一切苦惱解脫不可為比一
切怖畏苦惱逼切皆令得解不可為比三世
佛前一切衆生所有功德勸令隨喜發菩提
願不可為比勸除惡行罵辱之業一切功德
皆願成就所在生中勸請供養尊重讚歎一
切三寶勸請衆生淨脩福行成滿菩提不可
為比是故當知勸請一切世界三寶勸請滿足
六波羅蜜勸請轉於无上法輪勸請住世經
无量劫演說无量甚深妙法功德甚深无能
比者
尒時天帝釋及恒河女神无量梵王四大天衆
從座而起偏但右肩右膝著地合掌頂礼白
佛言世尊我等皆得聞是金光明最勝王經
今悉受持讀誦通利為他廣說依此法住何
以故世尊我等欲求阿耨多羅三藐三菩
提隨順此義種種勝相如法行故尒時梵王
及天帝釋等於說法處皆以種種曼陁羅花
而散佛上三千大千世界地皆大動一切天鼓
及諸音樂不鼓自鳴放金色光遍世界出妙
音聲時天帝釋白佛言世尊此等皆是金
光明經威神之力慈悲普救種種利益種種
增長菩薩善根滅諸業障佛言如是如是
如汝所說何以故善男子我念往昔過无量百
千阿僧祇劫有佛名寶王大光照如來應正
遍知出現於世住世六百八十億劫尒時寶
王大光照如來為欲度脫人天釋梵沙門婆

BD00735號　金光明最勝王經卷三　（10–8）

增長菩薩善根滅諸業障佛言如是如是
如汝所說何以故善男子我念往昔過无量百
千阿僧祇劫有佛名寶王大光照如來應正
遍知出現於世住世六百八十億劫尒時寶
王大光照如來為欲度脫人天釋梵沙門婆
羅門一切衆生令安樂故當出現時初會
說法度百千億億万衆皆得阿羅漢果諸漏
已盡三明六通自在无导於第二會復度九
十千億億万衆皆得阿羅漢果諸漏已盡三
明六通自在无导於第三會復度九十八千
億万衆皆得阿羅漢果圓滿如上
善男子我於尒時作女人身名福寶光明於
第三會親近世尊受持讀誦是金光明經為
他廣說求阿耨多羅三藐三菩提故時彼世
尊為我授記福寶光明女於未來世當得作
佛号釋迦牟尼如來應正遍知明行足善
逝世間解无上士調御丈夫天人師佛世尊
捨女人身後從是以來越四惡道生人天中受
上妙樂八十四百千生作轉輪王至于今日得成
正覺名稱普聞遍滿世界時會大衆忽然皆
見寶王大光照如來轉无上法輪說微妙法善
男子去此索訶世界東方過百千恒河沙數
佛土有世界名寶莊嚴其寶王大光照如來
今現在[illegible]般涅槃說微妙法廣化羣生汝

BD00735號　金光明最勝王經卷三　（10–9）

佛号釋迦牟尼如來應正遍知明行足善
逝世間解无上士調御丈夫天人師佛世尊
捨女人身後從是以來越四惡道生人天中受
上妙樂八十四百千生作轉輪王至于今日得成
正覺名稱普聞遍滿世界時會大衆忽然皆
見寶王大光照如來轉无上法輪說微妙法善
男子去此索訶世界東方過百千恒河沙數
佛土有世界名寶莊嚴其寶王大光照如來
今現在[illegible]般涅槃說微妙法廣化羣生汝

BD00735號　金光明最勝王經卷三　（10–10）

提非有故當知作意亦非
有聲聞菩提無實故當知作意亦無實獨
覺菩提無上菩提無實故當知作意亦無實聲
聞菩提無自性故當知作意亦無自性獨覺
菩提無上菩提無自性故當知作意亦無自
性聲聞菩提空故當知作意亦空獨覺菩提
無上菩提空故當知作意亦空聲聞菩提遠
離故當知作意亦遠離獨覺菩提無上菩提
遠離故當知作意亦遠離聲聞菩提寂靜故
當知作意亦寂靜獨覺菩提無上菩提寂靜
故當知作意亦寂靜聲聞菩提無覺知故當
知作意亦無覺知獨覺菩提無上菩提無覺
知故當知作意亦無覺知舍利子由此緣故
諸菩薩摩訶薩住如是住常不捨大悲作
意
尒時世尊讚善現言善哉善哉汝善能為菩
薩摩訶薩宣說般若波羅蜜多此皆如來威
神之力諸有欲為菩薩摩訶薩宣說般若波
羅蜜多者皆應如汝之所宣說諸有菩薩摩
訶薩欲學般若波羅蜜多者皆應隨汝所說
而學具壽善現為諸菩薩摩訶薩說是般若

BD00736號　大般若波羅蜜多經卷七六　（3–1）

尒時世尊讚善現言善哉善哉汝善能為菩
薩摩訶薩宣說般若波羅蜜多此皆如來威
神之力諸有欲為菩薩摩訶薩宣說般若波
羅蜜多者皆應如汝之所宣說諸有菩薩摩
訶薩欲學般若波羅蜜多者皆應隨汝所說
而學具壽善現為諸菩薩摩訶薩說是般若
波羅蜜多時於此三千大千世界六種變
動謂動極動等極動踊極踊等極踊震極震等
極震擊極擊等極擊吼極吼等極吼爆極爆
等極爆東踊西沒西踊東沒南踊北沒北踊南
沒中踊邊沒邊踊中沒尒時如來即便微笑
具壽善現白言世尊何因何緣現此微笑佛
告善現如我於此三千大千堪忍世界為諸
菩薩摩訶薩宣說般若波羅蜜多今於十方
無量無數無邊世界諸佛世尊亦為諸菩薩
摩訶薩宣說般若波羅蜜多如今於此三千
大千堪忍世界有十二那庾多諸天人等聞
說般若波羅蜜多於諸法中得無生忍今於
十方無量無數無邊世界各有無量無數無
邊有情聞彼諸佛所說般若波羅蜜多亦發
阿耨多羅三藐三菩提心

大般若波羅蜜多經卷第七十六

BD00736號　大般若波羅蜜多經卷七六　（3–2）

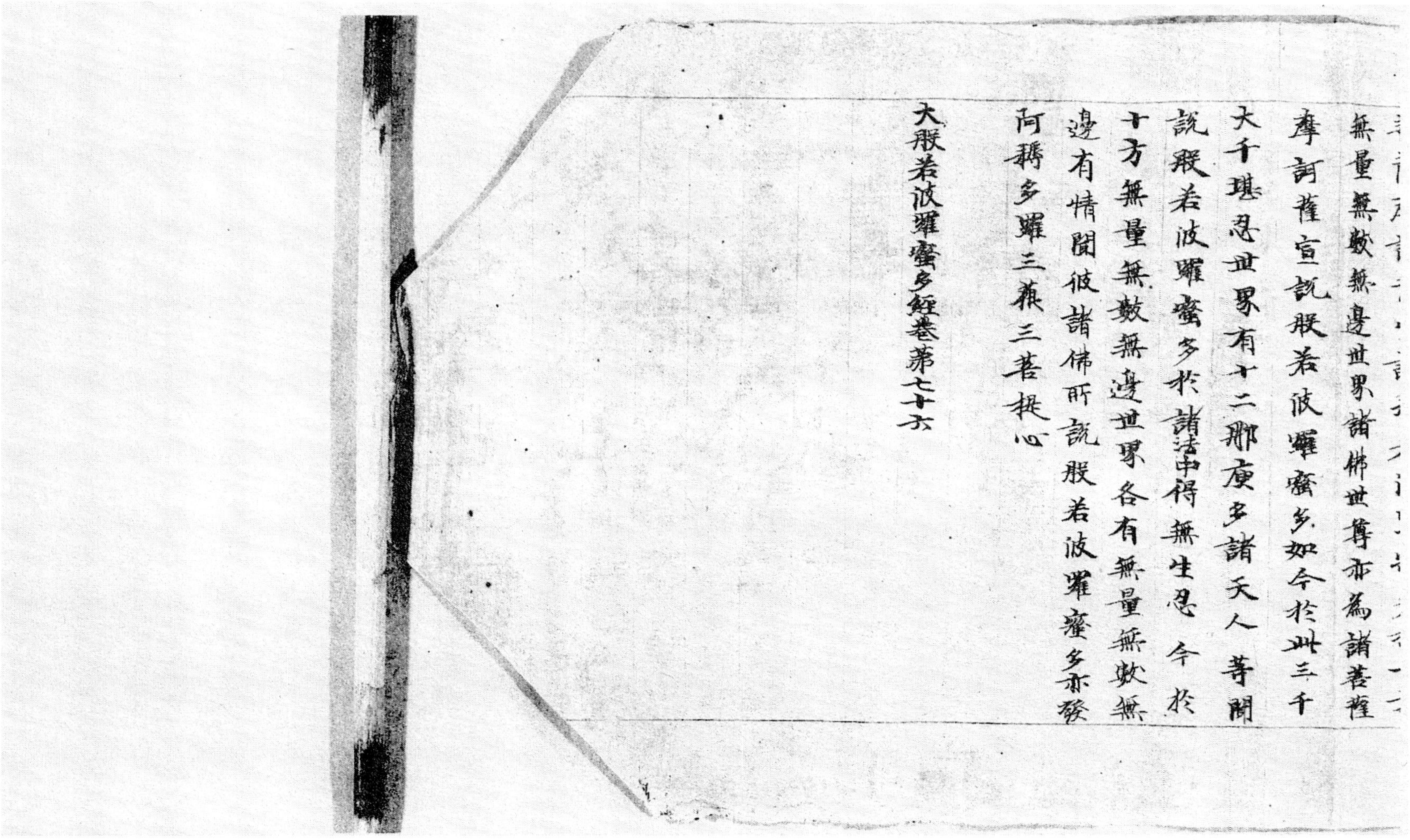

無量無數無邊世界諸佛世尊亦為諸菩薩
摩訶薩宣說般若波羅蜜多如今於此三千
大千堪忍世界有十二那庾多諸天人等聞
說般若波羅蜜多於諸法中得無生忍今於
十方無量無數無邊世界各有無量無數無
邊有情聞彼諸佛所說般若波羅蜜多亦發
阿耨多羅三藐三菩提心

大般若波羅蜜多經卷第七十六

BD00736號　大般若波羅蜜多經卷七六　（3–3）

陀含不信有阿那含不信有阿羅漢不信有
辟支佛不信有十住菩薩不信有三世之事
不信有十方諸佛不信有本師釋迦牟尼佛
不信有人死神明更生善者受福惡者受殃
有如是之罪應墮惡道中聞我說是藥師瑠
璃光佛名字者一切過罪自然消滅
佛告文殊師利若善男子善女人聞我說是
藥師瑠璃光佛至真等正覺其誰不發无上
正真道意後皆當得作佛人居世間仕宦不
遷治生不得飢寒困厄志失財產无復方計
聞我說是瑠璃光佛各各得心中所願仕宦
皆得高遷財物自然長益飲食充饒皆得富
貴若為縣官之所拘錄惡人侵枉若為惡家
所得便者心當存念瑠璃光佛若他婦女產

BD00737號　灌頂章句拔除過罪生死得度經　（7–1）

皆得高遷財物自然長益飲食充饒皆得富
貴若為縣官之所拘錄惡人侵枉若為怨家
所得便者心當存念瑠璃光佛若他婦女産
生難者皆當存念瑠璃光佛兒即易生身體平
正无諸疾痛六情完具聡明智慧壽命得長
不遭枉橫善神擁護不為惡鬼詆其頭也
佛說是語時阿難在右邊佛顧語阿難言汝
信我為文殊師利說往昔東方過十恒河沙
有佛名藥師瑠璃光本願功德者不阿難白
佛言唯天中之天佛之所言何敢不信耶佛
復語阿難言世間人雖有眼耳鼻舌身意人
常用是六事以自迷惑但信世俗魔耶之言
不信至真至誠度世皆切之語如是人輩難
可開化阿難白佛言世尊世人多有惡逆下
賤之者若聞佛說經開目發盲人病除
人陰冥使覩光明解刀
万劫无復憂患皆因佛
願功德悉令安隱得其福
阿難汝莫作是念以
汝心我知汝意汝知
地作礼長跪白佛言審
次聞佛如是藥師瑠璃〻
巍巍難可度量我心有小疑可
汝智慧使汝少見少聞汝聞
无上空義應生信敬貴重之心
上正真之道文殊師利問佛言世
師瑠璃光如來无量功德如是不〻

BD00737號　灌頂章句拔除過罪生死得度經　（7–2）

汝智慧使汝少見少聞汝聞
无上空義應生信敬貴重之心
上正真之道文殊師利問佛言世
師瑠璃光如來无量功德如是不〻
此言者佛荅文殊言唯有百億諸菩薩
薩當信是言耳唯有十方三世〻
言耳
佛言我說是藥師瑠璃光〻
可得見何況得聞亦難得說難得
得讀文殊師利若有善男子善〻
經受持讀誦書著竹帛復能為他人
義此皆先世以發道意今復得聞此微妙
開化十方无量衆生當知此人必當得本
上正真道也
佛告阿難我作佛以來從生死復至生〻
皆累劫无所不遇无所不歷无所不作亦
為如是不可思議況復瑠璃光佛本願
德者乎汝所以有疑者亦復如是阿難汝
佛說汝諦信之莫作疑惑佛語至誠无有二
篤亦无二言佛為信者施不為疑者說也阿
難汝莫作小疑以毀大乘之業汝却後亦當
發摩訶衍莫以小道毀汝功德阿難亦唯天
中天我從今日以去无復介心唯佛自當知
我心耳
佛語阿難此經能照諸天宮宅若三灾起時
中有天人發心念此瑠璃光佛本願功德經
者皆得離於彼處之難是經能除水涸不調

BD00737號　灌頂章句拔除過罪生死得度經　（7–3）

我心耳
佛語阿難此經能照諸天宮宅若三灾起時
中有天人發心念此瑠璃光佛本願功德經
者皆得離於彼處之難是經能除水涸不調
是經能除他方逆賊悉令消滅四方夷狄各
還正治不相嬈惱國土交通人民歡樂是經
能除饑貴飢凍是經能除惡星變恠是經能
除疫毒之病是經能救三惡道苦地獄餓鬼
畜生等苦若人得聞此經典者无不解脫厄
難者也
尒時衆中有一菩薩名曰救脫從坐而起整
衣服叉手合掌而白佛言我等今日聞佛世
尊演說過東方十恒河沙世界有佛号瑠璃
光一切衆會靡不歡喜救脫菩薩叉手白佛
言若族姓男女其有尫羸著床痛惱无救護
者我今當勸請諸衆僧七日七夜齋戒一心
受持八禁六時行道卌九遍讀是經典勸然
七層之燈亦勸懸五色續命神幡阿難問救
脫菩薩言續命幡燈法則云何救脫菩薩語
阿難言神幡五色卌九尺燈亦復尒七層之
燈一層七燈燈如車輪若遭厄難閉在牢獄
枷鎖著身亦應造五色神幡然卌九燈應放
雜類衆生至卌九可得過度危厄之難不為
諸橫惡鬼所持
救脫菩薩語阿難言若天王大臣及諸輔相
王子妃主中宮婇女若為病苦所惱亦應造
立五色繒幡然燈續明救諸生命散雜色華

BD00737 號　灌頂章句拔除過罪生死得度經　（7–4）

燈一層七燈燈如車輪若遭厄難閉在牢獄
枷鎖著身亦應造五色神幡然卌九燈應放
雜類衆生至卌九可得過度危厄之難不為
諸橫惡鬼所持
救脫菩薩語阿難言若天王大臣及諸輔相
王子妃主中宮婇女若為病苦所惱亦應造
立五色繒幡然燈續明救諸生命散雜色華
燒衆名香王當放赦屈厄之人徒鏁解脫王
得其福天下太平雨澤以時人民歡樂惡龍
攝毒无病苦者四方夷狄不生逆害國土通
洞慈心相向无諸怨害四海歌詠稱王之德
承此福祿在意所生見佛聞法信受教誨從
是福報至无上道
阿難又問救脫菩薩言命可續也救脫菩薩
荅阿難言我聞世尊說有諸橫勸造幡蓋令
其脩福又言阿難昔沙弥救蟻已脩福故盡
其壽命不遇苦患身體安寧福德力強使之
然也阿難因復問救脫菩薩言橫有幾種世
尊說言橫乃无數略而言之大橫有九種一
者橫病二者橫有口舌三者橫遭縣官四者
身羸无福又持戒不完橫為鬼神之所得便
五者橫為劫賊之所剝脫六者橫為水火焚
漂七者橫為雜類禽獸所噉八者橫為怨讎
符書厭禱耶神牽引未得其福但受其殃先
亡牽引亦名橫死九者有病不治又不脩福
湯藥不順針灸失度不値良醫為病所困於
是滅亡有信世間妖孽之師為作恐動寒熱

BD00737 號　灌頂章句拔除過罪生死得度經　（7–5）

士亭弓刑名抂死九者有病不治又不備福
湯藥不順針灸失度不值良醫爲病所困於
是滅亡有信世間妖孽之師爲作恐動寒熱
言語妄發禍福所祀者多心不自正不能自
定卜問覓禍煞豬狗牛羊種種雜類衆生解
奏神明呼諸邪妖魍魎鬼神請乞福祚欲望
生終不能得愚癡迷惑信邪到見死入地獄
展轉其中無解脫時是名九横
救脫菩薩語阿難言其世間人癃黄之病困
篤著床求生不得求死不得考楚万端此病
人者或其前世造作惡業罪過所拘殃咎所
引故使然也救脫菩薩語阿難言閻羅王者
主領世間名籍之記若人爲惡作諸非法無
孝順心造作五逆破滅三寶無君臣法又有
衆生不持五戒不信正法設有受者多所毀
犯於是地下鬼神及伺候者奏上五官五官
料簡除死定生或注錄精神未判是非若已
定者奏上閻羅閻羅監察隨罪輕重考而治
之世間癃黄之病困篤不死一絶一生猶其
罪福未得料簡錄其精神在彼王所或七日
五三七日乃至七七日名籍定者放其精神
還其身中如是夢中見其善惡其人若明了
者信驗罪福是故我今勸諸四輩造續命神
幡然卌九燈放諸生命以此幡燈放生功德
拔彼精神令得度苦今世後世不遭厄難救
脫菩薩語阿難言如來世尊說是經典威神
功德利益不少坐中諸鬼神有十二神王從

BD00737 號　灌頂章句拔除過罪生死得度經　（7–6）

料簡除死定生或注錄精神未判是非若已
定者奏上閻羅閻羅監察隨罪輕重考而治
之世間癃黄之病困篤不死一絶一生猶其
罪福未得料簡錄其精神在彼王所或七日
五三七日乃至七七日名籍定者放其精神
還其身中如是夢中見其善惡其人若明了
者信驗罪福是故我今勸諸四輩造續命神
幡然卌九燈放諸生命以此幡燈放生功德
拔彼精神令得度苦今世後世不遭厄難救
脫菩薩語阿難言如來世尊說是經典威神
功德利益不少坐中諸鬼神有十二神王從
坐而起往到佛所胡跪合掌白佛言我等十

BD00737 號　灌頂章句拔除過罪生死得度經　（7–7）

諸法如實相
薩行處云何名菩薩摩訶薩親近處菩薩摩
訶薩不親近國王王子大臣官長不親近諸
外道梵志尼揵子等及造世俗文筆讚詠外
書及路伽耶陀逆路伽耶陀者亦不親近諸
有凶戲相扠相撲及那羅等種種變現之戲
又不親近旃陀羅及畜猪羊雞狗田獵魚捕
諸惡律儀如是人等或時來者則為說法无
所悕望又不親近求聲聞比丘比丘尼優婆
塞優婆夷亦不問訊若於房中若經行處若
在講堂中不共住止或時來者隨宜說法无
所悕求文殊師利又菩薩摩訶薩不應於女
人身取能生欲想相而為說法亦不樂見若
入他家不與小女處女寡女等共語亦復不
近五種不男之人以為親厚不獨入他家若
有因緣須獨入時但一心念佛若為女人說
法不露齒咲不現胷臆乃至為法猶不親厚
況復餘事不樂畜年少弟子沙弥小兒亦不
樂與同師常好坐禪在於閑處脩攝其心文
殊師利是名初親近處復次菩薩摩訶薩觀

BD00738號　妙法蓮華經卷五　（3–1）

況復餘事不樂畜年少弟子沙弥小兒亦不
樂與同師常好坐禪在於閑處脩攝其心文
殊師利是名初親近處復次菩薩摩訶薩觀
一切法空如實相不顛倒不動不退不轉如
虛空无所有性一切語言道斷不生不出不
起无名无相實无所有无量无邊无礙无障
但以因緣有從顛倒生故說常樂觀如是法
相是名菩薩摩訶薩第二親近處尒時世尊
欲重宣此義而說偈言
若有菩薩　於後惡世　无怖畏心　欲說是經
應入行處　及親近處　常離國王　及國王子
大臣官長　凶險戲者　及旃陀羅　外道梵志
亦不親近　增上慢人　貪著小乘　三藏學者
破戒比丘　名字羅漢　及比丘尼　好戲咲者
深著五欲　求現滅度　諸優婆夷　皆勿親近
若是人等　以好心來　到菩薩所　為聞佛道
菩薩則以　无所畏心　不懷悕望　而為說法
寡女處女　及諸不男　皆勿親近　以為親厚
亦莫親近　屠兒魁膾　田獵魚捕　為利殺害
販肉自活　衒賣女色　如是之人　皆勿親近
凶險相撲　種種嬉戲　諸婬女等　盡勿親近
莫獨屏處　為女說法　若說法時　无得戲咲
入里乞食　將一比丘　若无比丘　一心念佛
是則名為　行處近處　以此二處　能安樂說
又復不行　上中下法　有為无為　實不實法
亦不分別　是男是女　不得諸法　不知不見

BD00738號　妙法蓮華經卷五　（3–2）

破戒比丘 名字羅漢 及比丘尼 好戲笑者
深著五欲 求現滅度 諸優婆夷 皆勿親近
若是人等 以好心來 到菩薩所 為聞佛道
菩薩則以 无所畏心 不懷悕望 而為說法
寡女處女 及諸不男 皆勿親近 以為親厚
亦莫親近 屠兒魁膾 畋獵漁捕 為利殺害
販肉自活 衒賣女色 如是之人 皆勿親近
兇險相撲 種種嬉戲 諸婬女等 盡勿親近
莫獨屏處 為女說法 若說法時 无得戲笑
入里乞食 將一比丘 若无比丘 一心念佛
是則名為 行處近處 以此二處 能安樂說
又復不行 上中下法 有為无為 實不實法
亦不分別 是男是女 不得諸法 不知不見
是則名為 菩薩行處 一切諸法 空无所有
无有常住 亦无起滅 是名智者 所親近處

BD00738 號　妙法蓮華經卷五　（3–3）

南无无邊功德聚集世界无邊
功德勝王佛
南无大莊嚴成就世界日燈王佛
南无波頭摩跋提世界普華佛
南无摩梨支世界盧舍那佛
南无清淨行世界那羅延華幢佛
南无有華世界波頭摩威德佛
南无有雲世界雲聲王佛
南无不世界薝蔔色佛
南无蓮華世界波頭摩勝佛
南无光幢世界光明王佛
南无无邊功德莊嚴光明世界莊嚴王佛
南无无量光明世界普賢佛
南无无邊功德寶住示現安樂世界无邊
功德寶集示現安樂金色光明師子奮迅王佛
南无會寶間錯世界普光明妙勝山王佛
南无普无垢世界无垢稱王佛
南无清淨行世界普華佛

BD00739 號　佛名經（十六卷本）卷九　（28–1）

南无普寶間錯世界普光明妙勝山王佛
南无普无垢世界无垢稱王佛
南无清淨行世界普華佛
如是諸世界中諸佛一切歸命及彼菩
薩摩訶薩一切大衆亦悉歸命
尒時諸比丘白佛言世尊世尊如是諸佛如
來所有壽命長短等不佛告諸比丘汝等諦
聽當為汝說比丘我此娑婆世界賢劫釋迦
牟尼佛國土一劫於安樂世界為一日一夜
若安樂世界阿弥陁佛國土一劫於袈裟幢
世界碎金剛佛國土為一日一夜若袈裟幢
世界一劫於不退輪吼世界善快光明波頭
摩數身如來佛國土為一日一夜若不退輪
吼世界一劫於无垢世界法幢如來佛國土
為一日一夜若无垢世界一劫於善善然燈世
界師子如來佛國土為一日一夜若善善然
燈世界一劫於善光明世界盧舍那藏如
來佛國土為一日一夜若善光明世界一劫於
難過世界法光明波頭摩數身如來佛國土
為一日一夜若難過世界一劫於莊嚴慧世
界一切通光如來佛國為一日一夜若莊嚴慧
世界一劫於鏡輪光世界月智如來佛國土
為一日一夜比丘入如是數滿足過十阿僧祇
百千万世界最後波頭摩勝世界於賢勝如
來佛國土為一日一夜比丘如是等世界无

BD00739號　佛名經（十六卷本）卷九　（28–2）

為一日一夜比丘入如是數滿足過十阿僧祇
百千万世界最後波頭摩勝世界於賢勝如
來佛國土為一日一夜比丘如是等世界无
量无邊長短不等諸佛如來壽命住世亦復
如是諸比丘汝等應當稱諸佛名作如是言
南无如是等諸佛如來
南无不動智佛　南无阿尼羅智佛
南无阿私陁智佛　南无行智佛
南无阿樓那智佛　南无常智佛
南无妙智佛　南无樂自在天佛
南无梵天佛　南无勝智天佛
南无菴摩羅月佛　南无不退月佛
南无不動月佛　南无阿尼羅月佛
南无婆留那月佛　南无阿私月佛
南无勝月佛　南无阿樓那月佛
南无无垢月佛　南无勝智月佛
南无不退眼佛　南无第一眼佛
南无阿尼羅眼佛　南无不動眼佛
南无阿私陁眼佛　南无行眼佛
南无婆留那眼佛　南无勝眼佛
南无微妙清眼佛　南无不退幢佛
南无阿尼羅幢佛　南无阿私陁幢佛
南无行幢佛　南无阿樓那幢佛
南无常幢佛　南无妙幢佛
南无自在幢佛　南无梵幢佛
南无勝幢佛　南无弥留勝佛

BD00739號　佛名經（十六卷本）卷九　（28–3）

南无自在幢佛　南无梵幢佛
南无勝幢佛　南无弥留勝佛
從此以上七千二百佛十二部經一切賢聖
南无波頭摩勝藏佛　南无普眼佛
南无梵命佛　南无金剛齋佛
南无婆藪天佛　南无一切法决定王佛
南无弥留幢家眼勝佛　南无致沙佛
南无非沙佛　南无波頭摩勝佛
南无火光明佛　南无法意佛
南无善法佛　南无稱勝佛
南无寶慧佛　南无微眼佛
南无燈佛　南无擇義佛
南无自在佛　南无婆藪天佛
南无不去佛　南无擇勝佛
南无妙行佛　南无寻月佛
南无遍智上首佛　南无普眼佛
南无厚波婆羅佛　南无妙勝佛
南无日佛　南无遍光佛
南无法幢佛　南无遍智然燈佛
南无普切德觀然燈佛　南无一切德佛
南无金剛幢佛　南无普智寶炎勝切德幢佛
南无因陁羅幢勝幢佛
南无普智寶炎勝切德雞都佛
南无无垢輪大悲雲幢佛
南无金剛那羅延幢佛　南无无寻勝行佛
南无大炎佛　南无山勝莊嚴佛

南无因陁羅幢勝幢佛
南无普智寶炎勝切德雞都佛
南无无垢輪大悲雲幢佛
南无金剛那羅延幢佛　南无无寻勝行佛
南无大炎佛　南无山勝莊嚴佛
南无一切法海王莊嚴速任佛　南无寶炎圖然燈佛
南无深法海妙光佛　南无盧遮那勝藏佛
南无切德海光明輪勝佛
南无滿虛空法界广法羅勝然燈佛
南无不退然燈佛　南无法界吼佛
南无妙法樹山王威德佛
南无一切法海吼王佛
南无寶光明然燈幢佛
南无須弥切德光威德佛
南无法雲吼王佛　南无智炬然燈王佛
南无法電速幢勝佛　南无法然燈盡廷師子師
南无智力威德山王佛　南无退法界吼佛
南无電光明劫善照世界劫放稱檀香光
明照佛
南无善决定清淨劫无垢世界劫盧舍那佛
南无甘露莊嚴劫善清淨世界劫稱檀然燈
王佛
南无善住劫妙香世界劫須弥光明勝王佛
南无善見劫莊嚴世界劫无邊切德種種寶
莊嚴王佛
南无炎清淨劫清淨世界劫金剛畫廷佛

南无善住劫妙香世界初須弥光明勝王佛
南无善見劫莊嚴世界初无邊功德種種寶
莊嚴王佛
南无炎清淨劫清淨世界初金剛奮迅佛
南无不可嫌劫不可嫌世界初毗沙門佛
南无不可嫌劫不可嫌世界初寶月佛
南无不可訶劫稱財世界不可思議光明佛
南无清淨莊嚴劫清淨世界初觀世王佛
南无真塵劫光明塵世界初大光明佛
南无梵　讚歎劫清淨世界初力莊嚴王佛
南无德光明莊嚴劫月幢世界初善眼佛
南无旃檀香行平等勝成就佛
南无法海吼光明王佛　南无无垢輪法輪佛
南无寂靜威德王佛　南无虛空劫然燈佛
南无天自在藏佛　南无日羅幢雞都王佛
南无信威德佛　南无寶華藏佛
南无妙日身佛　南无不濁身佛
南无一切身智光明月佛
南无閻浮檀威德王佛
南无相莊嚴身佛　南无種種光明大月佛
南无善觀智雞都佛　南无无垢智光明王佛
南无金剛那羅延精進佛　南无不可降伏智雲佛
南无普无垢智通佛　南无无垢眼勝雲佛
南无師子智佛　南无金剛菩提光佛
南无燈火髻佛　南无智日雞都佛
南无寶波頭摩數身佛

BD00739號　佛名經（十六卷本）卷九　（28–6）

南无普无垢智通佛　南无无垢眼勝雲佛
南无師子智佛　南无金剛菩提光佛
南无燈火髻佛　南无智日雞都佛
南无寶波頭摩數身佛
從此以上七千三百佛十二部經一切賢聖
南无得功德佛　南无智光明雲光佛
南无普明月佛　南无无障蓋吼佛
南无普光明奮迅師子佛　南无法界境界慧月佛
南无一切虛空樂說覺佛
南无初香善名佛　南无普聲寂靜吼佛
南无甘露山威德佛　南无法海吼聲佛
南无善堅羅網堅佛　南无佛虛空鏡像頭髻佛
南无光明月微塵佛　南无善智滿月面佛
南无清淨智華光明佛　南无寶炎山勝王佛
南无无垢功德大光明佛　南无寶月幢佛
南无三昧輪身佛　南无寶勝光明威德王佛
南无普智行佛　南无炎海然燈佛
南无法无垢吼王佛　南无不可比功德稱幢佛
南无長辟本願无垢月佛
南无相智義然燈佛　南无法超寶齊聲佛
南无勝照藏王佛　南无乘幢佛
南无法海波頭摩廣信无畏天佛
南无法海吼光王佛　南无无垢法山佛
南无法輪光明髻佛　南无法日勝雲佛
南无法海說聲王佛　南无法日智輪然燈佛
南无法華雞都幢雲佛

BD00739號　佛名經（十六卷本）卷九　（28–7）

南无法海吼光王佛　南无无垢法山佛
南无法輪光明髻佛　南无法日勝雲佛
南无法海説聲王佛　南无法日智輪然燈佛
南无法華雞都幢雲佛
南无法炎山雞都王佛
南无法行深勝月佛　南无法智普鏡佛
南无藏普智住照佛　南无山勝藏王佛
南无普門賢照佛　南无速一切精進幢佛
南无法寶華勝雲佛　南无舜光明深髻佛
南无法光明慈樂説光明月佛
南无焰海佛　南无智日普光明佛
南无普輪頂佛　南无智光明王佛
南无福德光華燈佛　南无智師子雞都幢王佛
南无日光明王佛　南无寶相山佛
南无莊嚴山佛　南无日步普照佛
南无法羅網覺勝月佛
南无毘郍羅延師子佛
南无普智不二勇猛佛
南无法波頭摩數身佛
南无功德華勝海佛
南无菩提輪善覺勝月佛
南无然法炬勝月佛
南无普賢鏡像髻佛　南无法幢然燈佛
南无金剛海幢王佛　南无稱山勝雲佛
南无旃檀勝月佛　南无普功德華威德光佛
南无照衆生王佛　南无勝波頭摩華藏佛

BD00739號　佛名經（十六卷本）卷九　（28–8）

南无然法炬勝月佛
南无普賢鏡像髻佛　南无法幢然燈佛
南无金剛海幢王佛　南无稱山勝雲佛
南无旃檀勝月佛　南无普功德華威德光佛
南无照衆生王佛　南无勝波頭摩華藏佛
南无香炎光明勝佛　南无因波頭摩佛
南无相山盧舍郍佛　南无普聞名稱幢佛
南无普門光明須弥佛　南无法城光勝佛
南无普功德威德佛　南无相勝法力勇猛幢佛
南无轉法輪光明吼佛
南无光明功德山波若照佛
南无轉法輪月妙勝佛
南无法華盧舍郍清浄雞都佛
南无寶波頭摩光明藏佛
南无寶山雲燈佛　南无普覺華佛
南无種種光明勝弥留藏佛
南无光明輪峯王佛　南无福德雲蓋佛
南无法峯雲幢佛　南无功德山威德佛
南无法日雲燈王佛　南无香觧幢智威德佛
南无法輪力雲佛　南无法雲稱勝月佛
南无賢首弥留威德佛
從此以上七千四百佛十二部經一切賢聖
南无普慧雲吼佛
南无法力勝山佛　南无香炎勝王佛
南无伽郍迦摩尼山聲佛
南无頂藏一切法光明輪佛

BD00739號　佛名經（十六卷本）卷九　（28–9）

南无法力勝山佛　南无香炎勝王佛
南无伽耶迦摩尼山聲佛
南无頂藏一切法光明輪佛
次礼十二部尊經大藏法輪
南无諸法本經　南无大淨法門經
南无漏分布經　南无諸方佛經
南无十善十惡經　南无九擯經
南无度集經　南无十五德經
南无轉法輪經　南无生死變化經
南无十地經　南无明度經
南无生聞婆羅門經
南无十執經　南无玄起經
南无自見自智爲能盡結經
南无十漚和七言禪利經
南无猛施經　南无金輪王輪經
南无有三方便經　南无持人菩薩經
南无金益長者子經　南无有賢者法經
南无波達王經　南无比丘所求色經
南无有陵羯署社柰波羅經
南无興調經　南无憂多羅母經
次礼十方諸大菩薩
南无大明菩薩　南无无盡意菩薩
南无意王菩薩　南无无邊意菩薩
南无日意菩薩　南无月音菩薩
南无美音菩薩　南无美音聲菩薩
南无大音聲菩薩　南无堅精進菩薩

南无意王菩薩　南无无邊意菩薩
南无日意菩薩　南无月音菩薩
南无美音菩薩　南无美音聲菩薩
南无大音聲菩薩　南无堅精進菩薩
南无常堅菩薩　南无堅數菩薩
南无堅莊菩薩　南无常悲菩薩
南无常輕菩薩　南无法上菩薩
南无法意菩薩　南无法喜菩薩
南无法首菩薩　南无法積菩薩
南无發精進菩薩　南无智慧菩薩
南无淨威德菩薩　南无那羅延菩薩
南无善思惟菩薩　南无法思惟菩薩
南无跋陀波羅菩薩　南无法益菩薩
南无高德菩薩　南无師子遊行菩薩
次礼聲聞緣覺一切賢聖
南无阿若憍陳如　南无摩訶迦葉
南无優樓頻螺迦葉　南无伽耶迦葉
南无那提迦葉　南无舍利弗
南无大目揵連　南无摩訶迦旃延
南无阿㝹樓馱　南无劫賓那
南无憍梵波提
礼三寶已次復懺悔
弟子等略懺煩惱障竟今當次第懺悔業障
夫業能莊飾世趣在在處處是以思惟求離
世解脫所以六道果報種種不同形類各異
當知皆是業力所作所以佛十力中業力甚
深凡夫之人多於此中好起疑惑何以故今

世觧脫所以六道果報種種不同形類各異
當知皆是業力所作所以佛十力中業力甚
深凡夫之人多於此中好起疑惑何以故尒
現見世間行善之者觸向轗軻為惡之者是
事諧偶謂言天下善惡无分如此計者皆是
不能深達業理何以故尒經中說言有三種
業何等為三一者現報二者生報三者後報
現報業者現在作善作惡現身受報生報業
者此生作善作惡來生受報後報業者或是
過去无量生中作善作惡或於此生中受或
在未來无量生中方受其報向者行惡之人
現在見好此是過去生報後報善業熟故所
以現在有此樂果豈關現在作諸惡業而
得好報行善之人現在見苦者是過去生中生
報後報惡業熟故現在善根力弱不能排遣
是故得此苦報豈關現在作善而招惡報何
以知然現在世間為善之者為人所讚歎人
所尊重故知未來必招樂果過去既有如
此惡業所以諸佛菩薩教令親近善友共行
懺悔善知識者於得道中則為舍利是故弟
子等今日至誠歸依於佛
南无東方无量離垢佛　　南无南方樹花王佛
南无西方蓮華自在佛　　南无北方金剛能破佛
南无東南方悲檀義勝佛
南无西南方金海自在王佛
南无西北方无邊法自在王佛

南无西南方金海自在王佛
南无西北方无邊法自在王佛
南无東北方无㝵香象王佛
南无下方无㝵惠幢佛　　南无上方甘露上王佛
如是十方盡虛空界一切三寶
弟子等无始以來至於今日積惡如恒沙造
罪滿天地捨身與受身不覺亦不知或作五
逆深厚濁纏无閒罪業或造一闡提斷善根
業輕誣佛語謗方等業破滅三寶毀正法業
不信罪福起十惡業迷真返正癡惑之業不
孝二親反戾之業輕慢師長无禮敬業朋友
无信不義之業或作四重六重八重障聖道
業毀犯五戒破八齋業五篇七聚多缺犯業
優婆塞戒輕重垢業或菩薩戒不能清淨如
說行業前後方便汙梵行業月无六齋懈怠
之業年三長齋不常脩業三千威儀不如法
業八万律儀微細罪業不脩身戒心慧之業
春秋八王造衆罪業行十六種惡律儀業於
苦衆生无慈傷業不矜不念无矜愍業不拔
不濟不救護業心懷嫉妬无度彼業於怨親
境不平等業躭荒五欲不厭離業或因衣食
園林池浴生蕩逸業或以盛年放恣情欲造
衆罪業或善有漏迴向三有障出世業如是
等業无量无邊今日發露向十方佛尊法聖
衆皆悉懺悔
願弟子等承是懺悔无閒諸業所生福善願

衆罪業或善有漏迴向三有障出世業如是
等業无量无邊今日發露向十方佛尊法聖
衆皆悉懺悔
願弟子等承是懺悔无間諸業所生福善願
生生世世滅五逆罪除闡提或如是輕重諸
罪從今以去乃至道場誓不更犯恒習出世
清淨善法精持律行守護威儀如度海者愛
惜浮囊六度四等常𢷤行首戒定慧品轉得
增明速成如來卅二相八十種好十力无畏
大悲三念常樂妙智八自在我 作礼一拜
南无然法輪威德佛 南无山峯勝威德佛
南无普精進炬光明雲佛
南无二[illegible]寶天冠光明佛
南无勝寶光佛 南无法炬寶帳聲佛
南无樂法光明師子佛 南无莊嚴相月幢佛
南无光明山雷電雲佛 南无无垢幢佛
南无无导法虛空光明佛 南无快智華敷身佛
南无世間妙光明聲佛 南无法三昧光明聲佛
從此以上七千五百佛十二部經一切賢聖
南无法聲多藏佛 南无法大海聲佛
南无三世相鏡像威德佛 南无高法輪光明佛
南无法界師子光佛 南无盧舍那勝須弥佛
南无一切三昧海師子佛 南无普光慧然燈佛
南无法界城然燈佛 南无普門吼光王佛
南无賢首佛 南无普光音佛
南无胎王佛 南无法界燈佛

南无賢首佛 南无普光音佛
南无胎王佛 南无法界燈佛
南无虛空山照佛 南无阿屋羅有眼佛
南无龍自在王佛 南无普照勝須弥王佛
南无无导虛空智雞都幢王佛
南无普智光明照十方吼佛
南无雲王吼聲佛 南无不空見佛
南无普照佛 南无寶聲佛
南无妙聲佛 南无金色寶住果妙佛
南无金閻浮幢于遮那光明佛
南无金色百光明佛 南无寶稱佛
南无不空稱佛 南无日愛佛
南无成就智義佛 南无普賢佛
南无无垢光明雞都王佛
南无寶炎佛 南无日月佛
南无海勝佛 南无法幢佛
南无无邊功德王佛 南无寶藏佛
南无无垢面佛 南无无量壽華佛
南无寶聚佛 南无智起佛
南无普護佛
尒時憂波摩那比丘從坐而起偏袒右肩右
膝著地白佛言世尊世尊幾佛過去佛告優
波摩那比丘比丘辟如恒河沙世界下至水
際上盡有頂滿中微塵比丘有人於中取尒
所微塵過恒河沙世界下一微塵如是過恒河
河沙世界復下一塵如是盡尒所微塵比丘於

際上盡有頂滿中微塵比丘有人於中取尒
所微塵過恒河沙世界下一微塵如是過恒河
河世界復下一塵如是盡尒所微塵比丘於
意云何若着微塵若不着微塵是微塵數可
知數不比丘言不也世尊佛告比丘彼微
塵可知其數而彼過去同名釋迦牟尼佛已
入涅槃者不可數知比丘我知彼過去諸佛
如現前見彼諸佛毋同名摩訶摩耶父同名
輸頭檀王城同名迦毗羅彼諸佛第一聲
聞弟子同名舍利弗目揵連侍者弟子同名
阿難何況種種異名毋異名父異名城異名
弟子異名侍者比丘彼若干世界彼人於何
等世界着微塵何等世界不着微塵彼諸世
界若着微塵不着微塵下至水際上至有頂
比丘復有第二人取一微塵過彼若干微塵
數世界尒數佛國土阿僧祇億百千万那由
他世界為一步比丘彼人如是過百千万億
那由他阿僧祇劫行乃下一塵如是盡諸微
塵比丘如是若干世界滿中微塵復更着十
方世界比丘復過是世界着微塵彼諸世界
下至水際上至有頂滿中微塵比丘於意云
何微微塵可知數不比丘言不也世尊佛告
比丘彼諸微塵可知其數彼同名毋同名父
同名弟子同名侍者同名釋迦牟尼佛不可
知數如釋迦牟尼不勝憶佛亦如是盧舍那
佛亦如是无垢勝眼佛亦如是无垢光明眼

比丘彼諸微塵可知其數彼同名毋同名父
同名弟子同名侍者同名釋迦牟尼佛不可
知數如釋迦牟尼不勝憶佛亦如是盧舍那
佛亦如是无垢勝眼佛亦如是无垢光明眼
佛亦如是光光明清淨王佛亦如是善无垢
清淨佛亦如是成就无邊功德勝王佛亦如
是寶光明佛亦如是師脩佛亦如是聲德佛
亦如是波頭摩勝佛亦如是日月佛亦如是
普寶蓋佛亦如是比丘汝當歸命如是等阿
僧祇同名佛
南无普光明奮迅王佛
南无普照佛　南无藥王佛
南无弥留燈王佛　南无寶莊嚴佛
南无智成就佛　南无寶蓋佛
南无放炎佛　南无物成就佛
南无稱佛　南无三昧勝佛
南无寶觀佛　南无寶雞都佛
南无尸羅施佛　南无莎羅王佛
南无寶雞兜王佛　南无大嚴佛
南无山自在王佛　南无旃陁佛
南无見義佛　南无自在幢佛
南无大弥留佛　南无无光勝佛
南无大莊嚴佛　南无大智幢佛
南无日藏佛　南无无畏上勝山王佛
南无梵自在佛　南无餘依心點聲王佛
南无智雞兜佛　南无智炬住持佛

南无大莊嚴佛　南无大智幢佛
南无日藏佛　南无无畏上勝山王佛
南无梵自在佛　南无餘依心黠聲王佛
南无智雞兜佛　南无智炬住持佛
南无一切世間佛　南无法照佛
南无无垢光佛　南无普光佛
南无一切勝佛　南无寂靜妙聲佛
南无普明佛　南无勝山王師子佛
舊迮境界聲佛　南无地住持佛
南无切德王光佛　南无住持智達燎佛
南无樂說勝王佛　南无金色波頭摩成王佛
南无難勝佛　南无寶住佛
南无无量聲佛　南无親光佛
南无龍天佛　南无天力佛
南无師子佛　南无離諍光佛
南无世天佛　南无勝積佛
從此以上七千六百佛十二部經一切賢聖
南无人王佛　南无華王佛
南无華勝佛　南无發精進佛
南无因陁羅雞兜佛　南无清淨无垢光菩
提寶華不斷光明王佛
南无薝蔔上佛　南无意福德日王佛
南无觀聲王佛　南无无垢威德佛
南无切德寶集吼佛　南无成就意佛
南无成就勝佛　南无斯何佛
南无威德佛　南无阿輪迦世界賢妙勝佛

南无成就勝佛　南无斯何佛
南无威德佛　南无阿輪迦世界賢妙勝佛
若善男子善女人受持是佛名必得不退菩提
南无難陁世界旃檀勝佛
若善男子善女人受持是佛名畢竟清淨心
南无跋陁世界寂滌佛　南无意智雞兜佛
南无世界破魔力佛　南无滿月世界无憂佛
南无雞兜意勝世界寶杖佛
南无語吼聲勝世界華勝佛
南无差摩世界三舊迮佛
南无廣世界樹提勝佛
南无月勝世界金剛切德身佛
南无過去无量无邊海勝佛
若善男子稱彼佛名得畢竟不退菩提心
南无弥留勝王佛　彼佛初成佛第一會
八十億百千万那由他聲聞衆第二會七十
由他第四會廿五億百千万那由他如是菩
薩无量无邊百万億那由他
南无師子妙聲王佛
彼如來初會有九十億聲聞第二會九十億
第三會九十三億第四會九十九億如是菩
薩摩訶薩衆无量无邊
南无華勝佛　彼佛初會八十億聲聞
菩薩僧亦如是　南无妙行佛
南无无量大莊嚴佛　彼佛初會八十億

南无善勝佛　彼佛初會八十億聲聞
菩薩僧亦如是　南无妙行佛
南无无量大莊嚴佛　彼佛初會八十億
聲聞第二會七十億乃至第十會亦如是菩
薩僧亦如是无量无邊
南无放光佛　彼佛初會有九十億
聲聞如是第二乃至第十亦如是菩薩摩
訶薩僧无量无邊
南无一切光明佛　彼佛初會有那由他
億聲聞菩薩僧亦如是
南无无量光明佛　彼佛初會聲聞有九
十六億第二會九十四億第三會九十二億
菩薩僧亦如是
南无聲德佛　彼佛初會聲聞有八
十億第二會七十億第三會六十億菩薩僧
亦如是應當歸命如是等
復次比丘應當敬礼　南无清淨无垢世
界菩薩佛謂文殊師利現在普見如來國土
中　復次比丘應敬礼四大士菩薩佛一名
光明憶現在東方无畏如來佛國土中第二
名智勝現在　南方智聚如來佛國
土中第三名寂根現在西方智山如來國土
中第四名願意成就現在北方那羅延如來
佛國土中
復次摩訶男比丘重閣如來世尊過去號佛
入涅槃佛告摩訶男汝今諦聽當為汝說
比丘東方恒河沙世界南方恒河沙世界西

佛國土中
復次摩訶男比丘重閣如來世尊過去號佛
入涅槃佛告摩訶男汝今諦聽當為汝說
比丘東方恒河沙世界南方恒河沙世界西
方恒河沙世界北方恒河沙世界上下四維
恒河沙世界彼一切世界下至水際上盡有
頂滿中微塵比丘於意云何彼如是微塵可
知數不比丘言不也世尊佛告比丘如是同
名釋迦牟尼佛過去入涅槃我知過去諸佛
如現在前彼諸佛母同名摩訶摩耶父同名
輸頭檀王城同名迦毗羅彼佛第一聲聞弟
子同名舍利弗目揵連侍者弟子同名阿難
陀何況種種異名母異名父異名城異名
弟子異名侍者異名比丘彼若干世界彼人
於何等世界着微塵何等世界不着微塵彼
諸世界若着微塵及不着者下至水際上至
有頂比丘復有第二人取彼微塵若干微
塵數世界尒所佛國土阿僧祇億百千万那由
他世界過尒所世界為一步比丘彼人復過
若干微塵數世界一步彼人如是過百千万
億那由他阿僧祇劫行乃下一塵如是盡諸
微塵比丘如是若干世界若着微塵及不着
者滿中微塵復更着十方世界比丘復過是
世界若着微塵及不着者彼諸世界下至水
際上至有頂滿中　是微塵比丘於意云何
彼諸微塵可知數不比丘言不也世尊佛告

者満中微塵復更著十方世界比丘復過是
世界若著微塵及不著者彼諸世界下至水
際上至有頂満中　是微塵比丘於意云何
彼諸微塵可知數不比丘言不也世尊佛告
比丘彼諸微塵可知其數彼同名釋迦牟尼
佛母同名摩訶摩耶父同名輸頭檀城同名
迦毗羅弟一弟子同名舍利弗目揵連侍者
弟子同名阿難陁不可知數復次比丘復有
弟三人取彼尒所世界微塵過彼尒所微塵
數世界為過若千百千万億那由他阿僧祇
行乃下一塵如是盡諸微塵復有弟四人彼
若干微塵數世界若着若不着下至水際上
至有頂満中微塵比丘於意云何彼微塵可
知數不比丘言不也世尊佛告比丘彼若干
微塵可知其數然彼同名釋迦牟尼佛母同
名同名父世界同名弟子同名侍者同名佛不
可知數比丘如是弟五人弟六弟七弟八弟
九弟十人復次比丘復有弟十一人是人彼
若干微塵中取一微塵破為十方若干世
界微塵數分如一微塵破為若干分如是餘
微塵亦悉破為若干世界微塵數分比丘於
意云何彼微塵可知數不比丘言不也世尊佛
告比丘復有人彼若微塵佛國土為過一步如
是速疾神通行東方世界无量无邊劫行行如
是東方世界下一微塵東方盡如是微塵若着
微塵及不着者下至水際上至有頂満中微

是東方世界下一微塵東方盡如是微塵若着
微塵及不着者下至水際上至有頂満中微
塵如是南方乃至十方下至水際上至有頂満
中微塵比丘於意云何彼微塵可知數不比
丘言不也世尊佛告比丘若干微塵分可知
其數然現今在世同名釋迦牟尼佛入涅槃
不可數知母同名摩訶摩耶父同名輸頭檀城
同名迦毗羅弟子同名舍利弗目揵連侍者
弟子同名阿難陁何况種種異名比丘我若
干微塵數劫住世說一同名釋迦牟尼佛不
可窮盡如是同名然燈佛同名提波延佛同
名燈光明佛同名一切勝佛同名彌佛同名
波頭摩頭佛同名毗婆尸佛同名尸棄佛同
名毗舍浮佛同名拘留孫佛同名拘那含佛
同名迦葉佛如是等異名母乃至異名侍者
入涅槃我知彼佛如現在前應當敬礼如是
等
　次礼十二部尊經大藏法輪
南无有三力經　南无造浴佛時經
南无憂多羅經　南无有五力經
南无何中大乘沫經　南无首達經
南无四姓長者難經　南无折佛經
南无舍利弗誨疾經　南无四无畏經
南无車匿本末經　南无舍利弗經
南无四不可得經　南无百六十二品經
南无四飯經　南无賴吒和羅經
南无[illegible]轉經　南无[illegible]責經

南无車匿本末經　南无舍利弗經
南无四不可得經　南无百六十二品經
南无四飯經　南无賴吒和羅經
南无不退轉經　南无寶積經
南无枚鉢經　南无梵魔難經
南无梵皇經　南无寶結經
南无寶施女經　南无藍達王經
南无天上釋為故世在人中經　南无道德舍利日經
南无隨迦羅門菩薩經　南无中要語章經
次礼十方諸大菩薩摩訶薩
南无喜根菩薩　南无上寶月菩薩
南无不虛德菩薩　南无龍德菩薩
南无文殊師利菩薩　南无妙音菩薩
南无雲音菩薩　南无勝意菩薩
南无照照菩薩　南无勇衆菩薩
南无勝衆菩薩　南无威儀菩薩
南无師子菩薩　南无上意菩薩
南无益意菩薩　南无增意菩薩
南无寶明菩薩　南无慧頂菩薩
南无樂說頂菩薩　南无有德菩薩
南无觀世自王菩薩　南无陁羅尼自在王菩薩
南无大自在王菩薩　南无无憂德菩薩
南无不虛見菩薩　南无離惡道菩薩
南无一切勇健菩薩　南无破闇菩薩
南无功德寶菩薩　南无華威德菩薩
次礼聲聞緣覺一切賢聖

南无大自在王菩薩　南无无憂德菩薩
南无不虛見菩薩　南无離惡道菩薩
南无一切勇健菩薩　南无破闇菩薩
南无功德寶菩薩　南无華威德菩薩
次礼聲聞緣覺一切賢聖
南无畢陵伽婆蹉　南无薄拘羅
南无摩訶拘絺羅　南无難陁
從此以上七千七百佛十二部經一切賢聖
南无孫陁羅難陁　南无富樓那
南无弥多羅尼子　南无須菩提
南无阿難羅睺羅
礼三寶已次復懺悔
弟子今以摠相懺悔一切諸業今當次第更
復一一別相懺悔若摠若別若麁若細若
輕若重若說不說品類相從願皆消滅別相
懺者先懺身三次懺口四其餘諸障次第稽
顙身三業者第一殺害如經所明恕已可為喻
勿殺勿行杖雖復禽獸之殊保命畏死其事
是一若尋此衆生无始以來或是我父母兄
弟六親眷屬以業因緣輪迴六道出生入
死改形易報不復相識而今興害食噉其肉
傷慈之甚是故佛言設得餘食當知飢世食
子肉相何況食噉此魚肉耶又言為利殺衆
生以錢納衆肉二俱是惡業死墮叫呼地獄
故知殺害及以食噉罪深河海過重丘岳然
弟子等无始以來不遇善友皆為此業是故

子肉相何況食噉此魚肉耶又言爲利殺衆
生以錢納衆肉二俱是惡業死墮叫呼地獄
故知殺害及以食噉罪深河海過重丘岳然
弟子等无始以來不遇善友皆爲此業是故
經言殺害之罪能令衆生墮於地獄餓鬼受
苦若在畜生則受虎豹豺狼鷹鷂等身或
受毒蛇蝮蝎等身常懷惡心或受麞鹿熊羆等
身常懷恐怖若生人中得二種果報一者多
病二者短命殺害食噉既有如是无量種種
諸惡果報是故弟子至到稽顙歸依於佛
南无東方滅諸怖畏佛　南无南方日月燈明佛
南无西方無見華光佛　南无北方發功德佛
南无東南方除衆惡佛　南无西南方无量自在佛
南无西北方大神通王佛　南无東北方無垢心佛
南无下方同像空无佛　南无上方瑠璃藏勝佛
如是十方盡虛空界一切三寶
弟子自從无始以來至於今日有此心識常
懷慘毒无慈愍心或因貪起殺因瞋因癡及
以慢殺或興惡方便誓殺願殺及以呪殺或
破決湖池焚燒山野田獵魚捕或因風放火
飛鷹放犬惱害一切如是等罪今悉懺悔或
以檻掘拗撥收戟弓弩彈射飛鳥走獸之類
或以罟網罾鉤料度水性魚鼈黿鼉蝦蜆螺
蚌濕居之屬使水陸之興空行藏竄无地或
畜養雞豬牛羊犬豕鵞鴨之屬自供庖廚或
貨他宰殺使其哀聲未盡毛羽脫落鱗甲傷

BD00739號　佛名經（十六卷本）卷九　（28–26）

飛鷹放犬惱害一切如是等罪今悉懺悔或
以檻掘拗撥收戟弓弩彈射飛鳥走獸之類
或以罟網罾鉤料度水性魚鼈黿鼉蝦蜆螺
蚌濕居之屬使水陸之興空行藏竄无地或
畜養雞豬牛羊犬豕鵞鴨之屬自供庖廚或
貨他宰殺使其哀聲未盡毛羽脫落鱗甲傷
毀身首分離骨肉銷碎剝裂屠割炮燒暴衆
楚毒酸切横加无辜但取一時之快口得味
甚寡不過三寸舌根而已其罪報殃累永劫
如是等罪今日至誠皆悉懺悔又復无始以
來至于今日或復興師相伐疆場交諍兩陣相
向更相殺害或自殺教殺聞殺歡喜或習屠
膾傭爲刑戮烹宰他命行於不忍或恣怒揮
戈撐刃或斬或刺或推著坑塹或以水沈
或塞穴壞巢土石磓砑或以車馬雷轢踐蹋
一切衆生如是等罪无量无邊今日發露皆
悉懺悔
又復无始以來或墮胎破卵毒藥蠱道傷殺
衆生墾土掘地種殖田園養蠶煮繭傷殺滋
甚或打撲蚊蚋掐嚙蚤虱或燒除糞掃開決
溝渠枉害一切或噉菓實或用穀米或水或
菜横殺衆生或然燒薪或露燃燈燭燒諸虫類
或食醬酢不看搖動或寫湯水澆殺虫蟻如
是乃至行住坐卧四威儀中恒常傷殺飛空
着地細微衆生弟子凡夫識闇不覺不知
今日發露皆悉懺悔

BD00739號　佛名經（十六卷本）卷九　（28–27）

或食皆酢不看揺動或寫湯水澆殺虫蟻如
是乃至行住坐卧四威儀中恒常傷殺飛空
着地細微衆生弟子凡夫識闇不覺不知
今日發露皆悉懺悔
又復弟子无始以來至於今日或以鞭杖枷
鎖桁械骸立考掠打擲手脚蹴蹹的縛籠
繫斷絶水穀如是種種諸悪方便苦惱衆生今
日至誠向十方佛尊法聖衆皆悉懺悔願弟
子等承是懺悔殺害等罪所生功徳生生世
世得金剛身壽命无窮永離怨憎无殺害想
於諸衆生得一子地若見危難急厄之者不
惜身命方便救解令得解脫然後為説微妙
正法使諸衆生覩形見影皆蒙其樂聞名聴
聲恐怖悉除 礼一拜

佛名經卷第九

BD00739號　佛名經（十六卷本）卷九　（28–28）

施若復有人於此經
為他人說其福甚多
尒時須菩提聞說是
而白佛言希有世尊
從昔來所得慧眼
若復有人得聞是
知是人成就第一希
則是非相是故如來
聞如是經典信解受持不 難若當來世
後五百歲其有衆生得聞 經信解受持是
人則為第一希有何以故此人无我相人相
衆生相壽者相所以者何我相即是非相人
相衆生相壽者相即是非相何以故離一切
諸相則名諸佛
佛告須菩提如是如是若復有人得聞是經
不驚不怖不畏當知是人甚為希有何以故
須菩提如來說第一波羅蜜非第一波羅蜜
是名第一波羅蜜須菩提忍辱波羅蜜如來

BD00740號　金剛般若波羅蜜經　（9–1）

不驚不怖不畏當知是人甚為希有何以故
須菩提如來說第一波羅蜜非第一波羅蜜
是名第一波羅蜜須菩提忍辱波羅蜜如來
說非忍辱波羅蜜何以故須菩提如我昔為
歌利王割截身體我於尒時无我相无人相
无衆生相无壽者相何以故我於往昔節節
支解時若有我相人相衆生相壽者相應生
瞋恨須菩提又念過去於五百世作忍辱仙
人於尒所世无我相无人相无衆生相无壽
者相是故須菩提菩薩應離一切相發阿耨
多羅三藐三菩提心不應住色生心不應住
聲香味觸法生心應生无所住心若心有住
則為非住是故佛說菩薩心不應住色布施
須菩提菩薩為利益一切衆生應如是布施
如來說一切諸相即是非相又說一切衆生
則非衆生須菩提如來是真語者實語者如
語者不誑語者不異語者須菩提如來所得
法此法无實无虛須菩提若菩薩心住於法
而行布施如人入闇則无所見若菩薩心不
住法而行布施如人有目日光明照見種種
色須菩提當來之世若有善男子善女人能
於此經受持讀誦則為如來以佛智慧悉知
是人悉見是人皆得成就无量无邊功德
須菩提若有善男子善女人初日分以恒河
沙等身布施中日分復以恒河沙等身布施
後日分亦以恒河沙等身布施如是无量百

BD00740 號　金剛般若波羅蜜經　（9–2）

須菩提若有善男子善女人初日分以恒河
沙等身布施中日分復以恒河沙等身布施
後日分亦以恒河沙等身布施如是无量百
千萬億劫以身布施若復有人聞此經典信
心不逆其福勝彼何況書寫受持讀誦為人
解說須菩提以要言之是經有不可思議不
可稱量无邊功德如來為發大乘者說為發
最上乘者說若有人能受持讀誦廣為人說
如來悉知是人悉見是人皆得成就不可量
不可稱无有邊不可思議功德如是人等則
為荷擔如來阿耨多羅三藐三菩提何以故
須菩提若樂小法者著我見人見衆生見壽
者見則於此經不能聽受讀誦為人解說須
菩提在在處處若有此經一切世間天人阿
脩羅所應供養當知此處則為是塔皆應恭
敬作禮圍繞以諸華香而散其處
復次須菩提善男子善女人受持讀誦此經
若為人輕賤是人先世罪業應墮惡道以今
世人輕賤故先世罪業則為消滅當得阿耨
多羅三藐三菩提須菩提我念過去无量阿
僧祇劫於然燈佛前得值八百四千萬億那
由他諸佛悉皆供養承事无空過者若復有
人於後末世能受持讀誦此經所得功德於
我所供養諸佛功德百分不及一千萬億分
乃至筭數譬喻所不能及須菩提若善男子
善女人於後末世有受持讀誦此經所得功

BD00740 號　金剛般若波羅蜜經　（9–3）

人於後末世能受持讀誦此經所得功德於
我所供養諸佛功德百分不及一千萬億分
乃至筭數譬喻所不能及須菩提若善男子
善女人於後末世有受持讀誦此經所得功
德我若具說者或有人聞心則狂亂狐疑不
信須菩提當知是經義不可思議果報亦不
可思議
尒時須菩提白佛言世尊善男子善女人發
阿耨多羅三藐三菩提心云何應住云何降
伏其心佛告須菩提善男子善女人發阿耨
多羅三藐三菩提者當生如是心我應滅度
一切衆生滅度一切衆生已而无有一衆生
實滅度者何以故若菩薩有我相人相衆生
相壽者相則非菩薩所以者何須菩提實无
有法發阿耨多羅三藐三菩提心者須菩提於
意云何如來於然燈佛所有法得阿耨多羅
三藐三菩提不不也世尊如我解佛所說義
佛於然燈佛所无有法得阿耨多羅三藐三
菩提佛言如是如是須菩提實无有法如來
得阿耨多羅三藐三菩提須菩提若有法如
來得阿耨多羅三藐三菩提然燈佛則不與
我受記汝於來世當得作佛号釋迦牟尼以
實无有法得阿耨多羅三藐三菩提是故然
燈佛與我受記作是言汝於來世當得作佛
号釋迦牟尼何以故如來者即諸法如義若
有人言如來得阿耨多羅三藐三菩提須菩
是實无有法佛得阿耨多羅三藐三菩提須

号釋迦牟尼何以故如來者即諸法如義若
有人言如來得阿耨多羅三藐三菩提須菩
提實无有法佛得阿耨多羅三藐三菩提須
菩提如來所得阿耨多羅三藐三菩提於是
中无實无虛是故如來說一切法皆是佛法
須菩提所言一切法者即非一切法是故名
一切法須菩提譬如人身長大須菩提言世
尊如來說人身長大則為非大身是名大身
須菩提菩薩亦如是若作是言我當滅度无
量衆生則不名菩薩何以故須菩提无有法
名為菩薩是故佛說一切法无我无人无衆
生无壽者須菩提若菩薩作是言我當莊嚴
佛土是不名菩薩何以故如來說莊嚴佛土
者即非莊嚴是名莊嚴須菩提若菩薩通達
无我法者如來說名真是菩薩
須菩提於意云何如來有肉眼不如是世尊
如來有肉眼須菩提於意云何如來有天眼
不如是世尊如來有天眼須菩提於意云何
如來有慧眼不如是世尊如來有慧眼須菩
提於意云何如來有法眼不如是世尊如來
有法眼須菩提於意云何如來有佛眼不如
是世尊如來有佛眼須菩提於意云何恒河
中所有沙佛說是沙不如是世尊如來說是
沙須菩提於意云何如一恒河中所有沙有
如是等恒河是諸恒河所有沙數佛世界如
是寧為多不甚多世尊佛告須菩提尒所國

沙須菩提於意云何如一恒河中所有沙有
如是等恒河是諸恒河所有沙數佛世界如
是寧為多不甚多世尊佛告須菩提尒所國
土中所有衆生若干種心如來悉知何以故
如來說諸心皆為非心是名為心所以者何
須菩提過去心不可得現在心不可得未來
心不可得須菩提於意云何若有人滿三千
大千世界七寶以用布施是人以是因緣得
福多不如是世尊此人以是因緣得福甚多
須菩提若福德有實如來不說得福德多以
福德无故如來說得福德多
須菩提於意云何佛可以具足色身見不不
也世尊如來不應以色身見何以故如來說
具足色身即非具足色身是名具足色身須
菩提於意云何如來可以具足諸相見不不
也世尊如來不應以具足諸相見何以故如
來說諸相具足即非具足是名諸相具足須
菩提汝勿謂如來作是念我當有所說法莫
作是念何以故若人言如來有所說法即為
謗佛不能解我所說故須菩提說法者无法
可說是名說法須菩提白佛言世尊佛得
阿耨多羅三藐三菩提為无所得耶如是如
是須菩提我於阿耨多羅三藐三菩提乃至
无有少法可得是名阿耨多羅三藐三菩提
復次須菩提是法平等无有高下是名阿耨
多羅三藐三菩提以无我无人无衆生无壽
[illegible]

[illegible]
无有少法可得是名阿耨多羅三藐三菩提
復次須菩提是法平等无有高下是名阿耨
多羅三藐三菩提以无我无人无衆生无壽
者脩一切善法則得阿耨多羅三藐三菩提
須菩提所言善法者如來說非善法是名善
法須菩提若三千大千世界中所有諸須弥
山王如是等七寶聚有人持用布施若人以
此般若波羅蜜經乃至四句偈等受持為他
人說於前福德百分不及一百千萬億分乃
至筭數譬喻所不能及
須菩提於意云何汝等勿謂如來作是念我
當度衆生須菩提莫作是念何以故實无有
衆生如來度者若有衆生如來度者如來則
有我人衆生壽者須菩提如來說有我者則
非有我而凡夫之人以為有我須菩提凡夫
者如來說則非凡夫須菩提於意云何可以
三十二相觀如來不須菩提言如是如是以
三十二相觀如來佛言須菩提若以三十二
相觀如來者轉輪聖王則是如來須菩提白
佛言世尊如我解佛所說義不應以三十二
相觀如來尒時世尊而說偈言
若以色見我　以音聲求我　是人行邪道　不能見如來
須菩提汝若作是念如來不以具足相故得
阿耨多羅三藐三菩提須菩提莫作是念如
來不以具足相故得阿耨多羅三藐三菩提
[illegible]

須菩提汝若作是念如來不以具足相故得
阿耨多羅三藐三菩提須菩提莫作是念如
來不以具足相故得阿耨多羅三藐三菩提
須菩提汝若作是念發阿耨多羅三藐三菩
提者說諸法斷滅莫作是念何以故發阿耨
多羅三藐三菩提者於法不說斷滅相須菩
提若菩薩以滿恒河沙等世界七寶布施若
復有人知一切法无我得成於忍此菩薩勝
前菩薩所得功德須菩提以諸菩薩不受福
德故須菩提白佛言世尊云何菩薩不受福
德須菩提菩薩所作福德不應貪著是故說
不受福德須菩提若有人言如來若來若去
若坐若卧是人不解我所說義何以故如來
者无所從來亦无所去故名如來
須菩提若善男子善女人以三千大千世界
碎為微塵於意云何是微塵衆寧為多不甚
多世尊何以故若是微塵衆實有者佛則不
說是微塵衆所以者何佛說微塵衆則非微
塵衆是名微塵衆世尊如來所說三千大千
世界則非世界是名世界何以故若世界實
有者則是一合相如來說一合相則非一合
相是名一合相須菩提一合相者則是不可
說但凡夫之人貪著其事須菩提若人言佛
說我見人見衆生見壽者見須菩提於意云
何是人解我所說義不世尊是人不解如來所
說義何以故世尊說我見人見衆生見壽者

BD00740號　金剛般若波羅蜜經　（9–8）

相是名一合相須菩提一合相者則是不可
說但凡夫之人貪著其事須菩提若人言佛
說我見人見衆生見壽者見須菩提於意云
何是人解我所說義不世尊是人不解如來所
說義何以故世尊說我見人見衆生見壽者
見即非我見人見衆生見壽者見是名我見
人見衆生見壽者見須菩提發阿耨多羅三
藐三菩提心者於一切法應如是知如是見
如是信解不生法相須菩提所言法相者如
來說即非法相是名法相須菩提若有人以
滿无量阿僧祇世界七寶持用布施若有善
男子善女人發菩薩心者持於此經乃至四
句偈等受持讀誦為人演說其福勝彼云何
為人演說不取於相如如不動何以故
一切有為法　如夢幻泡影　如露亦如電　應作如是觀
佛說是經已長老須菩提及諸比丘比丘尼
優婆塞優婆夷一切世間天人阿脩羅聞佛
所說皆大歡喜信受奉行

BD00740號　金剛般若波羅蜜經　（9–9）

故食輙教授尼々即具修道緣如上所緣有五一有少德行為尼所企尤德者
教授々義理不合差故先輙教授々尼罪亦謂極五說增五說有五法得教誡
尼謂十德中初三八九十等是難備上德々若被僧差本自无過故次第二僧不差
雖不被差不往眾法雖教授誡雖已乞自无犯故次第三集尼眾々集若說八
敬生過義教但得小罪故須第四說法除八敬第五随所說法言了彼犯 已下正
明戒本 此戒因愛道尼來請教授佛令差往僧次轉随往彼說法說六群次往為
說世論愛道白佛令得慶而差因制戒 若比丘僧不差教授比丘尼者波逸
提 此滿足之戒本文有四句一犯人二僧不差三輙往教授四結僧不差說法之罪
言比丘者義如上弁 二若僧不差者律云僧中白二羯磨不差尼要具十德方始
成差亦謂極五增五中說 三言輙往教授者律云說八不可違法如律者廣
說 四言波逸提者是僧不差說法之罪若說餘法即得提罪若說八敬々尼常
聞故但得吉羅 律云若於說戒時上座問誰已差若敢尼請彼比丘到時到尼僧
時迎若遠俱犯吉羅若聞來者當出半由旬迎供給所須不者吉羅若僧不
差非教授時而與說八敬法若不差而說法者直若僧病不和合眾不滿應遣
人礼拜問訊尼眾々病等亦遣礼拜問訊若不者吉羅律云非時者前三後二不應
往也前三者說戒後三日後二者未說戒二日雖復僧差此五日中不應往也
此謂往尼寺教誡 不犯者若僧差若往若尼為水陸道斷諸難緣不得迎
礼拜問訊者並不犯 說法至日暮戒廿二 一制意者凡男女有別尼不肩受
僧眾舉動避譏涉進人信教可沒辟聚致外情疑容自壞行過損不輕故聖
以制 明緣有六一是僧差既未不差二集尼眾三教授說法四日暮五日暮想其說
法不正便犯 已下兩明戒本 此因差難陀教授尼至日暮不去本寺為俗所譏佛使
制戒 若比丘為僧教誡比丘尼乃至日暮波逸提 此滿足之戒本文有三句一犯人二為
僧所差三教授下說法過時結罪 言若比丘者如上 二言僧差者白二羯磨差

BD00741號　四分律戒本疏卷三

（3–1）

以制　別緣有六：一是僧差，既去不差；二集尼眾；三教授說法；四日暮；五日暮想；六疑
法不正便犯。已下兩明戒本。此因差難陀教授尼，至日暮不失本寺，爲俗所譏，佛便
制戒　若比丘爲僧教授比丘尼乃至日暮，波逸提。此滿足之戒本。文有三句：一犯人；二爲
僧所差；三教授下說法過時結罪。言若比丘者，如上。二言僧差者，白二羯磨差
令教授；三言教授至日暮波逸提者，是結罪句。輕重之文，四分云：若至日暮教授提。
五分云：日沒語語提。若餘教授外授經若誦經等犯吉。三分云：若爲餘女授經等至暮
一切吉羅。四境想句吉。律云不犯者：若教授至日未暮便休，除婦女。已爲餘人
若船濟賈客，尼自聽。若與估賈夜說，若在尼寺中，若有人請，但說便聽者，一切
不犯。戒就大僧寺教授有日暮罪，尼不犯，准此就僧尼二寺俱教尼
譏呵教授師戒第廿三　一制意者：然脩德之人，象僧差遣，至心教授，情存爲法，
不悕飲食，而見他得利，內生嫉妬，致言譏呵，惱亂善事，絕於益損，甚不輕，是故
聖制　別緣有六：一是僧差；二情存爲法，不悕飲食；三生嫉妬心；四發譏呵；五言
辭了了；六前人聞知犯。已下兩明戒本。此戒因尼迎授教師供給六群，生嫉妬意，言
彼元實但爲飲食故教授尼。比丘白佛，佛便制戒。若比丘語諸比丘作如是語：諸比丘
爲飲食故教授比丘尼，波逸提。此滿足之戒本。文有三句：一犯人；二譏呵；三結犯。初中如
三言譏呵者，見他得利，心生熱惱，故起譏呵。三言波逸提者，是結罪句。律云若如
上譏呵說了了提，不了吉羅。不犯者：其事實爾，爲飲食供養故教授，若戲
若錯說，並不犯　与非親尼衣戒第廿四　一制意者：凡男女示殊，理無交親，无
緣取与，事招外譏，因交致染，容壞梵行，損敗不輕，是故聖制　別緣有四：
一是比丘尼；二非親里；三虛心与衣；四彼尼領受便犯。已下兩明戒本。此制因比丘乞食，
比丘与尼衣，後因嫌責，數向人說，比丘白佛，佛便呵制。若比丘与非親里比丘尼衣，
除貿易，波逸提。此滿足之戒本。文有五句：一犯人；二非親里尼；三与衣；四除貿易；
五結罪。上三可知。第三言衣者，有十種，如上多論。應量衣提，不應量衣吉。餘
名犯提。非應鉢量揵鎡等吉。四言貿易者，義如上。下至藥草一片相易得
五言波逸提者，結犯。律云：若与比丘尼共与一尼衣，或一衣与二尼，並犯提。多論
言犯吉。但律但言与尼便提，与下眾吉。若依多論，与尼三眾俱犯提。義名應然
不同浣衣竊事多少中制。又有齊數，又律云：尼与大僧吉羅。若就齊數，大僧
与齊減應犯輕罪，尼与義數，尼是下眾，奉於上尊，生發義，故所以輕。不
犯者：八律云：若爲料理塔寺，若爲說法，若爲多誦經戒，与衣作衣，並不犯。此
律与親尼衣，共貿易，若与塔，依与佛，与僧，无犯。与非親尼作衣戒第廿五
制意同前，但作衣爲異。別緣有五：一是比丘尼；二非親里；三自送衣遣比丘作；四无
因緣。律云：若借著，浣染持還，並无犯；五隨所作便犯。已下兩明戒本。此因迦留陀夷
爲尼作衣，裁作怪像，成已付尼，今在眾著，居士譏笑，佛便制戒。若比丘与
[...]此滿足之戒本。文有四句：一犯人；二非親里；三作衣

BD00741 號　四分律戒本疏卷三　（3–2）

五法罪上三可知第二三言衣者有十種如上多論應量衣提不應量吉羅
名犯提非應益量揵鎡等吉四言貿易者義如上下至藥草一斤相易得
五言波逸提者諸犯律云若二比丘共与一尼衣或一衣与二尼並犯提　多論
言犯者此律但言与尼提与下衆吉若依多論与尼二衆俱犯提義各應然
不同浣衣廢事多少中制又有希數又律云尼与大僧吉羅　若就希數大僧
与希應犯輕罪尼与義數尼是下衆奉於上尊生歡義疲故所以輕　不
犯者六律云若為料理叨業若為浣染若為多誦經戒与衣作衣並不犯
律与親尼衣共貿易若与塔佛与佛与僧无犯　与非親尼作衣戒第廿五
制意同前但作衣為異六別緣有五一是比丘尼二非親里三自送衣遣比丘作四无
因緣律云有借著浣染持還主无犯五隨所作後犯　已下四明戒本此因迦留陀夷
為尼作衣裁作性像成已付尼令在衆著居士譏笑佛便制戒　若比丘与
非親里比丘尼作衣者波逸提　此第二戒本文有四句一犯人二非親尼三作衣
四結犯上三可知言波逸提者是遠犯罪故律云彼比丘多少隨一縫一鍼隨
問所以不待作成而隨針得罪者何　答是中多過故尔大僧上尊為下人
作衣多生染意又招外譏廢修正業容作非法衣具斯諸過故隨縫隨針
得罪如尼造塔等得罪此並過多故尔若度杖者專挽熨治以手摩衣
若捉角頭挽方而安縫處然一切吉羅　不犯者与親尼作若与僧作為塔
若爲者浣染治還主並開不犯　獨与尼屏處坐戒第廿六　此戒過与安
人同室宿无異但屏坐為別　別緣有四一是尼二无第三人三在屏處二處四
共坐便犯　已下正明戒本此戒因迦留陀夷与偷蘭難陀尼緣瓶蹈示手有憍慢
在門外坐居士共嫌笑為譏比丘舉過佛便制　若比丘与尼在屏處坐者波逸
提　此第二戒本文有四句一犯人二尼三處四罪初二兩句可知三言屏處坐者律立屏
有二種一見屏若坐若立若霧烟雲黑闇不明見二聞屏處乃至不聞常語聲出坐
者尼一僧无餘人故名屏處坐四言波逸提者是遠犯句律云比丘与尼屏露
无第三人為證故犯提　多論或比丘坐尼起已更坐隨坐多少一一得提比丘起
而更坐一一得罪若二人俱坐一一兩犯一罪十云屏坐相去一丈提丈五吉二丈不犯祇云共
並坐或尼請食已受益食為益坐時一提比丘應起不得坐起已使尼疑應語言
……下已　多論屏處者无慚愧處可作婬欲處是名屏處律
二八言吉羅若俱立無罪

生病是故我病若一切衆生得不病者則我
病滅所以者何菩薩爲衆生故入生死有生
死則有病若衆生得離病者則菩薩无復
病譬如長者唯有一子其子得病父母亦病
若子病愈父母亦愈菩薩如是於諸衆生愛
之若子衆生病則菩薩病衆生病愈菩薩亦
愈又言是疾何所因起菩薩疾者以大悲起文
殊師利言居士此室何以空无侍者維摩詰
言諸佛國土亦復皆空又問以何爲空荅曰
以空空又問空何用空荅曰以无分別空故
空又問空可分別耶荅曰分別亦空又問空
當於何求荅曰當於六十二見中求又問六
十二見當於何求荅曰當於諸佛解脫中
求又問諸佛解脫當於何求荅曰當於一切衆
生心行中求又仁者所問何无侍者一切衆魔
及諸外道皆吾侍也所以者何衆魔者樂生
死菩薩於生死而不捨外道樂諸見菩
薩於諸見而不動文殊師利言居士所疾爲

BD00742 號　維摩詰所說經卷中　（2–1）

及諸外道皆吾侍也所以者何衆魔者樂生
生死菩薩於生死而不捨外道樂諸見菩
薩於諸見而不動文殊師利言居士所疾爲
何等相維摩詰言我病无形不可見又問此
病身合耶心合耶荅曰非身合身相離故亦
非心合心如幻故又問地大水大火大風大於
此四大何大之病荅曰是病非地大亦不離
地大水火風大亦復如是而衆生病從四大
起以其有病是故我病
尒時文殊師利問維摩詰言菩薩應云何慰
喻有疾菩薩維摩詰言說身无常不說猒離
於身說身有苦不說樂於涅槃說身无我而
說教導衆生說身空寂不說畢竟寂滅說悔
先罪而不說入於過去以己之疾愍於彼疾
當識宿世无數劫苦當念饒益一切衆生憶
所脩福念於淨命勿生憂惱常起精進當作
醫王療治衆病菩薩應如是慰喻有疾菩薩
令其歡喜
文殊師利言居士有
維摩詰言有
從前世妄
病者

BD00742 號　維摩詰所說經卷中　（2–2）

[illegible]之
□耶夫人將諸天衆
□莊嚴受諸快樂尒時佛
□衣作六種不祥之夢一者夢見
須彌山崩四大海水枯竭二者夢見師子來咬
我身兩乳自然流出三者夢見猛火來燒我
身四者夢見寶幢摧折幡華崩倒五者夢
見磨竭大魚吞噉衆生又見夜叉羅剎吸人精
氣六者夢見衆生如蜂失王惆悵漂迮作此
夢已憂愁不樂尒時佛母說夢未了即見告
人優波離從空而來
尒時佛母口問聖人從何方而來太劇形容
憔悴面色无光狀似怯人復无威德尒時優
波離哽咽告言佛母佛母我從南閻浮提來
如來大師昨夜子時捨大法身入般涅槃去也
故使我來告諸眷屬願母早來礼敬三寶
尒時佛母聞是語已心生哀切痛哉苦哉渾
搥自撲狀如五須弥山崩遍體血現如波羅奢
華悶絕躃地有一天女名曰芬葩以將冷水灑

尒時佛母聞是語已心生哀切痛哉苦哉渾
搥自撲狀如五須弥山崩遍體血現如波羅奢
華悶絕躃地有一天女名曰芬葩以將冷水灑
面良久乃蘇
尒時摩耶夫人与諸天衆恭敬圍遶從忉利天
上頓身而下鑁鏈雲飛直至娑羅林間正見
如來在金棺銀槨殯殮已訖香木万束擬欲
焚身白氎千端以將纏繞十大弟子悲號震
天四果聖人搥身叩地乃至聲聞緣覺之類
金剛師子之流咸以五體崩傷六情酸楚身
毛皆竪唯見鉢盂錫杖掛於林間僧伽離衣
掠在棺側尒時摩耶夫人手持此物而作是
言此是我子生存之日恒持此物化導衆生
今既入般涅槃此物今无主也
尒時佛母將頭叩棺便即散髮槌胷遶棺三
迊却住一面棄淚而言噯言悲達悲達汝是
我子我是汝母昔在王宮始生七日我便命終
姨母波闍乳養始年七歲踰城出家三十成
道覆護衆生今既入般涅槃云何不留半偈
之法悲達悲達
尒時如來聞母噯聲以神通力金棺銀槨鑾
然自開妙兜羅綿颯然而下踴在空中高七
多羅樹間現紫磨黃金色身却坐千葉蓮
華般若之臺手把優鉢羅華為母說法世
間皆空

姨母波闍乳養始年七歲踰城出家三十成
道覆護衆生今既入般涅槃云何不留半偈
之法悲達悲達
尒時如來聞母嘆聲以神通力金棺銀槨璺
然自開妙洸羅綿颯然而下踴在空中高七
多羅樹間現紫磨黃金色身却坐千葉蓮
華般若之臺手把優鉢羅華為母說法世
間皆空
一切恩愛　會有離別　一切江河　會有枯竭
一切叢林　會有摧折　母子之情　會有離別
說是語已便復沒失尒時佛母聞是妙法心
開意解不轉女身證得阿羅漢果尒時摩耶
夫人將諸天衆前後圍遶還歸本天來至天所
住立虛空心生慈悲嗚呼大哭天地震動淚下
如雨雲中百鳥皆作哀聲痛哉苦哉何期如
來入般涅槃永不相見去世大師

大般涅槃經佛母品

BD00743 號　佛母經　　（3–3）

妙法蓮華經苐三

BD00744 號　妙法蓮華經卷三護首　　（1–1）

妙法蓮華經藥草喻品第五
尒時世尊告摩訶迦葉及諸大弟子善哉善
哉迦葉善說如來真實功德誠如所言如來
復有无量无邊阿僧祇功德汝等若於无量
億劫說不能盡迦葉當知如來是諸法之王
若有所說皆不虛也於一切法以智方便而
演說之其所說法皆悉到於一切智地如來
觀知一切諸法之所歸趣亦知一切衆生深

BD00744 號　妙法蓮華經卷三　（5–1）

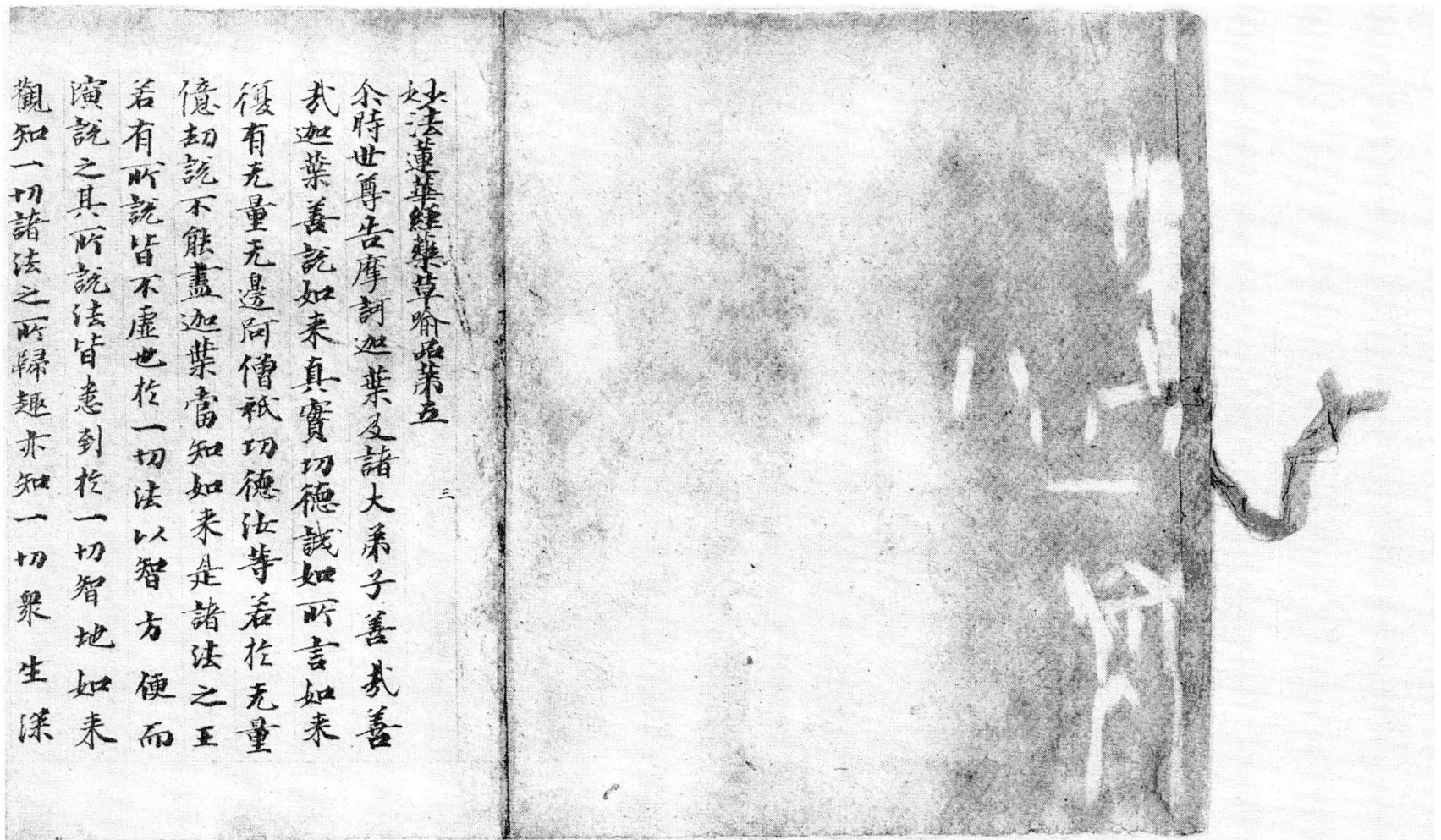

觀知一切諸法之所歸趣亦知一切衆生深
心所行通達无礙又於諸法究盡明了示諸
衆生一切智慧迦葉譬如三千大千世界山
川谿谷土地所生卉木叢林及諸藥草種類
若干名色各異密雲彌布遍覆三千大千世
界一時等澍其澤普洽卉木叢林及諸藥草
小根小莖小枝小葉中根中莖中枝中葉大
根大莖大枝大葉諸樹大小隨上中下各有
所受一雲所雨稱其種性而得生長華菓敷
實雖一地所生一雨所潤而諸草木各有差
別迦葉當知如來亦復如是出現於世如大
雲起以大音聲普遍世界天人阿脩羅如彼
大雲遍覆三千大千國土於大衆中而唱是
言我是如來應供正遍知明行足善逝世間
解无上士調御丈夫天人師佛世尊未度者
令度未解者令解未安者令安未涅槃者令
得涅槃今世後世如實知之我是一切知者
一切見者知道者開道者說道者汝等天人
阿脩羅衆皆應到此為聽法故尒時无數千
万億種衆生來至佛所而聽法如來于時觀
是衆生諸根利鈍精進懈怠隨其所堪而為
說法種種无量皆令歡喜快得善利是諸衆
生聞是法已現世安隱後生善處以道受樂
亦得聞法既聞法已離諸障礙於法中任
力所能漸得入道如彼大雲雨於一切卉木

BD00744 號　妙法蓮華經卷三　（5–2）

生聞是法已現世安隱後生善處以道受樂
亦得聞法既聞法已離諸障礙於法中任
力所能漸得入道如彼大雲雨於一切卉木
叢林及諸藥草如其種性具足蒙潤各得
生長如來說法一相一味所謂解脫相離相滅
相究竟至於一切種智其有眾生聞如來法
若持讀誦如說修行所得功德不自覺知所
以者何唯有如來知此眾生種相體性念何
事思何事修何事云何念云何思云何修以何
法念以何法思以何法修以何法得何法眾
生住於種種之地唯有如來如實見之明
了无礙如彼卉木叢林諸藥草等而不自知
上中下性如來知是一相一味之法所謂解
脫相離相滅相究竟涅槃常寂滅相終歸
於空佛知是已觀眾生心欲而將護之是故不
即為說一切種智汝等迦葉甚為希有能知
如來隨宜說法能信能受所以者何諸佛世
尊隨宜說法難解難知尒時世尊欲重宣此
義而說偈言
破有法王　出現於世　隨眾生欲　種種說法
如來尊重　智慧深遠　久默斯要　不務速說
有智若聞　則能信解　无智疑悔　則為永失
是故迦葉　隨力為說　以種種緣　令得正見
迦葉當知　譬如大雲　起於世間　遍覆一切
慧雲含潤　電光晃曜　雷聲遠震　令眾悅豫

迦葉當知　譬如大雲　起於世間　遍覆一切
慧雲含潤　電光晃曜　雷聲遠震　令眾悅豫
日光掩蔽　地上清涼　靉靆垂布　如可承攬
其雨普等　四方俱下　流澍无量　率土充洽
山川險谷　幽邃所生　卉木藥草　大小諸樹
百穀苗稼　甘蔗蒲桃　雨之所潤　无不豐足
乾地普洽　藥木並茂　其雲所出　一味之水
草木叢林　隨分受潤　一切諸樹　上中下等
稱其大小　各得生長　根莖枝葉　華菓光色
一雨所及　皆得鮮澤　如其體相　性分大小
所潤是一　而各滋茂　佛亦如是　出現於世
譬如大雲　普覆一切　既出于世　為諸眾生
分別演說　諸法之實　大聖世尊　於諸天人
一切眾中　而宣是言　我為如來　兩足之尊
出于世間　猶如大雲　充潤一切　枯槁眾生
皆令離苦　得安隱樂　世間之樂　及涅槃樂
諸天人眾　一心善聽　皆應到此　覲无上尊
我為世尊　无能及者　安隱眾生　故現於世
為大眾說　甘露淨法　其法一味　解脫涅槃
以一妙音　演暢斯義　常為大乘　而作因緣
我觀一切　普皆平等　无有彼此　愛憎之心
我无貪著　亦无限礙　恒為一切　平等說法
如為一人　眾多亦然　常演說法　曾无他事
去來坐立　終不疲猒　充足世間　如雨普潤
貴賤上下　持戒毀戒　威儀具足　及不具足
正見邪見　利根鈍根　等雨法雨　而无懈惓

如為一人　衆多亦然　常演說法　曾无他事
去來坐立　終不疲猒　充足世間　如雨普潤
貴賤上下　持戒毀戒　威儀具足　及不具足
正見耶見　利根鈍根　等雨法雨　而无懈惓
一切衆生　聞我法者　隨力所受　住於諸地
或處人天　轉輪聖王　釋梵諸王　是小藥草
知无漏法　能得涅槃　起六神通　及得三明
獨處山林　常行禪定　得緣覺證　是中藥草
求世尊處　我當作佛　行精進定　是上藥草
又諸佛子　專心佛道　常行慈悲　自知作佛
決定无疑　是名小樹　安住神通　轉不退輪
度无量億　百千衆生　如是菩薩　名為大樹
佛平等說　如一味雨　隨衆生性　所受不同
如彼草木　所稟各異　佛以此喻　方便
種種言辭　演說一法　於佛智慧
乎

BD00744號　妙法蓮華經卷三　（5–5）

是念此或
處不如往至貧里肆力有地衣
住此或見逼迫強使我作作是念已疾走而
去時富長者於師子座見子便識心大歡喜
即作是念我財物庫藏今有所付我常思念
此子无由見之而忽自來甚適我願我雖年
朽猶故貪惜即遣傍人急追將還尒時使者
疾走往捉窮子驚愕稱怨大喚我不相犯何
為見捉使者執之愈急強牽將還于時窮
子自念无罪而被囚執此必定死轉更惶怖悶
絕躃地父遙見之而語使言不須此人勿強
將來以冷水灑面令得醒悟莫復與語所以
者何父知其子志意下劣自知豪貴為子所
難審知是子而以方便不語他人云是我子
使者語之我今放汝隨意所趣窮子歡喜得
未曾有從地而起往至貧里以求衣食尒時
長者將欲誘引其子而設方便密遣二人形
色憔悴无威德者汝可詣彼徐語窮子此
有作處倍與汝直窮子若許將來使作若言
欲何所作便可語之雇汝除糞我等二人亦共
汝作時二使人即求窮子既已得之具陳上
事尒時窮子先取其價尋與除糞其父見

BD00745號　妙法蓮華經卷二　（3–1）

有作處信與汝直窮子若許將來使作若言
欲何所作便可語之雇汝除糞我等二人亦共
汝作時二使人即求窮子既已得之具陳上
事尒時窮子先取其價尋與除糞其父見
子愍而怪之又以他日於窗牖中遙見子身羸
瘦憔悴糞土塵坌污穢不淨即脫瓔珞細
軟上服嚴飾之具更著麤弊垢膩之衣塵土
坌身右手執持除糞之器狀有所畏語諸作
汝等勤作勿得懈息以方便故得近其子後
復告言咄男子汝常此作勿復餘去當加汝
價諸有所須瓮器米麵鹽酢之屬莫自疑難
亦有老弊使人須者相給好自安意我如汝
父勿復憂慮所以者何我年老大而汝少壯
汝常作時无有欺怠瞋恨怨言都不見汝有
此諸惡如餘作人自今已後如所生子即時
長者更與作字名之為兒尒時窮子雖欣此
遇猶故自謂客作賤人由是之故於二十年
中常令除糞過是已後心相體信入出无難
然其所止猶在本處世尊尒時長者有疾自
知將死不久語窮子言我今多有金銀珎寶
倉庫盈溢其中多少所應取與汝悉知之我
心如是當體此意所以者何今我與汝便為
不異宜加用心无令漏失尒時窮子即受教
勅領知眾物金銀珎寶及諸庫藏而无悕取
一飡之意然其所止故在本處下劣之心亦未
能捨復經少時父知子意漸已通泰成就大志

BD00745號　妙法蓮華經卷二

（3–2）

不異宜加用心无令漏失尒時窮子即受教
勅領知眾物金銀珎寶及諸庫藏而无悕取
一飡之意然其所止故在本處下劣之心亦未
能捨復經少時父知子意漸已通泰成就大志
自鄙先心臨欲終時而命其子并會親族國
王大臣剎利居士皆悉已集即自宣言諸君當
知此是我子我之所生於某城中捨吾逃走跉
跰辛苦五十餘年其本字某我名某甲昔在
本城懷憂推覓忽於此間遇會得之此實我
子我實其父今吾所有一切財物皆是子有先
所出內是子所知世尊是時窮子聞父此言
即大歡喜得未曾有而作是念我本无心有所
悕求今此寶藏自然而至世尊大富長者則
是如來我等皆似佛子如來常說我等為子世
尊我等以三苦故於生死中受諸熱惱迷惑
无知樂著小法今日世尊令我等思惟蠲除
諸法戲論之糞我等於中勤加精進得至涅槃
一日之價既得此已心大歡喜自以為足而便自
謂於佛法中勤精進故所得弘多然世尊先

BD00745號　妙法蓮華經卷二

（3–3）

故當知作意亦無實淨戒乃至般若波羅蜜
多無實故當知作意亦無實布施波羅蜜多
無自性故當知作意亦無自性淨戒乃至般
若波羅蜜多無自性故當知作意亦無自性
布施波羅蜜多空故當知作意亦空淨戒乃
至般若波羅蜜多空故當知作意亦空布施
波羅蜜多遠離故當知作意亦遠離淨戒乃
至般若波羅蜜多遠離故當知作意亦遠離
布施波羅蜜多寂靜故當知作意亦寂靜淨
戒乃至般若波羅蜜多寂靜故當知作意亦
寂靜布施波羅蜜多無覺知故當知作意亦
無覺知淨戒乃至般若波羅蜜多無覺知故
當知作意亦無覺知
舍利子四靜慮非有故當知作意亦非有四
無量四無色定非有故當知作意亦非有四
靜慮無實故當知作意亦無實四無量四無
色定無實故當知作意亦無實四靜慮無自
性故當知作意亦無自性四無量四無色定
無自性故當知作意亦無自性四靜慮空故
當知作意亦空四無量四無色定空故當知
作意亦遠離

BD00746 號　大般若波羅蜜多經卷七六　（4–1）

色定無實故當知作意亦無實四靜慮無自
性故當知作意亦無自性四無量四無色定
無自性故當知作意亦無自性四靜慮空故
當知作意亦空四無量四無色定空故當知
作意亦空四靜慮遠離故當知作意亦遠離
四無量四無色定遠離故當知作意亦遠離
四靜慮寂靜故當知作意亦寂靜四無量四
無色定寂靜故當知作意亦寂靜四靜慮無
覺知故當知作意亦無覺知四無量四無色
定無覺知故當知作意亦無覺知
舍利子八解脫非有故當知作意亦非有八
勝處九次第定十遍處非有故當知作意亦
非有八解脫無實故當知作意亦無實八勝
處九次第定十遍處無實故當知作意亦無
實八解脫無自性故當知作意亦無自性八勝
處九次第定十遍處無自性故當知作意亦
無自性八解脫空故當知作意亦空八勝處
九次第定十遍處空故當知作意亦空八解
脫遠離故當知作意亦遠離八勝處九次第
定十遍處遠離故當知作意亦遠離八解
脫寂靜故當知作意亦寂靜八勝處九次第
定十遍處寂靜故當知作意亦寂靜八解脫
無覺知故當知作意亦無覺知八勝處九次
第定十遍處無覺知故當知作意亦無覺知
舍利子四念住非有故當知作意亦非有四
正斷四神足五根五力七等覺支八聖道支
非有故當知作意亦非有四念住無實故當

BD00746 號　大般若波羅蜜多經卷七六　（4–2）

第定十遍處無覺知故當知作意亦無覺知
舍利子四念住非有故當知作意亦非有四
正斷四神足五根五力七等覺支八聖道支
非有故當知作意亦非有四念住無實故當
知作意亦無實四正斷乃至八聖道支無實
故當知作意亦無實四念住無自性故當知
作意亦無自性四正斷乃至八聖道支無自
性故當知作意亦無自性四念住空故當知
作意亦空四正斷乃至八聖道支空故當知
作意亦空四念住遠離故當知作意亦遠離
四正斷乃至八聖道支遠離故當知作意亦
遠離四念住寂靜故當知作意亦寂靜四正
斷乃至八聖道支寂靜故當知作意亦寂靜
四念住無覺知故當知作意亦無覺知四正
斷乃至八聖道支無覺知故當知作意亦無
覺知
舍利子空解脫門非有故當知作意亦非有
無相無願解脫門非有故當知作意亦非有
空解脫門無實故當知作意亦無實無相無
願解脫門無實故當知作意亦無實空解脫
門無自性故當知作意亦無自性無相無願
解脫門無自性故當知作意亦無自性空解
脫門空故當知作意亦空無相無願解脫門
空故當知作意亦空空解脫門遠離故當知
作意亦遠離無相無願解脫門遠離故當知
作意亦

BD00746 號　大般若波羅蜜多經卷七六　（4–3）

四念住無覺知故當知作意亦無覺知四正
斷乃至八聖道支無覺知故當知作意亦無
覺知
舍利子空解脫門非有故當知作意亦非有
無相無願解脫門非有故當知作意亦非有
空解脫門無實故當知作意亦無實無相無
願解脫門無實故當知作意亦無實空解脫
門無自性故當知作意亦無自性無相無願
解脫門無自性故當知作意亦無自性空解
脫門空故當知作意亦空無相無願解脫門
空故當知作意亦空空解脫門遠離故當知
作意亦遠離無相無願解脫門遠離故當知
作意亦遠離空解脫門寂靜故當知作意亦
寂靜無相無願解脫門寂靜故當知作意亦
寂靜空解脫門無覺知故當知作意亦無覺
知無相無願解脫門無覺知故當知作意亦
無覺知

BD00746 號　大般若波羅蜜多經卷七六　（4–4）

BD00746 號背　勘記　（1–1）

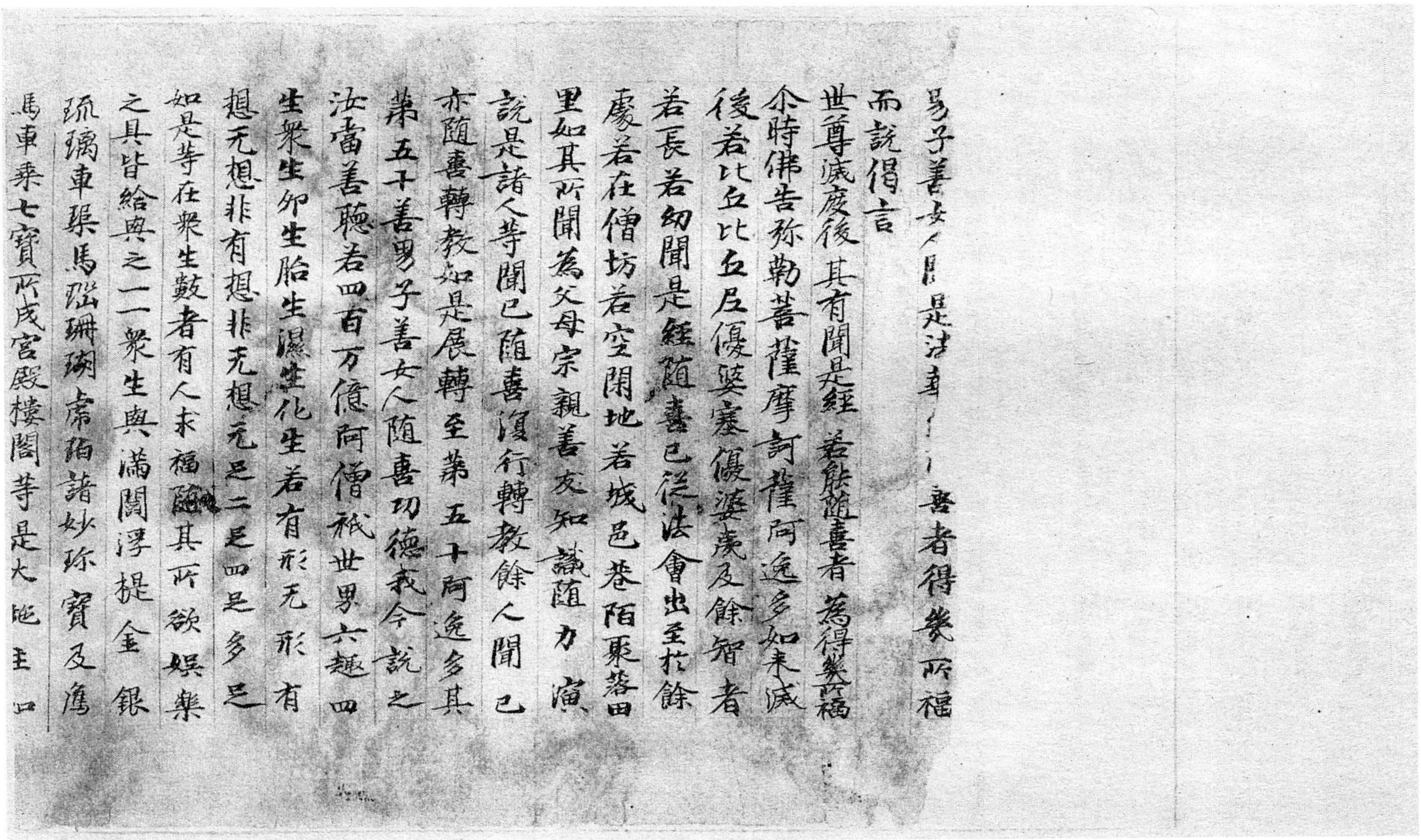

男子善女人聞是法華[illegible]喜者得幾所福
而說偈言
世尊滅度後　其有聞是經　若能隨喜者　為得幾所福
尒時佛告弥勒菩薩摩訶薩阿逸多如來滅
後若比丘比丘尼優婆塞優婆夷及餘智者
若長若幼聞是經隨喜已從法會出至於餘
處若在僧坊若空閑地若城邑巷陌聚落田
里如其所聞為父母宗親善友知識隨力演
說是諸人等聞已隨喜復行轉教餘人聞已
亦隨喜轉教如是展轉至第五十阿逸多其
第五十善男子善女人隨喜功德我今說之
汝當善聽若四百万億阿僧祇世界六趣四
生衆生卵生胎生濕生化生若有形无形有
想无想非有想非无想无足二足四足多足
如是等在衆生數者有人求福隨其所欲娛樂
之具皆給與之一一衆生與滿閻浮提金銀
琉璃車璖馬瑙珊瑚虎珀諸妙珎寶及象
馬車乘七寶所成宮殿樓閣等是大施主如

BD00747 號　妙法蓮華經卷六　（28–1）

之具皆給與之一一衆生與滿閻浮提金銀
琉璃車𤦲馬瑙珊瑚虎珀諸妙珎寶及象
馬車乘七寶所成宮殿樓閣等是大施主如
是布施滿八十年已而作是念我已施衆生娛
樂之具隨意所欲然此衆生皆已衰老年過
八十髮白面皺將死不久我當以佛法而訓導
之即集此衆生宣布法化示教利喜一時皆
得須陁洹道斯陁含道阿那含道阿羅漢
道盡諸有漏於深禪定皆得自在具八解脫
於汝意云何是大施主所得功德寧為多不
彌勒白佛言世尊是人功德甚多无量无邊
若是施主但施衆生一切樂具功德无量
何況令得阿羅漢果佛告彌勒我今分明語
汝是人以一切樂具施於四百万億阿僧祇世
界六趣衆生又令得阿羅漢果所得功德
不如是第五十人聞法華經一偈隨喜功德
百分千分百千万億分不及其一乃至筭數
譬喻所不能知阿逸多如是第五十人展轉
聞法華經隨喜功德尚无量无邊阿僧祇何
況最初於會中聞而隨喜者其福復勝无量
无邊阿僧祇不可得比阿逸多若人為是經
故往詣僧坊若坐若立須臾聽受緣是功
德轉身所生得好上妙象馬車乘珎寶輦轝
及乘天宮若復有人於講法處坐更有人來
勸令坐聽若分座令坐是人功德轉身得帝

BD00747號　妙法蓮華經卷六　（28–2）

及乘天宮若復有人於講法處坐更有人來
勸令坐聽若分座令坐是人功德轉身得帝
釋坐處若梵王坐處若轉輪聖王所坐之處阿
逸多若復有人語餘人言有經名法華可共
往聽即受其教乃至須臾間聞是人功德轉
身得與陁羅尼菩薩共生一處利根智慧百
千万世終不瘖瘂口氣不臭舌常无病口
亦无病齒不垢黑不黃不踈亦不缺落不差
不曲脣不下垂亦不褰縮不麁澁不瘡緊亦
不缺壞亦不喎斜不厚不大亦不黧黑无諸
可惡鼻不匾𣑅亦不曲戾面色不黑亦不狹
長亦不窊曲无有一切不可憙相脣舌牙齒
悉皆嚴好鼻脩高直面貌圓滿眉高而長額
廣平正人相具足世世所生見佛聞法信受教
誨阿逸多汝且觀是勸於一人令往聽法
功德如此何況一心聽說讀誦而於大衆為人
分別如說脩行尒時世尊欲重宣此義而說
偈言

若人於法會　得聞是經典　乃至於一偈　隨喜為他說
如是展轉教　至于第五十　㝡後人獲福　今當分別之
如有大施主　供給无量衆　具滿八十歲　隨意之所欲
見彼衰老相　髮白而面皺　齒踈於枯竭　涅槃真實法
我今應當教　令得於道果　即為方便說　涅槃真實法
世皆不牢固　如水沫泡焰　汝等咸應當　疾生厭離心
諸人聞是法　皆得阿羅漢　具足六神通　三明八解脫

BD00747號　妙法蓮華經卷六　（28–3）

我今應當教　令得於道果　即爲方便說　涅槃真實法
世皆不牢固　如水沫泡焰　汝等咸應當　疾生猒離心
諸人聞是法　皆得阿羅漢　具足六神通　三明八解脫
最後第五十　聞一偈隨喜　是人福勝彼　不可爲譬喻
如是展轉聞　其福尚无量　何況於法會　初聞隨喜者
若有勸一人　將引聽法華　言此經深妙　千万劫難遇
即受教往聽　乃至須臾聞　斯人之福報　今當分別說
世世无口患　齒不踈黃黑　脣不厚褰缺　无有可惡相
舌不乾黑短　鼻高脩且直　額廣而平正　面目悉端嚴
爲人所喜見　口氣无臭穢　優鉢華之香　常從其口出
若故詣僧坊　欲聽法華經　須臾聞歡喜　今當說其福
後生天人中　得妙象馬車　珎寶之輦轝　及乘天宮殿
若於講法處　勸人坐聽經　是福因緣得　釋梵轉輪王
何況一心聽　解說其義趣　如說而脩行　其福不可限

妙法蓮華經法師功德品第十九

尒時佛告常精進菩薩摩訶薩：若善男子善女人受持是法華經，若讀若誦若解說若書寫，是人當得八百眼功德、千二百耳功德、八百鼻功德、千二百舌功德、八百身功德、千二百意功德，以是功德莊嚴六根，皆令清淨。是善男子善女人父母所生清淨肉眼，見於三千大千世界內外所有山林河海，下至阿鼻地獄，上至有頂，亦見其中一切衆生，及業因緣果報生處，悉見悉知。尒時世尊欲重宣此義而說偈言：

果報生處悉見悉知尒時世尊欲重宣此義而說偈言

若於大衆中　以无所畏心　說是法華經　汝聽其功德
是人得八百　功德殊勝眼　以是莊嚴故　其目甚清淨
父母所生眼　悉見三千界　內外弥樓山　須弥及鐵圍
并諸餘山林　大海江河水　下至阿鼻獄　上至有頂處
其中諸衆生　一切皆悉見　雖未得天眼　肉眼力如是

復次常精進，若善男子善女人受持此經，若讀若誦若解說若書寫，得千二百耳功德，以是清淨耳，聞三千大千世界，下至阿鼻地獄，上至有頂，其中內外種種語言音聲：象聲馬聲牛聲車聲，啼聲愁嘆聲，螺聲鼓聲種聲鈴聲，笑聲語聲，男聲女聲，童子聲童女聲，法聲非法聲，苦聲樂聲，凡夫聲聖人聲，喜聲不喜聲，天聲龍聲夜叉聲，乾闥婆聲阿修聲，迦樓羅聲緊那羅聲摩睺羅伽聲，大聲水聲風聲，地獄聲蒭生聲餓鬼聲，比丘聲比丘尼聲，聲聞聲辟支佛聲，菩薩聲佛聲。以要言之，三千大千世界中一切內外所有諸聲，雖未得天耳，以父母所生清淨常耳，皆悉聞知。如是分別種種音聲，而不壞耳根。尒時世尊欲重宣此義而說偈言：

父母所生耳　清淨无濁穢　以此常耳聞　三千世界聲
象馬車牛聲　鍾鈴螺鼓聲　琴瑟箜篌聲　簫笛之音聲
清淨好歌聲　聽之而不著　无數種人聲　聞悉能解了
又聞諸天聲　微妙之歌音　及聞男女聲　童男童女聲

象馬車牛聲　鍾鈴螺鼓聲　琴瑟箜篌聲　簫笛之音聲
清淨好歌聲　聽之而不著　无數種人聲　聞悉能解了
又聞諸天聲　微妙之歌音　及聞男女聲　童男童女聲
山川嶮谷中　迦陵頻伽聲　命命等諸鳥　悉聞其音聲
地獄衆苦痛　種種楚毒聲　餓鬼飢渴逼　求索飲食聲
諸阿脩羅等　居在大海邊　自共語言時　出于大音聲
如是說法者　安住於此間　遥聞是衆聲　而不壞耳根
十方世界中　禽獸鳴相呼　其說法之人　於此悉聞之
其諸梵天上　光音及遍淨　乃至有頂天　言語之音聲
法師住於此　悉皆得聞之　一切比丘衆　及諸比丘尼
若讀誦經典　若為他人說　法師住於此　悉皆得聞之
復有諸菩薩　讀誦於經法　若為他人說　撰集解其義
如是諸音聲　悉皆得聞之　諸佛大聖尊　教化衆生者
於諸大衆中　演說微妙法　持此法華者　悉皆得聞之
三千大千界　内外諸音聲　下至阿鼻獄　上至有頂天
皆聞其音聲　而不壞耳根　其耳聰利故　悉能分別知
持此法華者　雖未得天耳　但用所生耳　功德已如是
復次常精進　若善男子善女人受持是經若讀
若誦若解說若書寫　成就八百鼻功德　以是
清淨鼻根　聞於三千大千世界上下内外
種種諸香　須曼那華香　闍提華香　末利華香
瞻蔔華香　波羅羅華香　赤蓮華香　清淨華香
白蓮華香　華樹香　菓樹香　栴檀香　沈水香　多
摩羅跋香　多伽羅香　及千万種和香　若末若
丸若塗香　持是經者　於此間住　悉能分別　又

摩羅跋香　多伽羅香　及千万種和香　若末若
丸若塗香　持是經者　於此間住　悉能分別　又
復別知衆生之香　象香馬香牛羊等香　男香
女香　童子香　童女香　及草木叢林香　若近若
遠所有諸香　悉皆得聞　分別不錯　持是經者
雖住於此　亦聞天上諸天之香　波利質多羅
拘鞞陀羅樹香　及曼陀羅華香　摩訶曼陀羅
華香　曼殊沙華香　摩訶曼殊沙華香　栴檀
沈水　種種末香　諸雜華香　如是等天香和合
所出之香　无不聞知　又聞諸天身香　釋提桓因
在勝殿上　五欲娛樂嬉戲時香　若在妙法　堂
上為忉利諸天說法時香　若於諸園遊戲時
香　及餘天等男女身香　皆悉遥聞　如是展轉
乃至梵世　上至有頂　諸天身香　亦皆聞之　并
聞諸天所燒之香　及聲聞香　辟支佛香　菩薩
香　諸佛身香　亦皆遥聞　知其所在　雖聞此
香　然於鼻根不壞不錯　若欲分別為他人說　憶
念不謬　尒時世尊欲重宣此義而說偈言
是人鼻清淨　於此世界中　若香若臭物　種種悉聞知
須曼那闍提　多摩羅栴檀　沈水及桂香　種種華菓香
及知衆生香　男子女人香　說法者遠住　聞香知所在
大勢轉輪王　小轉輪及子　羣臣諸宮人　聞香知所在
身所著珎寶　及地中寶藏　轉輪王寶女　聞香知所在
諸人嚴身具　衣服及瓔珞　種種所塗香　聞則知其身
諸天若行坐　遊戲及神變　持是法華者　聞香悉能知

身所著珎寶　及地中寶藏　轉輪王寶女　聞香知所在
諸人嚴身具　衣服及瓔珞　種種所塗香　聞則知其身
諸天若行坐　遊戲及神變　持是法華者　聞香悉能知
諸樹華菓實　及蘇油香氣　持經者住此　悉知其所在
諸山深險處　栴檀樹華敷　衆生在中者　聞香皆能知
鐵圍山大海　地中諸衆生　持經者聞香　悉知其所在
阿脩羅男女　及其諸眷屬　鬪諍遊戲時　聞香皆能知
曠野險隘處　師子象虎狼　野牛水牛等　聞香知所在
若有懷妊者　未辯其男女　无根及非人　聞香悉能知
以聞香力故　知其初懷妊　成就不成就　安樂產福子
以聞香力故　知男女所念　染欲癡恚心　亦知脩善者
地中衆伏藏　金銀諸珎寶　銅器之所盛　聞香悉能知
種種諸瓔珞　无能識其價　聞香知貴賤　出處及所在
天上諸華等　曼陀曼殊沙　波利質多樹　聞香悉能知
天上諸宮殿　上中下差別　衆寶華莊嚴　聞香悉能知
天園林勝殿　諸觀妙法堂　在中而娛樂　聞香悉能知
諸天若聽法　或受五欲時　來往行坐卧　聞香悉能知
天女所著衣　好華香莊嚴　周旋遊戲時　聞香悉能知
如是展轉上　乃至於梵世　入禪出禪者　聞香悉能知
光音遍淨天　乃至于有頂　初生及退沒　聞香悉能知
諸比丘衆等　於法常精進　若坐若經行　及讀誦經者
或在林樹下　專精而坐禪　持經者聞香　悉知其所在
菩薩志堅固　坐禪若讀誦　或為人說法　聞香悉能知
在在方世尊　一切所恭敬　愍衆而說法　聞香悉能知
衆生在佛前　聞經皆歡喜　如法而脩行　聞香悉能知
雖未得菩薩　无漏法生鼻　而是持經者　先得此鼻相

BD00747 號　妙法蓮華經卷六　（28–8）

菩薩志堅固　坐禪若讀誦　或為人說法　聞香悉能知
在在方世尊　一切所恭敬　愍衆而說法　聞香悉能知
衆生在佛前　聞經皆歡喜　如法而脩行　聞香悉能知
雖未得菩薩　无漏法生鼻　而是持經者　先得此鼻相
復次常精進　若善男子善女人受持是經　若讀
若誦若解說若書寫　得千二百舌功德　若好
若醜若美不美及諸苦澁物　在其舌根　皆變
成上味　如天甘露　无不美者　若以舌根　於大衆
中有所演說　出深妙聲　能入其心　皆令歡
喜快樂　又諸天子天女　釋梵諸天　聞是深
妙音聲　有所演說　言論次第　皆悉來聽　及諸
龍龍女　夜叉夜叉女　乾闥婆乾闥婆女　阿脩
羅阿脩羅女　迦樓羅迦樓羅女　緊那羅緊那
羅女　摩睺羅伽摩睺羅伽女　為聽法故　皆來
親近恭敬供養　及比丘比丘尼優婆塞優婆
夷　國王王子群臣眷屬　小轉輪王大轉輪王
七寶千子內外眷屬　乘其宮殿　俱來聽法　以
是菩薩善說法故　婆羅門居士國內人民　盡
其形壽　隨侍供養　又諸聲聞辟支佛菩薩諸
佛　常樂見之　是人所在方面　諸佛皆向其處
說法　悉能受持一切佛法　又能出於深妙法
音　尒時世尊欲重宣此義　而說偈言
是人舌根淨　終不受惡味　其有所食噉　悉皆成甘露
以深淨妙聲　於大衆說法　以諸因緣喻　引導衆生心
聞者皆歡喜　設諸上供養　諸天龍夜叉　及阿脩羅等
皆以恭敬心　而共來聽法　是說法之人　若欲以妙音

BD00747 號　妙法蓮華經卷六　（28–9）

以深淨妙聲　於大衆說法　以諸因緣喻　引導衆生心
聞者皆歡喜　設諸上供養　諸天龍夜叉　及阿脩羅等
皆以恭敬心　而共來聽法　是說法之人　若欲以妙音
遍滿三千界　隨意即能至　大小轉輪王　及千子眷屬
合掌恭敬心　常來聽受法　諸天龍夜叉　羅刹毗舍闍
亦以歡喜心　常樂來供養　梵天王魔王　自在大自在
如是諸天衆　常來至其所　諸佛及弟子　聞其說法音
常念而守護　或時為現身
復次常精進若善男子善女人受持是經若
讀若誦若解說若書寫得八百身功德得清
淨身如淨瑠璃衆生憙見其身淨故三千大
千世界衆生生時死時上下好醜善處惡處
悉於中現及鐵圍山大鐵圍山弥樓山摩
訶弥樓山等諸山及其中衆生悉於中現下
至阿鼻地獄上至有頂所有及衆生悉於中
現若聲聞辟支佛菩薩諸佛說法皆於中
現其色像尒時世尊欲重宣此義而說偈言
若持法華者　其身甚清淨　如彼淨瑠璃　衆生皆憙見
又如淨明鏡　悉見諸色像　菩薩於淨身　皆見世所有
唯獨自明了　餘人所不見　三千世界中　一切諸群萌
天人阿脩羅　地獄鬼畜生　如是諸色像　皆於身中現
諸天等宮殿　乃至於有頂　鐵圍及弥樓　摩訶弥樓山
諸大海水等　皆於身中現　諸佛及聲聞　佛子菩薩等
若獨若在衆　說法悉皆現　雖未得无漏　法性之妙身
以清淨常體　一切於中現

BD00747 號　妙法蓮華經卷六　（28–10）

以清淨常體　一切於中現
復次常精進若善男子善女人如來滅後受
持是經若讀若誦若解說若書寫得千二百
意功德以是清淨意根乃至聞一偈一句通
達无量无邊之義解是義已能演說一句一
偈至於一月四月乃至一歲諸所說法隨其
義趣皆與實相不相違背若說俗間經書治
世語言資生業等皆順正法三千大千世界
六趣衆生心之所行心所動作心所戲論皆
悉知之雖未得无漏智慧而其意根清淨如
此是人有所思惟籌量言說皆是佛法无不
真實亦是先佛經中所說尒時世尊欲重宣
此義而說偈言
是人意清淨　明利无穢濁　以此妙意根　知上中下法
乃至聞一偈　通達无量義　次第如法說　月四月至歲
是世界內外　一切諸衆生　若天龍及人　夜叉鬼神等
其在六趣中　所念若干種　持法華之報　一時皆悉知
十方无數佛　百福莊嚴相　為衆生說法　悉聞能受持
思惟无量義　說法亦无量　終始不忘錯　以持法華故
悉知諸法相　隨義識次第　達名字語言　如所知演說
此人有所說　皆是先佛法　以演此法故　於衆无所畏
持法華經者　意根淨若斯　雖未得无漏　先有如是相
是人持此經　安住希有地　為一切衆生　歡喜而愛敬
能以千萬種　善巧之語言　分別而說法　持法華經故
妙法蓮華經常不輕菩薩品第二十

BD00747 號　妙法蓮華經卷六　（28–11）

是人持此經　安住希有地　爲一切衆生　歡喜而愛敬
能以千万種　善巧之語言　分別而說法　持法華經故

妙法蓮華經常不輕菩薩品第二十

尒時佛告得大勢菩薩摩訶薩汝今當知若
比丘比丘尼優婆塞優婆夷持法華經者若
有惡口罵詈誹謗獲大罪報如前所說其所
得功德如向所說眼耳鼻舌身意清淨得大
勢乃往古昔過无量无邊不可思議阿僧祇
劫有佛名威音王如來應供正遍知明行足
善逝世間解无上士調御丈夫天人師佛世
尊劫名離衰國名大成其威音王佛於彼世
中爲天人阿脩羅說法爲求聲聞者說應四
諦法度生老病死究竟涅槃爲求辟支佛者
說應十二因緣法爲諸菩薩因阿耨多羅三
藐三菩提說應六波羅蜜法究竟佛慧得大
勢是威音王佛壽四十万億那由他恒河沙
劫正法住世劫數如一閻浮提微塵像法住
世劫數如四天下微塵其佛饒益衆生已然
後滅度正法像法滅盡之後於此國土復有
佛出亦号威音王如來應供正遍知明行足
善逝世間解无上士調御丈夫天人師佛世
尊如是次苐有二万億佛皆同一号最初威
音王如來既已滅度正法滅後於像法中增
上慢比丘有大勢力尒時有一菩薩比丘名
常不輕得大勢以何因緣名常不輕是比丘
凡有所見若比丘比丘尼優婆塞優婆夷皆

上慢比丘有大勢力尒時有一菩薩比丘名
常不輕得大勢以何因緣名常不輕是比丘
凡有所見若比丘比丘尼優婆塞優婆夷皆
悉礼拜讚嘆而作是言我深敬汝等不敢輕
慢所以者何汝等皆行菩薩道當得作佛而
是比丘不專讀誦經典但行礼拜乃至遠見四
衆亦復故往礼拜讚嘆作是言我不敢輕
於汝等汝等皆當作佛四衆之中有生
瞋恚心不淨者惡口罵詈是无智比丘從
何所來自言我不輕汝而與我等受記當得
作佛我等不用如是虛妄受記如此經歷多
年常被罵詈不生瞋恚常作是言汝當作佛
說是語時衆人或以杖木瓦石而打擲之避
走遠住猶高聲唱言我不敢輕汝汝等皆
當作佛以其常作是語故增上慢比丘比
丘尼優婆塞優婆夷号之爲常不輕是比丘
臨欲終時於虛空中具聞威音王佛先所說
法華經二十千万億偈悉能受持即得如上
眼根清淨耳鼻舌身意根清淨得六根清
淨已更增壽命二百万億那由他歲廣爲人
說是法華經於時增上慢四衆比丘比丘尼優
婆塞優婆夷輕賤是人爲作不輕名者見其
得大神通力樂說辯力大善寂力聞其所說
皆信伏隨從是菩薩復化千万億衆令住
阿耨多羅三藐三菩提命終之後得值二千
億佛皆号日月燈明於其法中說是法華經

皆信伏隨從是菩薩復化千万億衆令住
阿耨多羅三藐三菩提命終之後得值二千
億佛皆号日月燈明於其法中說是法華經
以是因緣復值二千億佛同号雲自在燈王
於此諸佛法中受持讀誦為諸四衆說此經
典故得是常眼清淨耳鼻舌身意諸根清
淨於四衆中說法心无所畏得大勢是常不
輕菩薩摩訶薩供養如是若干諸佛恭敬
尊重讚嘆種諸善根於後復值千万億佛亦於
諸佛法中說是經典功德成就當得作佛得
大勢於意云何尒時常不輕菩薩豈異人乎
則我身是若我於宿世不受持讀誦此經為他
人說者不能疾得阿耨多羅三藐三菩提我
於先佛所受持讀誦此經為人說故疾得阿
耨多羅三藐三菩提得大勢彼時四衆比丘
比丘尼優婆塞優婆夷以瞋恚意輕賤我故
二百億劫常不值佛不聞法不見僧千劫於
阿鼻地獄受大苦惱畢是罪已復遇常不輕
菩薩教化阿耨多羅三藐三菩提得大勢於
汝意云何尒時四衆常輕是菩薩者豈異人
乎今此會中跋陀婆羅等五百菩薩師子月
等五百比丘尼思佛等五百優婆塞皆於阿
耨多羅三藐三菩提不退轉者是得大勢當
知是法華經大饒益諸菩薩摩訶薩能令人
於阿耨多羅三藐三菩提故諸菩薩摩訶
薩於如來滅後常應受持讀誦解說書寫是

BD00747 號　妙法蓮華經卷六　（28–14）

知是法華經大饒益諸菩薩摩訶薩能令人
於阿耨多羅三藐三菩提故諸菩薩摩訶
薩於如來滅後常應受持讀誦解說書寫是
經尒時世尊欲重宣此義而說偈言
過去有佛　号威音王　神智无量　將導一切
天人神　所共供養　是佛滅後　法欲盡時
有一菩薩　名常不輕　時諸四衆　計著於法
不輕菩薩　往到其所　而語之言　我不輕汝
汝等行道　皆當作佛　諸人聞已　輕毀罵詈
不輕菩薩　能忍受之　其罪畢已　臨命終時
得聞此經　六根清淨　神通力故　增益壽命
復為諸人　廣說是經　諸著法衆　皆蒙菩薩
教化成就　令住佛道　不輕命終　值无數佛
說是經故　得无量福　漸具功德　疾成佛道
彼時不輕　則我身是　時四部衆　著法之者
聞不輕言　汝當作佛　以是因緣　值无數佛
此會菩薩　五百之衆　并及四部　清信士女
今於我前　聽法者是　我於前世　勸是諸人
聽受斯經　第一之法　開示教人　令住涅槃
世世受持　如是經典　億億万劫　至不可議
時乃得聞　是法華經　億億万劫　至不可議
諸佛世尊　時說是經　是故行者　於佛滅後
聞如是經　勿生疑惑　應當一心　廣說此經
世世值佛　疾成佛道
妙法蓮華經如來神力品第二十一
尒時千世界微塵等菩薩摩訶薩從地踊出

BD00747 號　妙法蓮華經卷六　（28–15）

妙法蓮華經如來神力品第二十一
尒時千世界微塵等菩薩摩訶薩從地踊出
者皆於前一心合掌瞻仰尊顏而白佛言
世尊我等於佛滅後世尊分身所在國土滅
度之處當廣說此經所以者何我等亦自欲
得是真淨大法受持讀誦解說書寫而供養
之尒時世尊於文殊師利等无量百千万億
舊住娑婆世界菩薩摩訶薩及諸比丘比丘
尼優婆塞優婆夷天龍夜叉乾闥婆阿脩羅
迦樓羅緊那羅摩睺羅伽人非人等一切衆
前現大神力出廣長舌上至梵世一切毛孔
放於无量无數色光皆悉遍照十方世界衆
寶樹下師子座上諸佛亦復如是出廣長
舌放无量光釋迦牟尼佛及寶樹下諸佛現神
力時滿百千歲然後還攝舌相一時謦欬俱
共彈指是二音聲遍至十方諸佛世界地皆
六種震動其中衆生天龍夜叉乾闥婆阿
脩羅迦樓羅緊那羅摩睺羅伽人非人等以佛
神力故皆見此娑婆世界无量无邊百千万
億衆寶樹下師子座上諸佛及見釋迦牟尼
佛共多寶如來在寶塔中坐師子座又見无
量无邊百千万億菩薩摩訶薩及諸四衆恭
敬圍繞釋迦牟尼佛既見已皆大歡喜得
未曾有即時諸天於虛空中高聲唱言過此
无量无邊百千万億阿僧祇世界有國名娑
婆是中有佛名釋迦牟尼今為諸菩薩摩訶

未曾有即時諸天於虛空中高聲唱言過此
无量无邊百千万億阿僧祇世界有國名娑
婆是中有佛名釋迦牟尼今為諸菩薩摩訶
薩說大乘經名妙法蓮華教菩薩法佛所護
念汝等當深心隨喜亦當礼拜供養釋迦牟
尼佛彼諸衆生聞虛空中聲已合掌向娑婆
世界作如是言南无釋迦牟尼佛南无釋迦
牟尼佛以種種華香瓔珞幡蓋及諸嚴身之
具珎寶妙物皆共遙散娑婆世界所散諸物
從十方來譬如雲集變成寶帳遍覆此間諸
佛之上于時十方世界通達无礙如一佛土尒
時佛告上行等菩薩大衆諸佛神力如是
无量无邊不可思議若我以是神力於无量
无邊百千万億阿僧祇劫為囑累故說此經
功德猶不能盡以要言之如來一切所有之法
如來一切自在神力如來一切秘要之藏如
來一切甚深之事皆於此經宣示顯說是
故汝等於如來滅後應一心受持讀誦解說
書寫如說脩行所在國土若有受持讀誦
解說書寫如說脩行若經卷所住之處若於園
中若於林中若於樹下若於僧坊若白衣舍若
在殿堂若山谷曠野是皆應起塔供養所
以者何當知是處即是道場諸佛於此得
阿耨多羅三藐三菩提諸佛於此轉于法輪
諸佛於此而般涅槃尒時世尊欲重宣此義
而說偈言

以者何當知是處即是道場諸佛於此得
阿耨多羅三藐三菩提諸佛於此轉于法輪
諸佛於此而般涅槃尒時世尊欲重宣此義
而說偈言
諸佛救世者　住於大神通　為悅眾生故　現无量神力
舌相至梵天　身放无數光　為求佛道者　現此希有事
諸佛謦欬聲　及彈指之聲　周聞十方國　地皆六種動
以佛滅度後　能持是經故　諸佛皆歡喜　現无量神力
囑累是經故　讚美受持者　於无量劫中　猶故不能盡
是人之功德　无邊无有窮　如十方虛空　不可得邊際
能持是經者　則為已見我　亦見多寶佛　及諸分身者
又見我今日　教化諸菩薩　能持是經者　令我及分身
滅度多寶佛　一切皆歡喜　十方現在佛　并過去未來
亦見亦供養　亦令得歡喜　諸佛坐道場　所得秘要法
能持是經者　不久亦當得　能持是經者　於諸法之義
名字及言辭　樂說无窮盡　如風於空中　一切无障礙
於如來滅後　知佛所說經　因緣及次第　隨義如實說
如日月光明　能除諸幽冥　斯人行世間　能滅眾生闇
教无量菩薩　畢竟住一乘　是故有智者　聞此功德利
於我滅度後　應受持斯經　是人於佛道　決定无有疑
妙法蓮華經囑累品第二十二
尒時釋迦牟尼佛從法座起現大神力以右手
摩无量菩薩摩訶薩頂而作是言我於无
量百千万億阿僧祇劫脩習是難得阿耨多
羅三藐三菩提法今以付囑汝等汝等應當

摩无量菩薩摩訶薩頂而作是言我於无
量百千万億阿僧祇劫脩習是難得阿耨多
羅三藐三菩提法今以付囑汝等汝等應當
一心流布此法廣令增益如是三摩諸菩薩
摩訶薩頂而作是言我於无量百千万億
阿僧祇劫脩習是難得阿耨多羅三藐三菩提
法今以付囑汝等汝等當受持讀誦廣宣此
法令一切眾生普得聞知所以者何如來有
大慈悲无諸慳悋亦无所畏能與眾生佛之
智慧如來智慧自然智慧如來是一切眾生
之大施主汝等亦應隨學如來之法勿生慳
悋於未來世若有善男子善女人信如來智
慧者當為演說此法華經使得聞知為令
其人得佛慧故若有眾生不信受者當於如來
餘深法中示教利喜汝等若能如是則為已
報諸佛之恩時諸菩薩摩訶薩聞佛作是說
已皆大歡喜遍滿其身益加恭敬曲躬低頭
合掌向佛俱發聲言如世尊勅當具奉行唯
然世尊願不有慮諸菩薩摩訶薩眾如是三
反俱發聲言如世尊勅當具奉行唯然世尊
願不有慮尒時釋迦牟尼佛令十方來諸分
身佛各還本土而作是言諸佛各隨所安多
寶佛塔還可如故說是語時十方无量分身
諸佛坐寶樹下師子座上者及多寶佛并上
行等无邊阿僧祇菩薩大眾舍利弗等聲聞

身佛各還本土而作是言諸佛各隨所安多
寶佛塔還可如故說是語時十方无量分身
諸佛坐寶樹下師子座上者及多寶佛并上
行等无邊阿僧祇菩薩大衆舍利弗等聲聞
四衆及一切世間天人阿脩羅等聞佛所說
皆大歡喜
妙法蓮華經藥王菩薩本事品第二十三
尒時宿王華菩薩白佛言世尊藥王菩薩云
何遊於娑婆世界世尊是藥王菩薩有若干
百千万億那由他難行苦行善哉世尊願少
解說諸天龍神夜叉乹闥婆阿脩羅迦樓羅
緊那羅摩睺羅伽人非人等又他國土諸來
菩薩及此聲聞衆聞皆歡喜尒時佛告宿王
華菩薩乃往過去无量恒河沙劫有佛号日
月淨明德如来應供正遍知明行足善逝世
間解无上士調御丈夫天人師佛世尊其佛
有八十億大菩薩摩訶薩七十二恒河沙大
聲聞衆佛壽四万二千劫菩薩壽命亦等彼
國无有女人地獄餓鬼畜生阿脩羅等及以
諸難地平如掌流璃所成寶樹莊嚴寶帳覆
上垂寶華幡寶瓶香爐周遍國界七寶為
臺一樹一臺其樹去臺盡一箭道此諸寶樹皆
有菩薩聲聞而坐其下諸寶臺上各有百億
諸天作天伎樂歌嘆於佛以為供養尒時彼
佛為一切衆生憙見菩薩及衆菩薩諸聲聞
衆說法華經是一切衆生憙見菩薩樂習苦

有菩薩聲聞而坐其下諸寶臺上各有百億
諸天作天伎樂歌嘆於佛以為供養尒時彼
佛為一切衆生憙見菩薩及衆菩薩諸聲聞
衆說法華經是一切衆生憙見菩薩樂習苦
行於日月淨明德佛法中精進經行一心求
三昧已心大歡喜即作念言我得現一切色身
三昧皆是得聞法華經力我今當供養日月
月淨明德佛及法華經即時入是三昧於虛
空中雨曼陁羅華摩訶曼陁羅華細末堅黑
栴檀滿虛空中如雲而下又雨海此岸栴檀
之香此香六銖價直娑婆世界以供養佛作
是供養已從三昧起而自念言我雖以神力
供養於佛不如以身供養即服諸香栴檀薰
陸兜樓婆畢力迦沈水膠香又飲瞻蔔諸華
香油滿千二百歲已香油塗身於日月淨明
德佛前以天寶衣而自纏身灌諸香油以神
通力願而自然身光明遍照八十億恒河沙
世界其中諸佛同時讚言善哉善哉善男子
是真精進是名真法供養如来若以華香瓔
珞燒香末香塗香天繒幡蓋及海此岸栴檀
之香如是等種種諸物供養所不能及假使
國城妻子布施亦所不及善男子是名第一
之施於諸施中最尊最上以法供養諸如来
故作是語已而各嘿然其身火然千二百歲
過是已後其身乃盡一切衆生憙見菩薩作
如是法供養已命終之後復生日月淨明德

故作是語已而各嘿然其身大然千二百歲
過是已後其身乃盡一切衆生喜見菩薩作
如是法供養已命終之後復生日月淨明德
佛國中於淨德王家結跏趺坐忽然化生即
為其父而說偈言
大王今當知　我經行彼處　即時得一切　現諸身三昧
懃行大精進　捨所愛之身
說是偈已而白父言日月淨明德佛今故現
在我先供養佛已得解一切衆生語言陀羅
尼復聞是法華經八百千万億那由他甄迦
羅頻婆羅阿閦婆等偈大王我今當還供養
此佛白已即坐七寶之臺上昇虛空高七多
羅樹往到佛所頭面礼足合十指爪掌以偈
讚佛
容顏甚奇妙　光明照十方　我適曾供養　今復還親覲
尒時一切衆生憙見菩薩說是偈已而白佛
言世尊世尊猶故在世尒時日月淨明德佛
告一切衆生憙見菩薩善男子我涅槃時到
滅盡時至汝可安施床座我於今夜當般涅
槃又勅一切衆生憙見菩薩善男子我以佛
法囑累於汝及諸菩薩大弟子并阿耨多羅
三藐三菩提法亦以三千大千七寶世界諸
寶樹臺及給侍諸天悉付於汝我滅度後
所有舍利亦付囑汝當令流布廣設供養應
起若干千塔如是日月淨明德佛勅一切衆
生憙見菩薩已於夜後分入於涅槃尒時一切

BD00747 號　妙法蓮華經卷六　（28–22）

寶樹臺及給侍諸天悉付於汝我滅度後
所有舍利亦付囑汝當令流布廣設供養應
起若干千塔如是日月淨明德佛勅一切衆
生憙見菩薩已於夜後分入於涅槃尒時一切
衆生憙見菩薩見佛滅度悲感懊惱戀慕
於佛即以海此岸栴檀為積供養身而以
燒之火滅已後收取舍利作八万四千寶瓶
以起八万四千塔高三世界表剎莊嚴垂諸
幡蓋懸衆寶鈴尒時一切衆生憙見菩薩復
自念言我雖作是供養心猶未足我今當更
供養舍利便語諸菩薩大弟子及天龍夜叉
等一切大衆汝等當一心念我今供養日月
淨明德佛舍利作是語已即於八万四千塔
前然百福莊嚴臂七万二千歲而以供養令
无數求聲聞衆无量阿僧祇人發阿耨多羅三
藐三菩提心皆使得住現一切色身三昧尒
時諸菩薩天人阿修羅等見其无臂憂惱
悲哀而作是言此一切衆生憙見菩薩是我
等師教化我者而今燒臂身不具足于時一
切衆生憙見菩薩於大衆中立此誓言我捨
兩臂必當得佛金色之身若實不虛令我兩
臂還復如故作是誓已自然還復由斯菩薩
福德智慧淳厚所致當尒之時三千大千世
界六種震動天雨寶華一切人天得未曾有
佛告宿王華菩薩於汝意云何一切衆生憙

BD00747 號　妙法蓮華經卷六　（28–23）

兩臂必當得佛金色之身若實不虛令我兩
臂還復如故作是誓已自然還復由斯菩薩
福德智慧淳厚所致當尒之時三千大千世
界六種震動天雨寶華一切人天得未曾有
佛告宿王華菩薩於汝意云何一切衆生憙
見菩薩豈異人乎今藥王菩薩是也其所捨
身布施如是无量百千万億那由他數宿王華
若有發心欲得阿耨多羅三藐三菩提者能
然手指乃至一指供養佛塔勝以國城妻子
及三千大千國土山林河池諸珎寶物而供
養者若復有人以七寶滿三千大千世界
供養於佛及大菩薩辟支佛阿羅漢是人所
得功德不如受持此法華經乃至一四句偈
其福最多宿王華譬如一切川流江河諸
水之中海為第一此法華經亦復如是於諸
如來所說經中最為深大又如土山黑山小
鐵圍山大鐵圍山及十寶山衆山之中須弥
山為第一此法華經亦復如是於諸經中最
為其上又如衆星之中月天子最為第一此
法華經亦復如是於千万億種諸經法中最
為照明又如日天子能除諸闇此經亦復如
是能破一切不善之闇又如諸小王中轉輪
聖王最為第一此經亦復如是於衆經中最
為其尊又如帝釋於三十三天中王此經亦
復如是諸經中王又如大梵天王一切衆生
之父此經亦復如是一切賢聖學无學及發

是能破一切不善之闇又如諸
聖王最為第一此經亦復如是於衆經中最
為其尊又如帝釋於三十三天中王此經亦
復如是諸經中王又如大梵天王一切衆生
之父此經亦復如是一切賢聖學无學及發
菩薩心者之父又如一切凡夫人中須陁洹
斯陁含阿那含阿羅漢辟支佛為第一此經
亦復如是一切如來所說若菩薩所說若聲
聞所說諸經法中最為第一有能受持是經
典者亦復如是於一切衆生中亦為第一一切
聲聞辟支佛中菩薩為第一此經亦復如
是於一切諸經法中最為第一如佛為諸法
王此經亦復如是諸經中王宿王華此經能
救一切衆生者此經能令一切衆生離諸苦
惱此經能大饒益一切衆生充滿其願如清
涼池能滿一切諸渴乏者如寒者得火如裸
者得衣如商人得主如子得母如渡得船如
病得醫如暗得燈如貧得寶如民得王如
賈客得海如炬除暗此法華經亦復如是
能令衆生離一切苦一切病痛能解一切生死之
衆生離一切苦一切病痛能解一切生死之
縛若人得聞此法華經若自書若使人書所
得功德以佛智慧籌量多少不得其邊若
書是經卷華香瓔珞燒香末香塗香幡
蓋衣服種種之燈蘇燈油燈諸香油燈瞻蔔油燈
須曼油燈波羅羅油燈婆利師迦油燈那婆摩利
油燈供養所得功德亦復无量宿王華若

得功德以佛智慧籌量多少不得其邊若
書是經卷華香瓔珞燒香末香塗香幡
蓋衣服種種之燈蘇燈油燈諸香油燈瞻蔔油燈
須曼油燈波羅油燈婆利師迦油燈那婆摩利
油燈供養所得功德亦復无量宿王華若
有人聞是藥王菩薩本事品者亦得无量无
邊功德若有女人聞是藥王菩薩本事品能
受持者盡是女人身後不復受若如來滅後後
五百歲中若有女人聞是經典如說脩行於此
命終即往安樂世界阿弥陁佛大菩薩衆圍
繞住處生蓮華中寶座之上不復為貪欲所
惱亦復不為瞋恚愚癡所惱亦復不為憍慢
嫉妬諸垢所惱得菩薩神通无生法忍得是
忍已眼根清淨以是清淨眼根見七百万二
千億那由他恒河沙等諸佛如來是時諸佛
遥共讚言善哉善哉善男子汝能於釋迦
牟尼佛法中受持讀誦思惟是經為他人說
所得福德无量无邊火不能燒水不能漂汝
之功德千佛共說不能令盡汝今已能破諸
魔賊壞生死軍諸餘怨敵皆悉摧滅善男子
百千諸佛以神通力共守護汝於一切世間
天人之中无如汝者唯除如來其諸聲聞辟
支佛乃至菩薩智慧禪定无有與汝等者
宿王華此菩薩成就如是功德智慧之力若有
人聞是藥王菩薩本事品能隨喜讚善者
是人現世口中常出青蓮華香身毛孔中常

BD00747號　妙法蓮華經卷六　（28–26）

支佛乃至菩薩智慧禪定无有與汝等者
宿王華此菩薩成就如是功德智慧之力若有
人聞是藥王菩薩本事品能隨喜讚善者
是人現世口中常出青蓮華香身毛孔中常
出牛頭栴檀香所得功德如上所說是故宿王
華以此藥王菩薩本事品囑累於汝我滅度
後後五百歲中廣宣流布於閻浮提无令斷
絕惡魔魔民諸天龍夜叉鳩槃荼等得其便
也宿王華汝當以神通之力守護是經所以
者何此經則為閻浮提人病之良藥若人有
病得聞是經病即消滅不老不死宿王華汝
若見有受持是經者應以青蓮華盛滿末香
供散其上散已作是念言此人不久必當取
草坐於道場破諸魔軍當吹法螺擊大法鼓
度脫一切衆生老病死海是故求佛道者見
有受持是經典人應當如是生恭敬心說是
藥王菩薩本事品時八万四千菩薩得解一
切衆生語言陁羅尼多寶如來於寶塔中讚
宿王華菩薩言善哉善哉宿王華汝成就不
可思議功德乃能問釋迦牟尼佛如此之事
利益无量一切衆生

妙法蓮華經卷第六

BD00747號　妙法蓮華經卷六　（28–27）

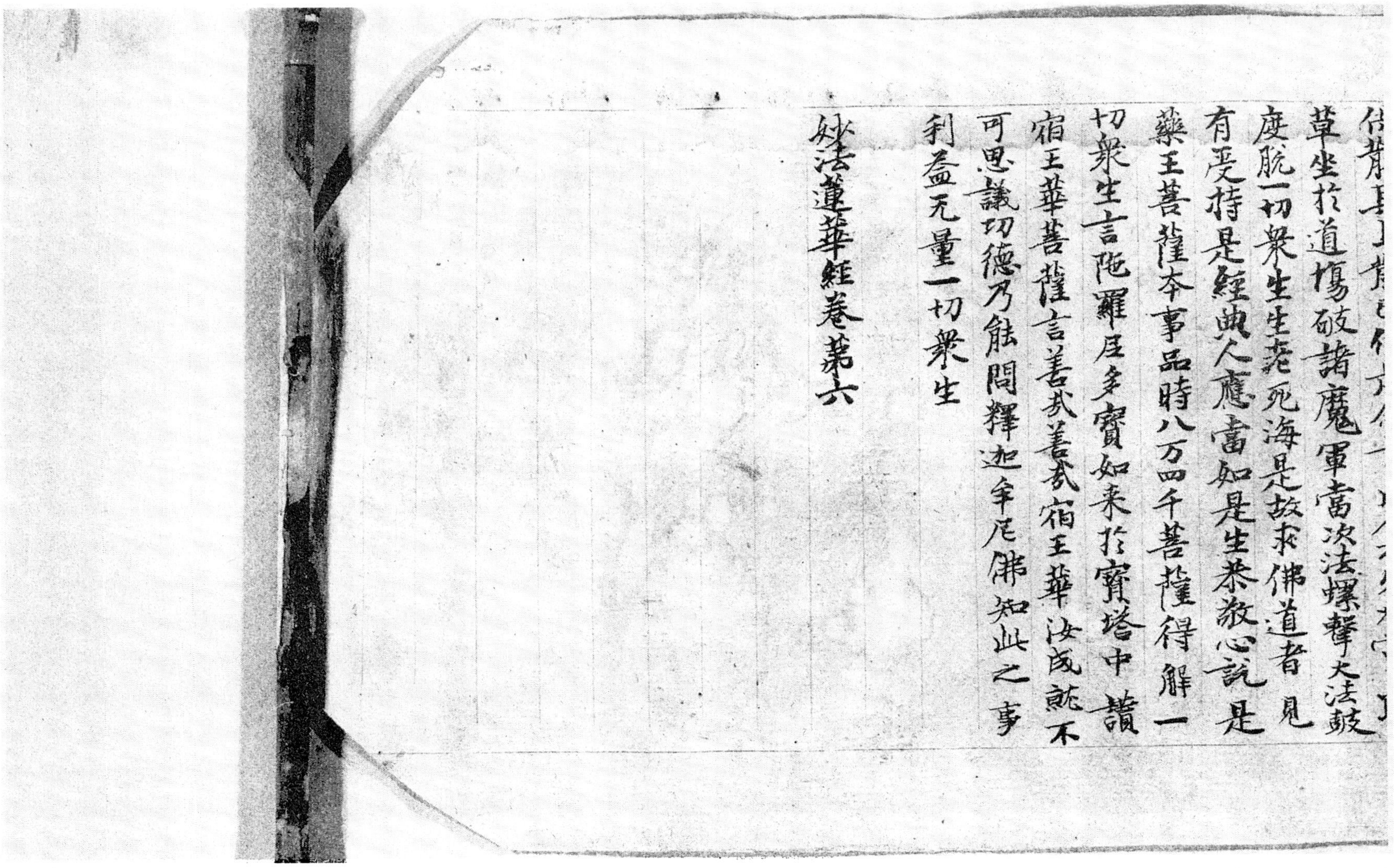

作背上[illegible]
草坐於道場破諸魔軍當吹法螺擊大法鼓
度脫一切衆生生老死海是故求佛道者見
有受持是經典人應當如是生恭敬心說是
藥王菩薩本事品時八万四千菩薩得解一
切衆生言陀羅尼多寶如來於寶塔中讚
宿王華菩薩言善哉善哉宿王華汝成就不
可思議功德乃能問釋迦牟尼佛如此之事
利益无量一切衆生

妙法蓮華經卷第六

BD00747 號　妙法蓮華經卷六　（28–28）

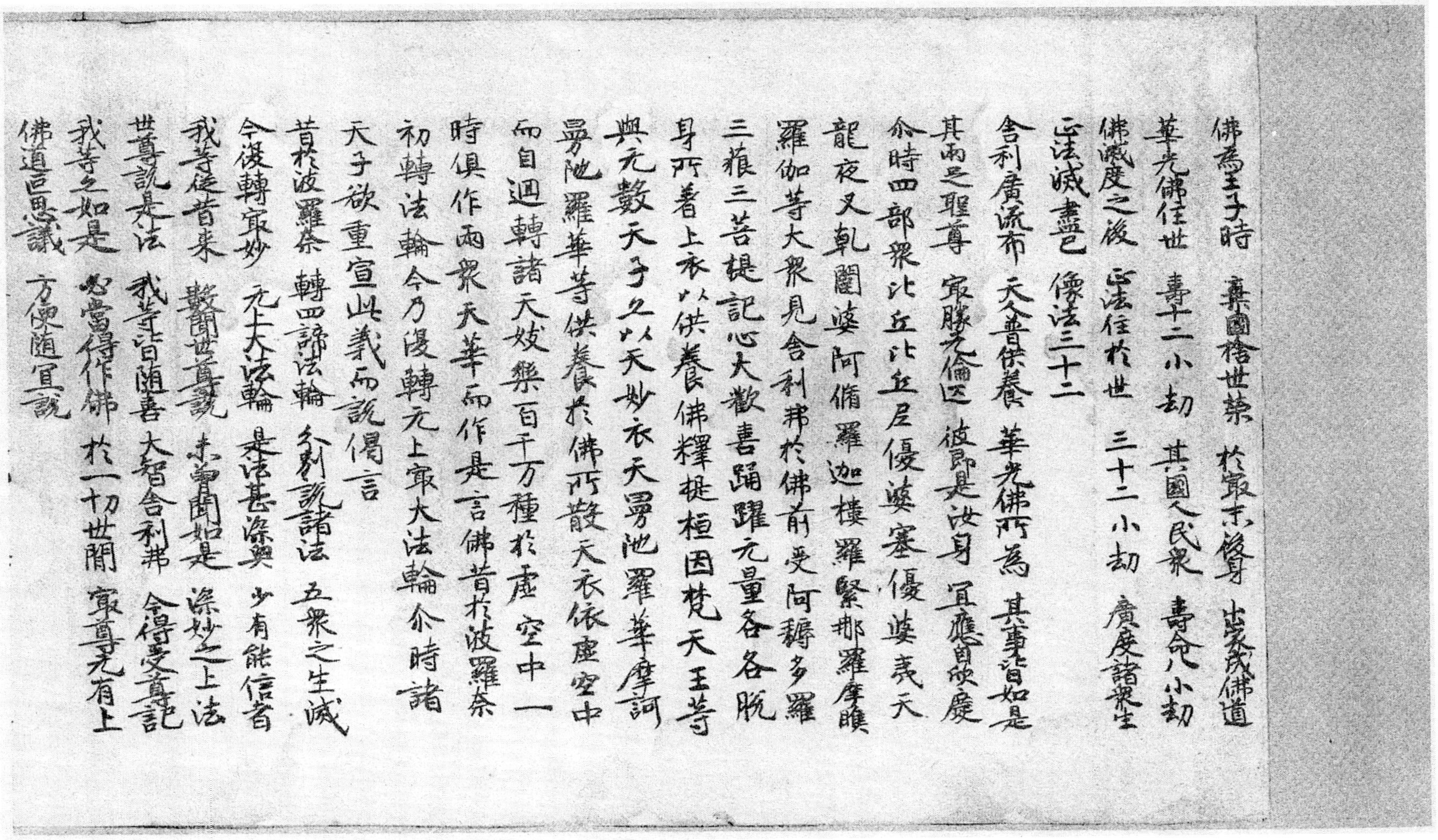

佛為王子時　棄國捨世榮　於最末後身　出家成佛道
華光佛住世　壽十二小劫　其國人民衆　壽命八小劫
佛滅度之後　正法住於世　三十二小劫　廣度諸衆生
正法滅盡已　像法三十二
舍利廣流布　天人普供養　華光佛所為　其事皆如是
其兩足聖尊　最勝无倫匹　彼即是汝身　宜應自欣慶
尒時四部衆比丘比丘尼優婆塞優婆夷天
龍夜叉乾闥婆阿脩羅迦樓羅緊那羅摩睺
羅伽等大衆見舍利弗於佛前受阿耨多羅
三藐三菩提記心大歡喜踊躍无量各各脫
身所著上衣以供養佛釋提桓因梵天王等
與无數天子亦以天妙衣天曼陀羅華摩訶
曼陀羅華等供養於佛所散天衣住虛空中
而自迴轉諸天伎樂百千万種於虛空中一
時俱作雨衆天華而作是言佛昔於波羅柰
初轉法輪今乃復轉无上最大法輪尒時諸
天子欲重宣此義而說偈言
昔於波羅柰　轉四諦法輪　分別說諸法　五衆之生滅
今復轉最妙　无上大法輪　是法甚深奧　少有能信者
我等從昔來　數聞世尊說　未曾聞如是　深妙之上法
世尊說是法　我等皆隨喜　大智舍利弗　今得受尊記
我等亦如是　必當得作佛　於一切世間　最尊无有上
佛道叵思議　方便隨宜說

BD00748 號　妙法蓮華經卷二　（8–1）

世尊說是法　我等皆隨喜　大智舍利弗　今得受尊記
我等亦如是　必當得作佛　於一切世間　最尊无有上
佛道叵思議　方便隨宜說
我所有福業　今世若過世　及見佛功德　盡迴向佛道
尒時舍利弗白佛言世尊我今无復疑悔親
於佛前得受阿耨多羅三藐三菩提記是諸
千二百心自在者昔住學地佛常教化言我
法能離生老病死究竟涅槃是學无學人亦
各自以離我見及有无見等謂得涅槃而今
於世尊前聞所未聞皆墮疑惑善哉世尊願
為四衆說其因緣令離疑悔尒時佛告舍利
弗我先不言諸佛世尊以種種因緣譬喻言
辭方便說法皆為阿耨多羅三藐三菩提耶
是諸所說皆為化菩薩故然舍利弗今當復
以譬喻更明此義諸有智者以譬喻得解舍
利弗若國邑聚落有大長者其年衰邁財富
无量多有田宅及諸僮僕其家廣大唯有一
門多諸人衆一百二百乃至五百人止住其
中堂閣朽故墻壁隤落柱根腐敗梁棟傾危
周帀俱時欻然火起焚燒舍宅長者諸子若
十二十或至三十在此宅中長者見是大火
從四面起即大驚怖而作是念我雖能於此
所燒之門安隱得出而諸子等於火宅內樂
著嬉戲不覺不知不驚不怖火來逼身苦痛
切己心不猒患无求出意舍利弗是長者作
是思惟我身手有力當以衣裓若以机案從

著嬉戲不覺不知不驚不怖火來逼身苦痛
切己心不猒患无求出意舍利弗是長者作
是思惟我身手有力當以衣裓若以机案從
舍出之復更思惟是舍唯有一門而復狹小
諸子幼稚未有所識戀著戲處或當墮落為
火所燒我當為說怖畏之事此舍已燒宜時
疾出无令為火之所燒害作是念已如所思
惟具告諸子汝等速出父雖憐愍善言誘喻
而諸子等樂著嬉戲不肯信受不驚不畏了
无出心亦復不知何者是火何者為舍云何為
失但東西走戲視父而已尒時長者即作是
念此舍已為大火所燒我及諸子若不時
出必為所焚我今當設方便令諸子等得免
斯害父知諸子先心各有所好種種珍玩奇
異之物情必樂著而告之言汝等所可玩好
希有難得汝若不取後必憂悔如此種種
羊車鹿車牛車今在門外可以遊戲汝等於
此火宅宜速出來隨汝所欲皆當與汝尒時
諸子聞父所說珍玩之物適其願故心各勇銳
互相推排競共馳走爭出火宅是時長者見
諸子等安隱得出皆於四衢道中露地而坐
无復鄣㝵其心泰然歡喜踊躍時諸子等各
白父言父先所許玩好之具羊車鹿車牛車
願時賜與舍利弗尒時長者各賜諸子等一
大車其車高廣衆寶莊校周帀欄楯四面懸
鈴又於其上張設幰蓋亦以珍奇雜寶而嚴

白父言父先所許玩好之具羊車鹿車牛車
願時賜與舍利弗尒時長者各賜諸子等一
大車其車高廣衆寶莊校周迊蘭楯四面懸
鈴又於其上張設幰蓋亦以珎奇雜寶而嚴
飾之寶繩絞絡垂諸華纓重敷綩綖安置丹
枕駕以白牛膚色充潔形體姝好有大筋力
行步平正其疾如風又多僕從而侍衛之所
以者何是大長者財富无量種種諸藏悉
皆充溢而作是念我財物无極不應以下劣小
車與諸子等今此幼童皆是吾子愛无偏黨
我有如是七寶大車其數无量應當等心各
各與之不宜差別所以者何以我此物周給
一國猶尚不匱何況諸子是時諸子各乘大
車得未曾有非本所望舍利弗於汝意云何
是長者等與諸子珎寶大車寧有虛妄不舍
利弗言不也世尊是長者但令諸子得免火
難全其軀命非為虛妄何以故若全身命便
為已得玩好之具況復方便於彼火宅而拔
濟之世尊若是長者乃至不與最小一車猶
不虛妄何以故是長者先作是意我以方便
令子得出以是因緣无虛妄也何況長者自
知財富无量欲饒益諸子等與大車佛告舍
利弗善哉善哉如汝所言舍利弗如來亦復
如是則為一切世間之父於諸怖畏衰惱憂
患无明闇蔽永盡无餘而悉成就无量知見
力无所畏有大神力及智慧力具足方便智

BD00748號　妙法蓮華經卷二　（8–4）

如是則為一切世間之父於諸怖畏衰惱憂
患无明闇蔽永盡无餘而悉成就无量知見
力无所畏有大神力及智慧力具足方便智
慧波羅蜜大慈大悲常无懈惓恒求善事利
益一切而生三界朽故火宅為度衆生生老
病死憂悲苦惱愚癡闇蔽三毒之火教化
令得阿耨多羅三藐三菩提見諸衆生為生老
病死憂悲苦惱之所燒煑亦以五欲財利故
受種種苦又以貪著追求故現受衆苦後受
地獄畜生餓鬼之苦若生天上及在人間貧
窮困苦愛別離苦怨憎會苦如是等種種諸
苦衆生沒在其中歡喜遊戲不覺不知不驚
不怖亦不生猒不求解脫於此三界火宅東
西馳走雖遭大苦不以為患舍利弗佛見此
已便作是念我為衆生之父應拔其苦難與
无量无邊佛智慧樂令其遊戲舍利弗如來
復作是念若我但以神力及智慧力捨於方
便為諸衆生讚如來知見力无所畏者衆生
不能以是得度所以者何是諸衆生未免生
老病死憂悲苦惱而為三界火宅所燒何由
能解佛之智慧舍利弗如彼長者雖復身手
有力而不用之但以慇懃方便勉濟諸子火
宅之難然後各與珎寶大車如來亦復如是
雖有力无所畏而不用之但以智慧方便於
三界火宅拔濟衆生為說三乘聲聞辟支佛
佛乘而作是言汝等莫得樂住三界火宅勿

BD00748號　妙法蓮華經卷二　（8–5）

宅之難然後各與珎寶大車如来之復如是
雖有力无所畏而不用之但以智慧方便於
三界火宅杖濟衆生為說三乘聲聞辟支佛
佛乘而作是言汝等莫得樂住三界火宅勿
貪麁弊色聲香味觸也若貪著生愛則為所
燒汝等速出三界當得三乘聲聞辟支佛佛
乘我今為汝保任此事終不虛也汝等但當
勤脩精進如来以是方便誘進衆生復作是
言汝等當知此三乘法皆是聖所稱嘆自在
无繫无所依求乘是三乘以无漏根力覺道
禪定解脫三昧等而自娛樂便得无量安隱
快樂舍利弗若有衆生內有智性從佛世尊
聞法信受慇懃精進欲速出三界自求涅槃
是名聲聞乘如彼諸子為求羊車出於火宅
若有衆生從佛世尊聞法信受慇懃精進
自然慧樂獨善寂深智諸法因緣是名辟支
佛乘如彼諸子為求鹿車出於火宅若有衆
生從佛世尊聞法信受勤脩精進求一切智
佛智自然智无師智如来知見力无所畏愍
念安樂无量衆生利益天人度脫一切是名
大乘菩薩求此乘故名為摩訶薩如彼諸子
為求牛車出於火宅舍利弗如彼長者見諸
子等安隱得出火宅到无畏處自惟財富无
量等以大車而賜諸子如来久復如是為一
切衆生之父若見无量億千衆生以佛教門
門三界苦怖畏險道得涅槃樂如来尒時便
作是念我有无量无邊智慧力无畏等諸佛

量等以大車而賜諸子如来久復如是為一
切衆生之父若見无量億千衆生以佛教門
門三界苦怖畏險道得涅槃樂如来尒時便
作是念我有无量无邊智慧力无畏等諸佛
法藏是諸衆生皆是我子等與大乘不令有
人獨得滅度皆以如来滅度而滅度之是諸
衆生脫三界者悉與諸佛禪定解脫等娛
樂之具皆是一相一種聖所稱嘆能生淨妙第
一之樂舍利弗如彼長者初以三車誘引諸
子然後但與大車寶物莊嚴安隱第一然彼
長者无虛妄之咎如来之復如是无有虛妄
初說三乘引導衆生然後但以大乘而度脫
之何以故如来有无量智慧力无所畏諸法
之藏能與一切衆生大乘之法但不盡能受
舍利弗以是因緣當知諸佛方便力故於一
佛乘分別說三佛欲重宣此義而說偈言
譬如長者　有一大宅　其宅久故　而復頓弊
堂舍高危　柱根摧朽　梁棟傾斜　基陛頹毀
墻壁圮坼　泥塗褫落　覆苫亂墜　椽梠差脫
周鄣屈曲　雜穢充遍　有五百人　止住其中
鴟梟鵰鷲　烏鵲鳩鴿　蚖蛇蝮蠍　蜈蚣蚰蜒
守宮百足　狖狸鼷鼠　諸惡虫輩　交橫馳走
屎尿臭處　不淨流溢　蜣蜋諸虫　而集其上
狐狼野干　咀嚼踐蹋　嚌齧死屍　骨肉狼藉
由是羣狗　競來搏撮　飢羸慞惶　處處求食
鬪諍齟掣　啀喍嘷吠　其舍恐怖　變狀如是
處處皆有　魑魅魍魎　夜叉惡鬼　食噉人肉

譬如長者 有一大宅 其宅久故 而復頓弊
堂舍高危 柱根摧朽 梁棟傾斜 基陛頹毀
牆壁圮坼 泥塗褫落 覆苫亂墜 椽梠差脫
周鄣屈曲 雜穢充遍 有五百人 止住其中
鵄梟鵰鷲 烏鵲鳩鴿 蚖蛇蝮蝎 蜈蚣蚰蜒
守宮百足 狖狸鼷鼠 諸惡虫輩 交橫馳走
屎尿臭處 不淨流溢 蜣蜋諸虫 而集其上
狐狼野干 咀嚼踐蹋 嚌齧死屍 骨肉狼藉
由是群狗 競來搏撮 飢羸慞惶 處處求食
鬪諍摣掣 啀喍嘷吠 其舍恐怖 變狀如是
處處皆有 魑魅魍魎 夜叉惡鬼 食噉人肉
毒虫之屬 諸惡禽獸 孚乳產生 各自藏護
夜叉競來 爭取食之 食之既飽 惡心轉熾
鬪諍之聲 甚可怖畏 鳩槃荼鬼 蹲踞土埵
或時離地 一尺二尺 往返遊行 縱逸嬉戲
捉狗兩足 撲令失聲 以腳加頸 怖狗自樂
復有諸鬼 其身長大 裸形黑瘦 常住其中
發大惡聲 叫呼求食 復有諸鬼 其咽如針
復有諸鬼 首如牛頭 或食人肉 或復噉狗

BD00748號　妙法蓮華經卷二　（8–8）

不如慢增上慢我慢耶慢慢慢憍慢放逸貢高懟
恨諍訟耶命諂媚詐現異相以利求利惡求
多求无有恭敬不隨教誨親近惡友貪利无
猒纏縛難解欲於惡欲貪於惡貪身見有見
及以无見頻申憙睡欠呿不樂貪嗜飲食其
心蒙瞢心緣異相不善思惟身口多惡好憙
多語諸根闇鈍發言多虛常爲欲覺恚覺害
覺之所覆蓋是名煩惱障業障者五无間罪
重惡之病報障者生在地獄畜生餓鬼誹謗
正法及一闡提是名報障如是三障名爲大
病而諸菩薩於无量劫修菩提時給施一切
疾病醫藥常作是願願令衆生永斷如是三
障重病復次世尊菩薩摩訶薩修菩提時施
一切病者醫藥常作是願願令衆生永斷諸
病得成如來金剛之身又願一切无量衆生
作妙藥王斷除一切諸惡重病願諸衆生作
阿伽陀藥以是藥力能除一切无量惡毒又
願衆生於阿耨多羅三藐三菩提无有退轉
速得成就无上佛藥消除一切煩惱毒箭又
願衆生勤修精進成就如來金剛之心作微
妙藥療治衆病不令有人生諍訟想亦願衆
生作大藥樹療治一切諸惡重病又願衆生
拔出毒箭得成如來无上光明又願衆生得
入如來智慧大藥微密法藏世尊菩薩如是

BD00749號　大般涅槃經（北本）卷一一　（20–1）

生作大藥樹療治一切諸惡重病又願衆生
拔出毒箭得成如來无上光明又願衆生得
入如來智慧大藥微密法藏世尊菩薩如是
已於无量百千万億那由他劫發是擅願令
諸衆生悉无復病何緣如來乃於今日唱言
有疾復次世尊世有病人不能坐起俯仰進
止食飲不御漿水不下亦復不能教戒諸子
脩治家業尒時父母妻子兄弟親屬知識各
於是人生必死想世尊如來今日亦復如是
右脅而臥无所論說此閻浮提有諸愚人當
作是念如來正覺必當涅槃生滅盡想而如
來性實不畢竟入於涅槃何以故如來常住
无變易故以是因緣不應說言我今背痛復
次世尊世有病者身體羸損若偃若側臥著
牀褥尒時家室必生惡賤起必死想如來今
者亦復如是當為外道九十五種之所輕慢
生无常想彼諸外道當作是言不如我等以
我性人自在時節微塵等法而為常住无有
變易沙門瞿曇无常所遷是變易法以是義
故世尊今日不應默然右脅而臥復次世尊
世有病者四大增損互不調適羸瘦乏極是
故不能隨意坐起臥著牀褥如來四大无不
和適身力具足亦无羸損世尊如十小牛力
不如一大牛力十大牛力不如一青牛力十
青牛力不如一凡象力十凡象力不如一野
象力十野象力不如一二牙象力十二牙象
力不如一四牙象力十四牙象力不如雪山

不如一大牛力十大牛力不如一青牛力十
青牛力不如一凡象力十凡象力不如一野
象力十野象力不如一二牙象力十二牙象
力不如一四牙象力十四牙象力不如雪山
一白象力十雪山白象力不如一香象力十
香象力不如一青象力十青象力不如一黃
象力十黃象力不如一赤象力十赤象力不
如一白象力十白象力不如一山象力十山
象力不如一優鉢羅象力十優鉢羅象力不
如一拘物頭象力十拘物頭象力不如一分
陁利象力十分陁利象力不如人中一力士
力十人中力士力不如一鉢犍提力十鉢犍
提力不如一八臂那羅延力十那羅延力不
如一十住菩薩一節之力一切凡夫身中諸
節節不相到人中力士節頭相到鉢揵提身
諸節相連那羅延身節頭相拘十住菩薩諸
節骨解蟠龍相結是故菩薩其力最大世界
成時從金剛際起金剛座上至道場菩提樹
下菩薩坐已其心即時逮得十力如來今者
不應如彼嬰孩小兒嬰孩小兒愚癡无智无
所能說以是義故隨意偃側无人譏呵如來
世尊有大智慧照明一切人中之龍具大威
德成就神通无上仙人永斷疑網已拔毒箭
進止安詳威儀具足得无所畏今者何故右
脅而臥令諸人天悲憂苦惱尒時迦葉菩薩
即於佛前而說偈言
瞿曇大聖德　願起演妙法　不應如小兒　病者臥床席

進止安詳威儀具足得无所畏今者何故右
脅而卧令諸人天懷憂苦惱尒時迦葉菩薩
即於佛前而說偈言
瞿曇大聖德　願起演妙法　不應如小兒　病者卧床席
調御天人師　倚卧雙樹間　下愚凡夫見　當言必涅槃
不知方等典　甚深佛行處　不見深密藏　猶盲不見道
唯有諸菩薩　文殊師利等　能解是甚深　譬如善射者
三世諸世尊　大悲為根本　如是大慈悲　今為何所在
若无大悲者　是則不名佛　佛若必涅槃　是則不名常
唯願无上尊　哀受我等請　利益於衆生　摧伏諸外道
尒時世尊大悲熏心知諸衆生各各所念將
欲隨順畢竟利益即從卧起結跏趺坐顔貌
熈怡如融金聚面目端嚴猶月盛滿形容清
淨无諸垢穢放大光明充遍虛空其光大盛
過百千日照于東方南西北方四維上下諸
佛世界惠施衆生大智之炬悉令得滅无明
黑闇令百千億那由他衆生安止不退菩提
之心余時世尊心无疑慮如師子王以三十
二大人之相八十種好莊嚴其身於其身上
一切毛孔一一毛孔出一蓮華其華微妙各
具千葉純真金色瑠璃為莖金剛為鬚玫瑰
為臺形大團圓猶如車輪是諸蓮華各出種
種雜色光明青黃赤白紫頗梨色是諸光明
皆悉遍至阿鼻地獄想地獄黑繩地獄衆合
地獄叫喚地獄大叫喚地獄焦熱地獄大焦
熱地獄是八地獄其中衆生常為諸苦之所
逼切所謂燒煮火炙斫刺刻剝遇斯光已如
[illegible]

BD00749號　大般涅槃經（北本）卷一一　（20–4）

皆悉遍至阿鼻地獄想地獄黑繩地獄衆合
地獄叫喚地獄大叫喚地獄焦熱地獄大焦
熱地獄是八地獄其中衆生常為諸苦之所
逼切所謂燒煮火炙斫刺刻剝遇斯光已如
是衆苦悉滅无餘安隱清涼快樂无極是光
明中宣說如來祕密之藏言諸衆生皆有佛
性衆生聞已即便命終生人天中乃至八種
寒氷地獄所謂阿波波地獄阿吒吒地獄阿
羅羅地獄阿婆婆地獄優鉢羅地獄波頭摩
地獄拘物頭地獄分陁利地獄是中衆生常
為寒苦之所逼惱所謂劈裂身體碎壞互相
殘害遇斯光已如是等苦亦滅无餘即得調
和煖燸遍身是光明中亦復宣說如來密藏
言諸衆生皆有佛性衆生聞已即便命終生
人天中尒時於此閻浮提界及餘世界所有
地獄皆悉空虛无受罪者除一闡提餓鬼衆
生飢渴所逼以髮纏身於百千歲未曾得聞
漿水之名遇斯光已飢渴即除是光明中亦
說如來微祕藏言諸衆生皆有佛性衆生
聞已即便命終生人天中令諸餓鬼亦悉空
虛除謗大乘方等正典畜生衆生互相殺害
共相殘食遇斯光已恚心悉滅是光明中亦
說如來祕密之藏言諸衆生皆有佛性衆生
聞已即便命終生人天中當尒之時畜生亦
盡除謗正法是一一華各有一佛圓光一尋
金色晃曜微妙端嚴最上无比三十二相八
十種好莊嚴其身是諸世尊或有坐者或有

BD00749號　大般涅槃經（北本）卷一一　（20–5）

所已即便命終生人天中當尒之時書生亦
盡除謗正法是一一華各有一佛圓光一尋
金色晃曜微妙端嚴最上无比三十二相八
十種好莊嚴其身是諸世尊或有坐者或有
行者或有卧者或有住者或震雷者或澍雨
者或施電光或復放風或出烟炎身如大聚
或有示現七寶諸山池泉河水山林樹木或
復示現七寶國土城邑聚落宮殿室宅或復
示現象馬師子虎狼孔雀鳳凰諸鳥或復示
現令閻浮提所有衆生悉見地獄畜生餓鬼
或復示現欲界六天復有世尊或說陰界諸
入多諸過患或復有說四聖諦法或復有說
諸法因緣或復有說諸業煩惱皆因緣生或
復有說我與无我或復有說苦樂二法或復
有說常无常等或復有說淨與不淨復有世
尊為諸菩薩演說所行六波羅蜜或復有說
諸大菩薩所得功德或復有說諸佛世尊所
得功德或復有說聲聞之人所得功德或復
有說隨順一乘或復有說三乘成道或有世
尊左脅出水右脅出火或有示現初生出家
坐於道場菩提樹下轉妙法輪入乎涅槃或
有世尊作師子吼我此會中有得一果二果
三果至第四果或復有說出離生死无量因
緣尒時於此閻浮提中所有衆生遇斯光已
盲者見色聾者聽聲瘂者能言拘躄能行貧
者得財慳者能施恚者慈心不信者信如是
世界无一衆生脩行惡法除一闡提尒時一

盲者見色聾者聽聲瘂者能言拘躄能行
者得財慳者能施恚者慈心不信者信如是
世界无一衆生脩行惡法除一闡提尒時一
切天龍鬼神乾闥婆阿脩羅迦樓羅緊那羅
摩睺羅伽羅剎揵陀憂摩陀阿婆魔羅人非人
人等悉共同聲唱如是言善哉善哉无上天
尊多所利益說是語已踊躍歡喜或歌或儛
或身動轉以種種華散佛及僧所謂天優鉢
羅華拘物頭華波頭摩華分陀利華曼陀羅
華摩訶曼陀羅華曼殊沙華摩訶曼殊沙
華散陀那華摩訶散陀那華盧脂那華摩訶盧
脂那華香華大香華適意華大適意華愛見
華大愛見華端嚴華第一端嚴華復散諸香
所謂沉水多伽樓香旃檀欝金和合雜香海
岸聚香復以天上寶幢幡蓋諸天伎樂箏笛
箜篌簫吹供養於佛而說偈言
我今稽首大精進　无上正覺兩足尊
天人大衆所不知　唯有瞿曇乃能了
世尊往昔為我故　於无量劫脩苦行
如何一旦放本誓　而便捨命欲涅槃
一切衆生不能見　諸佛世尊祕密藏
以是因緣難得出　輪轉生死墮惡道
如佛所說阿羅漢　一切皆當至涅槃
如是甚深佛行處　凡夫下愚誰能知
施諸衆生甘露法　為欲斷除其煩惱
若有服此甘露已　不復受生老病死
如來世尊已療治　百千无量諸衆生

施諸衆生甘露法　爲欲斷除其煩惱
若有服此甘露已　不復受生老病死
如來世尊已療治　百千无量諸衆生
令其所有諸重病　一切消滅无遺餘
世尊久已捨病苦　故得名爲第七佛
唯願今日雨法雨　潤漬我等功德種
是諸大衆及人天　如是請已默然住
說是偈時蓮華臺中一切諸佛從閻浮提遍
至淨居悉皆聞之尒時佛告迦葉菩薩善哉
善哉善男子汝已具足如是甚深微妙智慧
不爲一切諸魔外道之所破壞善男子汝已
安住不爲一切諸邪惡風之所傾動善男子
汝今成就樂說辯才已曾供養過去无量恒
河沙等諸佛世尊是故能問如來正覺如是
之義善男子我於往昔无量无邊億那由他
百千万劫已除病根永離倚卧迦葉過去无
量阿僧祇劫有佛出世号无上勝如來應正
遍知明行足善逝世間解无上士調御丈夫
天人師佛世尊爲諸聲聞說是大乘大涅槃
經開示分別顯發其義我於尒時亦爲彼佛
而作聲聞受持如是大涅槃典讀誦通利書
寫經卷廣爲他人開示分別解說其義以是
善根迴向阿耨多羅三藐三菩提善男子我
從是來未曾爲惡煩惱業緣墮於惡道誹謗
正法作一闡提受黃門身无根二根反逆父
母殺阿羅漢破塔壞僧出佛身血犯四重禁
從是已來身心安隱无諸苦惱迦葉我今實
无一切疾病所以者何諸佛世尊久已遠離

BD00749 號　大般涅槃經（北本）卷一一　（20–8）

從是來未曾爲惡煩惱業緣墮於惡道誹謗
正法作一闡提受黃門身无根二根反逆父
母殺阿羅漢破塔壞僧出佛身血犯四重禁
從是已來身心安隱无諸苦惱迦葉我今實
无一切疾病所以者何諸佛世尊久已遠離
一切病故迦葉是諸衆生不知大乘方等密
語便謂如來真實有疾迦葉如言如來人中
師子而如來者實非師子如是之言即是如
來秘密之教迦葉如言如來人中大龍而我
已於无量劫中捨離是業迦葉如言如來是
人是天而我真實非人非天亦非鬼神乹闥
婆阿脩羅迦樓羅緊那羅摩睺羅伽非我非
命非可養育非人士夫非作非不作非受非
不受非世尊非聲聞非說非不說如是等語
皆是如來秘密之教迦葉如言如來猶如大
海須弥山王而如來者實非鹹味同於石山
當知是語亦是如來秘密之教迦葉如言如
來如分陁利而我實非分陁利也如是之言
即是如來秘密之教迦葉如言如來猶如父
母而如來者實非父母如是之言亦是如來
秘密之教迦葉如言如來是大船師而如來
者實非船師如是之言亦是如來秘密之教
迦葉如言如來猶如商主而如來者實非商
主如是之言亦是如來秘密之教迦葉如言
如來能摧伏魔而如來者實无惡心欲令他
伏如是之言皆是如來秘密之教迦葉如言
如來能治癰瘡而我實非治癰師也如是之

BD00749 號　大般涅槃經（北本）卷一一　（20–9）

如来能摧伏魔而如来者實无惡心欲令他
伏如是之言皆是如来秘密之教迦葉如言
如来能治癰瘡而我實非治癰師也如是之
言亦是如来秘密之教迦葉如我先說若有
善男子善女人善能脩治身口意業捨命之
時雖有親族取其屍骸或以火燒或投大水
或棄冢間狐狼禽獸競共食噉然心意識即
生善道而是心法實无去来亦无所至真是
前後相似相續相貌不異如是之言即是如
来秘密之教迦葉我今言病亦復如是亦是
如来秘密之教是故顧命文殊師利吾今背
痛汝等當為四衆說法迦葉如来正覺實无
有病右脅而卧亦不畢竟入於涅槃迦葉是
大涅槃即是諸佛甚深禪定如是禪定非是
聲聞緣覺行處迦葉汝先所問如来何故倚
卧不起不索飲食或勑家屬脩治産業迦葉
虚空之性亦无起坐求索飲食勑或家屬脩
治産業亦无去来生滅老壯出沒傷破解脫
繫縛亦不自說亦不說他亦不自解亦不解他
非安非病善男子諸佛世尊亦復如是猶
如虚空云何當有諸病苦耶迦葉世有三人
其病難治一謗大乘二五逆罪三一闡提如
是三病世中極重悉非聲聞緣覺菩薩之所
能治善男子譬如有病必死難治若有瞻病
隨意醫藥若无瞻病隨意醫藥如是之病定
不可治當知是人必死不疑善男子是三種人

BD00749號　大般涅槃經（北本）卷一一　（20–10）

隨意醫藥若无瞻病隨意醫藥如是之病定
不可治當知是人必死不疑善男子是三種人
亦復如是若有聲聞緣覺菩薩或有說法
或不說法不能令其發阿耨多羅三藐三菩
提心迦葉譬如病人若有瞻病隨意醫藥則
可令差若无此三則不可差聲聞緣覺亦復
如是從佛菩薩得聞法已即能發於阿耨多
羅三藐三菩提心非不聞法能發心也迦葉
譬如病人若有瞻病隨意醫藥若无瞻病隨
意醫藥皆悉可差有一種人亦復如是或值
聲聞不值聲聞或值緣覺不值緣覺或值菩
薩不值菩薩或值如来不值如来或得聞法
或不聞法自然得成阿耨多羅三藐三菩提
所謂有人或為自身或為他身或為怖畏或
為利養或為諂諭或為誑他書寫如是大涅
槃經受持讀誦供養恭敬為他說者迦葉有
五種人於是大乘大涅槃典有病行處非如
来也何等為五一斷三結得須陁洹果不墮
地獄畜生餓鬼人天七返永斷諸苦入於涅
槃迦葉是名一人有病行處是人来来過八
万劫便當得成阿耨多羅三藐三菩提迦葉
第二人者斷三結薄貪恚癡得斯陁含果一
往来永斷諸苦入於涅槃迦葉是名第二人
有病行處是人来来過六万劫便當得成阿
耨多羅三藐三菩提迦葉第三人者斷五下
結得阿那含果更不来此永斷諸苦入於涅
槃是名第三人有病行處是人来来過四万

BD00749號　大般涅槃經（北本）卷一一　（20–11）

有病行處是人未來過六万劫便當得成阿
耨多羅三藐三菩提迦葉第三人者斷五下
結得阿那含果更不來此永斷諸結入於涅
槃是名第三人有病行處是人未來過四万
劫便當得成阿耨多羅三藐三菩提迦葉第
四人者永斷貪欲瞋恚愚癡得阿羅漢果煩
惱无餘入於涅槃亦非麒麟獨一之行是名
第四人有病行處是人未來過二万劫便當
得成阿耨多羅三藐三菩提迦葉第五人者
永斷貪欲瞋恚癡得辟支佛道煩惱无餘
入於涅槃真是麒麟獨一之行是名第五人
有病行處是人未來過十千劫便當得成阿
耨多羅三藐三菩提迦葉是名第五人有病
行處非如來也

大般涅槃經聖行品第七

尒時佛告迦葉菩薩善男子菩薩摩訶薩應
當於是大涅槃經專心思惟五種之行何等
為五一者聖行二者梵行三者天行四者嬰
兒行五者病行善男子菩薩摩訶薩常當脩
習是五種行復有一行是如來行所謂大乘
大涅槃經迦葉云何菩薩摩訶薩所脩聖行
菩薩摩訶薩若從聲聞若從如來得聞如是
大涅槃經聞已生信信已應作如是思惟諸
佛世尊有无上道有大正法大衆正行復有
方等大乘經典我今當為愛樂貪求大乘經
故捨離所愛妻子眷屬所居舍宅金銀珎寶
微妙瓔珞香華伎樂奴婢僕使男女大小象

BD00749號　大般涅槃經（北本）卷一一　（20–12）

方等大乘經典我今當為愛樂貪求大乘經
故捨離所愛妻子眷屬所居舍宅金銀珎寶
微妙瓔珞香華伎樂奴婢僕使男女大小象
馬車乘牛羊雞犬猪豕之屬復作是念居家
迫迮猶如牢獄一切煩惱由之而生出家寬
曠猶如虛空一切善法因之增長若在家居
不得盡壽淨脩梵行我今應當剃除鬚髮出
家學道作是念已我今定當出家脩學无上
正真菩提之道菩薩如是欲出家時天魔波
旬生大苦惱言是菩薩復當與我興大戰諍
善男子如是菩薩何處當復與人戰諍是時
菩薩即至僧坊若見如來及佛弟子威儀具
足諸根寂靜其心柔和清淨寂滅即至其所
而求出家剃除鬚髮服三法衣既出家已奉
持禁戒威儀不缺進止安詳无所觸犯乃至
小罪心生怖畏護戒之心猶如金剛善男子
譬如有人帶持浮囊欲度大海尒時海中有
一羅剎即從其人乞索浮囊其人聞已即作
是念我今若與必定沒死答言羅剎汝寧殺
我浮囊叵得羅剎復言汝若不能全與我者
見惠其半是人猶故不肯與之羅剎復言汝
若不能惠我半者幸願與我三分之一是人
不肯羅剎復言若不能者當施手許是人不
肯羅剎復言汝今若復不能與我如手許者
我今飢窮衆苦所逼願當濟我如微塵許是
人復言汝今所索誠復不多然我今日方當
度海不知前塗近遠如何若與汝者氣當漸

BD00749號　大般涅槃經（北本）卷一一　（20–13）

肯羅剎復言汝今若復不能與我如手許者
我今飢窮衆苦所逼願當濟我如微塵許是
人復言汝今所索誠復不多然我今日方當
度海不知前塗近遠如何若與汝者氣當漸
出大海之難何由得過脫能中路沒水而死
善男子菩薩摩訶薩護持禁戒亦復如是如
彼度人護惜浮囊菩薩如是護戒之時常有
煩惱諸惡羅剎語菩薩言汝當信我終不相
欺但破四禁護持餘戒以是因緣令汝安隱
得入涅槃菩薩尒時應作是言我今寧持如
是禁戒墮阿鼻獄終不毀犯而生天上煩惱
羅剎復作是言卿若不能破四禁者可破僧
殘以是因緣令汝安隱得入涅槃菩薩亦應
不隨其語羅剎復言卿若不能犯僧殘者亦
可故犯偷蘭遮罪以是因緣令汝安隱得入
涅槃菩薩尒時亦復不隨羅剎復言卿若不
能犯偷蘭遮可犯捨墮以是因緣可得安隱
入於涅槃菩薩尒時亦不隨之羅剎復言卿
若不能犯捨墮者可波夜提以是因緣令
汝安隱得入涅槃菩薩尒時亦不隨之羅剎
復言若不能犯波夜提者幸可毀破突吉羅
戒以是因緣可得安隱入於涅槃菩薩尒時
心自念言我今若犯突吉羅罪不發露者則
不能度生死彼岸而得涅槃菩薩摩訶薩於
是微小諸戒律中護持堅固心如金剛菩薩
摩訶薩持四重禁及突吉羅敬重堅固等无
差別菩薩若能如是堅持則為具足五枝諸
戒所謂具足菩薩根本業清淨戒前後眷屬

是微小諸戒律中護持堅固心如金剛菩薩
摩訶薩持四重禁及突吉羅敬重堅固等无
差別菩薩若能如是堅持則為具足五枝諸
戒所謂具足菩薩根本業清淨戒前後眷屬
餘清淨戒非諸惡覺覺清淨戒護持正念念
清淨戒迴向阿耨多羅三藐三菩提戒迦葉
是菩薩摩訶薩復有二種戒一者受世教戒
二者得正法戒菩薩若受正法戒者終不為
惡受世教戒者白四羯磨然後乃得復次善
男子有二種戒一者性重戒二者息世譏嫌
戒性重戒者謂四禁也息世譏嫌者不作販
賣輕秤小斗欺誑於人因他形勢取人財物
害心繫縛破壞成功然明而卧田宅種殖家
業坐肆不畜象馬車乘牛羊駝驢雞犬獼猴
孔雀鸚鵡共命及拘枳羅豺狼虎豹猫狸猪
豕及餘惡獸童男童女大男大女奴婢僮僕
金銀瑠璃頗梨真珠車𤦲馬瑙珊瑚璧玉珂
貝諸寶赤銅白鑞鍮石盂器氍毹毾㲪拘執
𣰽衣一切穀米大小麥豆床粟稻麻生熟食
具常受一食不曾再食若行乞食及僧中食
常知止足不受別請不食肉不飲酒五辛能
熏悉不食之是故其身无有臭處常為諸天
一切世人恭敬供養尊重讚歎趣足而食終
不長受所受衣服裁足覆身進止常與三衣
鉢俱終不捨離如鳥二翼不畜根子莖子節
子逢子子不畜寶藏若金若銀飲食厨庫
衣裳服餝高廣大牀象牙金牀雜色編織悉不

不長受所受衣服載足覆身進止常與三衣
鉢俱終不捨離如鳥二翼不畜根子莖子節
子遂子子不畜寶藏若金若銀飲食廚庫
衣裳服餙高廣大牀象牙金牀雜色編織悉不
用坐不畜一切細滑諸座不坐象廏馬廏不
以細滑上妙衣裳用敷牀臥其牀兩頭不置
二枕亦不受畜妙好丹枕安置木枕終不觀
看象鬪馬鬪車鬪兵鬪男鬪女鬪牛鬪羊鬪
水牛雞雉鸚鵡等鬪亦不故往觀看軍陣不
應故聽吹貝鼓角琴瑟箏笛箜篌歌叫伎樂
之聲除供養佛樗蒲圍碁波羅塞戲師子象
鬪彈碁六博拍毱擲石投壺牽道八道行成
一切戲笑悉不觀作終不占相手脚面目不
以爪鏡芝草楊枝鉢盂髑髏而作卜筮亦不
仰觀虛空星宿除欲解睡不作王家往反使
命以此語彼以彼語此終不諂諭邪命自活
亦不宣說王臣盜賊鬪諍飲食國土飢饉恐
怖豐樂安隱之事善男子是名菩薩摩訶薩
息世譏嫌戒善男子菩薩摩訶薩堅持如是
遮制之戒與性重戒等無差別善男子菩薩
摩訶薩受持如是諸禁戒已作是願言寧以
此身投於熾然猛火深坑終不毀犯過去未
來現在諸佛所制禁戒與剎利女婆羅門女
居士女而行不淨復次善男子菩薩摩訶薩
復作是願寧以熱鐵周匝纏身終不敢以破
戒之身受於信心檀越衣服復次善男子菩

復作是願寧以熱鐵周匝纏身終不敢以破
戒之身受於信心檀越衣服復次善男子菩
薩摩訶薩復作是願寧以此口吞熱鐵丸終
不敢以毀戒之口食於信心檀越飲食復次
善男子菩薩摩訶薩復作是願寧臥此身大
熱地上終不敢以破戒之身受於信心檀越
床臥敷具復次善男子菩薩摩訶薩復作是
願戒寧以身受三百矛終不敢以毀戒之身
受於信心檀越醫藥復次善男子菩薩摩訶
薩復作是願寧以此身投熱鐵鑊終不敢以
破戒之身受信心檀越房舍屋宅復次善男
子菩薩摩訶薩復作是願寧以鐵椎打碎此
身從頭至足令如微塵不以破戒受諸剎利
婆羅門居士恭敬禮拜復次善男子菩薩摩
訶薩復作是願寧以熱鐵挑其兩目不以染
心視他好色復次善男子菩薩摩訶薩復作
是願寧以鐵錐遍身攙刺不以染心聽好音
聲復次善男子菩薩摩訶薩復作是願寧以
利刀割去其鼻不以染心貪嗅諸香復次善
男子菩薩摩訶薩復作是願寧以利刀割截
其舌不以染心貪著美味復次善男子菩薩
摩訶薩復作是願寧以利斧斬斫其身不以
染心貪著諸觸何以故以是因緣能令行者
墮於地獄畜生餓鬼迦葉是名菩薩摩訶薩
護持禁戒菩薩摩訶薩護持如是諸禁戒已
持禁戒得清淨戒善戒不缺戒不析戒大乘
戒不退戒隨順戒畢竟戒具足成就波羅蜜

護持禁戒善薩摩訶薩護持如是諸禁戒已
持禁戒得清淨戒善戒不缺戒不析戒大乘
戒不退戒隨順戒畢竟戒具足成就波羅蜜
戒善男子菩薩摩訶薩備治如是清淨戒時
即得住於初不動地云何名為不動地也菩薩
住是不動地中不動不墮不退不散善男子
辟如須弥山隨藍猛風不能令動墮落退散
菩薩摩訶薩住是地中亦復如是不為色聲
香味所動不墮地獄畜生餓鬼不退聲聞辟
支佛地不為異見耶風所散而作耶命復次
善男子又復動者不為貪欲恚癡所動又復
墮者不墮四重又復退者不退戒還家又復
散者不為違逆大乘經者之所散壞復次菩
薩摩訶薩亦復不為諸煩惱魔之所傾動不
為陰魔所墮乃至坐於道場菩提樹下雖有
天魔不能令其退於阿耨多羅三狼三菩提
亦復不為死魔所散善男子是名菩薩摩訶
薩備習聖行善男子云何名為聖行聖行者
佛及菩薩之所行故故名聖行以何等故名
佛菩薩為聖人耶如是等人有聖法故常觀

男子菩薩摩訶薩復作是願寧以利刀割截
其舌不以染心貪着美味復次善男子菩薩
摩訶薩復作是願寧以利斧斬斫其身不以
染心貪着諸觸何以故以是因緣能令行者

男子菩薩摩訶薩復作是願寧以利刀割截
其舌不以染心貪着美味復次善男子菩薩
摩訶薩復作是願寧以利斧斬斫其身不以
染心貪着諸觸何以故以是因緣能令行者
墮於地獄畜生餓鬼迦葉是名菩薩摩訶薩
護持禁戒菩薩摩訶薩護持如是諸禁戒已
悉以施與一切衆生以是因緣願令衆生護
持禁戒得清淨戒善戒不缺戒不析戒大乘
戒不退戒隨順戒畢竟戒具足成就波羅蜜
戒善男子菩薩摩訶薩備治如是清淨戒時
即得住於初不動地云何名為不動地也菩薩
住是不動地中不動不墮不退不散善男子
辟如須弥山隨藍猛風不能令動墮落退散
菩薩摩訶薩住是地中亦復如是不為色聲
香味所動不墮地獄畜生餓鬼不退聲聞辟
支佛地不為異見耶風所散而作耶命復次
善男子又復動者不為貪欲恚癡所動又復
墮者不墮四重又復退者不退戒還家又復
散者不為違逆大乘經者之所散壞復次菩
薩摩訶薩亦復不為諸煩惱魔之所傾動不
為陰魔所墮乃至坐於道場菩提樹下雖有
天魔不能令其退於阿耨多羅三狼三菩提
亦復不為死魔所散善男子是名菩薩摩訶
薩備習聖行善男子云何名為聖行聖行者
佛及菩薩之所行故故名聖行以何等故名
佛菩薩為聖人耶如是等人有聖法故常觀
諸法性空寂故以是義故故名聖人有聖戒

[illegible]
丈佛地不為異見耶風所散而作耶命復次
善男子又復動者不為貪欲恚癡所動又復
墮者不墮四重又復退者不退戒還家又復
散者不為違逆大乘經者之所散壞復次善
薩摩訶薩亦復不為諸煩惱魔之所傾動不
為陰魔所墮乃至坐於道場菩提樹下雖有
天魔不能令其退於阿耨多羅三藐三菩提
亦復不為死魔所散善男子是名菩薩摩訶
薩脩習聖行善男子云何名為聖行聖行者
佛及菩薩之所行故故名聖行以何等故名
佛菩薩為聖人耶如是等人有聖法故常觀
諸法性空寂故以是義故故名聖人有聖戒
故復名聖人有聖定慧故故名聖人有七聖
財所謂信戒慚愧多聞智慧捨離故名聖人
有七聖覺故名聖人以是義故復名聖人

大般涅槃經卷第十一

BD00749 號　大般涅槃經（北本）卷一一　（20–20）

大乘無量壽經
如是我聞一時薄伽梵在舍衛國祇樹給孤獨園與大苾芻僧千二百五十人大菩薩摩訶薩衆俱會
時世尊告曼殊室利童子曼殊上方有世界名無量功德聚彼土有佛號無量智決定王如來阿耨多
羅三藐三菩提現為衆生開示說法曼殊諦聽南閻浮提人皆短壽大限百年於中夭枉橫死者曼殊如是受持讀誦
無量壽如來功德名稱法要若有衆生得聞名號若自書或使人書能為經卷受持讀誦若於舍宅所住之處以種種花
鬘瓔珞塗香末香而為供養如其命盡復得延年滿足百歲如是曼殊若有衆生得聞是無量壽智決定王如來一百八號者
益其長壽若有衆生大命將盡憶念是如來名號更得增壽如是曼殊若有善男子善女人欲求長壽於是無量
壽如來一百八名號有得聞者或自書若使人書受持讀誦得如是等果報福得具足陀羅尼曰
南無薄伽勃底阿波唎蜜多阿喻紇硯娜須毗你悉指陀囉佐耶怛他羯他耶怛姪他唵薩婆桑悉迦囉波唎輸底達磨底伽
迦娜莎訶其持迦底薩婆婆毗輸底摩訶娜耶波唎波唎莎訶　世尊復告曼殊室利如是如來一百八名號
若有自書或使人書為經卷受持讀誦如受命盡復滿百年受終此身後得往生無量福智世界無量
壽淨土陀羅尼曰　南無薄伽勃底阿波唎蜜多阿喻紇硯娜須毗你悉指陀囉佐耶怛他羯他耶怛姪他唵薩婆
桑悉迦囉波唎輸底達磨底伽迦娜莎訶其持迦底薩婆婆毗輸底摩訶娜耶波唎波唎莎訶　尒時有九十九俱胝
佛等一時同聲說是無量壽宗要經陀羅尼曰　南無薄伽勃底阿波唎蜜多阿喻紇硯娜須毗你悉指陀囉佐耶
怛他羯他耶怛姪他唵薩婆桑悉迦囉波唎輸底達磨底伽迦娜莎訶其持迦底薩婆婆毗輸底摩訶娜耶波唎
波唎莎訶　尒時復有一百四俱胝佛一時同聲說是無量壽宗要經陀羅尼曰　南無薄伽勃底阿波唎蜜多
阿喻紇硯娜須毗你悉指陀囉佐耶怛他羯他耶怛姪他唵薩婆桑悉迦囉波唎輸底達磨底伽迦娜莎訶其
持迦底薩婆婆毗輸底摩訶娜耶波唎波唎莎訶　尒時復有七俱胝佛一時同聲說是無量壽宗要經陀羅尼曰
南無薄伽勃底阿波唎蜜多阿喻紇硯娜須毗你悉指陀囉佐耶怛他羯他耶怛姪他唵薩婆桑悉迦囉波
唎輸底達磨底伽迦娜莎訶其持迦底薩婆婆毗輸底摩訶娜耶波唎波唎莎訶　尒時復有六十五俱胝佛一時同
聲說是無量壽宗要經陀羅尼曰　南無薄伽勃底阿波唎蜜多阿喻紇硯須毗你悉指陀囉佐耶怛
他羯他耶怛姪他唵薩婆桑悉迦囉波唎輸底達磨底伽迦娜莎訶其持迦底薩婆婆毗輸底摩訶娜耶波唎波唎莎訶
尒時復有五十五俱胝佛一時同聲說是無量壽宗要經陀羅尼曰　南無薄伽勃底阿波唎蜜多阿喻紇硯娜須毗你悉指
陀囉佐耶怛他羯他耶怛姪他唵薩婆桑悉迦囉波唎輸底達磨底伽迦娜莎訶其持迦底薩婆婆毗輸底摩訶
娜耶波唎波唎莎訶　尒時復有四十五俱胝佛一時同聲說是無量壽宗要經陀羅尼曰　南無薄伽勃底阿波唎蜜
多阿喻紇硯娜須毗你悉指陀囉佐耶怛他羯他耶怛姪他唵薩婆桑悉迦囉波唎輸底達磨底伽迦娜莎訶
其持迦底薩婆婆毗輸底摩訶娜耶波唎波唎莎訶　尒時復有三十六俱胝佛一時同聲說是無量壽宗要經
陀羅尼曰　南無薄伽勃底阿波唎蜜多阿喻紇硯娜須毗你悉指陀囉佐耶怛他羯他耶怛姪他唵薩婆
[illegible]

BD00750 號　無量壽宗要經　（4–1）

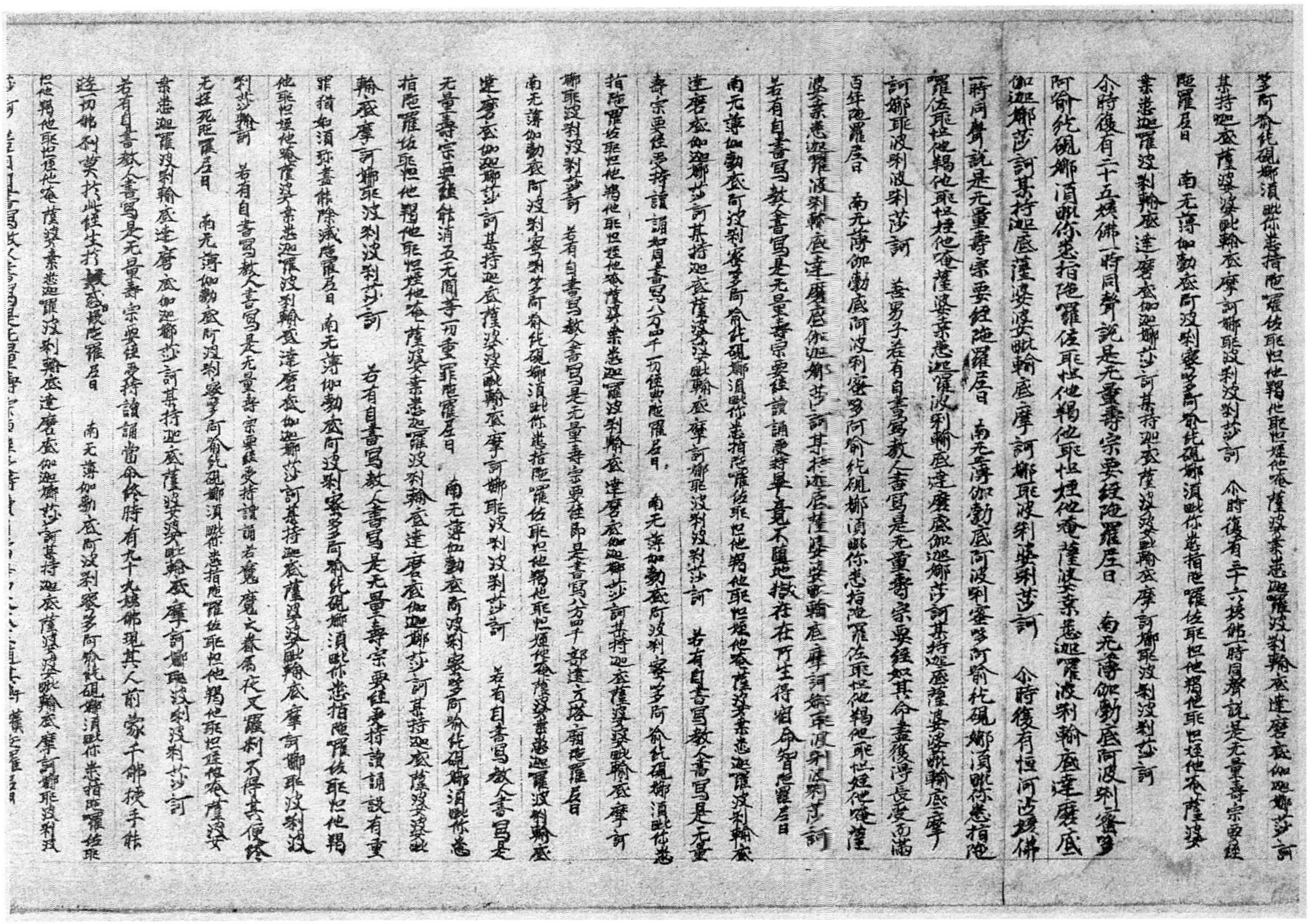

BD00750 號　無量壽宗要經　　（4–2）

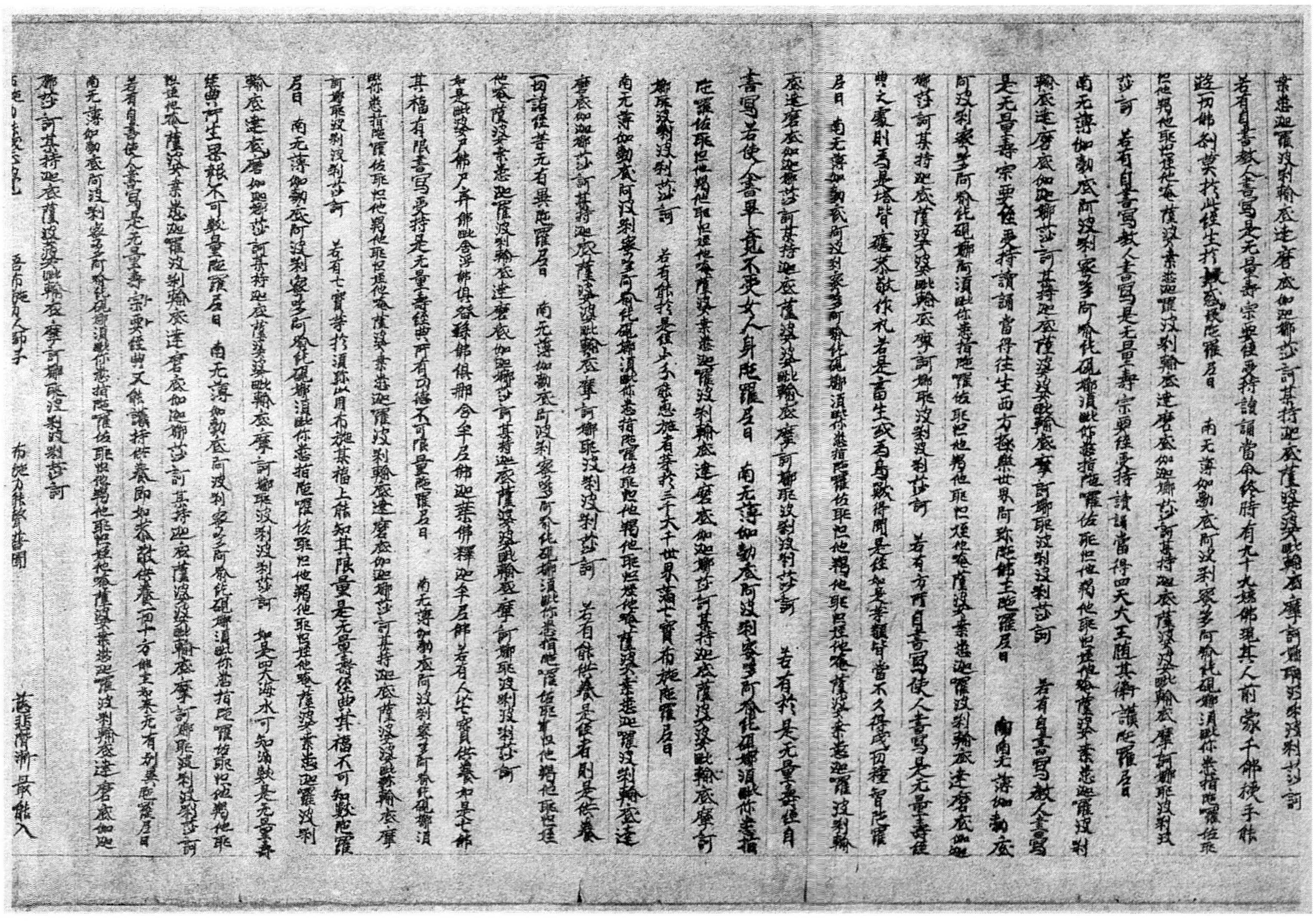

BD00750 號　無量壽宗要經　　（4–3）

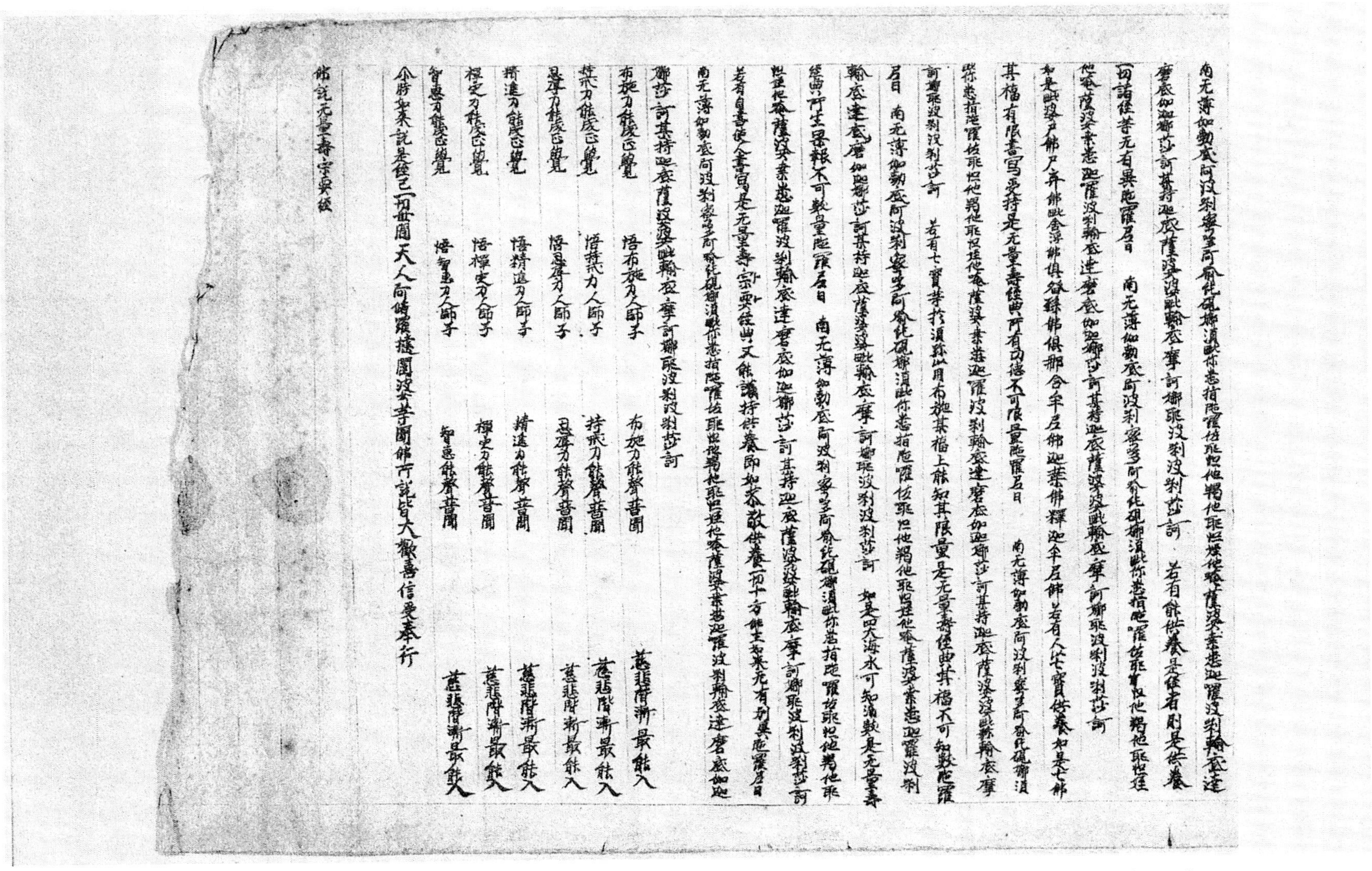

南无薄伽勃底阿波唎蜜多阿喻紇硯娜須毗你悉指陀囉佐耶怛他羯他耶怛姪他唵薩婆桑塞迦囉波唎輸底達
磨底伽伽那娑訶莎訶持迦底薩婆毗輸底摩訶娜耶波唎婆唎莎訶　若有能供養是經者則是供養
一切諸經等无有異陀羅尼曰　南无薄伽勃底阿波唎蜜多阿喻紇硯娜須毗你悉指陀囉佐耶怛他羯他耶怛姪
他唵薩婆桑塞迦囉波唎輸底達磨底伽伽那娑訶莎訶持迦底薩婆毗輸底摩訶娜耶波唎婆唎莎訶
知是毗婆尸佛尸棄佛毗舍浮佛俱留孫佛俱那含牟尼佛迦葉佛釋迦牟尼佛若有人以七寶供養如是七佛
其福有限書寫受持是无量壽經典所有功德不可限量陀羅尼曰　南无薄伽勃底阿波唎蜜多阿喻紇硯娜須
毗你悉指陀囉佐耶怛他羯他耶怛姪他唵薩婆桑塞迦囉波唎輸底達磨底伽伽那娑訶莎訶持迦底薩婆毗輸底摩訶
娜耶波唎婆唎莎訶　若有七寶等於須弥山用布施其福上能知其限量是无量壽經典其福不可知數陀羅
尼曰　南无薄伽勃底阿波唎蜜多阿喻紇硯娜須毗你悉指陀囉佐耶怛他羯他耶怛姪他唵薩婆桑塞迦囉波唎輸底
達磨底伽伽那娑訶莎訶持迦底薩婆毗輸底摩訶娜耶波唎婆唎莎訶　如是四大海水可知滴數是无量壽
經典所生果報不可數量陀羅尼曰　南无薄伽勃底阿波唎蜜多阿喻紇硯娜須毗你悉指陀囉佐耶怛他羯他耶
怛姪他唵薩婆桑塞迦囉波唎輸底達磨底伽伽那娑訶莎訶持迦底薩婆毗輸底摩訶娜耶波唎婆唎莎訶
若有自書使人書寫是无量壽宗要經典又能讀持供養即如恭敬供養一切十方佛土如來无有別異陀羅尼曰
南无薄伽勃底阿波唎蜜多阿喻紇硯娜須毗你悉指陀囉佐耶怛他羯他耶怛姪他唵薩婆桑塞迦囉波唎輸底達磨底伽伽
那娑訶莎訶持迦底薩婆毗輸底摩訶娜耶波唎婆唎莎訶
布施力能成正覺　悟布施力人師子　布施力能聲普聞　慈悲門內最能入
持戒力能成正覺　悟持戒力人師子　持戒力能聲普聞　慈悲門內最能入
忍辱力能成正覺　悟忍辱力人師子　忍辱力能聲普聞　慈悲門內最能入
精進力能成正覺　悟精進力人師子　精進力能聲普聞　慈悲門內最能入
禪定力能成正覺　悟禪定力人師子　禪定力能聲普聞　慈悲門內最能入
智惠力能成正覺　悟智惠力人師子　智惠能聲普聞　慈悲門內最能入
尒時如來說是經已一切世間天人阿修羅揵闥婆等聞佛所說皆大歡喜信受奉行
佛說无量壽宗要經

BD00750 號　無量壽宗要經　（4–4）

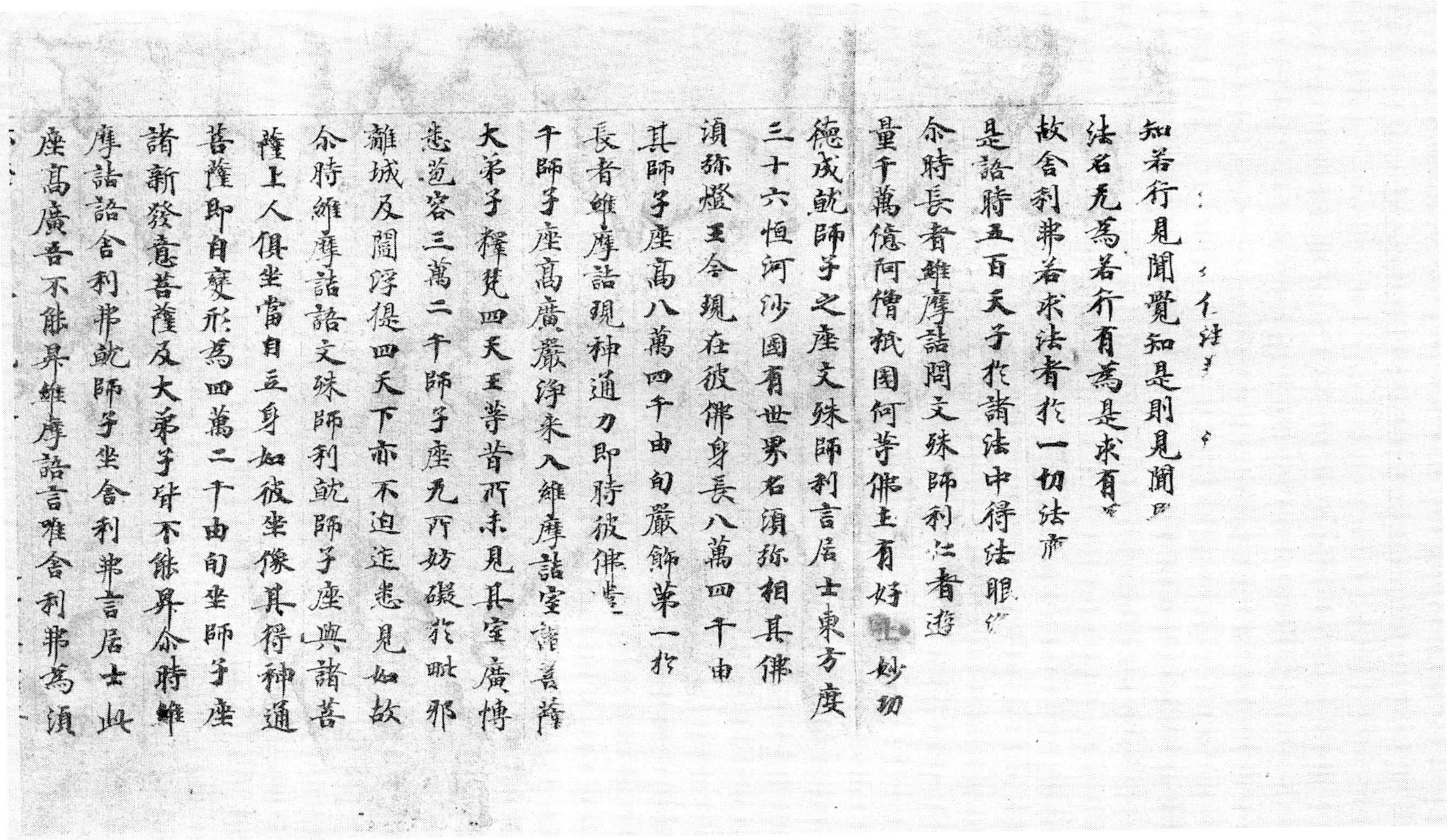

知若行見聞覺知是則見聞[illegible]
法名无為若行有為是求有[illegible]
故舍利弗若求法者於一切法應
是語時五百天子於諸法中得法眼[illegible]
尒時長者維摩詰問文殊師利仁者遊
量千萬億阿僧祇國何等佛土有好上妙功
德成就師子之座文殊師利言居士東方度
三十六恒河沙國有世界名須弥相其佛
須弥燈王今現在彼佛身長八萬四千由
其師子座高八萬四千由旬嚴飾第一於
長者維摩詰現神通力即時彼佛遣
千師子座高廣嚴淨來入維摩詰室諸菩薩
大弟子釋梵四天王等昔所未見其室廣博
悉苞容三萬二千師子座无所妨礙於毗耶
離城及閻浮提四天下亦不迫迮悉見如故
尒時維摩詰語文殊師利就師子座與諸菩
薩上人俱坐當自立身如彼座像其得神通
菩薩即自變形為四萬二千由旬坐師子座
諸新發意菩薩及大弟子皆不能昇尒時維
摩詰語舍利弗就師子坐舍利弗言居士此
座高廣吾不能昇維摩詰言唯舍利弗為須

BD00751 號　維摩詰所說經卷中　（20–1）

菩薩即自變形爲四萬二千由旬坐師子座
諸新發意菩薩及大弟子皆不能昇尒時維
摩詰語舍利弗就師子坐舍利弗言居士此
座高廣吾不能昇維摩詰言唯舍利弗爲須
弥燈王如来作礼乃可得坐於是新發意菩
薩及大弟子即爲須弥燈王如来作礼便得
坐師子座舍利弗言居士未曾有也如是小
室乃容受此高廣之座於毗耶離城无所妨
礙又於閻浮提聚落城邑及四天下諸天龍
王鬼神宮殿亦不迫迮維摩詰言唯舍利弗
諸佛菩薩有解脫名不可思議若菩薩住是
解脫者以須弥之高廣内芥子中无所增減
須弥山王本相如故而四天王忉利諸天不
覺不知己之所入唯應度者乃見須弥入芥
子中是名不可思議解脫法門又以四大海
水入一毛孔不嬈魚鼈黿鼉水性之屬而彼
大海本相如故諸龍鬼神阿脩羅等不覺不
知己之所入於此衆生亦无所嬈又舍利弗
住不可思議解脫菩薩斷取三千大千世界
如陶家輪著右掌中擲過恒河沙世界之外
其中衆生不覺不知己之所往又復還置本
處都不使人有往来想而此世界本相如故
又舍利弗或有衆生樂久住世而可度者菩
薩即演七日以爲一劫令彼衆生謂之一劫
或有衆生不樂久住而可度者菩薩即促一
劫以爲七日令彼衆生謂之七日又舍利弗

或有衆生不樂久住而可度者菩薩即促一
劫以爲七日令彼衆生謂之七日又舍利弗
住不可思議解脫菩薩以一切佛土嚴飾之
事集在一國示於衆生又菩薩以一佛土衆
生置之右掌飛到十方遍示一切而不動本
處又舍利弗十方衆生供養諸佛之具菩薩
於一毛孔皆令得見又十方國土所有日月
星宿於一毛孔普使見之又舍利弗十方世
界所有諸風菩薩悉能吸著口中而身无損
外諸樹木亦不摧折又十方世界劫盡燒時以
一切火内於腹中火事如故而不爲害又於
下方過恒河沙等諸佛世界取一佛土舉著
上方過恒河沙无數世界如持針鋒舉一棗
葉而无所嬈又舍利弗住不可思議解脫
菩薩能以神通現作佛身或現辟支佛身或
現聲聞身或現帝釋身或現梵王身或現世
主身或現轉輪王身又十方世界所有衆聲
上中下音皆能變之令作佛聲演出无常苦
空无我之音及十方諸佛所說種種之法皆
於其中普令得聞舍利弗我今略說菩薩不
可思議解脫之力若廣說者窮劫不盡是時
大迦葉聞說菩薩不可思議解脫法門歎未
曾有謂舍利弗譬如有人於盲者前現衆色
像非彼所見一切聲聞聞是不可思議解脫
法門不能解了爲若此也智者聞是其誰不
發阿耨多羅三藐三菩提心我等何爲永絕其

法門不能解了為若此也智者聞是其誰不
發阿耨多羅三藐三菩提心我等何為永絕其
根於此大乘猶如敗種一切聲聞聞是不可
思議解脫法門皆應號泣聲震三千大千世
界一切菩薩應大欣慶頂受此法若有菩薩
信解不可思議解脫法門者一切魔衆无如
之何大迦葉說是語時三萬二千天子皆發
阿耨多羅三藐三菩提心尒時維摩詰語大
迦葉仁者十方无量阿僧祇世界中作魔王
者多是住不可思議解脫菩薩以方便力教
化衆生現作魔王又迦葉十方无量菩薩或
有人從乞手足耳鼻頭目髓腦血肉皮骨聚
落城邑妻子奴婢象馬車乘金銀琉璃車渠
馬瑙珊瑚虎珀真珠珂貝衣服飲食如此乞
者多是住不可思議解脫菩薩以方便力而
往試之令其堅固所以者何住不可思議解
脫菩薩有威德力故行逼迫示諸衆生如是
難事凡夫下劣无有力勢不能如是逼迫菩
薩譬如龍象蹴蹋非驢所堪是名住不可思
議解脫菩薩智慧方便之門

觀衆生品第七

尒時文殊師利問維摩詰言菩薩云何觀於
衆生維摩詰言譬如幻師見所幻人菩薩觀
衆生為若此如智者見水中月如鏡中見其
面像如熱時焰如呼聲響如空中雲如水聚

衆生為若此如智者見水中月如鏡中見其
面像如熱時焰如呼聲響如空中雲如水聚
沫如水上泡如芭蕉堅如電久住如第五大
如第六陰如第七情如十三入如十九界菩
薩觀衆生為若此如无色界色如燋穀牙如
須陁洹身見如阿那含入胎如阿羅漢三毒
如得忍菩薩貪恚毀禁如佛煩惱習如盲者
見色如入滅盡定出入息如空中鳥跡如石
女兒如化人煩惱如夢所見已寤如滅度者
受身如无烟之火菩薩觀衆生為若此也
文殊師利言若菩薩作是觀者云何行慈維
摩詰言菩薩作是觀已自念我當為衆生說
如斯法是則真實慈也行寂滅慈无所生故
行不熱慈无煩惱故行等之慈等三世故行
无諍慈无所起故行不二慈內外不合故行
不壞慈畢竟盡故行堅固慈心无毀故行清
淨慈諸法性淨故行无邊慈如虛空故行阿
羅漢慈破結賊故行菩薩慈安衆生故行如
來慈得如相故行佛之慈覺衆生故行自然
慈无因得故行菩提慈等一味故行无等慈
斷諸愛故行大悲慈導以大乘故行无猒慈
觀空无我故行法施慈无遺惜故行持戒慈化
毀禁故行忍辱慈護彼我故行精進慈荷負
衆生故行禪定慈不受味故行智慧慈无不
知時故行方便慈一切示現故行无隱慈直

毀禁故行忍辱慈護彼我故行精進慈荷負
衆生故行禪定慈不受味故行智慧慈无不
知時故行方便慈一切示現故行无隱慈直
心清淨故行深心慈无雜行故行无誑慈不
虛假故行安樂慈令得佛樂故菩薩之慈爲
若此也
文殊師利又問何謂爲悲荅曰菩薩所作功
德皆與一切衆生共之何謂爲喜荅曰有所
饒益歡喜无悔何謂爲捨荅曰所作福祐无
所悕望文殊師利又問生死有畏菩薩當何
所依維摩詰言菩薩於生死畏中當依如來
功德之力文殊師利又問菩薩欲依如來功
德之力當依何住荅曰菩薩欲依如來功德
力者當住度脫一切衆生又問欲度衆生當
何所除荅曰欲度衆生除其煩惱又問欲除
煩惱當何所行荅曰當行正念又問云何行
於正念荅曰當行不生不滅又問何法不生
何法不滅荅曰不善不生善法不滅又問善
不善孰爲本荅曰身爲本又問身孰爲本荅
曰貪欲爲本又問貪欲孰爲本荅曰虛妄分
別爲本又問虛妄分別孰爲本荅曰顛倒想
爲本又問顛倒想孰爲本荅曰无住爲本又
問无住孰爲本荅曰无住則无本文殊師利
從无住本立一切法
時維摩詰室有一天女見諸大人聞所說法
便現其身即以天華散諸菩薩大弟子上華

BD00751號　維摩詰所說經卷中

（20–6）

從无住本立一切法
時維摩詰室有一天女見諸大人聞所說法
便現其身即以天華散諸菩薩大弟子上華
至諸菩薩即皆墮落至大弟子便著不墮一
切弟子神力去華不能令去尒時天問舍利
弗何故去華荅曰此華不如法是以去之天
曰勿謂此華爲不如法所以者何是華无所
分別仁者自生分別想耳若於佛法出家有
所分別爲不如法若无分別是則如法觀諸
菩薩華不著者以斷一切分別想故譬如人
畏時非人得其便如是弟子畏生死故色聲
香味觸得其便已離畏者一切五欲无能爲
也結習未盡華著身耳結習盡者華不著也
舍利弗言天止此室其已久如荅曰我止此
室如耆年解脫舍利弗言止此久也天曰耆
年解脫亦何如久舍利弗嘿然不荅天曰如
何耆舊大智而嘿荅曰解脫者无所言說故
吾於是不知所云天曰言說文字皆解脫相
所以者何解脫者不內不外不在兩間文字
亦不內不外不在兩間是故舍利弗无離文
字說解脫也所以者何一切諸法是解脫相
舍利弗言不復以離婬怒癡爲解脫乎天曰
佛爲增上慢人說離婬怒癡爲解脫耳若无
增上慢者佛說婬怒癡性即是解脫舍利弗
言善哉善哉天女汝何所得以何爲證辯乃
如是天曰我无得无證故辯如是所以者何

BD00751號　維摩詰所說經卷中

（20–7）

佛為增上慢人說離婬怒癡為解脫耳若无
增上慢者佛說婬怒癡性即是解脫舍利弗
言善哉善哉天女汝何所得以何為證辯乃
如是天曰我无得无證故辯如是所以者何
若有得有證者則於佛法為增上慢
舍利弗問天汝於三乘為何志求天曰以聲
聞法化眾生故我為聲聞以因緣法化眾生
故我為辟支佛以大悲化眾生故我為大乘
舍利弗如人入瞻蔔林唯嗅瞻蔔不嗅餘香
如是若入此室但聞佛功德之香不樂聲聞
辟支佛功德香也舍利弗其有釋梵四天王諸
天龍鬼神等入此室者聞斯上人講說正法
皆樂佛功德之香發心而出舍利弗吾止此
室十有二年初不聞說聲聞辟支佛法但聞
菩薩大慈大悲不可思議諸佛之法舍利弗
此室常現八未曾有難得之法何等為八此
室常以金色光照晝夜无異不以日月所照
為明是為一未曾有難得之法此室入者不
為諸垢之所惱也是為二未曾有難得之法
此室常有釋梵四天王他方菩薩來會不絕
是為三未曾有難得之法此室常說六波羅
蜜不退轉法是為四未曾有難得之法此室
常作天人第一之樂絃出无量法化之聲是
為五未曾有難得之法此室有四大藏眾寶
積滿周窮濟乏求得无盡是為六未曾有難
得之法此室釋迦牟尼佛阿弥陁佛阿閦佛

為五未曾有難得之法此室有四大藏眾寶
積滿周窮濟乏求得无盡是為六未曾有難
得之法此室釋迦牟尼佛阿弥陁佛阿閦佛
寶德寶炎寶月寶嚴難勝師子響一切利
成如是等十方无量諸佛是上人念時即皆
為來廣說諸佛祕要法藏說已還去是為七
未曾有難得之法此室一切諸天嚴飾宮殿
諸佛淨土皆於中現是為八未曾有難得之
法舍利弗此室常現八未曾有難得之法誰
有見斯不思議事而復樂於聲聞法乎
舍利弗言汝何以不轉女身天曰我從十二
年來求女人相了不可得當何所轉譬如幻
師化作幻女若有人問何以不轉女身是人
為正問不舍利弗言不也幻无定相當何所
轉天曰一切諸法亦復如是无有定相云何
乃問不轉女身即時天女以神通力變舍利
弗令如天女天自化身如舍利弗而問言何
以不轉女身舍利弗以天女像而荅言我今
不知何轉而變為女身天曰舍利弗若能轉
此女身則一切女人亦當能轉如舍利弗非
女而現女身一切女人亦復如是雖現女身
而非女也是故佛說一切諸法非男非女即
時天女還攝神力舍利弗身還復如故天問
舍利弗女身色相今何所在舍利弗言女身
色相无在无不在天曰一切諸法亦復如是
无在无不在夫无在无不在者佛所說也舍

舍利弗女身色相令何所在舍利弗言女身
色相无在无不在天曰一切諸法亦復如是
无在无不在夫无在无不在者佛所說也舍
利弗問天汝於此沒當生何所天曰佛化所
生吾如彼生曰佛化所生非沒生也天曰衆
生猶然无沒生也舍利弗問天汝久如當得
阿耨多羅三藐三菩提天曰如舍利弗還爲
凡夫我乃當成阿耨多羅三藐三菩提舍利
弗言我作凡夫无有是處天曰我得阿耨多
羅三藐三菩提亦无是處所以者何菩提无
住處是故无有得者舍利弗言今諸佛得阿
耨多羅三藐三菩提已得當得如恒河沙皆
謂何乎天曰皆以世俗文字數故說有三世
非謂菩提有去來今天曰舍利弗汝得阿羅
漢道耶曰无所得故而得天曰諸佛菩薩亦
復如是无所得故而得尒時維摩詰語舍利
弗是天女曾已供養九十二億佛已能遊戲
菩薩神通所願具足得无生忍住不退轉以
大願故隨意能現教化衆生

佛道品第八

尒時文殊師利問維摩詰言菩薩云何通達
佛道維摩詰言若菩薩行於非道是爲通達
佛道又問云何菩薩行於非道荅曰若菩薩
行五无間而无惱恚至于地獄无諸罪垢至
于畜生无有无明憍慢等過至于餓鬼而具
足功德行色无色界道不以爲勝示行貪欲

行五无間而无惱恚至于地獄无諸罪垢至
于畜生无有无明憍慢等過至于餓鬼而具
足功德行色无色界道不以爲勝示行貪欲
離諸染着示行瞋恚於諸衆生无有罣閡示
行愚癡而以智慧調伏其心示行慳貪而捨
內外所有不惜身命示行毀禁而安住淨戒
乃至小罪猶懷大懼示行瞋恚而常慈忍示
行懈怠而勤脩功德示行亂意而常念定示
行愚癡而通達世間出世間慧示行諂僞而
善方便隨諸經義示行憍慢而於衆生猶如
橋梁示行諸煩惱而心常清淨示入於魔而
順佛智慧不隨他教示入聲聞而爲衆生說
未聞法示入辟支佛而成就大悲教化衆生
示入貧窮而有寶手功德无盡示入刑殘而
具諸相好以自莊嚴示入下賤而生佛種性
中具諸功德示入羸劣醜陋而得那羅延身
一切衆生之所樂見示入老病而永斷病根
超越死畏示有資生而恒觀无常實无所貪
示有妻妾婇女而常遠離五欲淤泥現於訥
鈍而成就辯才惣持无失示入邪濟而以正
濟度諸衆生現遍入諸道而斷其因緣現於
涅槃而不斷生死文殊師利菩薩能如是行
於非道是爲通達佛道

於是維摩詰問文殊師利何等爲如來種文
殊師利言有身爲種无明有愛爲種貪恚癡
爲種四顛倒爲種五蓋爲種六入爲種七識

於非道是爲通達佛道
於是維摩詰問文殊師利何等爲如來種文
殊師利言有身爲種无明有愛爲種貪恚癡
爲種四顛倒爲種五蓋爲種六入爲種七識
處爲種八邪法爲種九惱處爲種十不善道
爲種以要言之六十二見及一切煩惱皆是
佛種曰何謂也荅曰若見无爲入正位者不
能復發阿耨多羅三藐三菩提心譬如高原
陸地不生蓮華卑濕淤泥乃生此華如是見
无爲法入正位者終不復能生於佛法煩惱
泥中乃有衆生起佛法耳又如殖種於空終
不得生糞壤之地乃能滋茂如是入无爲正
位者不生佛法起於我見如須弥山猶能發
于阿耨多羅三藐三菩提心生佛法矣是故
當知一切煩惱爲如來種譬如不下巨海不
能得无價寶珠如是不入煩惱大海則不能
得一切智寶
尒時大迦葉歎言善哉善哉文殊師利快説
此語誠如所言塵勞之疇爲如來種我等今
者不復堪任發阿耨多羅三藐三菩提心乃
至五无間罪猶能發意生於佛法而今我等
永不能發譬如根敗之士其於五欲不能復
利如是聲聞諸結斷者於佛法中无所復益
永不志願是故文殊師利凡夫於佛法有反
復而聲聞无也所以者何凡夫聞佛法能起
无上道心不斷三寶正使聲聞終身聞佛法

利如是聲聞諸結斷者於佛法中无所復益
永不志願是故文殊師利凡夫於佛法有反
復而聲聞无也所以者何凡夫聞佛法能起
无上道心不斷三寶正使聲聞終身聞佛法
力无畏等永不能發无上道意尒時會中有
菩薩名普現色身問維摩詰言居士父母妻
子親戚眷屬吏民知識悉爲是誰奴婢僮僕
象馬車乘皆何所在於是維摩詰以偈荅曰
智度菩薩母　方便以爲父　一切衆導師　无不由是生
法喜以爲妻　慈悲心爲女　善心誠實男　畢竟空寂舍
弟子衆塵勞　隨意之所轉　道品善知識　由是成正覺
諸度法等侶　四攝爲伎女　歌詠誦法言　以此爲音樂
總持之園苑　无漏法林樹　覺意淨妙華　解脱智慧果
八解之浴池　定水湛然滿　布以七淨華　浴此无垢人
象馬五通馳　大乘以爲車　調御以一心　遊於八正路
相具以嚴容　衆好飾其姿　慚愧之上服　深心爲華鬘
富有七財寶　教授以滋息　如所説修行　迴向爲大利
四禪爲牀坐　從於淨命生　多聞增智慧　以爲自覺音
甘露法之食　解脱味爲漿　淨心以澡浴　戒品爲塗香
摧滅煩惱賊　勇健无能踰　降伏四種魔　勝幡建道場
雖知无起滅　示彼故有生　悉現諸國土　如日无不現
供養於十方　无量億如來　諸佛及己身　无有分別想
雖知諸佛國　及與衆生空　而常修淨土　教化於群生
諸有衆生類　形聲及威儀　无畏力菩薩　一時能盡現
覺知衆魔事　而示隨其行　以善方便智　隨意皆能現
或示老病死　成就諸群生　了知如幻化　通達无有閡

諸有衆生類　形聲及威儀　无畏力菩薩　一時能盡現
覺知衆魔事　而示隨其行　以善方便智　隨意皆能現
或示老病死　成就諸群生　了知如幻化　通達无有閡
或現劫燒盡　天地皆洞然　衆人有常想　照令知无常
无數億衆生　俱來請菩薩　一時到其舍　化令向佛道
經書禁呪術　工巧諸伎藝　盡現行此事　饒益諸群生
世間衆道法　悉於中出家　因以解人惑　而不墮邪見
或作日月天　梵王世界主　或時作地水　或復作風火
劫中有疾疫　現作諸藥草　若有服之者　除病消衆毒
劫中有飢饉　現身作飲食　先救彼飢渴　却以法語人
劫中有刀兵　為之起慈悲　化彼諸衆生　令住无諍地
若有大戰陣　立之以等力　菩薩現威勢　降伏使和安
一切國土中　諸有地獄處　輙往到于彼　勉濟其苦惱
一切國土中　畜生相食噉　皆現生於彼　為之作利益
示受於五欲　亦復現行禪　令魔心憒亂　不能得其便
火中生蓮華　是可謂希有　在欲而行禪　希有亦如是
或現作婬女　引諸好色者　先以欲鉤牽　後令入佛智
或為邑中主　或作商人導　國師及大臣　以祐利衆生
諸有貧窮者　現作无盡藏　因以勸導之　令發菩提心
我心憍慢者　為現大力士　消伏諸貢高　令住无上道
其有恐懼衆　居前而慰安　先施以无畏　後令發道心
或現離婬欲　為五通仙人　開導諸群生　令住戒忍慈
見須供事者　為現作僮僕　既悅可其意　乃發以道心
隨彼之所須　得入於佛道　以善方便力　皆能給足之
如是道无量　所行无有崖　智慧无邊際　度脫无數衆
假令一切佛　於无數億劫　讃歎其功德　猶尚不能盡

BD00751 號　維摩詰所說經卷中　（20–14）

見須供事者　為現作僮僕　既悅可其意　乃發以道心
隨彼之所須　得入於佛道　以善方便力　皆能給足之
如是道无量　所行无有崖　智慧无邊際　度脫无數衆
假令一切佛　於无數億劫　讃嘆其功德　猶尚不能盡
誰聞如此法　不發菩提心　除彼不肖人　癡冥无智者

入不二法門品第九

尒時維摩詰謂衆菩薩言諸仁者云何菩薩
入不二法門各隨所樂說之會中有菩薩名
法自在說言諸仁者生滅為二法本不生今
則无滅得此无生法忍是為入不二法門
德首菩薩曰我我所為二因有我故便有我
所若无有我則无我所是為入不二法門
不眴菩薩曰受不受為二若法不受則不可
得以不可得故无取无捨无作无行是為入
不二法門
德頂菩薩曰垢淨為二見垢實性則无淨相
順於滅相是為入不二法門
善宿菩薩曰是動是念為二不動則无念无
念即分別通達此者是為入不二法門
善眼菩薩曰一相无相為二若知一相即是
无相亦不取无相入於平等是為入不二法
門
妙臂菩薩曰菩薩心聲聞心為二觀心相空
如幻化者无菩薩心无聲聞心是為入不二法
門
弗沙菩薩曰善不善為二若不起善不善入

BD00751 號　維摩詰所說經卷中　（20–15）

如幻化者无菩薩心无聲聞心是為入不二法
門
弗沙菩薩曰善不善為二若不起善不善入
无相際而通達者是為入不二法門
師子菩薩曰罪福為二若達罪性則與福无
異以金剛慧決了此相无縛无解者是為入
不二法門
師子意菩薩曰有漏无漏為二若得諸法等
則不起漏不漏想不著於相亦不住无相是為
入不二法門
淨解菩薩曰有為无為為二若離一切數則
心如虛空以清淨慧无所閡者是為入不二
法門
那羅延菩薩曰世間出世間為二世間性空
即是出世間於其中不入不出不溢不散是
為入不二法門
善意菩薩曰生死涅槃為二若見生死性則
无生死无縛无解不然不滅如是解者是為
入不二法門
現見菩薩曰盡不盡為二法若究竟盡若不
盡皆是无盡相无盡相即是空空則无有盡
不盡相如是入者是為入不二法門
普守菩薩曰我无我為二我尚不可得非我
何可得見我實性者不復起二是為入不二
法門
電天菩薩曰明无明為二无明實性即是明

普守菩薩曰我无我為二我尚不可得非我
何可得見我實性者不復起二是為入不二
法門
電天菩薩曰明无明為二无明實性即是明
明亦不可取離一切數於其中平等无二者
是為入不二法門
喜見菩薩曰色色空為二色則是空非色滅
空色性自空如是受想行識識空為二識即
是空非識滅空識性自空於其中而通達者
是為入不二法門
明相菩薩曰四種異空種異為二四種性即
是空種性如前際後際空故中際亦空若能
如是知諸種性者是為入不二法門
妙意菩薩曰眼色為二若知眼性於色不貪
不恚不癡是名寂滅如是耳聲鼻香舌味身
觸意法為二若知意性於法不貪不恚不癡
是名寂滅安住其中是為入不二法門
无盡意菩薩曰布施迴向一切智為二布施
性即是迴向一切智性如是持戒忍辱精進
禪定智慧迴向一切智為二智慧性即是迴
向一切智性於其中入一相者是為入不二
法門
深慧菩薩曰是空是无相是无作為二空即
无相无相即无作若空无相无作則无心意
識於一解脫門即是三解脫門者是為入不
二法門

深慧菩薩曰是空是无相是无作爲二空即
无相无相即无作若空无相无作則无心意
識於一解脫門即是三解脫門者是爲入不
二法門
寂根菩薩曰佛法衆爲二佛即是法法即是
衆是三寶皆无爲相與虛空等一切法亦尒
能隨此行者是爲入不二法門
心无閡菩薩曰身身滅爲二身即是身滅所
以者何見身實相者不起見身及以滅身身
與滅身无二无分別於其中不驚不懼者是
爲入不二法門
上善菩薩曰身口意善爲二是三業皆无作
相身无作相即口无作相口无作相即意无
作相是三業无作相即一切法无作相能如
是隨无作慧者是爲入不二法門
福田菩薩曰福行罪行不動行爲二三行實
性即是空空則无福行无罪行无不動行於
此三行而不起者是爲入不二法門
華嚴菩薩曰從我起二爲二見我實相者不
起二法若不住二法則无有識无所識者是
爲入不二法門
德藏菩薩曰有所得相爲二若无所得則无
取捨无取捨者是爲入不二法門
月上菩薩曰闇與明爲二无闇无明則无有
二所以者何如入滅受想定无闇无明一切

德藏菩薩曰有所得相爲二若无所得則无
取捨无取捨者是爲入不二法門
月上菩薩曰闇與明爲二无闇无明則无有
二所以者何如入滅受想定无闇无明一切
法相亦復如是於其中平等入者是爲入不
二法門
寶印手菩薩曰樂涅槃不樂世間爲二若不
樂涅槃不猒世間則无有二所以者何若有
縛則有解若本无縛其誰求解无縛无解則
无樂猒是爲入不二法門
珠頂王菩薩曰正道邪道爲二住正道者則
不分別是邪是正離此二者是爲入不二法
門
樂實菩薩曰實不實爲二實見者尚不見實
何況非實所以者何非肉眼所見慧眼乃能
見而此慧眼无見无不見是爲入不二法門
如是諸菩薩各各說已問文殊師利何等是
菩薩入不二法門文殊師利曰如我意者於
一切法无言无說无示无識離諸問荅是爲
入不二法門
於是文殊師利問維摩詰言我等各自說已
仁者當說何等是菩薩入不二法門時維摩
詰嘿然无言文殊師利歎曰善哉善哉乃至
无有文字語言是眞入不二法門說是入不
二法門時於此衆中五千菩薩皆入不二法
門得无生法忍

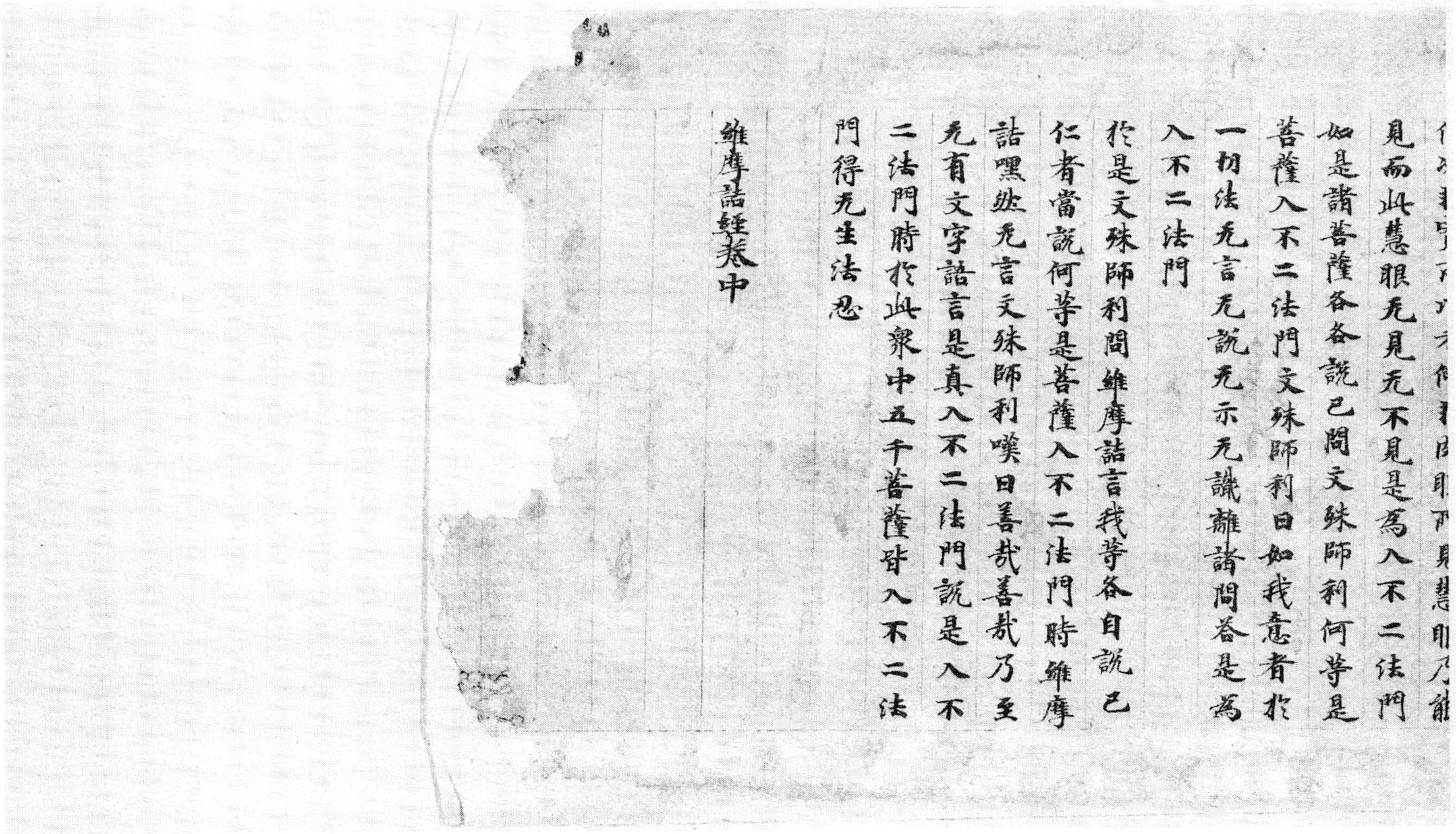

見而此慧眼无見无不見是為入不二法門
如是諸菩薩各各說已問文殊師利何等是
菩薩入不二法門文殊師利曰如我意者於
一切法无言无說无示无識離諸問答是為
入不二法門
於是文殊師利問維摩詰言我等各自說已
仁者當說何等是菩薩入不二法門時維摩
詰嘿然无言文殊師利歎曰善哉善哉乃至
无有文字語言是真入不二法門說是入不
二法門時於此衆中五千菩薩皆入不二法
門得无生法忍
維摩詰經卷中

BD00751 號　維摩詰所說經卷中　　（20–20）

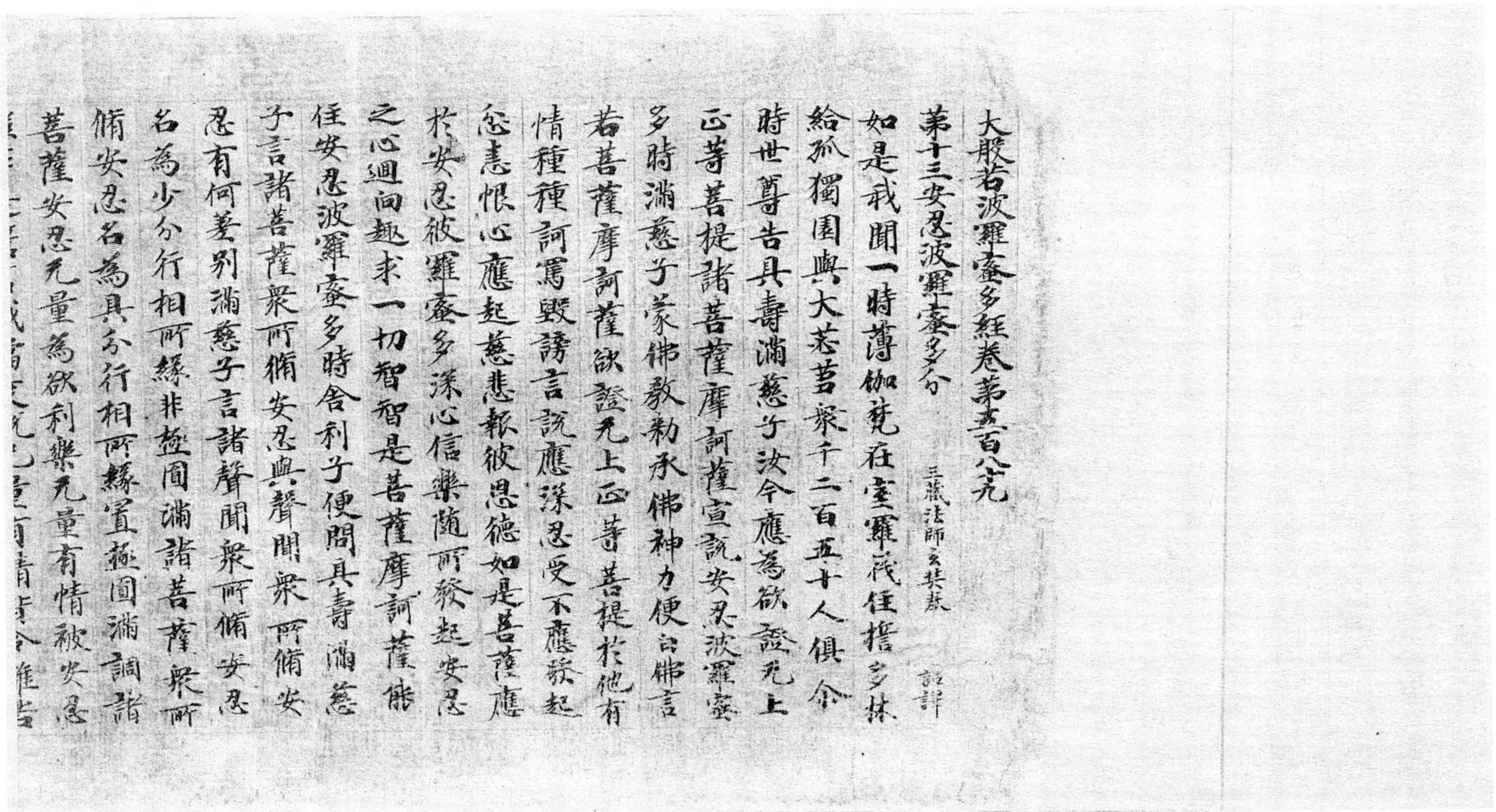

大般若波羅蜜多經卷第五百八十九
第十三安忍波羅蜜多分
三藏法師玄奘奉　詔譯
如是我聞一時薄伽梵在室羅筏住誓多林
給孤獨園與大苾芻衆千二百五十人俱尒
時世尊告具壽滿慈子汝今應為欲證无上
正等菩提諸菩薩摩訶薩宣說安忍波羅蜜
多時滿慈子蒙佛教勅承佛神力便白佛言
若菩薩摩訶薩欲證无上正等菩提於他有
情種種訶罵毀謗言說應深忍受不應發起
忿恚恨心應起慈悲報彼恩德如是菩薩應
於安忍波羅蜜多深心信樂隨所發起安忍
之心迴向趣求一切智智是菩薩摩訶薩能
住安忍波羅蜜多時舍利子便問具壽滿慈
子言諸菩薩衆所脩安忍與聲聞衆所脩安
忍有何差別滿慈子言諸聲聞衆所脩安忍
名為少分行相所緣非極圓滿諸菩薩衆所
脩安忍名為具分行相所緣究竟圓滿謂諸
菩薩安忍无量為欲利樂无量有情被安忍

BD00752 號　大般若波羅蜜多經卷五八九　　（3–1）

名為少分行相所緣非盡圓滿諸菩薩衆所
脩安忍名為具分行相所緣圓極圓滿謂諸
菩薩安忍无量為欲利樂无量有情被安忍
鎧作是誓言我當度脱无量有情皆令離苦
證涅槃樂是故菩薩安忍无量聲聞安忍唯
為捨弃自身煩惱非為有情是故名為少分
安忍非如菩薩摩訶薩衆安忍无量以諸菩
薩不離安忍波羅蜜多是故名為具分安忍
若於菩薩起不清淨不能含忍損害之心當
知彼人獲无量罪非於聲聞獨覺乘等是故
菩薩安忍最勝又舍利子諸菩薩摩訶薩如
為如来應正等覺之所訶責心无忿恨如是
若為或旃荼羅或補羯娑或餘下賤諸有情
類訶罵謗毀亦不應起忿恚嫌恨加報之心
經剎那頃如是菩薩攝受安忍波羅蜜多疾
得圓滿不久證得一切智智如是菩薩脩學
安忍波羅蜜多漸次究竟疾證无上正等菩
提若菩薩摩訶薩如是安住攝受安忍波羅
蜜多堪受他人訶罵謗毀其心不動如妙高
山功德善根增長難壞速證无上正等菩提
普為世間作大饒益
時舍利子復問具壽滿慈子言若菩薩摩訶
薩脩安忍時有二人来至菩薩所一善心故
以旃檀塗一惡心故以火燒身菩薩於彼應
起何心滿慈子言是菩薩摩訶薩欲證无上
正等菩提於第一人不應起愛於第二人不

BD00752號　大般若波羅蜜多經卷五八九　（3–2）

山功德善根增長難壞速證无上正等菩提
普為世間作大饒益
時舍利子復問具壽滿慈子言若菩薩摩訶
薩脩安忍時有二人来至菩薩所一善心故
以旃檀塗一惡心故以火燒身菩薩於彼應
起何心滿慈子言是菩薩摩訶薩欲證无上
正等菩提於第一人不應起愛於第二人不
應起恚應於彼二起平等心俱欲畢竟利益
安樂如是菩薩摩訶薩衆能行安忍波羅蜜
多能住安忍波羅蜜多若菩薩摩訶薩能行
安忍波羅蜜多能住安忍波羅蜜多是菩薩
摩訶薩能无倒行菩薩行處能无倒住菩薩
淨土如是菩薩摩訶薩衆於有情類不應發
起忿恚之心不應發起嫌恨之心不應發起
報怨之心如是菩薩摩訶薩衆於有情類安
忍圓滿稱讃圓滿柔和圓滿意樂圓滿无忿
无恨於一切處皆起慈心如是菩薩摩訶薩
衆他諸有情来至其所起怨害心欲打欲縛
毀辱訶責皆能安忍无心加報如是菩薩摩
訶薩衆他諸有情来至其所欲興鬪争作不

BD00752號　大般若波羅蜜多經卷五八九　（3–3）

菩提在在處處若有此經一切世間天人阿
脩羅所應供養當知此處則為是塔皆應恭
敬作禮圍繞以諸華香而散其處
復次須菩提善男子善女人受持讀誦此經
若為人輕賤是人先世罪業應墮惡道以今
世人輕賤故先世罪業則為消滅當得阿耨
多羅三藐三菩提須菩提我念過去无量阿
僧祇劫於然燈佛前得值八百四千萬億那
由他諸佛悉皆供養承事无空過者若復有
人於後末世能受持讀誦此經所得功德於
我所供養諸佛功德百分不及一千萬億分
乃至筭數譬喻所不能及須菩提若善男子
善女人於後末世有受持讀誦此經所得功
德我若具說者或有人聞心則狂亂狐疑不
信須菩提當知是經義不可思議果報亦不
可思議
尒時須菩提白佛言世尊善男子善女人發
阿耨多羅三藐三菩提心云何應住云何降
伏其心佛告須菩提善男子善女人發阿耨
多羅三藐三菩提者當生如是心我應滅度
一切眾生滅度一切眾生已而无有一切眾生

BD00753 號　金剛般若波羅蜜經　（7–1）

阿耨多羅三藐三菩提心云何應住云何降
伏其心佛告須菩提善男子善女人發阿耨
多羅三藐三菩提者當生如是心我應滅度
一切眾生滅度一切眾生已而无有一切眾生
實滅度者何以故若菩薩有我相人相眾生
相壽者相則非菩薩所以者何須菩提實无
有法發阿耨多羅三藐三菩提者須菩提於
意云何如來於然燈佛所有法得阿耨多羅
三藐三菩提不不也世尊如我解佛所說義
佛於然燈佛所无有法得阿耨多羅三藐三
菩提佛言如是如是須菩提實无有法如來
得阿耨多羅三藐三菩提須菩提若有法如
來得阿耨多羅三藐三菩提者然燈佛則不
與我受記汝於來世當得作佛号釋迦牟尼
以實无有法得阿耨多羅三藐三菩提是故
然燈佛與我受記作是言汝於來世當得作
佛号釋迦牟尼何以故如來者即諸法如義
若有人言如來得阿耨多羅三藐三菩提須
菩提實无有法佛得阿耨多羅三藐三菩提
須菩提如來所得阿耨多羅三藐三菩提於
是中无實无虛是故如來說一切法皆是佛
法須菩提所言一切法者即非一切法是故
名一切法須菩提譬如人身長大須菩提言
世尊如來說人身長大則為非大身是名大
身須菩提菩薩亦如是若作是言我當滅度
无量眾生則不名菩薩何以故須菩提實无

BD00753 號　金剛般若波羅蜜經　（7–2）

世尊如來說人身長大則為非大身是名大
身須菩提菩薩亦如是若作是言我當滅度
无量衆生則不名菩薩何以故須菩提實无
有法名為菩薩是故佛說一切法无我无人
无衆生无壽者須菩提若菩薩作是言我當
莊嚴佛土是不名菩薩何以故如來說莊嚴
佛土者即非莊嚴是名莊嚴須菩提若菩薩
通達无我法者如來說名真是菩薩
須菩提於意云何如來有肉眼不如是世尊
如來有肉眼須菩提於意云何如來有天眼
不如是世尊如來有天眼須菩提於意云何
如來有慧眼不如是世尊如來有慧眼須菩
提於意云何如來有法眼不如是世尊如來
有法眼須菩提於意云何如來有佛眼不如
是世尊如來有佛眼須菩提於意云何恒河
中所有沙佛說是沙不如是世尊如來說是
沙須菩提於意云何如一恒河中所有沙有
如是等恒河是諸恒河所有沙數佛世界
如是寧為多不甚多世尊佛告須菩提尒所
國土中所有衆生若干種心如來悉知何以故
如來說諸心皆為非心是名為心所以者何
須菩提過去心不可得現在心不可得未來
心不可得須菩提於意云何若有人滿三千
大千世界七寶以用布施是人以是因緣得
福多不如是世尊此人以是因緣得福甚多

BD00753 號　金剛般若波羅蜜經　（7–3）

大千世界七寶以用布施是人以是因緣得
福多不如是世尊此人以是因緣得福甚多
須菩提若福德有實如來不說得福德多
以福德无故如來說得福德多
須菩提於意云何佛可以具足色身見不不
也世尊如來不應以具足色身見何以故如來
說具足色身即非具足色身是名具足色身
須菩提於意云何如來可以具足諸相見不不
也世尊如來不應以具足諸相見何以故如
來說諸相具足即非具足是名諸相具足須
菩提汝勿謂如來作是念我當有所說法莫
作是念何以故若人言如來有所說法即為
謗佛不能解我所說故須菩提說法者无法
可說是名說法須菩提白佛言世尊佛得阿
耨多羅三藐三菩提為无所得耶如是如是
須菩提我於阿耨多羅三藐三菩提乃至无
有少法可得是名阿耨多羅三藐三菩提復
次須菩提是法平等无有高下是名阿耨多
羅三藐三菩提以无我无人无衆生无壽者
脩一切善法則得阿耨多羅三藐三菩提須
菩提所言善法者如來說非善法是名善
法須菩提若三千大千世界中所有諸須弥山
王如是等七寶聚有人持用布施若人以此
般若波羅蜜經乃至四句偈等受持讀誦為
他人說於前福德百分不及一百千萬億分

BD00753 號　金剛般若波羅蜜經　（7–4）

王如是等七寶聚有人持用布施若人以此
般若波羅蜜經乃至四句偈等受持讀誦為
他人說於前福德百分不及一百千萬億分
乃至筭數譬喻所不能及
須菩提於意云何汝等勿謂如來作是念我
當度衆生須菩提莫作是念何以故實无有
衆生如來度者若有衆生如來度者如來
則有我人衆生壽者須菩提如來說有我
者則非有我而凡夫之人以為有我須菩提
凡夫者如來說則非凡夫須菩提於意云何
可以三十二相觀如來不須菩提言如是如是
以三十二相觀如來佛言須菩提若以三十二
相觀如來者轉輪聖王則是如來須菩提白
佛言世尊如我解佛所說義不應以三十二
相觀如來尒時世尊而說偈言
若以色見我　以音聲求我　是人行邪道　不能見如來
須菩提汝若作是念如來不以具足相故得
阿耨多羅三藐三菩提須菩提莫作是念如
來不以具足相故得阿耨多羅三藐三菩提
須菩提汝若作是念發阿耨多羅三藐三菩
提者說諸法斷滅相莫作是念何以故發
阿耨多羅三藐三菩提者於法不說斷滅相
須菩提若菩薩以滿恒河沙等世界七寶布
施若復有人知一切法无我得成於忍此菩
薩勝前菩薩所得功德須菩提以諸菩薩
受福德故須菩提白佛言世尊云何菩薩不

須菩提若菩薩以滿恒河沙等世界七寶布
施若復有人知一切法无我得成於忍此菩
薩勝前菩薩所得功德須菩提以諸菩薩
受福德故須菩提白佛言世尊云何菩薩不
受福德須菩提菩薩所作福德不應貪著
是故說不受福德須菩提若有人言如來若
來若去若坐若卧是人不解我所說義何以
故如來者无所從來亦无所去故名如來
須菩提若善男子善女人以三千大千世界
碎為微塵於意云何是微塵衆寧為多不甚
多世尊何以故若是微塵衆實有者佛則不
說是微塵衆所以者何佛說微塵衆則非微
塵衆是名微塵衆世尊如來說三千大千
世界則非世界是名世界何以故若世界實
有者則是一合相如來說一合相則非一合
相是名一合相須菩提一合相者則是不可
說但凡夫之人貪著其事須菩提若人言佛
說我見人見衆生見壽者見須菩提於意云
何是人解我所說義不世尊是人不解如來
所說義何以故世尊說我見人見衆生見壽
者見即非我見人見衆生見壽者見是名我
見人見衆生見壽者見須菩提發阿耨多羅
三藐三菩提心者於一切法應如是知如是
見如是信解不生法相須菩提所言法相者
如來說即非法相是名法相須菩提若有人

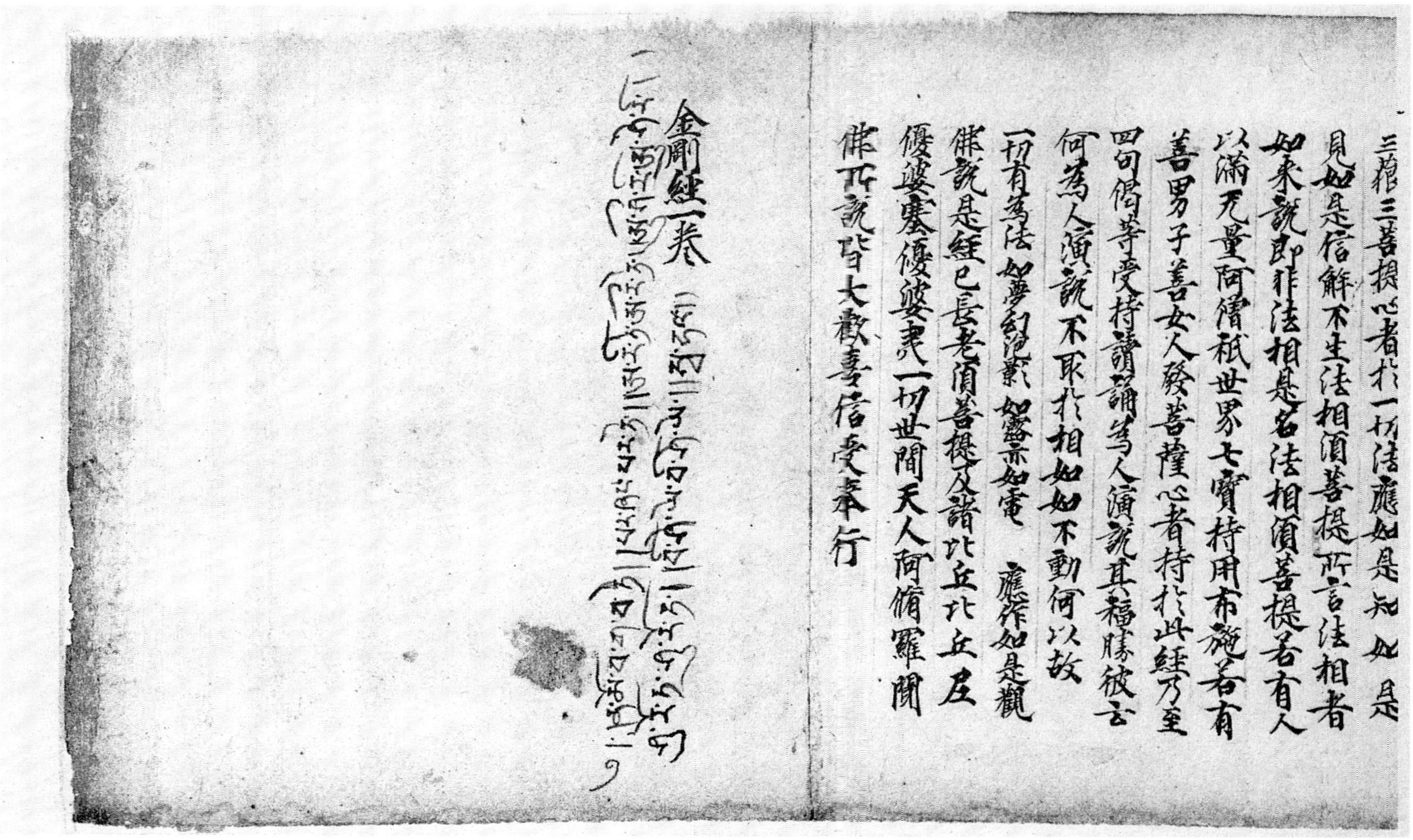
三菩提心者於一切法應如是知如是
見如是信解不生法相須菩提所言法相者
如來說即非法相是名法相須菩提若有人
以滿无量阿僧祇世界七寶持用布施若有
善男子善女人發菩薩心者持於此經乃至
四句偈等受持讀誦為人演說其福勝彼云
何為人演說不取於相如如不動何以故
一切有為法 如夢幻泡影 如露亦如電 應作如是觀
佛說是經已長老須菩提及諸比丘比丘尼
優婆塞優婆夷一切世間天人阿脩羅聞
佛所說皆大歡喜信受奉行

金剛經一卷

BD00753 號　金剛般若波羅蜜經　（7–7）

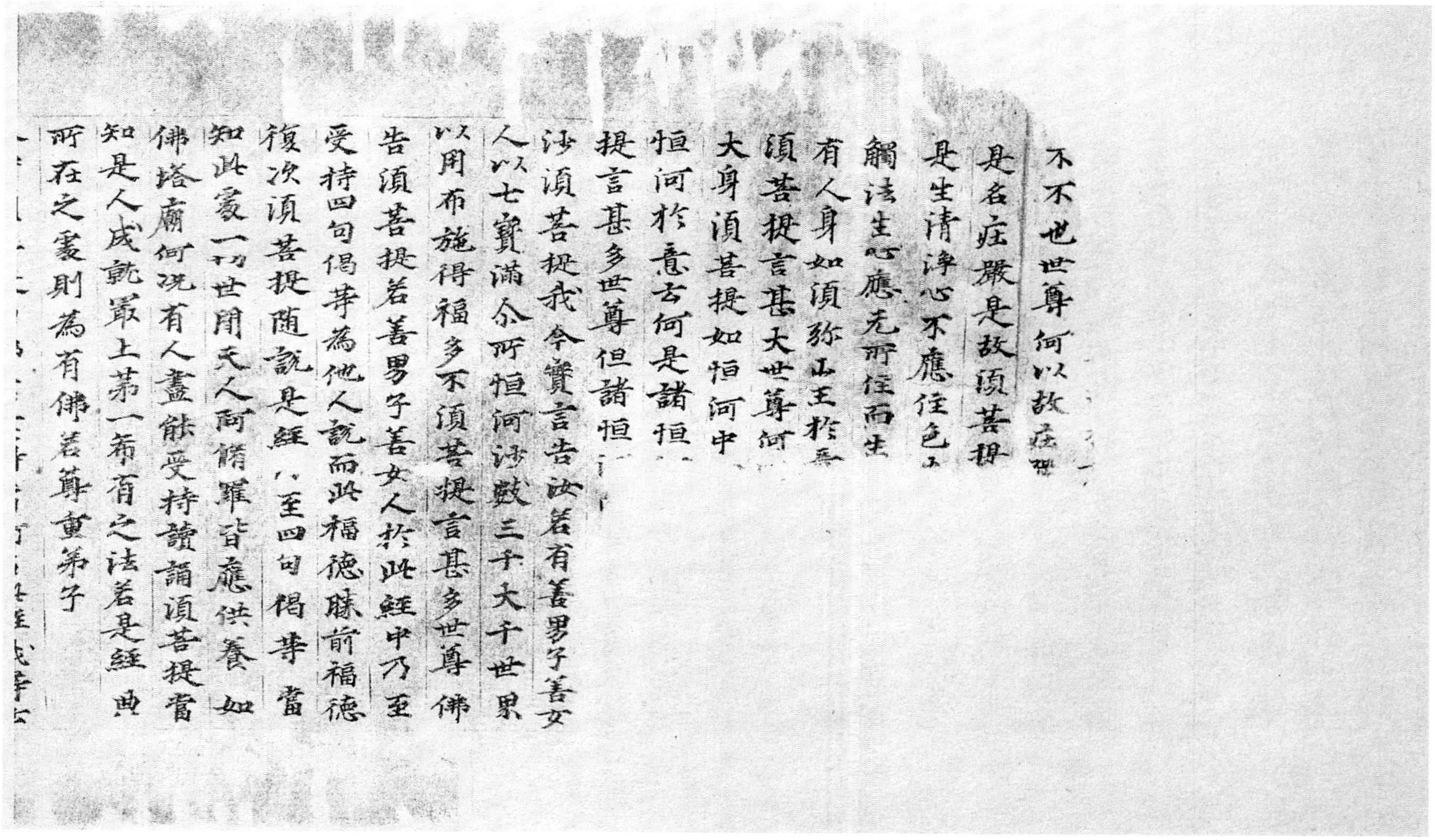
不不也世尊何以故莊嚴
是名莊嚴是故須菩提
是生清淨心不應住色生
觸法生心應无所住而生
有人身如須弥山王於意
須菩提言甚大世尊何
大身須菩提如恒河中
恒河於意云何是諸恒
提言甚多世尊但諸恒
沙須菩提我今實言告汝若有善男子善女
人以七寶滿尒所恒河沙數三千大千世界
以用布施得福多不須菩提言甚多世尊佛
告須菩提若善男子善女人於此經中乃至
受持四句偈等為他人說而此福德勝前福德
復次須菩提隨說是經乃至四句偈等當
知此處一切世間天人阿脩羅皆應供養如
佛塔廟何況有人盡能受持讀誦須菩提當
知是人成就最上第一希有之法若是經典
所在之處則為有佛若尊重弟子

BD00754 號　金剛般若波羅蜜經　（11–1）

佛塔廟何況有人盡能受持讀誦須菩提當
知是人成就最上第一希有之法若是經典
所在之處則為有佛若尊重弟子
尒時須菩提白佛言世尊當何名此經我等云
何奉持佛告須菩提是經名為金剛般若
波羅蜜以是名字汝當奉持所以者何須菩
提佛說般若波羅蜜則非般若波羅蜜須菩
提於意云何如來有所說法不須菩提白佛
言世尊如來无所說須菩提於意云何三千
大千世界所有微塵是為多不須菩提言甚
多世尊須菩提諸微塵如來說非微塵是名
微塵如來說世界非世界是名世界須菩提
於意云何可以三十二相見如來不不也世
尊不可以三十二相得見如來何以故如來
說三十二相即是非相是名三十二相須菩
提若有善男子善女人以恒河沙等身命布
施若復有人於此經中乃至受持四句偈等
為他人說其福甚多
尒時須菩提聞說是經深解義趣涕淚悲泣
而白佛言希有世尊佛說如是甚深經典我
從昔來所得慧眼未曾得聞如是之經世尊
若復有人得聞是經信心清淨則生實相當
知是人成就第一希有功德世尊是實相者
則是非相是故如來說名實相世尊我今得
聞如是經典信解受持不足為難若當來世
後五百歲其有衆生得聞是經信解受持是

BD00754號　金剛般若波羅蜜經　（11–2）

知是人成就第一希有功德世尊是實相者
則是非相是故如來說名實相世尊我今得
聞如是經典信解受持不足為難若當來世
後五百歲其有衆生得聞是經信解受持是
人則為第一希有何以故此人无我相人相
衆生相壽者相所以者何我相即是非相人
相衆生相壽者相即是非相何以故離一切
諸相則名諸佛佛告須菩提如是如是若
復有人得聞此經不驚不怖不畏當知是人甚
為希有何以故須菩提如來說第一波羅蜜、
非第一波羅蜜是名第一波羅蜜
須菩提忍辱波羅蜜如來說非忍辱波羅蜜
何以故須菩提如我昔為歌利王割截身體
我於尒時无我相无人相无衆生相无壽者
相何以故我於往昔節節支解時若有我相
人相衆生相壽者相應生瞋恨須菩提又念
過去於五百世作忍辱仙人於尒所世无我
相无人相无衆生相无壽者相是故須菩提
菩薩應離一切相發阿耨多羅三藐三菩提
心不應住色生心不應住聲香味觸法生心
應生无所住心若心有住則為非住是故佛說
菩薩心不應住色布施須菩提菩薩為利
益一切衆生應如是布施如來說一切諸相
即是非相又說一切衆生則非衆生須菩提
如來是真語者實語者如語者不誑語者不
異語者須菩提如來所得法此法无實无虛

BD00754號　金剛般若波羅蜜經　（11–3）

即是非相又說一切衆生則非衆生須菩提
如来是真語者實語者如語者不誑語者不
異語者須菩提如来所得法此法无實无虛
須菩提若菩薩心住於法而行布施如人入
闇則无所見若菩薩心不住法而行布施如
人有目日光明照見種種色須菩提當来之
世若有善男子善女人能於此經受持讀誦
則為如来以佛智慧悉知是人悉見是人皆
得成就无量无邊功德
須菩提若有善男子善女人初日分以恒河
沙等身布施中日分復以恒河沙等身布施
後日分亦以恒河沙等身布施如是无量百
千万億劫以身布施若復有人聞此經典信
心不逆其福勝彼何况書寫受持讀誦為人
解說須菩提以要言之是經有不可思議不
可稱量无邊功德如来為發大乘者說為發
最上乘者說若有人能受持讀誦廣為人說
如来悉知是人悉見是人皆得成就不可量
不可稱无有邊不可思議功德如是人等則
為荷擔如来阿耨多羅三藐三菩提何以故
須菩提若樂小法者著我見人見衆生見壽
者見則於此經不能聽受讀誦為人解說須
菩提在在處處若有此經一切世間天人阿
脩羅所應供養當知此處則為是塔皆應
恭敬作礼圍繞以諸華香而散其處
復次須菩提若善男子善女人受持讀誦此

BD00754號　金剛般若波羅蜜經　（11–4）

脩羅所應供養當知此處則為是塔皆應
恭敬作礼圍繞以諸華香而散其處
復次須菩提若善男子善女人受持讀誦此
經若為人輕賤是人先世罪業應墮惡道以
今世人輕賤故先世罪業則為消滅當得阿
耨多羅三藐三菩提須菩提我念過去无量
阿僧祇劫於然燈佛前得值八百四千万億
那由他諸佛悉皆供養承事无空過者若復
有人於後末世能受持讀誦此經所得功德
於我所供養諸佛功德百分不及一千万億
分乃至筭數譬喻所不能及須菩提若善男
子善女人於後末世有受持讀誦此經所得
功德我若具說者或有人聞心則狂亂狐疑
不信須菩提當知是經義不可思議果報亦
不可思議
尒時須菩提白佛言世尊善男子善女人發
阿耨多羅三藐三菩提心云何應住云何降
伏其心佛告須菩提善男子善女人發阿耨
多羅三藐三菩提者當生如是心我應滅度
一切衆生滅度一切衆生已而无有一衆生
實滅度者何以故若菩薩有我相人相衆生
相壽者相則非菩薩所以者何須菩提實无
有法發阿耨多羅三藐三菩提者須菩提於
意云何如来於然燈佛所有法得阿耨多羅
三藐三菩提不不世尊如我解佛所說義
佛於然燈佛所无有法得阿耨多羅三藐三

BD00754號　金剛般若波羅蜜經　（11–5）

意云何如来於然燈佛所有法得阿耨多羅
三藐三菩提不不也世尊如我解佛所說義
佛於然燈佛所无有法得阿耨多羅三藐三
菩提佛言如是如是須菩提實无有法如来
得阿耨多羅三藐三菩提
須菩提若有法如来得阿耨多羅三藐三菩
提者然燈佛則不與我受記汝於来世當得
作佛号釋迦牟尼以實无有法得阿耨多
羅三藐三菩提是故然燈佛與我受記作是
言汝於来世當得作佛号釋迦牟尼何以故
如来者即諸法如義若有人言如来得阿耨
多羅三藐三菩提須菩提實无有法佛得阿
耨多羅三藐三菩提須菩提如来所得阿耨
多羅三藐三菩提於是中无實无虛是故如
来說一切法皆是佛法須菩提所言一切法
者即非一切法是故名一切法須菩提譬如
人身長大須菩提言世尊如来說人身長大
則為非大身是名大身須菩提菩薩亦如是
若作是言我當滅度无量衆生則不名菩薩
何以故須菩提以實无有法名為菩薩是故
佛說一切法无我无人无衆生无壽者須菩提
若菩薩作是言我當莊嚴佛土是不名菩薩
何以故如来說莊嚴佛土者即非莊嚴是名
莊嚴須菩提若菩薩通達无我法者如来說
名真是菩薩

何以故如来說莊嚴佛土者即非莊嚴是名
莊嚴須菩提若菩薩通達无我法者如来說
名真是菩薩
須菩提於意云何如来有肉眼不如是世尊
如来有肉眼須菩提於意云何如来有天眼
不如是世尊如来有天眼須菩提於意云何
如来有慧眼不如是世尊如来有慧眼須菩
提於意云何如来有法眼不如是世尊如来
有法眼須菩提於意云何如来有佛眼不如
是世尊如来有佛眼須菩提於意云何恒河
中所有沙佛說是沙不如是世尊如来說是
沙須菩提於意云何如一恒河中所有沙有
如是等恒河是諸恒河所有沙數佛世界如
是寧為多不甚多世尊佛告須菩提尒所國
土中所有衆生若干種心如来悉知何以故
如来說諸心皆為非心是名為心所以者何
須菩提過去心不可得現在心不可得未来
心不可得須菩提於意云何若有人滿三千
大千世界七寶以用布施是人以是因緣得
福多不如是世尊此人以是因緣得福甚多
須菩提若福德有實如来不說得福德多以
福德无故如来說得福德多
須菩提於意云何佛可以具足色身見不不
也世尊如来不應以具足色身見何以故如来
具足色身即非具足色身是名具足色身須
菩提於意云何如来可以具足諸相見不不、

須菩提於意云何佛可以具足色身見不不
也世尊如来不應以具足色身見何以故如来
具足色身即非具足色身是名具足色身須
菩提於意云何如来可以具足諸相見不不、
也世尊如来不應以具足諸相見何以故如
来説諸相具足即非具足是名諸相具足須
菩提汝等勿謂如来作是念我當有所説法
莫作是念何以故若人言如来有所説法即
為謗佛不能解我所説故須菩提説法者无
法可説是名説法須菩提白佛言世尊佛得
阿耨多羅三藐三菩提為无所得耶如是如是
須菩提我於阿耨多羅三藐三菩提乃至无
有少法可得是名阿耨多羅三藐三菩提
復次須菩提是法平等无有高下是名阿耨
多羅三藐三菩提以无我无人无衆生无壽者
脩一切善法則得阿耨多羅三藐三菩提
須菩提所言善法者如来説非善法是名善
法須菩提若三千大千世界中所有諸須弥
山王如是等七寶聚有人持用布施若人以
此般若波羅蜜經乃至四句偈等受持讀誦
為他人説於前福德百分不及一百千万億分
乃至筭數譬喻所不能及
須菩提於意云何汝等勿謂如来作是念我
當度衆生須菩提莫作是念何以故實无有
衆生如来度者若有衆生如来度者如来則
有我人衆生壽者須菩提如来説有我者則

須菩提於意云何汝等勿謂如来作是念我
當度衆生須菩提莫作是念何以故實无有
衆生如来度者若有衆生如来度者如来則
有我人衆生壽者須菩提如来説有我者則
非有我而凡夫之人以為有我須菩提凡夫者
如来説則非凡夫須菩提於意云何可以三
十二相觀如来不須菩提言如是如是以
三十二相觀如来佛告須菩提若以三十二
相觀如来者轉輪聖王則是如来須菩提白
佛言世尊如我解佛所説義不應以三十二
相觀如来尒時世尊而説偈言
若以色見我　以音聲求我　是人行邪道　不能見如来
須菩提汝若作是念如来不以具足相故得
阿耨多羅三藐三菩提須菩提莫作是念如
来不以具足相故得阿耨多羅三藐三菩提
須菩提汝若作是念發阿耨多羅三藐三菩
提者説諸法斷滅相莫作是念何以故發阿
耨多羅三藐三菩提者於法不説斷滅相須
菩提若菩薩以滿恒河沙等世界七寶布施
若復有人知一切法无我得成於忍此菩薩
勝前菩薩所得功德須菩提以諸菩薩不
受福德故須菩提白佛言世尊云何菩薩
不受福德須菩提菩薩所作福德不應貪著
是故説不受福德須菩提若有人言如来若
来若去若坐若卧是人不解我所説義何以
故如来者无所從来亦无所去故名如来

是故說不受福德須菩提若有人言如來若
来若去若坐若卧是人不解我所說義何以
故如来者无所從来亦无所去故名如来
須菩提若善男子善女人以三千大千世界
碎為微塵於意云何是微塵衆寧為多不甚
多世尊何以故若是微塵衆實有者佛則不
說是微塵衆所以者何佛說微塵衆則非微
塵衆是名微塵衆世尊如来所說三千大千
世界則非世界是名世界何以故若世界實
有者則是一合相如来說一合相則非一合
相是名一合相須菩提一合相者則是不可
說但凡夫之人貪著其事
須菩提若人言佛說我見人見衆生見壽者
見須菩提於意云何是人解我所說義不世
尊是人不解如来所說義何以故世尊說
我見人見衆生見壽者見即非我見人見
衆生見壽者見是名我見人見衆生見壽者
見須菩提發阿耨多羅三藐三菩提心者於
一切法應如是知如是見如是信解不生法相
須菩提所言法相者如来說即非法相是
名法相須菩提若有人以滿无量阿僧祇世
界七寶持用布施若有善男子善女人發菩
薩心者持於此經乃至四句偈等受持讀誦
為人演說其福勝彼云何為人演說不取於
相如如不動何以故

BD00754號　金剛般若波羅蜜經　（11–10）

尊是人不解如来所說義何以故世尊說
我見人見衆生見壽者見即非我見人見
衆生見壽者見是名我見人見衆生見壽者
見須菩提發阿耨多羅三藐三菩提心者於
一切法應如是知如是見如是信解不生法相
須菩提所言法相者如来說即非法相是
名法相須菩提若有人以滿无量阿僧祇世
界七寶持用布施若有善男子善女人發菩
薩心者持於此經乃至四句偈等受持讀誦
為人演說其福勝彼云何為人演說不取於
相如如不動何以故
一切有為法　如夢幻泡影　如露亦如電　應作如是觀
佛說是經已長老須菩提及諸比丘比丘尼
優婆塞優婆夷一切世間天人阿脩羅聞佛
所說皆大歡喜信受奉行

金剛般若波羅蜜經

BD00754號　金剛般若波羅蜜經　（11–11）

所有性我……菩薩……
離惡不善法有覺有觀離
至入第四禪於是諸禪及
是禪不受禪味不得是……
我於是諸禪不受果報……
身通天耳知他人心宿命通天……
通不取相不念有是神通不受神通味乃
是神通我於是五神通不分別行須菩提
爾時用一念相應慧得阿耨多羅三藐三
提所謂是苦聖諦是集是滅是道聖諦以
十力四无所畏四无导智十八不共法大
大悲得作佛分別三聚衆生正定邪……
須菩提白佛言云何世尊於諸法无
中起四禪六神通亦无衆生而分別作三聚
佛告須菩提若諸欲惡不善法若當有性若
自生若他生我本為菩薩……

BD00755 號　摩訶般若波羅蜜經（四十卷本）卷三四　（13–1）

須菩提白佛言云何世尊於諸法无
中起四禪六神通亦无衆生而分別作三聚
佛告須菩提若諸欲惡不善法若當有性若
自性若他性我本為菩薩行時不能觀諸欲
惡不善法无所有性入初禪以諸欲惡不善
法无所有性若自性若他性皆是无所有性
故我本行菩薩道時離諸欲惡不善法入初
禪乃至入第四禪須菩提若諸神通有性若
自性若他性我不能知是神通无所有性得
阿耨多羅三藐三菩提須菩提以神通无有
性若自性若他性皆是无所有性以是故諸
佛於神通知无所有性得阿耨多羅三藐三
菩提須菩提言世尊若菩薩摩訶薩知諸法
无所有性因四禪五神通得阿耨多羅三藐
三菩提世尊新學菩薩摩訶薩云何於諸法
无所有性中次第行次第學次第道以是次
第行次第學次第道得阿耨多羅三藐三菩
提佛告須菩提菩薩摩訶薩若初從諸佛聞
若從多供養諸佛菩薩聞若諸阿羅漢若諸
阿那含若諸斯陀含若諸須陀洹所聞得无
所有故是佛得无所有故是阿羅漢阿那含
斯陀含須陀洹一切賢聖皆以得空无所有
故有名一切有為作法无所有性乃至无有
如豪末許所有是菩薩摩訶薩聞是已作是
念若一切法无所有性得无所有故是佛乃
至得无所有故是須陀洹我若當得阿耨多
……

BD00755 號　摩訶般若波羅蜜經（四十卷本）卷三四　（13–2）

如[illegible]是菩薩摩訶薩聞是已住是
念若一切法无所有性得无所有故是佛乃
至得无所有故是須陁洹我若當得阿耨多
羅三藐三菩提若不得一切法常无有性我
何以不發心得阿耨多羅三藐三菩提得阿
耨多羅三藐三菩提已一切衆生行於有相
當令住无所有中須菩提菩薩摩訶薩如是
思惟已發阿耨多羅三藐三菩提心為度一
切衆生故菩薩摩訶薩所行次第行次第學
次第道者如過去諸佛菩薩摩訶薩行道得
阿耨多羅三藐三菩提是新發意菩薩應學
六波羅蜜所謂檀那波羅蜜尸羅波羅蜜羼
提波羅蜜毗梨耶波羅蜜禪那波羅蜜般若
波羅蜜是菩薩摩訶薩若行檀波羅蜜時自
行布施亦教人布施讚嘆行布施功德歡喜
讚嘆行布施者以是布施因緣故得大財富
是菩薩遠離慳心布施衆生飲食衣服香華
瓔珞房舍卧具燈燭種種資生所須盡給與
之菩薩摩訶薩行是布施及持戒生天人中
得大尊貴以是持戒布施故得禪定衆以是
布施持戒禪定故得智慧衆解脫衆解脫知
見衆是菩薩因是布施持戒禪定衆智慧衆
解脫衆解脫知見衆故過聲聞辟支佛地入
菩薩位入菩薩位已得淨佛國土成就衆生
得一切種智得一切種智已轉法輪轉法輪
已以三乘法度脫衆生生死如是須菩提菩
薩摩訶薩以是布施次第行次第學次第道

BD00755號　摩訶般若波羅蜜經（四十卷本）卷三四　（13–3）

菩薩位入菩薩位已得淨佛國土成就衆生
得一切種智得一切種智已轉法輪轉法輪
已以三乘法度脫衆生生死如是須菩提菩
薩摩訶薩以是布施次第行次第學次第道
是事皆不可得何以故自性无所有故復次
須菩提菩薩摩訶薩從初發意自行持戒教
人持戒讚嘆持戒讚嘆持戒功德歡喜讚嘆
行持戒者持戒因緣故生天人中得大尊貴
見貧窮者施以財物不持戒者教令持戒亂
意者教令禪定愚癡者教令智慧无解脫者
教令解脫无解脫知見者教令解脫知見以
是持戒禪定智慧解脫解脫知見故過聲聞
辟支佛地入菩薩位入菩薩位已得淨佛國
土淨佛國土已成就衆生成就衆生已得一
切種智得一切種智已轉法輪轉法輪已以
三乘法度脫衆生如是須菩提菩薩以是持
戒次第行次第學次第道是事皆不可得何
以故一切法自性无所有故復次須菩提菩
薩摩訶薩從初以來自行羼提波羅蜜教人
行羼提讚嘆羼提功德歡喜讚嘆行羼提者
行羼提波羅蜜時布施衆生各令滿足教令
持戒教令禪定乃至解脫知見以是布施持
戒禪定智慧因緣故過阿羅漢辟支佛地入
菩薩位中入菩薩位中已得淨佛國土得淨
佛國土已成就衆生成就衆生已得一切種
智得一切種智已轉法輪轉法輪已以三乘
法度脫衆生如是須[illegible]

BD00755號　摩訶般若波羅蜜經（四十卷本）卷三四　（13–4）

佛國土已成就衆生成就衆生已得一切種
智得一切種智已轉法輪轉法輪已以三乘
法度脫衆生如是須菩提菩薩以羼提波羅
蜜次第行次第學次第道是事皆不可得何
以故一切法自性无所有故復次須菩提菩
薩摩訶薩從初以来自行毗梨邪波羅蜜教
人行毗梨邪讚歎行毗梨耶功德歡喜讚歎
行毗梨耶者乃至是事不可得自性无所有
故復次須菩提菩薩摩訶薩從初已来自入
禪入无量心入无色定亦教人入禪入无量
心入无色定讚歎入禪入无量心入无色定
功德歡喜讚歎行禪无量心无色定者是菩
薩住諸禪定无量心布施衆生各令滿足教
令持戒教令禪定智慧以是布施禪定智慧
解脫解脫知見因緣故過阿羅漢辟支佛地
入菩薩位入菩薩位已淨佛國土淨佛國土
已成就衆生成就衆生已得一切種智得一
切種智已轉法輪轉法輪已以三乘法度脫
一切衆生乃至是事不可得自性无所有故
復次須菩提菩薩摩訶薩從初已来行般若
波羅蜜布施衆生各令滿足教令持戒禪定
智慧解脫解脫知見是菩薩行般若波羅蜜
時自行六波羅蜜亦教他人令行六波羅蜜
讚歎六波羅蜜功德歡喜讚歎行六波羅蜜
者是菩薩以是檀那波羅蜜尸羅波羅蜜羼
提波羅蜜毗梨耶波羅蜜禪那波羅蜜般若

BD00755號　摩訶般若波羅蜜經（四十卷本）卷三四　（13–5）

讚歎六波羅蜜功德歡喜讚歎行六波羅蜜
者是菩薩以是檀那波羅蜜尸羅波羅蜜羼
提波羅蜜毗梨耶波羅蜜禪那波羅蜜般若
波羅蜜因緣及方便力過聲聞辟支佛地入
菩薩位乃至是事不可得自性无所有故須
菩提是名初發意菩薩摩訶薩次第行次第
學次第道復次須菩提菩薩摩訶薩次第行
次第學次第道菩薩摩訶薩從初已来以一
切種智相應心信解諸法无所有性脩六念
所謂念佛念法念僧念戒念捨念天須菩提
云何菩薩摩訶薩脩念佛菩薩摩訶薩念佛
不以色念不以受想行識念何以故是色自
性无受想行識自性无若法自性无是為无
所有何以故无憶故是為念佛復次須菩提
菩薩摩訶薩念佛不以三十二相念亦不念
金色身不念丈光不念八十隨形好何以故
是佛身自性无故若法无性是為无所有何
以故无憶故是為念佛復次須菩提不應以
戒衆念佛不應以定衆智慧衆解脫衆解脫
知見衆念佛何以故是衆无有自性若法无
自性是為非法无所有念是為念佛復次須
菩提不應以十力念佛不應以四无所畏四
无㝵智十八不共法念佛不應以大慈大悲
念佛何以故是諸法自性无若法自性无是
為非法无所念是為念佛復次須菩提不應
以十二因緣法念佛何以故是因緣法自性

BD00755號　摩訶般若波羅蜜經（四十卷本）卷三四　（13–6）

无㝵智十八不共法念佛不應以大慈大悲
念佛何以故是諸法自性无若法自性无是
為非法无所念是為念佛復次須菩提不應
以十二因緣法念佛何以故是因緣法自性
无若法自性无是為非法无所念是為念佛
如是須菩提菩薩摩訶薩行般若波羅蜜時
應念佛是為菩薩初發意次第行次第學次
第道是菩薩摩訶薩次第行次第學次第道
中住能得具足四念處四正勤四如意足五
根五力七覺分八聖道分脩行空三昧无相
三昧无作三昧乃至一切種智諸法性无所
有故是菩薩知諸法性无所有是中无有性
无无性須菩提云何菩薩摩訶薩應脩念法
須菩提菩薩摩訶薩行般若波羅蜜時不念
善法不念不善法不念記法无記法不念世
間法不念出世間法不念淨法不念不淨法
不念聖法不念凡夫法不念有漏法不念无
漏法不念欲界繫法色界繫法无色界繫法
不念有為法无為法何以故是諸法自性无
若法自性无是為非法无所念是為念法念
法中學无所有性故乃至當得一切種智是
菩薩得阿耨多羅三藐三菩提時得諸法无
所有性是无所有性中非有相非无相如是
須菩提菩薩摩訶薩應脩念法於是法中乃
至无少許念何況念法須菩提菩薩摩訶薩
云何應脩念僧須菩提菩薩摩訶薩念僧无
為法故分別有佛弟子衆是中乃至无有少

BD00755號　摩訶般若波羅蜜經（四十卷本）卷三四　（13–7）

須菩提菩薩摩訶薩應脩念法於是法中乃
至无少許念何況念法須菩提菩薩摩訶薩
云何應脩念僧須菩提菩薩摩訶薩念僧无
為法故分別有佛弟子衆是中乃至无有少
許念何況念僧如是須菩提菩薩摩訶薩應
脩念僧須菩提菩薩摩訶薩云何應脩念戒
須菩提菩薩摩訶薩從初發意已來應念聖
戒无缺戒无隙戒无瑕戒无濁戒无著戒自
在戒智者所讚戒具足戒隨定戒應念是戒
无所有性乃至无少許念何況念戒須菩提
菩薩摩訶薩從初發意已来應念捨若自念
捨若念他捨若捨財若捨法若捨煩惱襯是
捨不可得故乃至无少許念何況念捨如是
須菩提菩薩摩訶薩應念捨須菩提云何菩
薩摩訶薩應念天須菩提菩薩作是念四天
王諸天所有信戒施聞慧此間命終生彼天
處我亦有是信戒施聞慧乃至他化自在天
所有信戒施聞慧此間命終生彼天處我亦
有是信戒施聞慧如是須菩提菩薩摩訶薩
應念是天无所有性是中尚无少許念何況
念天須菩提菩薩摩訶薩行是六念是名次
第行次第學次第道尒時須菩提白佛言世
尊若一切法无所有性所謂念色乃至識眼
乃至意色乃至法是无所有性眼界乃至意
識界是无所有性檀波羅蜜乃至般若波羅
蜜内空乃至无法有法空四念處乃至八聖
[illegible]

BD00755號　摩訶般若波羅蜜經（四十卷本）卷三四　（13–8）

識界是无所有性檀波羅蜜乃至般若波羅
蜜内空乃至无法有法空四念處乃至八聖
道分佛十力乃至一切種智是无所有性世
尊若一切法无所有性者是則无道无智无
果佛告須菩提汝見是色性實有不乃至一
切種智實有不須菩提言不見世世尊佛告
須菩提汝若不見諸法實有云何作是問須
菩提言世尊我於是法不敢有疑但為當来
世諸比丘求聲聞辟支佛道菩薩道者是人
當如是言若一切法无所有性誰垢誰淨誰
縛誰解是不知不解故而破於戒破正見破
威儀破淨命是人破此事故當墮三惡道世
尊我畏當来世有如是事以是故問佛世尊
我於是法中信不疑不悔

摩訶般若波羅蜜一心具万行品第七十五

須菩提白佛言世尊若一切法性无所有菩
薩見何等利益故為衆生發阿耨多羅三藐
三菩提佛告須菩提以一切法性无所有故
菩薩為衆生求阿耨多羅三藐三菩提何以
故須菩提諸有得有著者難可解脫須菩提
諸得相者无有道无有果无阿耨多羅三藐
三菩提須菩提白佛言世尊无得相者有道
有果有阿耨多羅三藐三菩提不須菩提无
所得即是道即是果即是阿耨多羅三藐三
菩提法性不壞故若无所得法欲得道欲得
果欲得阿耨多羅三藐三菩提為欲壞法性

所得即是道即是果即是阿耨多羅三藐三
菩提法性不壞故若无所得法欲得道欲得
果欲得阿耨多羅三藐三菩提為欲壞法性
須菩提白佛言世尊若无所得法即是道即
是果即是阿耨多羅三藐三菩提云何有菩
薩初地乃至十地云何有无生忍法云何有
報得神通云何有報得布施持戒忍辱精進
禪定智慧住是果報法中能成就衆生能淨
佛國土及供養諸佛衣服飲食香華瓔珞房
舍卧具燈燭種種資生所須之具乃至得阿
耨多羅三藐三菩提不斷是福德乃至般涅
槃後舍利及弟子得供養尒乃滅盡佛告須
菩提以諸法无所得相故得菩薩初地乃至
十地有報得五神通布施持戒忍辱精進禪
定智慧成就衆生淨佛國土亦以善根因緣
故能利益衆生乃至般涅槃後舍利及弟子
得供養須菩提白佛言世尊若諸法无所得
相布施持戒忍辱精進禪定智慧諸神通有
何差別佛告須菩提无所得法布施持戒忍
辱精進禪定智慧神通无有差別以衆生著
布施乃至神通故分别說世尊云何无所得
法布施乃至神通无差别須菩提菩薩摩訶
薩行般若波羅蜜時不得布施施者受者皆
不可得而行布施不得戒而持戒不得忍而
行忍不得精進而行精進不得禪而行禪不

薩行般若波羅蜜時不得布施施者受者皆
不可得而行布施不得戒而持戒不得忍而
行忍不得精進而行精進不得禪而行禪不
得智慧而行智慧不得神通而行神通不得
四念處而行四念處乃至不得八聖道分而
行八聖道分不得空三昧无相三昧无作三
昧而行空无相无作三昧不得衆生而成就
衆生不得佛國土而淨佛國土不得諸佛法
而得阿耨多羅三藐三菩提須菩提菩薩摩
訶薩應如是行无所得般若波羅蜜菩薩摩
訶薩行是无所得般若波羅蜜時魔若魔天
不能破壞須菩提白佛言世尊云何菩薩摩
訶薩行般若波羅蜜時一心中具足行六波
羅蜜四禪四无量心四无色定四念處四正
勤四如意足五根五力七覺分八聖道分三
解脫門佛十力四无所畏四无㝵智十八不
共法大慈大悲三十二相八十隨形好佛告
須菩提菩薩摩訶薩所有布施不遠離般若
波羅蜜所脩持戒忍辱精進禪定不遠離般
若波羅蜜四禪四无量心四无色定脩四念
處乃至八十隨形好不遠離般若波羅蜜須
菩提白佛言世尊云何菩薩摩訶薩不遠離
般若波羅蜜故一心中具足行六波羅蜜乃
至八十隨形好佛言菩薩行般若波羅蜜時
所有布施不遠離般若波羅蜜不二相持戒
時亦不二相脩忍辱勤精進入禪定亦不二

BD00755號　摩訶般若波羅蜜經（四十卷本）卷三四　（13–11）

般若波羅蜜故一心中具足行六波羅蜜乃
至八十隨形好佛言菩薩行般若波羅蜜時
所有布施不遠離般若波羅蜜不二相持戒
時亦不二相脩忍辱勤精進入禪定亦不二
相乃至八十隨形好亦不二相須菩提白佛
言世尊云何菩薩摩訶薩布施時不二相乃
至脩八十隨形好不二相須菩提菩薩摩訶
薩行般若波羅蜜時欲具足檀波羅蜜檀波
羅蜜中攝諸波羅蜜及四念處乃至八十隨
形好世尊云何菩薩布施時攝諸无漏法佛
告須菩提若菩薩摩訶薩行般若波羅蜜時
住无漏心布施於无漏心中不見相所謂誰
施誰受所施何物以是无相心无漏心斷愛
斷慳貪心而行布施是時不見布施乃至不
見阿耨多羅三藐三菩提法是菩薩以无相
心无漏心持戒不見是戒乃至不見一切佛
法以无相心无漏心忍辱不見是忍乃至不
見一切佛法以无相心无漏心精進不見是
精進乃至不見一切佛法以无相心无漏心
入禪定不見是禪定乃至不見一切佛法以
无相心无漏心脩智慧不見是智慧乃至不
見一切佛法以无相心无漏心脩四念處不
見是四念處乃至八十隨形好世尊若諸法
无相无作云何具足檀波羅蜜尸波羅蜜羼
提波羅蜜毗梨耶波羅蜜禪波羅蜜般若波
羅蜜云何具足四念處四正勤四如意足五

BD00755號　摩訶般若波羅蜜經（四十卷本）卷三四　（13–12）

精進乃至不見一切佛法以无相心无漏心
入禪定不見是禪定乃至不見一切佛法以
无相心无漏心脩智慧不見是智慧乃至不
見一切佛法以无相心无漏心脩四念處不
見是四念處乃至八十隨形好世尊若諸法
无相无作云何具足檀波羅蜜尸波羅蜜羼
提波羅蜜毗梨耶波羅蜜禪波羅蜜般若波
羅蜜云何具足四念處四正勤四如意足五
根五力七覺分八聖道分云何具足空三昧
无相三昧无作三昧佛十力四无所畏四无
㝵智十八不共法大慈大悲云何具足三十
二相八十隨形好佛告須菩提菩薩摩訶薩
行般若波羅蜜以无相心无漏心布施須食
與食乃至種種所須盡給與之若內若外若
支解其身若國城妻子布施衆生若有人來
語菩薩言何用是布施為是无所益行般若
波羅蜜菩薩作是念是人雖來呵我布施我
終不悔我當勤行布施不應不與施已與一
切衆生共之迴向阿耨多羅三藐三菩提與
不見是相誰施誰受所施何物迴向者誰何
等是迴向法何等是迴向處所謂阿耨多羅

BD00755號　摩訶般若波羅蜜經（四十卷本）卷三四　（13–13）

妙法蓮華經譬喻品第三　二
尒時舍利弗踊躍歡喜即起合掌瞻仰尊
顔而白佛言今從世尊聞此法音心懷踊躍
得未曾有所以者何我昔從佛聞如是法見
諸菩薩受記作佛而我等不預斯事甚自感
傷失於如來無量知見世尊我常獨處山林
樹下若坐若行每作是念我等同入法性云
何如來以小乘法而見濟度是我等咎非世尊
也所以者何若我等待說所因成就阿耨多
羅三藐三菩提者必以大乘而得度脫然我
等不解方便隨宜所說初聞佛法遇便信受
思惟取證世尊我從昔來終日竟夜每自剋
責而今從佛聞所未聞未曾有法斷諸疑悔
身意泰然快得安隱今日乃知真是佛子從
佛口生從法化生得佛法分尒時舍利弗欲重
宣此義而說偈言
我聞是法音　得所未曾有　心懷大歡喜　疑網皆已除
昔來蒙佛教　不失於大乘　佛音甚希有　能除衆生惱
我已得漏盡　聞亦除憂惱　我處於山谷　或在林樹下
若坐若經行　常思惟是事　嗚呼深自責　云何而自欺

BD00756號　妙法蓮華經卷二　（4–1）

宣此義而說偈言
我聞是法音 得所未曾有 心懷大歡喜 疑網皆已除
昔來蒙佛教 不失於大乘 佛音甚希有 能除眾生惱
我已得漏盡 聞亦除憂惱 我處於山谷 或在林樹下
若坐若經行 常思惟是事 嗚呼深自責 云何而自欺
我等亦佛子 同入无漏法 不能於未來 演說無上道
金色三十二 十力諸解脫 同共一法中 而不得此事
八十種妙好 十八不共法 如是等功德 而我皆已失
我獨經行時 見佛在大眾 名聞滿十方 廣饒益眾生
自惟失此利 我為自欺誑 我常於日夜 每思惟是事
欲以問世尊 為失為不失 我常見世尊 稱讚諸菩薩
以是於日夜 籌量如是事 今聞佛音聲 隨宜而說法
無漏難思議 令眾至道場 我本著邪見 為諸梵志師
世尊知我心 拔邪說涅槃 我悉除邪見 於空法得證
尒時心自謂 得至於滅度 而今乃自覺 非是實滅度
若得作佛時 具三十二相 天人夜叉眾 龍神等恭敬
是時乃可謂 永盡滅无餘 佛於大眾中 說我當作佛
聞如是法音 疑悔悉已除 初聞佛所說 心中大驚疑
將非魔作佛 惱亂我心耶 佛以種種緣 譬喻巧言說
其心安如海 我聞疑網斷 佛說過去世 无量滅度佛
安住方便中 亦皆說是法 現在未來佛 其數无有量
亦以諸方便 演說如是法 如今者世尊 從生及出家
得道轉法輪 亦以方便說 世尊說實道 波旬无此事
以是我定知 非是魔作佛 我墮疑網故 謂是魔所為
聞佛柔軟音 深遠甚微妙 演暢清淨法 我心大歡喜

BD00756號 妙法蓮華經卷二 (4–2)

[illegible]
得道轉法輪 亦以方便說 世尊說實道 波旬无此事
以是我定知 非是魔作佛 我墮疑網故 謂是魔所為
聞佛柔軟音 深遠甚微妙 演暢清淨法 我心大歡喜
疑悔永已盡 安住實智中 我定當作佛 為天人所敬
轉无上法輪 教化諸菩薩
尒時佛告舍利弗 吾今於天人沙門婆羅門
等大眾中說 我昔曾於二万億佛所為无上
道故常教化汝 汝亦長夜隨我受學 我以方
便引導汝故 生我法中 舍利弗 我昔教汝志
願佛道 汝今悉忘 而便自謂已得滅度 我今
還欲令汝憶念本願所行道故 為諸聲聞說
是大乘經 名妙法蓮華教菩薩法佛所護念
舍利弗 汝於未來世 過无量无邊不可思議
劫 供養若干千万億佛 奉持正法 具足菩薩
所行之道 當得作佛 号曰華光如來應供正
遍知明行足善逝世間解无上士調御丈夫
天人師佛世尊 國名離垢 其土平正清淨嚴
飾安隱豐樂 天人熾盛 瑠璃為地 有八交道
黃金為繩 以界其側 其傍各有七寶行樹 常
有華果 華光如來亦以三乘教化眾生 舍利
弗 彼佛出時 雖非惡世 以本願故說三乘法
其劫名大寶莊嚴 何故名曰大寶莊嚴 其國
中以菩薩為大寶故 彼諸菩薩无量无邊不
可思議 筭數譬喻所不能及 非佛智力无能
知者 若欲行時 寶華承足 此諸菩薩非初發

BD00756號 妙法蓮華經卷二 (4–3)

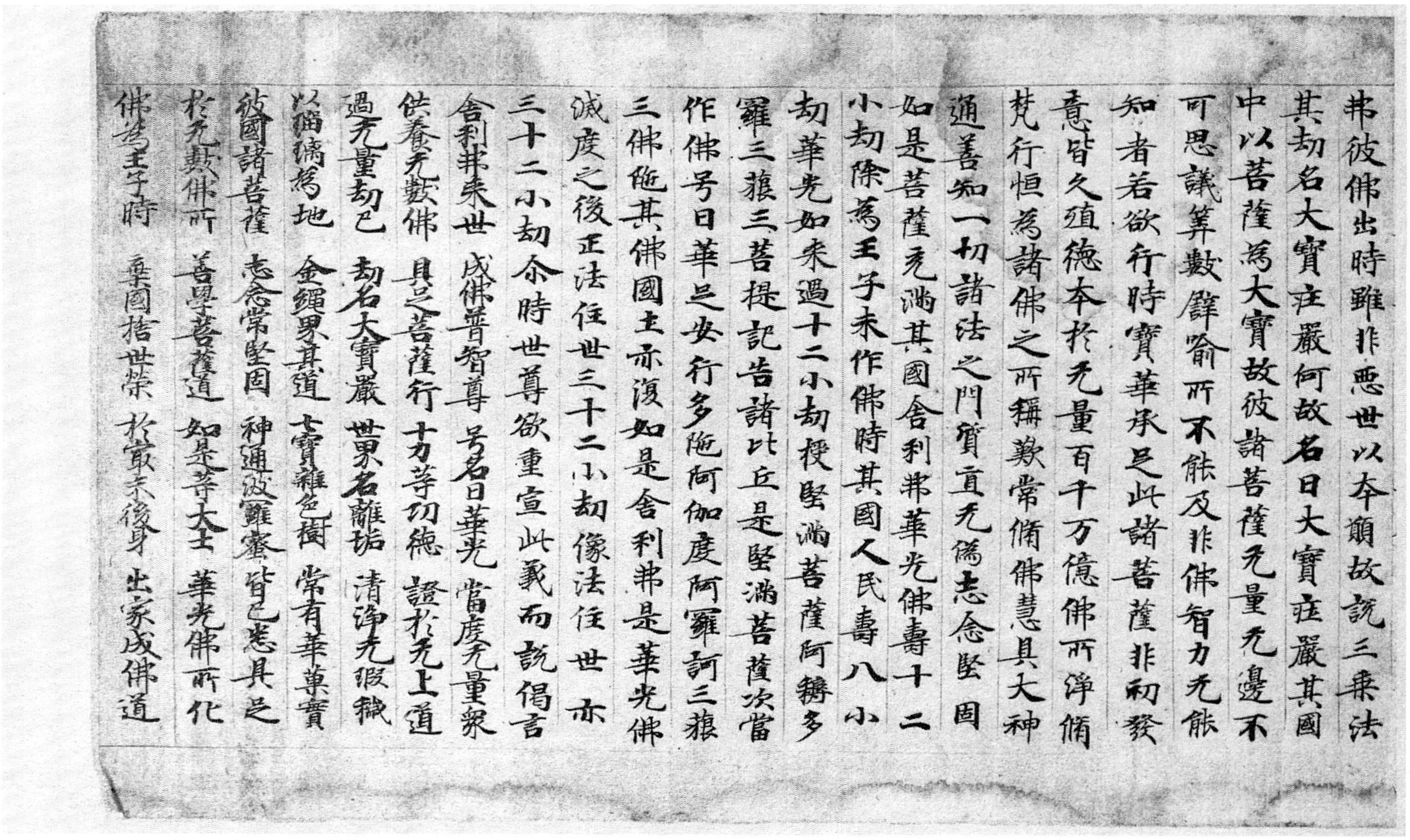
弗彼佛出時雖非惡世以本願故說三乘法
其劫名大寶莊嚴何故名曰大寶莊嚴其國
中以菩薩為大寶故彼諸菩薩无量无邊不
可思議算數譬喻所不能及非佛智力无能
知者若欲行時寶華承足此諸菩薩非初發
意皆久殖德本於无量百千万億佛所淨脩
梵行恒為諸佛之所稱歎常脩佛慧具大神
通善知一切諸法之門質直无偽志念堅固
如是菩薩充滿其國舍利弗華光佛壽十二
小劫除為王子未作佛時其國人民壽八小
劫華光如來過十二小劫授堅滿菩薩阿耨多
羅三藐三菩提記告諸比丘是堅滿菩薩次當
作佛号曰華足安行多陁阿伽度阿羅訶三藐
三佛陁其佛國土亦復如是舍利弗是華光佛
滅度之後正法住世三十二小劫像法住世亦
三十二小劫尒時世尊欲重宣此義而說偈言
舍利弗來世　成佛普智尊　号名曰華光　當度无量衆
供養无數佛　具足菩薩行　十力等功德　證於无上道
過无量劫已　劫名大寶嚴　世界名離垢　清淨无瑕穢
以瑠璃為地　金繩界其道　七寶雜色樹　常有華菓實
彼國諸菩薩　志念常堅固　神通波羅蜜　皆已悉具足
於无數佛所　善學菩薩道　如是等大士　華光佛所化
佛為王子時　棄國捨世榮　於最末後身　出家成佛道

BD00756 號　妙法蓮華經卷二　（4–4）

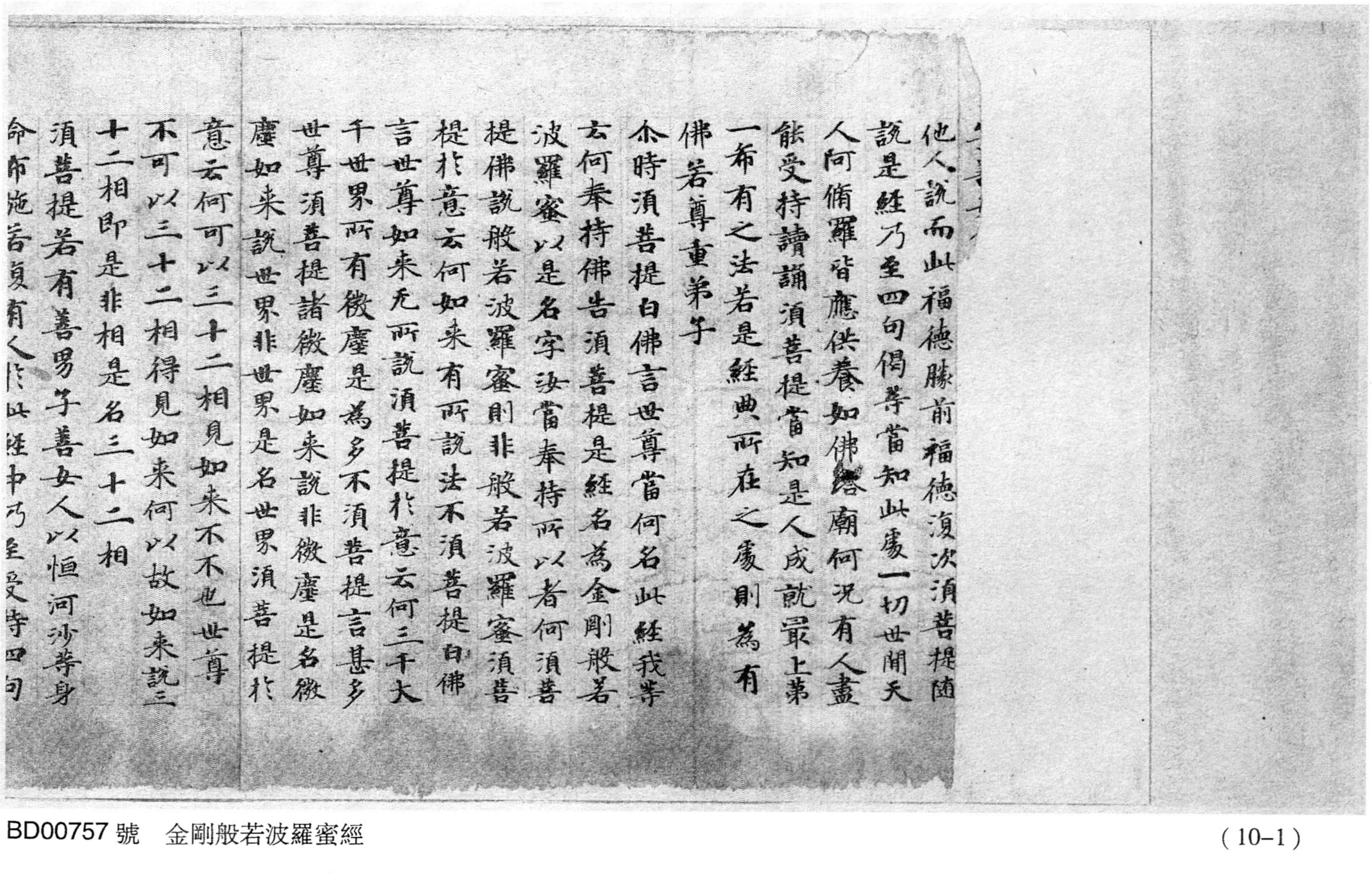
他人說而此福德勝前福德復次須菩提隨
說是經乃至四句偈等當知此處一切世間天
人阿脩羅皆應供養如佛塔廟何況有人盡
能受持讀誦須菩提當知是人成就最上第
一希有之法若是經典所在之處則為有
佛若尊重弟子
尒時須菩提白佛言世尊當何名此經我等
云何奉持佛告須菩提是經名為金剛般若
波羅蜜以是名字汝當奉持所以者何須菩
提佛說般若波羅蜜則非般若波羅蜜須菩
提於意云何如來有所說法不須菩提白佛
言世尊如來无所說須菩提於意云何三千大
千世界所有微塵是為多不須菩提言甚多
世尊須菩提諸微塵如來說非微塵是名微
塵如來說世界非世界是名世界須菩提於
意云何可以三十二相見如來不不也世尊
不可以三十二相得見如來何以故如來說三
十二相即是非相是名三十二相
須菩提若有善男子善女人以恒河沙等身
命布施若復有人於此經中乃至受持四句

BD00757 號　金剛般若波羅蜜經　（10–1）

意云何可以三十二相見如来不不也世尊
不可以三十二相得見如来何以故如来說三
十二相即是非相是名三十二相
須菩提若有善男子善女人以恒河沙等身
命布施若復有人於此經中乃至受持四句
偈等為他人說其福甚多
尒時須菩提聞說是經深解義趣涕淚悲泣
而白佛言希有世尊佛說如是甚深經典我
從昔来所得慧眼未曾得聞如是之經世尊
若復有人得聞是經信心清淨則生實相當
知是人成就第一希有功德世尊是實相者則
是非相是故如来說名實相世尊我今得聞
如是經典信解受持不足為難若當来世後
五百歲其有衆生得聞是經信解受持是人
則為第一希有何以故此人无我相人相衆生
相壽者相所以者何我相即是非相人相衆生相
壽者相即是非相何以故離一切諸相則名諸佛
佛告須菩提如是如是若復有人得聞是經
不驚不怖不畏當知是人甚為希有何以故
須菩提如来說第一波羅蜜非第一波羅
蜜是名第一波羅蜜
須菩提忍辱波羅蜜如来說非忍辱波羅
蜜何以故須菩提如我昔為歌利王割截
身體我於尒時无我相无人相无衆生相无壽
者相何以故我於往昔節節支解時若有我
相人相衆生相壽者相應生瞋恨須菩提又
念過去於五百世作忍辱仙人於尒所世无我

者相何以故我於往昔節節支解時若有我
相人相衆生相壽者相應生瞋恨須菩提又
念過去於五百世作忍辱仙人於尒所世无我
相无人相无衆生相无壽者相是故須菩提
菩薩應離一切相發阿耨多羅三藐三菩提
心不應住色生心不應住聲香味觸法生心
應生无所住心若心有住則為非住是故
佛說菩薩心不應住色布施須菩提菩薩為
利益一切衆生應如是布施如来說一切諸相
即是非相又說一切衆生則非衆生
須菩提如来是真語者實語者如語者不誑
語者不異語者須菩提如来所得法此法无實
无虛須菩提若菩薩心住於法而行布施如人
入闇則无所見若菩薩心不住法而行布施如
人有目日光明照見種種色
須菩提當来之世若有善男子善女人能於
此經受持讀誦則為如来以佛智慧悉知是
人悉見是人皆得成就无量无邊功德
須菩提若有善男子善女人初日分以恒河
沙等身布施中日分復以恒河沙等身布施
後日分亦以恒河沙等身布施如是无量百千
万億劫以身布施若復有人聞此經典信心
不逆其福勝彼何況書寫受持讀誦為人
解說須菩提以要言之是經有不可思議不可
稱量无邊功德如来為發大乘者說為發最
上乘者說若有人能受持讀誦廣為人說如
来悉知是人悉見是人皆得成就不可量不

解說須菩提以要言之是經有不可思議不可
稱量无邊功德如來為發大乘者說為發最
上乘者說若有人能受持讀誦廣為人說如
來悉知是人悉見是人皆得成就不可量不
可稱无有邊不可思議功德如是人等則為
荷擔如來阿耨多羅三藐三菩提何以故
須菩提若樂小法者著我見人見衆生見壽
者見則於此經不能聽受讀誦為人解說須
菩提在在處處若有此經一切世間天人阿
脩羅所應供養當知此處則為是塔皆應
恭敬作礼圍遶以諸華香而散其處
復次須菩提善男子善女人受持讀誦此經
若為人輕賤是人先世罪業應墮惡道以今
世人輕賤故先世罪業則為消滅當得阿耨
多羅三藐三菩提須菩提我念過去无量
阿僧祇劫於然燈佛前得值八百四千万億
那由他諸佛悉皆供養承事无空過者若復
有人於後末世能受持讀誦此經所得功德
於我所供養諸佛功德百分不及一千万億分
乃至筭數譬喻所不能及須菩提若善男子
善女人於後末世有受持讀誦此經所得功
德我若具說者或有人聞心則狂亂狐疑不
信須菩提當知是經義不可思議果報亦不
可思議尒時須菩提白佛言世尊善男子善
女人發阿耨多羅三藐三菩提心云何應住云
何降伏其心佛告須菩提善男子善女人發阿
耨多羅三藐三菩提者當生如是心我應滅
度一切衆生滅度一切衆生已而无有一衆生

BD00757 號　金剛般若波羅蜜經

（10–4）

信須菩提當知是經義不可思議果報亦不
可思議尒時須菩提白佛言世尊善男子善
女人發阿耨多羅三藐三菩提心云何應住云
何降伏其心佛告須菩提善男子善女人發阿
耨多羅三藐三菩提者當生如是心我應滅
度一切衆生滅度一切衆生已而无有一衆生
實滅度者何以故若菩薩有我相人相衆生
相壽者相則非菩薩所以者何須菩提實
无有法發阿耨多羅三藐三菩提者
須菩提於意云何如來於然燈佛所有法得
阿耨多羅三藐三菩提不不也世尊如我解
佛所說義佛於然燈佛所无有法得阿耨多
羅三藐三菩提佛言如是如是須菩提實无
有法如來得阿耨多羅三藐三菩提須菩提
若有法如來得阿耨多羅三藐三菩提者然
燈佛則不與我受記汝於來世當得作佛号
釋迦牟尼以實无有法得阿耨多羅三藐三
菩提是故然燈佛與我受記作是言汝於
來世當得作佛号釋迦牟尼何以故如來者
即諸法如義若有人言如來得阿耨多羅三
藐三菩提須菩提實无有法佛得阿耨多羅
三藐三菩提須菩提如來所得阿耨多羅三
藐三菩提於是中无實无虛是故如來說一
切法皆是佛法須菩提所言一切法者即非
一切法是故名一切法須菩提譬如人身長大
須菩提言世尊如來說人身長大則為非大
身是名大身
須菩提菩薩亦如是若作是言我當滅度无

BD00757 號　金剛般若波羅蜜經

（10–5）

一切法是故名一切法須菩提譬如人身長大
須菩提言世尊如来說人身長大則為非大
身是名大身
須菩提菩薩亦如是若作是言我當滅度无
量衆生則不名菩薩何以故須菩提實无有
法名為菩薩是故佛說一切法无我无人无
衆生无壽者須菩提若菩薩作是言我當
莊嚴佛土者不名菩薩何以故如来說莊嚴
佛土者即非莊嚴是名莊嚴須菩提若菩
薩通達无我法者如来說名真是菩薩
須菩提於意云何如来有肉眼不如是世尊
如来有肉眼須菩提於意云何如来有天眼
不如是世尊如来有天眼須菩提於意云何
如来有慧眼不如是世尊如来有慧眼須菩
提於意云何如来有法眼不如是世尊如来
有法眼須菩提於意云何如来有佛眼不如
是世尊如来有佛眼須菩提於意云何恒河
中所有沙佛說是沙不如是世尊如来說是
沙須菩提於意云何如一恒河中所有沙有
如是等恒河是諸恒河所有沙數佛世界如
是寧為多不甚多世尊佛告須菩提尒所
國土中所有衆生若干種心如来悉知何以故
如来說諸心皆為非心是名為心所以者何須
菩提過去心不可得現在心不可得未来心
不可得須菩提於意云何若有人滿三千大
千世界七寶以用布施是人以是因緣得福
多不如是世尊此人以是因緣得福甚多須
菩提若福德有實如来不說得福德多以

菩提過去心不可得現在心不可得未来心
不可得須菩提於意云何若有人滿三千大
千世界七寶以用布施是人以是因緣得福
多不如是世尊此人以是因緣得福甚多須
菩提若福德有實如来不說得福德多以
福德无故如来說得福德多須菩提於意
云何佛可以具足色身見不不也世尊如来不
應以具足色身見何以故如来說具足色身即
非具足色身是名具足色身須菩提於意云
何如来可以具足諸相見不不也世尊如来不應
以具足諸相見何以故如来說諸相具足即非
具足是名諸相具足須菩提汝勿謂如来作是
念我當有所說法莫作是念何以故若人言如
来有所說法即為謗佛不能解我所說故須
菩提說法者无法可說是名說法須菩提白
佛言世尊佛得阿耨多羅三藐三菩提為
无所得耶如是如是須菩提我於阿耨多羅
三藐三菩提乃至无有少法可得是名阿耨多
羅三藐三菩提復次須菩提是法平等无有
高下是名阿耨多羅三藐三菩提以无我无人
无衆生无壽者脩一切善法則得阿耨多羅三
藐三菩提須菩提所言善法者如来說非善
法是名善法須菩提若三千大千世界中所
有諸須弥山王如是等七寶聚有人持用布
施若人以此般若波羅蜜經乃至四句偈等
受持讀誦為他人說於前福百分不及一百千
万億分乃至筭數譬喻所不能及須菩提於意

有諸須弥山王如是等七寶聚有人持用布
施若人以此般若波羅蜜經乃至四句偈等
受持讀誦為他人說於前福百分不及一百千
万億分乃至筭數譬喻所不能及須菩提於意
云何汝等勿謂如来作是念我當度衆生須菩
提莫作是念何以故實无有衆生如来度者若
有衆生如来度者如来則有我人衆生壽者
須菩提如来說有我者則非有我而凡夫之人
以為有我須菩提凡夫者如来說則非凡夫
須菩提於意云何可以卅二相觀如来不須菩
提言如是如是以卅二相觀如来佛言須菩提
若以卅二相觀如来者轉輪聖王則是如来
須菩提白佛言世尊如我解佛所說義不應
以卅二相觀如来尒時世尊而說偈言
若以色見我　以音聲求我　是人行邪道　不能見如来
須菩提汝若作是念如来不以具足相故得阿
耨多羅三藐三菩提須菩提莫作是念如来
不以具足相故得阿耨多羅三藐三菩提須菩
提汝若作是念發阿耨多羅三藐三菩提者
說諸法斷滅相莫作是念何以故發阿耨多羅
三藐三菩提者於法不說斷滅相須菩提若菩
薩以滿恒河沙等世界七寶布施若復有人知一
切法无我得成於忍此菩薩勝前菩薩所得功
德須菩提以諸菩薩不受福德故須菩提白
佛言世尊云何菩薩不受福德須菩提菩薩所
作福德不應貪著是故說不受福德須菩提若
有人言如来若来若去若坐若卧是人不解我

BD00757號　金剛般若波羅蜜經　（10–8）

德須菩提以諸菩薩不受福德故須菩提白
佛言世尊云何菩薩不受福德須菩提菩薩所
作福德不應貪著是故說不受福德須菩提若
有人言如来若来若去若坐若卧是人不解我
所說義何以故如来者无所從来亦无所去故
名如来須菩提若善男子善女人以三千大千世
界碎為微塵於意云何是微塵衆寧為多不
甚多世尊何以故若是微塵衆實有者佛則
不說是微塵衆所以者何佛說微塵衆則非微
塵衆是名微塵衆世尊如来所說三千大千
世界則非世界是名世界何以故若世界實有
者則是一合相如来說一合相則非一合相是名一
合相須菩提一合相者則是不可說但凡夫之人
貪著其事須菩提若人言佛說我見人見衆生
見壽者見須菩提於意云何是人解我所說義
不世尊是人不解如来所說義何以故世尊說
我見人見衆生見壽者見即非我見人見衆生
見壽者見是名我見人見衆生見壽者見須
菩提發阿耨多羅三藐三菩提心者於一切法
應如是知如是見如是信解不生法相須菩提所
言法相者如来說即非法相是名法相須菩提
若有人以滿无量阿僧祇世界七寶持用布施
若有善男子善女人發菩薩心者持於此經乃
至四句偈等受持讀誦為人演說其福勝彼云
何為人演說不取於相如如不動何以故
一切有為法　如夢幻泡影　如露亦如電　應作如是觀
佛說是經已長老須菩提及諸比丘比丘尼

BD00757號　金剛般若波羅蜜經　（10–9）

者則是一合相如来說一合相則非一合相是名一
合相須菩提一合相者則是不可說但凡夫之人
貪著其事須菩提若人言佛說我見人見衆生
見壽者見須菩提於意云何是人解我所說義
不世尊是人不解如来所說義何以故世尊說
我見人見衆生見壽者見即非我見人見衆生
見壽者見是名我見人見衆生見壽者見須
菩提發阿耨多羅三藐三菩提心者於一切法
應如是知如是見如是信解不生法相須菩提所
言法相者如来說即非法相是名法相須菩提
若有人以滿無量阿僧祇世界七寶持用布施
若有善男子善女人發菩薩心者持於此經乃
至四句偈等受持讀誦為人演說其福勝彼云
何為人演說不取於相如如不動何以故
一切有為法　如夢幻泡影　如露亦如電　應作如是觀
佛說是經已長老須菩提及諸比丘比丘尼
優婆塞優婆夷一切世間天人阿脩羅聞佛
所說皆大歡喜信受奉持
金剛般若波羅蜜經

BD00757 號　金剛般若波羅蜜經　（10–10）

雷電霹靂及諸恐怖苦惱憂患乃至枉死悉
皆遠離所有毒藥蠱魅厭禱害人虎狼師
子毒虵之類乃至蚊虻悉不為害
爾時世尊讚告大衆善哉善哉此等神呪皆
有大力能隨衆生心所求事悉令圓滿為大
利益除不至心汝等勿疑時諸大衆聞佛語
已歡喜信受
金光明最勝王經大辯才天女品第十五
爾時大辯才天女於大衆中即從座起頂礼
佛足白佛言世尊若有法師說是金光明最勝
王經者我當益其智慧具足莊嚴言說之
辯若彼法師於此經中文字句義所有忘失
皆令憶持能善開悟復與陁羅尼揔持無礙
又此金光明最勝王經為彼有情已於百千
佛所種諸善根當受持者於贍部洲廣行
流布不速隱沒復令無量有情聞是經典皆得
不可思議捷利辯才無盡大慧善解衆論及
諸技術能出生死速趣無上正等菩提於現
世中增益壽命資身之具悉令圓滿世尊我
當為彼持經法師及餘有情於此經典樂聽
聞者說其呪藥洗浴之法彼人所有惡星災
變與初生時星屬相違疫病之苦鬪諍戰陣
惡夢鬼神蠱毒厭魅呪術起屍如是諸惡為

BD00758 號　金光明最勝王經卷七　（4–1）

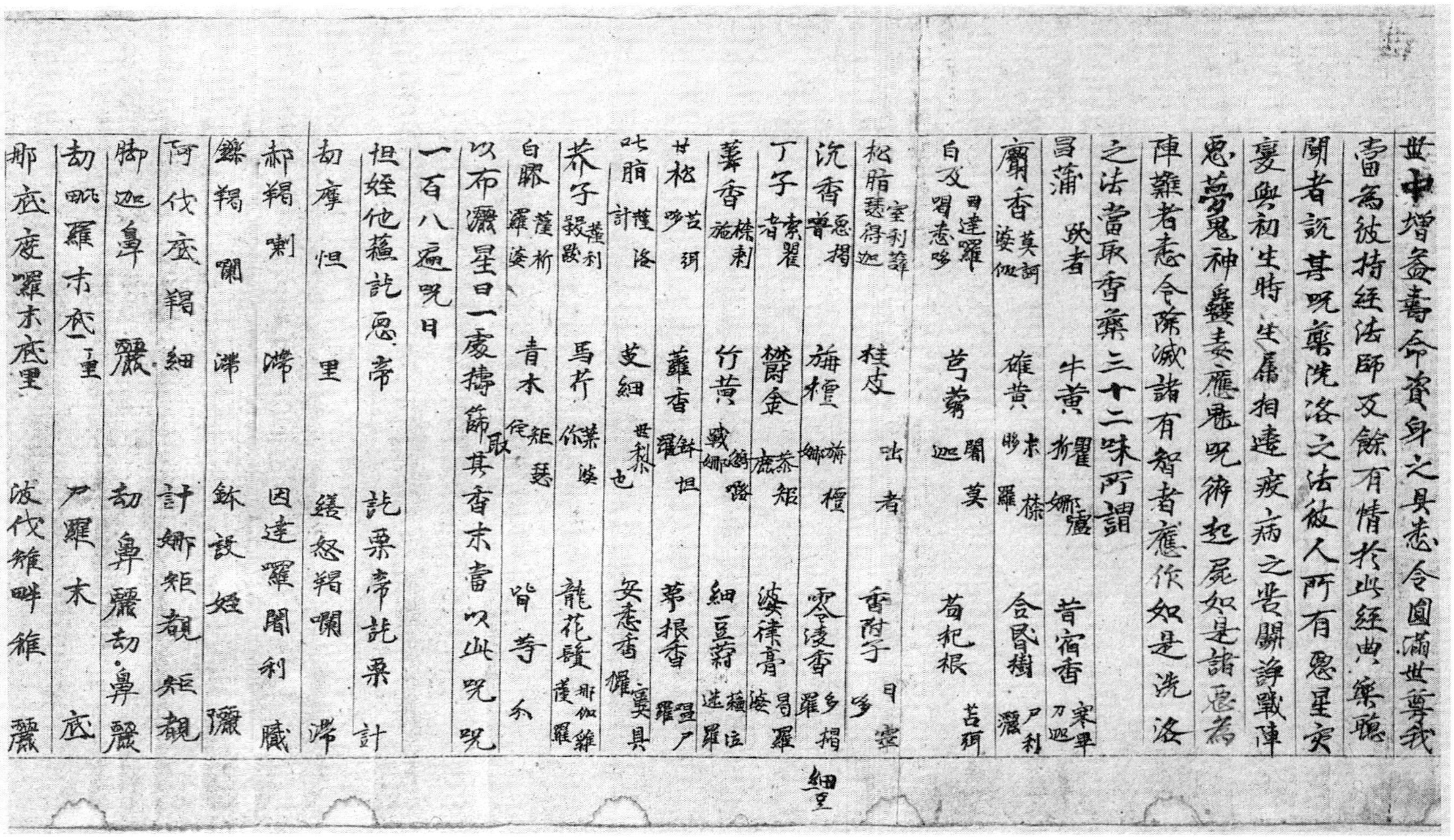

世中增益壽命資身之具悉令圓滿世尊我
當為彼持經法師及餘有情於此經典樂聽
聞者說其呪藥洗浴之法彼人所有惡星災
變與初生時星屬相違疫病之苦鬪諍戰陣
惡夢鬼神蠱毒厭魅呪術起屍如是諸惡為
障難者悉令除滅諸有智者應作如是洗浴
之法當取香藥三十二味所謂
菖蒲 跋者 牛黃 瞿盧折娜 苜蓿香 塞畢力迦
麝香 莫訶婆伽 雄黃 末捺眵羅 合昏樹 尸利灑
白及 因達羅喝悉哆 芎藭 闍莫迦 苟杞根 苫弭
松脂 室利薜瑟得迦 桂皮 咄者 香附子 目窣哆
沈香 惡揭嚕 栴檀 栴檀娜 零凌香 多揭羅
丁子 索瞿者 鬱金 荼矩麼 婆律膏 曷羅婆
葦香 捺剌柁 竹黃 鵝路戰娜 細豆蔲 蘇泣迷羅
甘松 苫弭哆 藿香 鉢怛羅 茅根香 嗢尸羅
叱脂 薩洛計 艾細 世黎也 安息香 窶具攞
芥子 薩利殺跛 馬芹 葉婆你 龍花鬚 那伽雞薩羅
白膠 薩折羅婆 青木 矩瑟侘 皆等分
以布灑星日一處擣篩取其香末當以此呪呪
一百八遍呪曰
怛姪他蘇訖栗帝 訖栗帝訖栗 計
劫摩怛里 繕怒羯囉滯
郝羯喇滯 因達羅闍利膩
鑠羯囉滯 鉢設姪囇
阿伐底羯細 計娜矩覩 矩覩
脚迦鼻麗 劫鼻麗劫鼻麗
劫毗羅末底 尸羅末底
删底度囉末底里 波伐雉畔雉 囇

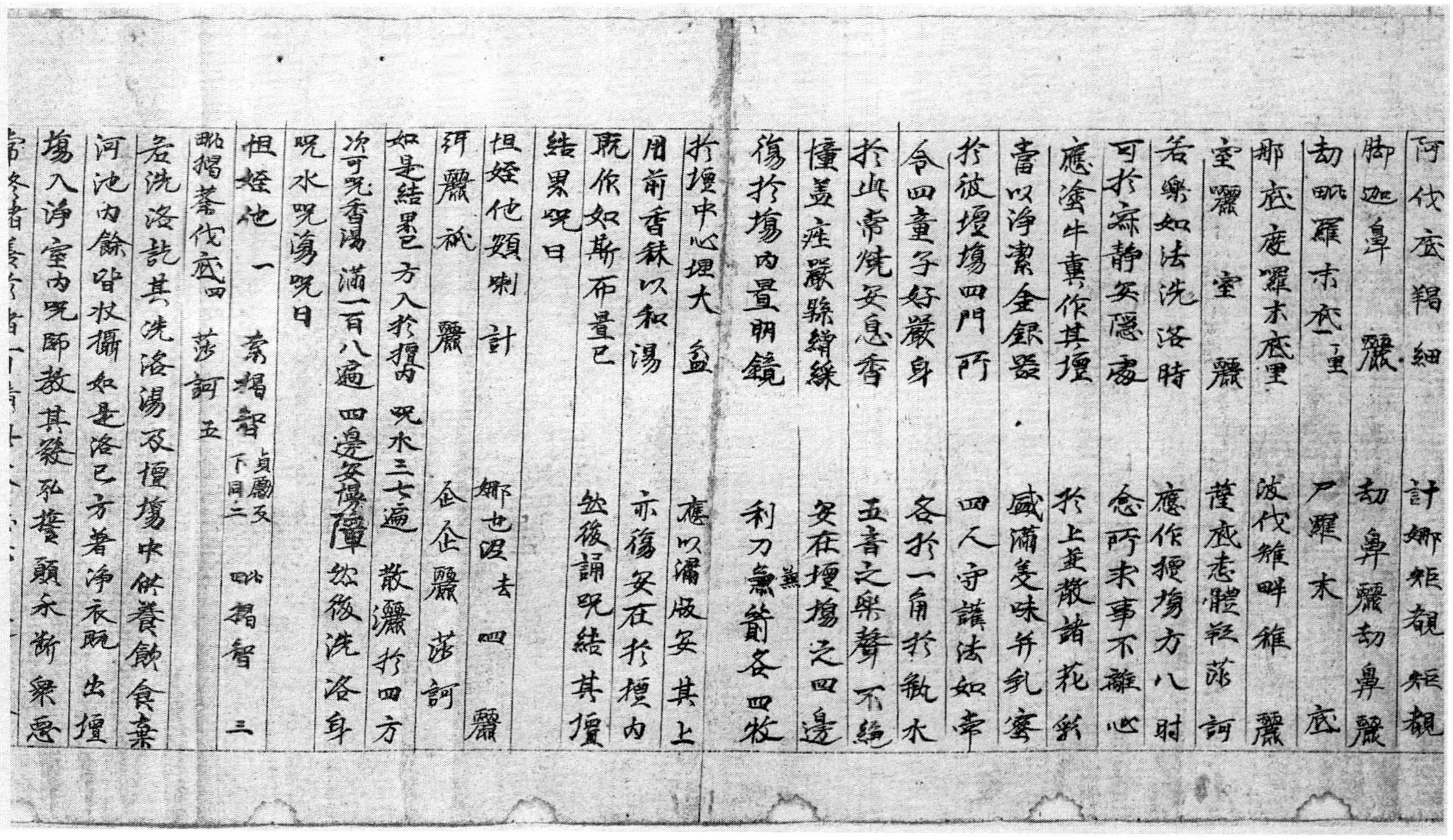

阿伐底羯細 計娜矩覩 矩覩
脚迦鼻麗 劫鼻麗劫鼻麗
劫毗羅末底 尸羅末底
删底度囉末底里 波伐雉畔雉 囇
室囇 室囇 薩底悉體羝 莎訶
若樂如法洗浴時 應作壇場方八肘
可於寂靜安隱處 念所求事不離心
應塗牛糞作其壇 於上普散諸花彩
當以淨潔金銀器 盛滿美味并乳蜜
於彼壇場四門所 四人守護法如常
令四童子好嚴身 各於一角持瓶水
於此常燒安息香 五音之樂聲不絕
幢蓋莊嚴懸繒綵 安在壇場之四邊
復於場內置明鏡 利刀兼箭各四枚
於壇中心埋大盆 應以漏版安其上
用前香末以和湯 亦復安在於壇內
既作如斯布置已 然後誦呪結其壇
結界呪曰
怛姪他頞喇計 娜也泥去 四 囇
弭囇祇 囇 企企囇 莎訶
如是結界已 方入於壇內 呪水三七遍 散灑於四方
次可呪香湯 滿一百八遍 四邊安幔障 然後洗浴身
呪水呪湯呪曰
怛姪他 一 索揭智 貞勵反下同 二 毗揭智 三
毗揭荼伐底 四 莎訶 五
若洗浴訖其洗浴湯及壇場中供養飲食棄
河池內餘皆收攝如是洛已方著淨衣既出壇
場入淨室內呪師教其發弘誓願永斷衆惡

次可呪香湯滿一百八遍 四邊安幔障 然後洗浴身
呪水呪湯呪曰
怛姪他 一 索揭智 貞勵反下同 二 毗揭智 三
毗揭荼伐底 四 莎訶 五
若洗浴訖其洗浴湯及壇場中供養飲食棄
河池內餘皆收攝如是浴已方著淨衣既出壇
場入淨室內呪師教其發弘誓願永斷衆惡
常修諸善於諸有情興大悲心以是因緣當
獲無量隨心福報復說頌曰
若有病苦諸衆生　種種方藥治不差
若依如是洗浴法　并復讀誦斯經典
常於日夜念不散　專想慇勤生信心
所有患苦盡消除　解脫貧窮足財寶
四方星辰及日月　威神擁護得延年
吉祥安隱福德增　災變厄難皆除遣
次誦護身呪三七遍呪曰
怛姪他 三謎 毗三謎 莎訶
索揭滯 毗揭滯 莎訶
毗揭荼亭耶反伐底 莎訶
娑揭囉 三步多也 莎訶

BD00758 號　金光明最勝王經卷七　（4–4）

金剛主菩薩觀世音
普賢菩薩无盡慧菩薩弥勒菩薩如是等
而為上首復有无量天龍夜叉乾闥婆阿脩羅迦
樓羅緊那羅摩睺羅伽人非人等无量大
衆恭敬圍遶而為說法時彼城中有大婆羅門
名劫比羅戰荼歸敬外道不信佛法有善相
師而告之言大婆羅門汝却後七日必當命
終時婆羅門聞是語已心懷愁惱驚懼怖
畏作是思惟誰能救我我當依誰復作是念沙
門瞿曇稱一切智證一切智我當詣彼彼若
實是一切智者必當說我憂惱之事作是念
已即往佛所於衆會前遥觀如來意欲請問
而懷猶豫時釋迦如來於三世法无不明見知
婆羅門心之所念以慈愛音而告之言大婆
羅門汝却後七日定當命終墮可畏處阿鼻
地獄從此復入十六地獄出已復受旃陀羅
身命終之後復生豬中恒居臭溷常食糞
穢壽命長時多受衆苦後得為人貧窮下
賤不淨臭穢醜形黑瘦乾枯癩病人不喜見其
咽如針恒乏飲食為人撾打受大苦惱時婆
羅門聞是語已生大恐怖悲泣憂愁疾至佛

BD00759 號　無垢淨光大陀羅尼經　（15–1）

賤不淨臭穢醜形黑瘦乾枯癩病人不意見其
咽如針恒乏飲食為人棰朾受大苦惱時婆
羅門聞是語已生大恐怖悲泣憂愁疾至佛
所頂礼雙足而白佛言如來即是救濟一切
諸衆生者我今悔過歸命世尊唯願救我大
地獄苦佛言大婆羅門此迦毗羅城三岐道
處有古佛塔於中現有如來舍利其塔崩壞
汝應往彼重更修理乃造輪樑寫陀羅尼以
置其中興大供養依法七遍念誦神呪令汝
命根還復增長久後壽終生極樂界於百千
却受大勝樂次後復於妙喜世界亦百千劫
如前受樂後復於諸兜率天宮亦百千劫相
續受樂一切生處常憶宿命除一切障滅一切
罪永離一切地獄苦甚常見諸佛恒為如來
之所攝護婆羅門若有比丘比丘尼優婆塞
優婆夷善男女等或有短命或多病者應
脩故塔或造小塔依法書寫陀羅尼呪呪索
作壇由此福故命將欲盡者復更增壽諸病
苦者皆得除愈永離地獄畜生餓鬼耳尚不
聞地獄之聲何況身受時婆羅門聞此語已
心懷歡喜即欲往彼故壞塔所依教脩營時
衆會中除蓋鄣菩薩從坐而起合掌向佛白
言世尊何者是彼陀羅尼法而能生長福徳
善根佛言有大陀羅尼名冣勝无垢清淨光
明大壇場法諸佛以此安慰衆生若有聞此
陀羅尼者滅五逆罪閇地獄門除滅慳貪嫉

言世尊何者是彼陀羅尼法而能生長福徳
善根佛言有大陀羅尼名冣勝无垢清淨光
明大壇場法諸佛以此安慰衆生若有聞此
陀羅尼者滅五逆罪閇地獄門除滅慳貪嫉
妬罪垢命短促者皆得延壽諸吉祥事无不
成辦時除蓋障菩薩復白佛言世尊願佛說
此陀羅尼法令一切衆生得長壽故淨除一切
諸罪鄣故為一切衆生作大明故尒時世尊
聞是請已即於頂上放大光明普照三千大
千世界遍覺一切諸如來已還歸本處從佛
頂入時佛即以美妙悅意迦陵頻伽和雅之
音而說呪曰
南謨颰哆颰怛底(蘇以反下同)𡃤(毗也反盾聲)一 三藐三佛陀
俱胝喃(奴睹反下同)二 鉢唎式(輸聿反下同)陀摩捺婆三 薄(去聲引)
質多鉢刺底瑟恥哆喃四 南謨薄伽跋底阿(引)
弥多喻殺寫怛他揭悒寫五 唵(引聲)六 怛他揭多
弍第七 阿喻毗輸達你八 僧嘍(可葛反)囉僧嘍囉九
薩婆怛他揭多毗唎耶跋囉娜十 鉢唎底僧
嘍囉阿喻十一 薩囉薩囉十二 薩婆怛他揭多
三昧䥫十三 菩提菩提十四 勃地(亭也反下同) 勃地十五
菩馱也菩馱也十六 薩婆播波(引) 阿伐喇拏(上)
毗弍第十七 毗揭多未羅珮䥫十八 蘇勃勃馱勃第
十九 虎嚕虎嚕莎(引聲)訶(引聲)
佛言除蓋障此是根本陀羅尼呪若欲作此
法者當於月八日或十三日或十四日或十五日
右遶舍利塔滿七十七帀誦此陀羅尼亦七
[illegible]

法者當於月八日或十三日或十四日或十五日
右遶舍利塔滿七十七帀誦此陁羅尼亦七
十七遍應當作壇於上護淨書寫此呪滿
七十七本尊重法故於書寫人以香花飲食
淨衣洗浴塗香熏香而為供養或施七寶
或隨力施當持呪本置於塔中供養此塔或
作小泥塔滿足七十七各以一本置於塔中而
興供養如法作已命欲盡者而更延壽一切
宿障諸惡趣業悉皆滅盡永離地獄餓鬼
畜生所生之處常憶宿命一切所願皆得滿
足則為已得七十七億諸如來所而種善根一
切衆病及諸煩惱咸得消除
若人病重命將欲盡當為作方壇於壇上盡
作種種形狀所謂輪形金剛杵蠡形月字形蓮花形四角盡蓮花上安瓶瓶滿香水置
於四角布列香鑪燒衆名香以五色鉢盛種
種食及三白食謂乳酪粳米飯復以五鉢各盛香花水及粳米壇
上供養種種飲食盛滿一器及水一瓶置壇中
心於壇近水及粳米邊作毗那夜迦像頂上
安燈將彼病人在於壇西面向此壇盛一器
食對病人前置於壇上呪師要須精淨如法
呪此病人七十七遍令將死之人惛寘七日命
續識還如從夢覺
若有護淨日別一遍誦念此呪滿足百年是
人命終生極樂界若一切時常念誦者乃至
菩提恒憶宿命永離夭壽及諸惡趣
若復有人為於亡者稱其名字至心誦呪滿

若有護淨日別一遍誦念此呪滿足百年是
人命終生極樂界若一切時常念誦者乃至
菩提恒憶宿命永離夭壽及諸惡趣
若復有人為於亡者稱其名字至心誦呪滿
七十七遍若彼亡人墮惡趣者應時即得離
惡道皆生天受樂或稱彼名依法書寫此陁
羅尼置佛塔中如法供養亦令亡者得離惡
趣生於天上或復得生兜率天宮乃至菩
提不墮惡道
若有善男子善女人於此佛塔或右遶或礼
拜或供養者當得授記於阿耨多羅三藐三
菩提而不退轉一切宿障一切罪業悉皆消
滅下至飛鳥畜生之類至此塔影當得永離
畜生惡趣若有五无間罪或在塔影或觸彼
塔皆得除滅置塔之處无諸邪魅夜叉羅剎
富單那毗舍闍等惡獸惡龍毒虫毒草亦无
魍魎諸惡鬼神奪精氣者亦无刀兵水火霜
雹飢饉橫死惡夢不祥苦惱之事於彼國土
若有諸惡先相現時其塔即便現於神變出
大光焰令彼諸惡不祥之事无不殄滅若復
於彼有惡心衆生或是怨讎及怨伴侶并諸
劫盜寇賊等類欲壞此國其塔亦便出大火
光即於其處現諸兵仗惡賊見已自然退散
常有一切諸天善神守護其國於國四周各
百由旬結成大界其中男女乃至畜生无諸
疫癘疾苦鬪諍不作一切非法之事其餘呪

常有一切諸天善神守護其國於國四周各
百由旬結成大界其中男女乃至畜生无諸
疾癘疾共鬭諍不作一切非法之事其餘呪
術所不能壞是名根本陀羅尼法善男子今
為汝說相輪橖中陀羅尼法即說呪曰
唵引一 薩婆怛他揭多毗補羅曳和熱反下同 瑟撥竹几反下
同二 末尼羯諾迦舉佉反 曷喇折哆三 毗菩瑟哆曳
瑟撥四 杜嚕杜嚕五 三畧哆毗嚕吉帝六 薩囉
薩囉播跋輪達尼七 菩達尼三菩達尼八 鉢
囉上伐囉上曳 瑟撥伐儼九 末尼脫檐十 鶻嚕
叱囉上 末羅毗戍第十一 吽引 吽莎引訶
善男子應當如法書寫此呪九十九本安於
相輪橖四周安置又寫此呪及功能法於橖中
心密覆安處如是作已則為建立九万九千
相輪橖已亦為安置九万九千佛舍利已亦
為已造九万九千佛舍利塔亦為已造九万
九千八大寶塔亦為已造九万九千菩提道
場塔若造一小泥塔於中安置此陀羅尼者
則為已造九万九千諸小寶塔若有衆生右
遶此塔或礼一拜或一合掌或以一華或以一
香燒香塗香鈴鐸幡蓋而供養者則為供
養九万九千諸佛塔已是則成就廣大善根
福德之聚若有飛鳥蚊虻蠅等至塔影中當
得授記於阿耨多羅三藐三菩提而不退轉
若遥見此塔或聞鈴聲或聞其名彼人所有
五无間業一切罪障皆得消滅常為一切諸

BD00759號　無垢淨光大陀羅尼經　（15–6）

福德之聚若有飛鳥蚊虻蠅等至塔影中當
得授記於阿耨多羅三藐三菩提而不退轉
若遥見此塔或聞鈴聲或聞其名彼人所有
五无間業一切罪障皆得消滅常為一切諸
佛護念得於如來清淨之道是名相輪陀羅
尼法善男子今為汝說脩造佛塔陀羅尼
法即說呪曰
唵引一 薩婆怛他揭多二 末羅毗輪達尼上三 健陀
鞞鉢鉢娜伐儼四 鉢喇底僧塞迦囉五 怛他
揭多馱都達儼六 達囉達囉七 珊達囉珊達
囉八 薩婆怛他揭多阿地瑟恥帝莎引訶
若有比丘比丘尼優婆塞優婆夷若自造塔
若教人造若脩故塔若作小塔或以泥作或
用瓴石麁先呪滿一千八遍然後造作其塔
分量或如爪甲或長一肘乃至由旬以其呪
力及至心故於泥等塔中出妙香氣所謂牛
頭旃檀赤白旃檀龍惱麝香欝金香等及
天香自作教人皆得成就廣大善根福德之
聚命若短促便得延壽後臨終時得見九十
九億百千那由他佛常為一切諸佛憶念而
與授記生極樂界壽命九十九億百千那由
他歲常得宿命天眼天身天耳天鼻天旃檀
香從其身出口中常出優鉢羅花香得五神
通於阿耨多羅三藐三菩提得不退轉若呪
香泥下至撚少如芥子許塗此塔上彼人亦
得如上所說大福德聚
若比丘比丘尼優婆塞優婆夷如法書寫陁

BD00759號　無垢淨光大陀羅尼經　（15–7）

通於阿耨多羅三藐三菩提得不退轉若呪
香泥下至撚少如芥子許塗此塔上彼人亦
得如上所說大福德聚
若比丘比丘尼優婆塞優婆夷如法書寫陁
羅尼法以清淨心尊重供養如佛无異於書
寫人亦增上供養如前所說書呪印已置於
塔中及所脩塔內并相輪橖中如法成就是
人當得廣大善根福德之聚佛說此陁羅尼
印法時十方一切諸佛如來同聲讚言善哉
善哉釋迦牟尼如來應正等覺乃能善說
此大陁羅尼印法令一切衆生皆无空過耶
大利益攝大福聚乃至於阿耨多羅三藐三
菩提得不退轉
尒時衆中天龍八部及諸菩薩執金剛主四
王帝釋梵天王那羅延摩醯首羅摩尼跋陁
羅補那跋陁及跋羅神夜摩神婆樓摩神俱
薜羅神婆毗婆神諸仙衆等聞此法已起歎
離心調伏柔耎生大歡喜以大音聲牙相謂
言希有希有諸佛如來希有希有真正妙法
希有希有此陁羅尼印法如來所說甚難值
遇是時劫比羅戰荼大婆羅門聞此大功德
殊勝利益大陁羅尼法印即得明達法性遠
塵離垢斷諸煩惱滅諸罪障壽命延長失大
歡喜踊躍无量令一切衆生亦皆當得心意
清淨
尒時除蓋障菩薩摩訶薩持一寶臺種種莊
寶閒錯莊嚴以佛莊嚴而莊嚴之愛樂法故

BD00759號　無垢淨光大陀羅尼經　（15–8）

歡喜踊躍无量令一切衆生亦皆當得心意
清淨
尒時除蓋障菩薩摩訶薩持一寶臺種種莊
寶閒錯莊嚴以佛莊嚴而莊嚴之愛樂法故
供養如來右遶三帀頂礼佛足而白佛言世
尊此大陁羅尼壇場法印甚難值遇世尊說
此一切衆生妙法庫藏鎮閻浮提令諸衆生
種大善根施其壽命消滅煩惱我今亦當為
令衆生種善根故供養一切諸如來故今於
佛前說自心印陁羅尼法即說呪曰
南謨薄伽伐帝納婆納伐底喃一三藐三佛陁
俱胝那庾多設多索訶薩囉引喃二南謨薩
婆你伐囉拏上聲毗七瑟劍鼻尼引菩提薩埵也
三唵引四覩嚕覩嚕五薩婆阿伐囉拏毗七式達尼六
薩婆怛他揭多摩底播剌尼七毗七布羅八眡
末羅薩婆悉陁南摩塞訖栗帝九跋羅跋
囉十薩婆薩埵婆盧羯尼一十吽引薩婆尼
伐囉拏上聲毗七瑟劍毗七泥二十薩婆播波毗七燒達
尼莎引訶
世尊此陁羅尼是九十九億諸佛所說若有
至心暫念誦者一切罪業悉皆消滅若有依
法書寫此呪滿九十九本置於塔中或落四
同有人礼拜及以讚嘆或以香花塗香燈燭
供養此塔彼善男女於現生中滅一切罪除
一切障滿一切願則為供養九十九億百千
那由他恒河沙等諸如來已亦為供養九十

BD00759號　無垢淨光大陀羅尼經　（15–9）

同有人礼拜及以讚嘆或以香花塗香燈燭
供養此塔彼善男女於現生中滅一切罪除
一切障滿一切願則為供養九十九億百千
那由他恒河沙等諸如來已亦為供養九十
九億百千那由他恒河沙等舍利塔已是
則成就廣大善根福德之聚若有比丘於、
月八日十三日十四日十五日洗浴護淨著
鮮潔衣於一日一夜而不飲食或時唯食三
種白食右遶佛塔誦此陁羅尼滿一百八遍
百千劫罪及五无間皆得除滅我除蓋障即
為現身令其所願皆悉滿足得見一切諸佛
如來若有誦滿二百八遍得諸禪定若有誦
滿三百八遍得淨一切障三昧若有誦滿四
百八遍得四天天王常來親近現身衛護加
其身心增大威德若有誦滿五百八遍稱得
无量阿僧祇不可量諸天善根若有誦滿
六百八遍便得此呪根本法成為持呪天
仙若有誦滿七百八遍得大威德且足光明
若有誦滿八百八遍得心清淨若有誦滿九
百八遍得五根清淨若有誦滿一千八遍當
得須陁洹果若誦滿二千遍當得斯陁含果
若誦滿三千遍當得阿那含果若誦滿四千
遍當得阿羅漢果若誦滿五千遍當得辟支
佛果若誦滿六千遍當得普賢地若滿七千
遍當得初地若滿八千遍當得第五地若滿
九千遍當得普門陁羅尼若十千遍當得不
動地若復滿十一千遍當得如來地成大人

BD00759 號　無垢淨光大陀羅尼經　（15–10）

遍當得阿羅漢果若誦滿五千遍當得辟支
佛果若誦滿六千遍當得普賢地若滿七千
遍當得初地若滿八千遍當得第五地若滿
九千遍當得普門陁羅尼若十千遍當得不
動地若復滿十一千遍當得如來地成大人
相大師子吼
若復有人欲於現生成就一切德大利益者應
脩故塔誦呪右遶滿百八遍心中所願无不
成滿時釋迦牟尼佛讚除蓋言善哉善哉
善男子汝能如是隨順如來所演呪法而助
宣說
時執金剛大夜叉主白佛言世尊此大呪王
陁羅尼法同如來藏亦如佛塔世尊以此勝
法鎮閻浮提令一切眾生皆得解脫能於後
時作大佛事佛言執金剛主此大呪法若在
世時同如來在以其能作佛所作事少有所作
成大福聚況多功用所獲善根假使百千億
那由他恒沙諸佛說不能盡佛眼所見不可為
喻不可量不可說執金剛主言以何因緣少
用功力成大福聚佛言諦聽當為汝說若比
丘比丘尼優婆塞優婆夷欲得滿足大功
德聚當依前法書寫此四大陁羅尼呪法之
王各九十九本然後於佛塔前造一方壇牛
糞塗地於壇四角置香水滿瓶香鑪布列以
供養鉢（盛香花水粳米）置於壇上及三味食（烏麻綠豆粳米和煮）
并三白食各置瓶中布於壇上種種菓子數
滿九十九并四種食一切所有及諸香花皆

BD00759 號　無垢淨光大陀羅尼經　（15–11）

[illegible]佛塔前造一方壇牛
糞塗地於壇四角置香水滿瓶香鑪布列以
供養鉢盛香花水椀等置於壇上及三味食烏麻緑豆粳米和煮
并三白食各置瓶中布於壇上種種菓子數
滿九十九并四種食一切所須及諸香花皆
置其上以陁羅尼咒置相輪橖中及塔四周
以咒王法置於塔內想十方佛至心誦念此
陁羅尼即說咒曰
南謨納婆納伐底喃怛他揭多俱胝喃一殑縩
地婆盧迦三摩喃二唵引三毗補麗毗未麗四鉢
囉伐麗五市耶上伐麗六薩囉薩囉七薩婆
怛他揭多馱都揭鞞八薩底丁取反地瑟恥帝
莎引訶九阿引耶表我反下同咄都飯尼莎引訶十薩
婆提婆耶婆訶耶須十一勃陁阿地瑟侘耶上
三摩也莎引訶
應燒香相續誦此陁羅尼咒二十八遍即時
八大菩薩八大夜叉王執金剛夜叉主四王帝
釋梵天王那羅延摩醯首羅各以自手共持
彼塔及相輪橖亦有九十九億百千那由他
恒河沙諸佛皆至其處加持彼塔安佛舍利
由加持故令塔猶如大摩尼寶是人由此則
為已造九十九億百千那由他諸大寶塔由
此當得廣大善根壽命延長身淨无垢衆病
災除障殄滅若見此塔者滅五逆罪聞塔
鈴聲消諸一切惡業捨身當生極樂世界若
有傳聞此塔名者當得阿鞞跋致下至鳥獸
得聞其聲雜畜生趣永不復受當得廣大

BD00759號　無垢淨光大陀羅尼經　（15–12）

災除障殄滅若見此塔者滅五逆罪聞塔
鈴聲消諸一切惡業捨身當生極樂世界若
有傳聞此塔名者當得阿鞞跋致下至鳥獸
得聞其聲雜畜生趣永不復受當得廣大
福德之聚
若復有人欲得滿足六波羅蜜者當作方壇
先牛糞塗後以淨土而覆其上灑以香湯滑
淨塗拭五供養鉢置於壇上寫前四種陁羅
尼咒各九十九本手作小塔滿九十九於此塔
中各置一本其相輪咒還置小塔相輪橖中
行列壇上以諸香花供養右旋遶七遍誦
此陁羅尼曰
南謨納婆納伐底喃怛他揭多一殑伽捺地婆
盧迦二俱胝那庾多設多索訶薩囉喃三唵
引四普怖哩五折里尼六折哩慕上哩忽哩六祛邏
跛上哩莎引訶
若依此法而受持者六波羅蜜悉皆成滿是
則同造九十九億百千那由他恒河沙等七
寶塔已是則供養九十九億百千那由他如來
應正等覺皆以諸天大供養雲種種莊嚴諸
天宮殿諸天供養具而為供養彼諸如來皆
悉憶念此善男女令其當得廣大善根福德
之聚若有於此咒王如法書寫受持讀誦供
養恭敬佩於身上以咒威力擁護是人令諸
怨家及怨朋黨一切夜叉羅剎富單那等皆
於此人不能為惡各懷恐怖逃散諸方若有

BD00759號　無垢淨光大陀羅尼經　（15–13）

養恭敬佩於身上以呪威力擁護是人令諸
怨家及怨朋黨一切夜叉羅刹富單那等皆
於此人不能爲惡各懷恐怖逃散諸方若有
得共彼人語之者得除滅五无間業若有
聞此人語聲或在其影或觸其身令彼一切
宿障重罪皆得消除所有諸毒不能爲害火
不能燒水不能漂厭禱邪魅不得其便雷電
霹靂无能驚嬈常爲諸佛而共加持一切如
來安慰護念諸天善神增其勢力非餘呪術
之所能制是故應當於一切處求此呪法寫
已置於當路塔中令往來衆下至鳥獸蜮蠅
蟻子皆得永離一切地獄及諸惡趣生諸天
宮常憶宿命至不退轉
尒時佛告除蓋障菩薩摩訶薩執金剛主四
王帝釋梵天王等及其眷屬那羅延天摩醯
首羅等言善男子我以此呪法之王付囑汝
等應當守護住持擁衛以肩荷擔寶篋藏之
於後時中莫令斷絶應善執持應善覆護授
與後世一切衆生令得見聞離五无間
是時除蓋障菩薩執金剛主四王帝釋梵天
王那羅延摩醯首羅及天龍八部等咸礼佛
足同聲自言我等已蒙世尊加護授此呪法
及造塔法咸皆守護住持讀誦書寫供養
爲護一切諸衆生故於後時分令彼衆生悉
得聞知不墮地獄及諸惡趣我等爲報如來
大恩威共守護令廣流通尊重恭敬如佛无

BD00759 號　無垢淨光大陀羅尼經　（15–14）

是時除蓋障菩薩執金剛主四王帝釋梵天
王那羅延摩醯首羅及天龍八部等咸礼佛
足同聲自言我等已蒙世尊加護授此呪法
及造塔法咸皆守護住持讀誦書寫供養
爲護一切諸衆生故於後時分令彼衆生悉
得聞知不墮地獄及諸惡趣我等爲報如來
大恩威共守護令廣流通尊重恭敬如佛无
異不令此法而有壞滅佛言善哉善哉汝等
乃能堅固守護住持如是陀羅尼法時諸大
衆聞佛說已歡喜奉行

无垢淨光大陀羅尼經

BD00759 號　無垢淨光大陀羅尼經　（15–15）

著　録　凡　例

本目録採用條目式著録法。諸條目意義如下：

1.1　著録編號。用漢語拼音首字“BD”表示，意為“北京圖書館藏敦煌遺書”，簡稱“北敦號”。文獻寫在背面者，標註為“背”。一件遺書上抄有多個文獻者，用數字1、2、3等標示小號。一號中包括幾件遺書，且遺書形態各自獨立者，用字母A、B、C等區別。

1.2　著録分類號。本條記目録暫不分類，該項空缺。

1.3　著録文獻的名稱、卷本、卷次。

1.4　著録千字文編號。

1.5　著録縮微膠卷號。

2.1　著録遺書的總體數據。包括長度、寬度、紙數、正面抄寫總行數與每行字數、背面抄寫總行數與每行字數。如該遺書首尾有殘破，則對殘破部分單獨度量，用加號加在總長度上。凡屬這種情況，長度用括弧標註。

2.2　著録每紙數據。包括每紙長度及抄寫行數或界欄數。

2.3　著録遺書的外觀。包括：（1）裝幀形式。（2）首尾存況。（3）護首、軸、軸頭、天竿、縹帶，經名是書寫還是貼簽，有無經名號，扉頁、扉畫。（4）卷面殘破情況及其位置。（5）尾部情況。（6）有無附加物（蟲繭、油污、線繩及其他）。（7）有無裱補及其年代。（8）界欄。（9）修整。（10）其他需要交待的問題。

2.4　著録一件遺書抄寫多個文獻的情況。

3.1　著録文獻首部文字與對照本核對的結果。

3.2　著録文獻尾部文字與對照本核對的結果。

3.3　著録録文。

3.4　著録對文獻的説明。

4.1　著録文獻首題。

4.2　著録文獻尾題。

5　著録本文獻與對照本的不同之處。

6.1　著録本遺書首部可與另一遺書綴接的編號。

6.2　著録本遺書尾部可與另一遺書綴接的編號。

7.1　著録題記、題名、勘記等。

7.2　著録印章。

7.3　著録雜寫。

7.4　著録護首及扉頁的内容。

8　著録年代。

9.1　著録字體。如有武周新字、合體字、避諱字等，予以説明。

9.2　著録卷面二次加工的情況。包括句讀、點標、科分、間隔號、行間加行、行間加字、硃筆、墨塗、倒乙、刪除、兑廢等。

10　著録敦煌遺書發現後，近現代人所加内容，裝裱、題記、印章等。

11　備註。著録揭裱互見、圖版本出處及其他需要説明的問題。

上述諸條，有則著録，無則空缺。

為避文繁，上述著録中出現的各種參考、對照文獻，暫且不列版本説明。全目結束時，將統一編制本條記目録出現的各種參考書目。

本條記目録為農曆年份標註其公曆紀年時，未經行歲頭年末之换算，請讀者使用時注意自行换算。

條　記　目　錄

BD00670—BD00759

1.1　BD00670 號
1.3　藥師瑠璃光如來本願功德經
1.4　日 070
1.5　030：0254
2.1　516×27.3 厘米；13 紙；300 行，行 17 字。
2.2　01：30.0，17；　02：40.5，24；　03：40.5，24；
04：40.5，24；　05：40.5，24；　06：40.5，24；
07：40.5，24；　08：40.8，24；　09：40.5，24；
10：40.5，24；　11：40.5，24；　12：40.7，24；
13：40.0，19。
2.3　卷軸裝。首殘尾全。首紙下部殘損嚴重。第 2 紙下邊有 1 處撕裂。卷背粘有鳥糞。有燕尾。有烏絲欄。已修整。
3.1　首殘→大正 450，14/404C20。
3.2　尾全→14/408B25。
4.2　藥師經（尾）。
8　7～8 世紀。唐寫本。
9.1　楷書。
11　圖版：《敦煌寶藏》，57/462A～469A。

1.1　BD00671 號
1.3　大般若波羅蜜多經卷三四四
1.4　日 071
1.5　084：2936
2.1　（0.9+303.8）×26 厘米；7 紙；183 行，行 17 字。
2.2　01：0.9+30.7，20；　02：45.5，28；　03：45.7，28；
04：45.7，28；　05：45.8，28；　06：45.8，28；
07：44.6，23。
2.3　卷軸裝。首殘尾全。有燕尾。有烏絲欄。已修整。
3.1　首殘→大正 220，6/768B9。
3.2　尾全→6/770B15。
4.2　大般若波羅蜜多經卷第三百卌四（尾）。
8　8～9 世紀。吐蕃統治時期寫本。
9.1　楷書。
11　圖版：《敦煌寶藏》，75/539B～543B。

1.1　BD00672 號
1.3　四分律比丘戒本
1.4　日 072
1.5　156：6887
2.1　143×27.8 厘米；4 紙；93 行，行 17 字。
2.2　01：46.0，30；　02：46.0，30；　03：46.0，30；
04：05.0，03。
2.3　卷軸裝。首脱尾斷。首紙上方有撕裂。有烏絲欄。已修整。
3.1　首殘→大正 1429，22/1020C28。
3.2　尾殘→22/1022A13。
8　9～10 世紀。歸義軍時期寫本。
9.1　楷書。
11　圖版：《敦煌寶藏》，102/380A～381B。

1.1　BD00673 號
1.3　七階禮懺文（擬）
1.4　日 073
1.5　305：8305
2.1　（12+270.5）×27.5 厘米；6 紙；150 行，行 18～19 字。
2.2　01：12+34，25；　02：49.5，27；　03：49.5，27；
04：49.5，27；　05：47.5，26；　06：40.5，18。
2.3　卷軸裝。首殘尾全。尾有餘空，未抄文字。第 2 紙上部有撕裂。尾紙殘破嚴重，與前紙紙質、字體不同。諸紙或有烏絲欄，或無。已修整。
3.4　説明：
本遺書首 6 行上下殘，尾缺。所抄為敦煌僧人日常作佛事所用的七階禮懺文。該禮懺文應時應地應機而有各種變化，形態複雜。敦煌遺書保存較多。
8　9～10 世紀。歸義軍時期寫本。
9.1　楷書。
9.2　有校改。有行間加行。有刪除號。有倒乙。

11　圖版：《敦煌寶藏》，109/593A～596B。

1.1　BD00674 號
1.3　妙法蓮華經卷三
1.4　日 074
1.5　105：5107
2.1　（15.3＋533.4＋1.9）×26.2 厘米；12 紙；331 行，行 17 字。
2.2　01：15.3＋28.3，26；　02：46.7，28；
03：46.6，28；　04：46.7，28；
05：46.4，28；　06：46.6，28；
07：46.4，28；　08：46.4，28；
09：46.5，28；　10：46.7，28；
11：47.0，28；　12：39.1＋1.9，25。
2.3　卷軸裝。首尾殘。首紙內有多處殘損，第 8、9 紙有殘洞，第 11、12 紙接縫處下開裂，尾紙後部有橫裂、殘損。卷面有等距離黴爛。下邊多黴點。有烏絲欄。已修整。
3.1　首 9 行上下殘→大正 262，9/21C22～27。
3.2　尾行下殘→9/26C10。
8　9～10 世紀。歸義軍時期寫本。
9.1　楷書。“愍”字避諱。
9.2　有硃筆校改。
11　圖版：《敦煌寶藏》，89/27B～35B。

1.1　BD00675 號
1.3　大般若波羅蜜多經卷三五六
1.4　日 075
1.5　084：2973
2.1　（2＋123.8）×25.8 厘米；4 紙；74 行，行 17 字。
2.2　01：2＋22，14；　02：47.2，28；　03：47.2，28；
04：07.4，04。
2.3　卷軸裝。首殘尾斷。第 1 紙上、下邊殘破，第 2 紙上邊呈三角形殘缺。有烏絲欄。已修整。
3.1　首行下殘→大正 220，6/832B3。
3.2　尾殘→6/833A19。
6.1　首→BD00549 號。
6.2　尾→BD00703 號。
8　8～9 世紀。吐蕃統治時期寫本。
9.1　楷書。
11　圖版：《敦煌寶藏》，76/1A～2B。

1.1　BD00676 號
1.3　大乘密嚴經（地婆訶羅本）卷中
1.4　日 076
1.5　040：0389
2.1　165.3×26 厘米；5 紙；88 行，行 17 字。
2.2　01：02.5，01；　02：48.5，28；　03：48.5，28；
04：48.3，28；　05：17.5，03。
2.3　卷軸裝。首殘尾全。下邊有等距離殘破。有燕尾。有烏絲欄。
3.1　首殘→大正 681，16/737B18。
3.2　尾全→16/738C16。
4.2　大乘密嚴經卷中（尾）。
6.1　首→BD00698 號。
8　7～8 世紀。唐寫本。
9.1　楷書。
9.2　有刮改。
11　圖版：《敦煌寶藏》，58/481A～483A。

1.1　BD00677 號
1.3　大般涅槃經（北本）卷三四
1.4　日 077
1.5　115：6502
2.1　（6.5＋167.1）×26 厘米；4 紙；103 行，行 17 字。
2.2　01：6.5＋24.5，19；　02：47.5，28；　03：47.5，28；
04：47.6，28。
2.3　卷軸裝。首殘尾脱。經黄紙。第 2 紙下撕裂，第 2、3 紙接縫上開裂。有烏絲欄。已修整。
3.1　首 4 行上下殘→374，12/565A12～16。
3.2　尾殘→12/566A25。
8　7～8 世紀。唐寫本。
9.1　楷書。
11　圖版：《敦煌寶藏》，99/620A～622A。

1.1　BD00678 號
1.3　沙彌戒文
1.4　日 078
1.5　187：7134
2.1　（2＋151）×27.7 厘米；4 紙；85 行，行 25 字。
2.2　01：2＋10，07；　02：47.0，28；　03：47.0，28；
04：47.0，22。
2.3　卷軸裝。首殘尾全。有烏絲欄。
3.4　説明：

本遺書所寫為沙彌受戒文書。首部已殘。存文包括從《沙彌十戒法并威儀》（大正 1471）中集出的《沙彌威儀》，含“沙彌事和尚法”、“沙彌事阿闍梨法”；從《遊心安樂道》（大正 1965）化出的“沙彌十念文”；出處待考的“佛部破三惡佛咒”。出於《四分律》、《五分律》、《十誦律》等律典的沙彌受戒儀，以及其他各種相關文獻。並非實用文獻，類似筆記雜抄。詳情如下：

第 1 行→大正 1471，24/927B19；24/927B20～21。

第 2 行→大正 1471，24/927B26～27。

第 3 行上→大正 1471，24/927B27、B21。

以上 2 行半文字錯訛竄亂，頗似雜寫。

第 3 行下～第 9 行上→大正 1471，24/927B28～C6。

第 9 行下～第 13 行上→大正 1471，24/927C10～15。

第 13 行下～第 18 行上（沙彌十念文）→大正 1965，47/114C13～22。

第 18 行下～第 20 行上（佛部破三惡佛咒）→出處待考。

第 20 行下：沙彌威儀一卷，出《四分》、《五分》、《十誦》律文。

第 21 行～第 46 行上→大正 1804，40/150A7～B15。

第 46 行下～第 52 行上→大正 1804，40/150B19～C1。

第 52 行下～第 64 行上→大正 1432，22/1048A9～23。

第 64 行下～第 65 行上：堅持禁戒防護身，三口四意三等業。勿令馳散精勤修，［修］學謹慎莫放逸。入布薩堂說偈文→出處待考。

第 65 行下～第 84 行：關於殺戒、婬戒、妄戒等的制戒因緣等。→出處待考。

第 85 行：沙彌戒文一卷。

4.2　沙彌戒文一卷（尾）。

8　8～9 世紀。吐蕃統治時期寫本。

9.1　楷書。

9.2　有倒乙。有刪節號“卜”及竪杠塗刪等兩種刪節方式。

11　圖版：《敦煌寶藏》，104/273B～275A。

1.1　BD00679 號

1.3　大般若波羅蜜多經卷三五六

1.4　日 079

1.5　084：2967

2.1　（7.3＋76.7＋1.8）×25.7 厘米；3 紙；51 行，行 17 字。

2.2　01：7.3＋26.5，20；　02：47.0，28；

03：3.2＋1.8，03。

2.3　卷軸裝。首尾均殘。第 1 紙上有縱向撕裂、上邊下邊殘破，第 2 紙下邊殘破。有烏絲欄。已修整。

3.1　首 4 行下殘→大正 220，6/831A1～4。

3.2　尾行下殘→6/831B22。

6.2　尾→BD00549 號。

8　8～9 世紀。吐蕃統治時期寫本。

9.1　楷書。

11　圖版：《敦煌寶藏》，75/653B～654B。

1.1　BD00680 號

1.3　無量壽宗要經

1.4　日 080

1.5　275：7702

2.1　220×30.5 厘米；5 紙；136 行，行 30 餘字。

2.2　01：44.0，27；　02：44.0，29；　03：44.0，29；

04：44.0，29；　05：44.0，22。

2.3　卷軸裝。首尾均全。卷首略殘。有烏絲欄。

3.1　首全→大正 936，19/82A3。

3.2　尾全→19/84C28。

4.1　大乘無量壽經（首）。

7.1　第 5 紙有題記“王宗”。

8　8～9 世紀。吐蕃統治時期寫本。

9.1　楷書。

11　圖版：《敦煌寶藏》，107/360B～363A。

1.1　BD00681 號

1.3　大乘稻竿經

1.4　日 081

1.5　058：0463

2.1　（3.2＋394.9）×27.5 厘米；9 紙；237 行，行 18 字。

2.2　01：3.2＋34.5，23；　02：46.5，28；　03：46.5，28；

04：46.3，28；　05：47.0，28；　06：47.0，28；

07：46.9，28；　08：47.0，28；　09：33.2，18；

2.3　卷軸裝。首殘尾全。未入潢。有烏絲欄。已修整。

3.1　首 3 行中下殘→大正 712，16/823B23～25。

3.2　尾全→16/826A27。

4.2　佛說大乘稻芊（竿）經（尾）。

8　8～9 世紀。吐蕃統治時期寫本。

9.1　楷書。

11　圖版：《敦煌寶藏》，59/257A～262A。

1.1　BD00682 號

1.3　妙法蓮華經卷五

1.4　日 082

1.5　105：5556

2.1　147.2×25.7 厘米；3 紙；84 行，行 17 字。

2.2　01：49.2，28；　02：49.0，28；　03：49.0，28。

2.3　卷軸裝。首尾均脫。有等距離變色。未入潢。有烏絲欄。

3.1　首殘→大正 262，9/38C2。

3.2　尾殘→9/39C18。

8　7～8 世紀。唐寫本。

9.1　楷書。

11　圖版：《敦煌寶藏》，93/17A～19A。

1.1　BD00683 號

1.3　賢劫經（十三卷本）卷八

1.4　日 083

1.5　069：0855

2.1　（7＋254.4）×27 厘米；6 紙；145 行，行 17 字。

2.2　01：7＋12，11；　02：48.6，28；　03：48.6，28；

04：48.6，28；　05：48.6，28；　06：48.0，22。

2.3　卷軸裝。首殘尾全。首紙殘缺，第 2 紙上下部殘損。卷首背面有污漬，似鳥糞。有烏絲欄。已修整。

3.1　首 4 行中下殘→大正 0425，14/0039A19～23。

3.2　尾全→14/0040C22。

4.2　賢劫經卷第八（尾）。
5　與《大正藏》本對照，分卷不同。
8　8～9 世紀。吐蕃統治時期寫本。
9.1　楷書。
11　圖版：《敦煌寶藏》，63/105A～108A。

1.1　BD00684 號
1.3　大智度論卷六四
1.4　日 084
1.5　218：7295
2.1　（3+479）×24 厘米；13 紙；286 行，行 17 字。
2.2　01：3+5，05；　02：40.0，25；　03：40.5，25；
04：40.5，25；　05：40.5，25；　06：40.5，25；
07：40.5，25；　08：40.5，25；　09：40.5，25；
10：40.5，25；　11：40.5，25；　12：40.5，25；
13：29.0，06。
2.3　卷軸裝。首殘尾全。卷面殘損，多裂痕。有烏絲欄。通卷現代托裱，裝為手卷。
3.1　首 2 行中殘→大正 1509，25/511B10。
3.2　尾全→25/514C23。
4.2　卷第六十四，第卅一品，第卅二品（尾）。
5　與《大正藏》本對照，品序不同。
7.1　卷尾下部有"用紙廿張"。
8　5～6 世紀。南北朝寫本。
9.1　隸楷。
9.2　有校改。有行間校加字。
11　圖版：《敦煌寶藏》，105/351A～357A。

1.1　BD00685 號
1.3　相好經
1.4　日 085
1.5　302：8299
2.1　（6+269）×26.9 厘米；6 紙；149 行，行 17～21 字。
2.2　01：6+21，14；　02：49.7，28；　03：49.6，28；
04：49.6，28；　05：49.5，28；　06：49.6，23。
2.3　卷軸裝。首殘尾全。第 1 紙上有縱向撕裂，下有橫向撕裂及橫向破裂，上邊殘破。卷前部有油污。已修整。
2.4　本遺書包括 2 個文獻：（一）《相好經》，149 行，抄寫在正面，今編為 BD0685 號。（二）白畫，畫在卷首背面，今編為 BD00685 號背。
3.1　首 3 行上下殘→《藏外佛教文獻》，3/第 430 頁第 12～13 行。
3.2　尾全→《藏外佛教文獻》，3/第 437 頁第 3 行。
4.2　相好經一卷（尾）。
8　9～10 世紀。歸義軍時期寫本。
9.1　楷書。
11　圖版：《敦煌寶藏》，109/573B～577B。

1.1　BD00685 號背
1.3　白畫（擬）
1.4　日 085
1.5　302：8299
2.4　本遺書由 2 個文獻組成，本號為第 2 個。餘參見 BD00685 號之第 2 項、第 11 項。
3.4　說明：
第 1 紙背面上部畫有女性供養人兩軀，下部畫有花卉。
8　9～10 世紀。歸義軍時期寫本。

1.1　BD00686 號
1.3　大般涅槃經（北本）卷一
1.4　日 086
1.5　115：6290
2.1　411.6×25.8 厘米；9 紙；244 行，行 17 字。
2.2　01：50.0，29；　02：50.0，29；　03：50.0，29；
04：50.0，29；　05：50.0，29；　06：50.0，29；
07：49.8，29；　08：49.8，29；　09：12.0，拖尾。
2.3　卷軸裝。首殘尾全。紙厚 0.18 毫米。尾有原軸，圓柱形軸頭。軸頭塗漆，醬色。第 7 紙有 1 殘洞。有烏絲欄。
3.1　首殘→大正 374，12/369A9。
3.2　尾全→12/371C8。
4.2　大般涅槃經卷第一（尾）。
6.1　首→BD00544 號。
8　9～10 世紀。歸義軍時期寫本。
9.1　楷書。"愍"字避諱，"民"字不避。
11　圖版：《敦煌寶藏》，97/586B～591B。

1.1　BD00687 號
1.3　首羅比丘見月光童子經
1.4　日 087
1.5　292：8275
2.1　（21.5+506.5）×26 厘米；12 紙；301 行，行 17 字。
2.2　01：21.5+11，18；　02：43.0，25；　03：43.0，25；
04：43.0，25；　05：43.0，25；　06：43.0，25；
07：43.0，25；　08：43.0，25；　09：43.0，25；
10：50.5，28；　11：50.5，28；　12：50.5，27。
2.3　卷軸裝。首殘尾全。經黃紙。打紙研光。卷首右上部殘缺，卷中紙間接縫處多有開裂。有烏絲欄。已修整。
3.1　首 12 行上殘→《法音》1988，12/0083B28～0084A04。
3.2　尾全→《法音》1988，12/0088A27。
4.2　首羅比丘經（尾）。
8　7～8 世紀。唐寫本。
9.1　楷書。
11　圖版：《敦煌寶藏》，109/486A～492B。

1.1　BD00688 號

1.3　大般若波羅蜜多經（兌廢稿）卷五七九
1.4　日 088
1.5　084：3375
2.1　46.6×26.1 厘米；1 紙；28 行，行 17 字。
2.3　卷軸裝。首尾均脫。有烏絲欄。
3.1　首殘→大正 220，7/996B27。
3.2　尾殘→7/996C25。
8　8～9 世紀。吐蕃統治時期寫本。
9.1　楷書。
9.2　有行間校加字。有行間加行。有墨筆塗抹。有刮改。上邊有"兌"字。
11　圖版：《敦煌寶藏》，77/443B。

1.1　BD00689 號
1.3　妙法蓮華經卷二
1.4　日 089
1.5　105：4770
2.1　589.2×25.8 厘米；14 紙；365 行，行 17 字。
2.2　01：33.8，21；　02：45.6，28；　03：44.8，28；
04：45.2，28；　05：45.2，28；　06：45.2，28；
07：45.4，28；　08：45.1，28；　09：45.2，28；
10：45.2，28；　11：45.3，28；　12：45.3，28；
13：45.0，28；　14：12.9，08。
2.3　卷軸裝。首脫尾殘。經黃紙，打紙。卷首正面、背面均有污痕。第 3、4 紙接縫處下開裂，13、14 紙接縫處上開裂，個別紙上邊下邊有殘損。卷尾背有污漬，似為鳥糞。有烏絲欄。已修整。
3.1　首殘→大正 262，9/13C19。
3.2　尾殘→9/19A11。
7.3　第 1、2 紙上方及首紙背面前端共有 3 處藏文雜寫。
8　7～8 世紀。唐寫本。
9.1　楷書。
11　圖版：《敦煌寶藏》，86/471A～478B。

1.1　BD00690 號
1.3　大般若波羅蜜多經卷五八二
1.4　日 090
1.5　084：3381
2.1　48.5×26.7 厘米；1 紙；29 行，行 17 字。
2.3　卷軸裝。首尾均脫。有烏絲欄。
3.1　首殘→大正 220，7/1010B24。
3.2　尾殘→7/1010C24。
7.1　卷端背面上有墨筆勘記"五百八十二"，為所抄文獻卷次。
8　8～9 世紀。吐蕃統治時期寫本。
9.1　楷書。
11　圖版：《敦煌寶藏》，77/456A。

1.1　BD00691 號
1.3　摩訶般若波羅蜜經卷二二
1.4　日 091
1.5　088：3455
2.1　48.6×25.7 厘米；2 紙；29 行，行 17 字。
2.2　01：01.6，01；　02：47.0，28。
2.3　卷軸裝。首斷尾脫。經黃紙，砑光打蠟。有烏絲欄。
3.1　首殘→大正 223，8/377B25。
3.2　尾殘→8/377C26。
8　7～8 世紀。唐寫本。
9.1　楷書。
9.2　有硃筆、墨筆校改。卷端有 1 行硃筆加行。
11　圖版：《敦煌寶藏》，78/66A～B。

1.1　BD00692 號
1.3　妙法蓮華經卷五
1.4　日 092
1.5　105：5443
2.1　（8＋1056.4）×25.9 厘米；22 紙；619 行，行 17 字。
2.2　01：8＋33.5，25；　02：49.0，29；　03：49.0，29；
04：49.0，29；　05：49.0，29；　06：49.0，29；
07：48.8，29；　08：48.8，29；　09：49.0，29；
10：48.9，29；　11：49.0，29；　12：48.8，29；
13：49.0，29；　14：49.0，29；　15：48.8，29；
16：48.8，29；　17：48.8，29；　18：48.8，29；
19：48.8，29；　20：48.8，29；　21：48.8，29；
22：45.0，14。
2.3　卷軸裝。首殘尾全。上下邊有殘缺。有烏絲欄。已修整。
3.1　首 5 行上下殘→大正 262，9/37A11—14。
3.2　尾全→9/46B14。
4.2　妙法蓮華經卷第五（尾）。
8　9～10 世紀。歸義軍時期寫本。
9.1　楷書。
11　圖版：《敦煌寶藏》，91/540B～555A。

1.1　BD00693 號 1
1.3　續命經
1.4　日 093
1.5　285：8247
2.1　184.2×27.9 厘米；4 紙；107 行，行 25～27 字。
2.2　01：46.5，26；　02：46.5，27；　03：45.7，27；
04：45.5，27；
2.3　卷軸裝。首尾全。第 3、4 紙接縫處下開裂，通卷下邊殘破。有烏絲欄。已修整。
2.4　本遺書包括 8 個文獻：（一）《續命經》，11 行，今編為 BD00693 號 1。（二）《解百生怨家陀羅尼經》，10 行，今編為 BD00693 號 2。（三）《延壽命經》，12 行，今編為 BD00693 號 3。

（四）《天請問經》，20 行，今編為 BD00693 號 4。（五）《般若波羅蜜多心經》，13 行，今編為 BD00693 號 5。（六）《造塔功德經》，20 行，今編為 BD00693 號 6。（七）《大乘四法經》，12 行，今編為 BD00693 號 7。（八）《十想經》，9 行，今編為 BD00693 號 8。
3.1　首全→大正 2889，85/1405A3。
3.2　尾全→85/1405A19。
4.1　佛說續命經（首）。
4.2　佛說續命經一卷（尾）。
8　9～10 世紀。歸義軍時期寫本。
9.1　楷書。
9.2　有行間校加字。有行間加行。有墨筆塗改。
11　圖版：《敦煌寶藏》，109/406A～408A。

1.1　BD00693 號 2
1.3　解百生怨家陀羅尼經
1.4　日 093
1.5　285：8247
2.4　本遺書由 8 個文獻組成，本號為第 2 個，10 行。餘參見 BD00693 號 1 之第 2 項、第 11 項。
3.4　說明：
本經篇幅甚短，但三分具足。形態與密教經典相同。經文謂持誦普光菩薩名號及念此陀羅尼可不為怨家相害。歷代經錄未見著錄，歷代大藏經不收。敦煌遺書中存有多號。參見《敦煌學大辭典》第 704 頁。
4.1　佛說解百生怨家陀羅尼經（首）。
4.2　佛說解百生怨家陀羅尼經一卷（尾）。
8　9～10 世紀。歸義軍時期寫本。
9.1　楷書。

1.1　BD00693 號 3
1.3　延壽命經（小本）
1.4　日 093
1.5　285：8247
2.4　本遺書由 8 個文獻組成，本號為第 3 個，12 行。餘參見 BD00693 號 1 之第 2 項、第 11 項。
3.4　說明：
本經為中國人所撰佛經。有序分、正宗分，無流通分。與敦煌遺書中所存同名疑偽經《延壽命經》（BD01866 號等）相比，篇幅較短，故稱“小本”。經文謂結黄縷、誦十七神名，可得延壽除患。隨身攜帶，可得眾神擁護等等。古代經錄著錄有“延壽命經”，是否此經，尚須研究。未為歷代大藏經所收。敦煌遺書中存有多號。參見《敦煌學大辭典》第 735 頁。
4.1　佛說延壽命經（首）。
4.2　佛說延壽命經一卷（尾）。
8　9～10 世紀。歸義軍時期寫本。
9.1　楷書。

1.1　BD00693 號 4
1.3　天請問經
1.4　日 093
1.5　285：8247
2.4　本遺書由 8 個文獻組成，本號為第 4 個，20 行。餘參見 BD00693 號 1 之第 2 項、第 11 項。
3.1　首全→大正 592，15/124B12。
3.2　尾全→15/125A7。
4.1　佛說天請問經（首）。
4.2　天請問經一卷（尾）。
8　9～10 世紀。歸義軍時期寫本。
9.1　楷書。
9.2　有行間校加字。

1.1　BD00693 號 5
1.3　般若波羅蜜多心經
1.4　日 093
1.5　285：8247
2.4　本遺書由 8 個文獻組成，本號為第 5 個，13 行。餘參見 BD00693 號 1 之第 2 項、第 11 項。
3.1　首全→大正 251，8/848C4。
3.2　尾全→8/848C24。
4.1　般若波羅蜜多心經（首）。
4.2　般若波羅蜜多心經一卷（尾）。
8　9～10 世紀。歸義軍時期寫本。
9.1　楷書。
9.2　有倒乙。

1.1　BD00693 號 6
1.3　造塔功德經
1.4　日 093
1.5　285：8247
2.4　本遺書由 8 個文獻組成，本號為第 6 個，20 行。餘參見 BD00693 號 1 之第 2 項、第 11 項。
3.1　首全→大正 699，16/801A10。
3.2　尾全→16/801B18。
4.1　造塔功德經，中天竺三藏法師地婆［訶］羅唐言日照奉敕譯（首）。
4.2　佛說造塔功德經一卷（尾）。
8　9～10 世紀。歸義軍時期寫本。
9.1　楷書。

1.1　BD00693 號 7
1.3　大乘四法經
1.4　日 093
1.5　285：8247
2.4　本遺書由 8 個文獻組成，本號為第 7 個，12 行。餘參見

BD00693 號 1 之第 2 項、第 11 項。

3.4 說明：

本經為印度大乘佛教經典。譯者不詳，應為法成。篇幅簡短，三分具足。文中論述大乘菩薩應終生修持的四種法門。未為歷代經錄著錄，亦未為歷代大藏經所收。敦煌遺書中存有多號，並存有世親著《大乘四法經釋》，及《大乘四法經廣釋》、《大乘四法經廣釋開決記》等復疏。敦煌遺書中還存有同名異本（伯 2350 號），行文略有差異。歷代大藏經中亦有異譯本兩種，還有同名異經一種。參見《敦煌學大辭典》第 696 頁。

4.1 佛說大乘四法經（首）。

4.2 四法經一卷（尾）。

8 9～10 世紀。歸義軍時期寫本。

9.1 楷書。

9.2 有塗抹校改，有行間校加字與行間加行。

1.1 BD00693 號 8

1.3 十想經

1.4 日 093

1.5 285：8247

2.4 本遺書由 8 個文獻組成，本號為第 8 個，9 行。餘參見 BD00693 號 1 之第 2 項、第 11 項。。

3.4 說明：

本經篇幅甚短，三分具足。謂佛臨涅槃教導諸比丘命終時應作“不染著想”等十想。本經未為歷代經錄著錄，亦未為歷代大藏經所收。敦煌遺書存有多號。

4.1 佛說十想經（首）。

4.2 十想經一卷（尾）。

8 9～10 世紀。歸義軍時期寫本。

9.1 楷書。

1.1 BD00694 號

1.3 妙法蓮華經卷七

1.4 日 094

1.5 105：5998

2.1 （2.5＋144.5＋16.5）×24.5 厘米；4 紙；91 行，行 17 字。

2.2 01：2.5＋15.5，10； 02：48.0，27； 03：49.0，27；
04：32＋16.5，27。

2.3 卷軸裝。首尾均殘。卷首殘破嚴重，通卷上下邊多處殘損，第 3 紙中間有橫撕裂，卷尾左上有殘缺。包中原附一殘片可與第 1 紙 5、6 行下相綴接。已修整綴接。

3.1 首行下殘→大正 262，9/56C21～22。

3.2 尾 9 行上殘→9/58A6～23。

8 9～10 世紀。歸義軍時期寫本。

9.1 楷書。

11 圖版：《敦煌寶藏》，96/293B～295B。

卷背揭下古代裱補紙 2 塊，為千字文習字雜寫，今編為 BD16590 號。

1.1 BD00695 號

1.3 佛名經（二十卷本）卷二〇

1.4 日 095

1.5 062：0599

2.1 （1.5＋245.2）×25 厘米；7 紙；132 行，行 17 字。

2.2 01：01.5，01； 02：40.0，21； 03：41.0，22；
04：41.2，22； 05：41.0，22； 06：41.0，22；
07：41.0，22。

2.3 卷軸裝。首殘尾脫。通卷上下有撕裂，第 2 紙中下部撕裂嚴重。第 6、7 紙接縫中部開裂。部分經文溢出界欄，抄寫到下邊。紙背有古代裱補紙。有烏絲欄。已修整。

3.4 說明：

本文獻為中國人編纂的佛經。未為歷代經錄所著錄，亦未為歷代大藏經所收。參見方廣錩《關於敦煌遺書〈佛說佛名經〉》。

7.3 上邊有硃筆、墨筆“ム”字各一處。

8 7～8 世紀。唐寫本。

9.1 楷書。

9.2 有行間校加字。

11 圖版：《敦煌寶藏》，60/254B～258A。

從背面揭下古代裱補紙 2 塊，今編為 BD16019 號、BD16020 號。

1.1 BD00696 號

1.3 佛垂般涅槃略說教誡經

1.4 日 096

1.5 132：6644

2.1 265.5×25.5 厘米；6 紙；143 行，行 17 字。

2.2 01：31.5，17； 02：50.5，28； 03：49.5，28；
04：50.0，28； 05：50.0，28； 06：34.0，14。

2.3 卷軸裝。首斷尾全。第 1 紙斷為兩截，第 1、2 紙間接縫處開裂。第 2 紙有豎裂。第 2、3 紙脫斷為兩截。尾有殘洞。卷面有黴斑。有燕尾。有烏絲欄。已修整。

3.1 首殘→大正 389，12/1110C23。

3.2 尾全→12/1112B21。

4.2 佛說教經一卷（尾）。

8 7～8 世紀。唐寫本。

9.1 楷書。

11 圖版：《敦煌寶藏》，101/62A～65B。

1.1 BD00697 號

1.3 四分比丘尼含注戒本（撮略本）卷上

1.4 日 097

1.5 165：7003

2.1 （2＋369.1）×27.5 厘米；10 紙；316 行，行 31 字。

2.2 01：2＋14.5，12； 02：39.5，35； 03：39.3，36；
04：39.5，35； 05：39.3，36； 06：39.5，35；
07：39.5，35； 08：39.5，35； 09：39.5，30；

10：39.0，27。
2.3 卷軸裝。首尾均殘。首紙上邊下邊殘破，卷尾經文未抄完，有餘空。第2紙正文硃筆，註文墨筆；第3紙以下正文筆畫較粗，註文筆畫較細。有烏絲欄。
3.4 説明：
本遺書首行中下殘，尾殘。乃撮略《四分比丘尼含注戒本》卷上的文字撰寫而成，故文字頗有參差。全文分爲兩段，兩段之間空烏絲欄6行。情況大體如下：
（一）第1行～第289行→大正1806，40/431A8～437A4。
（二）第290行～第316行→大正1806，40/436C17～437B10。
兩段文字中，40/436C17～437A4部分重合。
8 8～9世紀。吐蕃統治時期寫本。
9.1 楷書。
11 圖版：《敦煌寶藏》，103/349A～353B。

1.1 BD00698號
1.3 大乘密嚴經（地婆訶羅本）卷中
1.4 日098
1.5 040：0387
2.1 144×26厘米；3紙；83行，行17字。
2.2 01：48.5，28； 02：48.5，28； 03：47.0，27。
2.3 卷軸裝。首脱尾殘。第2紙上邊撕破，下邊有等距離殘缺。卷面有不規則針孔。有烏絲欄。
3.1 首脱→大正681，16/736B19。
3.2 尾殘→16/737B18。
6.2 尾→BD00676號。
8 7～8世紀。唐寫本。
9.1 楷書。
11 圖版：《敦煌寶藏》，58/477B～479B。

1.1 BD00699號
1.3 大般若波羅蜜多經卷三四一
1.4 日099
1.5 084：2921
2.1 （3+154.3+3.4）×25厘米；5紙；93行，行17字。
2.2 01：03.0，01； 02：47.8，28； 03：48.2，28； 04：48.0，28； 05：10.3+3.4，08。
2.3 卷軸裝。首尾均殘。未入潢。第2紙有殘洞、下有縱向撕裂及横向破裂，第4、5紙接縫處下開裂，通卷下邊殘破。有針孔。有烏絲欄。已修整。
3.1 首行中殘→大正220，6/748C12～13。
3.2 尾2行下殘→6/749C18～19。
6.2 尾→BD00860號。
7.1 第2紙背面有勘記“卅五”二字，為本文獻所屬帙次。
8 8～9世紀。吐蕃統治時期寫本。
9.1 楷書。
9.2 有校改。
11 圖版：《敦煌寶藏》，75/483B～485B。

1.1 BD00700號
1.3 摩訶般若波羅蜜經（兑廢稿）卷二六
1.4 日100
1.5 088：3468
2.1 240.6×27.6厘米；5紙；129行，行17字。
2.2 01：46.3，26； 02：48.1，27； 03：49.4，27； 04：49.2，27； 05：47.6，22。
2.3 卷軸裝。首尾均脱。尾紙尾端有撕裂殘損，尾部經文未抄完，尚有餘空。有烏絲欄。已修整。
3.1 首殘→大正223，8/414A8。
3.2 尾缺→8/415C3。
5 與《大正藏》本對照，品名品次均不同。
7.3 卷尾有雜寫：“卅九頭”3字。
8 8世紀。唐寫本。
9.1 楷書。
9.2 有行間校加字。
11 圖版：《敦煌寶藏》，78/133B～136B。

1.1 BD00701號
1.3 轉女身經
1.4 月001
1.5 048：0436
2.1 （5+313.6）×26.3厘米；8紙；186行，行17字。
2.2 01：5+5.5，06； 02：48.0，28； 03：48.0，28； 04：48.0，28； 05：48.0，28； 06：47.8，28； 07：47.8，28； 08：20.5，12。
2.3 卷軸裝。首尾皆殘。卷首殘破較甚，卷面殘損。背有古代裱補紙。有烏絲欄。
3.1 首3行中殘→大正564，14/915C29～916A2。
3.2 尾4行上中殘→14/918A16～20。
6.2 尾→BD00843號。
8 7～8世紀。唐寫本。
9.1 楷書。
11 圖版：《敦煌寶藏》，59/144A～148B。

1.1 BD00702號
1.3 金光明最勝王經卷七
1.4 月002
1.5 083：1847
2.1 138.6×26厘米；4紙；84行，行17字。
2.2 01：2.9，素紙； 02：45.5，28； 03：45.2，28； 04：45.0，28。
2.3 卷軸裝。首殘尾脱。第2紙末行空，未抄經文。有烏絲欄。
3.1 首缺→大正665，16/435B26。

3.2　尾殘→16/436B27。
6.1　首→BD00758 號。
6.2　尾→BD00525 號。
8　8～9 世紀。吐蕃統治時期寫本。
9.1　楷書。
9.2　有行間校加字。有刮改。
11　圖版：《敦煌寶藏》，70/320B～322A。

1.1　BD00703 號
1.3　大般若波羅蜜多經卷三五六
1.4　月 003
1.5　084：2974
2.1　（1.1＋111.1＋1.9）×25.8 厘米；3 紙；68 行，行 17 字。
2.2　01：1.1＋39，24；　02：47.1，28；　03：25＋1.9，16。
2.3　卷軸裝。首尾均殘。卷面有多處火星濺灼小洞及焦痕。有烏絲欄。
3.1　首行上殘→大正 220，6/833A20。
3.2　尾行上殘→6/833C29。
6.1　首→BD00675 號。
6.2　尾→BD00553 號。
8　8～9 世紀。吐蕃統治時期寫本。
9.1　楷書。
11　圖版：《敦煌寶藏》，76/3A～4A。

1.1　BD00704 號
1.3　大般若波羅蜜多經卷四九
1.4　月 004
1.5　084：2126
2.1　（7＋485.4）×26.1 厘米；11 紙；282 行，行 17 字。
2.2　01：7＋27.3，20；　02：47.6，28；　03：47.8，28；
04：48.2，28；　05：48.4，28；　06：48.0，28；
07：48.2，28；　08：47.8，28；　09：48.3，28；
10：48.2，28；　11：18.6，10。
2.3　卷軸裝。首殘尾全。前部紙變色。前 5 紙有殘洞，各接縫處有開裂，上下邊有撕裂處。第 1 紙背面有古代裱補。有烏絲欄。已修整。
3.1　首 4 行下殘→大正 220，5/276C12～16。
3.2　尾全→5/280A5。
4.2　大般若波羅蜜多經卷第卌九（尾）。
8　9～10 世紀。歸義軍時期寫本。
9.1　楷書。
11　圖版：《敦煌寶藏》，72/52B～58B。

1.1　BD00705 號
1.3　四分律比丘戒本
1.4　月 005
1.5　156：6816
2.1　496×25.5 厘米；13 紙；266 行，行 17 字。
2.2　01：28.0，13；　02：15.0，8；　03：41.5，23；
04：42.0，23；　05：42.0，23；　06：42.0，23；
07：42.0，23；　08：42.0，23；　09：42.0，23；
10：42.0，23；　11：33.5，18；　12：42.0，22；
13：42.0，21。
2.3　卷軸裝。首全尾脫。首 3 紙高 29.8 厘米，係後補。上下方有撕裂並有殘洞。尾端上方殘損。已修整。
3.1　首全→大正 1429，22/1015A18。
3.2　尾殘→22/1018C17。
4.1　四分戒本（首）。
8　9～10 世紀。歸義軍時期寫本。
9.1　楷書。
9.2　有硃筆、墨筆校加字。
11　圖版：《敦煌寶藏》，102/83A～89A。

1.1　BD00706 號
1.3　金光明最勝王經卷五
1.4　月 006
1.5　083：1711
2.1　（17.2＋613）×26.3 厘米；15 紙；399 行，行 17 字。
2.2　01：17.2＋21，25；　02：42.9，28；　03：42.7，28；
04：42.8，28；　05：42.8，28；　06：42.8，28；
07：43.0，28；　08：42.9，28；　09：42.9，28；
10：42.9，28；　11：42.9，28；　12：42.8，28；
13：42.8，28；　14：42.6，28；　15：35.2，10。
2.3　卷軸裝。首殘尾全。有等距離水漬，卷面有火燒殘洞。有燕尾。有烏絲欄。已修整。
3.1　首 11 行下殘→大正 665，16/422B29～C11。
3.2　尾全→16/427B13。
4.2　金光明最勝王經卷第五（尾）。
5　尾附音義。
8　8～9 世紀。吐蕃統治時期寫本。
9.1　楷書。
11　圖版：《敦煌寶藏》，69/353B～361A。

1.1　BD00707 號
1.3　金光明最勝王經卷六
1.4　月 007
1.5　083：1758
2.1　（347.6＋4.5）×27.6 厘米；9 紙；212 行，行 17 字。
2.2　01：22，護首；　02：42.7，26；　03：42.6，27；
04：42.7，26；　05：42.5，28；　06：42.6，28；
07：42.7，28；　08：42.3，28；　09：27.5＋4.5，21。
2.3　卷軸裝。首全尾殘。有護首。有烏絲欄。已修整。
3.1　首全→大正 665，16/427B16。
3.2　尾 3 行中殘→16/430A9～12。

4.1　金光明最勝王經四天王護國品第十二，六，三藏法師義淨奉制譯（首）。
7.4　護首有竹製天竿，有紺青紙經名簽，年久已褪色，上用金粉書寫經名，有縹帶繫孔，縹帶已失。經名作“大般若波羅蜜多經卷第五百八十三”。下墨書“五十九”，為該《大般若經》所屬帙次。此護首乃後配，故與寫卷本身內容不符。
8　8 世紀。唐寫本。
9.1　楷書。
11　圖版：《敦煌寶藏》，69/611A ~ 615B。

1.1　BD00708 號
1.3　大般若波羅蜜多經卷二六六
1.4　月 008
1.5　084：2718
2.1　（4.8 +432.1）×27.5 厘米；10 紙；259 行，行 17 字。
2.2　01：4.8 +24.3，18；　02：45.3，28；　03：45.5，28；
04：45.4，28；　05：45.3，28；　06：45.4，28；
07：45.3，28；　08：45.1，28；　09：45.3，28；
10：45.2，17。
2.3　卷軸裝。首殘尾全。未入潢。第 1 紙有縱向撕裂、下邊殘破，第 9 紙有橫向破裂、上邊殘破，第 10 紙上邊殘缺。有烏絲欄。已修整。
3.1　首 3 行下殘→大正 220，6/347C12 ~ 15。
3.2　尾全→6/350C9。
4.2　大般若波羅蜜多經卷第二百六十六（尾）。
8　8 ~ 9 世紀。吐蕃統治時期寫本。
9.1　楷書。
11　圖版：《敦煌寶藏》，74/512A ~ 517B。

1.1　BD00709 號
1.3　大乘入楞伽經卷二
1.4　月 009
1.5　038：0346
2.1　620.8 ×26.5 厘米；14 紙；359 行，行 17 字。
2.2　01：02.2，01；　02：47.2，28；　03：48.0，28；
04：47.8，28；　05：47.8，28；　06：48.2，28；
07：48.0，28；　08：48.2，28；　09：48.1，28；
10：48.1，28；　11：48.0，28；　12：48.3，28；
13：48.1，28；　14：42.8，22。
2.3　卷軸裝。首殘尾全。上下邊有殘破。尾有原軸，軸頭塗以紫紅色漆，上軸頭已斷。有烏絲欄。已修整。
3.1　首殘→大正 672，16/595C27。
3.2　尾全→16/600B14。
4.2　大乘入楞伽經卷第二（尾）。
8　7 ~ 8 世紀。唐寫本。
9.1　楷書。
9.2　有行間校加字。有刮改。
11　圖版：《敦煌寶藏》，58/225B ~ 234A。

1.1　BD00710 號
1.3　維摩詰所說經卷上
1.4　月 010
1.5　070：0976
2.1　（174.5 +3.5）×25.5 厘米；4 紙；106 行，行 16 ~ 18 字。
2.2　01：47.0，28；　02：47.0，28；　03：47.0，28；
04：33.5 +3.5，22。
2.3　卷軸裝。首脫尾殘。第 1、3、4 紙上邊有撕裂，第 2 紙上下邊有豎向撕裂。卷面有等距離變色，有似火灼殘洞。背有古代裱補紙 1 塊。有烏絲欄。已修整。
3.1　首殘→大正 475，14/542A14。
3.2　尾 2 行下殘→14/543B9 ~ 10。
8　9 ~ 10 世紀。歸義軍時期寫本。
9.1　楷書。
11　圖版：《敦煌寶藏》，64/222B ~ 225A。

1.1　BD00711 號
1.3　四分比丘尼戒本
1.4　月 011
1.5　157：6923
2.1　（576 +26.5）×28 厘米；16 紙；342 行，行 23 字。
2.2　01：18，護首；　02：43.5，25；　03：43.0，26；
04：10.0，06；　05：31.0，18；　06：47.0，27；
07：47.0，27；　08：47.0，27；　09：45.0，27；
10：26.0，18；　11：45.5，25；　12：45.0，25；
13：48.0，28；　14：19.0，12；　15：49.0，28；
16：12 +26.5，23。
2.3　卷軸裝。首全尾殘。有護首，已殘破，有竹製天竿。卷面殘破嚴重。第 2 至 6 紙下邊破損，5 紙下方撕裂，尾紙殘破。第 2、第 3、第 10 紙為後補。卷面有蟲繭，有等距離圓斑。有烏絲欄。已修整。
3.1　首全→大正 1431，22/1031A2。
3.2　尾 16 行上下殘→22/1038A22 ~ B6。
4.1　四分尼戒本（首）。
7.4　護首殘破，有經名“四分尼戒本一卷”，上有經名號。
8　9 ~ 10 世紀。歸義軍時期寫本。
9.1　楷書。
9.2　有行間校加字。
11　圖版：《敦煌寶藏》，102/563A ~ 570A。

1.1　BD00712 號
1.3　妙法蓮華經卷一
1.4　月 012
1.5　105：4605
2.1　（17.3 +240.6 +1.9）×26.5 厘米；7 紙；146 行，行 17

字。
2.2 01：17.3+19.5，21；　02：42.8，24；　03：42.8，24；
04：42.8，24；　05：42.9，24；　06：42.9，24；
07：6.9+1.9，05。
2.3 卷軸裝。首尾均殘。經黄紙。第2紙有1處殘洞。有烏絲欄。已修整。
3.1 首6行上殘→大正262，9/1C19~24。
3.2 尾行下殘→9/3C22。
8 7~8世紀。唐寫本。
9.1 楷書。
11 圖版：《敦煌寶藏》，85/74B~78A。
從卷背揭下古代裱補紙5塊，今編為BD16456號。

1.1 BD00713號
1.3 大般若波羅蜜多經卷四〇八
1.4 月013
1.5 084：3078
2.1 49.5×27.6厘米；1紙；27行，行17字。
2.3 卷軸裝。首尾均脱。卷中有殘洞。有烏絲欄。
3.1 首殘→大正220，7/43A7。
3.2 尾殘→7/43B5。
8 8~9世紀。吐蕃統治時期寫本。
9.1 楷書。
11 圖版：《敦煌寶藏》，76/330B~331A。

1.1 BD00714號A
1.3 正法念處經（兑廢稿）卷七
1.4 月014
1.5 134：6651
2.1 34.6×27.5厘米；2紙；19行，行20字。
2.2 01：07.0，04；　02：27.6，15。
2.3 卷軸裝。首斷尾全。上邊殘破。有烏絲欄。
3.1 首殘→大正721，17/41A8。
3.2 尾全→17/41B8。
4.2 正法念處經卷第七（尾）。
5 與《大正藏》本對照，文字有參差。
7.3 首行、上邊、下邊有《正法念處經》經名等雜寫多處。
8 8~9世紀。吐蕃統治時期寫本。
9.1 楷書。
11 圖版：《敦煌寶藏》，101/80B。

1.1 BD00714號B
1.3 正法念處經（兑廢稿）卷二五
1.4 月014
1.5 134：6654
2.1 48.5×27厘米；1紙；24行，行20字。
2.3 卷軸裝。首尾均脱。上下邊有殘缺。尾有餘空，未抄文字。有烏絲欄。
3.1 首殘→大正721，17/146C23。
3.2 尾闕→17/147B2。
7.3 背有雜寫兩個“爲”字。
8 8~9世紀。吐蕃統治時期寫本。
9.1 楷書。
9.2 右上端有兩個“兑”字。
11 圖版：《敦煌寶藏》，101/83A~B。

1.1 BD00714號C
1.3 正法念處經（兑廢稿）卷二六
1.4 月014
1.5 134：6655
2.1 48.8×27厘米；1紙；23行，行17字。
2.3 卷軸裝。首尾均脱。上邊有等距離殘破。尾有餘空，未抄文字。有烏絲欄。
3.1 首殘→大正721，17/150C14。
3.2 尾闕→17/151A14。
8 8~9世紀。吐蕃統治時期寫本。
9.1 楷書。
11 圖版：《敦煌寶藏》，101/84A~B。

1.1 BD00714號D
1.3 正法念處經（兑廢稿）卷四四
1.4 月014
1.5 134：6658
2.1 48.3×27厘米；1紙；26行，行17字。
2.3 卷軸裝。首全尾脱，有烏絲欄。
3.1 首全→大正721，17/259A9。
3.2 尾殘→17/259B17。
4.1 正法念處經天品之廿三，夜摩天之九，卌四（首）。
7.1 卷首背部上端有勘記“第五、六紙”幾字。
8 8~9世紀。吐蕃統治時期寫本。
9.1 楷書。
11 圖版：《敦煌寶藏》，101/88A~B。

1.1 BD00715號
1.3 金光明最勝王經卷七
1.4 月015
1.5 083：1831
2.1 224×26厘米；5紙；138行，行17字。
2.2 01：43.8，26；　02：45.0，28；　03：45.1，28；
04：45.1，28；　05：45.0，28。
2.3 卷軸裝。首尾均脱。有烏絲欄。已修整。
3.1 首全→大正665，16/432C13。
3.2 尾殘→16/434B18。
4.1 金光明最勝王經無染著陀羅尼品第十三，七，三藏法師義

淨奉制譯（首）。
6.2　尾→BD00758 號。
8　8～9 世紀。吐蕃統治時期寫本。
9.1　楷書。
9.2　有行間校加字。有刮改。
11　圖版：《敦煌寶藏》，70/268A～270B。

1.1　BD00716 號
1.3　金剛般若波羅蜜經
1.4　月 016
1.5　094：3748
2.1　（7＋492.4）×26 厘米；11 紙；273 行，行 17 字。
2.2　01：7＋28.2，20；　02：49.5，28；　03：49.7，28；
04：49.7，28；　05：49.8，28；　06：50.0，28；
07：50.0，28；　08：50.0，28；　09：50.0，28；
10：50.0，28；　11：15.5，01。
2.3　卷軸裝。首殘尾全。第 1、2 紙間接縫開裂，卷面多殘損。有烏絲欄，極淡，難以辨認。已修整。
3.1　首 4 行上、下殘→大正 235，8/749A29～B3。
3.2　尾全→8/752C3。
4.2　金剛般若波羅蜜經（尾）。
8　9～10 世紀。歸義軍時期寫本。
9.1　楷書。
9.2　有行間加行。有倒乙。
11　圖版：《敦煌寶藏》，84/152A～158B。

1.1　BD00717 號 1
1.3　金光明最勝王經卷一
1.4　月 017
1.5　083：1471
2.1　（11＋390.7）×26.8 厘米；9 紙；297 行，行字不等。
2.2　01：11＋39，37；　02：49.5，38；　03：49.6，37；
04：49.5，38；　05：49.3，37；　06：49.3，37；
07：49.5，37；　08：49.0，36；　09：6，拖尾。
2.3　卷軸裝。首殘尾全。首部上邊殘缺，有殘洞。卷尾殘破嚴重。有燕尾。已修整。
2.4　本遺書包括 2 個文獻：（一）《金光明最勝王經》卷一，75 行，今編為 BD00717 號 1。（二）金光明最勝王經卷二，222 行，今編為 BD00717 號 2。
3.1　首 8 行中上殘→大正 665，16/406C4～20。
3.2　尾全→16/408A28。
4.2　金光明最勝王經卷第一（尾）。
5　尾附音義。
9.2　卷中有硃筆校補。
8　8～9 世紀。吐蕃統治時期寫本。
9.1　楷書。
11　圖版：《敦煌寶藏》，68/28B～33B。

1.1　BD00717 號 2
1.3　金光明最勝王經卷二
1.4　月 017
1.5　083：1471
2.4　本遺書由 2 個文獻組成，本號為第 2 個，222 行。餘參見 BD00717 號 1 之第 2 項、第 11 項。
3.1　首全→大正 665，16/408B2。
3.2　尾全→16/413C6。
4.1　金光明最勝王經分別三身品第三，二，三藏法師義淨奉制譯（首）。
4.2　［金光明最勝王］經卷第二（尾）。
8　8～9 世紀。吐蕃統治時期寫本。
9.1　楷書。
9.2　有行間加行。有硃筆校補。

1.1　BD00718 號
1.3　大佛頂如來頂髻白蓋陀羅尼神咒
1.4　月 018
1.5　263：7670
2.1　169.6×28.6 厘米；4 紙；110 行，行字不等。
2.2　01：41.5，29；　02：41.7，30；　03：41.5，29；
04：44.9，22。
2.3　卷軸裝。首尾均全。第 1、2 紙有殘洞，第 1 紙有橫向撕裂、橫向破裂、下邊殘缺，第 2 紙上下有縱向撕裂。第 1 紙有 1 塊殘片，可以對接，修整時已綴接。尾有餘空。已修整。
3.4　說明：
本文獻未爲我國歷代大藏經所收。
4.1　大佛頂如來頂髻白蓋陀羅尼神咒（首）。
8　8～9 世紀。吐蕃統治時期寫本。
9.1　楷書。
9.2　有行間校加字。
11　圖版：《敦煌寶藏》，107/282A～284A。

1.1　BD00719 號
1.3　妙法蓮華經卷七
1.4　月 019
1.5　105：6055
2.1　523.2×26 厘米；12 紙；294 行，行 17 字。
2.2　01：14.5，8；　02：48.7，28；　03：48.5，28；
04：48.5，28；　05：48.5，28；　06：48.5，28；
07：48.5，28；　08：48.5，28；　09：48.5，28；
10：48.5，28；　11：48.5，28；　12：23.5，06。
2.3　卷軸裝。首斷尾全。有燕尾。有烏絲欄。
3.1　首殘→大正 262，9/58B8。
3.2　尾全→9/62B1。
4.1　妙法蓮華經陀羅尼品第廿六（首）。
4.2　妙法蓮經卷第七（尾）。

5　本號首行之“妙法蓮華經陀羅尼品第廿六”實為品題，而非本卷首題。
8　9～10世紀。歸義軍時期寫本。
9.2　有刮改。
9.1　楷書。
11　圖版：《敦煌寶藏》，96/396B～403B。

1.1　BD00720號
1.3　大般若波羅蜜多經卷一六三
1.4　月020
1.5　084：2420
2.1　235.5×25.5厘米；6紙；134行，行17字。
2.2　01：44.5，27；　02：46.5，28；　03：46.5，28；
04：44.3，28；　05：44.2，23；　06：9.5，拖尾。
2.3　卷軸裝。首殘尾全。第1紙有横向破裂，第2紙下邊有殘洞，第3、4紙下邊有殘破。接縫較粗糙。有烏絲欄。已修整。
3.1　首殘→大正220，5/879B25。
3.2　尾全→5/881A12。
4.2　大般若波羅蜜多經卷第一百六十三（尾）。
8　8～9世紀。吐蕃統治時期寫本。
9.1　楷書。
11　圖版：《敦煌寶藏》，73/245B～248B。

1.1　BD00721號
1.3　金剛般若波羅蜜經
1.4　月021
1.5　094：3997
2.1　410.6×27.5厘米；13紙；195行，行17字。
2.2　01：32.7，16；　02：32.5，16；　03：32.5，16；
04：32.4，16；　05：32.3，16；　06：32.3，16；
07：32.2，16；　08：32.5，15；　09：32.6，15；
10：32.2，16；　11：31.5，15；　12：32.4，14；
13：22.5，08。
2.3　卷軸裝。首殘尾全。背有裱補紙2塊。紙色黄艷，墨色浮，纖維浮扎。折疊欄。
3.1　首殘→大正235，8/750A16。
3.2　尾全→8/752C3。
4.2　金剛般若波羅蜜經一卷（尾）。
8　似7～8世紀。唐寫本。
9.1　楷書。
9.2　有粘貼改字。
11　圖版：《敦煌寶藏》，81/446B～451B。

1.1　BD00722號A
1.3　大般若波羅蜜多經（兑廢稿）卷三〇七
1.4　月022
1.5　084：2845
2.1　46.5×27.4厘米；1紙；22行，行17字。
2.3　卷軸裝。首脱尾缺。有殘洞，下有縱向撕裂，上邊下邊殘缺。有烏絲欄。末有6行餘空。已修整。
3.1　首殘→大正220，6/566B9。
3.2　尾殘→6/566C1。
8　8～9世紀。吐蕃統治時期寫本。
9.1　楷書。
9.2　上邊有一“兑”字。
11　圖版：《敦煌寶藏》，75/228A。

1.1　BD00722號B
1.3　無量壽宗要經
1.4　月022
1.5　275：8147
2.1　43×26厘米；1紙；26行，行18字。
2.3　卷軸裝。首尾均脱。上下邊有撕裂殘缺，中間有殘洞。有烏絲欄。已修整。
3.1　首殘→大正936，19/83C18。
3.2　尾殘→19/84A16。
8　8～9世紀。吐蕃統治時期寫本。
9.1　楷書。
11　圖版：《敦煌寶藏》，109/141A～B。

1.1　BD00723號
1.3　金剛般若波羅蜜經
1.4　月023
1.5　094：4239
2.1　（3.8+205.4）×27.5厘米；5紙；116行，行17字。
2.2　01：3.8+52.3，31；　02：50.0，28；　03：50.0，28；
04：49.3，28；　05：03.8，01。
2.3　卷軸裝。首殘尾全。卷面有殘洞，上下邊有殘破，卷尾殘破嚴重。卷尾上端有蟲繭。有烏絲欄。
3.1　首行上下殘→大正235，8/751A19。
3.2　尾全→8/752C3。
4.2　金剛般若波羅蜜經（尾）。
8　9～10世紀。歸義軍時期寫本。
9.1　楷書。
11　圖版：《敦煌寶藏》，82/479B～482A。

1.1　BD00724號
1.3　大般涅槃經（北本）卷三八
1.4　月024
1.5　115：6518
2.1　125.5×30厘米；3紙；113行，行29字。
2.2　01：42.0，38；　02：41.5，40；　03：42.0，35。
2.3　卷軸裝。首尾均脱。未入潢。尾有餘空，經文不全。非正規抄經。有竪欄，無上下邊欄。

3.1　首殘→大正 374，12/588A7。
3.2　尾缺→12/590A18。
8　9～10 世紀。歸義軍時期寫本。
9.1　楷書。
9.2　有行間校加字。有校改。
11　圖版：《敦煌寶藏》，100/73A～74B。

1.1　BD00725 號
1.3　妙法蓮華經卷一
1.4　月 025
1.5　105：4685
2.1　163.9×27.5 厘米；4 紙；91 行，行 20 字（偈）。
2.2　01：49.0，28；　02：49.0，28；　03：48.6，28；
04：17.3，07。
2.3　卷軸裝。首脫尾全。尾紙下邊殘損。有烏絲欄。
3.1　首殘→大正 262，9/8B15。
3.2　尾全→9/10B21。
4.2　妙法蓮華經卷第一（尾）。
8　8 世紀。唐寫本。
9.1　楷書。
11　圖版：《敦煌寶藏》，85/277A～279A。

1.1　BD00726 號
1.3　大般若波羅蜜多經卷八六
1.4　月 026
1.5　084：2238
2.1　（17.6+74）×25.5 厘米；3 紙；57 行，行 17 字。
2.2　01：01.6，01；　02：16+28，28；　03：46.0，28。
2.3　卷軸裝。首殘尾脫。第 2 紙橫向殘破。第 2 紙背面有古代裱補。有烏絲欄。已修整。
3.1　首 11 行下殘→大正 220，5/478C17～28。
3.2　尾殘→5/479B16。
7.3　第 2 紙背裱補紙上有雜寫一字。另裱補紙上粘有一小塊殘紙，上有佛經殘字"空"。
8　8～9 世紀。吐蕃統治時期寫本。
9.1　楷書。
11　圖版：《敦煌寶藏》，72/400A～401A。

1.1　BD00727 號
1.3　四分律戒本疏卷三
1.4　月 027
1.5　169：7051
2.1　（1+57.5+1.5）×27 厘米；2 紙；45 行，行 26 字。
2.2　01：1+13，11；　02：44.5+1.5，34。
2.3　卷軸裝。首尾均殘。有烏絲欄。
3.1　首 1 行上下殘→大正 2787，85/597A28～B1。
3.2　尾 1 行上中殘→85/598A11～13。
6.1　首→BD00590 號。
6.2　尾→BD00659 號。
8　8～9 世紀。吐蕃統治時期寫本。
9.1　楷書。
11　圖版：《敦煌寶藏》，104/22A～B。

1.1　BD00728 號
1.3　大般若波羅蜜多經（兌廢稿）卷二五六
1.4　月 028
1.5　084：2674
2.1　43.5×26.9 厘米；1 紙；26 行，行 17 字。
2.3　卷軸裝。首脫尾斷。有殘洞，上邊殘破。有烏絲欄。已修整。
3.1　首殘→大正 220，6/296C22。
3.2　尾殘→6/297A20。
8　8～9 世紀。吐蕃統治時期寫本。
9.1　楷書。
9.2　上邊有一"兌"字。
11　圖版：《敦煌寶藏》，74/407B。

1.1　BD00729 號
1.3　妙法蓮華經（八卷本）卷六
1.4　月 029
1.5　105：5596
2.1　（2.5+706+1.5）×25.5 厘米；16 紙；416 行，行 17 字。
2.2　01：2.5+8.8，6；　02：47.5，28；　03：47.5，28；
04：47.5，28；　05：47.5，28；　06：47.5，28；
07：47.5，28；　08：47.9，28；　09：48.0，28；
10：48.0，28；　11：48.0，28；　12：48.0，28；
13：48.0，28；　14：47.8，28；　15：48.0，28；
16：28.5+1.5，18。
2.3　卷軸裝。首尾均殘。紙張變色。卷面多斑點。全卷多處破損。有烏絲欄。已修整。
3.1　首行上中殘→大正 262，9/42C24。
3.2　尾行上殘→9/49C1～2。
5　與《大正藏》本對照。分卷不同，相當於《大正藏》本卷五"如來壽量品"第十六前部開始至卷六"法師功德品"第十九後部。為八卷本。
8　9～10 世紀。歸義軍時期寫本。
9.1　楷書。
9.2　有校改。
11　圖版：《敦煌寶藏》，93/270A～280B。

1.1　BD00730 號
1.3　大般若波羅蜜多經卷三五六
1.4　月 030
1.5　084：2977

2.1　140×25.8 厘米；3 紙；77 行，行 17 字。
2.2　01：47.3，28；　02：46.4，28；　03：46.3，21。
2.3　卷軸裝。首脫尾全。上邊略殘。有燕尾。有烏絲欄。已修整。
3.1　首殘→大正 220，6/835B9。
3.2　尾全→6/836A28。
4.2　大般若波羅蜜經卷第三百五十六（尾）。
6.1　首→BD00614 號。
8　8～9 世紀。吐蕃統治時期寫本。
9.1　楷書。
11　圖版：《敦煌寶藏》，76/8A～9B。

1.1　BD00731 號
1.3　維摩詰所說經卷中
1.4　月 031
1.5　070：1153
2.1　101×26 厘米；3 紙；58 行，行 17 字。
2.2　01：28.5，16；　02：48.5，28；　03：24.0，14。
2.3　卷軸裝。首尾均斷。有烏絲欄。
3.1　首殘→大正 475，14/546A13。
3.2　尾殘→14/546C18。
6.1　首→BD00733 號。
8　8～9 世紀。吐蕃統治時期寫本。
9.1　楷書。
9.2　有刮改。
11　圖版：《敦煌寶藏》，65/486B～487B。

1.1　BD00732 號
1.3　妙法蓮華經卷五
1.4　月 032
1.5　105：5546
2.1　49.1×25.7 厘米；1 紙；28 行，行 17 字。
2.3　卷軸裝。首尾均脫。麻紙，未入潢。有烏絲欄。
3.1　首殘→大正 262，9/37C15。
3.2　尾殘→9/38A22。
8　7～8 世紀。唐寫本。
9.1　楷書。
11　圖版：《敦煌寶藏》，93/2B～3A。

1.1　BD00733 號
1.3　維摩詰所說經卷中
1.4　月 033
1.5　070：1099
2.1　90.5×26 厘米；3 紙；52 行，行 17 字。
2.2　01：21.0，12；　02：48.5，28；　03：21.0，12。
2.3　卷軸裝。首尾均殘。有烏絲欄。已修整。
3.1　首殘→大正 475，14/545B16。
3.2　尾行中下殘→14/546A12～13。
6.2　尾→BD00731 號。
8　8～9 世紀。吐蕃統治時期寫本。
9.1　楷書。
11　圖版：《敦煌寶藏》，65/329A～330A。

1.1　BD00734 號
1.3　大般若波羅蜜多經卷七六
1.4　月 034
1.5　084：2217
2.1　（2+111.2）×25.7 厘米；3 紙；68 行，行 17 字。
2.2　01：2+22.1，14；　02：47.4，28；　03：41.7+2，26。
2.3　卷軸裝。首尾均殘。有烏絲欄。
3.1　首行中殘→大正 220，5/430B8。
3.2　尾行下殘→5/431A18。
6.1　首→BD00746 號。
6.2　尾→BD00736 號。
8　8～9 世紀。吐蕃統治時期寫本。
9.1　楷書。
9.2　有刮改。
11　圖版：《敦煌寶藏》，72/314B～316A。

1.1　BD00735 號
1.3　金光明最勝王經卷三
1.4　月 035
1.5　083：1624
2.1　（2.5+321.5+2）×26 厘米；8 紙；188 行，行 17 字。
2.2　01：2.5+19.5，12；　02：48.3，28；　03：48.5，28；
04：48.5，28；　05：48.2，28；　06：48.5，28；
07：48.0，28；　08：12+2，08。
2.3　卷軸裝。首尾均殘。上邊殘破，下邊油污變色。有烏絲欄。已修整。
3.1　首行上殘→大正 665，16/415A2。
3.2　尾行中殘→16/417A23～24。
8　8～9 世紀。吐蕃統治時期寫本。
9.1　楷書。
11　圖版：《敦煌寶藏》，69/14A～18A。

1.1　BD00736 號
1.3　大般若波羅蜜多經卷七六
1.4　月 036
1.5　084：2218
2.1　（1.5+69.9）×25.8 厘米；3 紙；37 行，行 17 字。
2.2　01：1.5+3.7，3；　02：47.2，28；　03：19.0，06。
2.3　卷軸裝。首殘尾全。尾有原軸，軸杆兩端塗硃漆，軸頭已損壞。有燕尾。有烏絲欄。
3.1　首行上殘→大正 220，5/431A18。

3.2　尾全→5/431B25。
4.2　大般若波羅蜜多經卷第七十六（尾）。
6.1　首→BD00734 號。
8　8～9 世紀。吐蕃統治時期寫本。
9.1　楷書。
11　圖版：《敦煌寶藏》，72/316B～317A。

1.1　BD00737 號
1.3　灌頂章句拔除過罪生死得度經
1.4　月 037
1.5　250：7512
2.1　（4.7＋214.3）×26 厘米；5 紙；131 行，行 17 字。
2.2　01：4.7＋26.8，19；　02：46.8，28；　03：47.0，28；
04：46.9，28；　05：46.8，28。
2.3　卷軸裝。首殘尾脱。麻紙。首紙文下有撕裂殘損，第 2、第 3 紙前方下部撕缺。有烏絲欄。已修整。
3.1　首 3 行上下殘→大正 1331，21/534B19～22。
3.2　尾殘→21/536A9。
8　7～8 世紀。唐寫本。
9.1　楷書。
11　圖版：《敦煌寶藏》，106/539A～541B。

1.1　BD00738 號
1.3　妙法蓮華經卷五
1.4　月 038
1.5　105：5523
2.1　（1.7＋75.7）×25.7 厘米；2 紙；45 行，行 17 字。
2.2　01：1.7＋27，17；　02：48.7，28。
2.3　卷軸裝。首殘尾脱。首紙殘破變色，卷中有等距離水漬。有烏絲欄。已修整。
3.1　首行上下殘→大正 262，9/37A19～20。
3.2　尾殘→9/37C15。
8　7～8 世紀。唐寫本。
9.1　楷書。
11　圖版：《敦煌寶藏》，92/624B～625B。

1.1　BD00739 號
1.3　佛名經（十六卷本）卷九
1.4　月 039
1.5　063：0693
2.1　（5＋1064.5）×26 厘米；23 紙；612 行，行 17 字。
2.2　01：5＋24，17；　02：48.3，28；　03：48.3，28；
04：48.5，28；　05：48.5，28；　06：48.5，28；
07：48.5，28；　08：48.5，28；　09：48.5，28；
10：48.5，28；　11：48.3，28；　12：48.3，28；
13：48.5，28；　14：48.5，28；　15：48.5，28；
16：48.5，28；　17：48.3，28；　18：48.5，28；
19：48.5，28；　20：48.5，28；　21：48.5，28；
22：48.5，28；　23：23.0，07。
2.3　卷軸裝。首殘尾全。經黄紙，打紙。首紙上下方撕裂，上邊有等距離殘缺，卷面有污漬，尾端中部横向撕裂。有烏絲欄。已修整。
3.1　首 3 行下殘→《七寺古逸經典研究叢書》，3/第 430 頁第 10 行。
3.2　尾全→《七寺古逸經典研究叢書》，3/第 480 頁第 654 行。
4.2　佛名經卷第九（尾）。
8　7～8 世紀。唐寫本。
9.1　楷書。
9.2　有硃筆校改。
11　圖版：《敦煌寶藏》，61/313A～327B。

1.1　BD00740 號
1.3　金剛般若波羅蜜經
1.4　月 040
1.5　094：4060
2.1　（17＋323.5）×25 厘米；8 紙；191 行，行 17 字。
2.2　01：17＋24.2，24；　02：48.5，28；　03：47.5，28；
04：48.1，28；　05：48.5，28；　06：48.5，28；
07：46.0，27；　08：12.2，拖尾。
2.3　卷軸裝。首殘尾全。第 1～3 紙有横裂，第 3 紙中部原已脱斷，後粘接時字迹有所覆蓋。卷面多處裂紋。有烏絲欄。已修整。
3.1　首 10 行下中殘→大正 235，8/750A24～B6。
3.2　尾全→8/752C2。
8　7～8 世紀。唐寫本。
9.1　楷書。
9.2　有硃筆斷句。有硃筆校改。
11　圖版：《敦煌寶藏》，81→647B～651B。

1.1　BD00741 號
1.3　四分律戒本疏卷三
1.4　月 041
1.5　169：7056
2.1　（1.5＋90.5＋2.5）×26.8 厘米；4 紙；70 行，行 29 字。
2.2　01：01.5，01；　02：46.0，34；　03：44.5＋1.5，34；
04：02.5，01。
2.3　卷軸裝。首尾均殘。卷面有火星灼洞及若干灼痕。有烏絲欄。已修整。
3.1　首 1 行下殘→大正 2787，85/603B20～22。
3.2　尾 3 行上下殘→85/605A3～8。
6.1　首→BD00599 號。
6.2　尾→BD00469 號。
8　8～9 世紀。吐蕃統治時期寫本。
9.1　楷書。

11　圖版：《敦煌寶藏》，104/29A～30A。

1.1　BD00742 號
1.3　維摩詰所說經卷中
1.4　月 042
1.5　070：1120
2.1　(2+56+9) ×25.5 厘米；3 紙；37 行，行 17 字。
2.2　01：2+6，04；　02：50.0，28；　03：09.0，05。
2.3　卷軸裝。首尾均殘。麻紙。第 1 紙殘破，第 2 紙下邊有等距離殘缺。背有古代裱補紙。有烏絲欄。已修整。
3.1　首行下殘→大正 475，14/544B21～22。
3.2　尾 4 行下殘→14/544C26～29。
8　7～8 世紀。唐寫本。
9.1　楷書。
9.2　有行間校加字。有删除號。
11　圖版：《敦煌寶藏》，65/381B～382A。

1.1　BD00743 號
1.3　佛母經
1.4　月 043
1.5　123：6628
2.1　(6+90.3) ×24.7 厘米；3 紙；49 行，行 17 字。
2.2　01：6+27.3，18；　02：50.2，28；　03：12.8，03。
2.3　卷軸裝。首殘尾全。卷首碎損，尾紙脫落。有燕尾。有烏絲欄。
3.1　首 3 行上殘→《藏外佛教文獻》，1/第 380 頁第 4 行。
3.2　尾全→《藏外佛教文獻》，1/第 381 頁第 21 行。
4.2　大般涅槃經佛母品（尾）。
8　7～8 世紀。唐寫本。
9.1　楷書。
11　圖版：《敦煌寶藏》，101/1A～2B。

1.1　BD00744 號
1.3　妙法蓮華經卷三
1.4　月 044
1.5　105：5055
2.1　(161.9+16.7) ×26.4 厘米；5 紙；88 行，行 17 字。
2.2　01：21.8，護首；　02：49.3，27；　03：49.2，28；
04：41.6+7.1，28；　05：09.6，05。
2.3　卷軸裝。首全尾殘。有護首，有竹製天竿，並殘留 12 厘米土黄色絲帶，有經名。第 3、4 紙有殘洞，卷尾碎損嚴重。有烏絲欄。
3.1　首全→大正 262，9/19A14。
3.2　尾 9 行殘→9/20A24～B6。
4.1　妙法蓮華經藥草喻品第五，三（首）。
7.4　護首經名作“妙法蓮華經第三”，上有不規範經名號。
8　8 世紀。吐蕃統治時期寫本。
9.1　楷書。
11　圖版：《敦煌寶藏》，88/401B～404A。

1.1　BD00745 號
1.3　妙法蓮華經卷二
1.4　月 045
1.5　105：4953
2.1　(2.8+99.4) ×27.7 厘米；3 紙；59 行，行 17 字。
2.2　01：02.8，02；　02：50.3，29；　03：49.1，28。
2.3　卷軸裝。首尾均殘。因卷背粘損，正面經文損“勤言”兩字，粘於卷背。有烏絲欄。
3.1　首 2 行下殘→大正 262，9/16C18～20。
3.2　尾殘→9/17B24。
8　7～8 世紀。唐寫本。
9.1　楷書。
9.2　有行間校加字。有校改。
11　圖版：《敦煌寶藏》，87/315B～316B。

1.1　BD00746 號
1.3　大般若波羅蜜多經卷七六
1.4　月 046
1.5　084：2216
2.1　117.8×25.7 厘米；3 紙；69 行，行 17 字。
2.2　01：47.0，28；　02：46.8，27；　03：24.0，14。
2.3　卷軸裝。首脫尾殘。第 1 紙有殘洞及横向撕裂。有烏絲欄。已修整。
3.1　首殘→大正 220，5/429B27。
3.2　尾殘→5/430B8。
6.1　首→BD04376 號。
6.2　尾→BD00734 號。
7.1　第 1 紙背有勘記“八”，為本文獻所屬帙次。
8　8～9 世紀。吐蕃統治時期寫本。
9.1　楷書。
9.2　有行間校加字。
11　圖版：《敦煌寶藏》，72/312B～314A。

1.1　BD00747 號
1.3　妙法蓮華經卷六
1.4　月 047
1.5　105：5658
2.1　(1.5+1061.5) ×26.7 厘米；22 紙；597 行，行 17 字。
2.2　01：1.5+40，25；　02：50.5，28；　03：49.0，28；
04：49.0，28；　05：49.0，28；　06：49.2，28；
07：49.0，28；　08：49.0，28；　09：49.4，28；
10：49.0，28；　11：49.4，28；　12：49.4，29；
13：49.5，28；　14：49.5，28；　15：49.5，28；
16：49.7，28；　17：49.8，29；　18：49.6，28；

19：49.2，28；　20：45.7，27；　21：38.6，22；
22：48.5，17。
2.3　卷軸裝。首殘尾全。尾有原軸，軸頭鑲嵌螺鈿花瓣。第 2 紙與第 3 紙接縫處上部有破洞。上邊有等距離水漬及黴斑。有燕尾。有烏絲欄。已修整。
3.1　首 1 行上殘→大正 262，9/46B23。
3.2　尾全→9/55A9。
4.2　妙法蓮華經卷第六（尾）。
8　9～10 世紀。歸義軍時期寫本。
9.1　楷書。
9.2　有刮改。
11　圖版：《敦煌寶藏》，93/566A～579A。

1.1　BD00748 號
1.3　妙法蓮華經卷二
1.4　月 048
1.5　105：4860
2.1　290.2×26.3 厘米；6 紙；168 行，行 17 字。
2.2　01：48.4，28；　02：48.4，28；　03：48.4，28；
04：48.5，28；　05：48.2，28；　06：48.3，28。
2.3　卷軸裝。首尾均脫。未入潢。第 5、6 紙接縫處有開裂，卷尾殘破。有烏絲欄，甚淡甚細。
3.1　首殘→大正 262，9/11C25。
3.2　尾殘→9/14A15。
8　7～8 世紀。唐寫本。
9.1　楷書。
11　圖版：《敦煌寶藏》，87/105B～109A。

1.1　BD00749 號
1.3　大般涅槃經（北本）卷一一
1.4　月 049
1.5　115：6344
2.1　753.3×27.3 厘米；17 紙；451 行，行 17 字。
2.2　01：46.3，28；　02：46.0，28；　03：46.0，28；
04：46.0，28；　05：46.0，28；　06：46.0，28；
07：46.0，28；　08：46.3，28；　09：46.2，28；
10：46.3，28；　11：46.0，28；　12：46.2，28；
13：46.0，28；　14：46.2，28；　15：46.0，28；
16：45.8，28；　17：16.0，03。
2.3　卷軸裝。首殘尾全。上下邊殘損。第 15 紙為兌廢稿。有烏絲欄。
3.1　首殘→大正 374，12/428C16。
3.2　尾全→12/432C19。
4.2　大般涅槃經卷第十一（尾）。
8　9～10 世紀。歸義軍時期寫本。
9.1　楷書。第 15 紙兌廢。
11　圖版：《敦煌寶藏》，98/305B～315A。

本號第 15 紙係錯抄後廢棄，自第 16 紙起重抄。故第 15 紙後有餘空，但未割截下來。

1.1　BD00750 號
1.3　無量壽宗要經
1.4　月 050
1.5　275：7703
2.1　138.5×32 厘米；3 紙；91 行，行 30 餘字。
2.2　01：46.5，32；　02：46.5，32；　03：45.5，27。
2.3　卷軸裝。首尾均全。第 1 紙下邊有殘缺。有烏絲欄。
3.1　首全→大正 936，85/82A3。
3.2　尾全→85/84C29。
4.1　大乘無量壽經（首）。
4.2　佛說無量壽宗要經（尾）。
8　8～9 世紀。吐蕃統治時期寫本。
9.1　楷書。
9.2　有倒乙。有校改。
11　圖版：《敦煌寶藏》，107/363B～365A。

1.1　BD00751 號
1.3　維摩詰所說經卷中
1.4　月 051
1.5　070：1137
2.1　（22＋735）×26.5 厘米；19 紙；427 行，行 17 字。
2.2　01：11.5，05；　02：10.5＋31，24；　03：42.0，24；
04：42.0，24；　05：42.0，24；　06：42.0，24；
07：42.0，24；　08：42.0，24；　09：42.0，24；
10：42.0，24；　11：42.0，24；　12：42.0，24；
13：42.0，24；　14：42.0，24；　15：42.0，24；
16：42.0，24；　17：42.0，24；　18：42.0，24；
19；32.0，14。
2.3　卷軸裝。首殘尾全。打紙。第 7 紙下邊有撕裂，第 19 紙尾有橫撕裂。下邊有殘破。有烏絲欄。已修整。
3.1　首 12 行下殘→大正 475，14/546A23～B7。
3.2　尾全→14/551C27。
4.2　維摩詰經卷中（尾）。
8　7～8 世紀。唐寫本。
9.1　楷書。
11　圖版：《敦煌寶藏》，65/412B～422B。

1.1　BD00752 號
1.3　大般若波羅蜜多經卷五八九
1.4　月 052
1.5　084：3394
2.1　93.3×25 厘米；2 紙；54 行，行 17 字。
2.2　01：45.3，26；　02：48.0，28。
2.3　卷軸裝。首全尾脫。首紙內有 1 處殘損，上邊下邊有殘損，

卷面有多處橫裂。背面有古代裱補。有烏絲欄。已修整。
3.1 首全→大正 220，7/1044B13。
3.2 尾行殘→7/1045A12。
4.1 大般若波羅蜜多經卷第五百八十九/第十三安忍波羅蜜多分，三藏法師玄奘奉詔譯/（首）。
8 8~9 世紀。吐蕃統治時期寫本。
9.1 楷書。
11 圖版：《敦煌寶藏》，77/468A~469A。

1.1 BD00753 號
1.3 金剛般若波羅蜜經
1.4 月 053
1.5 094：4178
2.1 268.5×26.5 厘米；6 紙；141 行，行 17 字。
2.2 01：49.0，28； 02：49.0，28； 03：49.0，28；
04：49.0，28； 05：49.0，28； 06：23.5，01。
2.3 卷軸裝。首脱尾全。上邊有殘缺。有烏絲欄。
3.1 首殘→大正 235，8/750C20。
3.2 尾全→8/752C2。
4.2 金剛經一卷（尾）。
7.3 下邊有雜寫“一切”。卷末有藏文兩行，行 15~25 字母，為咒文：na－mo－ba－ga－ba－te，par－zhang－vang－tea－ri－te－a－ri－teau－shl－ri－au－shi－rishu－ro－ta－sha－ro－tabi－she－ye－bi－she－yeswa－ha。
8 8~9 世紀。吐蕃統治時期寫本。
9.1 楷書。
11 圖版：《敦煌寶藏》，82/322A~325A。
參見《北京敦煌寫卷中所包含的藏文文獻》，第 131 頁。

1.1 BD00754 號
1.3 金剛般若波羅蜜經
1.4 月 054
1.5 094：3961
2.1 （30.5＋388）×27 厘米；10 紙；226 行，行 17 字。
2.2 01：16.5，01； 02：14＋35，28； 03：49.0，28；
04：49.0，28； 05：49.0，28； 06：49.0，28；
07：49.0，28； 08：49.0，28； 09：49.0，28；
10：10，01。
2.3 卷軸裝。首殘尾全。卷首右下殘缺一塊，第 2~4 紙、第 5~9 紙間接縫處均有開裂，卷自第 9、10 紙間接縫處脫斷爲兩截，第 3 紙有横豎裂。卷面有殘洞、裂痕，下邊有殘缺。有烏絲欄。已修整。
3.1 首 9 行下殘→大正 235，8/749C19~28。
3.2 尾全→8/752C3。
4.2 金剛般若波羅蜜經（尾）。
8 9~10 世紀。歸義軍時期寫本。
9.1 楷書。
11 圖版：《敦煌寶藏》，81/339B~344B。

1.1 BD00755 號
1.3 摩訶般若波羅蜜經（四十卷本）卷三四
1.4 月 055
1.5 088：3457
2.1 （24.1＋452.2）×25.5 厘米；12 紙；280 行，行 17 字。
2.2 01：24.1＋3.4，16； 02：40.9，24； 03：40.6，24；
04：40.9，24； 05：41.1，24； 06：40.8，24；
07：40.6，24； 08：40.6，24； 09：40.8，24；
10：40.8，24； 11：41.0，24； 12：40.7，24。
2.3 卷軸裝。首殘尾脫。首紙上邊下邊有殘損，油污嚴重；個别紙接縫處下開裂。上邊有殘缺，下邊有黴斑。有烏絲欄。已修整。
3.1 首 14 行下殘→大正 223，8/384A14~B1。
3.2 尾殘→8/387B19。
5 與《大正藏》本對照，分卷、品名、品次均不同。經文相當於第二十三卷三次品第七十五後部分與一念品第七十六之前部分。但本號在《大正藏》本“一念品第七十六”品題位置，標註為“一心具萬行品第七十五”。品名與日本《聖語藏》本相同。本經的《聖語藏》本為四十卷本，而本號應為卷三十四。故依據《聖語藏》本定其卷次。
8 7~8 世紀。唐寫本。
9.1 楷書。
11 圖版：《敦煌寶藏》，78/74B~80B。

1.1 BD00756 號
1.3 妙法蓮華經卷二
1.4 月 056
1.5 105：4799
2.1 144.9×26.4 厘米；3 紙；80 行，行 16~18 字。
2.2 01：47.8，26； 02：48.6，27； 03：48.5，27。
2.3 卷軸裝。首全尾脫。上邊有等距離油污。首紙前端有 1 殘洞，下方殘損，背面有古代裱補。有烏絲欄。已修整。
3.1 首全→大正 262，9/10B24。
3.2 尾殘→9/11C26。
4.1 妙法蓮華經辟喻品第三，二（首）。
8 7~8 世紀。唐寫本。
9.1 楷書。
11 圖版：《敦煌寶藏》，86/622A~624A。

1.1 BD00757 號
1.3 金剛般若波羅蜜經
1.4 月 057
1.5 094：3974
2.1 345.6×26 厘米；8 紙；207 行，行 18~19 字。
2.2 01：23.5，15； 02：46，28； 03：46.1，28；

04：46.0，28；　05：46.0，28；　06：46.1，28；
07：45.9，28；　08：46.0，24。
2.3　卷軸裝。首殘尾全。麻紙。卷面有殘洞。第6紙有豎裂，第7、8紙間接縫處開裂，第8紙有斜裂。有烏絲欄。已修整。
3.1　首殘→大正235，8/750A4。
3.2　尾全→8/752C3。
4.2　金剛般若波羅蜜經（尾）。
8　7~8世紀。唐寫本。
9.1　楷書。
11　圖版：《敦煌寶藏》，81/370B~374B。

1.1　BD00758號
1.3　金光明最勝王經卷七
1.4　月058
1.5　083：1839
2.1　132.9×26厘米；3紙；83行，行17字。
2.2　01：45.2，28；　02：45.2，28；　03：42.5，27。
2.3　卷軸裝。首尾均殘。有烏絲欄。
3.1　首脫→大正665，16/434B18。
3.2　尾行上殘→16/435B26。
6.1　首→BD00715號。
6.2　尾→BD00702號。
7.3　第2紙下邊有雜寫2字："細豆"。
8　8~9世紀。吐蕃統治時期寫本。
9.1　楷書。
9.2　有行間校加字。有刮改。
11　圖版：《敦煌寶藏》，70/294B~296A。

1.1　BD00759號
1.3　無垢淨光大陀羅尼經
1.4　月059
1.5　236：7384
2.1　(3.5+564.3)×27.4厘米；12紙；319行，行17字。
2.2　01：3.5+37.9，23；　02：47.8，29；　03：47.8，28；
04：47.8，28；　05：47.7，28；　06：47.8，29；
07：47.8，28；　08：47.8，28；　09：47.5，28；
10：47.8，28；　11：47.9，28；　12：48.7，14。
2.3　卷軸裝。首殘尾全。首紙前方有1殘洞，上下有撕裂殘損；尾紙尾端下邊殘損。有烏絲欄。已修整。
3.1　首行下殘→大正1024，19/717C11。
3.2　尾全→19/721B12。
4.2　無垢淨光大陀羅尼經（尾）。
8　9~10世紀。歸義軍時期寫本。
9.1　楷書。
11　圖版：《敦煌寶藏》，106/1A~8B。

新舊編號對照表

一、千字文號與北敦號、縮微膠卷號對照表

千字文號	北敦號	縮微膠卷號
日 070	BD00670 號	030:0254
日 071	BD00671 號	084:2936
日 072	BD00672 號	156:6887
日 073	BD00673 號	305:8305
日 074	BD00674 號	105:5107
日 075	BD00675 號	084:2973
日 076	BD00676 號	040:0389
日 077	BD00677 號	115:6502
日 078	BD00678 號	187:7134
日 079	BD00679 號	084:2967
日 080	BD00680 號	275:7702
日 081	BD00681 號	058:0463
日 082	BD00682 號	105:5556
日 083	BD00683 號	069:0855
日 084	BD00684 號	218:7295
日 085	BD00685 號	302:8299
日 085	BD00685 號背	302:8299
日 086	BD00686 號	115:6290
日 087	BD00687 號	292:8275
日 088	BD00688 號	084:3375
日 089	BD00689 號	105:4770
日 090	BD00690 號	084:3381
日 091	BD00691 號	088:3455
日 092	BD00692 號	105:5443
日 093	BD00693 號 1	285:8247
日 093	BD00693 號 2	285:8247
日 093	BD00693 號 3	285:8247
日 093	BD00693 號 4	285:8247
日 093	BD00693 號 5	285:8247
日 093	BD00693 號 6	285:8247
日 093	BD00693 號 7	285:8247
日 093	BD00693 號 8	285:8247
日 094	BD00694 號	105:5998
日 095	BD00695 號	062:0599
日 096	BD00696 號	132:6644
日 097	BD00697 號	165:7003
日 098	BD00698 號	040:0387
日 099	BD00699 號	084:2921
日 100	BD00700 號	088:3468
月 001	BD00701 號	048:0436
月 002	BD00702 號	083:1847
月 003	BD00703 號	084:2974
月 004	BD00704 號	084:2126
月 005	BD00705 號	156:6816
月 006	BD00706 號	083:1711
月 007	BD00707 號	083:1758
月 008	BD00708 號	084:2718
月 009	BD00709 號	038:0346
月 010	BD00710 號	070:0976
月 011	BD00711 號	157:6923
月 012	BD00712 號	105:4605
月 013	BD00713 號	084:3078
月 014	BD00714 號 A	134:6651
月 014	BD00714 號 B	134:6654
月 014	BD00714 號 C	134:6655
月 014	BD00714 號 D	134:6658
月 015	BD00715 號	083:1831
月 016	BD00716 號	094:3748
月 017	BD00717 號 1	083:1471
月 017	BD00717 號 2	083:1471
月 018	BD00718 號	263:7670
月 019	BD00719 號	105:6055
月 020	BD00720 號	084:2420
月 021	BD00721 號	094:3997
月 022	BD00722 號 A	084:2845
月 022	BD00722 號 B	275:8147
月 023	BD00723 號	094:4239
月 024	BD00724 號	115:6518

月 025	BD00725 號	105:4685
月 026	BD00726 號	084:2238
月 027	BD00727 號	169:7051
月 028	BD00728 號	084:2674
月 029	BD00729 號	105:5596
月 030	BD00730 號	084:2977
月 031	BD00731 號	070:1153
月 032	BD00732 號	105:5546
月 033	BD00733 號	070:1099
月 034	BD00734 號	084:2217
月 035	BD00735 號	083:1624
月 036	BD00736 號	084:2218
月 037	BD00737 號	250:7512
月 038	BD00738 號	105:5523
月 039	BD00739 號	063:0693
月 040	BD00740 號	094:4060
月 041	BD00741 號	169:7056
月 042	BD00742 號	070:1120
月 043	BD00743 號	123:6628
月 044	BD00744 號	105:5055
月 045	BD00745 號	105:4953
月 046	BD00746 號	084:2216
月 047	BD00747 號	105:5658
月 048	BD00748 號	105:4860
月 049	BD00749 號	115:6344
月 050	BD00750 號	275:7703
月 051	BD00751 號	070:1137
月 052	BD00752 號	084:3394
月 053	BD00753 號	094:4178
月 054	BD00754 號	094:3961
月 055	BD00755 號	088:3457
月 056	BD00756 號	105:4799
月 057	BD00757 號	094:3974
月 058	BD00758 號	083:1839
月 059	BD00759 號	236:7384

二、縮微膠卷號與北敦號、千字文號對照表

縮微膠卷號	北敦號	千字文號
030:0254	BD00670 號	日 070
038:0346	BD00709 號	月 009
040:0387	BD00698 號	日 098
040:0389	BD00676 號	日 076
048:0436	BD00701 號	月 001
058:0463	BD00681 號	日 081
062:0599	BD00695 號	日 095
063:0693	BD00739 號	月 039
069:0855	BD00683 號	日 083
070:0976	BD00710 號	月 010
070:1099	BD00733 號	月 033
070:1120	BD00742 號	月 042
070:1137	BD00751 號	月 051
070:1153	BD00731 號	月 031
083:1471	BD00717 號 1	月 017
083:1471	BD00717 號 2	月 017
083:1624	BD00735 號	月 035
083:1711	BD00706 號	月 006
083:1758	BD00707 號	月 007
083:1831	BD00715 號	月 015
083:1839	BD00758 號	月 058
083:1847	BD00702 號	月 002
084:2126	BD00704 號	月 004
084:2216	BD00746 號	月 046
084:2217	BD00734 號	月 034
084:2218	BD00736 號	月 036
084:2238	BD00726 號	月 026
084:2420	BD00720 號	月 020
084:2674	BD00728 號	月 028
084:2718	BD00708 號	月 008
084:2845	BD00722 號 A	月 022
084:2921	BD00699 號	日 099
084:2936	BD00671 號	日 071
084:2967	BD00679 號	日 079
084:2973	BD00675 號	日 075
084:2974	BD00703 號	月 003
084:2977	BD00730 號	月 030
084:3078	BD00713 號	月 013
084:3375	BD00688 號	日 088
084:3381	BD00690 號	日 090
084:3394	BD00752 號	月 052
088:3455	BD00691 號	日 091
088:3457	BD00755 號	月 055
088:3468	BD00700 號	日 100
094:3748	BD00716 號	月 016
094:3961	BD00754 號	月 054

094:3974	BD00757 號	月 057
094:3997	BD00721 號	月 021
094:4060	BD00740 號	月 040
094:4178	BD00753 號	月 053
094:4239	BD00723 號	月 023
105:4605	BD00712 號	月 012
105:4685	BD00725 號	月 025
105:4770	BD00689 號	日 089
105:4799	BD00756 號	月 056
105:4860	BD00748 號	月 048
105:4953	BD00745 號	月 045
105:5055	BD00744 號	月 044
105:5107	BD00674 號	日 074
105:5443	BD00692 號	日 092
105:5523	BD00738 號	月 038
105:5546	BD00732 號	月 032
105:5556	BD00682 號	日 082
105:5596	BD00729 號	月 029
105:5658	BD00747 號	月 047
105:5998	BD00694 號	日 094
105:6055	BD00719 號	月 019
115:6290	BD00686 號	日 086
115:6344	BD00749 號	月 049
115:6502	BD00677 號	日 077
115:6518	BD00724 號	月 024
123:6628	BD00743 號	月 043
132:6644	BD00696 號	日 096
134:6651	BD00714 號 A	月 014
134:6654	BD00714 號 B	月 014
134:6655	BD00714 號 C	月 014
134:6658	BD00714 號 D	月 014
156:6816	BD00705 號	月 005
156:6887	BD00672 號	日 072
157:6923	BD00711 號	月 011
165:7003	BD00697 號	日 097
169:7051	BD00727 號	月 027
169:7056	BD00741 號	月 041
187:7134	BD00678 號	日 078
218:7295	BD00684 號	日 084
236:7384	BD00759 號	月 059
250:7512	BD00737 號	月 037
263:7670	BD00718 號	月 018
275:7702	BD00680 號	日 080
275:7703	BD00750 號	月 050
275:8147	BD00722 號 B	月 022
285:8247	BD00693 號 1	日 093
285:8247	BD00693 號 2	日 093
285:8247	BD00693 號 3	日 093
285:8247	BD00693 號 4	日 093
285:8247	BD00693 號 5	日 093
285:8247	BD00693 號 6	日 093
285:8247	BD00693 號 7	日 093
285:8247	BD00693 號 8	日 093
292:8275	BD00687 號	日 087
302:8299	BD00685 號	日 085
302:8299	BD00685 號背	日 085
305:8305	BD00673 號	日 073